501 GRANDES ARTISTAS

Grijalbo

Título original: *501 Great Artists*

© 2008, Quintessence
© 2009, Random House Mondadori, S.A., por la presente edición.
  Travessera de Gràcia, 47-49. 08021 Barcelona
© 2009, Ferran Alaminos Escoz, Fernando Davín Pérez, Ana Guelbenzu
  de San Eustaquio , Fernando Nápoles Tapia, Mercedes Vaquero
  Granados, por la traducción

Primera edición: marzo de 2010

Edición del proyecto	Victoria Wiggins, Chrissy Williams
Redacción	Rebecca Gee, Lucinda Hawksley
Búsqueda iconográfica	Jo Walton
Diseño	Rod Teasdale
Dirección editorial	Jane Laing
Edición	Tristan de Lancey

Fotomecánica: Compaginem

ISBN: 978-84-253-4383-4

Impreso por Toppan Leefung Printers Ltd. en China

GR 43834

ÍNDICE DE ARTISTAS

ÍNDICE DE ARTISTAS

PREFACIO

Por Geoff Dyer

¿No aparece Van Gogh? ¿Ni Leonardo? ¿Tampoco Poussin? Parece increíble...

Tan solo era una broma. Todos ellos están aquí, ocupando un lugar preeminente junto con otros 498 colegas y rivales.

La cuestión que se plantea al principio de este libro —y probablemente también al final— es si 501 artistas son o no demasiados. Parece una buena cantidad. Incluso algunos de los seleccionados en esta obra eran desconocidos para mí, y hay bastantes más cuyo nombre me resultaba familiar, aunque no sus obras. Esta combinación de familiaridad y sorpresa será compartida —intuyo— por muchos lectores, y se trata quizá de uno de los placeres que deparará la lectura de este libro. El alcance de la obra es ambicioso, tanto desde el punto de vista geográfico como cronológico. Se inicia en la China de hace un milenio y finaliza en Irán, con una artista nacida en 1974, un recordatorio de que la palabra «artista» no tiene por qué ir precedida de forma invisible o tácita, ni en el título ni en la concepción de la obra, por la palabra «occidental».

Es un lugar común el hecho de que el arte no mejora con el tiempo —y es extraño que a veces cueste incluso admitir la segunda parte del razonamiento, la de que tampoco empeora—. Algunas de las obras de arte más antiguas irradian una energía primigenia sin parangón. Lo que cambia es la forma en que esa indudable calidad llega a manifestarse.

Sujeto a las fluctuaciones de la historia, encontramos en ocasiones que el arte de un determinado período —o de un artista en concreto— parece estar más en consonancia con el presente que otros. No obstante, podría haber cierta unanimidad acerca de los criterios de selección de artistas del pasado utilizados por Stephen Farthing: en cierto sentido, se trata de algo tautológico. Con el paso del tiempo, los artistas que no se han asegurado un lugar en el canon simplemente se desvanecen. Las cosas son aún más relativas conforme nos acercamos a las páginas finales, y cabe pensar en cómo juzgaría el arte del presente alguien que concibiese un libro similar dentro de doscientos años. Mientras leemos estas líneas, los artistas siguen compitiendo entre sí para ocupar los últimos asientos libres en el tren de la posteridad. Aquí, la pregunta de si 501 son demasiados artistas adquiere una nueva dimensión. Los 501 seleccionados, ¿son simplemente grandes, o también los más grandes?

Geoff Dyer
Londres, Inglaterra, junio de 2008
Premio Infinity al escritor especializado en fotografía del ICP

INTRODUCCIÓN

Por Stephen Farthing, editor

Cuando Paul Cézanne afirmó que «El hombre debe permanecer en la sombra; el placer debe hallarse en la obra», probablemente imaginaba una época en que la audiencia estaba tan interesada en la vida de los artistas que su arte se reducía a poco más que una sesión de diapositivas. No obstante, sospecho que el equilibrio entre el valor del objeto y el de su creador ha desempeñado siempre un papel importante en el juego, y que las personalidades y estilos de vida de algunos artistas han apasionado a sus mecenas tanto o más que el propio arte que adquirían.

Dicho esto, es perfectamente posible vivir, amar y gozar del arte sin necesidad de conocer su historia, es decir, prescindiendo del cuándo, del dónde, del cómo, del porqué e incluso del quién. Poca gente sería capaz de reconocer inmediatamente qué autor español pintó *La metamorfosis de Narciso*, pero muchos conocen su nombre: Salvador Dalí. Al fin y al cabo, la historia del arte se reduce a las personas: escritores, mecenas, coleccionistas, artistas, y finalmente el espectador. Sin ellos, no existe el arte.

Aunque haya venido al mundo de esta forma, *501 grandes artistas* es más que una simple lista de nombres; es un viaje narrativo que describe el rostro cambiante del arte colocando en orden cronológico las historias de algunos de sus protagonistas.

Tanto si lo hallamos recogido en el mayor superventas del Renacimiento, las *Vidas de los más excelentes pintores, escultores y arquitectos*, de Giorgio Vasari, o en el *London Evening Standard*, cuanto más nos familiarizamos con el nombre de un artista, más fácil es aceptarlo como parte de la historia. Sus vidas son a menudo apasionantes, pero, dejando a un lado las afinidades familiares, la biografía es siempre menos trascendente que el legado artístico.

No obstante, es importante que críticos, historiadores, mecenas y coleccionistas mantengan su interés en escribir y poseer ese legado, puesto que es así como los artistas pueden forjarse un lugar y mantenerlo en las listas que sirven de base para cualquier exposición o historia del arte; algo que el crítico de arte Irving Sandler definió como «barrer tras los artistas».

Las palabras finales sobre el tema deberían ser las de un artista que se aseguró un lugar en la mayoría de las listas de todas las épocas: «Si la gente supiera cómo he llegado a esforzarme para dominar mi técnica, en modo alguno les parecería tan fantástica» (Miguel Ángel).

Stephen Farthing
Amagansett, Nueva York, EE.UU., enero de 2008
Profesor de dibujo
de la Fundación Rootstein Hopkins

TUNG YUAN

Tung Yuan, h. 900 (Zhongling, Jiangxi, China); h. 962 (Zhongling, Jiangxi, China).

Estilo: Fundador de la Escuela del Sur de pintura paisajística china; género *shan shui*; monocromía; fibra de cáñamo y técnicas de sombreado.

Tung Yuan fue el máximo exponente de lo que se conoció como la Escuela del Sur de pintura paisajística. Existen pocos datos acerca de su vida, pero su arte ha sobrevivido, así como su legendaria influencia.

En China, la pintura tradicional se desarrolló como una rama de la caligrafía: pinceladas de tinta aplicadas en paredes, papel o rollos de seda. Desde los ejemplos más antiguos hallados en las paredes de las tumbas a lo largo del siglo VII, los estilos pictóricos fueron predominantemente figurativos. El cambio se produjo durante la dinastía Tang (618-907), cuando empezó a imponerse un tipo de arte más reflexivo centrado en la naturaleza.

El género paisajístico llegó a considerarse el paradigma de la pintura en China, y alcanzó su madurez durante el turbulento período denominado de las Cinco Dinastías (907-960), época en la que vivió Tung Yuan. Aunque también practicó el estilo «azul y gris» (característico de la anterior época Tang), Yuan es más conocido por sus imágenes monocromas *shan shui* (montaña-agua). A base de húmedas y largas pinceladas, y de aguadas de tinta, el artista creó tranquilos y ensoñadores panoramas inspirados en la topografía de la rica cuenca del Yangzi Jiang. Fue asimismo famoso gracias a sus pinturas figurativas y a su actividad docente. Colaboró con su alumno más destacado, Ju Ran, en la fundación de la Escuela del Sur de pintura paisajística. Pero no fue este su nombre originario; parece ser que fue usado con posterioridad por un historiador del arte que estableció claras diferencias entre este estilo y la Escuela del Norte. La elegante pincelada de Tung Yuan, sus innovadoras técnicas de sombreado y el sofisticado uso de la perspectiva profunda establecieron un ideal estético que iba a ser muy admirado e imitado en siglos posteriores. **RB**

Obras destacadas

Los ríos Xiao y Xiang, h. 950
 (Museo del Palacio Imperial, Pekín)

Montañas de verano, h. 950
 (Museo de Shanghai, China)

«Tung Yuan destila una sencilla tranquilidad y perfección natural.» Mi Fu

ARRIBA: Pesadas nubes sobre las *Mansiones en las montañas del paraíso.*

DERECHA: *Junto a la orilla del río al anochecer,* con una perspectiva desarrollada.

FAN KUAN

Fan Kuan, h. 990 (Hua Xian, China); h. 1030 (China).

Estilo: Pintor paisajista de la Escuela del Norte; pincelada monocroma sobre seda; técnica de punteado; paisajes nevados; perspectivas profundas y cambiantes.

Obras destacadas

Viaje entre torrentes y montañas,
h. 1010 (Museo del Palacio Nacional,
Taipei, Taiwan)

Fan Kuan fue uno de los artistas más representativos de la llamada Escuela del Norte de pintura paisajística. Se han perdido muchos detalles acerca de su vida y, tristemente, también la mayor parte de su obra. Muchas de las pinturas atribuidas a este artista son de dudosa autoría, pero su fama permanece incólume. Su nacimiento coincide con los últimos disturbios del período de las Cinco Dinastías (907-960). El emperador Taizu, de la familia Song, procedió a reunificar el país, aunque esta nueva dinastía (960-1279) no pudo reeditar la edad dorada Tang (618-907). Fue, no obstante, una etapa de grandes progresos, invenciones y efervescencia cultural.

La Escuela del Norte, uno de los grandes hitos de la dinastía Song, trabajó principalmente en las tierras interiores al norte del río Amarillo. La mayoría de los artistas estuvieron influidos por el taoísmo, pero el esquivo Kuan pasó la mayor parte de su vida recorriendo las montañas y valles fluviales de Shanxi. Su pintura más famosa (definitivamente atribuida) es *Viaje entre torrentes y montañas* (h. 1010). Los casi dos metros de altura de esta obra le aseguran un lugar preeminente en la corriente monumentalista del género paisajístico de montaña. A partir de las diminutas figuras y los árboles exquisitamente detallados del fondo, la composición absorbe al espectador, guiando su mirada a través de perspectivas cambiantes, escarpaduras rocosas y cascadas, hasta fijarla en el centro de la composición, ocupado por una gran mole rocosa. La etérea bruma de las estribaciones contribuye a sugerir una imagen de inmensidad y extrema profundidad, una poderosa formulación del principio taoísta del *qi* (espíritu que infunde energía y conecta todas las cosas). Kuan anticipó ideas que el arte occidental tardaría siglos en explorar. **RB**

> «[...] más que de la naturaleza o del hombre, es la forma de aprender de mi propio corazón.»

ARRIBA: *Paisaje nevado* centra su atención en las maravillas naturales.

MA YUAN

Ma Yuan, h. 1155 (Hangzhou, China); 1235 (Hunan, China).

Estilo: Síntesis de las escuelas del Norte y del Sur de pintura paisajística; composiciones centradas en un ángulo; pincelada marcada y cortante; uso atrevido del espacio.

La familia Ma de pintores cortesanos —de la cual Ma Yuan fue su miembro más destacado— era originaria de la provincia de Shanxi. Aprendieron este oficio a partir de la tradición paisajística monumental de la Escuela del Norte. Pero la vida y el estilo artístico de la familia cambiaron cuando los dirigentes de la dinastía de los Song meridionales (1127-1279) fueron desafiados por las tribus yurchen de Manchuria y obligados a dirigirse al sur del río Amarillo. La totalidad de la corte imperial, incluida la familia Ma, les siguió. El nuevo asentamiento, dominado por suaves colinas, hermosos lagos y verdes paisajes alrededor de Hangzhou, requería unos planteamientos artísticos distintos a los practicados hasta entonces. Así, en la obra de madurez de Yuan se produce una síntesis entre los estilos tradicionales, que representa, junto con la obra de su contemporáneo Xia Gui, la culminación de la «edad de oro» de la pintura paisajística china.

Yuan era conocido con el sobrenombre de «Ma el de una sola esquina», porque sus composiciones estaban organizadas en torno a un eje centrado en un ángulo, lo que liberaba amplias zonas en el resto de la composición. Trabajando a base de enérgicas pinceladas angulares, aguadas de suaves tonalidades y detallismo, sus imágenes se caracterizan por la sutileza y el intimismo típicos de la Escuela del Sur, y a la vez por las atrevidas evocaciones de espacios abiertos que retienen la esencia del misterio taoísta, presente en la obra de los pintores de la Escuela del Norte. Yuan no formaba parte de la élite intelectual, y su obra fue criticada por el romanticismo y el decadentismo cortesano que irradiaba; pero fue, al igual que la producción de su hijo Ma Lin, profundamente popular. En Occidente, Yuan es uno de los artistas tradicionales chinos más valorados. **RB**

Obras destacadas

Sendero de montaña en primavera, h. 1200
   (Museo del Palacio Nacional, Taipei, Taiwan)

Erudito en una cascada, h. 1200
   (Metropolitan Museum of Art, Nueva York)

«Rodea sus temas de un aura de sentimiento con gran economía de medios.» James Cahill

ARRIBA: *Sauces desnudos y montañas distantes*, con su atmósfera brumosa.

CIMABUE

Cenni di Pepo o **Benciviene di Pepo,** h. 1240 (Florencia, Italia); h. 1302 (Pisa, Italia).

Estilo: Pintor y mosaísta; realizó pinturas con temple al huevo sobre madera, frescos y mosaicos; maestro bizantino que anticipó el naturalismo; presunto maestro de Giotto.

Obras destacadas

Crucifijo, h. 1268-1271 (basílica de San Domenico, Arezzo, Italia)

Virgen en majestad, h. 1285-1286 (Ufizzi, Florencia)

Se sabe relativamente poco acerca del gran pintor florentino conocido por el apodo de Cimabue. La información más abundante nos la ha proporcionado Giorgio Vasari, pintor y tratadista que escribió dos siglos después de la muerte de Cimabue. Sus obras no se hallan datadas, algunas están dañadas y existe un debate abierto en torno a su autoría. Cimabue está considerado uno de los grandes maestros antiguos, y a la vez menos valorados, y su obra representa el impulso renovador que transformó la fuerte bidimensionalidad de la antigua tradición bizantina en el gran naturalismo que surgiría de su interés por la perspectiva y por el uso de elementos clásicos, dramáticos y emocionales.

La obra más antigua atribuida a Cimabue es el *Crucifijo* (h. 1268-1271) de la basílica de San Domenico, en Arezzo. Su gusto por la anatomía y la definición muscular ya es visible en

ARRIBA: Este retrato es una de las pocas imágenes conocidas de Cimabue.

DERECHA: Un ejemplo de las *Maestà* de Cimabue, en su viaje hacia el realismo.

sus primeras obras, pero su interés por el arte romano se deja ver en su monumentalismo y el suave realismo de sus pinturas. Su *Crucifijo* (1287-1288) de la basílica de la Santa Croce, en Florencia, dañado por las inundaciones de 1966, representa una aproximación naturalista al figurativismo pictórico, con una sutil definición de musculatura, venas, huesos y nervios. Cimabue trató el tema de la crucifixión en una serie de frescos (h. 1277-1280) de la basílica de San Francisco, en Asís, que representan escenas de la *Vida de la Virgen* (coro), *Los Evangelistas* (crucero), y *las Vidas de los Apóstoles*; el uso de la perspectiva ilusionista crea efectos arquitectónicos tridimensionales, mientras el fino clasicismo de los drapeados constituye un tributo a la antigua Roma. Cimabue dota algunas de sus escenas, como la de las multitudes alrededor de la cruz, de un profundo dramatismo.

Cimabue inició en 1302 el mosaico de San Juan en la catedral de Pisa, y se le encargó la realización del altar, aunque murió a finales de aquel año. Su fama quedó pronto eclipsada por la de Giotto, quien pudo llegar a ser su alumno. **TP**

ARRIBA, IZQUIERDA: *El Crucifijo* revela una gran comprensión de la anatomía.

ARRIBA: Esta *Virgen en majestad* deja ver la influencia del arte bizantino.

Cimabue en el purgatorio

El poeta florentino Dante Alighieri fue coetáneo de Cimabue, al que se refiere en varias de sus obras, incluyendo el *Purgatorio* (1308-1321), una de las partes de la *Divina Comedia*. Según Dante, Cimabue era tan arrogante que si alguna de sus obras recibía críticas, se negaba a continuarla. También comentaba que aunque Cimabue fue un gran maestro en su disciplina, su fama se vio eclipsada por la de su pupilo Giotto. Una anécdota del artista florentino Lorenzo Ghiberti explica que Cimabue, al ver a Giotto dibujando una sencilla oveja en una roca, le pidió que se convirtiese en su alumno.

DUCCIO DI BUONINSEGNA

Duccio di Buoninsegna, h. 1255 (Siena, Italia); h. 1318 (Siena, Italia).

Estilo: Pintor gótico de obras religiosas y retablos; exquisito cromatismo; diseño innovador y gusto por el modelado; emociones humanas reveladas en gestos y expresiones.

Obras destacadas

Madona Rucellai, iniciado en 1285 (Ufizzi, Florencia)

La Maestà (Madona entronizada con el Niño y veinte ángeles y diecinueve santos), 1308-1311 (Museo dell'Opera Metropolitana del Duomo, Siena)

Aunque tan solo dos de sus pinturas han sido catalogadas de forma definitiva, ambas muestran la importancia de Duccio di Buoninsegna, innovador artista sienés. Su primer trabajo documentado, encargado por una sociedad religiosa de Florencia para la iglesia de Santa Maria Novella, es un gran panel, la *Madona Rucellai* (h. 1285). Su tema central, la Madona entronizada con el Niño, rompía con la tradición gracias al convincente modelado del drapeado de la Virgen, el tratamiento naturalista del Niño y la seguridad con que Duccio repartió el resto de figuras sobre un espacio tridimensional.

Su obra más admirada es un complejo retablo de dos caras para la catedral de Siena, *La Maestà con veinte ángeles y diecinueve santos* (1308-1311). Aunque algunos paneles han quedado dispersos en diversas colecciones, la visión de la parte que todavía puede verse en Siena basta por sí sola para comprender la grandeza del artista. Los paneles frontales del enorme altar describen a la Virgen con el Niño entronizados y rodeados por una cohorte de ángeles y santos. La sección principal del panel posterior se divide en 26 escenas de la vida de Cristo, a los que hay que añadir los paneles superiores y los de la predela en la zona inferior del altar.

La obra hubiera supuesto un claro desafío para cualquier artista, pero Duccio gustaba de los grandes retos. Utilizando el color y su sentido innato de la armonía compositiva, el resultado era revolucionario: una imaginativa distribución del espacio, que incluía un creativo diálogo entre las figuras de los diferentes paneles. Aunque la influencia bizantina aún está presente, Duccio se anticipó a su tiempo. El dramatismo y el impacto visual de la pintura dejaron una perdurable huella en sus contemporáneos y en futuros artistas. **KKA**

> «El altar de Siena [...] es magnífico [...]; era un pintor noble.» Lorenzo Ghiberti

ARRIBA: Detalle de *La Maestà*, con la Madona entronizada, el Niño y los ángeles.

DERECHA: Once escenas de la historia de la Pasión, parte de la gran *Maestà*.

GIOTTO DI BONDONE

Giotto di Bondone, h. 1266 (Vespignano, Italia); 8 de enero de 1337 (Florencia, Italia).

Estilo: Tratamiento escultórico de las figuras con una profundidad dramática; realismo en las escenas individuales y de grupo; escenas bíblicas; intenso patetismo.

Obras destacadas

Capilla Scrovegni, 1305 (Padua)

Iglesia de la Santa Croce, capilla Bardi, h. 1320 (Florencia)

Iglesia de la Santa Croce, capilla Peruzzi, h. 1320 (Florencia)

Giorgio Vasari explica que el talento de Giotto di Bondone fue descubierto por Cimabue, quien le vio dibujando una oveja en una roca, y llevó al joven aprendiz a Florencia para adiestrarlo en la pintura. Aunque se trate de un relato apócrifo, no hay duda del prodigioso talento de Giotto. Prueba de ello es que su habilidad fue celebrada ya en vida del pintor. Dante Alighieri, por ejemplo, anotó en su *Purgatorio* (1308-1321) que la fama de Cimabue se había visto eclipsada por la de su joven aprendiz. Los frescos de Giotto para la capilla de los Scrovegni (también conocida como la capilla de la Arena), en Padua, que narran la vida de la Virgen y de Cristo, así como la Pasión, están considerados su primera obra. Fueron realizados entre 1305 y 1313, y en lugar de apoyarse en el repertorio de la iconografía religiosa tradicional, el artista asimiló elementos procedentes

ARRIBA: Giotto en *Cinco maestros del Renacimiento florentino* (h. 1500-1550).

DERECHA: *La traición de Cristo*, uno de los frescos de la capilla de los Scrovegni.

de estilos ya establecidos, como el bizantino, para derivar hacia un naturalismo plenamente convincente. Es aún más fácil identificar el nuevo estilo en el tratamiento aplicado a las figuras que protagonizan los diversos episodios religiosos descritos en el interior de la capilla. Todas gozan de un perfil psicológico y de una vida interior que mostraban al espectador la profundidad de sus motivaciones y de su vulnerabilidad.

La atribución de obras posteriores se sigue debatiendo, a lo que se añade el hecho de que se ha perdido gran parte de su obra, incluyendo los trabajos en su época de pintor de corte para el rey Roberto de Anjou en Nápoles. No obstante, la gran *Madona* (h. 1310) para la iglesia de Ognissanti, y los frescos de las capillas Bardi (h. 1320) y Peruzzi (h. 1320), anexas a la anterior, se consideran obras suyas, y constituyen el mejor testimonio de su habilidad en el tratamiento de unas figuras dotadas de una tridimensionalidad y una fuerza vital tan convincentes, que el gran escultor británico Henry Moore, a la vuelta de su primer viaje a Italia en 1925, consideró esas pinturas como las mejores esculturas que había visto. **CS**

Lo que opinaron otros

El gran talento del maestro Giotto fue reconocido por muchas otras figuras:

- Giovanni Boccaccio aseguraba que Giotto había sobrepasado la imitación de la naturaleza, y que sus obras eran realidades en sí mismas.
- Según Leonardo da Vinci, Giotto superó tanto a sus contemporáneos como a los maestros del pasado.
- Para John Ruskin, escritor y crítico de arte británico del siglo XIX, la grandeza de Giotto radicaba en la sustitución de las convenciones artísticas por los acontecimientos de la vida diaria.

Obras destacadas

Puertas del baptisterio de Florencia,
1330-1336 (Florencia)

Campanile, h. 1337-1347 (Florencia)

ANDREA PISANO

Andrea Pisano, h. 1270 (Pontedera, Italia); h. 1348 (Orvieto, Italia).

Estilo: Orfebre, arquitecto y escultor; estilo gótico; modelado altamente detallista; convincente descripción de escenas bíblicas; tratamiento naturalista de la forma.

La primera obra destacada de Andrea Pisano fueron las puertas para el portal sur del baptisterio de Florencia, en la piazza San Giovanni. Encargadas en 1322 por el gremio Calimala (comerciantes de la lana), tras la decisión de sustituir las antiguas puertas de madera por otras de bronce, cada una de ellas comprende catorce paneles enmarcados. Diez de ellos, insertos en una moldura cuadrifoliada, describen la vida del patrón de la ciudad, san Juan Bautista, mientras que los ocho restantes, ubicados en la zona inferior, representan la personificación de las Virtudes. El historiador del arte Charles Avery comentó la excepcional sutileza y el detallismo en el modelado de las figuras, que —comentaba— «poseen una dignidad y una grandeza [...] que recuerdan el arte funerario romano, con su mismo sentido de la monumentalidad». Mediante la técnica del altorrelieve, Pisano aporta a sus escenas un sentido de la verosimilitud y la gravedad emocional sin precedentes. Así, el clímax emocional de la *Ejecución del Bautista* (1330-1336) se alcanza en parte gracias a la tensión de la postura del joven verdugo mientras blande su espada contra un san Juan arrodillado.

Desde el punto de vista compositivo, la distribución casi teatral de las figuras constituye una clara reminiscencia del tratamiento naturalista de las formas por parte de Giotto. En 1337 Pisano sustituyó a Giotto como *capomaestro* (maestro de obras) del *campanile* de la catedral de Florencia, y se encargó de muchos de sus relieves. Aunque el grado de transformación del planteamiento original llevado a cabo por Pisano es aún objeto de debate, sí es seguro que realizó algunas de las tallas hexagonales y romboidales. En 1347 fue nombrado maestro de obras de la catedral de Orvieto; pero al año siguiente cayó víctima de la peste bubónica. **CS**

> «El mejor artista [...] en este campo, especialmente en la fundición del bronce.» Giorgio Vasari

ARRIBA: Este retrato de Pisano aparece en las *Vidas* (1550) de artistas, de Vasari.

PIETRO LORENZETTI

Pietro Lorenzetti, h. 1280 (Siena, Italia); 1348 (Siena, Italia).

Estilo: Pintor de frescos religiosos; dramáticas descripciones de diversas escenas bíblicas; armonioso cromatismo; sólidas figuras plenas de expresividad.

Hay pocos datos acerca de Pietro Lorenzetti, pintor italiano del siglo XIV. Se cree que estuvo activo entre 1306 y 1345; incluso la cronología de las obras conservadas es incierta. Se sabe que vivió en Siena, principal centro cultural de la Toscana a finales de la Edad Media. Hoy es reconocido como uno de los mejores representantes del naturalismo que marca la transición entre el arte medieval y el renacentista.

Es probable que Pietro Lorenzetti fuera alumno de Duccio di Buoninsegna, el padre de la pintura sienesa. Junto con su hermano Ambrogio, artista igualmente famoso, se dedicó a fusionar los estilos de Duccio, del gran pintor florentino Giotto y de las esculturas dinámicas de Giovanni Pisano.

Mediante el armonioso cromatismo de sus obras, Pietro se especializó en plasmar la dramática emotividad de las escenas bíblicas integrándolas en un marco de carácter realista. Con sus obras en el Pieve di Santa Maria de Arezzo y en la basílica de San Francisco, en Asís, experimentó con las perspectivas tridimensionales de los edificios y los fondos arquitectónicos y pintó figuras de gran solidez y expresividad. Su alejamiento de los convencionalismos del arte bizantino, y el triunfo de su estilo naturalista basado en la perspectiva, son razones suficientes para considerarlo uno de los precursores del Renacimiento.

Sus obras impresionan por la vívida descripción de objetos y ropajes, así como por la complejidad del detalle. Sus ricos frescos narrativos incluyen cierto sentido del humor, como el perro lamiendo un plato en *La Última Cena* (h. 1320-1330) mientras un sirviente está lavando, aunque algunos historiadores han querido ver simbolismos religiosos en estos inocentes detalles. Lorenzetti murió víctima de la terrible peste de 1348, que se llevó consigo a la mitad de la población de Siena. **JM**

Obras destacadas

La Virgen entre san Francisco y San Juan, 1320-1325 (basílica de San Francisco de Asís, Asís)

La Última Cena, h. 1320-1330 (basílica de San Francisco de Asís, Asís)

Descendimiento, h. 1325 (basílica de San Francisco de Asís, Asís)

«El período de gran esplendor de la pintura de Siena culmina con Pietro Lorenzetti.» Enzo Carli

ARRIBA: Lamento de María ante Cristo muerto en el *Descendimiento*.

SIMONE MARTINI

Simone Martini, h. 1284 (Siena, Italia); 1344 (Aviñón, Francia).

Estilo: Pintor de la Escuela de Siena; temas religiosos junto a retablos y obras devocionales; retratos; elegante e innovador, figurativismo tridimensional.

Obras destacadas

Anunciación entre los santos Ansano y Margarita, 1333 (Uffizi, Florencia)

La Sagrada Familia, 1342 (Walker Art Gallery, Liverpool)

Simone Martini nació en Siena, Italia, en una época en que esta ciudad constituía un activo centro cultural, solo igualado por Florencia. Se supone que Martini estudió con Duccio di Buoninsegna, el mayor representante de la escuela sienesa. Fue el período en que el pintor florentino Giotto desbordó las reglas de la pintura gótica y bizantina para desarrollar una serie de reglas que sentaron las bases del arte renacentista.

La primera pintura autentificada de Martini es la *Maestà* (h. 1316) del palazzo Pubblico de Siena. La elegante tridimensionalidad de las formas y el espacio son convincentes y muy radicales para la época. Martini, que fue muy apreciado como pintor, recibió a partir de 1317 un suculento salario por parte de la corte angevina, lo que ayudó a financiar la enorme tarea de pintar el ciclo de frescos de la capilla de San Martín en la basílica de San Francisco, en Asís.

En la década de 1320 Martini era ya un hombre rico. En 1324 contrajo matrimonio con Giovanna, hermana del también pintor Lippo Memmi. Su cuñado y él colaboraron en numerosas obras, especialmente en la *Anunciación entre los santos Ansano y Margarita* (1333). A finales de la década de 1330 Martini se trasladó a Aviñón, nueva sede papal y un floreciente centro cultural. El encuentro entre el arte del norte de Europa y el italiano sentó las bases del nuevo estilo gótico internacional, del que Martini sería uno de los principales representantes.

«¿Dónde veremos una mayor sinfonía cromática [...] que en los frescos de Asís?» Bernard Berenson

Fue también innovador tanto en la elección del tema como en su tratamiento. Su descripción de *La Sagrada Familia* (1342) se centra en un momento del Evangelio que nunca antes había sido representado por ningún artista, y refleja el intento de la Virgen por comprender el origen divino de su hijo. **MC**

ARRIBA: Retrato de Martini, en las *Vidas de artistas*, de Vasari, publicadas en 1550.

AMBROGIO LORENZETTI

Ambrogio Lorenzetti, h. 1285 (Siena, Italia); 1348 (Siena, Italia).

Estilo: Pintor de obras religiosas de la Escuela de Siena; enfoque naturalista; tratamiento tridimensional del espacio; líneas suaves y fluidas; figuras expresivas.

Siena era una auténtica joya urbana a principios del siglo XIV, y su riqueza se sustentaba en la lana y el préstamo de dinero. Los logros artísticos alcanzaron su cima con la obra de Duccio di Buoninsegna, quien introdujo una nueva forma de ver la pintura y fundó la influyente Escuela sienesa. Ambrogio Lorenzetti nació en este rico entorno cultural, y su hermano mayor, Pietro, también se dedicó a la pintura. En 1327 Ambrogio se trasladó a Florencia para estudiar en el Arte dei Medici e Speziali, donde se familiarizó con las ideas de Giotto.

En 1336 estableció su propio taller en Siena. Uno de sus temas favoritos fue el de la Madonna, posiblemente porque su ciudad se hallaba bajo la advocación de la Virgen María. Su encantadora visión de la *Virgen de la leche* (h. 1330) es expresiva y llena de emoción. Pintaba con toda seguridad a partir de la propia experiencia, aunque hay pocos datos sobre su vida. Es más conocido por su ciclo de frescos *Efectos del buen gobierno en la ciudad y el campo* (h. 1338-1340). Es una obra de madurez, en la que da rienda suelta a su imaginación para representar la virtud y el vicio en las esferas política y social.

La capacidad de Ambrogio para la expresión naturalista, su habilidad para formular el espacio tridimensional y su fuerza narrativa aparecen claramente en *Escenas de la vida de san Nicolás de Bari* (1332) y, aún mejor, en *La presentación en el Templo* (1342), compuesta una década más tarde. Fue el primer artista europeo en utilizar la perspectiva con un solo punto de fuga, confiriendo así a la obra una complejidad espacial única. Ambrogio, al igual que su hermano, falleció durante la peste («Muerte Negra») de 1348, junto con la mitad de la población de Siena. Esta tragedia acabó con el florecimiento cultural sienés, y la ciudad nunca recuperó su antiguo esplendor. **MC**

Obras destacadas

Madona con niño, 1319 (Museo di Arte Sacra, San Casciano Val di Pesa, Italia)

Efectos del buen gobierno en la ciudad y el campo, h. 1338-1340 (palazzo Pubblico, Siena)

«Ambrogio combina lo grave y lo perceptivo en su pintura.»
Hermana Wendy Beckett

ARRIBA: Retrato de A. Lorenzetti, en las *Vidas* (1550) de artistas, de Vasari.

JAUME FERRER BASSA

Jaume Ferrer Bassa, h. 1285; 1348 (Barcelona, España).

Estilo: Pintor de estilo gótico internacional, de miniaturas y frescos; iluminador de manuscritos; líneas suaves y fluidas; sutil uso del color; figuras expresivas.

Obras destacadas

Libro de las horas de la reina María de Navarra, h. 1340 (Biblioteca Marciana, Venecia)

Frescos, ciclo 1345-1346 (capilla de San Miguel, monasterio de Pedralbes, Barcelona)

«El estilo de Ferrer Bassa reflejaba el lenguaje pictórico de Giotto.» Nadeije Laneyrie-Dagen

ARRIBA: La influencia del arte italiano del siglo XIV se refleja en la *Adoración de los Magos*.

Las únicas pinturas de Jaume Ferrer Bassa que nos han llegado son una serie de frescos realizados entre 1345 y 1346 para la capilla de San Miguel del monasterio de Pedralbes, en Barcelona. El fresco incluye treinta escenas, que son notables ejemplos del primer gótico internacional; *El Juicio Final* y *Tres mujeres en la tumba* son dos de las más importantes.

No se sabe nada acerca de los primeros años de vida de este artista, pero es probable que Ferrer Bassa estudiara pintura en alguna ciudad italiana o, con mayor seguridad, en Aviñón. Ambos eran los centros artísticos en los que floreció el estilo gótico internacional adoptado por los pintores florentinos y sieneses contemporáneos. Ferrer Bassa asimiló estas ideas radicales y fue el primer artista en incorporarlas a la pintura catalana.

A partir de 1333 Ferrer Bassa vivió en la corte del rey Alfonso IV, iluminaba manuscritos y viajaba por Cataluña para cumplir con diversos encargos para iglesias, capillas reales y palacios. En abril de 1342 Pedro el Ceremonioso, sucesor de Alfonso IV, escribió a su esposa, la reina María de Navarra, solicitándole que le enviara «el extraordinariamente bello libro de horas pintado por Ferrer Bassa». Las iluminaciones del *Libro de horas de la reina María de Navarra* (h. 1340) están repletas de influencias del gótico italiano, como la expresividad de las figuras, los espacios tridimensionales, el vívido uso del color y un dramático sentido de la narración que el artista catalán interpretó de forma muy personal. También retrató nuevos géneros y temas, como la *Madonna dell'Umiltà*, en la que la Virgen amamanta al Niño Jesús.

Ferrer Bassa murió a consecuencia de la peste negra en 1348, pero su nuevo estilo fue continuado y perfeccionado por su hijo Arnau. **MC**

ANDRÉI RUBLIOV

Andréi Rubliov, h. 1360 (lugar desconocido); h. 1427 (Moscú, Rusia).

Estilo: Iconógrafo medieval cuya original combinación de ascetismo formal y rica expresión emocional articuló la quintaesencia de un estilo muy imitado en Rusia.

Ampliamente reconocido como el pintor de iconos ruso con mayor influencia en Occidente, su mezcla de rigor formal y de equilibrio entre técnica pictórica y profundidad psicológica convirtió a Andréi Rubliov en el paradigma de la pintura religiosa meditativa de su tiempo —fue canonizado por la Iglesia ortodoxa rusa en 1988—, y ha fascinado a artistas de todas las épocas. En la película de Andréi Tarkovski, versión libre de la vida de Rubliov, este artista medieval es tratado como una figura de profunda conciencia. Conocedor de la vastedad de la existencia, y a caballo entre dos culturas contrapuestas, la religiosa y la pagana, inmersas en regímenes que alternaban la paz con la crueldad, su experiencia personal enriqueció su arte con un humanismo crítico inconcebible para su época.

La versión heroica y politizada de Tarkovski sobre la vida de Rubliov es atractiva, aunque conjetural, debido a la escasez de datos sobre el artista. La literatura al respecto afirma que fue un personaje muy respetado en su época, a la vez que prolífico. La primera mención de su nombre aparece en 1405, en una recopilación de artistas implicados en la decoración de la catedral de la Anunciación del Kremlin de Moscú junto a maestros tan valorados como Teófanes el Griego y Projor de Gorodets. Existe también un documento que menciona a Rubliov pintando en la catedral de la Asunción de Vladimir, en 1408, así como los frescos de la catedral de Cristo Salvador del monasterio de Andronikov, en Moscú, a partir de 1430, donde permaneció hasta su muerte. Algunos investigadores lo señalan asimismo como uno de los iluminadores del Evangelio de Khitrovo entre los siglos XIV y XV. No obstante, es difícil dilucidar las verdaderas dimensiones de la totalidad de su obra, y aún hoy sigue discutiéndose sobre las posibles atribuciones de un legado cuyo estilo fue muy influyente. **LNF**

Obras destacadas

Natividad, 1405 (catedral de la Anunciación Moscú)

La Trinidad, h. 1410 (Galería Tretiakov, Moscú)

«Un gran artista [...] Encarna el ideal ético de su época.»
Andréi Tarkovski

ARRIBA: La sutil espiritualidad de *La Trinidad* fue ampliamente imitada.

LORENZO GHIBERTI

Lorenzo di Bartolo, h. 1378 (Florencia, Italia); 1 de diciembre de 1455 (Florencia, Italia).

Estilo: Artesano del metal del primer Renacimiento italiano, escultor y pintor de frescos; uso de la perspectiva; figuras escultóricas de gran dinamismo.

Obras destacadas

San Juan Bautista, 1412-1416
  (iglesia de Orsanmichele, Florencia)

Puertas del Paraíso, 1425-1452
  (Duomo, Florencia)

En 1392 Lorenzo Ghiberti fue admitido en el gremio de la seda y el oro de Florencia, iniciando su aprendizaje como orfebre junto a su padre y su suegro. Seis años más tarde se convirtió en maestro de orfebrería. Ghiberti se convirtió en un experto dibujante y escultor de pequeñas estatuas de bronce. A principios de su carrera fue conocido como pintor de frescos, y durante la plaga en Florencia trabajó en Rimini.

En 1401 su suegro lo llamó a Florencia para que tomara parte en un concurso, organizado por el gremio de Calimala, para la construcción de la puerta norte del baptisterio de la piazza San Giovanni, que debía sustituir a las antiguas de madera. Ganó el joven Ghiberti, por delante de Filippo Brunelleschi. El proyecto original sobre escenas del Antiguo Testamento se vio alterado para incluir escenas del Nuevo Testamento.

Ghiberti trabajó en estas puertas entre 1403 y 1424, y dirigió un taller del que formarían parte muchos de los futuros maes-

ARRIBA: Retrato de Ghiberti, en las *Vidas* de artistas, de Vasari, publicadas en 1550.

DERECHA: Detalle de *Abel muerto por su hermano Caín*, en el baptisterio florentino.

tros de la escuela florentina, entre ellos Paolo Uccello. Las escenas son de un gran dramatismo: las figuras doradas se destacan en altorrelieve sobre un fondo neutro, y se hallan enmarcadas con motivos de influencia gótica.

ARRIBA: Bajorrelieve de la vida de san Zenobio, obispo de Florencia.

Una vez completada la serie de 28 paneles, Ghiberti recibió el encargo de realizar una segunda puerta, la del lado este, en esta ocasión con escenas del Antiguo Testamento. Aquí, la iniciativa personal del artista fue mayor, y empleó el resto de su vida en completar los bocetos. Las diez escenas rectangulares, dotadas de un estilo más realista, son muy diferentes a las anteriores. La composición es más atrevida, y Ghiberti aplicó un amplio sentido de la profundidad, aprovechando las investigaciones llevadas a cabo por Brunelleschi y Donatello. Miguel Ángel, admirado, las bautizó como las «Puertas del Paraíso». La transición hacia el estilo renacentista es evidente en los siguientes encargos para la iglesia de Orsanmichele, en Florencia, así como en las estatuas de bronce de san Juan Bautista, san Mateo y san Esteban. **SH**

Memorias significativas

Se conocen más datos acerca de las teorías artísticas de Ghiberti que de las de sus coetáneos, pues el artista legó una obra, *I Commentari* (h. 1447) *(Comentarios)*, en la que explicaba sus métodos e ideas artísticas. Es una valiosa fuente de información sobre el arte del Renacimiento, y la primera autobiografía de un artista que nos ha llegado. Sus páginas reflejan el espíritu religioso en el que Ghiberti vivió y creó, y la escasa importancia que concedió al dinero. También apreció las antiguas estatuas griegas, prueba de los elevados atributos intelectuales y morales de la naturaleza humana.

HERMANOS LIMBOURG

Herman, Paul y Jan van Limbourg, h. 1385 (Nimega, Países Bajos); Jan, 1415, Herman y Paul, 1416 (Bourges, Francia).

Estilo: Iluminadores de libros en estilo gótico internacional y orfebres; elegantes miniaturas; paisajes, retablos religiosos y escenas nocturnas.

Obras destacadas

Biblia moralizada, 1402-1406
  (Biblitothèque Nationale de France, París)
Las muy ricas horas del duque de Berry,
  1412-1416 (Musée Condé, Chantilly)

Herman, Paul y Jan Limbourg realizaron revolucionarios manuscritos iluminados que influyeron decisivamente y continuaron inspirando a artistas diversos durante siglos.

Estos célebres hermanos habían nacido en el seno de una familia de artesanos holandeses dedicada a la creación de emblemas heráldicos para yelmos, banderas y estandartes. Su tío, Jan Maelwael, había trabajado en Dijon para el duque de Borgoña, Felipe II el Atrevido, y fue uno de los artistas mejor pagados en la Francia de aquella época. Los hermanos Limbourg se habían formado en París, donde Felipe II el Atrevido les había encargado una *Biblia moralizada* (1402-1406), manuscrito iluminado de la Biblia. Cuando en 1404 el duque Felipe falleció, los hermanos habían completado ya los primeros tres libros, que incluían 384 miniaturas.

El hermano de Felipe, Jean de France, duque de Berry, se convirtió en el nuevo mecenas de los Limbourg. Los encargos que realizaron bajo su patronazgo les hicieron famosos, y entraron a formar parte del círculo íntimo de su corte. Una de sus obras más valoradas fue *El libro de horas del duque de Berry* (1404-1409), que incluía 172 miniaturas, muchas de ellas inspiradas en temas poco convencionales. Su mejor obra, *Las muy ricas horas del duque de Berry* (1412-1416), es el manuscrito medieval más famoso y mejor ilustrado conservado hasta hoy. Los hermanos Limbourg trabajaron en él hasta su muerte, que fue causada posiblemente por la peste o en la defensa de Bourges, ciudad donde se hallaban trabajando. Aunque incompleto, el manuscrito contiene un centenar de miniaturas, y destaca especialmente por las doce ilustraciones de los meses del año, que describen las vidas de granjeros, pastores, campesinos y nobles, así como paisajes e historias bíblicas. **CK**

> «Los Limbourg destacan en el detalle gráfico y atmosférico.»
>
> Pieter Roelofs, *Time*

ARRIBA: Febrero, perteneciente a
Las muy ricas horas del duque de Berry.

DONATELLO

Donatello di Niccolò di Betto Bardi, h. 1386 (Florencia, Italia); 13 de diciembre de 1466 (Florencia, Italia).

Estilo: Artista y escultor; obras creativas en mármol y bronce; introductor del estilo escultórico en bajorrelieve, que proporcionaba a la escultura un aspecto de profundidad.

Considerado a menudo como el artista más completo y original de su tiempo, Donatello dio forma a la revolución artística que vivió Italia durante el siglo XV. Hijo de un cardador de lana florentino, recibió sus primeras enseñanzas en un taller de orfebrería, y logró desarrollar un conocimiento más amplio y detallado de la escultura antigua que cualquier otro artista de su época.

Entre 1404 y 1407 trabajó junto al arquitecto y escultor Filippo Brunelleschi en Roma, y ambos desenterraron antiguos artefactos para aprender de los artistas del pasado, lo que les valió una reputación de cazadores de tesoros. Alteraron el desarrollo del arte italiano del siglo XV, y Donatello influyó en casi todos los escultores que le siguieron, incluido Miguel Ángel. Fue también, por aquel entonces, cuando Donatello trabajó en el estudio del escultor Lorenzo Ghiberti, a quien ayudó a crear las puertas del baptisterio florentino. Otra obra temprana de

Obras destacadas

San Jorge matando al dragón, 1416-1417
(Museo Nazionale de Bargello, Florencia)

El festín de Herodes, h. 1435
(Palais des Beaux Arts, Lille)

David, h. 1440 (Bargello, Florencia)

Gattamelata, h. 1453
(piazza del Santo, Padua)

ARRIBA: Detalle de *Cinco maestros del Renacimiento florentino* (h. 1500-1550).

IZQUIERDA: El *Gattamelata,* icono de un héroe inspirado en la escultura clásica.

Un hombre a caballo

Entre 1443 y 1453 Donatello trabajó en la ciudad de Padua, en el norte de Italia. Allí creó el retablo de San Antonio y una escultura ecuestre que fue colocada delante de la iglesia. Inspirada en la estatua ecuestre del emperador Marco Aurelio, en Roma, se trata de un gran bronce dedicado al famoso *condottiere* y mercenario veneciano Erasmo da Narni, conocido como Gattamelata (gato de miel) y que había fallecido recientemente. El proyecto no tenía precedentes e impactó porque desde los tiempos del Imperio romano las grandes estatuas ecuestres en bronce habían sido patrimonio exclusivo de los gobernantes. La realización del monumento estuvo plagada de retrasos. Donatello realizó la mayor parte de la obra entre 1447 y 1450, aunque la estatua no fue situada en su pedestal hasta 1453.

La obra muestra al Gattamelata sobre su montura, con el bastón de mando en su mano derecha alzada y con la pezuña del caballo sobre el orbe, antiguo símbolo de dominio sobre la Tierra. El general aparece idealizado en la cumbre de su poder, y esta será el precedente de todas las estatuas ecuestres posteriores. Su fama, acentuada por la controversia, se extendió por doquier. Incluso antes de ser expuesta públicamente, el rey de Nápoles pidió a Donatello una estatua ecuestre para él.

DERECHA: El *David*, primer desnudo en bronce realizado desde hacía siglos.

Donatello es un crucifijo de madera para la iglesia de Santa Croce, en Florencia; según Giorgio Vasari, la obra fue creada en amistosa competencia con Brunelleschi.

Hacia 1408-1409 Donatello trabajó en una estatua de mármol, el *David*, notable por ser el primer desnudo exento desde la era clásica. La escultura muestra una indudable influencia de Ghiberti, por entonces el mejor exponente florentino del gótico internacional, un estilo basado en elegantes y suaves líneas curvas, y muy influido por el arte del norte de Europa.

Hacia 1412 las revolucionarias ideas artísticas de Donatello eran ya evidentes, especialmente en la serie de esculturas exentas realizadas para la iglesia de Orsanmichele y para la catedral de Florencia. La serie se inició con dos figuras de tamaño algo superior al natural, *San Marcos* (1411-1413) y *San Jorge* (1417). Por primera vez desde la Antigüedad clásica, y en sorprendente contraste con el arte medieval, el cuerpo humano era recreado de forma natural y realista, y expresaba personalidad y emoción.

Los paneles en relieve de Ghiberti para las puertas del baptisterio de San Giovanni ya enfatizaban la perspectiva con figuras en altorrelieve en el primer plano, sobre temas paisajísticos y arquitectónicos de factura más delicada. Donatello inventó su propia forma de trabajar el relieve en su panel de mármol *San Jorge matando al dragón* (1416-1417). Conocido como *relievo schiacciato* (bajorrelieve o relieve aplanado), consistía en una talla extremadamente plana, que creaba un sorprendente efecto de espacio atmosférico nunca visto hasta la fecha.

A partir de 1425 Donatello se asoció con el escultor y arquitecto Michelozzo di Bartolomeo Miche-

ARRIBA: Galería de cantores en mármol y mosaico de la catedral de Florencia.

lozzi, aunque siguió trabajando en sus propios encargos. Uno de ellos fue *El festín de Herodes* (1435), un relieve intensamente dramático sobre fondo arquitectónico que desplegaba un juego de perspectiva lineal ya inventada por Brunelleschi algunos años antes. La cabeza cortada de san Juan Bautista, presentada en bandeja ante un horrorizado Herodes, está rodeada por figuras de gran expresividad, especialmente la de Salomé, quien continúa danzando y haciendo girar su falda.

La poderosa influencia del arte de Donatello lo convirtió en el mayor escultor del primer Renacimiento, tan familiarizado con el bajorrelieve como con las figuras exentas, y tanto con el trabajo de la madera como con el mármol o el bronce. Sus figuras expresan emociones tan solo mediante un ceño fruncido, una mirada o un simple gesto. Precursor de la expresión humanizada, con su avanzada técnica de profundidad espacial, Donatello es uno de los artistas más admirados y respetados de su época. **SH**

«Uno de los mejores artistas de todos los tiempos.»

John Pope-Hennessy

JAN VAN EYCK

Jan van Eyck, h. 1390 (Maaseik, Bélgica); 1441, (Brujas, Bélgica).

Estilo: Fundador de la escuela holandesa de pintura; detallada observación de la naturaleza; meticulosidad en el detalle; temas que ilustran el esplendor bajomedieval de la corte borgoñona.

Obras destacadas

La Virgen en la iglesia, h. 1430 (Staatliche Museen, Berlín)

Políptico de la *Adoración del Cordero Místico*, 1432 (catedral de San Bavón, Gante)

Los esposos Arnolfini, 1434 (National Gallery, Londres)

La Virgen del canciller Rolin, h. 1435 (Louvre, París)

La Virgen del canciller Rolin, h. 1435 (Louvre, París)

Uno de los primeros artistas flamencos en firmar sus obras, Jan van Eyck tiene una fuerte presencia en sus pinturas, ya sea por medio de su firma, del poderoso realismo de su estilo o de su propia imagen reflejada en un espejo. Es posible que su *Retrato de un hombre* (1433), en la National Gallery de Londres, sea un autorretrato. La obra de Van Eyck refleja la riqueza de ciudades como Gante, Brujas e Ypres a finales de la Edad Media. Este pintor reprodujo fielmente la textura de indumentarias e interiores, y creó, con meticulosa fidelidad, un testimonio imborrable de un mundo perdido. Fue uno de los primeros en utilizar la nueva técnica del óleo.

En 1425 Van Eyck entró al servicio de Felipe III el Bueno, duque de Borgoña, y adquirió un título cortesano que le permitió viajar con frecuencia. Su obra más famosa, el políptico de la *Adoración del Cordero Místico (El altar de Gante)* (1432), para la catedral de San Bavón, en Gante, le proporcionó un lugar preeminente en la historia de la pintura, incluso por las controversias en torno a la obra misma. El debate se centra en la identidad y el papel desempeñado por el hermano de Jan, el también pintor Hubert, quien, según la inscripción del marco, parece que contribuyó a su ejecución, realizando posiblemente la mayor parte de la obra. Pero quizá la pintura más admirada de Jan sea su imagen de una pareja cogida de la mano en una lujosa estancia: *Los esposos Arnolfini* (1434). Esta obra constituye una alegoría del arte de la ilusión y de la observación, y se convirtió en piedra de toque para las siguientes generaciones: el motivo del espejo convexo aún es objeto de discusión. Vemos a la pareja de espaldas reflejada en el espejo, y una enigmática tercera figura, que podría representar al propio artista trabajando en su caballete. **KKA**

«[...] la quintaesencia de toda la poesía de una conversación.»

Mario Praz, sobre *Los esposos Arnolfini*

ARRIBA: Se cree que este *Retrato de un hombre* (1433) es un autorretrato del pintor.

DERECHA: La vela solitaria de *Los esposos Arnolfini* simboliza a Cristo en su matrimonio.

FRA ANGÉLICO

Guido di Pietro, h. 1387 (Vicchio di Mugello, Italia); 18 de febrero de 1455 (Roma, Italia).

Estilo: Pintor del primer Renacimiento de miniaturas, manuscritos iluminados, frescos y retablos; realismo en el detalle; sentido del dinamismo dramático.

Obras destacadas

Coronación de la Virgen, h. 1430-1432 (Louvre, París)

La Anunciación, h. 1426 (Museo del Prado, Madrid)

Retablo de *La Anunciación de Cortona,* h. 1432-1434 (Museo Diocesano, Cortona, Italia)

Noli me tangere, 1432-1434 (Museo di San Marco, Florencia)

Fra Angélico pintaba como un acto de devoción, y parece que afirmó que «Para pintar las cosas de Cristo, hay que vivir con él». Lloraba mientras realizaba la Crucifixión y a menudo se arrodillaba en pleno proceso creativo. Su piedad y religiosidad son evidentes en toda su obra, que es testimonio de una vida inmersa en una profunda vocación cristiana. Miembro de los frailes dominicos, u orden de los Predicadores, Fra Angélico siguió los dictados de santo Domingo y divulgó el mensaje de Cristo por medio del propio talento.

Nacido como Guido di Pietro en la Toscana a finales del siglo XIV, trabajó de ilustrador de libros. Hacia 1417 ya había ganado fama como artista. Hacia 1420 ingresó en el convento de Santo Domingo de Fiesole, con el nombre de Fra Giovanni. Sus primeras obras consistieron en la iluminación de manuscritos según el estilo gótico internacional. Algunos de ellos, que han sobrevivido hasta hoy, ya muestran su maestría como miniaturista.

Conforme crecía su reputación, Fra Angélico recibió encargos para altares y otras obras mayores. Hacia 1426 pintó una de las muchas versiones de la *Anunciación* para una capilla de Fiesole, con figuras realistas y expresivas que irradian confianza bajo un decorado a base de arcos. La influencia de Masaccio es evidente en el uso de fondos arquitectónicos y de la perspectiva, recursos revolucionarios para la época. Otra *Anunciación,* pintada como parte del *Retablo de Cortona* (1432-1434), realza y estiliza la perspectiva arquitectónica. La composición reposa sobre seis pequeñas predelas que ilustran la vida de la Virgen; en ellas se hace evidente su habilidad como miniaturista, y muestran además un uso innovador del paisaje y de la composición que influiría en posteriores artistas del Renacimiento, como Leonardo da Vinci.

«[Se dice] que nunca manejó un pincel sin una ferviente plegaria.» William Michael Rossetti

ARRIBA: Se afirma que *Santo Domingo adorando la Crucifixión* **es un autorretrato.**

ARRIBA: Las imágenes de *La Virgen y el Niño con santos* exhiben gran fluidez narrativa.

En 1436 los dominicos se hicieron cargo de la iglesia y el monasterio de San Marcos, en Florencia. Cosme de Médicis se encargó de su renovación, y en ella Fra Angélico realizó su obra más famosa, una serie de frescos concebidos como un recurso contemplativo para los frailes. La escala y el número de pinturas lo obligaron a contratar a diversos alumnos, entre los que quizá se hallaba su protegido, Benozzo Gozzoli.

En 1443 el papa Eugenio IV llamó a Roma a Fra Angélico para pintar en el Vaticano. Más tarde, el artista regresó a Fiesole para ser prior del monasterio en 1450. Siguió pintando, y completó uno de sus frescos más sorprendentes, la *Virgen de las sombras* (1450).

Fra Angélico fue un artista prolífico, dedicado a la creación de objetos devocionales siguiendo el lema de los dominicos, la divulgación del Evangelio. No es de extrañar que el crítico de arte victoriano John Ruskin lo considerara «no un artista propiamente dicho, sino un santo dotado de inspiración». **MC**

Todo en nombre del arte

Giorgio Vasari, que escribió un siglo después de la muerte del artista, popularizó el nombre de «Angélico» en su obra *Las vidas de los más excelentes pintores, escultores y arquitectos* (1550). Vasari afirmaba que Fra Giovanni (hermano Juan) recibió el sobrenombre de «Pictor Angelicus» o «pintor de ángeles», poco después de su muerte en 1455. De aquí pasaría a «Fra Angélico». Con los siglos, Fra Giovanni fue también conocido como «Il Beato Angelico» (el Bendito Angélico). En 1982 se oficializó la expresión al ser canonizado por el Vaticano. Hoy en día la denominación oficial es Bendito Fra Angelico Giovanni da Fiesole.

PAOLO UCCELLO

Paolo di Dono, h. 1397 (Florencia, Italia); 10 de diciembre de 1475 (Florencia, Italia).

Estilo: Encarna el arte florentino del siglo xv; puente entre el gótico tardío y el primer Renacimiento; experimentos con la perspectiva lineal.

Obras destacadas

La batalla de San Romano, 1430s-1450s (National Gallery, Londres; Ufizzi, Florencia; Louvre, París)

La caza h.1465 (Ashmolean, Oxford)

ARRIBA: Uccello, en *Cinco maestros del Renacimiento florentino* (h. 1500-1550).

ABAJO: *La caza* constituye uno de los últimos tesoros de Uccello.

Algunos críticos del pasado han denigrado a Paolo Uccello acusándolo de sacrificar el arte en favor de una fría experimentación con las teorías contemporáneas sobre la perspectiva. Más recientemente se ha visto reconocido como notable artista-diseñador —también trabajó como mosaísta y diseñador de vidrieras—, cuya obra mezcla sabiamente los valores artísticos y decorativos. Incluso se le ha atribuido una reformulación de la forma de concebir el mundo, anticipando así la labor de los cubistas. Ciertamente, su obra simboliza el conflicto artístico de su época: la artificiosidad del diseño gótico frente a la concepción renacentista de la realidad.

Uccello era hijo de un barbero-cirujano. Su inclinación artística le llevó a trabajar en el taller florentino del escultor Lorenzo Ghiberti, autor de las puertas del baptisterio de la catedral de Florencia. Uccello pasó la mayor parte de su vida en Florencia, donde se estableció profesionalmente hacia 1415.

Los detalles sobre sus primeras obras son escasos, pero se sabe que a partir de 1425 pasó algunos años en Venecia, donde ejerció como mosaísta. En la década de 1430 volvió a Florencia, donde trabajó en los frescos de la *Creación* para la iglesia de

ARRIBA: *La batalla de San Romano*, un desafío a la percepción artística y espacial.

Santa Maria Novella, impregnados todavía de decorativismo. En aquella época retomó decididamente las teorías de sus coetáneos Filippo Brunelleschi y Leon Battista Alberti, artistas que habían ideado una forma precisa y matemática de representar el mundo tridimensional sobre una superficie bidimensional. El retrato de *Sir John Hawkwood* (1436) muestra un gran interés por la perspectiva. En un fresco que representaba el Diluvio y su retirada, Uccello utilizó la perspectiva para mostrar dos escenas en una. Sus tres famosas pinturas sobre *La batalla de San Romano* (h. 1440-1450) incluyen un estudio de la perspectiva cuidadosamente planificado, con cada elemento perfectamente ubicado. Las pinturas, que aparentemente lucieron una junto a la otra en el palacio florentino de los Médicis, combinan un cuidadoso diseño ornamental típicamente medieval con ideas escultóricas y espaciales propias del Renacimiento.

Uccello probablemente trabajó hasta edad avanzada, y murió de viejo. Cuenta la tradición que vivió sus últimos años sumido en la pobreza y la obsesión por los experimentos con la perspectiva, que le mantenían despierto toda la noche. **AK**

Pura propaganda

Las escenas de *La batalla de San Romano* no eran simples ensayos de perspectiva, sino impresionantes muestras de propaganda renacentista. Describían una escaramuza librada en 1432 entre las ciudades-estado de Florencia y Siena. Los florentinos combatían a las órdenes del mercenario Niccolò da Tolentino, aquí sobre un caballo blanco y con un llamativo tocado. El personaje aparece como el héroe de un romance caballeresco. Sin embargo, los testimonios contemporáneos sugieren que tuvo que ser rescatado por sus tropas, aunque más tarde el hecho se interpretó como una estratagema del propio Niccolò.

ROGIER VAN DER WEYDEN

Rogier de la Pâture, h. 1399 (Tournai, Bélgica); 18 de junio de 1464 (Bruselas, Bélgica).

Estilo: Orden restringido y calculado; imágenes inmóviles de piadoso dolor y angustia; agudo poder de observación; drapeados angulares; cuerpos expresivos y manipulados.

Obras destacadas

San Lucas dibujando a la Virgen,
  h. 1435-1440 (Museum of Fine Arts, Boston)
El descendimiento, h. 1435-1470
  (Museo del Prado, Madrid)
Tríptico de Miraflores, h. 1440
  (Staatliche Museen, Berlín)

Nacido en Tournai, Rogier van der Weyden fue aprendiz de Robert Campin, uno de los principales pintores de esa ciudad. Poco después de su llegada a Bruselas en 1435, fue nombrado pintor municipal, y se le encargó la decoración del nuevo ayuntamiento con escenas de la Justicia (hoy extraviadas). Van der Weyden amasó una gran fortuna y alcanzó reconocimiento internacional gracias a los encargos públicos. Atrajo a mecenas foráneos, como Felipe III el Bueno, duque de Borgoña, aunque, a diferencia de su contemporáneo Jan van Eyck, nunca ocupó un puesto en la corte.

Sus obras más importantes son sus piezas para el retablo de la Pasión de Cristo, con su *Descendimiento* (h. 1435-1470), escena de una gran intensidad emocional, con el cuerpo de Cristo siendo descolgado de la cruz mientras los plañideros se deshacen en un intenso dolor. Retorcidos, con las cabezas inclinadas, y sumidos en un espacio restringido, la carga emotiva resulta todavía mayor.

El artista flamenco jugó con el espacio, planteando superficies verosímiles con un acabado inmaculado, pero colocando los elementos contra un sólido fondo dorado, como si estuvieran encerrados en una caja de madera o en un altar tallado. Una de sus innovaciones fue la inclusión de un marco decorativo ilusionista en las esquinas, lo que acentuaba la sensación claustrofóbica de su microcosmos figurativo. Su impacto en los círculos pictóricos de Bruselas fue profundo, aunque pocos de sus seguidores tuvieron la suficiente habilidad en el dibujo y la composición para poder igualar al maestro. La obra de Van der Weyden fue casi olvidada en el siglo XVIII debido a ciertas confusiones respecto a su identidad; hoy en día está plenamente reconocida, y se le considera un supremo maestro de la línea, el movimiento y la emoción humana. **KKA**

«Su intensidad expresiva confiere a los temas tradicionales una nueva realidad.» Margaret Whinney

ARRIBA: Detalle de *San Lucas dibujando a la Virgen,* pintura del siglo XV.

BERNAT MARTORELL

Bernat Martorell, h. 1400 (Sant Celoni, Cataluña, España); 1452 (Barcelona, Cataluña, España).

Estilo: Pintor y miniaturista de estilo gótico internacional; composiciones dinámicas; sentido del dramatismo narrativo; detallada observación de la naturaleza.

Se sabe poco acerca de la vida del pintor y miniaturista Bernat Martorell. Trabajó en Barcelona y fue el principal pintor en la Cataluña de la época. Se cree que fue alumno del pintor gótico LLuís Borrassà, y que inició su carrera como iluminador de manuscritos. Pintó según el estilo gótico internacional, y su taller realizó un arte religioso eminentemente decorativo, en vidrieras, enseñas y escudos de armas.

Solo existe una obra definitivamente atribuida a Martorell, *El retablo de san Pedro de Púbol* (1437), aunque *La Anunciación* (siglo XV), encargada por el monasterio franciscano de Santa María de Jesús, en Barcelona, también suele atribuírsele.

La obra por la que Martorell es más conocido aún no le ha sido atribuida de forma definitiva, aunque se cree que llegó a pintar cinco paneles que formaban parte de un conjunto más amplio, *El retablo de san Jorge* (1430-1435). La autoría se debe, en parte, a la afirmación realizada por el propio pintor de que san Jorge era su patrón, y también a analogías estilísticas, con un gusto por el tratamiento decorativo de la luz, la observación detallada y el dramatismo descriptivo.

La historia de san Jorge fue extraída de la *Leyenda áurea* (1275), una colección de historias sobre vidas de santos. La influencia de la iconografía bizantina es patente en los paneles decorados con pan de oro y pintura dorada. Martorell añade expresividad a los rostros, movimiento, un sentido dramático apoyado en el uso de tonalidades brillantes y contrastadas, dinamismo compositivo y realismo en el detalle. Utiliza el estuco para resaltar el halo y la armadura de san Jorge. Todo ello revela la contribución de Martorell al proceso evolutivo que desembocará en un estilo de mayor realismo y expresividad narrativa. **MC**

Obras destacadas

Retablo de san Jorge, 1430-1435 (Art Institute of Chicago, Chicago; Louvre, París)

Retablo de san Pedro de Púbol, 1437 (Museo Diocesano, Gerona)

La Natividad, década de 1440 (colección Lippmann, Berlín)

La Anunciación, s. XV (Museé des Beaux Arts, Montreal)

« […] un vigoroso sentido dramático y un delicado tratamiento de la luz.» Ian Chilvers

ARRIBA: *San Juan Evangelista bebiendo del cáliz envenenado*, atribuido a Martorell.

MASACCIO

Tommaso Cassai o **Tommaso di Ser Giovanni di Mone,** 1401 (San Giovanni Valdarno, Arezzo, Italia); 21 de diciembre de 1428 (Roma, Italia).

Estilo: Pintor florentino que preludia el Renacimiento italiano; sólido moldeado de figuras naturalistas; uso innovador de la perspectiva lineal y aérea.

Obras destacadas

El tributo, h. 1425 (capilla Brancacci, Santa Maria del Carmine, Florencia)

La Trinidad, 1426-1428 (Santa Maria Novella, Florencia)

De verdadero nombre Tommaso Cassai, fue uno de los pintores más importantes del siglo XV y uno de los fundadores de la pintura renacentista. Su célebre apodo, Masaccio («el torpe Tomás»), le fue dado al ingresar en uno de los gremios de Florencia, cuando todavía era un niño.

Se conoce poco acerca de sus primeros pasos artísticos, pero fue el primer pintor en recurrir a los efectos de la luz y los tonos en su obra para reforzar su solidez. Fue distanciándose del elaborado decorativismo medieval para adoptar un enfoque más naturalista. Su uso de la expresividad facial y postural fue un punto de inflexión. Tras estudiar la obra de los escultores florentinos Donatello y Nanni di Banco, las pinturas de Giotto y los primeros trabajos de Filippo Brunelleschi, desarrolló nuevas técnicas para sugerir la ilusión de perspectiva.

En 1422 ingresó en el gremio de pintores, el Arte dei Medici e Speziali, en Florencia. Desde 1424 trabajó con su colega Masolino da Panicale en la decoración de la capilla Brancacci, en la iglesia de Santa Maria del Carmine, en Florencia, y al año siguiente en el altar de Santa Maria Maggiore, en Roma. En estas obras aplicó sus innovadores métodos para mostrar la perspectiva lineal. Lo consiguió especialmente en 1428, cuando dio a conocer *La Trinidad* (1426-1428), en Santa Maria Novella, en Florencia. Este fresco marca la utilización por vez primera de la perspectiva lineal sistemática. Los espectadores creyeron que había practicado un orificio en el muro de la iglesia, dado el efecto tridimensional de la obra.

> «Yo pintaba, y mi pintura era como la vida misma; di a mis figuras movimiento, pasión, alma [...]»

Pese a la brevedad de su carrera, Masaccio ejerció una profunda influencia en otros artistas, especialmente en Leonardo da Vinci y Miguel Ángel. Murió en el otoño de 1428; la leyenda afirma que fue envenenado por un pintor rival. **SH**

ARRIBA: Detalle de *El tributo*, pintado por Masaccio hacia 1425.

FRA FILIPPO LIPPI

Fra Filippo Lippi, h. 1406 (Florencia, Italia); octubre de 1469 (Spoleto, Italia).

Estilo: Maestro del primer Renacimiento; paleta cromática pura y exquisita; influido por el arte holandés; figuras elegantes; fresco y temple sobre tabla; realismo y detalle en sus paisajes.

Los datos suministrados por el historiador Giorgio Vasari indican que Fra Filippo Lippi llevó una de las vidas más pintorescas de su época. Se sabe que en 1456 este artista, que también era monje carmelita, raptó a una joven novicia, Lucrezia Buti, del convento agustino de Prato. Ambos hicieron vida en común, junto con su hermana y otras monjas, y tuvieron dos hijos: un varón, Filippino Lippi, quien también llegaría a ser un artista famoso, y una hija, Alessandra.

Lippi fue uno de los artistas más importantes del primer Renacimiento. No se sabe nada acerca de su etapa formativa, pero trabajó bajo la influencia de Masaccio y Donatello, y ya al final de su carrera, junto a Sandro Botticelli. Lippi fue uno de los primeros artistas italianos en incorporar el típico detallismo holandés a su obra, y sus pinturas eran realmente originales e imaginativas. Un buen ejemplo es su magnífica *Madona y el Niño con san Frediano y san Agustín* (1437), que muestra una compleja y convincente organización espacial y una absoluta elegancia en sus figuras. Fue asimismo uno de los primeros maestros italianos en practicar el retrato, siempre con una gran sutileza, tal como puede comprobarse en su *Retrato de hombre y mujer* (h. 1440).

Hacia 1452 Lippi se trasladó de Florencia a Prato, donde empezó a trabajar en un ciclo de frescos para la catedral. El ciclo no se completó hasta 1466 y representa la madurez de su estilo, junto con un fuerte linealismo y una rica paleta cromática. Durante este período también trabajó en numerosos encargos, uno de los cuales está considerado como una obra maestra: la *Coronación de la Virgen* (1466-1469), incluida en una serie de frescos para la catedral de Spoleto que quedó inacabada y que, tras su muerte, sería completada por su hijo Filippino Lippi. **TP**

Obras destacadas

Madona y el Niño con san Frediano y san Agustín, 1437 (Louvre, París)

Coronación de la Virgen, h. 1466-1469 (catedral de Spoleto, Spoleto, Italia)

«Nadie lo superó en su época, y muy pocos en la actualidad.»
Giorgio Vasari

ARRIBA: Autorretrato (1485) conservado en la Galería de los Uffizi, en Florencia.

PIERO DELLA FRANCESCA

Piero di Benedetto dei Franceschi, h. 1415-1420 (Sansepolcro, Italia);
12 de octubre de 1492 (Sansepolcro, Italia).

Estilo: Pintor de obras religiosas; uso innovador de la perspectiva lineal, de las luces y las sombras, para crear espacios tridimensionales; sutil paleta cromática.

Obras destacadas

La flagelación de Cristo, h. 1460 (Galleria Nazionale delle Marche, Urbino, Italia)

La Resurrección de Cristo, h. 1463 (Pinacoteca Comunale, Sansepolcro, Italia)

Retratos de Federico II de Montefeltro y Battista Sforza, h. 1465-1470 (Uffizi, Florencia)

Piero della Francesca se convirtió en aprendiz de pintor a los quince años, pero también era un matemático con talento. Es probable que estudiara arte en Florencia, y es seguro que trabajó allí con Domenico Veneziano hacia 1439. La influencia de Masaccio y Paolo Uccello es evidente en sus obras.

Artista con una vida agitada, Piero también trabajó en Roma, Ferrara, Rímini y Arezzo. Gran parte de su obra se ha perdido, pero por suerte nos han llegado algunas pinturas de su etapa de madurez. Su retrato de *Sigismondo Pandolfo Malatesta* (1451) tiene reminiscencias del estilo holandés, con su gusto naturalista por el detalle. Piero no siguió ninguna escuela o estilo en particular, y los grandes frescos que describen la *Leyenda de la Vera Cruz* (h. 1452-1465), en la iglesia de San Francisco, en Arezzo, son una buena prueba de ello. Son propios de su estilo grandes espacios en tonos pálidos, el uso preciso de la perspectiva y una sutil paleta cromática. En uno de los frescos,

ARRIBA: Retrato de Piero en las *Vidas* de artistas, de Vasari, publicadas en 1550.

DERECHA: Doble retrato del duque y la duquesa de Urbino, Galería de los Uffizi.

El sueño de Constantino, usa el claroscuro para crear una de las primeras escenas nocturnas del arte occidental.

Piero fue un humanista del Renacimiento que pintaba escenas religiosas para procurarse el sustento. Su obra se vio influida por el redescubrimiento de la Antigüedad clásica, lo que revolucionó el pensamiento de la época. No es posible demostrar si estas ideas alteraron sus creencias religiosas, pero sí influyeron en su pintura. En su misteriosa obra La flagelación de Cristo (h. 1460), las figuras del primer plano son tres hombres que parecen ignorar el castigo infligido a Cristo que tiene lugar sobre el fondo clásico de la composición. Piero volvió pronto a su ciudad natal, donde pintó La Resurrección de Cristo (h. 1463), su obra más celebrada, para el palazzo Comunale. También murió allí, y su reputación fue languideciendo y sumiéndose en la oscuridad hasta el siglo XIX. **MC**

ARRIBA: La flagelación de Cristo, obra objeto de debate desde su concepción.

El genio de la geometría

Piero della Francesca escribió tres tratados matemáticos, y sus logros en este campo del saber fueron considerables. En su estudio sobre los poliedros redescubrió los sólidos de Arquímedes. En su manuscrito Los cinco cuerpos regulares (h. 1480-1489) aparece una ilustración de un icosaedro (poliedro de veinte caras), inscrito en un cubo: un nuevo hallazgo en la matemática poliédrica. En La perspectiva pictórica (1474), Piero describió la nueva ciencia de la perspectiva, y ejerció una enorme influencia en el arte y la arquitectura del Renacimiento.

JAUME HUGUET

Jaume Huguet, 1415 (Valls, Tarragona, España); h. 1492 (Barcelona, España).

Estilo: Pintor gótico catalán de retablos; figuras naturalistas; caracterización expresiva e individualista de sus obras figurativas; uso de un colorido intenso; línea fluida.

Jaume Huguet trabajó en Barcelona en el siglo xv, cuando el gótico catalán había alcanzado su cenit. Fue el artista más importante del principado, y su fama se debe a sus ornamentados retablos, su fino uso del pan de oro y del estuco, su intensidad cromática, la complejidad de sus composiciones y la fluidez de la línea.

Quizá sea más notable aún por la expresiva caracterización de que dotó a sus figuras, que provocaban la inmediata empatía y conmiseración del espectador. Su versión de *La Última Cena* (h. 1470), por ejemplo, muestra a Cristo mirando hacia el espectador, al que bendice con su mano derecha. Jesús está presente en la mesa, pero centrado en su divinidad y rodeado de discípulos, cuyos rostros parecen haberse inspirado en personajes reales.

Nacido en Valls, tras la muerte de su padre, Huguet se trasladó a la capital provincial, Tarragona, donde vivió con su tío, el también pintor Pere Huguet. Más tarde, en Barcelona, conoció la obra de Bernat Martorell antes de trasladarse a Zaragoza y Tarragona, donde se familiarizó con el estilo flamenco de LLuís Dalmau y su gran interés por el detalle. Cuando volvió a Barcelona para instalarse definitivamente en la ciudad, en el año 1454, empezó a realizar sus mejores obras, entre las cuales se cuentan los paneles para el *Retablo de san Miguel y de san Esteban o de los Revendedores* (h. 1455-1460), *San Jorge y la princesa* (h. 1459-1475), y la *Consagración de san Agustín. Retablo de san Agustín o de los Curtidores* (h. 1466-1475).

Los retablos, elegantes y refinados, ejercieron gran influencia en el arte eclesiástico de Cataluña y Aragón, sintetizando los rasgos de los estilos flamenco e italiano para crear un auténtico estilo catalán. **CK**

Obras destacadas

Retablo de san Miguel y de san Esteban o de los Revendedores, h. 1455-1460 (Museu Nacional d'Art de Catalunya, Barcelona)

San Jorge y la princesa, h. 1459-1475 (Museu Nacional d'Art de Catalunya, Barcelona)

Consagración de san Agustín. Retablo de san Agustín o de los Curtidores, h. 1466-1475 (Museu Nacional d'Art de Catalunya, Barcelona)

«Mezclaba las influencias flamenca e italiana con el románico.» *New York Times*

ARRIBA: *La Virgen y el Niño con santa Inés y santa Bárbara,* de estilo muy personal.

KANG HUI-AN

Kang Hui-an, 1419 (Corea del Sur); 1464 (Corea del Sur).

Estilo: Pintor, calígrafo, diseñador de jardines y poeta; trazos gruesos y vigorosos de tinta sobre papel o seda; paisajes influidos por la pintura china de las escuelas del Norte y del Sur.

Obras destacadas

Sabio contemplando el agua, h. 1420-1464 (Museo Nacional de Corea, Seúl)

Hunmin Chongum, 1446 (Museo de Arte Kansong, Seúl)

En la sociedad coreana del siglo XV, a los nobles les gustaba pintar y eran conocidos como *literati*. Kang Hui-an fue un artista que respondía a ese perfil. Libre de las restricciones impuestas sobre los artistas profesionales a sueldo del gobierno, pudo crear su propio estilo influido por la pintura de paisajes china de las escuelas del Norte y del Sur, en época de la dinastía Song (960-1279). La pintura y la caligrafía, denominadas *sohwa*, eran consideradas un mismo género en aquella época. Obras como su *Sabio contemplando el agua* (h. 1420-1464) causaron impacto en el arte coreano posterior, con su figura humana muy contrastada contra el paisaje de fondo mediante gruesas pinceladas de tinta. Se sabe poco de la vida de Hui-an. **CK**

PEDRO BERRUGUETE

Pedro Berruguete, 1450 (Paredes de Nava, Palencia, España); 1503 (Paredes de Nava, España).

Estilo: Pintor del gótico internacional tardío; estudioso del espacio, la anatomía y la composición; utilizó elementos decorativos de inspiración renacentista.

Obras destacadas

Retablo de san Pedro Mártir, 1483 (Museo del Prado, Madrid)

Decapitación del Bautista, h. 1485 (iglesia de Santa María del Campo, Burgos)

Bautismo de Cristo, h. 1485 (iglesia de Santa María del Campo, Burgos)

Auto de fe presidido por santo Domingo de Guzmán, 1490 (Museo del Prado, Madrid)

Anunciación, h. 1495 (cartuja de Miraflores, Burgos)

Inició su aprendizaje en el taller de Justo de Gante. Este primer período de influencia flamenca dio paso a una nueva etapa inspirada en el arte italiano de la corte del palacio Ducal del duque de Montefeltro, en Urbino, donde probablemente trabajó. La huella del primer Renacimiento italiano y de artistas tan representativos como Fra Angélico es visible en obras como la *Anunciación* de la cartuja de Miraflores, en Burgos (hacia 1495). Berruguete supo combinar la rígida perspectiva geométrica italiana con la minuciosidad en el detalle típicamente flamenca, y adaptó ambos al gusto tardogótico de la pintura castellana. La *Decapitación del Bautista* y el *Bautismo de Cristo*, fechadas entre 1483 y 1485, son dos buenos ejemplos de esta etapa. **FA**

HANS MEMLING

Hans Memling, h. 1430 (Seligenstadt, Alemania); 11 de agosto de 1494 (Brujas, Bélgica).

Estilo: Maestro de la pintura flamenca del siglo xv; exquisitos retablos; relaciones espaciales de gran racionalidad; atrevido cromatismo; supremo dominio del diseño compositivo.

Hans Memling, perteneciente a una generación de artistas flamencos que respondió a las innovaciones de Jan van Eyck, creó pinturas religiosas y retratos de exquisito realismo óptico para la clase adinerada de Brujas. Gran parte de su obra son lujosos paneles a escala reducida, fácilmente transportables a una capilla privada o a un hogar de una corte europea.

La obra de Memling se destaca sobre la de sus predecesores por la gracia de sus figuras y su atrevido uso del color, rechazando la dependencia de los fondos dorados. Su pintura adquiere un sentido de unidad gracias al característico estilo de sus paisajes continuos, que se despliegan de forma ininterrumpida a lo largo del panel. Es el primer pintor flamenco conocido por incluir un paisaje dentro de un retrato, una innovación imitada posteriormente por muchos artistas.

Sus pinturas irradian un sentido de perfección y orden. Los santos y los donantes se reúnen en un intocable mundo de estática contemplación. Evitan la mirada del espectador, y sus ojos aparecen entornados, sin emoción. Esta dualidad, junto

Obras destacadas

*Tríptico de Jan Crabbe,*1467-1470
(Museo Civico, Vicenza; Pierpont Morgan Library, Nueva York)

El Juicio Final, 1467-1471
(Museo Narodowe, Gdansk, Polonia)

Historia de la Pasión, 1470-1471
(Galleria Sabauda, Turín)

Tríptico Donne, h. 1478
(National Gallery, Londres)

ARRIBA: Detalle de *La Virgen con el Niño, santos y donantes (Tríptico Donne).*

DERECHA: *El Juicio Final,* **con un fuerte y equilibrado acercamiento a la composición.**

con un preciso sentido de la superficie, invita al espectador a meditar sobre la belleza de la escena y a la reflexión religiosa.

Aunque existen pocos datos acerca de sus primeros años de vida, puede decirse que provenía de Alemania y se estableció en los Países Bajos para acabar su formación en el estudio de Rogier van der Weyden, en Bruselas. Llegó a Brujas hacia la década de 1460, y su primera obra catalogada es el gran tríptico de *El Juicio Final* (1467-1471), que se conserva en Gdansk, Polonia. Durante su estancia en Brujas, disfrutó de una estrecha relación con sus patrones, como el hospital de San Juan y la cofradía de Nuestra Señora de la catedral de Brujas, que le invitó a formar parte de ella hacia 1473.

Memling ejerció una profunda influencia en sus coetáneos de Brujas. Introdujo la solidez del diseño compositivo de Van der Weyden, transformándola en una visión particular del mundo terrenal y celestial que sedujo a sus piadosos y cultos mecenas. A través de sus ojos, el mundo se convertía en un lugar de perfección, claridad, cabellos dorados y delicados dedos extendidos. **KKA**

ARRIBA: La *Historia de la Pasión* comprime las 33 escenas en una única pintura.

Juegos espaciales

La visión de Hans Memling era absolutamente racional. El espectador creía en los espacios que componía gracias al uso de la perspectiva lineal y los juegos lumínicos. En su retrato del noble de Brujas Maarten Nieuwenhove, parte de un díptico con la Virgen y el Niño, jugó de forma consciente con la profundidad ilusionista y las relaciones espaciales. La perspectiva de las ventanas y la dirección de los rostros tienen en cuenta el ángulo que formará el díptico al abrirse. Bajo la pintura subyace una compleja construcción lineal, la primera de su género conocida en Flandes.

GIOVANNI BELLINI

Giovanni Bellini, h. 1430 (Venecia, Italia); 1516 (Venecia, Italia).

Estilo: Famoso colorista veneciano; representaciones de medio cuerpo de la Virgen con el Niño; luz rosada de amaneceres y ocasos; idílicos paisajes pastoriles; calma espiritual; maestro de Tiziano y Giorgione.

Obras destacadas

La agonía en el jardín, h. 1465
   (National Gallery, Londres)

San Francisco en éxtasis, 1480-1485
   (Frick Collection, Nueva York)

El dux Leonardo Loredano, 1501-1507
   (National Gallery, Londres)

Giovanni Bellini marca el inicio de la escuela veneciana, y supuso una importante contribución a la historia de la pintura, por lo que respecta a los motivos y la técnica. Su dilatada carrera presenció el paso de la pintura al temple a la pintura al óleo, desarrollada en los Países Bajos. La luminosidad atmosférica, la riqueza cromática y los delicados abrazos de madre e hijo fueron posibles gracias a su comprensión de las posibilidades del óleo. Todas sus innovaciones allanaron el camino para posteriores logros de artistas como Tiziano, Veronés y Tintoretto.

Bellini procedía de una distinguida familia de pintores. Su padre, Jacopo, dirigió el taller de los Bellini hasta su muerte hacia 1470. Su hermano Gentile fue muy aclamado por sus grandes lienzos destinados a espacios públicos, e incluso visitó la corte del sultán turco en la antigua Constantinopla (hoy Estambul) entre 1478 y 1481. Hacia 1470 Giovanni era un pintor de prestigio especializado en pequeñas obras devocionales y en retratos, entre ellos algunos encargos para el palacio ducal. Creó algunos de los mejores retablos de su tiempo, y pintó en suaves gradaciones tonales y con resonancias de armonía espiritual y geométrica. Bellini innovó en el terreno de los motivos. Incorporó poéticos paisajes y alegorías a su repertorio religioso. En *La agonía en el jardín* (h. 1465) y *San Francisco en éxtasis* (1480-1485), un rosado resplandor matinal baña la escena. *La agonía en el jardín* es la primera pintura conocida del arte italiano en la que aparece la luz del atardecer. El uso de los suaves tonos rosados inspiró incluso el nombre de un cóctel, el «Bellini». Es una imagen apropiada para recordar a un artista que representa el primer florecimiento del colorismo veneciano. **KKA**

«Bellini podría considerarse la "Primavera del mundo" en el arte de la pintura.» Marco Boschini

ARRIBA: *Retrato de Giovanni Bellini* (1505), pintado por Vittore Belliniano.

ANDREA MANTEGNA

Andrea Mantegna, h. 1431 (Isola di Carturo, cerca de Padua, Italia); 13 de septiembre de 1506 (Mantua, Italia).

Estilo: Maestro del Renacimiento; calidad escultural de sus figuras y paisajes; experto en la perspectiva y la ilusión óptica; temas religiosos y retratos.

Andrea Mantegna fue uno de los artistas más importantes del *Quattrocento* italiano, cuya profunda influencia se extendió tanto a sus coetáneos como a pintores de generaciones posteriores. Giovanni Bellini, Alberto Durero, Leonardo da Vinci y Antonio da Correggio reflejaron elementos del estilo y la técnica de Mantegna, y sus innovadores esquemas para los frescos marcaron el camino durante siglos. Trabajó en la tradición renacentista italiana, y es especialmente conocido por su estudio de la herencia de la Roma clásica y su virtuosa utilización de la perspectiva ilusionista, patente en sus frescos y en sus pinturas sobre la *sacra conversazione* de la Madona y el Niño entre santos. Aparte de sus pinturas, Mantegna era un experto dibujante y creó los mejores ejemplos de grabado en plancha de cobre de su época. Abrió nuevos caminos con sus aguafuertes, y desarrolló la técnica de combinar la punta seca y el buril para conseguir un mayor espectro tonal y trabajar a una escala mucho mayor de la habitual.

Obras destacadas

Tabla del altar de la capilla de San Lucas, 1453 (Pinacoteca di Brera, Milán)

Serie «Los triunfos del César», h. 1486-1505 (Hampton Court Palace, Londres)

Cristo muerto, h. 1490 (Pinacoteca di Brera, Milán)

ARRIBA: Mantegna, además de pintor, era un experto dibujante y grabador.

IZQUIERDA: *Calvario*, el panel central del banco del *Retablo de san Zeno,* en Verona.

En pleno trabajo

Mantegna trabajaba de forma lenta
y precisa, para desespero de sus
mecenas. Era un soberbio dibujante
y creaba meticulosos bocetos para
sus pinturas, que seguía fielmente
y con escasas desviaciones sobre
el proyecto original.

- El dibujo era una parte importante
  de su obra, no solo en relación con
  sus pinturas y grabados, sino que
  incluso produjo varios dibujos
  perfectamente acabados, como
  Judith con la cabeza de Holofernes
  (h. 1495-1500), considerados hoy
  en día como los primeros intentos
  de dibujo como género pictórico.

- Otro aspecto poco habitual de su
  obra era el uso de la pintura al temple:
  pigmento mezclado con un extracto
  animal. Una técnica que daba como
  resultado una opacidad similar
  al tono y al color de sus magistrales
  frescos, y puede explicar su predilección
  por ella. Un buen ejemplo es *La
  introducción del culto a Cibeles en Roma*
  (h. 1505), con su seca apariencia de
  piedra y su similitud con los acabados
  del fresco.

- Las obras al temple de Mantegna no
  estaban pensadas para recibir barniz,
  y su aplicación posterior causaría
  la pérdida de su imagen y estética
  original.

El talento de Mantegna fue precoz. A los once años ya era aprendiz en el taller de Francesco Squarcione, pintor de Padua, y a los diecisiete años se estableció como pintor independiente. La influencia de Squarcione sobre el joven pintor no parece haber sido excesiva, aunque ambos adoraban las antigüedades romanas. Parece que la obra de Donatello sí logró influir en él por lo que respecta al lenguaje visual, así como la de Paolo Uccello y Jacopo Bellini. Una de las primeras obras de Mantegna identificadas es *San Marcos* (h. 1440), que sentó las bases de su madurez pictórica en su uso de la perspectiva y el detallado realismo.

El primer trabajo de gran formato de Mantegna fue la decoración de la capilla Ovetari de Padua. En 1448 él y su colega Nicolò Pizzolo recibieron el encargo de decorar la mitad de la capilla con escenas de la vida de san Jaime, mientras que Antonio Vivarini y Giovanni d'Alemagna se encargarían de la otra mitad. Finalmente, el propio Mantegna fue el responsable de la mayor parte del esquema decorativo. Su enfoque escultórico de la obra figurativa es patente en los músculos y en la suavidad de las formas, así como en el suntuoso tratamiento del drapeado a la romana.

DERECHA: *El marqués Ludovico II Gonzaga de Mantua* muestra el gusto del pintor por el detalle.

En 1453, año en que contrajo matrimonio con Nicolosia Be-llini, hija de Jacopo, Mantegna recibió el encargo de pintar el retablo de san Lucas para los benedictinos de San Giustina, en Padua. Su característica manipulación y uso de la perspectiva son de nuevo los protagonistas, al crear un esquema unificado y equilibrado que subyace bajo la complejidad compositiva. En 1460, tras ganarse una sólida reputación en Padua, Mantegna se convirtió en pintor de corte para el marqués de Mantua, Lu-dovico II Gonzaga. Fue el primer pintor destacado en fijar su residencia en Mantua, donde permaneció entre 1466 y 1488, con un elevado salario y trabajando en exclusiva para los Gon-zaga, con los que trabó amistad. Algunas de sus obras más im-portantes son de esta época, como el esquema decorativo para la camera degli Sposi (cámara nupcial) del palazzo Ducale. Sus retratos de los Gonzaga son de los mejores del período.

Mantegna en Roma

En 1448 Mantegna viajó a Roma a requerimiento del papa Ino-cencio VIII para pintar la capilla del Belvedere, en el Vaticano. El edificio fue destruido en 1780, pero el historiador Giorgio Va-sari se encargó de legarnos algunas descripciones de la obra. A su vuelta a Mantua, Mantegna inició su trabajo en una serie de nueve lienzos sobre «Los triunfos del César» (h. 1486-1505). La obra presenta la vertiente más romana y clásica del artista en su recreación del mundo de la Antigüedad.

De nuevo en Mantua, realizó dos interesantes pinturas para Isabella d'Este, consorte de Francesco Gon-zaga. Las dos escenas alegóricas, *Parnaso (Marte y Venus)* (1497) y *Palas expulsando a los vicios del jardín de la virtud* (1499-1502), muestran el modo cerebral con que el artis-ta enfoca el tema, y quizá fueron aún más apreciadas por la intelectual audiencia a la que iban destinadas.

Tras la muerte de Mantegna en 1506, sus hijos erigieron un impresionante monumento en su memoria en la iglesia de Sant'Andrea de Mantua. **TP**

«Los triunfos del César» [...] constituyen lo mejor que llegó a pintar.» Giorgio Vasari

ARRIBA: *San Sebastián;* el miedo en el rostro del santo conmueve al espectador.

ANDREA DEL VERROCCHIO

Andrea di Michele di Francesco de Cioni, 1435 (Florencia, Italia); 1488 (Venecia, Italia).

Estilo: Escultor florentino del siglo xv; pintor y arquitecto; maestría técnica con el bronce; creatividad conceptual; tumbas de mármol y estatuaria.

Obras destacadas

Tobías y el ángel, década de 1470 (National Gallery, Londres)

David, h. 1475 (Museo Nazionale di Bargello, Florencia)

La duda de santo Tomás, 1476-1483 (Iglesia de Orsanmichele, Florencia)

La polifacética carrera de Andrea del Verrocchio ha recibido toda clase de críticas por parte de los historiadores del arte, debido, en parte, a su eclecticismo. Intervino en todo tipo de proyectos, ya fueran escultóricos, decorativos o funcionales. La importancia de Verrocchio se ha visto ensombrecida por la gigantesca figura de Leonardo da Vinci, quien saltó a la fama desde su taller. Gracias al éxito de su alumno, Verrocchio abandonó el pincel para dedicarse a la escultura. Es, pues, más recordado por su habilidad técnica, especialmente con el bronce, y por la eficiente organización de su amplio taller. Verrocchio inició su carrera artística como orfebre, y amplió más tarde su repertorio hacia la pintura y la escultura.

A la muerte de Donatello en 1466, Verrocchio siguió sus pasos como artista favorito de la familia Médicis. Ello le valió importantes encargos en plena madurez: esculpió tumbas de mármol con motivos faunísticos y botánicos, pintó retablos y diseñó recepciones de estado. Hacia 1466 ya había recibido prestigiosos encargos, incluyendo un grupo en bronce, *La duda de santo Tomás* (1476-1483) para la iglesia de Orsanmichele. Un año más tarde esculpió la tumba de mármol para Cosimo di Giovanni de Médicis en la iglesia de San Lorenzo, en Florencia. El momento culminante de su carrera llegó con el encargo de una bola de cobre dorado para coronar la catedral de Florencia. Completada en 1471, Verrocchio cimentaba así su fama como artista de excepcional técnica y poder creativo. Su escultura de bronce *David* (h. 1475) fue una respuesta directa a la escultura de Donatello sobre el mismo tema. Inspirado por las antiguas fuentes y dedicado al estudio de la naturaleza, Verrocchio enfocó sus diversos proyectos con inteligencia y originalidad, desafiando las convenciones vigentes. **KKA**

> «Junto a Leonardo, la suya es la mayor figura artística de todos los tiempos.» A. Bayersdorfer

ARRIBA: Retrato de Verrocchio, en las *Vidas de artistas,* de Vasari, aparecidas en 1550.

LUCA SIGNORELLI

Luca d'Egidio di Ventura, h. 1440-1450 (Cortona, Italia); octubre de 1523 (Cortona, Italia).

Estilo: Precisión en el detalle anatómico de la figura humana; acción dramática; desnudos monumentales y musculosos; uso del escorzo.

Luca Signorelli está considerado como uno de los mejores dibujantes del Renacimiento y, sobre todo, es conocido por sus desnudos y su innovador uso del escorzo. Las dos influencias más importantes en su evolución creativa parten de dos estilos contrastados. Como estudioso de Piero della Francesca, heredó su maestría en el sentido estricto de la composición y en su estilo majestuoso. Más tarde trabajó con Antonio y Piero del Pollaiolo, cuyo impacto se deja sentir en el decorativismo y el sentido atlético de la forma humana. Una de sus primeras obras es el estandarte procesional en *Cristo azotado* (h. 1480). El tratamiento sensitivo de las luces y las sombras y su naturalismo científico dan testimonio de la mezcla de estilos que sintetizó a partir de sus maestros.

En 1482 Signorelli viajó a Roma para trabajar en el ciclo de frescos de la parte baja de los muros de la capilla Sixtina, donde realizó *Testamento y muerte de Moisés* (1481-1482). Los encargos se sucedían a buen ritmo, y le llevaron al monasterio de Monte Oliveto Maggiore, en las colinas de Siena, para trabajar en otro ciclo de frescos con escenas de la vida de san Benito, y a Orvieto, donde crearía su obra maestra.

Signorelli pintó los frescos de *El fin del mundo* (1504) en la capilla de San Brizio de la catedral de Orvieto, incluyendo su magnífico *El Juicio Final* (1499-1502), obra por la que es unánimemente reconocido. La dramática escena plantea una caótica mezcla de desnudos musculados que testifican la inmensa maestría del artista en el detalle anatómico. El propio Miguel Ángel se vio profundamente influido por la obra, y Rafael no cesaba de admirarla cuando visitaba la ciudad. Signorelli allanó el camino para la trascendental evolución protagonizada por dichos artistas en la Italia del siglo XVI. **SG**

Obras destacadas

Testamento y muerte de Moisés,
   1481-1482 (capilla Sixtina, Vaticano)
El Juicio Final, 1499-1502
   (Duomo, Orvieto, Italia)

«Luca abrió a la mayoría de artesanos el camino de la perfección artística.» Giorgio Vasari

ARRIBA: Autorretrato, detalle del ciclo de frescos *El sermón y las obras del Anticristo.*

SANDRO BOTTICELLI

Alessandro di Mariano di Vanni Filipepi, h. 1444 (Florencia, Italia); 17 de mayo de 1510 (Florencia, Italia).

Estilo: Temas clásicos y mitológicos; figuras alegóricas; fuerte perspectiva lineal; descripciones de la belleza y el amor divinos.

Obras destacadas

La primavera, h. 1482 (Uffizi, Florencia)

El nacimiento de Venus, h. 1485 (Uffizi, Florencia)

Venus y Marte, h. 1485 (National Gallery, Londres)

Las pinturas de Sandro Botticelli son intemporales: su frecuente uso de la alegoría ha hecho de ellas un enigma equivalente al del propio autor. Pero si el joven Alessandro no hubiera convencido a su padre de que le dejara finalizar su aprendizaje como orfebre, el mundo habría perdido a uno de los grandes pintores del Renacimiento florentino. Afortunadamente, el joven conocido como Botticelli («tonelete») se colocó de aprendiz con Fra Filippo Lippi, maestro del primer Renacimiento que encaminó a su pupilo por la senda de la gloria. El propio estilo de Lippi se muestra claramente en muchos de los primeros trabajos del alumno, cuando Botticelli hizo suyo el gusto de su maestro por la decoración extravagante y su fuerte sentido de la linealidad formal. Cuando Lippi marchó a Spoleto, Botticelli empezó a trabajar con los pintores y escultores Antonio del Pollaiolo y Andrea del Verrocchio, que tendían a una representación naturalista de las musculaturas, y admiró y copió su concepción escultórica.

Hacia 1470 Botticelli ya trabajaba por su cuenta en Florencia, y recibió su primer encargo: la *Alegoría de la fortaleza* (1470). Pronto su talento llamó la atención de la poderosa fami-

ARRIBA: Retrato de Botticelli, en las *Vidas de artistas* (1550), de Vasari.

DERECHA: *La primavera,* obra anterior a la captación de Botticelli por Savonarola.

ARRIBA: *El nacimiento de Venus*, una de las obras de arte más famosas de la historia.

lia de los Médicis que, enamorada de los temas históricos y seculares que plasmaba, de su tratamiento de los temas mitológicos y religiosos, y de su habilidad como retratista, lo cubrió de encargos. En 1481 el papa Sixto IV lo llamó a Roma para pintar al fresco las paredes laterales de la capilla Sixtina. Estudió el arte florentino, pintando retablos para altares, frescos y *tondi* (composiciones en forma de disco) y creando armoniosas composiciones y fantásticos paisajes junto con figuras llenas de emoción y vitalidad. Su predilección por los temas seculares culminó en *La primavera* (h. 1482) y *El nacimiento de Venus* (h. 1485), donde el artista usó formas alegóricas típicamente ambiguas.

El estilo y la actitud de Botticelli se vieron alterados durante sus últimos años por la influencia del monje dominico Girolamo Savonarola. Sus pinturas se redujeron en tamaño, y los temas se volvieron apocalípticos y angustiosos. También quiso dedicarse a la ambición de su vida: ilustrar la *Divina Comedia* de Dante (1308-1321), pero su mermada salud se lo impidió. **SG**

Hoguera de las Vanidades

La relación entre Sandro Botticelli y el fanático dominico Girolamo Savonarola ha provocado una fuerte controversia. Según el tratadista Giorgio Vasari, Botticelli se convirtió en un devoto del monje, y abandonó radicalmente cualquier temática pagana en su obra. Una nueva escuela de interpretación sugiere que la subordinación de Botticelli a la voluntad de Savonarola era tan intensa que él mismo le dio permiso para arrojar sus pinturas a la famosa Hoguera de las Vanidades, que fue prendida el 7 de febrero de 1497. No parece muy probable, pero, como un fuego que no cesa, las teorías se suceden con rapidez.

MARTIN SCHONGAUER

Martin Schongauer, h. 1448 (Colmar, Francia); 2 de febrero de 1491 (Breisach am Rhein, Alemania).

Estilo: Pintor y grabador de exquisitos temas religiosos; imágenes tiernas y elegantes; línea clara y florida; figuras con volumen y profundidad.

Especialista en grabados y pintor, Martin Schongauer provenía de Colmar, ciudad de la región francesa de Alsacia. Se supone que aprendió el oficio de grabador con su padre, orfebre. Su obra se vio influida por otro grabador, el Maestro E. S., y por el primitivo arte flamenco, en especial el de Rogier van der Weyden. Con la esperanza de conocer a Schongauer, un joven Alberto Durero cruzó Alemania en 1492, aunque desgraciadamente llegó cuando el artista ya había muerto.

Su obra se inscribe esencialmente en la tradición gótica, y se caracteriza por la utilización de una línea clara y florida. Ilustró sobre todo temáticas religiosas, y produjo un buen número de encantadoras imágenes de la Virgen y la Sagrada Familia.

Quizá la obra fundamental de Schongauer sea *La Virgen del rosal* (h. 1473). Su única obra que se halla datada constituye un hito en su carrera artística. La equilibrada composición, de una engañosa simplicidad, está protagonizada por una virgen monumental, y a la vez elegante, vestida con una capa roja, una solución recurrente en algunas otras pinturas. El cuidadoso uso del escorzo permitía a Schongauer representar las formas como volúmenes en el espacio de una forma convincente. Aunque la Virgen descansa sobre un espacio bidimensional situado frente a un fondo dorado, el artista fue capaz de transmitir una imagen de profundidad mediante un magistral uso de la perspectiva. La sensación que transmite su obra es la de una tranquila intimidad, y la elegancia de sus figuras pronto se hizo legendaria. Aunque dotado de un inmenso talento como pintor, su fama más allá de los Alpes se cimentó en su habilidad como grabador. Fácilmente reproducibles en grandes tiradas y ampliamente distribuidos, sus grabados fueron apreciados por su variada gama de tonalidades y texturas. **AB**

Obras destacadas

Sagrada Familia, h. 1470
 (Alte Pinakothek, Munich)
La Virgen del rosal, 1473 (iglesia
 de Saint-Martin, Colmar, Francia)

> «Su arte le mereció el apodo de Martin Hübsch (Martin el Bello).» Fritz Koreny

ARRIBA: *La Virgen del rosal,* la obra más famosa de Martin Schongauer.

DOMENICO GHIRLANDAIO

Domenico di Tommaso Curradi di Doffo Bigordi, 1449 (Florencia, Italia); 11 de enero de 1494 (Florencia, Italia).

Estilo: Pintor de frescos con un floreciente taller instalado en Florencia; minuciosidad artesana; perspectiva precisa; detalles naturalistas y hábil sentido de la composición.

Domenico Ghirlandaio, en comparación con su coetáneo Sandro Botticelli, era un pintor a la antigua usanza. Su sobrenombre, Il Ghirlandaio («fabricante de guirnaldas»), procedía de su padre, un orfebre conocido por los collares que lucían las damas florentinas. En su tienda, se dice que Ghirlandaio realizaba retratos de los transeúntes, y pronto fue aceptado como aprendiz por el pintor Alessio Baldovinetti para estudiar pintura y musivaria. A los veinte años ya dirigía un gran taller perfectamente organizado junto a sus dos hermanos.

Era un especialista en la técnica del fresco y nunca utilizó el óleo, aunque pintó diversos retratos al temple. Una de sus especialidades era la inclusión en sus pinturas de retratos de personajes contemporáneos. Utilizaba tonalidades simples, y se dice que fue el primer pintor que dejó de utilizar los dorados en sus pinturas. Reclamado por el papa Sixto IV, pintó un fresco en la capilla Sixtina de Roma. Su obra *La vocación de los Apóstoles* (1481) contiene varios retratos realistas de prominentes personalidades florentinas de la época que a la sazón residían en Roma.

La mayoría de los frescos de Ghirlandaio se encuentran en Florencia. Su mayor encargo fue el ciclo para el coro de Santa Maria Novella, que ilustraba escenas de la vida de la Virgen y san Juan Bautista. La obra fue encargada por Giovanni Tornabuoni, socio de la poderosa banca de la familia Médicis. Ghirlandaio describe la historia en una intrincada composición, disponiendo a los personajes como si los hechos hubieran tenido lugar en la mansión de un rico burgués florentino. En reconocimiento a su benefactor, incluyó 21 retratos de varios miembros de la familia Tornabuoni, y representó claramente los estilos de vida y modas de la época acordes con el gusto de la clase media. **SH**

Obras destacadas

San Jerónimo, 1480 (iglesia de Ognissanti, Florencia)

Retrato de anciano con niño, h. 1480-1490 (Louvre, París)

«Era admirado en toda Italia [...] como uno de los mejores maestros vivos.» Giorgio Vasari

ARRIBA: Este autorretrato del artista es un detalle de uno de sus retablos.

PIETRO PERUGINO

Pietro Vannucci, h. 1450 (Città della Pieve, Italia); 1523 (Fontignano, cerca de Perugia, Italia).

Estilo: Importante pintor de la Escuela de Umbría; utilizó el óleo; obras religiosas notables por su atmósfera serena; ordenadas composiciones.

Pietro Perugino fue uno de los grandes maestros del primer Renacimiento. Disfrutó de un notable éxito comercial y dirigió dos estudios, uno en Florencia y otro en Perugia. Su obra fue cotizada durante un breve tiempo, hasta que su reputación se desvaneció frente a la figura de Rafael. Sus detractores lo criticaron por su supuesta falta de originalidad. La causa fue quizá la misma popularidad de sus pinturas, que le obligaba a repetir las figuras y los elementos de sus composiciones.

Perugino había nacido en Umbría, y se cree que se formó junto a Andrea del Verrocchio y posiblemente Piero della Francesca en Florencia. Su estilo acusa la influencia de ambos maestros por la organización espacial, el uso de la perspectiva y una paleta clara y pura. Su obra se destaca por una atmósfera consistente y armoniosa, que combina composiciones simétricas y siempre equilibradas con elegantes figuras a la florentina y elementos paisajísticos típicos de Umbría. Pocas obras suyas han sobrevivido.

Obras destacadas

La entrega de las llaves a San Pedro,
    h. 1480-1482 (capilla Sixtina, Vaticano)
Lamento ante Cristo muerto, h. 1495
    (palazzo Pitti, Florencia)
Lucha entre el Amor y la Castidad,
    1503-1505 (Louvre, París)

ARRIBA: Retrato de Perugino, pintado por Rafael hacia 1504.

DERECHA: *Lucha entre el Amor y la Castidad,* cuyo contenido fue sugerido por su mecenas.

ARRIBA: *El viaje de Moisés*, en el que Moisés y su familia son detenidos por un ángel.

En 1479 Perugino se trasladó a Roma, donde le habían sido encargados los esquemas decorativos para la capilla Sixtina, incluida la *Virgen con el Niño y ángeles* (h. 1480), hoy destruida. Algunas de sus pinturas para la pared del altar fueron repintadas por Miguel Ángel para su *Juicio Final* (1535-1541). Una de las obras más importantes de Perugino es el fresco *La entrega de las llaves a san Pedro* (h. 1480-1482), que exhibe un estilo maduro junto a una equilibrada composición.

Volvió más tarde a Florencia para realizar una serie de encargos de obras religiosas, que incluían la *Visión de san Bernardo* (1491-1494) para la iglesia de Santa Maria Maddalena dei Pazzi. Su escenario arquitectónico, el paisaje de Umbría y su paleta cálida tipifican el estilo de Perugino en esta época. Trabajó sobre todo para Florencia, donde ejecutó el retablo *Lamento ante Cristo muerto* (h. 1495). La obra, característica de su enfoque sombrío, sobrio y armonioso del tema, ha sido considerada como una influencia directa sobre el *El Santo entierro* (1507) de Rafael. **TP**

Juicios sobre Perugino

Perugino alcanzó un notable éxito durante su larga vida profesional y fue ampliamente reconocido. Pero no fue inmune a las críticas. Uno de los comentarios más famosos y punzantes vino de Miguel Ángel, quien, según Giorgio Vasari, describió públicamente a Perugino como un *goffo nell'arte*, es decir, «torpe en el arte». Perugino se sintió tan ultrajado que intentó entablar procedimientos legales contra el artista por difamación, pero el caso fue finalmente sobreseído. No deja de ser irónico que muchos de los esquemas decorativos de Perugino para el altar de la capilla Sixtina fueran suprimidos para dejar espacio al *Juicio Final* de Miguel Ángel.

LEONARDO DA VINCI

Leonardo di Ser Piero da Vinci, 15 de abril de 1452 (Vinci, Italia); 2 de mayo de 1519 (Amboise, Indre-et-Loire, Francia).

Estilo: El humanista por excelencia del Renacimiento; composiciones estrictamente organizadas; efectos de luz naturalistas; uso del difuminado para modelar las figuras.

Obras destacadas

La Última Cena, h. 1495-1498 (convento de Santa Maria delle Grazie, Milán)

La Gioconda, h. 1503-1506 (Louvre, París)

La Virgen, el Niño Jesús y santa Ana, h. 1510 (Louvre, París)

Leonardo da Vinci se erigió en el eje vertebrador del Alto Renacimiento, con un increíble despliegue de talentos que abarcaban el arte y la ciencia. Su nombre procede de Vinci, una localidad de la región de la Toscana cercana al lugar donde nació. Era hijo ilegítimo de un respetado notario local y de una campesina. Su madre contrajo segundas nupcias cuando él era aún muy joven, pero su padre lo crió en la finca familiar. Observando el talento artístico de su hijo, lo encomendó como aprendiz al escultor florentino Andrea del Verrocchio. Era el perfecto punto de partida para alguien tan polifacético, puesto que el taller de Verrocchio iniciaba a sus aprendices en una variada gama de conocimientos artísticos y técnicos.

A finales de la década de 1470, Leonardo ya trabajaba por su cuenta en Florencia, donde recibía prometedores encargos. Mostraba ya signos de un espíritu innovador, con hitos que definirían gran parte del arte renacentista e influirían sobre tantos pintores y escultores. El fenómeno era especialmente visible en su habilidad única para organizar el espacio de una forma creativa y plantear composiciones engañosamente simples, tal y como se refleja en su inacabada *Adoración de los Magos* (iniciada hacia 1481). Por aquel entonces se dirigió a Milán, donde vivió y trabajó entre 1482 y 1499.

ARRIBA: Leonardo da Vinci (probablemente un autorretrato datado en la década de 1510).

DERECHA: *La Anunciación* demuestra su sorprendente uso de la perspectiva.

ARRIBA: *La Última Cena* ha inspirado incontables teorías, libros y parodias.

Las razones que pudo tener para abandonar Florencia siguen siendo un misterio. Quizá pensó que la corte milanesa de Ludovico Sforza ofrecía mejores oportunidades para ejercitar la creciente fortaleza de su musculatura artística. Su prestigio fue consolidándose, y llegaron encargos como los de sus dos retablos de la *Virgen de las rocas* (1483-1486 y h. 1491-1508).

Elegante y de modales refinados, Leonardo se hacía querer, y se labró una carrera polifacética trabajando como pintor, escultor, diseñador de fortificaciones y consejero en proyectos arquitectónicos y de ingeniería. También creó numerosos y fascinantes dibujos, muchas de cuyas concepciones se adelantaron claramente a su tiempo, como el artefacto de aspecto similar a un helicóptero.

Aunque las investigaciones han demostrado que sus diseños estaban más anclados a su época de lo que previamente llegó a pensarse, no hay duda de que eran el fruto de una mente de gran inventiva.

«No hay bastante con conocer; debemos aplicar. La voluntad no es suficiente; debemos actuar.»

A escena

Como artista a sueldo de mecenas nobles y de la realeza, Leonardo da Vinci fue llamado a menudo para diseñar espectáculos y entretenimientos para la corte.

- Sus libros de notas profusamente ilustrados contienen bocetos y anotaciones para todo tipo de ideas, desde fuentes hasta una montaña difuminada que se abre para mostrar a un grupo de músicos.

- El artista poseía un especial talento para los efectos teatrales. No solo era capaz de desplegar un rico vocabulario de simbolismos visuales del tipo que más atraía a los reyes y a la corte; también utilizó maquinarias para crear los espectaculares efectos que las ocasiones especiales requerían.

- Leonardo poseía un considerable talento musical e incluso tocaba una especie de violín, así que sabía cómo incorporar elementos musicales a su puesta en escena.

- Se le pidió que diseñara un escenario para la representación de una obra del poeta cortesano Bernardo Bellincioni en Milán. La obra que se iba a interpretar era *La Festa del Paradiso* (1490), con ocasión de los esponsales de Gian Galeazzo con Isabel de Aragón. El elemento central era un enorme y espectacular hemisferio cubierto con planetas y estrellas rutilantes, la pieza perfecta para un hombre cuyos estudios científicos incluían la astronomía.

DERECHA: La enigmática sonrisa de *La Gioconda* ha cautivado a los amantes del arte.

Durante este período también concibió una de las obras más admiradas de la historia del arte: *La Última Cena* (h. 1495-1498). Este fresco fue pintado para el refectorio del convento de Santa Maria delle Grazie, en Milán. Aquí aparecen ya los rasgos que habrían de influir en muchos artistas, incluyendo a Rafael o a Peter Paul Rubens. Allí aparece la profundidad psicológica del ser humano, su talento para el retrato y el gesto —visible en cada uno de los discípulos—, su maestría en la organización compositiva y en la distribución de grupos, así como su dominio de la perspectiva —la pintura está ideada para aparecer como una galería superior tridimensional que sobresale de los muros del refectorio—. Leonardo muestra asimismo su amor por la innovación técnica y la experimentación. Utilizó una técnica de fresco ideada por él que por desgracia se deterioró prematuramente.

Una increíble gama de talentos

A principios de la década de 1500, Leonardo se había establecido en Florencia, donde era muy admirado, aunque parecía más interesado en los estudios matemáticos que en la pintura. Empezó a pintar *La Gioconda* o *Mona Lisa* (h. 1503-1506), con su serena y enigmática sonrisa realzada por su magistral uso del *sfumato*. La composición piramidal de su *Virgen y el Niño con santa Ana* (h. 1510) muestra su dominio de la distribución rígida, pero dinámica, de los personajes. Su talento se concentró también en otros campos: fue supervisor general, ingeniero y cartógrafo para la familia Borgia; estudió las pautas de vuelo de las aves, ideó sistemas hidráulicos, analizó la ciencia de la pintura y diseccionó cuerpos para familiarizarse profundamente con la anatomía humana.

En 1508 se inició una etapa feliz para el artista en Milán, cuando se convirtió en consejero arquitectónico del gobernador francés de la ciudad y del rey Luis XII. En 1513 la situación política lo obligó a trasladarse a Roma, en un momento de apasionante efervescencia artística. Pero no encontró encargos suficientemente interesantes, y se marchó a Francia en 1516. Aún trabajaba en sus estudios científicos y en sus escritos cuando le sorprendió la muerte en la casa de campo de Clos Lucé. Fue enterrado en Amboise, en Francia. **AK**

EL BOSCO

Jeroen van Aeken, llamado **Hieronymus Bosch**, h. 1450 (s'Hertogenbosch, Países Bajos; 9 de agosto de 1516 (s'Hertogenbosch, Países Bajos).

Estilo: Maestro de lo extraño y lo grotesco; visiones fantásticas del infierno; profecías medievales descritas a la manera renacentista; precursor del surrealismo.

Obras destacadas

La nave de los locos, 1490-1500 (Louvre, París)

El jardín de las delicias, h. 1500-1510 (Museo del Prado, Madrid)

Nacido Jeroen van Aeken, El Bosco adoptó su nombre artístico de su ciudad natal, s'Hertogenbosch, al sur de los Países Bajos, donde vivió, trabajó y murió. Había nacido en una familia de artistas alemanes, y una serie de documentos confirman su alto estatus social y su influencia. El Bosco no necesitaba ganarse la vida como pintor. Los registros fiscales demuestran que era uno de los ciudadanos más pudientes de la urbe. Quizá su libertad financiera pueda explicar en parte su tendencia poco habitual hacia lo extraño.

Aunque El Bosco realizó algunos retablos religiosos de estilo tradicional, es más conocido por sus paisajes amplios y abiertos llenos de descripciones de bestias mitad humanas mitad máquinas. Estas pinturas de gran formato presentan visiones de pesadilla, encaminadas a simbolizar los pecados y la inmoralidad del ser humano. Eran visiones más habituales durante la Baja Edad Media, y el artista se vio influido probablemente por antiguas ilustraciones de manuscritos. Sus imágenes surrealistas y simbólicas son descripciones de los fracasos y tentaciones de la humanidad, pero siempre con la intención de ilustrar y redimir al espectador. Una de sus obras maestras, *El jardín de las delicias* (h. 1500-1510), describe la historia de la creación del mundo e incluye visiones de la tierra, del cielo y del infierno; pero la obra sigue siendo motivo de debate entre los estudiosos por su compleja iconografía. Aunque el significado de sus obras sigue siendo un misterio, su uso de la pintura al óleo traslúcida y su virtuosismo técnico le permitieron un empleo concienzudo del detalle a gran escala. Pese a su enorme fama, tan solo 25 obras pueden atribuírsele con seguridad. Raramente firmaba sus pinturas, y existen muchas copias de sus obras debido a su intensa popularidad. Se convirtió en una importante fuente de inspiración para la obra de Salvador Dalí y los surrealistas. **AB**

«Maestro de lo monstruoso [...], descubridor del subconsciente.» Carl Gustav Jung

ARRIBA: Retrato de El Bosco, de la colección de copias de retratos *Recueil d'Arras*.

PIERO DI COSIMO

Piero di Lorenzo, h. 1462 (Florencia, Italia); h. 1521 (Florencia, Italia).

Estilo: Pintor renacentista de temas imaginativos, líricos y poéticos, cristianos y paganos, y de retratos; dominio magistral de la pintura de animales y paisajes; descripciones sutiles y evocadoras de la luz y las condiciones atmosféricas.

El pintor florentino Piero di Cosimo ejerció una influencia perdurable en el desarrollo de las artes en su ciudad natal, especialmente en las obras de Fra Bartolomeo, Mariotto Albertinelli, Jacopo Pontormo y Andrea del Sarto. Su tratamiento del paisaje, virtualmente inigualado, fue de gran importancia para artistas posteriores, así como su tratamiento estrafalario, poético e inspirado de temas tanto cristianos como mitológicos. Di Cosimo fue descrito como una de las personalidades más interesantes y excéntricas de aquel período por el eminente biógrafo Giorgio Vasari.

Di Cosimo se formó a las órdenes de Cosimo Rosselli, del que adoptaría finalmente el nombre, y con el que viajó a Roma en 1481. Allí trabajó en el fondo paisajístico del fresco de Rosselli *El sermón de la montaña* (1481), en la capilla Sixtina. Al final de la década de 1480, Di Cosimo ya trabajaba por su cuenta y había forjado un estilo propio, caracterizado por su sutileza, su tratamiento dinámico de la luz y la atmósfera, su extraordinaria interpretación del paisaje, y su frecuente inclusión de animales, plasmados con sorprendente comprensión y realismo. Solía trabajar con temple sobre madera, aunque también utilizó el óleo; el lápiz y la tinta eran sus medios habituales para dibujos y bocetos. Según Vasari, Di Cosimo era un hombre muy temperamental, le irritaban las moscas y los niños gritones, era reacio a la limpieza y seguía una dieta a base de huevos duros, que cocinaba mientras hervía la cola. Leonardo da Vinci, Filippino Lippi y Luca Signorelli influyeron de forma particular en su obra, aunque retuvo un característico e imaginativo enfoque en sus pinturas. *Muerte de Procris* (h. 1500-1510), con su conmovedora figura del perro y su lírico paisaje, se cuenta entre sus obras más famosas. **TP**

Obras destacadas

Retrato de Simonetta Vespucci, h. 1480
(Musée Condé, Chantilly, Francia)

Muerte de Procris, h. 1500-1510
(National Gallery, Londres)

Inmaculada Concepción de Jesús, 1505
(Uffizi, Florencia)

«Su arte refleja una personalidad extraña y misantrópica.» *Enciclopedia Británica*

ARRIBA: Retrato de Piero di Cosimo, de las *Vidas* (1550) de artistas, de Vasari.

ALBERTO DURERO

Albrecht Dürer, 21 de mayo de 1471 (Nuremberg, Alemania); 6 de abril de 1528 (Nuremberg, Alemania).

Estilo: El «Hombre del Renacimiento» del norte de Europa; grabador, dibujante y escritor; artista consciente de su estatus, no solo como gran dibujante.

Considerado el artista alemán más importante de todos los tiempos, Alberto Durero no solo fue un pintor de gran talento, sino también un completo dibujante, grabador y escritor. Se ganó el sobrenombre de «Hombre del Renacimiento», al ser uno de los primeros artistas en considerarse a sí mismo más como un intelectual que como un artesano, una actitud que se manifiesta en los numerosos autorretratos pintados durante su carrera.

Nació y murió en Nuremberg, un centro de la industria del grabado, la impresión, el comercio de libros y el humanismo. Su padre, de origen húngaro, era orfebre, pero Durero abandonó el negocio familiar para convertirse en pintor. Fue aprendiz del pin-

Obras destacadas

Autorretrato, a la edad de trece años, 1484
(Albertina, Viena)

Autorretrato con guantes, 1498
(Museo del Prado, Madrid)

Adán y Eva, 1504 (Metropolitan Museum of Art, Nueva York)

El caballero, la muerte y el diablo, 1513-1514
(Metropolitan Museum of Art, Nueva York)

San Jerónimo en su gabinete, 1514
(Clark Art Institute, Williamstown, EE.UU.)

La melancolía, 1514 (Metropolitan Museum of Art, Nueva York)

ARRIBA: Detalle de *Autorretrato con guantes,* un óleo realizado en 1498.

DERECHA: La acuarela de una joven liebre es una de sus obras más apreciadas.

tor e ilustrador de libros Michael Wolgemut. Por consiguiente, siguiendo la tradición de la época, trabajó como viajante o artista itinerante entre 1490 y 1494. Viajó por Alemania, los Países Bajos, el norte de Francia y Suiza, y quiso trabajar con Martin Schongauer en Colmar, pero este murió poco antes de que el joven artista llegara a la ciudad alsaciana en 1492. Volvió a casa para contraer matrimonio y montó un próspero estudio con el dinero de la dote de su esposa. Pronto su ansia por adquirir nuevos conocimientos e influencias le llevó a viajar de nuevo, esta vez a Italia.

Durero fue uno de los primeros artistas del norte de Europa en experimentar el arte del Renacimiento italiano. Visitó Italia en 1494 y 1505, cuando ya había completado algunas de sus mejores pinturas y se había labrado una fama internacional, cimentada también en la alta calidad de sus grabados. Estas imágenes, fácilmente reproducibles y de amplia distribución, reflejan su particular talento para el delicado sombreado y la representación textural de las formas. Imágenes como *La melancolía* (1514) demuestran su enfoque teórico del arte y su ambición por hallar las leyes que gobiernan los ideales de la belleza, la armonía y la óptica. **AB**

ARRIBA IZQUIERDA: *Adoración de los Magos*, con la Sagrada Familia en evocadoras ruinas.

ARRIBA: La xilografía demuestra el talento de Durero y su rica imaginación.

La autoconciencia de Durero

Su profundo sentido de la autoestima es ya perceptible en uno de los primeros dibujos conservados: el *Autorretrato a los 13 años* (1484), meticulosamente ejecutado en punta de plata. Pero quizá la imagen más significativa del artista es su pintura *Autorretrato con abrigo de piel* (1500). Pintado a mediados de su carrera, el lienzo muestra a su creador a la usanza de Cristo, con la siguiente inscripción: «Así, yo, Alberto Durero de Nuremberg, me pinté a mí mismo con colores indelebles a la edad de veintiocho años». La fecha de creación no solo marcaría un año crucial en el calendario occidental, sino también en la vida de Durero. Con 28 años en 1500, moriría 28 años más tarde, en 1528.

LUCAS CRANACH EL VIEJO

Lucas Sunder, 1472 (Kronach, Alemania); 16 de octubre de 1553 (Weimar, Alemania).

Estilo: Pintor y grabador de retratos; escenas religiosas y mitológicas; personajes de coqueta seducción; deliciosos paisajes; contornos precisos.

Obras destacadas

Cupido quejándose a Venus, h. 1525 (National Gallery, Londres)

El juicio de Paris, h. 1528 (Metropolitan Museum of Art, Nueva York)

La fuente de la eterna juventud, 1546 (Staatliche Museen, Berlín)

Durante la mayor parte de su carrera, Lucas Cranach el Viejo dirigió un próspero taller en Wittenberg, al norte de Alemania, y fue pintor de corte de los electores de Sajonia. Con el paso del tiempo, se convirtió en un personaje rico y prestigioso de la alta sociedad de Wittenberg, en su calidad de intelectual, artista y político. Más de un millar de obras relacionadas con su taller han llegado hasta hoy, pero el número total de ellas seguramente multiplicaría esta cifra. Muchos de los temas y composiciones se repitieron con frecuencia. Sus imágenes de Venus y Cupido o de Adán y Eva fueron muy populares. Cranach se especializó en plasmar deliciosos paisajes. Tras sus figuras aparecían redondeadas colinas, lagos cristalinos y afloramientos rocosos. El elector de Sajonia era un entusiasta de la caza y seguramente disfrutó con el detallismo en la plasmación de animales y topografías de Cranach.

Se sabe poco de sus primeros años de aprendizaje. Se vio influido por Alberto Durero, al que conoció al final de su vida; al igual que el «Hombre del Renacimiento» alemán, Cranach era un prolífico grabador, produjo numerosas series de xilografías, y fue pionero en la técnica tonal a tres colores. Conforme progresaba su carrera, fue desarrollando un estilo más claro y pulido. Sus obras tardías muestran escasa profundidad espacial y retratan un mundo irreal, poblado de esbeltos desnudos recortados sobre un follaje minuciosamente detallado. Los temas y el simbolismo de Cranach se vieron muy influidos por el reformismo protestante y por su íntimo amigo Martín Lutero, a la sazón en Wittenberg. En 1508 el elector Federico el Sabio recompensó a Cranach con el derecho a utilizar escudo de armas, del cual adaptó su famosa firma de un dragón con un anillo. El motivo puede rastrearse escondido entre las rocas de sus pinturas, como una marca de identidad. **KKA**

> «Sus pinturas [...] siempre provocaban una sonrisa elevada y fugaz.» Max J. Friedlander

ARRIBA: *Retrato de Lucas Cranach el Viejo* (1550) por Lucas Cranach el Joven.

DERECHA: *El juicio de Paris* refleja la habilidad de Cranach en figuras y paisajes.

MIGUEL ÁNGEL

Michelangelo di Lodovico Buonarroti Simoni, 6 de marzo de 1475 (Caprese, Italia); 18 de febrero de 1564 (Roma, Italia).

Estilo: Genial escultor, pintor, arquitecto y poeta del Alto Renacimiento; figuras masculinas de gran poderío físico y belleza; detallada observación anatómica.

Obras destacadas

La Piedad, h.1498-1499 (basílica de San Pedro, Vaticano)

David, 1501-1504 (Galleria dell'Accademia, Florencia)

Frescos de la capilla Sixtina, 1508-1512 (Museos Vaticanos, Vaticano)

El Juicio Final, 1535-1541 (capilla Sixtina, Museos Vaticanos, Vaticano)

Pese a la oposición de su padre, el interés de Miguel Ángel Buonarroti por el arte despertó pronto, y acabó por adquirir un estatus que lo incorporó prácticamente a una posición de culto. Inició su aprendizaje en 1488 en el floreciente taller florentino del pintor Domenico Ghirlandaio, pero pronto decidió trasladarse a la academia del escultor Bertoldo di Giovanni, en los jardines de la familia Médicis. Dice la leyenda que Lorenzo el Magnífico espiaba al genial artista en plena realización de un fauno de mármol, y lo tomó bajo su protección.

Tras la muerte de Lorenzo en 1492, Miguel Ángel se trasladó primero a Venecia y luego a Bolonia, para llegar a Roma en 1496. Pronto se hizo con una impresionante reputación gracias a su bello y expresivo grupo escultórico de *La Piedad* (h. 1498-1499), que presenta a Jesús yacente en el regazo de su madre. El joven

ARRIBA: *Retrato de Miguel Ángel Buonarroti con turbante*, de Giuliano Bugiardini (1522).

DERECHA: *La Piedad*, con su honda expresividad, muestra del talento de Miguel Ángel.

artista fue entonces requerido para completar una escultura inacabada en Florencia. El encargo culminó en la histórica obra
maestra del *David* (1501-1504), una maciza escultura de mármol
de un joven desnudo que mostraba un nuevo nivel de comprensión anatómica combinada con una evidente pasión artística.

La primera década de 1500 fue muy productiva para Miguel Ángel, a la sazón rival artístico de gigantes como
Leonardo da Vinci y Rafael. En 1508 inició
su obra maestra: las nueve pinturas sobre la
Creación del mundo, la *Relación de Dios con la
humanidad*, y la *Caída de la humanidad* (1508-
1512), que habrían de decorar la bóveda de la
capilla Sixtina en Roma. En ella aparecen va-
rios episodios bíblicos, y el cenit se concentra en el acto de la creación. El momento culminante describe *La creación de Adán*, cuando
el brazo estirado de Dios insufla vida a Adán, una de las imágenes
más icónicas de la historia del arte. Los frescos constituían un pro-

**ARRIBA: Una de las imágenes más icónicas
de la historia del arte:** *La creación de Adán*,
en la capilla Sixtina.

«El mármol sin tallar contenía
ya las formas que el artista
imaginaría.» Giorgio Vasari

La historia del *David*

La estatua de Miguel Ángel que representa a David a punto de enfrentarse a Goliat tiene detrás una historia interesante, y encontró su lugar definitivo en circunstancias dramáticas. El encargo consistía en retomar una obra mediocre ya iniciada y abandonada por otro artista y convertirla en algo memorable.

- Se le asignó un salario mensual y un plazo de dos años; si los mecenas florentinos quedaban impresionados, se le pagaría una cantidad extra. Fiel a su acelerado ritmo de trabajo, Miguel Ángel acabó antes de expirar el plazo.

- Una distinguida comisión de artistas florentinos decidió que la escultura debía colocarse frente a la sede del gobierno de la ciudad, el palazzo Vecchio, en la piazza della Signoria. La estatua fue transportada en plena noche desde el taller hasta las cercanías de la catedral.

- La escultura era tan grande que hubo que demoler parte del muro para abrir paso. Cuarenta hombres trabajaron durante cuatro días para llevar la estatua a su destino, protegida por andamios y sogas, y colocada sobre rodillos.

- La noche en que la escultura hizo su aparición alguien le arrojó piedras, quizá en un acto de solidaridad pública con Donatello, cuya estatua de *Judith y Holofernes* (1460) fue retirada para ser sustituida por el *David*.

yecto de increíble imaginación, y dicen mucho acerca de la dedicación, concentración y esfuerzo de su creador. El carácter obstinado de Miguel Ángel le llevó a rechazar toda ayuda, y trabajó solo en busca de una perfecta materialización de su idea.

La bóveda mide 800 m², y el artista necesitó seis años para completarla. Era un proyecto tan intenso en un período tan difícil para Miguel Ángel que tras finalizar la obra se negó a seguir pintando durante 23 años. Una torre de andamios se encaramaba hasta la bóveda, donde el artista pasaba largos períodos pintando en una posición profundamente incómoda, tendido de espaldas, durmiendo poco y comiendo frugalmente. Debía pintar con rapidez para evitar que el yeso se secara. Utilizó para ello la técnica del *buon fresco*, en la que cada zona recién recubierta de yeso se debía pintar enseguida para que la pintura se mezclase con el propio soporte.

Ha nacido una estrella

Cuando la bóveda fue descubierta al público, su atrevido cromatismo y su uso creativo de la perspectiva hicieron que la estrella de Miguel Ángel brillara aún con más intensidad. El hombre del carácter temperamental era ya una leyenda en vida. Giorgio Vasari contribuiría a ello con sus escritos, en los que describía la obra de Miguel Ángel como la quintaesencia de la perfección. Los años siguientes vieron a Miguel Ángel trabajar intensamente hasta la vejez, con grandes logros en diversas disciplinas, incluida la poesía. Su religiosidad se intensificó con la edad, y su obra adquirió tonos más sombríos coincidiendo con la Contrarreforma que se extendía por Europa. Nombrado arquitecto de San Pedro de Roma, Miguel Ángel había iniciado un ambicioso programa ya a mediados de la década de 1540, incluyendo la gran cúpula, que quedó inacabada a su muerte en 1564. **AK**

GIORGIONE

Giorgio Barbarelli da Castelfranco, h. 1477 (Castelfranco Veneto, Italia); 1510 (Venecia, Italia).

Estilo: Introductor del Alto Renacimiento en el norte de Italia; pintor de retablos y obras religiosas; creó una nueva visión del paisaje; uso del *sfumato*.

Se sabe poco de este artista cuya admirada obra fue muy influyente durante los siglos XVI y XVII. Aunque su carrera no duró más de quince años debido a su prematura muerte víctima de la peste de 1510, puede ser considerado el fundador de la pintura veneciana y el precedente directo de Sebastiano del Piombo y Tiziano. Según Giorgio Vasari, destacado biógrafo del siglo XVI, Giorgione era un hombre apuesto, dotado de una personalidad genial, y lucía largos cabellos rubios siguiendo la moda de la época.

Giorgione dejó su hogar de Castelfranco Veneto a temprana edad para viajar a Venecia, donde aprendió en el taller de Giovanni Bellini. Desde los inicios de su carrera, su arte fue innovador, y concedía una importancia fundamental a los fondos de sus composiciones. Giorgione introdujo en ellos paisajes rápidamente imitados por otros artistas venecianos. A menudo utilizó modelos de los alrededores de Venecia como ambientes pastoriles para sus obras religiosas o de inspiración clásica. Aunque la interpretación del tema aún es confusa, su famosa *La tempestad* (1505-1510) demuestra claramente su aproximación innovadora a la pintura de paisajes. Aquí la sensación de profundidad se consigue mediante la utilización de frías tonalidades azules al fondo y colores más cálidos en los primeros planos. Toda la imagen aparece bañada en una luz cálida y dorada, unificando los diferentes elementos de la pintura y creando un estado de ánimo poético conocido hoy en día como *giorgionesco*. Su *sfumato*, esto es, su habilidad para suavizar o difuminar los bordes de las formas para evitar los contornos definidos, ya había sido utilizado antes por Leonardo da Vinci; no obstante, no se sabe hasta qué punto conocía Giorgione la obra del maestro. **AB**

Obras destacadas

Judith, h. 1504 (Ermitage, San Petersburgo)
La tempestad, h. 1505-1510 (Galleria dell'Accademia, Venecia)
Venus dormida, h. 1508-1510 (Gemäldegalerie, Dresde)

«Siempre evitó copiar lo que cualquier otro artista hubiera hecho.» Giorgio Vasari

ARRIBA: El artista demostró su habilidad para el retrato en su *Giorgione da Castelfranco*.

MATHIAS GRÜNEWALD

Mathis Gothart o **Mathis Neithart,** h. 1470-1480 (Würzburg, Alemania); agosto de 1528 (Halle, Alemania).

Estilo: Maestro del Renacimiento alemán, largo tiempo olvidado; visiones expresivas de dolor y terror; uso atrevido del color y de la gesticulación dramática.

Obras destacadas

Escarnio de Cristo, 1503
 (Alte Pinakothek, Munich)

Retablo de Isenheim, h. 1512-1515
 (Musée d'Unterlinden, Colmar, Francia)

«El *Retablo de Isenheim* de Grünewald fue pintado para los moribundos.» Jeffrey Chipps Smith

ARRIBA: Este autorretrato a lápiz y tinta es copia de una obra previa.

Tras su muerte en 1528, Mathias Grünewald fue olvidado durante largo tiempo. Redescubierto a finales del siglo XIX, su importancia y fama se basan, en gran parte, en la admiración por su obra maestra, el *Retablo de Isenheim* (h. 1512-1515).

Grünewald fue, sin duda, uno de los grandes pintores del Renacimiento alemán, aunque durante siglos su propio nombre fue objeto de duda. Aún hoy se le conoce por el sobrenombre de Grünewald, atribuido al pintor por Joachim von Sandrart, biógrafo del siglo XVII. Se sabe poco de sus años de aprendizaje y sus primeras etapas como artista. Solo que en 1511 se hallaba trabajando para el arzobispo de Maguncia, Uriel von Gemmingen. Hábil como pintor y dibujante, ingeniero hidráulico y arquitecto, su concepción del arte parecía aunar la tendencia italiana a la idealización con el meticuloso realismo típico del norte de Europa. Esta tendencia es claramente visible en el *Retablo de Isenheim*. Pintado para el monasterio del hospital de San Antonio de Isenheim, es una vasta obra consistente en nueve paneles pintados. La propia obra y su temática parecen estar en estrecha relación con el público al que iba dirigida: enfermos de ergotismo. La horrible enfermedad causada por el consumo de pan infectado con el hongo llamado cornezuelo del centeno hacía estragos en los músculos y causaba agudos dolores, gangrena y alucinaciones. Quienes la sufrían eran quizá los que mejor entenderían la dramática crucifixión que ocupaba el panel central del retablo: Cristo es mostrado en plena agonía, con su cuerpo cubierto de llagas y retorciéndose de dolor. Se esperaba que esta visión del eterno sufrimiento proporcionara consuelo a los moribundos. La expresividad de su estilo convertiría a Grünewald en una influencia directa sobre los expresionistas alemanes del siglo XX. **AB**

ALBRECHT ALTDORFER

Albrecht Altdorfer, h. 1480 (posiblemente cerca de Ratisbona, Alemania);
12 de febrero de 1538 (Ratisbona, Alemania).

Estilo: Miembro de la escuela danubiana de pintura; uso innovador del paisaje
y de la pintura atmosférica; dibujante de escenarios naturales específicos.

Albrecht Altdorfer fue un pintor, dibujante, arquitecto e impresor alemán que pasó gran parte de su vida en Ratisbona, donde logró un considerable éxito e influencia. Pertenecía a un grupo de artistas conocido hoy en día como escuela danubiana, que vivían en Austria y Baviera, y fueron de los primeros en pintar paisajes puros. La obra de Altdorfer sobresale por el uso del paisaje como elemento expresivo en su pintura, y como instrumento para realzar el tono y atmósfera de sus temas. A principios del siglo XVI, el paisaje no estaba considerado un tema válido en sí mismo. Las pinturas de paisajes puros de Altdorfer, que a duras penas contienen otros elementos argumentales, eran poco habituales. En una obra como el óleo sobre pergamino *Bosque con san Jorge matando al dragón* (1510), las pequeñas figuras se ven sumergidas en el denso follaje circundante.

Sus innovaciones en el arte paisajístico se hacen extensivas a sus dibujos, algunos de los cuales son las primeras descripciones conocidas de lugares realmente identificables. Altdorfer utilizó elementos de sus dibujos a lápiz y tinta para sus óleos. Realizó más tarde aguafuertes a partir de aquellos paisajes, demostrando así la existencia de un mercado para las imágenes campestres. También recibió encargos para obras históricas y religiosas, como *La batalla de Alejandro en Issos* (1529). Encargada por la residencia ducal de Munich en 1529, la obra describe una amplia perspectiva paisajística vista desde arriba y en formato vertical, con una ingente cantidad de personajes. El tema representa la batalla librada en el año 333 a.C. entre Alejandro Magno y el rey persa Darío III, aunque los protagonistas se ven envueltos en el enjambre de soldados y empequeñecidos por la monumentalidad del cielo. **AB**

Obras destacadas

Bosque con san Jorge matando al dragón,
   1510 (Alte Pinakothek, Munich)
La batalla de Alejandro en Issos, 1529
   (Alte Pinakothek, Munich)

«Altdorfer es un alemán inmortal, como Bach en música o Goethe en literatura.» *Time*

ARRIBA: Este aguafuerte es un retrato póstumo
del pintor, realizado en 1770 por Rudolf Füssli.

RAFAEL

Raffaello Sanzio, 6 de abril de 1483 (Urbino, Italia); 6 de abril de 1520 (Roma, Italia).

Estilo: Serena armonía; equilibrado cromatismo y composición; bellas expresiones faciales; imágenes de la Virgen y la Sagrada Familia; figuras monumentales suavemente modeladas.

Obras destacadas

Crucifixión Mond o *Crucifixión Gavari,*
  h. 1502-1503 (National Gallery, Londres)

El santo entierro, 1507
  (Galleria Borghese, Roma)

La Escuela de Atenas, h. 1510-1512
  (Palacio Apostólico, Vaticano)

El triunfo de Galatea, h. 1512
  (Villa Farnesina, Roma)

Una de las principales figuras del Alto Renacimiento italiano, Rafael era hijo de Giovanni Santi, pintor de corte del duque de Urbino. Esta ciudad era un destacado centro cultural, y la infancia de Rafael pudo proporcionarle el refinamiento que, junto con su dulce naturaleza, le allanaría el camino hacia las más altas cotas. Su padre murió en plena infancia de Rafael. Hacia 1500 el joven artista continuaba su formación en el estudio de Pietro Vannucci (Perugino), en la cercana Perugia. En aquella época, Perugino ya había completado sus frescos para la capilla Sixtina. Su estilo fluido y elegante puede rastrearse en las obras tempranas de Rafael, incluyendo el retablo de la *Crucifixión Mond* o *Gavari* (h. 1502-1503).

Habiendo demostrado aún mayor dinamismo y sutileza que Perugino, y con su propia reputación en Perugia, Rafael se trasladó a Florencia, ciudad donde Leonardo da Vinci y Miguel Ángel estaban derribando barreras artísticas. Pasó allí cuatro años, y realizó algunas de sus mejores obras centradas en la figura de la Virgen María. Además de familiarizarse con la comprensión de la anatomía humana de Miguel Ángel, Rafael estudió las for-

ARRIBA: Este autorretrato de un joven Rafael fue pintado en 1506.

DERECHA: *La Escuela de Atenas;* la figura de Platón (de rojo) se basa en la de Leonardo.

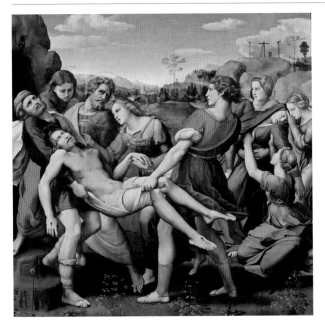

maciones piramidales simples de Leonardo, su inteligente concepto de la iluminación y la intimidad emocional, así como su técnica de *sfumato* para el suave modelado de las formas. De ahí surgiría un arte tranquilo y sereno dotado de enorme atracción.

En 1508, tras ser llamado a Roma por el pontífice Julio II, Rafael inició su fulgurante carrera como artista del papado. Pronto se ganó una formidable reputación, y permaneció en la Ciudad Eterna el resto de su vida. Se ganó una envidiable fama, como artista y como hombre dotado de una atractiva y encantadora personalidad. Empezó entonces a crear a un ritmo prodigioso. Entre sus mayores éxitos se encuentran los frescos pintados para las estancias vaticanas, entre ellos *La Escuela de Atenas* (h. 1510-1512), que muestra su dominio absoluto de la narratividad y la composición. Otros proyectos romanos incluyen retratos que muestran una nueva profundidad psicológica, y la serie de sorprendentes tapices vaticanos. Cuando murió de forma prematura a los 37 años, su figura era objeto de tal veneración que fue enterrado con gran pompa en el Panteón. **AK**

ARRIBA: La *Madonna del Granduca* refleja la habilidad de Rafael para el retrato.

ARRIBA IZQUIERDA: La dolorosa escena de *El Santo entierro*.

Un pintor adorable

Rafael fue descrito con frecuencia en los términos más halagadores. Ludovico Domenichi, escritor italiano del siglo XVI, lo describió como «un pintor excelente». Giorgio Vasari, el gran cronista contemporáneo de las vidas de los artistas, aseguraba que era «tan gracioso como lleno de talento [...] realzado con un afable y placentero carácter». Ciertamente, parece que Rafael no tuvo enemigos. Amaba además la compañía de las mujeres y, según Vasari, perseguía aventuras amorosas sin «ningún sentido de la moderación», hasta el punto de contraer las fiebres que le llevaron a la muerte.

HANS MALER

Obras destacadas

Retrato de la reina Ana de Hungría y Bohemia, 1519 (Museo Thyssen-Bornemisza, Madrid)

Retrato de Anton Fugger, 1525 (Allentown Art Museum, Allentown, EE.UU.)

Hans Maler, h. 1485 (Ulm, Alemania); h. 1529 (Schwaz, Austria).

Estilo: Retratista que trabajó en estilo gótico tardío; rica clientela entre los Habsburgo y la burguesía mercantil; perfiles en tres cuartos; composiciones de busto sobre suave fondo azul.

Hans Maler fue aprendiz de Bartholomäus Zeitblom antes de trasladarse a Schwaz, en el Tirol austríaco, donde la cercana Innsbruck era una de las sedes de la dinastía Habsburgo, y hogar de algunos de los más ricos mecenas del pintor.

Los retratos maduros son de un hábil naturalismo, típicos del estilo gótico tardío. Retrataba a sus modelos de tres cuartos, a la altura del busto y sobre un claro fondo azul. Maler transmitía escasa profundidad psicológica y carecía de la penetrante curiosidad de sus coetáneos influidos por el Renacimiento, como Alberto Durero o Hans Holbein. Maler se limitaba a registrar de forma fría y formulista los rasgos de algunos de los personajes más ricos e influyentes de su época. **RB**

SEBASTIANO DEL PIOMBO

Obras destacadas

La resurrección de Lázaro, h. 1517-1519 (National Gallery, Londres)

Retrato de Andrea Doria, h. 1526 (palazzo Doria Pamphilj, Roma)

Sebastiano Luciani, h. 1485 (Venecia, Italia); 21 de junio de 1547 (Roma, Italia).

Estilo: Artista veneciano radicado en Roma; cuerpos musculosos y estilizados; motivos influidos por Miguel Ángel; expresiones solemnes y marcadas por el dolor; gran dominio del dibujo; sombras inquietantes; dramatismo contenido.

Sebastiano del Piombo se formó en Venecia, en los estudios de Giovanni Bellini y Giorgione, pero es más conocido por su larga carrera en Roma. A su llegada a esta ciudad, Del Piombo trabó amistad con Miguel Ángel, que proporcionó al joven artista algunos dibujos. Llevó a Roma algunos de los paisajes atmosféricos, así como los ricos y cálidos colores de la escuela veneciana, combinando estos elementos con las figuras escultóricas del Alto Renacimiento. Sus composiciones son de una atrevida complejidad, conectadas a menudo por una marcada línea diagonal y por profundas sombras. Famoso por sus sofisticados retratos, Sebastiano del Piombo se convirtió en el pintor más importante de Roma a la muerte de Rafael. **KKA**

DERECHA: Retrato de Ferry Carondelet, con su expresión taciturna, típica de Del Piombo.

ANDREA DEL SARTO

Andrea d'Agnolo di Francesco di Luca di Paolo del Migliore, 16 de julio de 1486 (Florencia o alrededores, Italia); h. 1530 (Florencia, Italia).

Estilo: Destacado representante de la pintura religiosa del Alto Renacimiento; consumado dibujante; sorprendente cromatismo; realismo y expresividad contenidos.

Obras destacadas

Historia de los milagros de Filippo Benizzi,
1509-1514 (iglesia de la Santa Annunziata, Florencia)

*La Virgen y el Niño, con santa Isabel,
y el pequeño san Juan Bautista,*
h.1513 (National Gallery, Londres)

La Virgen de las arpías, 1517 (Uffizi, Florencia)

Andrea del Sarto era hijo de un sastre (*sarto* significa «sastre» en italiano), y pronto se convirtió en el pintor más influyente de Florencia. Probablemente fue alumno de Piero di Cosimo, y empezó a trabajar como artista independiente hacia 1508. En 1509 inició la impresionante serie de frescos *Historia de los milagros de Filippo Benizzi* (1509-1514), para la iglesia y el convento de la basílica de la Santissima Annunziata. Sus primeras influencias incluyen la luminosa paleta cromática de Fra Bartolomeo, cuya prominencia en Florencia se vio pronto eclipsada por la figura de Andrea del Sarto.

En 1515 Andrea disfrutaba de una elevada reputación por sus pinturas, que combinaban el sutil *sfumato* leonardesco con el clasicismo de Miguel Ángel, aportando una nueva emotividad. En el cenit de su fama creó obras como *La Virgen de las arpías* (1517), que demuestra el equilibrio y la solidez de sus composiciones, herederas de Rafael y típicas de la obra de Del Sarto en la década de 1520. A principios de dicha década contrajo matrimonio con Lucrecia del Fede, una viuda acomodada que se convirtió en modelo de muchas de sus figuras femeninas y a la que al parecer idolatraba. Bien situado económicamente, Del Sarto podía escoger sus encargos, algunos de ellos por escasa o nula retribución, siempre con intachable profesionalidad. Se mostraba igualmente cómodo con encargos humildes o procedentes de ricos mecenas, entre ellos Francisco I de Francia, el papa León X o la poderosa familia de los Médicis. Para esta última pintó *La Virgen y el Niño, con santa Isabel y el pequeño san Juan Bautista (Sagrada Familia de los Médicis)* (h. 1513), para el palacio Pitti. Tras escapar de la peste huyendo de Florencia, cayó víctima definitivamente de ella en 1530. Su obra dejó una profunda huella en el manierismo florentino. **AK**

> «El alcance de un hombre debe exceder su comprensión.»
>
> Robert Browning, *Andrea Del Sarto*

ARRIBA: Del Sarto pintó su autorretrato con una rica gama de tonalidades cálidas.

TIZIANO

Tiziano Vecellio, h. 1485-1490 (Pieve di Cadore, Belluno, Italia); 27 de agosto de 1576 (Venecia, Italia).

Estilo: Pincelada libre y expresiva; exploración del potencial del óleo; retratos, paisajes, retablos y temas mitológicos; sutil uso del color.

Tiziano Vecellio nació hacia 1488 en Pieve di Cadore. A los nueve años abandonó su hogar con su hermano Francisco rumbo a Venecia. A partir de estos inicios, la figura de Tiziano iría engrandeciéndose hasta convertirse en el pintor más importante de la escuela veneciana de pintura renacentista.

Tiziano ingresó en el taller del mosaísta Sebastiano; a continuación pasó a los estudios de Gentile y Giovanni Bellini, los artistas más influyentes de la ciudad en aquella época, y allí conoció a Giorgione de Castelfranco. Ambos aprendices se volcaron en la experimentación con el óleo para desarrollar una técnica basada en la pincelada libre y expresiva, y una delimitación de la forma mediante el color que sorprendió a sus contemporáneos. Las pinturas de los jóvenes maestros eran tan similares que aún hoy se discute sobre qué obras del período deben ser atribuidas a Giorgione o a Tiziano. Poco después de la muerte de Giorgione en 1510, Tiziano recibió su primer gran encargo:

Obras destacadas

La Asunción de la Virgen, 1516-1518 (Santa Maria Gloriosa dei Frari, Venecia)

El nacimiento de Venus, h. 1518-1520 (Museo del Prado, Madrid)

Baco y Ariadna, 1520-1523 (National Gallery, Londres)

Venus de Urbino, 1538 (Uffizi, Florencia)

El emperador Carlos V a caballo en Muhlberg, 1548 (Museo del Prado, Madrid)

Retrato de Felipe II, 1550-1551 (Museo del Prado, Madrid)

Diana y Acteón, 1556-1559 (National Gallery of Scotland, Edimburgo)

ARRIBA: *Autorretrato* (h. 1560), conservado en el Museo del Prado de Madrid.

IZQUIERDA: *Baco y Ariadna* fue una obra inicialmente encargada a Rafael.

Tiziano conoce a su rival

Por desgracia, la ausencia de periodistas en aquella época nos impide saber lo que se comentó en Roma en 1545 cuando Tiziano conoció a Miguel Ángel. Solo hay conjeturas, así como los testimonios del biógrafo Giorgio Vasari.

- Miguel Ángel era el líder indiscutible de la escena artística en Roma, de forma similar a como Tiziano dominaba el panorama veneciano.

- En principio, Miguel Ángel se mostró reacio a encontrarse con su colega antes de realizar una visita sorpresa a Tiziano en su residencia del Belvedere, acompañado por Vasari.

- El encuentro entre los dos pesos pesados del arte del siglo XVI fue inmortalizado por Vasari en sus *Vidas de los más excelentes pintores, escultores y arquitectos* (1550). En ellas comenta que estuvieron admirando una de las diversas versiones de *Dánae recibiendo la lluvia de oro* (1554), de Tiziano.

- Miguel Ángel alabó abiertamente a Tiziano por la «viveza de su estilo» y quedó particularmente impresionado con la calidad en la aplicación del color. Más tarde, en privado, se mostró menos satisfecho con la calidad del dibujo, comentando: «Es una pena que no se enseñe buen dibujo en Venecia desde el principio».

- Sorprendentemente, los caminos de dos de los artistas más importantes del Renacimiento no volverían a cruzarse.

una serie de frescos para la Scuola del Santo de Padua. Su reputación fue creciendo con una serie de encargos independientes que culminaron en el éxito de su primer encargo público en Venecia, *La Asunción de la Virgen* (1516-1518) para el retablo de la iglesia de Santa Maria Gloriosa dei Frari. Tras la muerte de Giovanni Bellini en 1516, Tiziano se erigía en el gran maestro del arte veneciano.

Los años siguientes vieron la eclosión de su versatilidad como artista, con una serie de temas de mayor complejidad. Igualmente innovador en los campos del retrato, la alegoría, el arte devocional y la pintura mitológica, podía permitirse el lujo de escoger encargos y mecenas, y se convirtió en el primer artista que gozaba de una clientela internacional.

Mientras su trayectoria profesional alcanzaba el cenit, su vida privada se vio sacudida por la tragedia con la muerte de su esposa en 1530. Acosado por el dolor, su obra mostraría

DERECHA: *El emperador Carlos V a caballo en Muhlberg*, una evocación de los tiempos de la caballería.

a partir de entonces un ánimo más tranquilo y reflexivo. Aquel mismo año, Tiziano asistió a la coronación del emperador del Sacro Imperio Romano, Carlos V, al que retrataría en varias ocasiones. La predilección del emperador por la obra de Tiziano era tal que lo elevó a la categoría de conde palatino y caballero de la Espuela de Oro en 1533, un honor poco habitual para un pintor. Los príncipes italianos y el propio Papa se convirtieron en clientes de Tiziano. En 1543 visitó Bolonia para completar el retrato oficial del pontífice Pablo III. Dos años más tarde se embarcó en su primer y único viaje a Roma, donde conoció a Miguel Ángel. En esta ciudad pintó una serie de retratos del Papa y sus sobrinos. Los viajes continuaron en 1548 con el fatigoso trayecto a través de los Alpes para recalar en la corte del emperador en Augsburgo. Fue allí donde llevó a cabo una de sus grandes obras, *El emperador Carlos V a caballo en Muhlberg* (1548). El monarca aparece a caballo evocando la figura de un caballero cristiano, y es el paradigma del retrato de Estado.

Vuelta a Venecia

Tiziano pasó los últimos años de su vida de nuevo en Venecia, donde trabajó casi en exclusiva para el rey Felipe II de España. Su relación con los Habsburgo, aunque no le compensaba financieramente, le proporcionó la necesaria libertad para seguir experimentando con el uso del color y las sutilezas de la forma humana. Siguió trabajando hasta su muerte, en 1576. Sus restos reposan en la iglesia de Santa Maria Gloriosa dei Frari, donde se conservan dos de sus obras más famosas. Tiziano dominó el panorama de la pintura veneciana durante sesenta años, e influyó en artistas jóvenes, como Tintoretto o Veronés, y en grandes maestros de otra generación, como Diego Velázquez. Queda una obra ingente, fruto de su versatilidad y longevidad. Tuvo éxito en todos los géneros artísticos que abordó. Su estilo continuó evolucionando a lo largo de su carrera, ampliando continuamente los límites técnicos de la pintura al óleo. **SG**

ARRIBA: *La Asunción de la Virgen* es un soberbio ejemplo de la maestría de Tiziano con el color.

«Un buen pintor necesita únicamente tres colores: negro, blanco y rojo.»

LUCAS VAN LEYDEN

Lucas Hugensz o **Jacobsz**, h. 1489 (Leiden, Países Bajos); 1533, (Leiden, Países Bajos).

Estilo: Grabador que experimentó con el aguafuerte; tallas en madera, ilustraciones y pinturas; temas religiosos poco frecuentes; temprano exponente de la pintura de género.

Obras destacadas

Lot y sus hijas, 1508-1515
   (National Gallery, Londres)
Los jugadores de cartas, h. 1520
   (National Gallery of Art, Washington, D.C.)

Lucas van Leyden fue uno de los principales grabadores de su época. Su talento para el dibujo fue sin igual, y su influencia en el desarrollo del grabado fue profunda. Su obra fue significativa para artistas como Hendrik Goltzius, Jacob de Gheyn II y Rembrandt van Rijn en los Países Bajos, y para Andrea del Sarto y Jacopo Pontormo en Italia. Fue famoso en los Países Bajos y Alemania mientras permaneció en activo, y póstumamente gracias a las constantes reimpresiones de su obra. Produjo al menos 168 grabados, y llevó a cabo numerosas tallas en madera, dibujos, pinturas, ilustraciones de libros y aguafuertes, muestra de su prodigioso talento.

Se sabe poco acerca de sus primeros años de aprendizaje. La mejor fuente de información es el comentario biográfico del pintor flamenco Karel van Mander. Se cree que recibió la instrucción de su padre, pintor, y del holandés Cornelis Engelbrechtsz, cuya influencia es perceptible en sus primeras pinturas. Van Leyden fue un niño prodigio. A los catorce años realizó un famoso grabado sobre *Muhammad y el monje Sergio* (h. 1508), que revela la tendencia del joven artista a representar mitos e historias inusuales. Esta aproximación tan poco ortodoxa a la temática es un reflejo de su imaginativa interpretación de las escenas. Sus imágenes estaban revestidas de una profundidad psicológica que reflejaba su conocimiento de la naturaleza humana. Una de las mayores influencias que se perciben en su estilo fue la de Alberto Durero, aunque la obra de Van Leyden era estrictamente original. A mediados de la década de 1520, Van Leyden conoció a Jan Gossaert (Mabuse), cuya pintura también influiría en su trabajo gracias a su dinamismo y energía, junto a una interpretación más clásica de sus figuras. **TP**

«La cualidad más notable de su pintura es su luminosidad.» *Time*

ARRIBA: *Autorretrato* (1509), conservado en el Herzog Anton Ulrich-Museum de Alemania.

DERECHA: En *Lot y sus hijas,* Sodoma aparece en llamas al fondo.

ANTONIO DA CORREGGIO

Antonio Allegri da Correggio, h. 1489 (Correggio, cerca de Parma, Emilia-Romagna, Italia); 5 de marzo de 1534, (Correggio, Emilia-Romagna, Italia).

Estilo: Pintor del norte de Italia, intérprete de la dulzura y el placer; colores melocotón, suaves desnudos; refinada sensualidad y erotismo; escenas íntimas de amor maternal.

Obras destacadas

La Asunción de la Virgen, 1526-1530 (Duomo, Parma)

Júpiter e Ío, h. 1530 (Kunsthistorisches Museum, Viena)

Leda con el cisne, 1531-1532 (Staatliche Museen, Berlín)

Aunque Antonio da Correggio pasó la mayor parte de su carrera pintando temas religiosos, hoy en día es más conocido por sus escenas mitológicas cargadas de erotismo. Desgraciadamente son escasas debido a la ausencia de mecenazgo en Parma, donde Correggio vivía en su etapa de mayor éxito, hacia el año 1520.

Tras volver a su ciudad natal en la década de 1530, estuvo trabajando en su última serie de pinturas mitológicas para Federico II, duque de Mantua, incluyendo la maravillosamente sensual *Júpiter e Ío* (h. 1530). Como imágenes de abandono al placer sexual constituyen simplemente obras maestras.

Su uso de los bordes ahumados y suavizados es herencia del *sfumato* de Leonardo da Vinci, quien estuvo trabajando en el norte de Italia durante los años de formación de Correggio. Su pintura, no obstante, es intemporal y podría encuadrarse sin problemas en pleno siglo XVIII, un período en el que fue muy admirado por los artistas del rococó.

El mejor lugar para admirar las obras de Correggio de mayores dimensiones es la ciudad de Parma, donde recibió dos grandes encargos para pintar las bóvedas de San Giovanni Evangelista y de la catedral, con grandes frescos ilusionistas que casi anticipan el estilo barroco con su energía y calidad estática. En las pequeñas pinturas devocionales Correggio describe tiernas escenas de una joven y tímida Virgen María compartiendo momentos íntimos con el Niño. El prestigio de Correggio a lo largo de los siglos XVII y XVIII equivaldría al de Rafael o Tiziano. Era un pintor inteligente y de sofisticada educación, y es probable que la dulzura de su estilo suponga para algunos una barrera para apreciar la poesía y la belleza de sus pinturas. **KKA**

> «Es un placer renunciar a todo menos a Correggio.»
>
> Henry James

ARRIBA: Esta pintura está considerada como un autorretrato de Correggio.

JACOPO DA PONTORMO

Jacopo Carucci, 26 de mayo de 1494 (Pontormo, Italia); h. 1556 (Florencia, Italia).

Estilo: Destacado pintor y dibujante manierista de la escuela florentina; figuras distorsionadas; inquietantes perspectivas; colores atrevidos; temas religiosos y retratos; expresiones faciales imbuidas de emoción.

Jacopo da Pontormo fue uno de los artistas italianos más originales del siglo XVI. Trabajaba lenta y metódicamente, principalmente en temas religiosos y retratos, y era un soberbio dibujante. Sus numerosos dibujos se cuentan entre los mejores ejemplos del estilo manierista.

Según el biógrafo Giorgio Vasari, Pontormo quedó huérfano de joven y empezó a moverse entre los estudios de Leonardo da Vinci, Piero di Cosimo y Mariotto Albertinelli, antes de convertirse en alumno de Andrea del Sarto hacia 1512. Sus obras tempranas reflejan la influencia de Del Sarto y muestran un estilo plenamente renacentista. El artista no empezaría a desarrollar su estilo radicalmente experimental hasta aproximadamente 1517, en parte gracias a su estudio de la obra de Miguel Ángel. En este sentido, empezó a estilizar sus figuras, a distorsionar la perspectiva y a crear complejas composiciones con alto contenido emocional. Una de las primeras obras creadas en el nuevo estilo es la *Virgen con niños y santos* (1518).

En la década de 1520 su estilo ya había madurado y sus obras presentaban ya un aspecto característico, con su compleja y a menudo agitada organización espacial, emotiva y a la vez inquietante. Más adelante comenzó a estudiar la obra de Alberto Durero en busca de inspiración. Entre 1525 y 1528 trabajó en el esquema decorativo de la capilla Capponi, en la iglesia de Santa Felicità, que incluía *El Descendimiento de la cruz* (1525-1528), reconocida actualmente como una de sus mejores obras, y particularmente llamativa por su uso de tonalidades puras y brillantes. El último gran encargo de Pontormo, la decoración de la basílica de San Lorenzo, en Florencia, incluía escenas del Antiguo Testamento, y fue acabada a la muerte del artista por su alumno Agnolo Bronzino. **TP**

Obras destacadas

Virgen con niños y santos, 1518
  (S. Michele Visdomini, Florencia)

El Descendimiento de la cruz, 1525-1528
  (capilla de Santa Felicità Capponi, Florencia)

«El artista era muy querido por la gente, por sus numerosas y bellas obras.» Giorgio Vasari

ARRIBA: *Retrato de Pontormo*, pintado hacia 1532-1535 por Agnolo Bronzino.

HANS HOLBEIN EL JOVEN

Hans Holbein, h. 1497 (Augsburgo, Alemania); 1543 (Londres, Inglaterra).

Estilo: Retratista alemán del Renacimiento; muy estimado por los intelectuales humanistas; pintor de la eterna imagen del rey Enrique VIII; dibujo preciso y observador del modelo, transferido después a pintura sobre madera.

Obras destacadas

Retrato de Erasmo de Rotterdam, 1523
  (National Gallery, Londres)

Los embajadores, 1533
  (National Gallery, Londres)

Retrato de Enrique VIII, 1536
  (Museo Thyssen-Bornemisza, Madrid)

Hans Holbein el Joven se formó en el taller de pintura de su padre, en la cosmopolita ciudad renacentista de Augsburgo. Fuertemente influida por el arte flamenco, la familia estaba al día de las nuevas corrientes que llegaban desde Italia a través de los Alpes. Por lo tanto, desde temprana edad ya practicaba con motivos de la tradición clásica, pintando al estilo del norte. Como a muchos artistas de su generación, le gustaba viajar, y en 1515 encontró trabajo en Basilea, Suiza. La ciudad era un centro del pensamiento humanista que influyó en gran medida en los artistas de aquella época. A través de sus contactos en Basilea, Holbein conoció y pintó al humanista holandés Erasmo de Rotterdam, y fue introducido también en los círculos intelectuales de los Tudor en Inglaterra.

Holbein llegó a Londres en 1526 con una carta de recomendación de Erasmo para pintar a la familia de Tomás Moro. Este

ARRIBA: Holbein pintó este contemplativo autorretrato poco antes de morir.

DERECHA: La calavera de *Los embajadores* se percibe mejor desde la esquina del lienzo.

primer período londinense transcurrió en el hogar de los Moro, donde pintó el sorprendente retrato de *Tomás Moro* (1527). La pintura de la familia, hoy desaparecida, es el primer ejemplo de composición de grupo no religiosa en el norte de Europa, y sentó las bases estilísticas para posteriores generaciones. Aparte de sus retratos y pinturas religiosas, Holbein realizó ilustraciones impresas y obra gráfica. Su serie más famosa de xilografías es la titulada «Danza de la muerte» (1538). También realizó diseños para joyería y platería, con un buen uso de su formación artesana.

Durante su segunda estancia en Londres, a partir de 1532, Holbein desarrolló una fórmula retratística particular. Sus modelos posaban ante un fondo de tono plano, a menudo azul, elegantemente erguidos, y Holbein reproducía sus rasgos con meticulosidad casi fotográfica. El contorno oscuro de su pincel delineaba a la perfección cejas, orificios nasales y hasta uñas.

En 1535 Holbein ya había cumplido su sueño de convertirse en pintor de corte de Enrique VIII, y realizó incluso bocetos para la coronación de la reina Ana Bolena. Sus retratos de Enrique VIII se han convertido en la imagen característica de este carismático monarca. **KKA**

ARRIBA: El *Retrato de Erasmo de Rotterdam,* punto de inflexión en la obra de Holbein.

ARRIBA IZQUIERDA: *Alegoría del Antiguo y del Nuevo Testamento,* con su fuerte carga narrativa.

Mensajes ocultos

No todos los objetos pintados por Hans Holbein son inmediatamente reconocibles. En *Los embajadores* (1533), una calavera humana cruza la imagen en perspectiva anamórfica. ¿Por qué iba a querer Jean de Dinteville un símbolo de la muerte en su retrato? El artista y su mecenas pudieron haber colaborado para incluir una serie de objetos simbólicos: un globo, instrumentos musicales, un libro de himnos e instrumentos para el estudio de la astronomía y la astrología. Combinados, hablan de la brevedad de la vida y la locura que supone anhelar posesiones y fama.

BENVENUTO CELLINI

Benvenuto Cellini, 3 de noviembre de 1500 (Florencia, Italia); 13 de febrero de 1571 (Florencia, Italia).

Estilo: Estatuas de bronce, platería, medallones; temas mitológicos; alegorías clásicas; superficies fina e intrincadamente trabajadas; figuras elegantes y estilizadas.

Obras destacadas

Perseo con la cabeza de la Medusa, 1545-1554 (Loggia dei Lanzi, piazza Della Signoria, Florencia)

Crucifijo, 1562 (El Escorial, San Lorenzo del Escorial, Madrid)

Músico, asesino, sodomita, ladrón, proxeneta, tirador, autobiógrafo, hombre de negocios y soldado: Benvenuto Cellini era todas esas cosas, pero es recordado por su espectacular talento como escultor y orfebre. Su habilidad le valió la protección de nobles, reyes y papas, y le libró de cuatro años de cárcel cuando intervino la familia Médicis.

Su padre era un fabricante de instrumentos musicales que esperaba de su hijo que se dedicara al negocio familiar; pero Cellini se presentó como aprendiz al orfebre Antonio «Marcone» di Sandro. Tras participar en una reyerta se trasladó a Siena, donde fue aprendiz del orfebre Francesco Castoro. Pasó a Bolonia, Pisa y Roma. Tenía diecinueve años.

En Roma trabajó para familias nobles. Buen flautista, fue nombrado músico de corte, y trabajó para el papa Clemente VII. Tras ganarse su afecto, especialmente por su valentía durante el saco de Roma de 1527 —en el que se dice que disparó y mató personalmente al invasor Carlos III, duque de Borbón—, se le concedió permiso para volver a Florencia. Su trabajo para el Papa le permitía viajar con frecuencia. En 1529 tuvo que huir a Nápoles, tras haber disparado a un hombre en venganza por la muerte de su hermano. Fue indultado una vez más, y se ganó el favor del nuevo pontífice, Pablo III. Entre 1540 y 1545 trabajó en Francia para el rey Francisco I en el castillo de Fontainebleau. Volvió a Florencia y entró al servicio del duque Cosme I de Médicis; fundió entonces la estatua de bronce *Perseo con la cabeza de la Medusa* (1545-1554). Al final de su vida, Cellini dulcificó su carácter y tomó los votos en 1558. En 1562 labró un gran crucifijo de marfil basándose en una visión que había tenido en la cárcel. Inició su biografía (inacabada), y en 1565 empezó a escribir su tratado sobre escultura y el arte de la orfebrería. **CK**

«He tratado de demostrar que no soy una estatua, sino un hombre de carne y espíritu.»

ARRIBA: Este retrato de Cellini fue realizado por el artista e historiador Giorgio Vasari.

PARMIGIANINO

Girolamo Francesco Maria Mazzola, 11 de enero de 1503 (Parma, Italia);
24 de agosto de 1540 (Casalmaggiore, Italia).

Estilo: Pintor y grabador manierista de retratos y objetos de devoción;
figuras fluidas y elegantes; formas dramáticas y estilizadas.

Girolamo Francesco Maria Mazzola era más conocido por su sobrenombre, Parmigianino («pequeño parmesano»). Durante su
corta carrera se labró una reputación como uno de los mejores
pintores manieristas. Su influencia sobre posteriores artistas
fue profunda, sobre todo por sus impresos y grabados.

Parmigianino nació en una familia de artistas, pero su talento excedía al de sus parientes. A los diez años ya realizaba buenas pinturas. Sus obras se caracterizan por figuras fluidas y elegantes que anticipan el alongamiento manierista y las formas
dramáticas de sus últimos años como pintor.

Antonio Allegri da Correggio, que se había trasladado a Parma hacia 1519, ejerció una temprana y destacada influencia
sobre Parmigianino, quien pasó sus primeros años trabajando
en obras religiosas de gran formato para varias capillas de Parma y aceptando pequeños encargos para objetos de devoción,
así como algunos retratos. En 1524 Parmigianino se trasladó a
Roma para acogerse a la protección del papa Clemente VII,
a quien había regalado el llamativo *Autorretrato ante el espejo*
(h. 1523-1524). El clima artístico de Roma, especialmente la
obra de Rosso Fiorentino y Polidoro da Caravaggio, tuvo un
marcado efecto sobre el joven artista. Sus figuras adoptaban
entonces una gran monumentalidad y un
contorno definido.

Parmigianino se trasladó a Bolonia en
1527, durante el saco de Roma. Pasó allí
un total de tres años trabajando básicamente en pequeños objetos de devoción,
retratos y grabados. Volvió a Parma en 1530
y recibió diversos encargos para la decoración de Santa Maria
della Steccata. Nunca los acabó, y el incumplimiento de contrato supuso su arresto en 1539. Se zafó de la cárcel y huyó a Casalmaggiore, donde murió. **TP**

Obras destacadas

Autorretrato ante el espejo, h. 1523-1524
(Kunsthistorisches Museum, Viena)

La Madona del cuello largo, h. 1534
(Uffizi, Florencia)

> «La gente decía [...] que el espíritu
> de Rafael se había trasladado al
> cuerpo de Francesco.» Giorgio Vasari

ARRIBA: Detalle del *Autorretrato ante el
espejo*, **regalo para el papa Clemente VII.**

AGNOLO BRONZINO

Obras destacadas

Alegoría del triunfo de Venus, 1540-1550
(National Gallery, Londres)

Retrato de Bia de Médicis, h. 1542
(Uffizi, Florencia)

Leonor de Toledo con su hijo Fernando,
1544-1545 (Uffizi, Florencia)

Agnolo di Cosimo, 17 de noviembre de 1503 (Monticelli, Italia); 23 de noviembre de 1572 (Florencia, Italia).

Estilo: Retratos caracterizados por su frialdad emocional; superficies inmaculadas; cuerpos de piel suave; posturas retorcidas; sofisticadas alegorías morales.

Influido por su maestro Jacopo Pontormo, Agnolo Bronzino se hizo famoso por sus retratos de la nobleza florentina y por la forma en que los revestía de un aire de segura autoconfianza. Trabajó principalmente en Florencia como pintor de corte para Cosme I de Médicis, gran duque de Toscana, quien apreciaba su visión de la teatralidad y le hizo encargos que reflejaban su interés por los mitos y los rompecabezas visuales. Influido por Miguel Ángel y Rafael, Bronzino retuerce sus figuras, con sus elegantes cuellos y largos dedos, en poses imposibles. Sus retratos han sido criticados por su fría arrogancia, pero habría que entenderlos en el contexto de la belleza que imprimía a sus manieristas alegorías y a sus obras religiosas. **KKA**

JUAN DE JUANES

Obras destacadas

Cristo con la cruz, h. 1560
(J. Paul Getty Museum, Los Ángeles)

La Última Cena, h. 1560
(Museo del Prado, Madrid)

Juan Masip Vicente, h. 1490-1510 (Valencia, España); h. 1579 (Bocairente, Valencia, España).

Estilo: Pintor y dibujante de temas religiosos; obras mitológicas; retratos; riqueza cromática; figuras posando en posturas dramáticas.

Juan de Juanes, también conocido como Masip, creció en Valencia en una época en que la región levantina se vio influida por el Renacimiento italiano y flamenco. Se ha sugerido, aunque no verificado, que aprendió con el italiano Paolo da San Leocadio. Su primer trabajo fue en colaboración con su padre para una serie de iglesias valencianas. Hacia 1560 Juanes viajó a Italia, donde se vio profundamente influido por Rafael, algo evidente en sus últimas obras, como *Cristo con la cruz* (h. 1560). Su rica gama cromática y sus tonos suaves y luminosos, junto con su capacidad para crear conjuntos de historias bíblicas y descripciones de santos, lo convirtieron en un cotizado creador de arte eclesiástico. **CK**

GIORGIO VASARI

Giorgio Vasari, 30 de julio de 1511 (Arezzo, Italia); 27 de junio de 1574 (Florencia, Italia).

Estilo: Conocido como «el padre de la historia del arte»; escritor, biógrafo, pintor y arquitecto; trabajó sobre todo en frescos; estilo pictórico manierista; maestro de la supervisión de proyectos de gran formato.

Conocido como uno de los primeros historiadores del arte, la fama de Giorgio Vasari se debe a sus biografías de artistas famosos. La primera edición de su obra en dos volúmenes, las *Vidas de los más excelentes pintores, escultores y arquitectos* (1550), contiene un estado de la cuestión sobre arquitectura, pintura y escultura, con biografías de los principales artistas. La segunda edición, ampliada, fue publicada en 1568 y sentó las bases de la historiografía del arte.

Vasari fue también un notable artista y arquitecto, buen supervisor de proyectos, autor de diseños completos y detallados y director de equipos de artistas que trabajaban en ellos. Viajó con frecuencia, dirigió un activo taller y realizó encargos de gran formato, muchos para los Médicis.

Miembro de una familia de artistas, Vasari aprendió con Luca Signorelli y Guillaume de Marcillat en Arezzo. A los 16 años se trasladó a Florencia, donde entró en contacto con Andrea del Sarto y Baccio Bandinelli. Su primera pintura conocida, el *Entierro de Cristo* (h. 1532), fue completada para el cardenal Ippolito de Médicis. Trabajó principalmente al fresco con diseños de gran formato, como la *Exaltación de la vida del papa Pablo III* (1546), para el cardenal Alejandro Farnese, pero produjo muchos retablos, como el *Descendimiento de Cristo* (1540) para el altar de la iglesia de Camaldoli. Su labor como arquitecto es quizá más conocida. A partir de 1559 trabajó en tres grandes proyectos: el palazzo degli Uffizi en Florencia; una serie de edificios para la orden de los Caballeros de San Esteban en Pisa; y la compleja cúpula de la iglesia de la Madonna dell'Umiltà, en Pistoia. Entre 1555 y 1572 trabajó también en la remodelación del palazzo Vecchio de Florencia, como arquitecto y como artista al servicio de Cosme I de Médicis. **TP**

Obras destacadas

San Lucas pintando a la Virgen, 1565
   (iglesia de la Santa Annunziata, Florencia)
Perseo y Andrómeda, 1570-1572
   (palazzo Vecchio, Florencia)

«El arte debe su origen a la naturaleza [...] esta bella creación, el mundo, fue el primer modelo.»

ARRIBA: Detalle de *Autorretrato,* **expuesto en el ala Vasari de la Galería de los Uffizi.**

TINTORETTO

Jacopo Comin o **Jacopo Robusti,** h. 1518 (Venecia, Italia); 31 de mayo de 1594 (Venecia, Italia).

Estilo: Burlescas distorsiones; sentido vital de la energía; composiciones dinámicas e inestables sobre suelos ajedrezados en pendiente; iluminación dramática.

Obras destacadas

El lavatorio, h. 1547 (Museo del Prado, Madrid)

La creación de los animales, h. 1551-1552 (Galleria dell'Accademia, Venecia)

Susana y los viejos, h. 1555 (Museo del Prado, Madrid)

Traslación del cuerpo de san Marcos, 1562-1566 (Galleria dell'Accademia, Venecia)

Hallazgo del cuerpo de san Marcos, h. 1562 (Pinacoteca di Brera, Milán)

El origen de la Vía Láctea, h. 1575 (National Gallery, Londres)

El rapto de Helena, h. 1578 (Museo del Prado, Madrid)

Hijo de un tintorero, Jacopo Comin era conocido como Tintoretto («pequeño tintorero»). Es un artista que se odia o se ama, aunque es difícil no dejarse impresionar por sus vastas invenciones. Giorgio Vasari no sabía cómo reaccionar ante su extraño y característico estilo. Criticaba su obra por ser contraria a «las bellas maneras de sus predecesores», y se desesperaba ante su «extraordinario cerebro». Las obras de Tintoretto tienen un dinamismo interno y una energía desconcertante y casi descontrolada. Las profundas sombras añaden un aire místico a sus composiciones, y las figuras surgen de entre la luz con una emotividad extrema.

Tintoretto era oriundo de Venecia, y raramente abandonó la ciudad. Pintó casi en exclusiva para los mecenas locales, y los edificios públicos son el mejor escenario para contemplar su obra. Se cree que estudió durante corto tiempo con Tiziano, pero las carreras de ambos se diferencian por sus mecenas.

ARRIBA: *Autorretrato* (1588) pintado cuando el artista cumplía sesenta años.

DERECHA: El torbellino de energía de *El origen de la Vía Láctea,* propio de Tintoretto.

Tiziano pintó para la aristocracia cortesana, y Tintoretto para las clases medias y sus edificios civiles y religiosos.

En 1562 Tintoretto recibió el encargo de realizar tres grandes pinturas para la Scuola Grande di San Marco, dos de las cuales se conservan en colecciones públicas: *Traslación del cuerpo de san Marcos* (1562-1566) y *Hallazgo del cuerpo de san Marcos* (h. 1562). En la década de 1560 obtuvo el encargo más ambicioso de su carrera: pintar los muros y bóvedas de la Scuola Grande di San Rocco, en los que trabajó durante más de veinte años, hasta 1588. La serie testifica la evolución de su estilo hacia un acabado más suelto e impreciso, junto a un tratamiento más convencional del paisaje.

Tintoretto aportó a la pintura veneciana una vertiente más violenta y manierista, en contraste con el ligero decorativismo de su coetáneo Veronés. Tintoretto, el pintor de pintores admirado por muchos artistas posteriores, siguió trabajando hasta los setenta años. Su última contribución a la cultura veneciana fue *El Paraíso* (1588-1590), para la bóveda del palazzo Ducale. **KKA**

Un tramposo con talento

Giorgio Vasari comenta que Tintoretto se valió de tácticas ilegales para conseguir el encargo de pintar la sala capitular de la Scuola Grande di San Rocco. En 1564 varios artistas fueron invitados a presentar sus bocetos. Cuando los hermanos de la confraternidad se reunieron para seleccionar al ganador, se dieron cuenta de que Tintoretto ya había instalado una versión pintada a tamaño natural de su boceto, y así ganó el concurso. Aunque es probable que sea una invención de Vasari, la historia manifiesta la conducta poco escrupulosa de Tintoretto, y la famosa velocidad a la que pintaba.

PIETER BRUEGHEL EL VIEJO

Pieter Brueghel, h. 1525 (Breda, Países Bajos); 1569 (Bruselas, Bélgica).

Estilo: Pintor y grabador de historias moralizantes, temas religiosos, escenas de pesadilla y paisajes; detalladas y precisas descripciones de la vida campesina holandesa.

Obras destacadas

Proverbios flamencos, 1559
(Staatliches Museum, Berlín)

*El combate entre don Carnaval
y doña Cuaresma*, 1559
(Kunsthistorisches Museum, Viena)

Meg la loca, h. 1562 (Museum Mayer
van den Bergh, Amberes)

Cazadores en la nieve, 1565
(Kunsthistorisches Museum, Viena)

Pieter Brueghel el Viejo es una figura clave en el arte holandés del siglo XVI. Fue uno de los grandes especialistas en paisajes puros, a los que elevó a la misma categoría que las historias tradicionales o religiosas. Abrió nuevos caminos con sus descripciones realistas y detalladas de la vida rural.

Brueghel aprendió con Pieter Coecke van Aelst, con cuya hija Mayken contrajo matrimonio. (La segunda esposa de Aelst, Mayken Verhulst Bessemers, fue una artista que influyó en la formación de los dos hijos de Brueghel, Pieter Brueghel el Joven y Jan Brueghel el Viejo.) Tras dejar el estudio de Aelst, Brueghel trabajó para el pintor, grabador, impresor y editor Hieronymus Cock. En 1551 ingresó en el gremio de pintores de Amberes, antes de hacer un viaje crucial a Italia. Gran parte de su obra temprana refleja la influencia de la tradición flamenca. Empezó a sintetizar los elementos italianizantes en sus paisajes. Su obra más antigua datada es *Paisaje con Cristo y los Apóstoles en el mar de Tiberiades* (1553), aunque las figuras pudieron ser pintadas por Maarten de Vos. Hacia 1555 estaba de

ARRIBA: Autorretrato del boceto en lápiz y tinta *El pintor y el comprador* (h. 1565).

DERECHA: *Cazadores en la nieve* es una típica descripción de la vida campesina.

vuelta en Amberes. Allí produjo una serie de doce grabados, los «Grandes paisajes» (1555), para la casa editorial de Cock. El pintor se estaba introduciendo en los círculos intelectuales, y en 1559 quitó la «h» de su nombre, siguiendo la línea de los ideales humanistas. También pintó *El combate entre don Carnaval y doña Cuaresma* (1559), una descripción única de un viejo tema. La escena, complicada y frenética, combina dos mitades —la taberna y la iglesia—, en una colisión de caótica energía.

Sus tres obras siguientes reflejan la influencia de El Bosco: *La caída de los ángeles* (1562), *El triunfo de la muerte* (h. 1562) y *Meg la loca* (h. 1562). Son pinturas complicadas, masificadas con una profusión de figuras, un rico tratamiento cromático y una fascinante aura de misterio. Como contraste, sus últimas obras, la serie «Las estaciones» (1565), combinan lo ideal con lo real, la influencia italiana con la flamenca, y lo tranquilo con lo frenético, para crear obras de un equilibrio único. **TP**

Los dibujos quemados

Poco antes de la muerte de Brueghel, este encargó a su mujer que quemara gran parte de su obra gráfica, pensando que su naturaleza «inflamada» podría causarle problemas si era descubierta por determinadas personas. El contenido es dudoso, pero la acción sugiere que podían ser política o religiosamente problemáticos. (Brueghel fue quizá miembro de los anabaptistas, un grupo de cristianos que defendían una reforma radical y estuvieron activos en Europa, sobre todo en Suiza, Alemania, Austria y Países Bajos.) La verdadera razón de la quema sigue siendo un misterio.

GIOVANNI BATTISTA MORONI

Giovanni Battista Moroni, h. 1525 (Albino, Bergamo, Italia); 5 de febrero de 1578 (Albino, Bergamo, Italia).

Estilo: Retratos de jóvenes italianos; sofisticados hombres de negro; dignidad y falta de emoción; columnas derruidas y relieves clásicos; uso magistral de negros y grises.

Obras destacadas

El sastre, h. 1565-1570
  (National Gallery, Londres)

Retrato de un anciano, h. 1575
  (Norton Simon Museum, Pasadena, EE.UU.)

Giovanni Battista Moroni pintó a la nobleza del norte de Europa en el siglo XVI. Había nacido en Albino, y decidió hacerse un nombre en la región de Bergamo antes que probar fortuna en Venecia. De adolescente fue alumno de Alessandro Bonvicino, Il Moretto, en Brescia. Moroni aprendió mucho de su destreza en el retrato, y a menudo imitaba a su maestro en sus primeras obras. Sus retratos transmiten el sentimiento caballeresco y cortesano típico de la época. Las figuras poseen una actitud distante, como si exigieran respeto y decoro por parte del espectador.

Moroni fue el pintor de los hombres de negro. Las prendas de este color eran el último grito en moda, y Moroni sabía cómo disponer estas siluetas contra un fondo gris plateado, equilibrado con los tonos fríos de una columna de piedra o el blanco de una carta doblada. Sus pinturas son ejercicios de contraste tonal, que solo permiten a las tonalidades cálidas de rostros y manos actuar como puntos focales. Pintó también temáticas religiosas; sus retablos y bóvedas pintadas al fresco ofrecen una claridad narrativa convencional, junto con un impacto emocional directo.

Moroni estaba trabajando en Trento, en 1545, cuando se celebró allí el primer concilio. Sus pinturas reflejan los ideales de la Contrarreforma. Fue entonces cuando conoció a Tiziano y empezó a recibir una impresionante cantidad de encargos. Moroni no tenía rival en su capacidad para capturar las interioridades psicológicas de sus modelos: se trata de personajes reales cuyas miradas transmiten distanciamiento e incluso cinismo. Un buen ejemplo es *El sastre* (h. 1565-1570), en la que el modelo, desconocido, fija la mirada en el espectador mientras maneja una muestra de la sempiterna tela negra que tantas veces incluyó Moroni en sus retratos. **KKA**

> «Raramente la imagen pintada ha estado tan llena de acción latente.» Timothy Potts

ARRIBA: *Retrato de un hombre*, de Moroni, una probable imagen del poeta Clément Marot.

GIUSEPPE ARCIMBOLDO

Giuseppe Arcimboldo, h. 1527 (Milán, Italia); 11 de julio de 1593 (Milán, Italia).

Estilo: Retratos de composición alegórica en forma de elaboradas naturalezas muertas compuestas por objetos florales, organizados para crear rasgos humanos reconocibles.

El apelativo de «Hombre del Renacimiento» vale tanto para Arcimboldo como para Leonardo da Vinci, a quien a menudo mencionaba. Los siglos XVI y XVII vieron aparecer un espíritu de cambio en Europa, con nuevas formas de expresión artística. En muchos sentidos, Arcimboldo era el equivalente visual de su coetáneo, el poeta inglés John Donne, quien utilizó elaborados juegos de palabras y originales alegorías. El pintor combinó sabiamente los temas convencionales con el nuevo género de naturaleza muerta, realizando *teste composte*, o cabezas compuestas. Las personificaciones tradicionales de las estaciones o los elementos podían materializarse en forma de elaborados arreglos florales. Las flores de primavera transmiten la imagen de un joven de complexión sana, mientras que la cepa retorcida de un árbol con hojas invernales secas representa a un viejo con cabello escaso. Cada elemento individual, ya sea flora, fauna u objeto inanimado, es exquisitamente pintado, y solo adquiere sentido como parte de un rostro humano. Un pollo puede convertirse en la altiva nariz y los ojos saltones de *El abogado* (1566). Mezcla de sátira y caricatura, la imagen sugiere a la vez la facilidad del modelo para desplumar a sus clientes.

Arcimboldo era reconocido también como diseñador de vidrieras y pintor al fresco para las catedrales de Milán y Monza, donde fue nombrado pintor de la corte de Fernando I, el emperador del Sacro Imperio Romano, en 1562. Obras como el *Retrato del emperador Rodolfo II* (1590-1591) fueron valoradas por sucesivos emperadores, y contribuyeron al florecimiento artístico de Praga (sede del Imperio) a finales del siglo XVI. Cuatro siglos después, su ambigüedad encontró un paralelismo directo en la obra de Salvador Dalí, quien también escondió rostros entre sus composiciones pictóricas. **SC**

Obras destacadas

El abogado, 1566 (Statens Konstsamlingar Gripsholm Slott, Estocolmo)

Fuego, 1566 (Kunsthistorisches Museum, Viena)

Primavera, Verano, Otoño, Invierno («Las cuatro estaciones»), 1573 (Londres, París)

Retrato del emperador Rodolfo II, 1590-1591 (Skoklosters Slott, Bålsta, Suecia)

«Hay una cierta fealdad más bella que la propia belleza.»
Gregorio Comanini

ARRIBA: *Autorretrato* (h.1575) de Arcimboldo, ejecutado con pluma y lápiz azul.

VERONÉS

Paolo Caliari, 1528 (Verona, Italia); 19 de abril de 1588 (Venecia, Italia)

Estilo: Decoraciones grandilocuentes para palacios venecianos; figuras escorzadas y detalles arquitectónicos; boato y esplendor; tejidos estampados y platería; paleta luminosa.

Obras destacadas

Serie «Alegoría del amor», h. 1570
    (National Gallery, Londres)
Cena en casa de Leví, 1573
    (Galleria dell'Accademia, Venecia)
Apoteosis de Venecia, 1585
    (palazzo Ducale, Venecia)

Paolo Caliari, conocido como Veronés, es uno de los tres «grandes» de la pintura veneciana del Renacimiento tardío, junto a Tiziano y Tintoretto. Tomó su nombre de la ciudad de Verona, donde nació y se formó como artista, aunque hacia 1553 se estableció en Venecia. Su nombre empezó a sonar en la sociedad veneciana, y pronto fue requerido como pintor de frescos decorativos de gran formato y de pinturas al óleo. Algunos de sus proyectos más ambiciosos fueron concebidos para las grandes villas del interior, propiedad de la élite cultural que acariciaba la idea de recrear las glorias de la Antigüedad en sus palacios privados. Para encargos como el de Villa Barbaro, en Maser, a finales de la década de 1550, trabajó con el arquitecto Andrea Palladio, utilizando trucos ilusionistas para sugerir despliegues arquitectónicos en fantásticos espacios pintados, reminiscencias de la grandiosidad de las ruinas romanas. También pintó una serie de grandes fiestas bíblicas para decorar las paredes de los refectorios de los monasterios.

El mundo de Veronés es de una teatralidad refinada. Sus personajes posan y conversan en espacios parecidos a un esce-

ARRIBA: Veronés pintó varios autorretratos; aquí aparece en pose contemplativa.

DERECHA: *Las bodas de Caná*, con su soberbia profusión de ricos colores y texturas.

nario, con drapeados de ricos brocados y prendas de terciopelo, ante un fondo de cielos azules y balaustradas clásicas. Veronés se deleitaba en la aplicación de la pintura, y es conocido como uno de los grandes coloristas, con una paleta de rico cromatismo con el que no cesaba de experimentar. A menudo colocaba fríos grises plateados junto a cálidos amarillos, en una fiesta de pintura y luz resplandeciente. Se ha dicho que su sensibilidad cromática se fijó ya en Verona en sus primeros años, cuando descubrió los grandes ciclos de frescos.

Veronés era un maestro del escorzo. Sus obras se reconocen a menudo por sus figuras, que se inclinan de forma precaria hacia el espectador. Sus techos ofrecen magníficos ejemplos de su confianza en la técnica *di sotto in su*, empleada en composiciones sobre todo concebidas para ser vistas desde abajo, creando la ilusión de que los personajes flotan en el espacio.

Aunque despreciado en el siglo XVIII por Joshua Reynolds, miembro de la Royal Academy, por considerarlo puramente «ornamental», Veronés influyó en la obra de Annibale Carracci, Peter Paul Rubens, Anton van Dyck y especialmente Tiepolo, quien revivió la grandeza de Veronés en la Venecia rococó del siglo XVIII. Y su influencia aún perdura. **KKA**

ARRIBA: *La familia de Darío ante Alejandro*, con su lujosa teatralidad compositiva.

Todo está en el nombre

Los temas de Veronés reflejan el dinamismo de la vida en la corte. Sus grandes escenas de festejos incluyen espectadores, bufones, perros y monos. Detalles que gustaban a sus mecenas, pero que no eran apropiados para ser incluidos en escenas religiosas.

En 1573 Veronés fue llamado por la Inquisición para defender su inclusión de personajes lúdicos y poco respetuosos en su pintura *Cristo en la Última Cena*. Fue absuelto del delito de herejía, pero no suprimió a los personajes, sino que dio otro título a la obra: *Cena en casa de Leví*.

GIAMBOLOGNA

Jean Boulogne, 1529 (Douai, en aquella época en Flandes; actualmente en Francia); 1608 (Florencia, Italia).

Estilo: Escultor manierista; especializado en mármol y bronce; movimientos y gestos fluidos; composiciones complejas con múltiples personajes.

Obras destacadas

Sansón venciendo a los filisteos, h. 1560-1562 (Victoria & Albert Museum, Londres)

El rapto de las sabinas, 1574-1582 (piazza della Signoria, Florencia)

Estatua ecuestre de Cosme I de Médicis, 1587-1593 (piazza della Signoria, Florencia)

Jean Boulogne, conocido como Giambologna, fue un escultor muy influyente. Gracias a sus discípulos, su estilo se difundió por Italia y gran parte de Europa. Muchos de sus encargos públicos fueron recreados después por el artista en piezas de pequeño formato para la familia de los Médicis, que las utilizó como regalos para los jefes de Estado y diplomáticos que los visitaban. Como resultado, su obra fue muy cotizada, especialmente en Alemania y el norte de Europa.

Había nacido en Flandes, donde se formó como escultor con Jacques du Broeucq. En 1550 viajó a Roma para estudiar el arte clásico, con escala en Florencia en 1552 para admirar la obra de Miguel Ángel. Allí conoció al rico mecenas Bernardo Vecchietti, quien lo convenció para que se quedara en la ciudad, y le ofreció algunos encargos. A través de Vecchietti, Giambologna fue presentado a la familia Médicis, que se convirtió en su principal mecenas. *Sansón venciendo a los filisteos* (h. 1560-1562) fue su primer encargo importante. Se trataba de una compleja composición de dos figuras dotada de gran fluidez y energía. En este período realizó una serie de esculturas para fuentes, y se le encargó la dramática *Fuente de Neptuno* (1563-1566), para el centro de la ciudad.

También pasó un tiempo en Bolonia, donde realizó el primero de sus famosos Mercurios alados. Su pieza más conocida es probablemente el gran grupo escultórico *El rapto de las sabinas* (1574-1582). Al final de su carrera llevó a cabo dos monumentos ecuestres: el primero, completado en 1593 para Cosme I de Médicis, gran duque de Toscana, en la piazza della Signoria, y el segundo, completado en 1608 para Fernando I de Médicis, gran duque de Toscana, en la piazza Santissima Annunziata. **TP**

«Un joven realmente excepcional.»

Giorgio Vasari, *Vidas de los más excelentes pintores...* (1568; segunda edición)

ARRIBA: En este autorretrato, Giambologna dirige una intensa mirada al observador.

SOFONISBA ANGUISSOLA

Sofonisba Anguissola, h. 1532-1535 (Cremona, Lombardía, Italia); 1625 (Palermo, Sicilia, Italia).

Estilo: Pintora renacentista pionera del retrato perspicaz, el autorretrato y las obras religiosas; ambientaciones informales; maestría en el gesto y la expresión facial.

Sofonisba Anguissola fue afortunada por tener un padre ilustrado que educó a sus seis hijas de igual forma que al varón. A los catorce años se formó con los pintores locales Bernardino Campi y Bernardino Gatti. Poco habitual para una mujer de su época, se ganó una reputación internacional, y destacó entre sus hermanas. Fue elogiada por el artista y escritor Leon Battista Alberti, quien afirmaba que componía «extrañas y bellas pinturas», e impresionó a Miguel Ángel con su dibujo *Asdrúbal mordido por un cangrejo* (1554).

En aquella época a las mujeres no se les permitía dibujar desnudos, así que Anguissola no pudo dedicarse a los temas relacionados con la historia o la religión. Se concentró en el retrato, al que aportó frescura e informalidad. En *La partida de ajedrez* (1555), por ejemplo, no solo se defiende la capacidad de la mujer para aplicar la lógica en lo que hasta entonces era un juego masculino, sino que capta las emociones de las jóvenes mientras se comen las piezas mutuamente. Incluso en los retratos formales, revela la genuina humanidad que subyace tras la persona pública. Pintó muchos autorretratos, y en su *Autorretrato con un caballete con la Virgen y el Niño* (1556) muestra los accesorios típicos de su oficio, teniendo cuidado de presentarse como artista respetable pintando un tema religioso.

En 1559 se convirtió en pintora de corte de Isabel de Valois, reina de España. Era tal su prestigio que Felipe II concertó en 1571 su primer matrimonio con Fabrizio de Moncada, virrey de Sicilia, y se hizo cargo de su dote. Vivieron en esa isla italiana, pero Moncada murió en 1579. A los cuarenta y siete años volvió a casarse con el noble Orazio Lomellino, y se trasladó a Génova, donde pudo pintar y enseñar. Pasó sus últimos años en Sicilia, donde continuó pintando hasta su vejez. **WO**

Obras destacadas

Asdrúbal mordido por un cangrejo, 1554
(Museo Nazionale di Capodimonte, Nápoles)

La partida de ajedrez, 1555
(Muzeum Narodowe, Poznan, Polonia)

Autorretrato con un caballete con la Virgen y el Niño, 1556 (Muzeum-Zamek, Lancut, Polonia)

«La vida está llena de sorpresas, e intento captar esos preciosos momentos.»

ARRIBA: Autorretrato junto al caballete, en el que destaca la pureza de la expresión.

EL GRECO

Doménikos Theotokópoulos, h. 1541 (Heraklion, Creta); 7 de abril de 1614 (Toledo, España).

Estilo: Formas alongadas; puntos de vista cambiantes; planteamientos espaciales inusuales; iluminación dramática; verdes ácidos y rojos púrpura; intensa espiritualidad.

Aunque su sorprendente originalidad le fue reconocida ya en vida, El Greco pasó a la posterioridad como un loco o como alguien con serios defectos visuales. La forma de concebir sus figuras y su cromatismo de pesadilla fueron realmente impactantes. No obstante, en los siglos xix y xx ha sido visto como un extraño precursor.

Obras destacadas

Anunciación, década de 1560 (Museo del Prado, Madrid)

Santa Trinidad, 1577 (Museo del Prado, Madrid)

El entierro del conde de Orgaz, 1586-1588 (iglesia de Santo Tomé, Toledo)

Vista de Toledo, h. 1597 (Metropolitan Museum of Art, Nueva York)

Retrato de un cardenal, h. 1600 (Metropolitan Museum of Art, Nueva York)

Visión del Apocalipsis, h. 1608-1614 (Metropolitan Museum of Art, Nueva York)

La adoración de los pastores, 1612-1614 (Museo del Prado, Madrid)

Su apodo, El Greco, significa «el griego», y se refiere a sus orígenes cretenses. Su familia, griega ortodoxa, vivía del comercio y el trabajo en la administración veneciana que gobernaba la isla. Estaban habituados a los negocios turbios, y las

ARRIBA: *Retrato de un viejo* (h. 1595-1600), probablemente un autorretrato de El Greco.

DERECHA: *La apertura del quinto sello* ejerció gran influencia en el arte del siglo xx.

disputas legales fueron una constante en la vida del artista. Era un hombre difícil y ambicioso que necesitaba costearse su extravagante modo de vida y estaba decidido a conseguir el mejor precio por sus obras.

El Greco permaneció en Creta probablemente hasta mediados de la década de 1560, y ya era maestro en 1563. Hacia 1567 se trasladó a Venecia, donde vivió hasta 1570; quizá se formó en el taller de Tiziano, adonde llegaría influido por la tradición de los iconos bizantinos en Creta. La escuela veneciana pudo suponer un incentivo para lograr una pincelada más suelta y colores más vivos para crear formas, espacios y movimientos, como en su *Anunciación* (década de 1560). Entre los años 1570 y 1577 estuvo en Roma, donde añadió monumentalidad a su experimentación con el espacio, el color y el *impasto* de su vigorosa paleta.

Los años de Toledo

El punto culminante de su éxito llegó durante su estancia en Toledo, donde vivió desde 1577 hasta su muerte en 1614. En 1578 tuvo a su único hijo con su compañera Jerónima de las Cuevas, con la que no llegó a casarse, quizá por un matrimonio anterior. En la ciudad castellana completó sus obras más importantes, como *El entierro del conde de Orgaz* (1586-1588).

Su traslado a España vino motivado probablemente por el deseo de obtener el mecenazgo del rey Felipe II. Lo consiguió, aunque solo a medias. No obstante, en la década de 1590 ya recibía numerosos encargos religiosos y era un codiciado retratista. Su aproximación cada vez más libre a la pintura es visible en su *Vista de Toledo* (h. 1597), que presenta diferentes puntos de vista simultáneamente, algo que influiría en muchos artistas modernos. Otras obras, como *La adoración de los pastores* (1612-1614), testifican su vivo cromatismo y su predilección por las figuras alongadas, razón por la cual es considerado a veces como manierista. *La adoración de los pastores* muestra también un éxtasis espiritual que engrana perfectamente con el celo de la Contrarreforma hispana. Si el pintor llegó a comulgar con ella es un motivo para el debate. **AK**

ARRIBA: *La adoración de los pastores,* a menudo descrita como manierista.

La conexión Picasso

La obra de El Greco influyó sobre muchos artistas modernos. El mítico lienzo de Pablo Picasso *Las señoritas de Aviñón* (1907) pudo verse inspirado por la gran obra de El Greco *La apertura del quinto sello,* también conocida como *La visión de san Juan* (h. 1608-1614). La pintura contiene todos los rasgos típicos de El Greco: el cromatismo vivo y maciento; el cielo apocalíptico; la extraordinaria distorsión de las formas y un sentido inmaterial y abstracto del espacio y la perspectiva. Picasso había admirado la obra en el hogar parisino de su propietario, su amigo el pintor Ignacio Zuloaga.

NICHOLAS HILLIARD

Nicholas Hilliard, 1547 (Exeter, Inglaterra); 7 de enero de 1619 (Londres, Inglaterra).

Estilo: Fundador de la escuela británica isabelina de miniaturas; retratos ovales de nobles, cortesanos y realeza; detalles microscópicos.

Obras destacadas

Muchacho bajo las rosas, casi con seguridad Robert Deveraux, segundo conde de Essex, 1585-1595 (Victoria & Albert Museum, Londres)

Retrato de Isabel I, h. 1600 (Victoria & Albert Museum, Londres)

El miniaturista y orfebre isabelino Nicholas Hilliard disfrutó de un considerable éxito en vida como ilustrador o miniaturista para la corona, trabajando tanto para Isabel I como para su sucesor, Jacobo I. Era tenido en gran estima por sus contemporáneos, y el poeta John Donne escribió un poema, «La tormenta» (1597), que incluía una alabanza hacia el artista.

Hilliard influyó póstumamente en la escuela británica de pintura en miniatura, y fue maestro de notables miniaturistas, como Isaac Oliver y Rowland Lockey. Incluso escribió un libro en el que explicaba el arte de la miniatura, *A Treatise Concerning the Art of Limning* (h. 1600). Aunque quizá su mayor legado sea el uso de su obra como propaganda para glorificar la imagen de la monarquía.

Las miniaturas isabelinas se pintaban con acuarela sobre vitela montada en cartulina, y estaban concebidas para ser introducidas en pequeñas cajitas de marfil para cajones, vitrinas o relicarios. A menudo eran obsequios de amor, aunque también eran signos de apoyo a la monarquía. A veces eran concedidas para demostrar el favor del monarca. Fueron popularizándose durante la década de 1580, cuando la Inglaterra protestante se hallaba amenazada por la España católica. Los súbditos más ricos de Isabel I las llevaban como símbolo de lealtad al trono. Hilliard comprendió pronto la importancia de su trabajo como herramienta de propaganda. A finales del reinado de Isabel I, cuando se desataban los rumores sobre la identidad del sucesor, la retrató como una dama aún joven y con sus mejores galas, recalcando de esta manera su poder. Cuando Jacobo I accedió al trono en 1603, también escogió la miniatura como propaganda, y encargó a Hilliard y a Oliver miniaturas de él y su familia. **CK**

«Pero sobre todo, la perfección radica en imitar el rostro de la humanidad.»

ARRIBA: *Autorretrato a la edad de treinta años, pintado por Hilliard en Francia.*

DONG QICHANG

Dong Qichang, 1555 (Huating, Jiangsu, Shanghai, China); 1636 (China).

Estilo: Calígrafo de enorme influencia, pintor, teórico del arte e historiador; definió el estilo de los *literati* de la Escuela del Sur de pintura paisajística; composiciones expresionistas, casi abstractas.

La conquista de China por las huestes de Kublai Kan en 1279 fue seguida de un siglo de dominación mongol, y la supresión de la casta burocrática que hasta aquel entonces había desempeñado un papel dominante en la cultura. No obstante, con la restauración del gobierno chino bajo la dinastía Ming, se produjo un restablecimiento de las fortunas de los funcionarios-intelectuales, junto con un renovado interés por la exploración de los estilos y las teorías artísticas clásicas.

Dong Qichang nació en el seno de una familia de funcionarios de menor rango en la última etapa de la dinastía Ming, pero prosperó rápidamente asumiendo la tutoría del heredero de la corona en Pekín. Reconocido maestro de la caligrafía, el mayor impacto de Qichang fue como teórico del arte. Sus escritos permitieron que la pintura de paisaje china fuera dividida, tal como sigue siendo en la actualidad, entre una Escuela del Norte y otra del Sur, y que el concepto de *wenrenhua* o escuela de los *literati* quedara definido.

Qichang personificaba los rasgos de la Escuela del Sur, de subjetividad simple y lírica, en contraste con la monumentalidad y el laborioso naturalismo de la del Norte, más basado en sus interpretaciones del budismo chan que en criterios geográficos. Condenando el academicismo, abogaba por un planteamiento más intuitivo y auténtico, aunque sus pinturas adolecen a menudo de falta de espontaneidad en aras de la técnica. Con el tiempo se fue abriendo paso una pincelada suelta y atrevida, el modelado expresivo de las formas de la naturaleza sobre espacios cuasi abstractos, mientras los suaves tonos de la aguada suavizaban la composición. Figura controvertida en vida, los méritos de Qichang y las influyentes doctrinas que los apoyaron siguen siendo objeto de debate. **RB**

Obras destacadas

Árboles majestuosos y cimas de la montaña, siglo XVII aproximadamente (Museum of Fine Arts, Boston)

Reminiscencia del río Jian, h. 1620 (Yale University Art Gallery, New Haven, EE.UU.)

«Si consideramos las maravillas de la naturaleza, la pintura es incapaz de igualar al paisaje.»

ARRIBA: La pincelada suelta y el lirismo de sus temas aparece aquí en todo su esplendor.

ANNIBALE CARRACCI

Annibale Carracci, 1560 (Bolonia, Italia); 15 de julio de 1609 (Roma, Italia).

Estilo: Sustitución de la artificiosidad manierista por un riguroso naturalismo; observación del mundo natural; dedicación al dibujo; pintura religiosa llena de vida; fuente de inspiración para el barroco italiano.

Obras destacadas

Hombre comiendo judías, 1580-1590 (Galleria Colonna, Roma)

La carnicería, 1580-1590 (Christ Church Picture Gallery, Oxford)

Frescos de la cúpula del palacio Farnese, 1597-1601 (palazzo Farnese, Roma)

Annibale Carracci fue el más creativo y dotado de la familia de artistas de «los Carracci», que trabajó inicialmente en Bolonia a finales del siglo XVI. Annibale nació y creció en el oficio de pintor, ejercitándose desde temprana edad en el estudio de su primo Ludovico, junto a su hermano Agostino. Juntos intentaron mitigar los efectos del manierismo y su refinamiento autocomplaciente para volver a dar paso a los rigurosos ideales del primer Renacimiento. Los Carracci ejercieron una influencia duradera en el desarrollo del arte italiano.

Las primeras obras de Annibale parecen sorprendentemente modernas comparadas con la artificiosidad manierista. *La carnicería* (1580-1590) constituye un buen ejemplo: la pincelada suelta crea una honesta y naturalista escena de trabajadores colgando cadáveres de animales. Este compromiso con la verdad y la realidad permitió a Annibale desarrollar un estilo de pintura religiosa claro y directo. La temática aparece mostrada

ARRIBA: *Autorretrato* (h. 1590), que muestra al pintor con un rostro de cierta preocupación.

DERECHA: *Hombre comiendo judías* es un retrato comprensivo, aunque irónico, de los pobres.

con rotundo impulso emocional, una cualidad fundamental en la pintura barroca del siglo XVII.

ARRIBA: Carracci pasó diez años trabajando en los frescos del palazzo Farnese.

Annibale se dirigió a Roma en 1595 para estudiar de primera mano el arte de Rafael, Miguel Ángel y los restos del clasicismo. Invitado por el cardenal Odoardo Farnese, se le encargó la decoración del palazzo Farnese, con sus monumentales desnudos clásicos distribuidos por el techo entre marcos y arquitecturas en *trompe l'oeil*. Trabajó en los techos durante una década, y el resultado sería el referente para el arte posterior de gran formato. Los temas son mitológicos y aluden deliberadamente al otro gran fresco romano de la época: la capilla Sixtina de Miguel Ángel. Aquí, como en sus otras obras, Annibale trabajó en colaboración con su hermano Agostino, y el resultado es a veces difícil de diferenciar. En el palazzo Magnani de Bolonia, cuando se le preguntó quién había pintado determinado elemento del friso, replicó: «Los Carracci; lo hemos hecho entre todos».

La visión pictórica de Annibale se rastrea sobre todo en sus exquisitos dibujos. Hizo centenares de bocetos preparatorios, que desvelaban su conocimiento de la forma humana, el expresivo poder de la línea y la fortaleza del diseño. **KKA**

Una academia influyente

En 1582 Annibale Carracci y su familia abrieron una academia denominada originalmente Accademia dei Desiderosi, es decir, para aquellos que deseaban la fama. La academia mostraba su concepción de la pintura, centrada en el dibujo y el estudio fiel de la naturaleza, con un lema que reflejaba su entusiasmo reformista: «La escuela de los que lamentan el pasado, desprecian el presente y aspiran a un futuro mejor». Aunque no existía un programa de estudios, la academia se convirtió en foro de discusión de nuevas ideas. Famosa en toda Italia, fue precursora de las grandes academias posteriores.

FRANCISCO RIBALTA

Francisco Ribalta, 2 de junio de 1565 (Solsona, Lleida, España); 13 de enero de 1628 (Valencia, España).

Estilo: Pintor; empleo de atrevidos contrastes de luces y sombras; arte eclesiástico realista y muy dramático; uno de los primeros en utilizar el tenebrismo.

Obras destacadas

Martirio de santa Catalina, h. 1600-1602
 (Ermitage, San Petersburgo)
Presentación de la Virgen en el templo, h. 1620
 (National Gallery of Art, Washington, D.C.)
San Lucas Evangelista, 1625-1627
 (Museo de Portacoeli, Valencia)
Cristo abrazando a San Bernardo, 1624-1627
 (Museo del Prado, Madrid)

Francisco Ribalta nació en Cataluña, pero se trasladó a Madrid en el año 1581, tras la muerte de sus padres. Allí trabajó como aprendiz en el real sitio de El Escorial, lo cual le permitió estudiar la obra de los artistas coetáneos españoles e italianos. Tras la muerte de Felipe II en 1598, se trasladó a Valencia. Bajo la protección del influyente mecenas y arzobispo san Juan de Ribera, se convirtió en un cotizado creador de temáticas religiosas; los encargos eran numerosos en plena eclosión de la Contrarreforma.

Valencia era un destacado puerto mediterráneo y, como tal, una puerta abierta a la cultura europea e italiana en particular. En los inicios del siglo XVI numerosos artistas recibieron la influencia del artista italiano Michelangelo Merisi da Caravaggio, cuyo dramático y simbólico uso del contraste entre luces y sombras inyectaba una sensación de realismo al arte religioso. Ribalta fue uno de los primeros artistas españoles en adoptar el tenebrismo de Caravaggio, que destacaba la oscuridad sobre la luz. Quizá se vio influido por una copia de un retablo de Caravaggio propiedad del citado arzobispo, y que el propio Ribalta también copió. Inició de este modo una serie de pinturas religiosas oscuras y realistas, como el *Martirio de santa Catalina* (h. 1600-1602), en consonancia con las profundas creencias religiosas de Ribalta. Tras la muerte del arzobispo, Ribalta recibió menos encargos, y hacia 1620 su estilo había cambiado de nuevo. Se imponía un barroquismo ornamental y en ocasiones dinámico, con figuras en escorzo; este cambio es perfectamente visible en la *Presentación de la Virgen en el templo* (h. 1620).

Su obra influiría en la siguiente generación de artistas, incluyendo a su hijo, Juan Ribalta. **CK**

> «[Era] tan venerado [...] que la ciudad entera lo lloró.»
>
> Jusepe Martínez

ARRIBA: Ribalta se pintó a sí mismo como *San Lucas Evangelista,* patrón de los artistas.

JAN BRUEGHEL EL VIEJO

Jan Brueghel, 1568 (Bruselas, Bélgica); 13 de enero de 1625 (Amberes, Bélgica).

Estilo: Paisajes exuberantes y aterciopelados; naturalezas muertas; pinturas en colaboración con pintores figurativos; colorido opulento; alegorías y temas religiosos.

Segundo hijo del célebre pintor flamenco Pieter Brueghel el Viejo, Jan Brueghel era también conocido como Brueghel de Velours, y Flor Brueghel, nombres que aluden a su habilidad para pintar ricas y delicadas texturas en paisajes y naturalezas muertas con motivos botánicos. Jan era todavía un niño cuando murió su padre, de modo que él y sus hermanos fueron a vivir con su abuela, Mayken Verhulst, una miniaturista —y primera maestra de arte de Jan—. Pasó varios años en Italia, donde se ganó el mecenazgo del influyente cardenal milanés Federico Borromeo. A su vuelta a los Países Bajos, se convirtió en deán del gremio de Amberes en 1602.

Brueghel se hizo famoso ya en vida. Ganó mucho dinero con sus pinturas, especialmente tras ser nombrado pintor de corte de los gobernadores de los Habsburgo en los Países Bajos españoles, el archiduque Alberto y la archiduquesa Isabel. Maestro de la naturaleza muerta, su trabajo implicaba frecuentes viajes para recoger flores que servirían de modelo. Le interesaban sobre todo las especies raras. Su otra pasión eran los paisajes, que incorporaban escenas de exuberantes bosques acompañados de animales y flores exóticos.

A menudo colaboró con otros artistas, como Joos de Momper el Joven, Hendrik van Balen y su amigo, Peter Paul Rubens. Brueghel pintaría el paisaje, las flores y los animales, mientras que el colaborador aportaría las figuras humanas, tal como se aprecia en *La batalla de las amazonas* (1598-1600). Brueghel era también hábil en las representaciones alegóricas de los sentidos y de temas religiosos. Su característico estilo fue continuado por sus hijos Jan Brueghel el Joven y Ambrosius. También influyó en algunos imitadores, lo cual provocó ciertas dificultades en la atribución de las obras. **SG**

Obras destacadas

La batalla de las amazonas, 1598-1600 (Schloss Sanssouci, Potsdam, Alemania)

La entrada de los animales en el arca de Noé, 1613 (Getty Center, Los Ángeles)

La vista, obra realizada con Peter Paul Rubens, h. 1619 (Museo del Prado, Madrid)

«Reminiscencia del revestimiento de un joyero abierto.» Albert Blankert, en *Tableau*

ARRIBA: Un retrato contemporáneo de Jan Brueghel el Viejo, de autor desconocido.

CARAVAGGIO

Michelangelo Merisi da Caravaggio, h. 1571 (Caravaggio, Italia); 18 de julio de 1610 (Porto Ercole, Italia).

Estilo: Pintor revolucionario; uso simbólico, dramático y religioso del contraste entre luces y sombras; introdujo un intenso realismo en el arte religioso.

Obras destacadas

Baco enfermo, h. 1593-1594
  (Galleria Borghese, Roma)

La muerte de la Virgen, h. 1601-1606
  (Louvre, París)

Los discípulos de Emaús, 1601
  (National Gallery, Londres)

El entierro de Cristo, 1602-1603
  (Pinacoteca, Vaticano)

La decapitación de san Juan Bautista, 1608
  (concatedral de San Juan, La Valeta, Malta)

Michelangelo Merisi da Caravaggio es uno de los *enfants terribles* de la pintura más admirados, puesto que despliega la perfecta panoplia del genio artístico: una personalidad díscola y un talento original alimentado por cierta inestabilidad mental, afición a la bebida y a las broncas en las tabernas, deudas, malas compañías, repetidas estancias en la cárcel, un asesinato, una huida a escape y una muerte prematura. Su estilo pictórico era algo torpe y poco instruido, pero lleno de un nuevo, poderoso y descarnado naturalismo que lo convirtió en un destacado artista del siglo XVII. Atrajo a muchos seguidores en toda Europa, llamados «caravaggistas».

Caravaggio era hijo de un arquitecto muerto prematuramente. Su madre murió también siendo él aún joven, y cuando se encaminó a Roma pasando por Venecia, Cremona, Milán y Bolonia a principios de su carrera, ya era huérfano. Llevaba consigo el talento de su diestra pincelada y cierto aprendizaje en el estilo veneciano, que le permitió apreciar la importancia de la luz y el color. Sus primeras obras están dominadas por los retra-

ARRIBA: El pintor se representó a sí mismo como el dios del vino en *Baco enfermo*.

DERECHA: *Los discípulos de Emaús* demuestra su soberbio dominio de las luces y las sombras.

1500-99

tos enigmáticos, como el autorretrato *Baco enfermo* (h. 1593-1594), que demuestra su talento para la naturaleza muerta.

Hacia 1600 Caravaggio era un pintor admirado. Los puristas, no obstante, criticaban su falta de preparación formal o bocetos preparatorios. Dibujaba directamente sobre el lienzo y pintaba encima. Recibió encargos prestigiosos para pinturas de temas religiosos, como el *El entierro de Cristo* (1602-1603). La originalidad de sus obras, con un sorprendente *chiaroscuro* y llenas de pasión, llegaba a la gente corriente, y conectaba con el afán contrarreformista de la Iglesia católica por divulgar la palabra de Dios. En 1606 Caravaggio se dio a la fuga tras matar a un hombre en un duelo, aunque siguió recibiendo encargos y exploró una nueva concepción de la pintura, más reflexiva, quizá movido por la culpa. Parece ser que murió de unas fiebres en pleno viaje de penitencia a Roma para conseguir el perdón. Nunca supo que ya se le había concedido. **AK**

ARRIBA: Una típica escena bíblica, *La decapitación de san Juan Bautista.*

Rodeado de escándalo

La obra de Caravaggio siempre ha despertado controversia. Algunos cuadros fueron considerados «heréticamente» realistas por sus clientes religiosos. *La muerte de la Virgen* (h. 1601-1606) fue rechazada por la iglesia para la que había sido pintada, no solo porque la modelo de Caravaggio era una prostituta del lugar, y además su amante, sino porque mostraba el óbito de la Virgen con un naturalismo mortal, con el vientre hinchado y las piernas al descubierto. Recientemente se ha hablado mucho de la posible homosexualidad del pintor, aunque muchos estudiosos descartan esta teoría.

PETER PAUL RUBENS

Peter Paul Rubens, 28 de junio de 1577 (Siegen, Alemania); 30 de mayo de 1640 (Amberes, Bélgica).

Estilo: Mujeres corpulentas y voluptuosas; plasticidad formal; drama y pasión religiosa; escenas mitológicas de aire libertino; composiciones dinámicas.

Obras destacadas

La adoración de los Magos, 1609
  (Museo del Prado, Madrid)
Tríptico del Descendimiento, 1611-1614
  (catedral de Nuestra Señora, Amberes)
La adoración de los Magos, 1624
  (Koninklijk Museum voor Schone Kunsten, Amberes)
Minerva protege a Pax de Marte, 1629-1630
  (National Gallery, Londres)

Peter Paul Rubens fue muy apreciado en vida como pintor, erudito y diplomático. En las décadas de 1620 y 1630 contó entre sus mecenas con un buen número de influyentes figuras europeas, como Carlos I de Inglaterra, Felipe IV de España y María de Médicis. En su ciudad, Amberes, dirigió un gran taller repleto de ayudantes y aprendices. El estudio produjo cientos de composiciones llenas de figuras dibujadas por el propio Rubens, quien daba los últimos toques magistrales, y que en su mayor parte eran realizadas por su equipo. Su envidiable posición económica le permitió construirse una lujosa mansión con jardines en el centro de Amberes.

Rubens recibió una buena educación, y se convirtió en artista independiente a los veintidós años. Dos años más tarde, en 1600, se trasladó a Italia, el destino obligado para todo artista interesado en competir en el mercado internacional. Allí entró al servicio del duque de Mantua, Vincenzo I de Gonzaga, que lo envió en su primera misión diplomática a España. Rubens pasó ocho años en Italia, que sirvieron para perfeccionar sustancial-

ARRIBA: El *Autorretrato sin sombrero* (h. 1639), con su dominio de los efectos lumínicos.

DERECHA: *La adoración de los Magos* (1609) se vio inspirada por el arte italiano.

mente su técnica. A su vuelta a Amberes poseía ya un estilo plenamente personal, y su reputación le precedía.

Durante la siguiente década recibió una ingente cantidad de encargos, incluyendo dos importantes retablos conservados en la catedral de Amberes: *La elevación de la Cruz* (1610) y *El descendimiento de la Cruz* (1611-1614). En la década de 1630, Carlos I le encargó pintar la Banqueting House, construida por Íñigo Jones, en Whitehall, Londres. También lo envió a Madrid, donde tuvo ocasión de copiar las obras de Tiziano, una gran fuente de influencia, en la colección real.

Durante sus últimos años se dedicó con entusiasmo a la pintura de paisaje. Se trata de obras muy personales donde el color y el movimiento se logran mediante el uso de una pincelada suelta y fina que influiría en pintores de generaciones posteriores, como John Constable y los impresionistas. Sus pinturas rebosan energía, y aún siguen inspirando a los artistas. **KKA**

ARRIBA: *Minerva protege a Pax de Marte,* un alegato por la paz entre Inglaterra y España.

El jardín del amor

Queda claro por los desnudos que pintó que Rubens amaba a las mujeres. En 1630 contrajo matrimonio con su segunda esposa, Hélène Fourment, una joven de dieciséis años que aparece en muchas de sus pinturas narrativas. En un retrato de inequívoca carga sexual, Hélène aparece vestida con un simple abrigo de pieles, como si acabara de levantarse del lecho matrimonial. Rubens desarrolló el tema de la dicha conyugal en los dibujos y pinturas de «El jardín del amor», en los que aparecían jóvenes amantes dando gracias en el templo de Venus, para el que sirvieron de inspiración sus jardines de Amberes.

FRANS HALS

Frans Hals, h. 1581 (Amberes, Bélgica); 1666 (Haarlem, Países Bajos).

Estilo: Grandes retratos de la República holandesa; sonrisas furtivas y maliciosas; soberbia recreación de la emoción y las expresiones faciales; pincelada rápida e inestable; brillante inmediatez; festivas escenas de grupo.

Obras destacadas

Banquete de los arcabuceros de san Jorge de Haarlem, 1616 (Frans Hals Museum, Haarlem, Países Bajos)

Caballero sonriente, 1624 (Wallace Collection, Londres)

Pieter van den Broecke, h. 1633 (Iveagh Bequest Kenwood House, Londres)

Si Peter Paul Rubens surtió de retablos y escenas mitológicas los Países Bajos españoles, Frans Hals se dedicó a pintar retratos en la ciudad holandesa de Haarlem, al norte. La orgullosa nueva república neerlandesa estaba liderada por ricos mercaderes y burgueses, encantados de verse retratados por uno de los talentos más sobresalientes del género. Estos ciudadanos estaban deseosos de conmemorar sus hazañas cívicas y militares. El estilo pictórico relajado y ameno de Hals era el instrumento perfecto para captar aquel espíritu.

En los retratos de Hals, la vida sonríe a sus protagonistas. Jóvenes, héroes de capa y espada y mujeres sonriendo al observador seguras de sí mismas. En el *Caballero sonriente* (1624) aparece claramente lo que será su signo de identidad: era uno de los pocos hombres capaces de captar una sonrisa furtiva. También fue célebre por su relajada actitud hacia sus propias finanzas, y las deudas le persiguieron hasta la muerte. No obstante, el artista se las arregló para transmitir en sus retratos esa actitud hedonista ante la vida. No había nada de rígido o artificioso en su obra, ni siquiera cuando se atrevía con grandes composiciones de milicias ciudadanas de guardia, con sus uniformes.

Hals fue particularmente diestro en los retratos de grupo. Solo Rembrandt, pintor contemporáneo suyo en Amsterdam, pudo hacerle sombra. Hals describe diestramente las cualidades del vestuario de sus modelos, un recordatorio de la riqueza que les proporcionaba aquel aire de autoconfianza. En su retrato *Willem van Heythuysen* (h. 1638), el mercader de paños se reclina y balancea en su silla. Esta inmediatez se consigue mediante una rápida y visible pincelada, aplicando en mojado sobre mojado, una técnica adelantada a su tiempo y muy admirada durante el siglo XIX por Édouard Manet y los impresionistas. **KKA**

«Cada vez que veo una obra de Frans Hals, siento que estoy pintando.» Max Liebermann

ARRIBA: Este característico autorretrato fue pintado hacia 1649.

JOSÉ DE RIBERA

José de Ribera, 1591 (San Felipe de Játiva, España); septiembre de 1652 (Nápoles, Italia).

Estilo: Pintor español tenebrista; atención a los detalles más descarnados, en sintonía con Caravaggio; temas religiosos; inclusión de figuras humildes.

1500-99

Obras destacadas

Apóstol, 1615-1619 (National Gallery, Londres)

Las lamentaciones por la muerte de Cristo, h. 1620 (National Gallery, Londres)

El martirio de san Felipe, 1639 (Museo del Prado, Madrid)

El patizambo, 1642 (Louvre, París)

La adoración de los pastores, 1650 (Louvre, París)

En 1611 José de Ribera, Lo Spagnoletto («el españolito»), abandonó España con destino a Italia, donde creó la mayor parte de su obra. Su estilo era directo y naturalista; adoptó el tenebrismo, con el cual creaba fuertes contrastes de luces y sombras para dar lugar a figuras de gran solidez. En 1616 el artista se trasladó a Nápoles, donde trabajó en encargos de tipo religioso. Hacia la década de 1630 su estilo evolucionó hacia un planteamiento de mayor luminosidad. Sus últimas pinturas eran más ligeras y menos dramáticas, en temática y en composición. Empezó a retratar a los miembros menos favorecidos de la sociedad, una tendencia que influiría en pintores españoles de la talla de Diego Velázquez y Francisco de Goya. **CK**

GUERCINO

Giovanni Francesco Barbieri, 8 de febrero de 1591 (Cento, Ferrara, Italia); 22 de diciembre de 1666 (Bolonia, Italia).

Estilo: Destacado pintor y dibujante boloñés del siglo xvii; obra temprana enigmática y emocionalmente intensa; clasicismo controlado mediante una paleta cálida.

Obras destacadas

Aurora, frescos del casino Ludovisi (casino Ludovisi, Roma)

San Lucas mostrando una pintura de la Virgen y el Niño, 1652-1653 (Nelson-Atkins Museum of Art, Kansas City, EE.UU.)

Conocido con el sobrenombre de Il Guercino («el bizco»), Guercino fue un artista clave de la escuela boloñesa, aunque trabajó especialmente en la vecina localidad de Cento. Se vio influido por las reformas pictóricas de los Carracci, que tenían lugar en Bolonia en la época de su nacimiento. Aunque respondía a los nuevos ideales clasicistas, su obra temprana posee una intensidad primigenia. A partir de 1621 pasó dos años en Roma trabajando para el papa Gregorio XV y pintando frescos para la villa Ludovisi. Su obra de madurez ofrece un marcado contraste con su primer período, con una paleta más cálida y un estilo más conservador que reflejaba los gustos de Bolonia. En sus dibujos su genio brilla con intensidad. Fue uno de los mejores dibujantes de su época. **KKA**

GEORGES DE LA TOUR

Georges de La Tour, marzo de 1593 (Vic-sur-Seille, Francia); 30 de enero de 1652 (Lunéville, Francia).

Estilo: Intensidad espiritual y escenas de aparente cotidianeidad; maestro de la semioscuridad; formas simplificadas; gusto por el detalle; uso dramático de la luz.

Aunque fue famoso en vida, la exposición «Los pintores de la realidad en Francia en el siglo XVII», celebrada en 1934 en el Musée de l'Orangerie de París, hizo que hoy en día Georges de La Tour esté considerado una figura clave en la historia de la pintura francesa. Nacido en el seno de una próspera familia en el ducado de Lorena en 1593, probablemente viajó a Italia antes de establecerse en la localidad de Lunéville, donde se convirtió en ciudadano adinerado y respetable. Su obra fue apreciada e incluso coleccionada por el rey Luis XIII.

A diferencia de sus coetáneos y compatriotas Nicolas Poussin, Claudio de Lorena y Simon Vouet, las imágenes de De La Tour poseen un expresivo naturalismo, un amor por la observación del detalle y un magistral tratamiento de la luz.

Era brillante en el uso del claroscuro —el efecto de las luces y las sombras en contraste y equilibrio mutuo—. No obstante, no parece claro que esa utilización estuviera directamente influida por la obra de Caravaggio. De La Tour usó los efectos de una luz limitada, emitida por un simple foco, para revestir sus escenas religiosas de un tranquilo dramatismo.

Tan solo se le han atribuido 35 pinturas, que pueden dividirse en dos categorías: escenas nocturnas y diurnas. Las segundas suelen estar pobladas de un gran número de personajes con lujosas indumentarias, jugando a las cartas o adivinando el futuro. Las primeras son de una luminosidad dramática, proporcionada por la luz de una simple vela. Describen historias bíblicas ambientadas en espacios humildes, familiares y sencillos. El número de personajes es limitado. Su utilización restringida del color y el atrevido geometrismo de sus composiciones contribuyen a crear una atmósfera de gran realismo. **AB**

Obras destacadas

Santo Tomás o *santo con pica*, h. 1628-1632 (Louvre, París)

La buenaventura, h. 1630 (Metropolitan Museum of Art, Nueva York)

San José carpintero, h. 1640 (Louvre, París)

«Consciente de la presencia de la divinidad en este mundo.» Christopher Allen

ARRIBA: Se cree que *Santo Tomás* es un autorretrato de Georges de La Tour.

ARTEMISIA GENTILESCHI

Artemisia Gentileschi, 8 de julio de 1593 (Roma, Italia); h. 1652 (Nápoles, Italia).

Estilo: Pionera femenina de la pintura barroca, tanto de asuntos religiosos como históricos; heroínas bíblicas; figuras dinámicas; uso dramático de las luces y las sombras.

«Encontrarás el espíritu de César en esta alma de mujer», escribió Artemisia, la mejor artista femenina del siglo XVII. En una época en que era muy difícil para una pintora ganarse la vida, tal espíritu era necesario, especialmente en una artista dedicada a la pintura histórica y religiosa. Tales temas se consideraban inapropiados para una mujer, mayoritariamente limitadas a la realización de retratos y naturalezas muertas.

Criada por su padre viudo, Orazio, pintor y seguidor de Caravaggio, Artemisia trabajó como aprendiz antes de lograr sus primeros encargos. Viajó con frecuencia, y vivió en Roma, Florencia, Venecia, Nápoles e incluso Londres, en la corte del rey Carlos I. El suceso que la marcó para siempre fue el rapto de que fue víctima a los diecisiete años por parte de un colega de su padre, así como la humillación de que fue objeto en el juicio subsiguiente, en el que fue sometida a una prueba ginecológica y a torturas; una experiencia que influyó profundamente en su obra.

Muchos de sus temas tienen un trasfondo violento, y parece como si Gentileschi hubiera canalizado su espíritu rebelde y su deseo de venganza en sus lienzos. En ellos se describen los avatares de las heroínas bíblicas, como el sangriento lienzo *Judith decapitando a Holofernes* (1612-1613). Puede que ello sea cierto, pero también fue una mujer inteligente que pintaba para una clientela compuesta principalmente por hombres. Es posible que se centrase en temáticas femeninas tan solo para satisfacer las necesidades del mercado. La muerte de esta pionera fue tan dramática como su propia vida. De pronto los registros de sus encargos se desvanecen. No se sabe exactamente cuándo ni cómo murió. Quizá debido a la peste que asoló Nápoles. Sea como fuere, su espíritu pionero inspiró a numerosos artistas, muchos de ellos mujeres. **CK**

Obras destacadas

Susana y los viejos, 1610 (Collection Graf von Schönborn, Schloss Weissenstein, Pommersfelden, Alemania)

Judith decapitando a Holofernes, 1612-1613 (Museo Nazionale di Capodimonte, Nápoles)

Judith decapitando a Holofernes, h. 1620 (Uffizi, Florencia)

«Ha adquirido tal pericia que me atrevería a decir que no tiene rival.» Orazio Gentileschi

ARRIBA: Detalle del autorretrato *Tañedora de laúd*, pintado hacia los veinte años.

NICOLAS POUSSIN

Nicolas Poussin, junio de 1594 (Les Andelys, Francia); 19 de noviembre de 1665 (Roma, Italia).

Estilo: Pintor-filósofo con carisma intelectual; colores vibrantes; composiciones rigurosamente organizadas; asuntos de inspiración clásica; tono solemne.

Obras destacadas

El paso del mar Rojo, h. 1634
(National Gallery of Victoria, Melbourne)

El triunfo de Pan, 1636
(National Gallery, Londres)

Una danza para la música del tiempo,
h. 1634-1636 (Wallace Collection, Londres)

Nicolas Poussin, nacido en un hogar humilde en la zona rural de Normandía, consiguió convertirse en uno de los pintores más cotizados del siglo XVII. Pasó la mayor parte de su carrera en Roma, y en su momento fue el pintor más serio e influyente de la ciudad.

El primer encuentro de Poussin con la pintura fue a través de los artistas de segunda fila del norte de Francia. En 1612 se trasladó a París para estudiar el oficio, y allí intentó sobrevivir durante diez años. En 1622 se le encargó la realización de seis pinturas para una iglesia jesuita. Decidió entonces probar suerte en Roma, y finalmente llegó a la ciudad que habría de convertirse en su hogar en marzo de 1624. Allí estudió las valiosas reliquias de la Antigüedad y las obras maestras del Renacimiento, y recibió la influencia de Rafael y Tiziano. Fue protegido del sobrino del Papa, el cardenal Francesco Barberini, y trabó amistad con los intelectuales, poetas y anticuarios de la ciudad.

En 1630, ante la falta de encargos para realizar retablos religiosos, Poussin encontró su propio estilo artístico pintando pequeños lienzos para coleccionistas privados y eruditos.

ARRIBA: Detalle de su *Autorretrato* (1650), como hombre seguro de sí mismo.

DERECHA: *El paso del mar Rojo*, una pintura histórica de gran formato.

Sus asuntos eran de tipo histórico, extraídos de antiguos textos, mitos, leyendas e historias bíblicas. Su arte estaba enraizado en los ideales clásicos basados en la razón, la armonía, el equilibrio, el orden y la proporción. Las historias de sus lienzos están protagonizadas por pequeñas figuras de cuerpo entero, como actores en escena, pero congeladas en el tiempo, el movimiento y la expresión. El resultado son una serie de imágenes rigurosamente organizadas y basadas en construcciones geométricas. Cada forma queda definida por un contorno nítido y modelada con colores vibrantes. Poussin construía pequeños escenarios con modelos de cera como base para sus composiciones.

Las obras de Poussin se hicieron enormemente populares entre las clases adineradas, y no solo en Roma. Tras muchas súplicas, en 1640 volvió a París para ser nombrado un año más tarde primer pintor de corte por el rey Luis XIII. Pero Poussin no era feliz allí, y en 1642 regresó a Roma, donde permaneció hasta su muerte. **AB**

ARRIBA: *Una danza para la música del tiempo* revela el amor de Poussin por los clásicos.

La elección de los críticos

Las pinturas de Nicolas Poussin, con su claridad geométricamente organizada y su uso de nítidos contornos y colores vivos, lo convirtieron en un abanderado del clasicismo. Su estilo era radicalmente diferente a las tendencias que triunfaban en su época, el barroco, ejemplificadas por el retorcimiento de las figuras y por la pincelada suelta de su contemporáneo, Peter Paul Rubens. A lo largo del siglo XVII, artistas y expertos discutieron largo y tendido sobre la supremacía del «poussinismo» o del «rubensismo», culminando en una serie de debates entre 1672 y 1678.

PIETER JANSZ SAENREDAM

Pieter Jansz Saenredam, 9 de junio de 1597 (Assendelft, Países Bajos); 31 de mayo de 1665 (Haarlem, Países Bajos).

Estilo: Pintor de interiores de iglesias; meticulosas perspectivas y mediciones arquitectónicas que crean exactitud en sus obras; frías tonalidades claras.

Obras destacadas

Interior de la iglesia de San Bavón de Haarlem, 1628 (National Gallery of Scotland, Edimburgo)

Vista interior de Buurkerk de Utrecht, 1644 (National Gallery, Londres)

Interior de la iglesia de Santa Ana de Haarlem, 1652 (Frans Hals Museum, Haarlem)

La extraordinaria obra de Pieter Jansz Saenredam se define por su meticuloso estilo arquitectónico y por su aire de tranquilidad. Cada obra es un maridaje armonioso entre equilibrio y serenidad. Su padre, Jan Pietersz Saenredam, era un respetado grabador y cartógrafo cuya predilección por el detalle influyó poderosamente en Pieter. A los quince años, el artista entró en el taller del pintor Frans Pietersz de Grebber, donde estuvo once años. Se conocen pocos datos acerca de su obra en esos años, pero cuando finalizó su primera pintura, *Interior de la iglesia de San Bavón de Haarlem* (1628), ya era un aquilatado maestro de la perspectiva y la técnica del óleo.

Saenredam trabajaba de forma metódica y bien documentada. Primero trazaba los bocetos *in situ*, y luego completaba los dibujos constructivos en el estudio. Los dibujos le permitían interpretar los problemas de la representación en perspectiva de unos ángulos muy abiertos, trabajando a su vez en la consecución de un equilibrio entre las premisas matemáticas del dibujo y la consecución estética de la obra final. Como consecuencia, y gracias a la completa datación de todos sus bocetos, es posible trazar una historia clara y concisa del proceso creativo de Saenredam, desde la idea inicial hasta el resultado final. Los dibujos constructivos finales se realizaban sobre papel crema, y se pasaban a paneles de madera sobre los que pintaba. Por contra, sus contemporáneos tendían a pintar directamente sobre el panel sin bocetos previos. Los métodos de traslación y solución de los problemas de sus pinturas son comparables a los usados en la proyección cartográfica de Mercator, ideada hacia la misma época. Saenredam estuvo familiarizado con las técnicas cartográficas desde tierna edad. La mayoría de pinturas se conservan en iglesias de Haarlem, Utrecht, Amsterdam y Rhenen. **TP**

«La perspectiva es la clave de [su] habilidad para crear [...] profundidad.» J. Paul Getty Trust

ARRIBA: *Vista interior de Buurkerk de Utrecht* (1644), en la National Gallery de Londres.

FRANCISCO DE ZURBARÁN

Francisco de Zurbarán, noviembre de 1598 (Fuente de Cantos, Extremadura, España); 27 de agosto de 1664 (Madrid, España).

Estilo: «Pintor de monjes»; temas relacionados con la pasión religiosa sevillana; contemplativas naturalezas muertas sobre fondo negro.

Francisco de Zurbarán fue enviado por su familia a Sevilla en 1614 para iniciar su aprendizaje artístico con el pintor Pedro Díaz de Villanueva. Parece que desde sus primeros encargos desarrolló ya su estilo distintivo, que le aseguraría el éxito: cuerpos sólidos con rígidos drapeados sobre un fondo casi negro. Sus figuras reciben una dramática iluminación lateral, que confiere al drapeado un misterioso poder expresivo. Su acusado sentido del dibujo y su paleta de grises sobre un oscuro fondo minimalista otorgan a sus obras un aspecto sorprendentemente moderno.

Bajo todas estas cualidades formales subyace una profunda comprensión de la experiencia religiosa en la España del siglo XVII. Fue conocido como «pintor de monjes», debido a la gran proporción de obras realizadas para las órdenes monásticas: imágenes de clérigos, a menudo en oración, y de santos. Sus santas aparecen aisladas sobre fondos oscuros, con faldas ricamente bordadas. Sus descripciones de san Francisco en plena meditación revelan la cumbre de su técnica. En algunas de ellas, como las versiones de 1635 y 1639, el rostro del santo es prácticamente imperceptible debido a las profundas sombras proyectadas por la amplia capucha. Su intensa concentración parece atraer al espectador. Hay pocos elementos que distraigan la atención, aparte del exquisito juego de luces sobre el drapeado. Zurbarán creó, además, naturalezas muertas que se convirtieron en obras maestras de un atrevido minimalismo y de gran carga simbólica. Vasijas de cerámica, limones, flores y cestas se disponen en sencillas hileras sobre fondos oscuros. El cordero atado, símbolo del sacrificio de Cristo, aparece en *Agnus Dei* (h. 1635-1640) y es un ejemplo de la visión simplificada, de la dramática iluminación y del celo religioso que caracterizaron su pintura. **KKA**

Obras destacadas

Cristo en la cruz, 1627
   (Art Institute of Chicago, Chicago)

Defensa de Cádiz contra los ingleses, 1634
   (Museo del Prado, Madrid)

Agnus Dei, h. 1635-1640
   (Museo del Prado, Madrid)

San Francisco en meditación, 1635-1639
   (National Gallery, Londres)

La Anunciación, h. 1638-1639
   (Musée de Peinture et de Sculpture, Grenoble)

«Zurbarán [...] ofrece lo que la pintura puede ofrecer a la verdad humana.» Christian Zervos

ARRIBA: Se cree que *San Lucas como pintor ante Cristo en la Cruz* es el propio Zurbarán.

GIAN LORENZO BERNINI

Gian Lorenzo Bernini, 7 de diciembre de 1598 (Nápoles, Italia); 28 de noviembre de 1680 (Roma, Italia).

Estilo: Gran escultor, arquitecto y pintor barroco; revolucionó la técnica escultórica; dinamismo de la forma; arquitecto de San Pedro de Roma.

Obras destacadas

La cabra Amaltea, h. 1609
(Galleria Borghese, Roma)

Apolo y Dafne, 1622-1624
(Galleria Borghese, Roma)

Capilla Cornaro, 1647-1652
(Santa Maria della Vittoria, Roma)

Éxtasis de santa Teresa, 1647-1652
(Santa Maria della Vittoria, Roma)

Tumba de Alejandro VII, 1671-1678
(basílica de San Pedro, Vaticano)

Gian Lorenzo Bernini fue uno de los artistas más importantes del arte barroco, y ejerció una profunda influencia en su desarrollo, sobre todo en Roma. Creó una nueva forma de expresión en mármol, con un dinamismo y una energía que transformaron la escultura en un ente orgánico, expresivo y lleno de fuerza. Sus obras escultóricas y arquitectónicas dominaron el panorama artístico romano durante el siglo XVII.

Su habilidad se hizo patente ya en *La cabra Amaltea* (h. 1609). Se formó en el taller de su padre, el escultor manierista Pietro Bernini, que lo presentó a las familias Borghese y Barberini, poderosos clanes romanos e importantes mecenas. Hacia 1618 el cardenal Scipione Borghese le encargó una serie de estatuas de tamaño superior al natural que incluían *El rapto de Proserpina* (1621-1622), *Apolo y Dafne* (1622-1624) y *David* (1623), todas ellas dotadas de gran naturalismo y vitalidad.

En 1623 Maffeo Barberini se convirtió en el papa Urbano VIII, y Bernini pasó a ser su artista principal y responsable de los proyectos arquitectónicos y artísticos más importantes de la

ARRIBA: Detalle del *Autorretrato de Bernini* (h. 1623).

DERECHA: *El martirio de san Lorenzo* (1613) es una de sus primeras obras conocidas.

ciudad, incluyendo el de San Pedro. Su relación con esta basílica duraría toda su vida, y dio como resultado algunas de sus obras más famosas, como el *Baldaquino* (1623-1634), un gigantesco dosel sobre el altar mayor, la *Tumba del papa Urbano VIII* (1627-1647), y la *Cátedra de san Pedro* (1655).

A la muerte de Urbano VIII en 1644, Bernini perdió el favor papal, pero continuó con los encargos de clientes particulares, como el cardenal veneciano Federico Cornaro, para el que realizó la capilla del mismo nombre. Considerada como uno de sus mejores trabajos arquitectónicos, en ella se encuentra la escultura *Éxtasis de santa Teresa* (1647-1652), un mármol único por su emotividad expresiva y su original concepción estética. En 1655, con la ascensión del papa Alejandro VII, Bernini recuperó su posición de privilegio en la Santa Sede. Acometió entonces el proyecto de la plaza de San Pedro, las columnatas y la entrada a la basílica o Scala Regia. Bernini continuó trabajando incansablemente hasta el final de sus días. La *Tumba de Alejandro VII* (1671-1678) sería su último proyecto de gran formato. **TP**

ARRIBA IZQUIERDA: *Éxtasis de santa Teresa:* la energía y la pasión en Bernini.

ARRIBA: *Apolo y Dafne*, realizada para la familia Borghese.

Éxtasis de santa Teresa

Éxtasis de santa Teresa es la mejor de las esculturas religiosas de Bernini, y una de las obras de arte más destacadas del barroco. Fue terminada en 1652, para la iglesia de Santa Maria della Vittoria de Roma, por la entonces elevadísima suma de 12.000 escudos. El mármol y el metal se combinan en una sorprendente visión de la santa visitada en pleno sueño por un ángel que atraviesa su corazón con una flecha de oro. Algunos críticos han interpretado el delirante desvanecimiento en términos de trance erótico, aunque no existen evidencias que demuestren tal planteamiento por parte de Bernini.

CLAUDE MELLAN

Claude Mellan, 1598 (Abbeville, Picardía, Francia); 9 de septiembre de 1688 (París, Francia).

Estilo: Pintor y grabador; innovadora técnica de grabado de toda una plancha mediante una única línea continua; dibujos técnicos e ilustraciones de libros.

Obras destacadas

Retrato infantil de Luis XIV, 1644-1645
(Ermitage, San Petersburgo)

Sudario de santa Verónica, 1649
(Fine Arts Museum of San Francisco,
San Francisco)

Claude Mellan es más conocido por sus grabados, quizá porque muchas de sus pinturas se han perdido. Su técnica, innovadora para su época, era una evolución de la de los grabadores Francesco Villamena y Agostino Carracci. Mellan variaba el grosor de la línea para crear luces y sombras, en lugar de utilizar la clásica técnica del entrelazado.

Mellan hizo grabados a partir de las obras de los pintores Claude Poussin y Simon Vouet, pero es particularmente apreciado por sus retratos. Su obra más famosa es el sorprendente retrato de Cristo, el *Sudario de santa Verónica* (1649). Se dice que una mujer de Jerusalén, beatificada más tarde como santa Verónica, limpió con un velo el sudor del rostro de Cristo en su ruta hacia el Calvario; la imagen de la cara quedó impresa en la tela, que fue conocida como «el velo de la Verónica». El grabado es una misteriosa imagen de Cristo con la corona de espinas, el velo con pliegues y una inscripción que reza «Formatus unicus una», algo así como «Lo único en una única».

Pero lo más llamativo del grabado es que Mellan lo realizó utilizando una única línea espiral que se inicia en la punta de la nariz y le permite realizar la plancha de un solo trazo, una técnica que recibió el nombre de *gravure á une seul taille*. El texto es, pues, un juego de palabras sobre la unicidad de Cristo, la imagen milagrosa y el uso de una sola línea para delimitarla. Mellan es conocido también por sus grabados de la luna ejecutados en 1636 para un atlas. Los grabados se basaban en las observaciones de Mellan a través de un telescopio provisto de lentes facilitadas por el revolucionario científico Galileo Galilei. Comparando la obra de Mellan con las fotografías de la misma fase lunar tomadas en el siglo XX se demuestra la sorprendente exactitud de sus grabados. **CK**

> «[...] nada es más doloroso o conmovedor.» Charles Perrault, sobre el *Sudario de santa Verónica*

ARRIBA: Este autorretrato de 1635 es uno de los primeros grabados del artista.

DERECHA: El *Sudario de santa Verónica*, la obra maestra de Claude Mellan.

ANTON VAN DYCK

Anton van Dyck, 22 de marzo de 1599 (Amberes, Bélgica); 9 de diciembre de 1641 (Londres, Inglaterra).

Estilo: Pintor flamenco; retratos vivos y elegantes; escenas religiosas y mitológicas; tejidos lujosos; insufló vida a las imágenes de la aristocracia británica.

Obras destacadas

Autorretrato, 1622-1623 (Ermitage, San Petersburgo)

Marquesa Elena Grimaldi Cattaneo, 1623 (National Gallery of Art, Washington, D.C.)

Rinaldo y Armida, 1629 (Baltimore Museum of Art, Baltimore, EE.UU.)

Carlos I y Enriqueta María (The Greate Peece), 1632 (Royal Collection, Londres)

Natural de Amberes, Anton van Dyck trabajó de joven con Peter Paul Rubens, y siguió los pasos del maestro como pintor de retratos, escenas religiosas y mitológicas. Poseedor de un talento precoz, sus primeras obras independientes fueron realizadas cuando apenas contaba diecisiete años. No está muy clara la categoría con la que Van Dyck entró en el estudio de Rubens. En una carta de 1618 Rubens lo calificaba como «el mejor alumno», pero quizá desempeñó un papel más importante como ayudante, encargándose de determinados lienzos a los que Rubens añadiría más tarde su toque maestro.

En la década de 1620 la fama de Van Dyck se extendió más allá de Flandes, y el artista viajó a Londres, Génova, Roma y Palermo para aceptar diversos encargos. Además de pinturas, también realizó grabados originales y aguafuertes. Supervisó asimismo la reproducción de sus pinturas, que fueron ampliamente difundidas y contribuyeron a su fama.

Su vasta composición mitológica *Rinaldo y Armida* (1629) revela la admiración de Van Dyck por Veronés, Tiziano y la gran pintura veneciana. El lienzo fue enviado al rey Carlos I de Inglaterra, y el efecto fue inmediato. El rey lo nombró caballero y pintor principal de la corte en 1632. El artista es recordado especialmente por los retratos realizados para el monarca y sus cortesanos. Van Dyck insufló vida en los rostros reales, los cuales adquirían un sentido de elegancia informal que seguía reteniendo la gravedad y la grandeza de la monarquía. Los protagonistas, enfundados en prendas de gran lujo, se muestran confiados, autoritarios y distantes. La muñeca girada y el gesto confiado de tantos modelos del pintor se han convertido en los signos de identidad de la nobleza inglesa del siglo XVII. **KKA**

«Uno de los grandes retratistas en una época de excelentes retratistas.» Leona Detiège

ARRIBA: Van Dyck pintó este confiado *Autorretrato* con tan solo veinte años.

DIEGO VELÁZQUEZ

Diego Rodríguez de Silva y Velázquez, 6 de junio de 1599 (Sevilla, España); 6 de agosto de 1660 (Madrid, España).

Estilo: Gigante de la pintura del siglo XVII; retratos de gran realismo y penetración psicológica; pincelada rápida y virtuosa.

Los talentos de Diego Velázquez ya eran celebrados en su nativa Sevilla, primero en el estudio de Francisco de Herrera el Viejo y, a los veinte años, en el taller y academia del artista Francisco Pacheco. En 1617 obtuvo la licencia gremial para ejercer como maestro de pintura en Sevilla. En su aprendizaje con Pacheco, un teórico y humanista bien relacionado, Velázquez pudo obtener una formación cultural que le introdujo en el mundo de las ideas renacentistas. También tuvo acceso al influyente círculo de eruditos afines al maestro. Este importante entramado de contactos se amplió al contraer matrimonio con Juana, la hija de Pacheco,

Obras destacadas

El aguador de Sevilla, h. 1620
  (Apsley House, Londres)

Carlos de Austria, infante de España, 1626-1627
  (Museo del Prado, Madrid)

La rendición de Breda (Las lanzas), 1635
  (Museo del Prado, Madrid)

Venus del espejo, 1647-1651
  (National Gallery, Londres)

Juan de Pareja, 1650
  (Metropolitan Museum of Art, Nueva York)

Inocencio X, 1650-1651
  (Galleria Doria Pamphilj, Roma)

La familia de Felipe IV (Las meninas), h. 1656
  (Museo del Prado, Madrid)

ARRIBA: Velázquez pintó su *Autorretrato* hacia 1640, entre sus dos viajes a Italia.

IZQUIERDA: Uno de los lienzos más famosos de Velázquez, *Las Meninas*.

Velázquez y Venus

Pintada entre 1647 y 1651, la *Venus del espejo* es uno de los desnudos más admirados de la historia del arte. Una Venus desnuda, vista desde atrás, se reclina sobre su lecho observando al espectador a través de un espejo sostenido por Cupido, su hijo. Curiosamente, el rostro difuminado de Venus que se distingue en el espejo parece algo más maduro, y quizá más grande, de lo que cabría esperar.

- Originalmente, la pintura pudo estar destinada al marqués del Carpio, hijo del valido Luis de Haro, que aparece registrado como propietario en junio de 1651.
- La tela es el único desnudo femenino de Velázquez que se conserva —y probablemente fue el primero que pintó—. Quizá fue concebido para ser admirado en privado, puesto que los desnudos en pintura estaban prohibidos en aquella época por las autoridades religiosas españolas.
- Las tonalidades de la piel de Venus fueron combinadas exclusivamente a partir del resto de tonos que componen el lienzo.
- Cupido y el rostro difuso de Venus que aparece en el espejo podrían haber sido repintados en el siglo XVIII.
- El 10 de marzo de 1914 la tela fue atacada por Mary *Slasher* Richardson con un cuchillo de carnicero, un día después de que su compañera sufragista Emmeline Pankhurst fuera arrestada.

en 1618. Las primeras obras de Velázquez incluyen magistrales pinturas religiosas y de género. España poseía escasa tradición en la pintura de género, y lienzos como *El aguador de Sevilla* (h. 1620) son muestra del refrescante y honesto realismo del primer Velázquez, que plasma la dignidad humana de la gente humilde.

En 1622 el joven pintor viajó a Madrid, en busca del mecenazgo del nuevo rey de España, Felipe IV, aunque volvió desilusionado. Un año más tarde, no obstante, Velázquez pintó un retrato del monarca que le valió el nombramiento de pintor oficial de la corte. Se trasladó a la capital, donde pasaría el resto de su vida. Felipe IV decretó incluso que nadie más tendría el privilegio de retratarlo.

En 1628 el magnífico colorista flamenco Peter Paul Rubens visitó Madrid y despertó el interés de Velázquez por admirar el arte italiano de primera mano. El pintor sevillano visitó Italia entre 1629 y 1631, y de nuevo entre 1649 y 1651. Fue una experiencia vital, que le permitió descubrir el cromatismo de artistas como Tiziano y el poder escultórico de los maestros del Renacimiento italiano. Durante su segundo viaje pintó dos retratos, admirados por su brillantez técnica y su sorprendente realismo. Uno era el de su asistente mulato, *Juan de Pareja* (1650), y el otro el del papa *Inocencio X* (1650-1651). Se dice que cuando Pareja se colocó al lado de su retrato, el espectador no podía percibir la diferencia entre ambos. El exquisito tratamien-

DERECHA: La *Venus del espejo* ha inspirado a generaciones de artistas y cineastas.

to del lujoso atuendo lucido por el pontífice demuestra su magistral dominio de las texturas, mientras que la expresión hosca del Papa es la prueba de su talento para la penetración psicológica. En realidad, la obra no gustó a Inocencio X —la describió como «demasiado real»—, pero se ha convertido en uno de los retratos más famosos de la historia, fuente de inspiración en el siglo XX para la famosa serie «Papas», de Francis Bacon.

Su obra maestra

Velázquez demostró ser un funcionario real devoto y diligente, tenido en gran estima por el propio rey. Vivía en unos apartamentos del Alcázar o palacio real, y en 1652 se convirtió en chambelán de palacio, lo cual explicaría su menor productividad como pintor. La década de 1650 vería la culminación del talento del artista, capaz de realizar la que sería su obra maestra, *Las meninas (La familia de Felipe IV)* (h. 1656). El lienzo muestra a la joven infanta Margarita con sus doncellas en el estudio del artista; las imágenes de Felipe IV y la reina Mariana aparecen reflejadas en un espejo. El esquema constructivo y de perspectiva revela un profundo conocimiento de las matemáticas, la geometría y los instrumentos ópticos por parte del artista. Este complejo ensayo sobre ilusión visual contiene también un autorretrato de Velázquez ante su caballete, donde se perfila una impresionante y distinguida figura que mira al espectador. La cuestión sobre quién o qué es el auténtico protagonista del lienzo se ha convertido en uno de los eternos misterios de la historia del arte e implica la discusión sobre el papel del artista.

A su vuelta de las ceremonias para la celebración del tratado de paz entre Francia y España, Velázquez murió de unas fiebres. Sus muchas y variadas obligaciones en la corte pudieron haber minado su salud. En aquella época, su influencia artística era aún limitada, puesto que su obra quedaba confinada a los círculos de la corte. Pero los artistas posteriores, como Francisco de Goya, Édouard Manet, James Abbot McNeill Whistler o Pablo Picasso encontrarían abundante inspiración en ella. **AK**

ARRIBA: *Juan de Pareja* es uno de los retratos más logrados de Velázquez.

«Prefiero ser el primer pintor en estas groserías que el segundo en otras delicadezas.»

CLAUDIO DE LORENA

Claude Gellée, h. 1600-1604 (Chamagne, Francia); 23 de noviembre de 1682 (Roma, Italia).

Estilo: Artista de paisajes idealizados; uso sutil de la luz; escenas pastoriles, portuarias y costeras; temas religiosos y mitológicos; estilo clásico tardío.

Obras destacadas

Paisaje con campesinos y ganado, 1629
(Philadelphia Museum of Art, Filadelfia)

Puerto con el embarque de santa Úrsula, 1641
(National Gallery, Londres)

Paisaje con la huida a Egipto, 1647
(Gemäldegalerie, Dresde)

ARRIBA: Se desconoce la fecha de este autorretrato de Claudio de Lorena.

«Una visión serena e intemporal de la naturaleza.»
National Gallery of Art, Washington, D. C.

ARRIBA, DERECHA: Una difusa luz solar en *Puerto con el embarque de santa Úrsula*.

DERECHA: Un amplio vano de cielo destaca en este *Paisaje con la huida a Egipto*.

Claudio de Lorena ha sido reconocido como uno de los pintores de paisajes más importantes e influyentes de la historia. Es célebre sobre todo por su sorprendente uso de la luz y por la brillante luminosidad de su pintura, creada a partir de la técnica de construir la superficie del lienzo mediante múltiples capas finas y semitransparentes. Confirió una nueva dimensión al género paisajístico, combinando lo real con lo ideal para crear escenas de equilibrio y armonía inigualables.

Conocido familiarmente como Claudio, estudió con Goffredo Wals en Nápoles, y después con Agostino Tassi. Ambos influyeron en su estilo inicial, al igual que Claude Deruet, con el que estudió un año, y la obra de Paul Bril. Una de sus primeras pinturas como maestro independiente conservadas hasta hoy es su *Paisaje con campesinos y ganado* (1629), que muestra su destreza en la descripción de la luz filtrada y los detalles de la naturaleza. Lorena idealiza la composición para crear un penetrante y armónico equilibrio, un rasgo que se convertiría en característico de su estilo.

En la década de 1630 su obra era ya muy cotizada, y había alcanzado cierta fama más allá de Roma. Algunos de sus mecenas eran el papa Urbano VIII y el rey Felipe IV de España. Roma era el centro de la pintura de paisaje en aquella época, y las escenas con paisajes locales eran muy apreciadas, tanto entre los romanos como entre los visitantes, que se las llevaban como recuerdo. A partir de la década de 1640 la obra de Lorena empezó a mostrar la influencia del clasicismo italianizante. Sus figuras, basadas en precedentes clásicos, mostraban la huella de Rafael. La estructura de sus pinturas tendía también hacia un mayor formalismo y grandilocuencia. El uso del detalle disminuía en proporción directa, y Lorena se centró en temáticas derivadas del Antiguo Testamento y de la mitología, como la *Eneida* de Virgilio. **TP**

TAWARAYA SŌTATSU

Tawaraya Sōtatsu, fecha desconocida (Kioto, Japón); activo entre 1600 y 1640.

Estilo: Pintor activo entre los períodos Momoyama y Edo; uso del azul y el dorado; audaces motivos florales y figurativos; pintura sobre abanico y rollos iluminados; colaboraciones con Hon'ami Kōetsu.

Obras destacadas

Biombos Matsushima, h. 1600-1640
(Freer Gallery of Art, Smithsonian Institution, Washington, D.C.)

Michinori, h. 1600-1640
(New York Public Library, Nueva York)

Cubiertas para Lotus Sutra, h. 1602
(santuario Itsukushima, prefectura de Hiroshima, Hiroshima)

La obra del artista japonés Tawaraya Sōtatsu se extiende más allá del próspero ambiente artístico del último período Momoyama y el primer período Edo. Los primeros años del siglo XVII contemplaron un renacimiento de las artes en Kioto, liderado no por los pintores de las familias Kano y Tosa, sino por artesanos especialistas como Sōtatsu. El artista inició su carrera en la tienda de abanicos de Tawaraya y, gracias a su destreza y sus sutiles diseños, el negocio se convirtió en paradigma de perfección y calidad en el producto.

Formado en las tradiciones clásicas, Sōtatsu se inspiró inicialmente en modelos basados en los rollos del siglo XIII, y reprodujo algunas versiones en sus diseños de abanicos. Desplegó entonces una considerable creatividad y capacidad innovadora, adoptando las composiciones de estos rollos a la forma curva de los abanicos. La calidad de estos abanicos decorados con temas de la literatura clásica nipona elevó la categoría y la cotización de la tienda de Sōtatsu, que incluso aparece en la novela *Chikusai Monogatari* (1622).

El prestigio de Sōtatsu le llevó a participar en la restauración de los 34 rollos del *Lotus Sutra* (1164), y a pasar al servicio del shogunado. Con la realización de estas prestigiosas obras, Sōtatsu continuó con su fresca aproximación a los temas clásicos. Las figuras se sitúan fuera de la composición, creando en su lugar una ambigüedad entre las orillas, las nubes y las rocas para sugerir metáforas o imágenes, una importante innovación en la tradición *yamato-e* de pintura japonesa. Sōtatsu mantuvo una creativa colaboración con Hon'ami Kōetsu, calígrafo y experto en espadas hereditarias. Sus colaboraciones dieron lugar a la aparición de la Escuela Rinpa. **RS**

«La escritura de Kōetsu casa a la perfección con los bucles de las aguas de Sōtatsu.» *Time*

ARRIBA: Detalle de *Raijin, el dios del trueno,* procedente de los biombos Matsushima.

REMBRANDT VAN RIJN

Rembrandt Harmenszoon van Rijn, 15 de julio de 1606 (Leiden, Países Bajos); 4 de octubre de 1669 (Amsterdam, Países Bajos).

Estilo: Pintor, dibujante y grabador de la «edad de oro» holandesa; uso innovador de luces y sombras; retratos, autorretratos, obras históricas y bíblicas.

Rembrandt van Rijn es uno de los mejores narradores de la historia del arte. De niño se le apartó pronto de la escuela para que iniciara su aprendizaje como pintor. Se formó con el pintor de historia Jacob Isaacsz van Swanenburgh, con el que estuvo tres años, antes de partir para Amsterdam y seguir un breve período de aprendizaje con el mejor pintor de historia de Holanda, Pieter Lastman. Dotado de nuevos recursos, volvió a su ciudad natal para abrir un estudio en el que realizaría muchos de sus numerosos autorretratos. Para capturar su propia imagen utilizaba dos espejos, forzando el gesto para obtener diversas expresiones y transmitir un efecto emotivo, no solo en sus autorretratos, sino en un buen número de escenas dramáticas. Algunos críticos han denunciado el método como una expresión de pura vanidad, pero los últimos especialistas tienden a considerarlo más bien una exploración artística y a la vez psicológica.

Rembrandt experimentó con la consistencia de la pintura y el papel de la luz utilizando el *chiaroscuro* —el efecto dramático de luces y sombras popularizado por Michelangelo Merisi

Obras destacadas

Lección de anatomía del doctor Nicolaes Tulp,
  h. 1632 (Mauritshuis, La Haya)
Autorretrato con 34 años, 1640
  (National Gallery, Londres)
La ronda de noche, 1642
  (Rijksmuseum, Amsterdam)
Mujer cogida en adulterio, 1644
  (National Gallery, Londres)
Susana y los viejos, 1647
  (Gemäldegalerie, Berlín)
Mujer bañándose, 1654
  (National Gallery, Londres)

ARRIBA: Rembrandt pintó este *Autorretrato* en 1640, a los treinta y cuatro años.

IZQUIERDA: La *Lección de anatomía del doctor Nicolaes Tulp* ayudó a su éxito en Amsterdam.

Supervivencia de una obra maestra

Pocas pinturas pueden presumir de haber vivido tantas vicisitudes como *La compañía del capitán Frans Banning Cocq y el teniente Willem van Ruytenburch*, más conocida como *La ronda de noche* (1642). La pintura que se puede admirar hoy en día no es la original, pues fue reducida para adaptarse a las dimensiones del ayuntamiento de Amsterdam a principios del siglo XVIII. En 1939 se conservaba en el Rijksmuseum de Amsterdam. Ante la amenaza de una invasión nazi, la pintura fue trasladada al campo y encerrada a cal y canto en un castillo fortificado. Con el enemigo en puertas, fue trasladada de nuevo; pasó un tiempo en un barco y en una herrería antes de ser introducida en un cilindro metálico para permanecer en una cámara acorazada bajo unas dunas del mar del Norte. Luego fue escondida en una red de cuevas subterráneas a prueba de bombas, en una colina cercana a Maastricht.

Una vez finalizada la guerra, y ya a salvo de nuevo en el Rijksmuseum, *La ronda de noche* sufrió dos ataques más. El primero en 1975, cuando un hombre, cuchillo en mano, se lanzó sobre ella convencido de que la figura del capitán era la imagen del diablo. Quince años más tarde, otro perturbado le arrojó ácido. No obstante, *La ronda de noche* ha sobrevivido a incontables vicisitudes, y aún puede admirarse en todo su esplendor en el Rijksmuseum.

da Caravaggio—. Las áreas iluminadas ocupan un espacio reducido en sus pinturas, con amplias superficies de sombra cerniéndose sobre los contornos y el fondo para crear una intensidad lumínica que parece surgir de la oscuridad. Rembrandt personalizó el método rechazando la rígida formalidad temática desplegada por la mayoría de sus contemporáneos, y sustituyéndola por un profundo sentido de la humanidad en sus composiciones. Rembrandt tenía una especial sensibilidad para captar lo ordinario dentro de lo extraordinario, introduciendo en sus pinturas el espíritu de lo cotidiano, incluso si se trataba de temáticas religiosas. Realizó además una ingente cantidad de aguafuertes que al parecer él mismo imprimía; el éxito le llegó en vida, no solo como pintor, sino también como grabador.

Para los más ricos, para los más pobres

La obra de Rembrandt llamó la atención de Constantijn Huygens, secretario del príncipe de Orange, y el resultado fueron un buen número de lucrativos encargos de la corte en La Haya. En 1631 volvió a Amsterdam; allí permaneció en el hogar del tratante de arte Hendrick van Uylenburgh mientras trabajaba en un encargo realizado por el doctor Tulp, el famoso cirujano de Amsterdam. La *Lección de anatomía del doctor Nicolaes Tulp* (h. 1632) es un sorprendente retrato de grupo en el que se describe la actividad de una sala de operaciones del siglo XVII. La obra sería una impresionante tarjeta de visita para Rembrandt a su llegada a la ciudad. Pronto empezó a inundar el mercado con retratos para ricos patricios.

Deseoso de formar a sus propios aprendices, Rembrandt se convirtió en miembro del gremio de San Lucas en 1634. Demostró ser un popular maestro, y su taller empezó a prosperar. Aquel mismo año se casó con la prima de Hendrick, Saskia van Uylenburgh. Tras vivir de alquiler, adquirieron una impresionante mansión en el barrio judío, una operación que tendría notorias consecuencias financieras en el futuro. La fama de Rembrandt se incrementaba con una serie de obras maestras sobre temas bíblicos e históricos. La última, *La ronda de noche* (1642), fue su obra más celebrada, y señaló un punto de inflexión en su evolución estilística.

Aunque la productividad de Rembrandt fue mermando hacia el final de su carrera, su obra continuó evolucionando en busca de nuevas formas de expresión. Su pincelada se volvió más gruesa, menos rígida y más viva, mientras que sus figuras aparecían menos gesticulantes y más serenas. Muchos críticos consideran este período como la cumbre de su evolución. Como los encargos disminuían, y el artista seguía comprando obras, fue oficialmente declarado en bancarrota en 1656.

A su muerte en 1669, Rembrandt había legado ya una ingente obra. Su supremo talento con el pincel, el carbón o el aguafuerte solo fue superado por su genio para retratar la figura humana y sus emociones. Rembrandt observó el mundo de una forma nunca vista antes, y raramente igualada desde entonces. **SG**

ARRIBA: La obra de mayor formato, *La ronda de noche,* ha sobrevivido a la guerra y al vandalismo.

«Era capaz de realizar todo lo que el arte y un pincel pudieran conseguir.» Gerard de Lairesse

JUDITH LEYSTER

Obras destacadas

Jolly Taper, 1629 (Rijksmuseum, Amsterdam)

Pareja feliz, 1630 (Louvre, París)

Un niño y una niña con un gato y una anguila, h. 1635 (National Gallery, Londres)

Judith Leyster, 28 de julio de 1609 (Haarlem, Países Bajos); 10 de febrero de 1660 (Heemstede, Países Bajos).

Estilo: Primera pintora profesional de Haarlem; estilo cercano al de Frans Hals; vivaces escenas de taberna; niños jugando; pincelada enérgica.

Judith Leyster era muy conocida en su época, pero desapareció de la historia del arte hasta bien entrado el siglo XIX. Como pintora de éxito, regentó su propio estudio con ayudantes del género masculino, algo único en la ciudad de Haarlem. Quizá se formó durante un tiempo en el estudio del famoso pintor local Frans Hals. Su estilo es tan similar que algunas de sus pinturas llegaron a ser confundidas en el pasado con las de Hals. Su período de mayor productividad fue la década de 1630, antes de contraer matrimonio con el pintor Jans Miense Molenaer y trasladarse a Amsterdam. Sus pinturas representan a niños y jóvenes disfrutando de la vida, a menudo con mensajes moralizantes sobre la brevedad del tiempo o la conducta alocada de los adultos. **KKA**

GIOVANNI CASTIGLIONE

Obras destacadas

Joven tocando un caramillo para un sátiro, 1609-1664 (Metropolitan Museum of Art, Nueva York)

Noé conduciendo a los animales al arca, h. 1655 (National Gallery of Art, Washington, D.C.)

Giovanni Benedetto Castiglione, h. 1609 (Génova, Italia); 5 de mayo de 1664 (Mantua, Italia).

Estilo: Innovador artista barroco; pintor, grabador y dibujante de temas históricos y religiosos, paisajes y retratos; escenas pastoriles.

Giovanni Benedetto Castiglione es más conocido por haber inventado la imprenta monotipo hacia 1648. Se ha sugerido que pudo haber sido alumno de Paggi y Andrea de Ferrari. Fue también un admirador de las obras de Rafael y Anton van Dyck, y de los aguafuertes de Rembrandt van Rijn.

Nacido en Génova, se estableció en Mantua hacia 1654, cuando fue aceptado como artista de la corte de Carlo Gonzaga II, duque de Mantua. Es conocido por sus descripciones de escenas pastoriles, mercados, ferias y, sobre todo, de animales que incorporaba con frecuencia a sus obras de tema bíblico, como *Noé conduciendo a los animales al arca* (h. 1655). Sus pinturas influyeron en muchos otros artistas especializados en animales. **CK**

SALVATOR ROSA

Salvator Rosa, 1615 (Arenella, Italia); 15 de marzo de 1673 (Roma, Italia).

Estilo: Pintor y grabador de escenas románticas y pintorescas; paisajes salvajes que intentan reflejar el aislamiento y la soledad del ser humano ante un universo hostil y amenazador.

Obras destacadas

Brujas en sus encantamientos, h. 1646
  (National Gallery, Londres)
Saúl y la bruja de Endor, h. 1668
  (Louvre, París)

Analizar la obra de Salvator Rosa es conocer al hombre que la realizó. Sus paisajes salvajes y solitarios a base de árboles con ramas truncadas que se ciernen sobre escarpadas rocas reflejan una difícil personalidad y un genio tendente a la controversia. El salvajismo de sus paisajes refleja la dicotomía del ser humano: la lucha entre el hombre y los dioses, o el viajero extraviado. Su expresión reflexiva bajo un cielo tormentoso en su autorretrato es una de las más logradas imágenes del artista como genio incomprendido. Sus imponentes lienzos, poblados de bandidos y brujas, influyeron en la predilección romántica hacia los paisajes escarpados y las criaturas fantásticas que surgen de las profundidades de la imaginación humana. **SC**

GERARD TERBORCH

Gerard Terborch, diciembre de 1617 (Zwolle, Países Bajos); 8 de diciembre de 1681 (Deventer, Países Bajos).

Estilo: Gran habilidad para las texturas sedosas; elegancia; hábil pincelada; paleta armoniosa; interiores sobrios; escenas de género de la clase media; retratos.

Obras destacadas

Juramento y ratificación del Tratado de Münster, 1648 (National Gallery, Londres)
Conversación galante o *La admonición paterna*, h. 1654 (Rijksmuseum, Amsterdam)

La familia Terborch tenía tras de sí un pasado próspero y de sólida formación cultural. Cosmopolita, artista de éxito y consejero municipal, parece ser que Gerard siempre albergó un discreto orgullo de clase. Describió con especial gracia y habilidad a sus personajes en escenas mundanas, como la interpretación musical, la lectura de una carta o actividades tentadoramente misteriosas. Quizá es más conocido por su tratamiento de las texturas satinadas mediante capas superpuestas de finas pinceladas. Mostró igual talento para describir humildes escenas de género y retratos, especialmente de pequeño formato y cuerpo entero, así como en su famosa recreación del Tratado de Münster entre España y Holanda, en el que aparece un autorretrato. **AK**

PETER LELY

Obras destacadas

La prueba de fuego, h. 1640-1650 (Ermitage, San Petersburgo)

Retrato de lady Penelope Spencer, posterior a 1660 (Minneapolis Institute of Arts, Minneapolis, EE.UU.)

Pieter van der Faes, 14 de septiembre de 1618 (Soest, Westfalia, Alemania); 30 de noviembre de 1680 (Londres, Inglaterra).

Estilo: Pintor de retratos de sociedad, paisajes y escenas mitológicas e históricas; gran colorista; composiciones equilibradas; uso de la mediatinta; lujosos drapeados.

Pintor clave de la Restauración inglesa, Peter Lely estudió pintura en Haarlem y se convirtió en un gran colorista de equilibradas composiciones. Se trasladó a Londres hacia 1641, y se concentró en la pintura de paisajes, figuras y temas históricos antes de iniciar una lucrativa carrera como retratista y marchante de arte. Sus primeras obras inglesas muestran la influencia de Anton van Dyck y del barroco holandés. Como retratista del rey Carlos I, su reputación creció con rapidez. Tras la ejecución del monarca, estuvo a las órdenes de Oliver Cromwell y de Carlos II. Lely redefinió el retrato de sociedad e introdujo la mediatinta en Gran Bretaña, técnica de grabado que siguió usándose hasta el siglo XVIII. **SH**

HISHIKAWA MORONOBU

Obras destacadas

Rollos de *Distrito de luces rojas y escenas de teatro*, h. 1670 (Museo Nacional, Tokio)

Belleza mirando hacia atrás, h. 1690 (Museo Nacional, Tokio)

Hishikawa Moronobu, 1618 (Hodamura, Japón); 25 de julio de 1694 (Tokio, Japón).

Estilo: Grabador; padre del género japonés *ukiyo-e*; línea clara; xilografías con escenas eróticas y de la vida urbana.

La carrera del grabador Hishikawa Moronobu se inició en el diseño textil. Se trasladó más tarde a Tokio para estudiar los estilos pictóricos Kanō y Tosa. Allí se convirtió en pionero de las xilografías sin acompañamiento de texto, y se le consideró el padre del género *ukiyo-e* (pinturas del mundo flotante). Por su calidad, variedad y temas, la obra de Moronobu refleja la próspera pulsión de la ciudad de Tokio, que renació de sus cenizas tras el gran incendio de 1657. El artista estableció nuevas cotas de excelencia dentro del género, y consiguió la admiración del público con sus xilografías con motivos eróticos o basadas en la vida cotidiana en la ciudad, como el distrito de ocio de Yoshiwara y el teatro Kabuki. **RS**

DERECHA: *Belleza mirando hacia atrás,* una de las pinturas más conocidas de Moronobu.

房陽菱川友竹筆

SAMUEL VAN HOOGSTRATEN

Samuel Dirksz van Hoogstraten, 2 de agosto de 1627 (Dordrecht, Países Bajos); 19 de octubre de 1678 (Dordrecht, Países Bajos).

Estilo: Pintor holandés de retratos, *trompe l'oeil*, naturalezas muertas, perspectivas interiores y cajas estereoscópicas; escritor; alumno de Rembrandt.

Obras destacadas

Vista de un interior, h. 1654-1662 (Louvre, París)

Trampantojo de un archivador de cartas, 1664 (Dordrechts Museum, Dordrecht, Países Bajos)

Autorretrato, h. 1670 (Ermitage, San Petersburgo)

Samuel Dirksz van Hoogstraten es quizá más conocido hoy por sus pinturas en *trompe l'oeil*, un despliegue virtuoso de efectos ilusionistas que alcanzaron su cumbre en las últimas obras del artista. No obstante, Van Hoogstraten disfrutó de una larga y creativa carrera, durante la que produjo numerosas escenas de género, obras religiosas y múltiples retratos.

Van Hoogstraten recibió las primeras enseñanzas de su padre, Dirk, pero tras su muerte en 1642 ingresó en el estudio de Rembrandt, donde permaneció varios años. La influencia del veterano artista fue profunda, y se manifiesta en muchas de sus obras, particularmente en su rica y evocadora paleta y en su interés por el autorretrato. Van Hoogstraten fue también escritor. En los últimos meses de su vida publicó *Inleyding tot de Hooge Schoole der Schilderkonst* (*Introducción a la alta escuela del arte de la pintura*) (1678). Este amplio tratado sobre pintura incluye información de primera mano sobre Rembrandt y su estudio, sus métodos de trabajo y sus obras. Es una de las pocas obras conservadas que ofrecen información detallada sobre el gran maestro.

En 1651 Van Hoogstraten dejó Dordrecht y viajó por Europa, visitando Alemania, Italia y Viena, donde trabajó en la corte de Fernando III, emperador romano germánico. Su estilo fue madurando durante el viaje, y empezó a dedicarse a la pintura ilusionista que le hizo tan famoso. Volvió a Dordrecht y en 1656 fue nombrado preboste de la Ceca de Holanda; poco después se casó con una integrante de la alta sociedad local. Continuó aceptando encargos para retratos y realizando escenas de género y pinturas en *trompe l'oeil*, antes de viajar a Londres en 1662, donde sus retratos eran muy cotizados. Su producción artística fue disminuyendo durante sus últimos años, transcurridos en Dordrecht. **TP**

«No podía soportar que alguien le superara en la carrera por los laureles.» Arnold Houbraken

ARRIBA: *Muchacho asomado a una ventana muestra la habilidad del autor para el retrato.*

JACOB VAN RUISDAEL

Jacob Isaackszon van Ruisdael, h. 1628 (Haarlem, Países Bajos); 14 de marzo de 1682 (Haarlem, Países Bajos).

Estilo: Maestro de la «edad de oro» del paisaje holandés; versátil pintor de panoramas; extensos paisajes y marinas; vistas de montañas y bosques.

La pintura de paisajes alcanzó su mayoría de edad en la República de Holanda en el siglo XVII, y halló su manifestación más sofisticada en la obra de Jacob van Ruisdael. Aunque las pinturas de exteriores existían desde hacía largo tiempo, normalmente eran el fondo donde se desarrollaban acciones narrativas. No obstante, espoleadas por la gran demanda de pintura secular en la nueva república protestante, las imágenes de paisajes acabaron por imponerse como género autónomo en dibujos, grabados y pinturas.

Considerado el más dotado entre los numerosos paisajistas que trabajaron durante la segunda mitad del siglo XVII en los Países Bajos, Van Ruisdael había nacido en una familia de pintores de paisaje. Se formó con su padre y su tío, y más tarde viajó a Alemania para establecerse en Amsterdam en 1657. Van Ruisdael era un versátil creador de imágenes que realizó un buen número de perspectivas naturales, que incluían montañas, bosques, riberas, escenas invernales y marinas. Especialmente admirado por sus representaciones de árboles y los detalles del follaje, hábil en la observación y plasmación de los efectos de la luz reflejados en las dunas y el mar, fue además un maestro en el tratamiento de los cielos poblados de inflamadas nubes. Su uso de una línea del horizonte baja, junto con la disposición estructural de sus lienzos, en los que dos terceras partes de la superficie están ocupadas por el cielo, sugerían un amplio efecto panorámico. Prefería la madera al lienzo como soporte, y su textura matérica dejaba ver con claridad la huella de su pincelada.

Tan apreciado hoy en día como lo fue durante su carrera, y objeto cotizado de los coleccionistas británicos, su visión de la naturaleza influyó profundamente en los paisajes de los pintores románticos ingleses, como John Constable y Joseph Mallord William Turner. **AB**

Obras destacadas

Castillo de Bentheim, 1653
   (National Gallery of Ireland, Dublín)

Paisaje con castillo en ruinas e iglesia,
   1665-1670 (National Gallery, Londres)

Vista de Haarlem con campos de blanqueo,
   h. 1670 (Kunsthaus, Zurich)

«Un pintor debería representar solo lo que ha visto con sus propios ojos.» John Calvin

ARRIBA: *Paisaje de invierno con un campesino recogiendo leña*, de Van Ruisdael.

PIETER DE HOOCH

Pieter de Hooch, 20 de diciembre de 1629 (Rotterdam, Países Bajos); 24 de marzo de 1684 (Amsterdam, Países Bajos).

Estilo: Pintor de la Escuela de Delft; escenas domésticas de género; luz radiante y de espacios conectados para subrayar el peso narrativo psicológica y físicamente.

Obras destacadas

El patio de una casa de Delft, 1658
  (National Gallery, Londres)

En la alcoba, h. 1658-1660
  (Staatliche Kunsthalle, Karlsruhe, Alemania)

Madre amamantando y sirvienta, h. 1670-1675
  (Kunsthistorisches Museum, Viena)

«Idealizó un universo doméstico [...] bañado en sutiles transiciones de la luz.» *Time*

ARRIBA: Autorretrato de 1649, cuando el artista contaba diecinueve años.

Pieter de Hooch fue uno de los principales pintores de la Escuela de Delft, grupo de artistas que trabajaron en esa localidad durante la segunda mitad del siglo XVII, y se especializaron en escenas de género y temas arquitectónicos. Otro artista clave del período fue Jan Vermeer. Juntos redefinieron el género doméstico holandés. Familiarizados con sus respectivas obras, la influencia de los dos artistas fue mutua. De Hooch, tres años mayor que Vermeer, allanó el camino con su organización espacial y su sentido narrativo. Vermeer aportó una mayor claridad de visión, y redujo sus escenas de género a una o dos figuras.

Se sabe relativamente poco sobre el aprendizaje de De Hooch. Se cree que estuvo a las órdenes del paisajista Nicolaes Pieterszoon Berchem, y del pintor de interiores domésticos Jacob Ochtervelt. De Hooch está documentado en Delft por vez primera en 1652. El período que va desde ese año hasta 1661, cuando se trasladó a Amsterdam, se considera el más brillante de su carrera, con obras como *El patio de una casa de Delft* (1658). Se concentró entonces en escenas de tranquila vida doméstica, tanto en interiores como en patios exteriores, introduciendo con frecuencia mujeres ocupadas en sus tareas cotidianas. La luz de estas pinturas es particularmente sutil y traslúcida.

En todas ellas aparecen composiciones espaciales que llevan de una a otra estancia. Su traslado a Amsterdam pudo estar motivado por su deseo de entrar en un mercado más amplio y rentable, con lo que su estilo cambió. Sus interiores eran más refinados y elegantes, y sus personajes más ostentosos. También empezó a trabajar en lienzos de mayor formato, pero esta evolución supuso una pérdida de calidad de su pincelada, especialmente perceptible a finales de la década de 1670. **TP**

JAN VERMEER

Johannes Vermeer, 1632 (Delft, Países Bajos); diciembre de 1675, (Delft, Países Bajos).

Estilo: Escenas de género domésticas e introspectivas; aire de aparente indiferencia; pincelada experta; efectos lumínicos de detallismo nacarado utilizando toques de pintura.

La vida de Jan Vermeer está envuelta en un misterio casi equivalente al de su enigmática pintura. Realizó pocas obras, de las cuales solo un pequeño número han podido ser datadas de forma segura; la autenticidad de muchas otras está en tela de juicio. Esta intrigante incertidumbre es una de las razones de su reciente popularidad, pese a una carrera de éxito modesto y a los largos años de ignorancia que siguieron a su muerte.

Vermeer nació en Delft, en una familia protestante. Su padre, Reynier Jansz Vermeer, era un experto tejedor y marchante de arte, que además regentaba una taberna. Sus primeros años de formación son un enigma. Durante mucho tiempo se

Obras destacadas

La alcahueta, 1656
(Staatliche Kunstsammlungen Dresden, Dresde)

La callejuela, h. 1658
(Rijksmuseum, Amsterdam)

La lechera, h. 1658 (Rijksmuseum, Amsterdam)

La lección de música, h.1662-1665
(Saint James' Palace, Londres)

La joven de la perla, h. 1665
(Mauritshuis, La Haya)

El arte de la pintura, h. 1665-1666
(Kunsthistorisches Museum, Viena)

ARRIBA: Un detalle de *La alcahueta*, considerado el único autorretrato de Vermeer.

IZQUIERDA: *La lechera* reproduce una sencilla escena doméstica.

Puntos de luz

Vermeer es conocido por su extraordinaria habilidad para representar de forma realista los efectos de la luz, que utilizaba para dar forma a sus espacios, objetos y personajes. Muchas de sus obras más valoradas parecen brillar con puntos de luz, diminutos toques de pincel calificados a menudo como *pointillés*. La técnica era usada de forma sistemática para dar cohesión a la pintura, obteniendo una totalidad armónica que a menudo parecía disolver los objetos en la luz. A cierta distancia, los *pointillés* de Vermeer creaban un juego ilusorio de luces, sombras y formas muy convincente. De cerca, la separación de los puntos era evidente. La joya de *La joven de la perla* está formada exclusivamente por dos pinceladas, un simple realce en el que se refleja el cuello de la camisa y a la vez extiende el reflejo a lo largo de su rostro y cabeza. Este tratamiento de la luz y del color supuso una gran influencia para los impresionistas.

Los reflejos y las construcciones en perspectiva son otro motivo importante en la obra de Vermeer, así como las extrañas distorsiones de la estructura espacial y de la escala. Los planteamientos de Vermeer muestran un interés en los instrumentos y efectos ópticos. Se dice que utilizaba una *camera obscura* como herramienta auxiliar. Antoine van Leeuwenhoek, pionero del microscopio y conciudadano de Vermeer, pudo haber sido amigo y albacea del pintor.

supuso que había sido aprendiz de Carel Fabritius, pero tampoco es seguro. Muchos historiadores consideran hoy en día que Leonaert Bramer pudo ser su mentor. Los años de aprendizaje de Vermeer le llevaron posiblemente a los importantes centros artísticos de Utrecht y Amsterdam. Quizá obtuvo allí su evidente y amplio conocimiento del arte italiano.

Sabemos que Vermeer casó con Catharina Bolnes en 1653, tras vencer la resistencia inicial de su familia. Para ello tuvo que convertirse al catolicismo —religión de Catharina—. Aquel año ingresó en el gremio de San Lucas de Delft como maestro pintor.

Vermeer inició su carrera con el género histórico, dedicándose a pintar escenas históricas, bíblicas y mitológicas, temáticas muy respetadas en aquella época. A finales de la década de 1650, no obstante, ya se dedicaba a las cotidianas escenas de género

DERECHA: *El arte de la pintura* es la obra más compleja y de mayor formato del pintor.

por las que es tan valorado en la actualidad, utilizando una pincelada matérica para dar mayor viveza al detalle. La luz de sus lienzos era de una extraordinaria naturalidad, dentro de una perfecta organización compositiva. En obras como *La callejuela* (h. 1658) y *La lechera* (h. 1658) aparece además la influencia de su colega Pieter de Hooch, activo en Delft en la década de 1650.

Lento, pero seguro

Durante la década de 1660 obtuvo un gran éxito en su ciudad. Fue elegido presidente del gremio en 1662 y 1663, y de nuevo en 1670 y 1671. Su estilo había madurado: era más suave y sutil. Obras como la famosa *La joven de la perla* (h. 1665) y la desconcertante *El arte de la pintura (o El estudio del artista)* (h. 1665-1666), muestran el aire de tranquila indiferencia por el que es tan conocido. Revelan también su sorprendente destreza para sugerir formas y texturas mediante la superposición y mezcla de capas, y sus célebres puntos de luz, con los que obtenía el máximo realce mediante un mínimo uso de la pincelada.

ARRIBA: *La joven de la perla* (h. 1665), una de las obras maestras de Vermeer.

En sus últimos años, el gusto de Vermeer por los efectos lumínicos y cromáticos pareció transformar sus imágenes en creaciones más abstractas y de contornos más definidos. Fue un período de graves problemas económicos. Tenía once hijos y, con una producción total calculada en solo 35 pinturas, el dinero probablemente escaseaba. Vermeer trabajó también como marchante y tabernero. A su muerte en 1675, su viuda, ahogada en deudas, fue declarada en bancarrota.

Su influencia no pareció extenderse más allá de su ciudad, quizá por haber permanecido siempre en ella, o por la particularidad de su estilo. La estrella del artista no volvió a brillar de nuevo con fuerza hasta el siglo XIX. Su reputación subió mucho gracias a pintores realistas como Gustave Courbet. En su lucha por reflejar el mundo circundante mediante un realismo convincente, estos artistas hallaron una gran fuente de inspiración en la obra de los pintores de género holandeses del siglo XVII, como Vermeer. **AK**

> «La gran cualidad de Vermeer [...] es la calidad de su luz.»
> Théophile Thoré

JEAN-ANTOINE WATTEAU

Jean-Antoine Watteau, 1684 (Valenciennes, Francia); 18 de julio de 1721 (Nogent-sur-Marne, cerca de París, Francia).

Estilo: Uno de los protagonistas del rococó francés; románticos y sofisticados idilios; magnífico cromatismo; inventor del género de la *fête galante*.

Obras destacadas

La toilette, h. 1716-1717
(Wallace Collection, Londres)

Arlequín y Colombina, h. 1716-1718
(Wallace Collection, Londres)

Mezzetin, h. 1717-1720
(Metropolitan Museum of Art, Nueva York)

Jean-Antoine Watteau fue el mejor pintor francés de su época, y uno de los líderes del estilo rococó, tendencia decorativa y ornamental que nació en Francia bajo el reinado de Luis XV. Nacido en la ciudad fronteriza de Valenciennes, Watteau se trasladó a París en 1702, y recibió su educación artística entre 1705 y 1708 en el taller de Claude Gillot, un pintor de escenas teatrales. Su influencia fue crucial, pues Guillot llevaba a su pupilo a presenciar los espectáculos de la *commedia dell'arte*. Estos shows improvisados se convirtieron en una notable fuente de inspiración para la creación más importante de Watteau: la *fête galante* o «fiesta galante». Se trataba de imágenes idílicas en las que una serie de elegantes personajes disfrazados deambulaban por escenarios al aire libre hablando, seduciéndose o regalándose con serenatas. Inspirado por la obra de Peter Paul Rubens, Watteau despliega en ellas un exquisito cromatismo. El término *fête galante* fue acuñado por la Academia Francesa en plena búsqueda de un calificativo que definiese la obra de Watteau tras abrirle sus puertas en 1717.

Las pinturas de Watteau a menudo exhalan un aire de melancolía, como si sus actores fueran conscientes de lo efímero de sus momentos de placer. Una propensión a la nostalgia que se ha atribuido al carácter enfermizo del pintor. Watteau padecía tuberculosis, y su enfermedad le hacía mostrarse impaciente y malhumorado, y podría explicar cierto desaliño ocasional en su pintura. En 1719 viajó a Inglaterra para curarse, pero el clima frío y húmedo empeoró su salud. Murió prematuramente a los treinta y siete años. Tras su muerte, la artificialidad de sus temas acabó rápidamente con su prestigio. Durante la Revolución francesa, los estudiantes solían divertirse lanzando trozos de pan a sus obras maestras. **IZ**

«Uno de los mejores dibujantes que ha dado Francia.» Edmé-François Gersaint

ARRIBA: Retrato de Watteau (h. 1721), por su amiga la artista veneciana Rosalba Carriera.

GIOVANNI BATTISTA TIEPOLO

Giovanni Battista Tiepolo, 5 de marzo de 1696 (Venecia, Italia); 27 de marzo de 1770 (Madrid, España).

Estilo: Pintor del rococó italiano; paleta clara y luminosa; frescos ilusionistas en techos; composiciones y diseños teatrales; creatividad y humor.

La obra de Giovanni Battista Tiepolo es el paradigma de la pintura rococó veneciana. Sus pinturas, etéreas y luminosas, están llenas de detalles fantásticos, desde pequeños *putti,* cuyos pies sobresalen de una cornisa, hasta el Viejo Patriarca Tiempo suspendido grácilmente sobre una nube. El espectador es metafóricamente invitado a unirse al elenco de ángeles y diosas que pueblan los vertiginosos cielos. Pero no son simples vuelos de la fantasía: la solidez de sus diseños y su sofisticada comprensión de los juegos de luces y sombras confieren a las pinturas de Tiepolo un atractivo intemporal.

Siguiendo la tradición de los grandes pintores venecianos del siglo XVI, Tiepolo creó frescos de gran formato y retablos para las iglesias y palacios de su ciudad. Fue un gran admirador de los maestros del Alto Renacimiento veneciano, sobre todo de Veronés, cuya obra inspiró su lúdica tendencia al decorativismo. Tiepolo se formó en el estudio veneciano de Gregorio Lazzarini, pintor de temas religiosos. Entre 1750 y 1753, en la cumbre de su carrera, pasó tres años en Würzburg, Alemania, donde creó frescos para las paredes y techos de la residencia del príncipe obispo Karl Philipp von Greiffenklau. A su vuelta a Venecia, fue elegido presidente de la Academia de Padua. A partir de 1761 trabajó en la corte del rey Carlos III en Madrid, pintando un gran fresco para el techo del salón del trono del palacio Real. Murió en Madrid en 1770.

Tiepolo es recordado como la última estrella del firmamento de la gran pintura veneciana. Sus obras fueron despreciadas en el siglo XIX, pues se consideraban demasiado almibaradas. El historiador y crítico francés Hippolyte Taine las ridiculizaba calificándolas de meros y costosos «escaparates». Hoy su poderosa teatralidad ha dado con jueces más benevolentes. **KKA**

Obras destacadas

Frescos de Santa Maria del Rosario, 1737-1739 (Santa Maria del Rosario, Venecia)

Alegoría de los planetas y continentes, 1752 (Metropolitan Museum of Art, Nueva York)

Boda de Federico I Barbarroja y Beatriz de Borgoña, 1752-1753 (Kaisersaal, Residenz, Würzburg, Alemania)

> «Introdujo en sus frescos un efecto de soleado placer jamás superado.» Luigi Lanzi

ARRIBA: Rosalba Carriera (1675-1757) pintó este retrato de Tiepolo (h. 1726).

WILLIAM HOGARTH

William Hogarth, 10 de noviembre de 1697 (Londres, Inglaterra); octubre de 1764 (Londres, Inglaterra).

Estilo: Pionero de la sátira social y política en Inglaterra; pintor, caricaturista y grabador sobre temas morales; pintor de retratos.

Obras destacadas

Vida de una cortesana, 1731-1732
 (destruido por un incendio en 1755)
Vida de un libertino, 1734
 (Sir John Soane's Museum, Londres)
Capitán Thomas Coram, 1740
 (The Foundling Museum, Londres)
La vendedora de camarones, h. 1740-1745
 (National Gallery, Londres)
La calle de la ginebra, 1751
 (British Museum, Londres)

William Hogarth fue uno de los artistas británicos más originales, y sobresalió como pintor y grabador. Pero por encima de todo fue un agudo observador de la naturaleza humana, satirizando las modas y debilidades de su época. Sus tempranas ambiciones se vieron frustradas por una infancia de privaciones. Su padre cayó en la ruina tras un fallido negocio con un café, y acabó en la cárcel.

Hogarth aprendió el oficio de grabador y trabajó durante un tiempo como ilustrador de libros, pero tenía otras ambiciones. Su sueño era dedicarse a la pintura de historia, la rama más prestigiosa y lucrativa, por lo que asistió a una academia de pintura. Nunca consiguió su propósito, pero encontró una nueva salida a su talento: sus «costumbres morales modernas», una serie de obras a través de las cuales registró el auge y caída de un vagabundo. «La carrera de una prostituta» (1731-1732) y «La vida de un libertino» (1734) se hicieron especialmente populares, y se vendieron muy bien como grabados. La primera de ellas fue víctima de la piratería, y Hogarth inició una vigorosa campaña para introducir una legislación que protegiese sus obras. El resultado fue la Engravers Act (1735) o «Ley Hogarth», de gran ayuda para sus colegas del gremio. El mejor de sus grabados es *La calle de la ginebra*, una pintura moral que denuncia los perjuicios del consumo de ginebra, normalmente importada de Francia y opuesta a las bondades de la cerveza inglesa. Aunque era más conocido por sus grabados, Hogarth continuó pintando. Sus mejores obras son el retrato del *Capitán Thomas Coram* (1740) y *La vendedora de camarones* (h. 1740-1745). Ambas despliegan una libertad de tratamiento y una habilidad innata para captar la personalidad del personaje no superadas por ningún artista británico del período. **IZ**

> «Trato mis temas como un escritor dramático: mi pintura es mi escenario.»

ARRIBA: Un respetable y elegante William Hogarth en su *Autorretrato con paleta* (1745).

DERECHA: *La calle de la ginebra,* una de sus obras más conocidas sobre tema político.

CANALETTO

Giovanni Antonio Canal, 28 de octubre de 1697 (Venecia, Italia); 19 de abril de 1768 (Venecia, Italia).

Estilo: Es el pintor de Venecia; vistas de la ciudad con los lugares más memorables; detalles característicos de canales y góndolas; marcados toques de luces y sombras.

Obras destacadas

Roma: ruinas del Foro vistas desde el Capitolio, 1726 (Royal Collection, Windsor, Inglaterra)

El patio del taller del picapedrero, 1727-1728 (National Gallery, Londres)

Llegada del embajador francés de Venecia, 1726-1727 (Ermitage, San Petersburgo)

La obra de Canaletto se asocia a los encantos de su ciudad natal, Venecia. Nacido Giovanni Antonio Canal y conocido como Canaletto («pequeño canal»), se formó con su padre, Bernardo Canal, pintor de éxito de decorados de teatro. Al trabajar como su ayudante, Canaletto aprendió el dominio de la perspectiva lineal, la claridad espacial, la composición equilibrada y el efecto dramático de crear paisajes realistas y convincentes que parecían perderse en la distancia.

Canaletto perfeccionó su formación artística durante un viaje a Roma entre 1719 y 1720. Al volver a casa se entregó a pintar paisajes realistas y topográficos de Venecia. Sus vistas de la ciudad, dramáticas y pintorescas, representaban lugares, edificios y canales famosos, donde se desarrollaban festivales y ceremonias civiles. Su obra se caracteriza por las pinceladas fluidas y aparentemente fáciles, y por el uso de marcados toques de luces y sombras. Sus imágenes están llenas de los motivos y detalles que más se asocian a la ciudad: la luz del sol re-

ARRIBA: Grabado de Canaletto de joven realizado antes de 1735.

DERECHA: *El patio del taller del picapedrero* está considerada una de las mejores obras de Canaletto.

flejada en las aguas de los canales, chimeneas recortadas contra el horizonte, inscripciones y carteles pelados en las paredes, góndolas transportando visitantes, así como iglesias y campanarios de la ciudad.

Tales paisajes típicamente venecianos hallaron entusiastas compradores entre los turistas extranjeros. En el siglo XVIII, Venecia era el destino preferido de jóvenes aristócratas adinerados que concluían su educación viajando por toda Europa y acudían en gran número a la ciudad de los canales, famosa por su modo de vida despreocupado. Compraban paisajes pintados de Venecia y los enviaban a casa como recuerdo de las cosas que habían visto y experimentado. Tal era la popularidad de Canaletto entre los jóvenes ingleses que hoy existen más obras suyas en Inglaterra que en Italia. En 1746 Canaletto viajó a Inglaterra, donde pintó paisajes londinenses y casas de campo. Sin embargo, en 1755 regresó a Venecia, donde murió en 1768. **AB**

Una vista privada

Aunque Canaletto es conocido por sus cuadros de famosos lugares venecianos, su primera obra aclamada nos muestra una vista más privada de la ciudad. *El patio del taller del picapedrero* (1727-1728), hoy día en la National Gallery de Londres, no representa ningún monumento famoso, sino el paisaje íntimo de una plaza veneciana por la mañana. Está lleno de detalles familiares de la vida cotidiana: se puede observar la ropa recién lavada colgada a secar, las góndolas cruzando el canal, las campanas sonando en la torre, una mujer hilando en su ventana, un gallo dando la bienvenida al nuevo día y un niño mojándose al caer.

LOUIS-FRANÇOIS ROUBILIAC

Obras destacadas

Georg Friedrich Haendel como Apolo, 1737
(Victoria & Albert Museum, Londres)

Alexander Pope, h. 1738
(Victoria & Albert Museum, Londres)

William Hogarth, h. 1741
(National Portrait Gallery, Londres)

Lady Elizabeth Nightingale, 1761
(capilla de San Nicolás, abadía
de Westminster, Londres)

Georg Friedrich Haendel, 1762
(abadía de Westminster, Londres)

Louis-François Roubiliac, 1702 (Lyon, Francia); 11 de enero de 1762 (Londres, Inglaterra).

Estilo: Escultor de bustos, estatuas y monumentos sepulcrales de mármol; líneas dinámicas y fluidas; composiciones asimétricas; retratos escultóricos informales.

Louis-François Roubiliac se hizo famoso con una escultura de cuerpo entero del músico *Georg Friedrich Haendel como Apolo* (1737). La obra fue muy admirada por su informalidad, sentido de la alegría rococó y su parecido con el compositor. A ella le siguieron bustos y estatuas de varios contemporáneos notables, como el poeta *Alexander Pope* (h.1738) y el pintor y escritor satírico *William Hogarth* (h.1741). Hacia la década de 1740, el artista ya era un escultor de éxito, famoso por sus líneas curvilíneas y el vital parecido de las caras. La consagración de la gloria de Roubiliac son sus obras de la abadía de Westminster, como *Lady Elizabeth Nightingale* (1761) y *Georg Friedrich Haendel* (1762), cuya cara se modeló sobre su máscara mortuoria. **CK**

ALLAN RAMSAY

Obras destacadas

Hew Dalrymple, lord Drummore, 1754
(Scottish National Portrait Gallery,
Edimburgo)

Retrato de Margaret Lindsay, su segunda
esposa, h. 1758-1760 (National Gallery
of Scotland, Edimburgo)

Allan Ramsay, 2 de octubre de 1713 (Edimburgo, Escocia); 10 de agosto de 1784 (Dover, Kent, Inglaterra).

Estilo: Retratos delicados y armoniosos; sutil comprensión psicológica; calidad natural e íntima; pinceladas ágiles; experto en el manejo de la textura de las telas.

Nada menos que el famoso doctor Samuel Johnson elogió a Allan Ramsay por la gracia y erudición de su conversación. Formado en Italia, Londres y Edimburgo, el artista y dandi fue uno de los retratistas más cotizados de la sociedad londinense de mediados del siglo XVIII. Ejerció una gran influencia en Joshua Reynolds —luego uno de sus sanos competidores—, así como en los artistas escoceses Henry Raeburn y David Wilkie. En 1761 Ramsay se convirtió en el retratista del rey Jorge III. Su obra combinaba la elegancia con una sutil comprensión psicológica cada vez más templada por el naturalismo y un ligero toque francés. Criatura de la Ilustración en todos los aspectos, hijo de poeta y amigo de los principales intelectuales, Ramsay también fue un importante escritor. **AK**

GIOVANNI BATTISTA PIRANESI

Giovanni Battista Piranesi, 4 de octubre de 1720 (Mogliano, Veneto, Italia); 9 de noviembre de 1778 (Roma, Italia).

Estilo: Grabador, arquitecto, anticuario y diseñador de muebles y de interiores italiano; representaciones idealizadas de la arquitectura y ruinas de la Antigüedad.

La pasión que Giovanni Battista Piranesi sentía tanto por la arquitectura clásica como por la fantástica estuvo influenciada por su entorno familiar. Su padre fue picapedrero y maestro de obras; su tío, quien le enseñó dibujo e ingeniería, era ingeniero. Su hermano, monje cartujo, lo introdujo en la historia y logros arquitectónicos de los antiguos romanos.

A los veinte años, Piranesi comenzó su aprendizaje con Giuseppe Vasi, arquitecto y grabador especializado en vistas turísticas de Roma. Enseguida sobresalió en el arte del grabado y la impresión con las planchas para «Prima Parte di Architettura e Prospettive» (1743). Más tarde empezó a trabajar en sus grabados más famosos: los «Varie Vedute di Roma Antica e Moderna» (1745). Estos grabados de ruinas antiguas y edificios modernos, caracterizados por su majestuosa perspectiva, su esmerada atención por los detalles y sus impresionantes representaciones de luces y sombras, se hicieron populares y proporcionaron al artista ingresos estables.

Posteriormente, trabajó en la serie de grabados «Prisiones imaginarias» (1749-1750), en la que creó visiones complejas de espacios laberínticos y atestados, misteriosas maquinarias y oscuros calabozos subterráneos. Estas imágenes inquietantes seguían la tradición veneciana de los *capricci* («invenciones caprichosas»), y le permitieron experimentar con perspectivas insólitas y relaciones espaciales poco probables. Los 16 grabados tuvieron gran influencia mucho después en la obra de surrealistas como Maurits Cornelis Escher.

En época del papa Clemente XIII le fueron encargados a Piranesi dos proyectos arquitectónicos. Uno de ellos, la restauración del coro de San Giovanni, nunca se empezó; pero Piranesi llegó a restaurar la iglesia de Santa Maria del Priorato, en Roma, donde fue enterrado al morir tras una larga enfermedad. **NSF**

Obras destacadas

Pórtico de Octavia: de la serie «Vistas de Roma», 1760 (Metropolitan Museum of Art, Nueva York)

Prisiones, plancha XI, 1761 (British Museum, Londres)

Vista del anfiteatro Flavio (conocido ahora como Coliseo): de la serie «Vistas de Roma», 1776 (Metropolitan Museum of Arts, Nueva York)

«[...] si me encargaran diseñar un nuevo universo, estaría tan loco que aceptaría el encargo.»

ARRIBA: Pietro Labruzzi pintó *Retrato de Giovanni Battista Piranesi* en 1779.

Obras destacadas

Comodoro Augustus Keppel, 1749
(National Maritime Museum, Londres)

Miss Elizabet Ingram, 1757
(Walker Art Gallery, Liverpool)

El coronel Acland y lord Sydney: los Arqueros,
1769 (Tate Collection, Londres)

JOSHUA REYNOLDS

Joshua Reynolds, 16 de julio de 1723 (Plympton, Devon, Inglaterra); 23 de febrero de 1792 (Londres, Inglaterra).

Estilo: Retratista de la aristocracia del siglo XVIII; maestro en el «Gran Estilo»; presidente fundador de la Royal Academy; referencias alegóricas.

Joshua Reynolds fue el retratista británico más influyente del siglo XVIII. Era uno de los once hijos de su padre, profesor en un pequeño pueblo. Pero, afortunadamente para su hijo, este tenía varios amigos bien situados. En 1740 el joven Reynolds tuvo la suerte de ser aprendiz del retratista en boga y de gran éxito Thomas Hudson. Nueve años más tarde le presentaron al aristócrata oficial de marina el comodoro Augustus Keppel y, con gran sensatez, aceptó su invitación para viajar con él a Roma.

ARRIBA: *Sir Joshua Reynolds* fue pintado por James Northcote (h. 1773-1774).

DERECHA: *Coronel Acland y lord Sydney, los arqueros* apuntando a su presa situada fuera del marco.

Reynolds permaneció dos años en Roma pintando retratos y estudiando las obras de los viejos maestros. Se dice que mientras dibujaba en el Vaticano pilló el resfriado que contribuyó a dejarle parcialmente sordo. No obstante, carecía de una educación artística más formal. Desde entonces y en consecuencia, se han criticado algunos de sus cuadros por su desconocimiento de la anatomía y la perspectiva lineal.

En 1753 Reynolds se estableció en Londres, donde su hermana Frances, a quien llamaban Fanny, le llevaba la casa. Él entretenía a la oleada de elegantes visitantes en su estudio con pinturas recientes realizadas según el «Gran Estilo», como el retrato de cuerpo entero, audaz y dramático del comodoro Keppel. Su naturaleza gregaria y el apoyo de la aristocracia redundaron en una obra prolífica.

ARRIBA: *Retrato de Dorothy Vaughan,* de Reynolds, obra que elevó el estatus de los retratos.

1700-99

Reconocimiento real

La fundación de la Royal Academy of Arts en 1768 proporcionó a sus cuarenta miembros los beneficios de un reconocido estatus social y profesional, del patrocinio real y de un lugar apropiado para exponer anualmente. También se instituyó la Academy School, con su colección de moldes, clases de dibujo al natural, premios y conferencias. Reynolds fue elegido presidente de la Royal Academy por unanimidad y más tarde fue nombrado caballero por el rey Jorge III. Sus *Siete discursos sobre las artes* (1769-1790) a los estudiantes estaban dirigidos a elevar el estatus de la profesión, al asociar la pintura con la erudición, y se consideran una de las críticas de arte más importantes de su tiempo. Fomentaban la idea de lo elevado del arte y defendían la necesidad de un aprendizaje académico riguroso para lograr los objetivos artísticos.

Reynolds sufrió una apoplejía en 1782. En un principio pareció recuperarse completamente, pero hacia 1789 se vio obligado a dejar de pintar cuando primero un ojo, y después el otro, se le nublaron. No obstante, continuó escribiendo y dictó su última conferencia en diciembre de 1790. Aunque no era religioso, se le honró con un funeral en la catedral de San Pablo, en Londres, a su muerte en 1792. **RM**

Antiguos maestros por arte de magia

La presentación de *El mago* (1774) en la Royal Academy provocó un gran escándalo. Incitado, al parecer, por el discurso de Reynolds sobre la imitación, el lienzo de Nathaniel Hone le retrata como a un mago que, con un toque de su varita, da vida a los grabados de los antiguos maestros. El cuadro fue retirado cuando la pintora Angelica Kauffmann objetó que Hone la había representado en el lienzo bailando desnuda. La verdadera ofensa de Hone, sin embargo, fue sugerir que Reynolds robaba las ideas y poses de las pinturas de los antiguos maestros.

1700-99

GEORGE STUBBS

George Stubbs, 25 de agosto de 1724 (Liverpool, Inglaterra); 10 de julio de 1806 (Londres, Inglaterra).

Estilo: Temas ecuestres; caballos, perros y animales exóticos con carga psicológica; estudios anatómicos; naturalismo lírico.

Obras destacadas

Serie «Anatomía del caballo», 1756-1766 (Royal Academy, Londres)

Duquesa de Richmond y lady Louisa Lennox contemplando caballos de carreras, h. 1759-1760 (Goodwood House, Sussex, Inglaterra)

Whistlejacket, h. 1762 (National Gallery, Londres)

Un león atacando a un caballo, h. 1765 (National Gallery of Victoria, Melbourne)

Hambletonian, 1800 (Nacional Trust, Mount Stewart House, Irlanda del Norte)

El nombre de George Stubbs es sinónimo de caballo. La fama del artista se sustenta sobre estos, y se le considera uno de los primeros pintores de animales de todos los tiempos. Sin embargo, la envolvente asociación de Stubbs con los cuadros de caballos y perros, así como de animales exóticos, fue causa de problemas para el artista y continúa haciendo sombra a un reconocimiento más amplio de su obra. Aunque su trabajo fue famoso durante su vida y tuvo numerosos clientes influyentes, nunca recibió la aclamación de los críticos dentro del mundo del arte por la que tanto luchó.

Stubbs nació en Liverpool, y en gran parte fue un artista autodidacta. En 1745 se trasladó a York, donde estudió anatomía en el hospital del condado de York. Allí asistió a disecciones y elaboró dibujos precisos publicados en *Essay towards a complete new system of midwifery* (1751), del doctor John Burton. Trabajó como retratista y viajó a Italia en 1755. Insensible frente a los clásicos, siguió siendo partidario del naturalismo. No obstante, en su obra se manifiesta un sentido unilateral de equilibrio y armonía clásica.

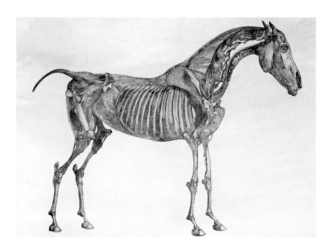

ARRIBA: Uno de los muchos autorretratos de Stubbs; solía pintarse sin sombrero.

DERECHA: Un grabado perturbador y preciso de la serie «La anatomía del caballo».

En 1756 Stubbs comenzó su serie de dibujos precisos y misteriosamente bellos «La anatomía del caballo» (1766), tomados de sus disecciones de caballos realizadas en una solitaria granja en Lincolnshire. Obtenía los animales muertos de una curtiduría local, drenaba la sangre y rellenaba las venas de cera. Luego colocaba los caballos en posiciones naturales y hacía dibujos detallados de cada uno de los pasos de las disecciones. Esperaba crearse una clientela londinense, ya que los caballos eran muy populares entre la nobleza. Stubbs atrajo la atención de este mercado con la *Duquesa de Richmond y lady Louisa Lennox contemplando caballos de carreras* (h. 1759-1760) y *Whistlejacket* (1762).

Además de pintar numerosos retratos de caballos famosos, Stubbs pintó muchas versiones de un mismo caballo siendo atacado por un león. También realizó un gran número de escenas de género especialmente notables por su sutil y comprensiva descripción de las clases trabajadoras rurales. **TP**

ARRIBA: Stubbs pintó esta versión dramática de *Un león atacando a un caballo* en 1765.

Un problema sudoroso

Uno de los lienzos más famosos de George Stubbs es *Hambletonian* (1800), pintado para Harry Vane-Tempest. El lienzo iba a ser uno de los dos que tenía que pintar para celebrar la carrera entre Hambletonian y Diamond, en Newmarket. Sin embargo, Stubbs y Vane-Tempest discutieron acerca de la factura del cuadro, discusión que acabó en una amarga causa judicial. Vane-Tempest se quejó porque Stubbs representó un caballo jadeante y agotado por el heroico esfuerzo, mientras el entrenador y el mozo le dirigen una mirada grávida e impenetrable.

THOMAS GAINSBOROUGH

Thomas Gainsborough, 1727 (Sudbury, Suffolk, Inglaterra); 2 de agosto de 1788 (Londres, Inglaterra).

Estilo: Destacado retratista y paisajista del siglo XVIII; motivos de campesinos y vida rural; detalle naturalista; calidad lírica y poética.

Obras destacadas

El Sr. y la Sra. Andrews, h. 1750
(National Gallery, Londres)

Retrato de Ann Ford, 1760
(Cincinnati Art Museum, Cincinnati)

Jonathan Buttall: el chico azul, h. 1770
(Huntington Art Collections,
San Marino, California)

«Acuden lágrimas a nuestros ojos y no sabemos por qué.»

John Constable, sobre Gainsborough

ARRIBA: *Autorretrato* (h. 1787), pintado poco antes de su muerte.

Thomas Gainsborough fue uno de los principales retratistas y paisajistas del siglo XVIII, cuya habilidad técnica estaba acorde con su innovación. Sus retratos recurrían a la estética rococó, combinada con un naturalismo exquisito. Sus cuadros de paisajes, aunque comercialmente menos populares a lo largo de su vida, tuvieron una profunda influencia en el desarrollo de la pintura paisajística inglesa.

Gainsborough se formó junto al grabador Hubert Gravelot y al pintor e ilustrador Francis Hayman en Londres. Allí entró en contacto con William Hogarth, que diririgía la Saint Martin´s Lane Academy. Sus paisajes reflejan la influencia del arte del norte de Europa, en particular la obra de Jacob van Ruisdael. Sus pinturas fueron admiradas por sus contemporáneos, si bien no atrajeron a demasiados compradores.

En 1748 regresó a Sudbury para encargarse del mercado de pintura de retrato y pintó *El Sr. y la Sra. Andrews* (h. 1750). En 1752 los Gainsborough se mudaron al próspero Ipswich en busca de potenciales clientes, y más tarde, en 1759, a la moderna localidad de Bath, donde el artista podía facturar más dinero por sus obras. Comenzó a estudiar y se vio influenciado por los retratos de Anton van Dyck, elementos de los cuales se pueden apreciar en el *Retrato de Ann Ford* (1760), que también deja entrever una deuda con Hogarth. Continuó pintando paisajes líricos, en los que se reflejaba cada vez más la influencia de Peter Paul Rubens; los envió a Londres, junto a los retratos, para exponerlos en la Sociedad de Artistas. En 1768 se convirtió en uno de los miembros fundadores de la Royal Academy of Arts. En 1774 volvió a ponerse en movimiento en busca de clientes y regresó a Londres. Hacia el final de su carrera empezó a pintar escenas de la vida rural que reflejaban sutilmente las penalidades de la gente. **TP**

JEAN-HONORÉ FRAGONARD

Jean-Honoré Fragonard, 5 de abril de 1732 (Grasse, Francia); 22 de agosto de 1806 (París, Francia).

Estilo: Destacado pintor rococó; colores ricos; trasfondos atmosféricos; cuidadosa utilización de luces y sombras, en particular en los tonos de la piel; contenido erótico.

Pintor francés cuya obra cayó en el olvido durante décadas, en la actualidad Jean-Honoré Fragonard es reconocido como uno de los pintores más importantes de su tiempo. Después de trasladarse del sur de Francia a París a los dieciocho años, se formó con los pintores François Boucher, Jean-Baptiste-Siméon Chardin y Charles André van Loo. En 1752 ganó el premio de Roma, que le dio la oportunidad de ir a Italia y estudiar a los grandes maestros del arte italiano. El paisaje italiano tuvo un gran impacto en su obra y a menudo le sirvió de escenario para sus pinturas de género. Durante sus últimos años viajó a través de los Países Bajos y se vio en gran medida influido por el arte flamenco y holandés cuya paleta de colores sombríos usó para crear fondos melancólicos para sus imágenes centrales.

En Roma se convirtió en miembro de la Academia Francesa. De vuelta a Francia, atrajo a importantes y adinerados clientes, entre los que se contaban madame de Pompadour y madame du Barry, y fue aclamado como figura clave del estilo rococó.

Su obra más célebre es *El columpio* (1767). A primera vista, parece la simple imagen de una inocente joven jugando, pero, en realidad, se trata de una pintura erótica: acostado perezosamente en la esquina izquierda del cuadro hay un joven, su amante, que mira directamente hacia su falda mientras ella abre las piernas para beneficio del muchacho.

Por desgracia, este estilo no fue popular mucho tiempo. Pronto, cuando se puso de moda el neoclasicismo, el rococó se quedó anticuado. Además, los antes lucrativos ingresos de Fragonard se evaporaron a medida que sus clientes pasaban por la guillotina durante la Revolución francesa y murió en la pobreza. Su herencia artística continuó hasta finales del siglo XIX y el impresionismo: su nieta fue la artista Berthe Morisot. **LH**

Obras destacadas

El columpio, 1767 (Wallace Collection, Londres)

Serie «Escenas de amor», h. 1771-1773 (cuatro pinturas); Frick Collection, Nueva York)

Un niño como Pierrot, h. 1780 (Wallace Collection, Londres)

«Si fuera necesario, pintaría incluso con el trasero.»

ARRIBA: Este autorretrato con vestuario renacentista es típico del estilo de Fragonard.

JOHN SINGLETON COPLEY

John Singleton Copley, 3 de julio de 1738 (Boston, Massachusetts, EE.UU.); 9 de septiembre de 1815 (Londres, Inglaterra)

Estilo: Retratos realistas; temas históricos y sobre hechos contemporáneos; colores vibrantes; expresiones llenas de emoción; pinceladas audaces.

Obras destacadas

Sra. de Joseph Mann, 1753
  (Museum of Fine Arts, Boston)
Joseph Mann, 1754
  (Museum of Fine Arts, Boston)
Mary y Elizabeth Royall, h. 1758
  (Museum of Fine Arts, Boston)
Watson y el tiburón, 1778
  (National Gallery of Art, Washington, D.C.)

Las obras de John Singleton Copley son una crónica de Estados Unidos en la época colonial. Tras la muerte de su padre, su madre se casó con un pintor y grabador inglés que ejerció una temprana influencia en el joven Copley. Luego se convirtió en aprendiz de otro británico, el retratista Joseph Blackburn, del cual aprendió a emplear el color y técnicas apasionantes con las que creó su estilo, como se observa en el retrato *Mary y Elizabeth Royall* (h. 1758). El uso de la luz y la sombra para dar textura y luminosidad puede apreciarse a la perfección en los tejidos de los vestidos de las hermanas Royall y en el brillo de su pelo. Lo pintó poco después de conocer a Blackburn, y supone un gran contraste respecto a los fascinantes, pero aduladores y menos contorneados retratos de *Joseph Mann* (1754) y *La señora de Joseph Mann* (1753).

Aunque firmemente relacionado con Boston —cuyos museos albergan un gran número de sus obras—, Copley abandonó Estados Unidos en 1774. En 1766 había enviado el retrato de su hermanastro *Henry Pelham* (1765) a la Royal Academy of Arts de Londres. Joshua Reynolds lo vio y recomendó a Copley que se trasladara a Europa para desarrollar un estilo menos «rígido». Estudió en Italia y más tarde en Inglaterra, donde fue nombrado miembro de pleno derecho de la Royal Academy of Arts.

El retrato de su familia, acabado en 1777, nos muestra su cara mirando caprichosamente hacia fuera y a un grupo próspero y alegre en un artístico paisaje. El éxito del insólito *Watson y el tiburón* (1778) animó al artista a dedicarse a la pintura histórica. Esta gustaba a las masas, recreaba hechos recientes y homenajeaba a héroes británicos. Pero sus temas históricos no alcanzaron la perfección y la gracia de muchos de sus primeros cuadros de Boston. Aunque fue muy aclamado, su arte pasó de moda y Copley murió endeudado. **LH**

«En los mejores cuadros de su etapa estadounidense Copley hace del vicio virtud.» Pepe Karmel

ARRIBA: Copley pintó este autorretrato (1780-1784) mientras vivía en Londres.

BENJAMIN WEST

Benjamin West, 10 de octubre de 1738 (Springfield, Pensilvania, EE.UU.); 11 de marzo de 1820 (Londres, Inglaterra).

Estilo: Temas neoclásicos, históricos y religiosos de carácter épico; retratos; innovador radical que pintó figuras históricas con ropa contemporánea.

Benjamin West fue uno de los artistas más influyentes de su época y, tras mudarse a Inglaterra, fue uno de los primeros pintores históricos de Europa. Fue pionero en varios aspectos: trabajó a la vanguardia del emergente estilo neoclásico y anticipó el desarrollo del romanticismo; también fue uno de los primeros artistas del momento en pintar figuras vestidas de forma contemporánea en vez de clásica, como en *La muerte del general Wolfe* (1770), una de sus obras más famosas, a pesar de que no siguió los consejos de Jorge III ni de Joshua Reynolds. Sin embargo, la obra tuvo un éxito clamoroso y se hicieron diversas copias de ella. West se sintió comercialmente motivado y realizó copias y grabados de muchas obras que luego se vendieron a millares en Europa y Estados Unidos.

West estudió en Filadelfia y durante los primeros años de su carrera se dedicó a pintar retratos. En 1760 visitó Italia, donde pasó dos años estudiando con el precoz neoclasicista Anton Raphael Mengs. En 1763 viajó a Inglaterra y expuso dos obras neoclásicas realizadas en Italia que fueron recibidas con gran entusiasmo. Se instaló en Inglaterra y se ganó el favor de Jorge III, quien había contemplado su obra *Agripina desembarcando en Brindisi con las cenizas de Germánico* (1768). El rey le encargó *La salida de Regulus de Roma* (1769) y lo contrató como pintor histórico real. West fue, junto con Reynolds, uno de los fundadores de la Royal Academy of Arts de Londres, y se convirtió en el segundo presidente de la sociedad en 1792. Dejó de contar con el favor real durante la guerra contra Francia debido a su espíritu afrancesado. Su carrera se vio perjudicada, pero en 1805 el adinerado político y escritor William Thomas Beckford le encargó trabajo y desde entonces la carrera de West volvió a dar un giro meteórico. **TP**

Obras destacadas

Agripina desembarcando en Brindisi con las cenizas de Germánico, 1768 (Yale University Art Gallery, New Haven, EE.UU.)

La muerte del general Wolfe, 1770 (National Gallery of Canada, Ottawa)

La inmortalidad de Nelson, de fecha desconocida (National Maritime Museum, Londres)

«Es un hombre asombroso y aventaja a todos los pintores de su tiempo.» William Allen

ARRIBA: *El artista y su hijo Raphael* (h. 1773) pertenece a la colección Paul Mellon.

ANGELICA KAUFFMANN

Maria Anna Angelica Katharina Kauffmann, 30 de octubre de 1741 (Chur, Suiza); 5 de noviembre de 1807 (Roma, Italia).

Estilo: Pintora neoclásica; cuadros históricos; retratos de la aristocracia; referencias alegóricas; miembro fundador de la Royal Academy of Arts.

Obras destacadas

Angelica Kauffmann, h. 1770-1775
  (National Portrait Gallery, Londres)

Retrato de una dama, h. 1775
  (Tate Britain, Londres)

John Simpson, h. 1777
  (National Portrait Gallery, Londres)

Angelica Kauffmann fue una de las artistas más famosas del siglo XVIII. Nacida en Suiza y educada en Austria, fue su padre quien le enseñó los fundamentos del dibujo y la pintura. Juntos viajaron por Italia, y en 1762 fue aceptada como miembro de la Academia dell´Arte del Disegno de Florencia. Capaz de hablar varios idiomas y poseedora de un prodigioso talento musical, Kaufmann era sociable y popular, y pronto entabló amistad con varios artistas célebres.

Kauffmann ya tenía varios clientes ingleses cuando en 1766 aceptó una invitación de lady Wentworth, esposa del embajador británico, para que la acompañara a Inglaterra. Estableció su estudio en Londres, donde le presentaron a Joshua Reynolds, artista que más tarde se convertiría en presidente de la Royal Academy of Arts, fundada en 1768. Kauffmann fue una de las dos mujeres que se hallaban entre los miembros fundadores.

La obra de Kauffmann se distingue por sus cuadros históricos, pero eran los retratos lo que más interesaba a los británicos, que aparecen en la mitad de sus cuatrocientos retratos, tanto individuales como de grupo. Artista tremendamente exitosa, había ganado 14.000 libras al dejar Londres, una cantidad considerable en aquella época, especialmente para una artista. Según parece, Kauffmann, mujer joven, atractiva y educada, se sentía cómoda en compañía de los hombres. Se dice que tuvo romances con Reynolds, Nathaniel Dance-Holland, Henry Fuseli y el grabador William Wynne Ryland, y se casó dos veces. Su segundo marido fue el pintor decorativo veneciano Antonio Zucchi, con quien se retiró a Italia. La procesión de su funeral, que se celebró en Roma a su muerte, en 1807, fue una de las más largas que la capital italiana haya visto nunca. **RM**

> «Ciertamente, esta artista tiene mucho mérito, teniendo en cuenta su sexo.» *The London Chronicle*

ARRIBA: Detalle de su *Autorretrato* (1787), pintado después de su segundo matrimonio.

HENRY FUSELI

Johann Heinrich Fuseli, 6 o 7 de febrero de 1741 (Zurich, Suiza); 16 de abril de 1825 (Londres, Inglaterra).

Estilo: Miembro del movimiento romántico; gusto por el horror y lo macabro; sus pinturas exploran el lado oscuro del comportamiento sexual.

Aunque suizo de nacimiento, Henry Fuseli pasó la mayor parte de su carrera en Inglaterra, donde se convirtió en una figura clave del movimiento romántico. Su padre, también artista, quería que su hijo hiciera carrera en la iglesia, por lo que fue ordenado pastor en 1761. Sin embargo, el joven resultó ser demasiado franco para la profesión y, obligado a dejar su tierra natal, se trasladó a Londres en 1765. Allí conoció a Joshua Reynolds, quien le animó a convertirse en pintor. Fuseli había aprendido los fundamentos de su padre, pero su principal formación artística tuvo lugar en Italia entre 1770 y 1778, donde se sintió inspirado por Miguel Ángel.

Tras su regreso a Inglaterra en 1779, comenzó a dedicarse en serio a su carrera artística y se concentró en temas grandiosos de la historia y la literatura. Rápidamente y de modo espectacular se hizo un nombre cuando su obra cumbre, *La pesadilla* (1781), causó sensación en la Royal Academy of Arts. Se trata del cuadro más famoso y polémico de Fuseli: los historiadores del arte han escrito miles de páginas tratando de analizar su significado. No obstante, la verdadera razón por la que causó tanto impacto era bastante simple: combinaba sexo y horror en una imagen devastadora.

Fuseli repitió este enfoque en muchos de sus otros cuadros. Ya fueran temas inspirados en William Shakespeare, John Milton o Dante Alighieri, sus cuadros estaban sazonados de alusiones a la perversidad sexual o a la violencia contenida, una característica con la que más tarde se granjearía el favor de los surrealistas. A pesar de esto, Fuseli fue una figura popular y respetada. En 1799 fue designado profesor de pintura en la Royal Academy, y se convirtió en su conservador en 1804. Tras su muerte en 1825, fue enterrado en la catedral de San Pablo, honor normalmente reservado para los presidentes de la Royal Academy. **IZ**

Obras destacadas

La pesadilla, 1781 (Detroit Institute of Art, Detroit)

Titania y Bottom, h. 1790 (Tate Collection, Londres)

Mad Kate, h. 1806-1807 (Frankfurter Goethe Museum, Frankfurt del Main)

«Los motores de su mente son la blasfemia, la lascivia y la sangre.» Benjamin Haydon, artista

ARRIBA: *Retrato de Henry Fuseli*, por su amigo Thomas Lawrence.

FRANCISCO DE GOYA

Francisco José de Goya y Lucientes, 30 de marzo de 1746 (Fuendetodos, España); 16 de abril de 1828 (Burdeos, Francia).

Estilo: Pintura dramática y figurativa; técnica audaz y fluida; sus dibujos y grabados representan visiones oscuras, satíricas y macabras del sufrimiento humano.

Obras destacadas

El quitasol, 1777 (Museo del Prado, Madrid)

Las gigantillas, h. 1791-1792 (Museo del Prado, Madrid)

La maja vestida, 1797-1800 (Museo del Prado, Madrid)

La maja vestida, 1800-1808 (Museo del Prado, Madrid)

La familia de Carlos IV, 1800 (Museo del Prado, Madrid)

El dos de mayo de 1808 en Madrid: la lucha de los mamelucos, 1814 (Museo del Prado, Madrid)

El tres de mayo de 1808 en Madrid: los fusilamientos en la montaña del Príncipe Pío, 1814 (Museo del Prado, Madrid)

Serie de grabados «Los desastres de la guerra», h. 1810-1820

Saturno devorando a un hijo, h. 1819-1823 (Museo del Prado, Madrid)

Francisco de Goya es el artista español más importante de finales del siglo XVIII y principios del XIX. Inusitadamente, logró el éxito en vida al obtener y conservar el mecenazgo de la nobleza. En 1774 fue presentado en los talleres reales, y comenzó una relación con la realeza que duraría toda la vida y que abarcaría hasta cuatro reinados distintos. En contraste con las visiones oscuras que dominaron la última etapa de su carrera, las primeras obras de Goya eran frescas y alegres. Sus celebraciones llenas de vida del pueblo español en momentos de ocio reflejan el optimismo de la época y nos recuerdan el estilo festivo rococó de Giambattista Tiepolo.

Al comienzo de su carrera, Goya entró a trabajar en el estudio de los pintores Francisco y Ramón Bayeu y Subías, poco después de que estos se establecieran por su cuenta en Madrid en 1763. Goya estableció un estrecho vínculo con los artistas —se casó con su hermana Josefa en 1774—. Sin embargo, dos intentos fallidos de ingresar en la Real Academia de Bellas Artes de San Fernando movieron a Goya a cambiar Madrid por Roma en 1770. Es probable que allí conociese al artista alemán

ARRIBA: Este detalle de su *Autorretrato* (h. 1800) muestra a Goya en plena madurez.

DERECHA: *La familia de Carlos IV* proporciona cierto rasgo de individualidad a cada uno de los retratados.

Anton Raphael Mengs, que fue quien introdujo a Goya en la corte cuando lo reclamó en Madrid para que pintase los dibujos de los tapices de la Real Fábrica de Santa Bárbara. Goya siguió recibiendo continuos encargos de la aristocracia, y pintó retratos sensibles y exuberantes que, con sus pinceladas rápidas y amplias, dan testimonio de la riqueza y el poder de los modelos, así como de sus estados de ánimo. Hacia los cuarenta años, Goya fue nombrado pintor de Carlos III, y en 1789 se convirtió en el pintor de la corte del recién coronado Carlos IV. Pero el año 1789 marcó el inicio de un período de turbulencias que comenzó con el derrocamiento de la monarquía francesa y continuó, en 1793, cuando Francia declaró la guerra a España. En este período, Goya viajó a Cádiz con su amigo el rico empresario y coleccionista de arte Sebastián Martínez y Pérez. Mientras estuvo en Cádiz, padeció una grave en-

ARRIBA: *Los fusilamientos del tres de mayo de 1808 en Madrid* está dominado por la figura pintada a modo de Jesucristo.

«He tenido tres maestros: la naturaleza, Velázquez y Rembrandt.»

Las «Pinturas negras»

Amargado tanto por su sordera como por los acontecimientos turbulentos de la época, Goya creó numerosas obras oscuras e inquietantes. Algunas de las más memorables se cuentan entre sus «Pinturas negras» (así llamadas por su paleta oscura y su aire sombrío), que pintó en La Quinta del Sordo, su casa a las afueras de Madrid, y que comenzó en 1820.

- Goya utilizó aceites y pintó directamente sobre el yeso de las paredes; nunca pretendió que el público las viera.

- Uno de los temas recurrentes parece ser la contienda civil: véase el grotesco *Saturno devorando a un hijo*. Los dos protagonistas del *Duelo a garrotazos* han sido considerados como una premonición de la guerra civil en la que España iba a hundirse.

- Goya no dio título a ninguna de las obras: los nombres actuales se los pusieron los críticos de arte.

- El significado de estas obras, si Goya pretendió que tuvieran alguno, nunca se ha podido explicar por completo.

- Hacia 1870 el entonces dueño de la casa, barón d´Erlanger, hizo trasladar los catorce frescos a lienzos, que se exhibieron en la Exposición Universal de 1878. Hoy se pueden ver en el Museo del Prado de Madrid.

- El apodo de la casa no se debe a Goya: su antiguo dueño también era sordo.

DERECHA: La inquietante representación de *Saturno devorando a un hijo* es muy, muy oscura.

fermedad que le iba a dejar sordo. Regresó a Madrid en 1793, pero a partir de entonces su obra se volvió más oscura. En 1799 terminó y publicó sus famosos grabados alegóricos los «Caprichos». Estos y la posterior serie «Los desastres de la guerra» (h. 1810-1820), no publicados hasta 1863, brindan testimonio de las brutalidades y el terror de la época. Aunque los grabados se basan en la tradición barroca de contrastar luz y oscuridad de forma dramática, tienen cierta nueva modernidad gracias a su tratamiento único de las composiciones.

Por el rey y por la patria

Los últimos cuadros de Goya se volvieron cada vez más naturalistas, incluso grotescos. Su cuadro *La familia de Carlos IV* (1800) es un retrato de grupo de una monarquía unida y fuerte, poco idealizado y fiel a la realidad. La monarquía ilustrada de Carlos IV terminó con la invasión de España por Napoleón y la guerra de la Independencia (1808-1814). Aunque rechazaba las atrocidades francesas, Goya juró lealtad a Napoleón. La monarquía de los Borbones fue restaurada con la derrota de Napoleón en 1814, pero el nuevo rey, Fernando VII, volvió la espalda a las ideas ilustradas de sus predecesores, reinstauró la Inquisición y se declaró «monarca absoluto», antes de desatar un régimen de terror. Cuestionado por su lealtad a los ocupantes, Goya respondió conmemorando la sublevación del pueblo español contra los franceses en dos pinturas: *El dos de mayo de 1808 en Madrid* (1814) y *Los fusilamientos del tres de mayo de 1808 en Madrid* (1814). Esta última representa la despiadada ejecución de españoles en una colina a las afueras de la capital estatal. Ambos cuadros ilustran la atmósfera amenazante, las pinceladas fluidas y relajadas de la obra tardía de Goya así como su deuda estilística con Peter Paul Rubens y Diego Velázquez.

Entre 1820 y 1823 Goya terminó, en su pequeño retiro en el campo apodado La Quinta del Sordo, una serie de murales y lienzos siniestros y terroríficos conocidos como las «Pinturas negras». Apenado por la situación política en España, se retiró a París y Burdeos, donde permaneció hasta su muerte a los ochenta y dos años. **JN**

JACQUES-LOUIS DAVID

Jacques-Louis David, 30 de agosto de 1748 (París, Francia); 29 de diciembre de 1825 (Bruselas, Bélgica).

Estilo: Pintor neoclásico de retratos y temas históricos; tono sombrío y moralizante; propaganda política; ideas políticas radicales.

La influencia de la obra de Jacques-Louis David fue profunda y general en el desarrollo del arte francés de principios del siglo XIX; fue uno de los principales artistas del país. Su obra comenzó bajo la influencia de los pintores François Boucher y Jean-Honoré Fragonard, y llegó a representar un cambio de dirección definitivo en las artes que culminó en la progresión de una forma de neoclasicismo y se convirtió en la antítesis de la tradición rococó francesa. Sin embargo, la obra de David cayó en desgracia tras su muerte y no acaparó la atención pública hasta después de la Segunda Guerra Mundial.

Obras destacadas

Belisario pidiendo limosna, 1781
  (Palais des Beaux Arts, Lille)

El juramento de los Horacios, 1784
  (Louvre, París)

La muerte de Marat, 1793
  (Musée d'Art Ancient, Musées
  Royaux des Beaux-Arts, Bruselas)

El rapto de las sabinas, 1799
  (Louvre, París)

Napoleón cruzando los Alpes, 1801
  (Château National de Malmaison,
  Malmaison, Francia)

ARRIBA: David tenía cuarenta años cuando pintó este *Autorretrato*, aunque aparenta tener muchos menos.

DERECHA: *Napoleón cruzando los Alpes,* obra dictada de cerca por el mismo emperador.

David se formó en el estudio del pintor Joseph-Marie Vien a partir de 1766. También asistió a las clases de la Académie Royale, institución que más tarde reprobaría. En 1775 viajó a Roma junto a Vien, donde permaneció durante cinco años y estudió las obras clásicas, así como las pinturas de Michelangelo Merisi da Caravaggio, Guido Reni, Annibale Caracci y Nicolas Poussin. Fue un período importante para la evolución de David, porque comenzó a combinar lo clásico con el precedente de los viejos maestros, creando una síntesis simple, sombría y elegante entre lo real y lo ideal. Regresó a París en 1780 y pintó su primera obra de madurez: *Belisario pidiendo limosna* (1781). Más tarde realizó el austero *El juramento de los Horacios* (1784); equilibrado y cerebral, encarnaba el fundamento del neoclasicismo. Menos célebres, aunque de igual importancia, son sus retratos y temas mitológicos de la década de 1780. Estas obras representan un cambio de enfoque, ya que reflejan una pincelada y una paleta de colores más brillantes, así como una emoción más discernible, aunque retienen la pureza de las líneas y las formas.

En la década de 1790, David se fue involucrando más en política y, tras la derrota de Napoleón en Waterloo (1815), se autoimpuso un exilio en Bruselas. Durante sus últimos años, su estilo evolucionó con un empleo creciente de los colores brillantes y un regreso a los temas mitológicos y al retrato. **TP**

ARRIBA IZQUIERDA: *El rapto de las sabinas* refleja el amor por encima del conflicto.

ARRIBA: *La muerte de Marat* es una explicación glorificada del asesinato del líder revolucionario.

Un pintor político

Fuertemente revolucionario y firme republicano, Jacques-Louis David se puso al lado de uno de los líderes de la Revolución francesa, Maximilien Robespierre. David fue detenido poco después de que este fuera ejecutado en 1794. A pesar de esto, continuó trabajando y pintó *El rapto de las sabinas* (1799), con su complicada composición figurativa. Más tarde, David dio apoyo político a Napoleón y pintó el estridente *Napoleón cruzando los Alpes* (1801), retrato heroico y apasionado de gran precisión lineal clásica.

UTAMARO

Kitagawa Ichitaro, h. 1753 (probablemente en Tokio, Japón); 1806 (Tokio, Japón).

Estilo: Pintor y xilógrafo; maestro de la forma *bijinga* del género *ukiyo-e*; estilizadas figuras femeninas; colores sutiles y naturales sobre un fondo de polvo de mica; composiciones cortadas.

Obras destacadas

Amantes en la habitación de arriba, de la serie «El poema de la almohada», 1788 (Victoria & Albert Museum, Londres)

La cortesana Konosumi, h. 1793-1794 (Minneapolis Institute of Arts, Minneapolis)

La mujer coqueta, de la serie «Diez tipos de mujeres», h. 1795 (Museo Nacional, Tokio)

> «La naturaleza de la vida está en las pinturas que salen del corazón.» T. Sekien, sobre Utamaro

ARRIBA: *Cortesana pintándose los labios* (fecha desconocida) se halla en la British Library de Londres.

La impresión xilográfica, aunque originaria de China, alcanzó un alto grado de maestría técnica y de realización artística en Japón durante el período Edo (1600-1868). En aquella época, los grabados más populares eran los del género *ukiyo-e* (pinturas del mundo flotante), que celebraban las actividades y escenas de lugares de entretenimiento de una burguesía urbana emergente. Los grabados *ukiyo-e* eran baratos y fáciles de conseguir; en una sociedad feudal y obligada por el sentido del deber, eran una ventana a un mundo de placer y a veces de mala fama.

Kitagawa Ichitaro, que adoptaría el *gō* o nombre artístico Utamaro, nació en una época interesante, cuando el grabado estaba en un proceso de transición y se alejaba de los procesos monocromáticos, o de dos colores, y acabaría siendo reconocido como un maestro del nuevo método policromático. Tras estudiar pintura con Toriyama Sekien, Utamaro trabajó para el famoso editor Tsutaya Juzaburō antes de empezar a producir, en la última década del siglo XVIII, una serie de espléndidos *bijinga*, o cortesanas, imágenes que consolidaron su reputación.

Las esbeltas y alargadas figuras femeninas de Utamaro eran retratos idealizados que reflejaban una destreza inigualable con el color natural. Sus innovadoras composiciones de medio cuerpo y *okubi-e* o primer plano de una cabeza, a menudo de mujeres dedicadas a sus asuntos cotidianos, sugieren una gran intimidad con sus modelos, muchas de las cuales pertenecían al barrio de los burdeles de Edo (actual Tokio). Utamaro también realizó distinguidos estudios de la naturaleza y vigorosas contribuciones al género erótico *shun-ga*. Cuando los grabados japoneses empezaron a llegar a Occidente en gran número, la obra de Utamaro, de Katsushika Hokusai y otros iba a tener un profundo impacto en el vanguardismo europeo. **RB**

THOMAS BEWICK

Thomas Bewick, agosto de 1753 (Mickley, Inglaterra); 8 de noviembre de 1828 (Gateshead, Inglaterra).

Estilo: Naturalista e ilustrador que revivió y depuró el arte de la xilografía; maestro de viñetas vistosamente detalladas de mamíferos, pájaros y peces.

Thomas Bewick empezó como aprendiz de impresor. La xilografía solo se consideraba adecuada para las piezas de los aprendices, pero en las expertas manos de Bewick pasaron a ser obras de arte en miniatura. Sus detalladas xilografías le permitieron combinar dos tendencias del siglo XVIII: la historia natural y las ilustraciones en miniatura o «viñetas». Publicó sus propios volúmenes de historia natural, donde animaba cada capítulo con viñetas sobre escenas de la vida rural. Sus ilustraciones cautivaron a los lectores de su tiempo, como le sucedió a la heroína de *Jane Eyre* (1847) con su *Historia de las aves inglesas* (1797-1804). Hoy sus libros originales son difíciles de hallar, pero su legado perdura en la obra de Beatrix Potter. **SC**

Obras destacadas

El toro de Chillingham, 1789
  (Victoria & Albert Museum, Londres)
Esperando la muerte, 1828 (Newcastle Library, Newcastle-upon-Tyne, Inglaterra)

Libros de grabados

Historia de las aves británicas. Vol. I Aves de tierra, 1797
Historia de las aves británicas. Vol. II, Aves marinas, 1804

JOHN FLAXMAN

John Flaxman, 6 de julio de 1755 (York, Inglaterra); 9 de diciembre de 1826 (Londres, Inglaterra).

Estilo: Escultor, diseñador de cerámica, ilustrador y dibujante; perfiles simples y firmes; referencias clásicas; formas gráficas moldeadas con nitidez; temas míticos.

John Flaxman estudió escultura en la Royal Academy, y más tarde se unió al taller de Josiah Wedgwood. Su obra participó durante toda su vida de una fascinación por el diseño griego y las austeras formas clásicas. Tras desligarse de Wedgwood, Flaxman viajó a Italia, donde recibió una gran variedad de influencias clásicas y renacentistas. En la década de 1790 publicó una serie de llamativas ilustraciones de línea estilizada para la *Odisea* (h. 800-600 a.C.) y la *Ilíada* (h. 800-700 a.C.). Más tarde le hicieron varios encargos importantes entre los que se incluyeron la *Estatua de Nelson*, en la catedral de San Pablo, y el *Monumento a lord Mansfield*, en la abadía de Westminster. Sus esbozos únicos de obras clásicas fueron muy populares entre los clientes británicos de Roma. **PS**

Obras destacadas

Apolo y Marpesa, 1790-1794
  (Royal Academy, Londres)
Monumento a lord Mansfield, 1801
  (abadía de Westminster, Londres)
Estatua de Nelson, 1808
  (catedral de San Pablo, Londres)

ÉLISABETH VIGÉE-LE BRUN

Marie Élisabeth-Louise Vigée, 16 de abril de 1755 (París, Francia); 30 de marzo de 1842 (París, Francia).

Estilo: Retratista neoclásica de la nobleza; retratos de niños; representación de la moda contemporánea; poses elegantes y alegres; coqueta feminidad.

Obras destacadas

La paz trayendo la abundancia, 1780
(Louvre, París)

Autorretrato con sombrero de paja, 1782
(National Gallery, Londres)

La reina María Antonieta y sus hijos, 1787
(palacio de Versalles, Versalles)

Se saben muchas cosas acerca de la vida de Élisabeth Vigée-Le Brun gracias a sus memorias publicadas en 1835, que cuentan la historia de sus experiencias como retratista de la corte francesa. Sus retratos fueron muy solicitados a partir de la década de 1770, y recibió encargos reales con regularidad desde 1788. Pintó a la reina María Antonieta al menos treinta veces, incluido el retrato *La reina María Antonieta y sus hijos* (1787), conservado en el palacio de Versalles.

En 1781 Vigée-Le Brun tuvo la oportunidad de estudiar la obra de Peter Paul Rubens en Flandes, lo que tuvo gran influencia en su técnica y su paleta. Su *Autorretrato con sombrero de paja* (1782) es un homenaje al maestro del siglo XVII, ya que hace alusión al cuadro de Rubens *El sombrero de paja* (1622-1625). Esta imagen de sí misma ejemplifica su estilo: en una pose sobria pero elegante, se pintó con una luz favorecedora y con sus tersos labios separados como si estuviese a punto de decir un comentario ingenioso. La artista es conocida por sus poses llenas de vida, especialmente en los retratos de mujeres, que parecen moverse dentro del cuadro, así como por sus encantadores retratos de niños. Su entusiasta interés por la moda moderna le llevó a diseñar exóticos trajes y tocados para que los llevaran sus hermanas. En 1799 Vigée-Le Brun tuvo que huir de París para escapar a la violencia de la Revolución francesa. Ofreció sus servicios como retratista en los círculos de las cortes de Roma, Nápoles, Berlín y San Petersburgo. Con el paso del tiempo, regresó a París en 1805 y continuó pintando retratos. Varios miembros de la nobleza británica le hicieron encargos durante un viaje a Inglaterra. También escribió sus memorias que, junto a sus elegantes retratos, constituyen un documento fascinante de un período turbulento de la historia de Francia. **KKA**

«Seguí pintando frenéticamente, a veces durante tres sesiones en un solo día.»

ARRIBA: *Autorretrato* (1790), pintado antes de que obligaran a Vigée-Le Brun a abandonar París.

GILBERT STUART

Gilbert Charles Stewart, 3 de diciembre de 1755 (Saunderstown, Rhode Island, EE.UU.); 9 de julio de 1828 (Boston, Massachusetts, EE.UU.)

Estilo: Retratos de estilo inconfundiblemente estadounidense; raros parecidos faciales; captura de la personalidad; magistral manejo del pincel; colores vivos.

Gilbert Stuart, «figura paterna» del retrato estadounidense, era hijo de un empleado en la industria del tabaco. Sus primeros períodos de aprendiz incluyeron una temporada en el estudio londinense de Benjamin West. En la década de 1780 Stuart ya tenía su propio estudio y una lista de espera de modelos de clase acomodada que admiraban su fluida reinterpretación de Thomas Gainsborough y Joshua Reynolds. Stuart pasó la primera mitad de su vida viajando de un lado a otro del Atlántico, a veces huyendo de deudas adquiridas tras fuertes despilfarros. Finalmente se instaló en Boston en 1805 para convertirse en el principal cronista de las eminentes personalidades de un recién independizado Estados Unidos. **AK**

Obras destacadas

El patinador, 1782 (National Gallery of Art, Washington, D.C.)

George Washington (el famoso retrato inacabado), 1796 (conjuntamente National Portrait Gallery, Smithsonian Institution, de Washington, y Museum of Fine Arts, Boston)

JAMES GILLRAY

James Gillray, 13 de agosto de 1756 (Londres, Inglaterra); 1 de junio de 1815 (Londres, Inglaterra).

Estilo: Caricaturas grotescas del rey Jorge III y de Napoleón; sátira política y social; primer dibujante cómico profesional inglés; deformaciones expresivas.

James Gillray fue el mejor y más salvaje caricaturista inglés. Es probable que su gusto por esta disciplina provenga de su educación estricta y religiosa. En su juventud, los vendedores de grabados londinenses se quedaron impresionados con sus dibujos humorísticos de personajes políticos. La sátira estaba de moda, y el nombre de Gillray pronto se hizo famoso. Durante gran parte de su carrera ridiculizó con agudeza a los personajes célebres del momento. Retrató al rey Jorge III como un bobalicón hinchado; su mujer, la reina Charlotte, se convirtió en una vieja fea y dentuda; pero Gillray se reservaba su mejor veneno para Napoleón. El artista transformó al jefe militar francés en Boney, enano maníaco de ojos saltones, envuelto en el sombrero y las botas de un gigante. **IZ**

Obras destacadas

Vida de John Bull, 1793 (National Portrait Gallery, Londres)

El pudín de ciruela en peligro, 1805 (Musée Carnavalet, París)

HENRY RAEBURN

Henry Raeburn, 4 de marzo de 1756 (Stockbridge, Edimburgo, Escocia); 8 de julio de 1823 (Edimburgo, Escocia).

Estilo: Principal artista escocés de su generación; fundador de la escuela escocesa de pintura; retratos compasivos y originales; utilización dramática de la luz.

El escocés Henry Raeburn fue uno de los mejores retratistas de su generación y trabajó sobre todo en su tierra natal. Hijo de molineros, se quedó huérfano a temprana edad y fue su hermano mayor quien se encargó de su educación. En 1772 fue aprendiz de joyero, aunque al mismo tiempo empezó a pintar miniaturas. Parece que no tuvo demasiada formación como artista, pero hacia 1784 ya tenía claras sus ambiciones, pues viajó a Italia para promocionar su carrera. Cuando regresó en 1787, su estilo ya estaba totalmente definido.

Con Edimburgo como centro de operaciones, Raeburn se procuró su clientela de dos fuentes principales: los habitantes de las tierras bajas, sobriamente vestidos, que formaban la columna vertebral de la Ilustración escocesa; y varios jefes de las tierras altas, aficionados a retratarse con su atuendo tradicional. A raíz de la insurrección de Bonnie Prince Charlie en la década de 1740, se había prohibido llevar tartán y otros ropajes de las tierras altas. Estas medidas se revocaron en 1782, lo que favoreció una demanda inmediata de retratos con el traje tradicional. El artista adoptaba a menudo en este tipo de cuadros un punto de vista bajo a fin de darles un aire de dramatismo. La técnica de Raeburn era original. Pintaba directamente sobre el lienzo sin dibujos preliminares. También intentaba lograr ambiciosos efectos de luz y a menudo colocaba a los modelos frente a la fuente de luz principal para que sus rasgos quedaran parcialmente en la sombra. Su estudio estaba acondicionado con un sistema de contraventanas para controlar la luz. Sus métodos demostraron tener un gran éxito; atrajo a tantos clientes que, a diferencia de la mayoría de los artistas escoceses, nunca necesitó trasladarse a Inglaterra. Raeburn fue nombrado caballero en 1822 y retratista de su majestad para Escocia en 1823. **IZ**

Obras destacadas

El reverendo Walker patinando en el lago Duddingston, h. 1796 (National Gallery of Scotland, Edimburgo)

William Forbes de Callendar, 1798 (Scottish National Portrait Gallery, Edimburgo)

> «Producía espectaculares efectos de luz mediante unos hábiles toques.» Cumberland Hill

ARRIBA: Este *Autorretrato* (h. 1815) muestra al artista en plena madurez.

1700-99

THOMAS ROWLANDSON

Thomas Rowlandson, 14 de julio de 1756 (Londres, Inglaterra); 21 de abril de 1827 (Londres, Inglaterra).

Estilo: Caricaturas sociales de la vida urbana y rústica contemporánea; alegres dibujos a pluma y acuarela; líneas curvas de estilo rococó; exagerados tipos corpóreos.

Thomas Rowlandson fue un acuarelista genial, aunque sus grandes bazas fueron su agudo poder de observación y su excelente sentido del humor. De joven recibió una formación clásica en la escuela de arte de la Royal Academy, de donde casi lo expulsaron por disparar a una modelo con una cerbatana durante una clase al natural. Este instinto por los incidentes cómicos encontró una salida natural en una prolífica carrera, burlándose de las debilidades y vulgaridades de la naturaleza humana. Al igual que muchos dibujantes cómicos del momento, sus primeros trabajos se centraron en temas antinapoleónicos, pero su talento radicaba en la sátira social más que en la política. Tenía talento para conjurar gestos y expresiones en alegres dibujos a pluma y acuarela que a veces son obscenos y groseros, a veces macabros y melodramáticos y otras amablemente graciosos y cariñosos. Captan el espíritu y carácter de la última época georgiana.

Algunas de sus series más famosas, como las desgracias del desventurado clérigo Doctor Syntax, fueron realizadas junto al editor e impresor Rudolph Ackermann. Rowlandson también realizó pícaras ilustraciones para libros de Henry Fielding, Oliver Goldsmith y Laurence Sterne. Sus caricaturas tienden a diferir del gusto moralizante de las de William Hogarth o de la casuística de James Gillray, y se basan en la burla sutil y en la celebración de lo ridículo. La característica más peculiar de su estilo es la presentación de tipos rústicos o urbanos, y la deliberada colocación de contrastes físicos en sus dibujos. Su humor deriva de la yuxtaposición de caracteres extremos como jóvenes y viejos, personajes grotescos y bellos, ricos y pobres, todos ellos retratados de forma divertida a través de las líneas. **NM**

Obras destacadas

Jardines Vauxhall, 1784
  (Victoria & Albert Museum, Londres)
Patinando en Serpentine, 1784
  (National Museum of Wales, Cardiff)
La cena de los cazadores, h. 1790
  (Victoria & Albert Museum, Londres)

«Su inventiva, su humor y su excentricidad son inagotables.»
W. H. Pyne, 1822

ARRIBA: Caricatura de Thomas Rowlandson burlándose de sí mismo.

ANTONIO CANOVA

Antonio Canova, 1 de noviembre de 1757 (Possagno, Treviso, Italia); 13 de octubre de 1822 (Venecia, Italia).

Estilo: Escultor neoclásico; elegantes esculturas de generosas curvas y rasgos delicados; monumentos sepulcrales, bustos y desnudos; temas mitológicos.

Niño problemático, cuyo padre murió cuando él tenía cuatro años y cuya madre lo abandonó cuando se volvió a casar, Antonio Canova creció en casa de su abuelo, Pasino Canova, cerca de Treviso, Italia. Nunca superó la tristeza de aquellos primeros años, y expresó con gracia dicho sentimiento y sensibilidad en sus esculturas. Su abuelo era escultor y picapedrero, por lo que el joven Antonio creció rodeado de una gran variedad de herramientas y materiales ideales para realizar sus primeros trabajos.

En aquella época circulaba una historia muy popular acerca del joven: se decía que había esculpido la figura de un león con un trozo de mantequilla durante una cena ofrecida por un senador, que más tarde se convertiría en cliente suyo. El por qué un chico modesto como Canova cenaba con un senador era una parte de la historia que se había perdido.

En la edad adulta, Canova se convirtió en el principal escultor del movimiento neoclásico, tras haberse formado en escultura y dibujo al natural en Venecia. Más tarde viajó a Roma, donde su reputación le llevó a recibir varios encargos importantes, entre los que se incluían dos monumentos papales. Pronto su trabajo fue muy solicitado y comprado por clientes de toda Europa. Canova se convirtió en el dueño de un próspero estudio y en un comprensivo tutor de jóvenes artistas. Cuando Napoleón subió al poder, el artista se convirtió en su poco entusiasta escultor de corte. El resultado fueron algunas de sus mejores obras, como la excelente estatua desnuda de *Napoleón* (1806), que más tarde sería regalada al duque de Wellington y trasladada a su casa de Apsley, Londres. Canova se resistió a la petición de Napoleón, quien quería que se trasladara a París. Ejemplo de artista reconocido y aplaudido en su propia época, Canova murió en Venecia en 1822. **LH**

Obras destacadas

Orfeo, década de 1770 (Ermitage, San Petersburgo)

Psique reanimada por el beso del Amor, 1787 (Louvre, París)

Napoleón, 1806 (Apsley House, Londres)

«Italia [...], el país y la tierra natal de las artes. No puedo irme; aquí pasé mi infancia.»

ARRIBA: Este alegre autorretrato de Antonio Canova fue pintado en 1792.

WILLIAM BLAKE

William Blake, 28 de noviembre de 1757 (Londres, Inglaterra); 12 de agosto de 1827 (Londres, Inglaterra).

Estilo: Pintor, impresor, grabador e ilustrador; contenidos bíblicos, místicos y literarios; temas proféticos e imaginativos; mitología personal.

Místico, visionario, santo, poeta, profeta, pintor, ilustrador e incluso loco: de todas estas formas se ha llegado a calificar a William Blake. Pocos artistas podrían haber creado obras como *El fantasma de una pulga* (h. 1819-1820), en la que se representa una figura monstruosa, casi demoníaca —basada en una visión que el artista había tenido—, y no ser considerado un enfermo mental. La elegante línea de Blake, sus colores alegres, sus figuras fantásticas y su descontrolada imaginación hacen que su obra sea fascinante, y su universo mítico inventado, de obligada visión.

Tan famoso como escritor que como artista, sus dos profesiones eran simbióticas. Aunque ilustró libros como *El paraíso perdido* (1667) de John Milton, en 1808, también ilustró sus propios poemas, como *Cantos de inocencia y experiencia* (1790), integrando el texto en las ilustraciones que realzan, y a veces alteran, el significado.

Blake desdeñó el gusto contemporáneo por el arte académico. Prefería volver la vista atrás hacia las obras de los artistas del siglo XV, como Alberto Durero, Miguel Ángel y Rafael, que apoyaban su idea de que el arte era un oficio, y el uso gótico de la línea. La obra de Blake también se vio influenciada por la sensibilidad revolucionaria generada por la guerra de la Independencia norteamericana y la Revolución francesa, con sus conceptos de libertad y protesta, visible en obras como las *Visiones de las hijas de Albión* (1793). Ante todo, Blake era un hombre religioso y afirmaba tener visiones de ángeles, espíritus y profetas bíblicos. Su devoción espiritual le llevó a ilustrar *El libro de Job* (1823-1826), pero su punto de vista personal lo mantuvo apartado de las convenciones eclesiásticas; inventó su propia mitología, como puede verse en *El libro de Urizen* (1794). Aunque su obra pueda ser enigmática, resulta tan hipnótica como siempre. **CK**

Obras destacadas

La casa de la muerte, h. 1794-1805
   (Tate Collection, Londres)
Satán en la Gloria, h. 1805
   (Tate Collection, Londres)
El fantasma de una pulga, h. 1819-1820
   (Tate Collection, Londres)

Libros ilustrados

Cantos de inocencia y experiencia, 1790
Visiones de las hijas de Albión, 1793
El libro de Urizen, 1794

> «La ciencia es el árbol de la muerte. El arte es el árbol de la vida. Dios es Jesús.»

ARRIBA: *Retrato de William Blake,* pintado por Thomas Philips en 1807.

KATSUSHIKA HOKUSAI

Tokitarō, 23 de septiembre de 1760 (Tokio, Japón); 18 de abril de 1849 (Tokio, Japón).

Estilo: Pintor japonés, dibujante y grabador de eclécticos cuentos morales y eróticos, ilustraciones de libros, *ukiyo-e* y paisajes; enorme producción.

Obras destacadas

Serie «Cincuenta y tres escenas del camino de Tokaido», posterior a 1803 (UCL Art Collection, University College of London, Londres)

La gran ola de Kanagawa, h. 1830-1832 (Metropolitan Museum of Art, Nueva York)

Serie «Treinta y seis vistas del monte Fuji», 1831 (British Museum, Londres)

Katsushika Hokusai fue una de las mayores figuras artísticas japonesas del siglo XIX, cuya influencia fue particularmente profunda en la obra de los impresionistas franceses. Comenzó su formación artística cuando tenía catorce años y fue aprendiz de talla de madera antes de entrar en el estudio de Katsukawa Shunshō, maestro de las xilografías *ukiyo-e* (pinturas del mundo flotante), que se convirtió en el género japonés más popular. El género se distinguía por sus colores brillantes y su poder decorativo, y a menudo representaban una historia narrativa e incluían animales, pájaros y paisajes, así como gente de las clases más bajas, como actores, cortesanas y luchadores. Hokusai pasó diecinueve años junto a Shunshō y se refería a ese período como una época verdaderamente edificante para el desarrollo de su propio lenguaje visual.

En 1795 dejó a Shunshō y se afilió a la Escuela Tawaraya. Trabajó en ilustraciones y calendarios, así como en una serie de *bijinga*, imágenes de mujeres bellas y elegantes. Se estableció por su cuenta en 1798 y durante esta época desarrolló sus imá-

ARRIBA: Este autorretrato, *El viejo loco del dibujo,* fue pintado alrededor de 1830.

DERECHA: Xilografía de la serie «Cincuenta y tres escenas del camino de Tokaido».

genes *ukiyo-e*, reuniendo influencias de Occidente, China y Japón. También ilustró libros, a menudo en blanco y negro, e invariablemente realizó imágenes con cierto tono moral o escenas sumamente dramáticas. Hacia 1811 el artista se embarcó en una de sus series más famosas, los «Hokusai Manga», de 15 volúmenes. Contenían dibujos y pinturas de trazos finos y enérgicos que representaban escenas fantásticas, así como escenas de la vida cotidiana.

En 1820 Hokusai ya había alcanzado considerable fama en Japón. Hacia el final de su carrera produjo algunas de sus obras más aclamadas, incluida la tantas veces reproducida «Treinta y seis vistas del monte Fuji» (1831). En realidad se trata de 46 imágenes, entre las que se hallan algunas de las más bellas de su carrera, y son la culminación de su estilo de madurez, que combinaba el detalle realista con los paisajes imaginarios. Hokusai siguió trabajando casi hasta el mismo día de su muerte. **TP**

ARRIBA: Las olas de *La gran ola de Kanawaga* enmarcan el monte Fuji, al fondo.

Mejorar con la edad

Katsushika Hokusai fue un artista excéntrico. Creía que nada de lo que había hecho antes de los setenta años era merecedor de mérito artístico y que su trabajo había mejorado a partir de entonces. A los ochenta y nueve años y en su lecho de muerte anunció que podría haber llegado a ser un verdadero artista si hubiera vivido cinco años más. Deseaba vivir hasta los ciento treinta años o más. Creía que para entonces todo lo que pintase cobraría vida bajo su pincel. Hokusai disfrutó de la aclamación de la crítica durante su vida aunque parece ser que no acumuló mucho dinero.

JOHANN GOTTFRIED SCHADOW

Obras destacadas

General de húsares von Zieten, 1794
(Bodemuseum, Berlín)

Las princesas Federica y Luisa, 1797
(Alte Nationalgalerie, Berlín)

Goethe, 1823 (Alte Nationalgalerie, Berlín)

1700-99

Johann Gottfried Schadow, 20 de mayo de 1764 (Berlín, Alemania); 27 de enero de 1850 (Berlín, Alemania).

Estilo: Escultor de monumentos y retratos; mármol; combinación del refinamiento clásico con la vivacidad barroca.

En época de Johann Gottfried Schadow, Berlín era la brillante capital del poderoso Imperio prusiano. En 1788 Schadow se convirtió en el principal escultor de la corte, y en 1816 en el director de la Academia berlinesa. En general, la obra de Schadow fue neoclásica, pero con un toque más animado y más moderno que el de las tradiciones antiguas y que se aprecia en la conmovedora pieza naturalista *Las princesas Federica y Luisa* (1797). Al mismo tiempo, sentó las bases de la escuela de la escultura berlinesa del siglo XIX. Una temprana influencia fue la obra barroca de Jean-Pierre-Antoine Tassaert, de quien fue aprendiz de joven. Cuando su vista comenzó a deteriorarse, Schadow centró la última parte de su carrera en la enseñanza y escritura de la teoría del arte. **AK**

CONSTANCE MARIE CHARPENTIER

Obras destacadas

Escenas de familia, 1796 (colección particular)

Melancolía, 1801 (Musée de Picardie, Amiens, Francia)

Constance Marie Blondelu, 1767 (París, Francia); 1849 (París, Francia).

Estilo: Muy apreciada por sus coetáneos como retratista y por su temática de género; interpretación empática de sus modelos; sencillez; finos acabados.

Han sobrevivido pocas obras de Constance Marie Charpentier y se sabe poca cosa acerca de su vida, excepto que estudió junto a François Gérard y Jacques-Louis David. Su obra más famosa, *Melancolía* (1801), es de estilo neoclásico y tiene una romántica y encantadora falta de seguridad. Expuso en el Salón de París desde 1795 hasta 1819, tiempo durante el cual recibió reconocimiento en forma de un «premio de estímulo» y una medalla de oro.

Desde entonces, su reputación ha sufrido por atribución errónea y dejadez. El *Retrato de mademoiselle Charlotte du Val d´Ognes* (1801) fue atribuido a Charpentier en 1951, lo que se tradujo en una devaluación de la obra. Tras un debate feroz, la obra ha sido atribuida a Marie-Denise Villers. **WO**

BERTEL THORVALDSEN

Albert Bertel Thorvaldsen, h. 1768 (Copenhague, Dinamarca); 24 de marzo de 1844 (Copenhague, Dinamarca).

Estilo: Escultor neoclásico; relieves, monumentos y retratos en mármol y bronce; temas mitológicos y religiosos; sentido rítmico de la línea.

El escultor neoclásico Bertel Thorvaldsen adoraba hasta tal punto todo lo clásico que fue un ávido coleccionista de objetos antiguos. Su fascinación por lo antiguo se desarrolló durante su larga estancia de cuarenta años en Roma, lejos de su Dinamarca natal. Concibió relieves, monumentos y bustos en mármol y bronce, y su obra fue muy solicitada en Europa. Era tal su reputación de coloso en su disciplina que, tras su muerte en 1844, la escultura cayó en un estado de abatimiento en Dinamarca y durante algún tiempo casi todo lo que produjeron sus compatriotas fue una reacción, tanto negativa como positiva, a su obra.

El talento de Thorvaldsen, hijo de un tallista en madera islandés, ya era evidente a muy corta edad, y fue admitido en la Real Academia Danesa de Bellas Artes, en Copenhague, a los once años. En 1793 le concedieron la medalla de oro y una beca que le permitió viajar y completar sus estudios: dejó Dinamarca en 1797 y se estableció en Roma, ciudad donde le influyó no solo lo que le rodeaba, sino también los arqueólogos y artistas apasionados por todo lo clásico que vieron la llegada del neoclasicismo al arte contemporáneo europeo. Thorvaldsen comenzó a producir obras sobre temas mitológicos, en deuda con las esculturas de los antiguos griegos, como *Jasón con el vellocino de oro* (1803). El artista pronto fue solicitado en toda Europa y durante los últimos años de su vida recibió muchos encargos para realizar monumentos de personajes nacionales que retrataba en poses clásicas.

Cuando Thorvaldsen regresó a vivir a Dinamarca en 1838, lo organizó todo para dejar a su país su colección de antigüedades clásicas, varias obras y sus modelos de escayola originales. El Museo Thorvaldsen se construyó en Copenhague para albergar estos regalos, pero tristemente el artista falleció una semana antes de su inauguración. **CK**

Obras destacadas

Jasón con el vellocino de oro, 1803 (Thordvalsen Museum, Copenhague)

El león de Lucerna, 1819 (Lucerna, Suiza)

Copérnico, 1822 (Academia Polaca de Ciencias, palacio Staszic, Varsovia)

Johannes Gutenberg, 1833 (Mainz, Alemania)

«La vida de Thorvaldsen representó el romanticismo de los siglos XVIII y XIX.» *Frommer's*

ARRIBA: Este retrato de Thorvaldsen fue pintado por Christoffer-Wilhelm Eckersberg.

CASPAR DAVID FRIEDRICH

Caspar David Friedrich, 5 de septiembre de 1774 (Greifswald, Alemania); 7 de mayo de 1840 (Dresde, Alemania).

Estilo: Uno de los miembros más destacados del movimiento romántico alemán; trato simbólico y atmosférico del paisaje; tematizó el lugar del hombre en el mundo.

Obras destacadas

Cruz en la montaña, Altar de Tetschen, 1808 (Gemäldegalerie Neue Meister, Dresde)

El caminante sobre el mar de nubes, h. 1817 (Hamburger Kunsthalle, Hamburgo)

El mar de hielo, 1824 (Hamburger Kunsthalle, Hamburgo)

Las edades de la vida, h. 1835 (Museum der Bildenden Künste, Leipzig)

Caspar David Friedrich fue el paisajista más famoso del movimiento romántico. Hijo de un fabricante de jabones y velas de estricta fe luterana, nació en Greifswald, pequeño pueblo costero del mar Báltico, y su juventud estuvo marcada por la tragedia personal. Su madre murió de viruela cuando él tenía siete años, su hermana sucumbió al tifus, y en 1787 su hermano se ahogó al intentar rescatarle cuando él se cayó bajo el hielo. Todavía muchas personas consideran estos tristes acontecimientos como la razón de su disposición melancólica y del encanto espiritual de sus paisajes.

Friedrich empezó su formación artística a los veinte años en la Academia de Copenhague. En 1798 ya se había establecido en Dresde, Alemania, donde pasaría el resto de su vida. Famosa en aquel tiempo por sus colecciones de arte, Dresde también era el centro del movimiento romántico alemán, cuyos poetas y pensadores, junto con el artista Philipp Otto Runge, ejercerían gran influencia sobre Friedrich.

El artista llegó a la conclusión de que los paisajes podían ser un vehículo de revelación espiritual, y así su primera gran obra fue *Cruz en la montaña* (1808), a cuyo tema volvería una y otra vez. Esta obra, al igual que sus otros paisajes, está llena de intensas representaciones poéticas de los escenarios del norte de Europa, y la pintó en un estilo deliberadamente meticuloso y formal. Aunque basados en la observación directa, sus paisajes no aspiran a reproducir fielmente la naturaleza, sino a producir un efecto dramático y memorable. A pesar de que sus imágenes son famosas por su contemplación melancólica del mundo, su actitud ante el paisaje no solo representaba su punto de vista personal, sino que se trataba de una moda de la época. **AB**

> «Cierra tu ojo corpóreo y puede que en primer lugar veas tu imagen con el ojo del espíritu.»

ARRIBA: *Autorretrato con gorro y parche en el ojo,* dibujado el 8 de mayo de 1802.

J. M. W. TURNER

Joseph Mallord William Turner, 23 de abril de 1775 (Londres, Inglaterra); 19 de diciembre de 1851 (Londres, Inglaterra).

Estilo: Paisajes que exploran los efectos de la luz; formas nebulosas y poco claras; acuarelas virtuosas; intenso y conmovedor uso del color.

Joseph Mallord William Turner llegó a ser uno de los artistas de mayor éxito del siglo XIX y, podría decirse, que el mejor paisajista de todos los tiempos. Superando ciertas desventajas sociales, como haber nacido en un barrio obrero de Londres y tener una madre mentalmente inestable, el joven Turner ingresó en la prestigiosa escuela de la Royal Academy of Arts. A los quince años ya había pasado de exponer sus dibujos en la cristalera de la barbería de su padre en Covent Garden a exhibirlos profesionalmente en la Royal Academy, donde rápidamente se labró una excelente reputación como acuarelista experto en vistas topográficas.

Su prodigioso talento se correspondía con una gran ambición y, a medida que Turner fue madurando, su obra demostró cada vez más un deseo de abrir nuevos caminos y desafiar a las jerarquías aceptadas del arte. En particular, le preocupaba mejorar el prestigio del paisaje y demostrar al mundo su versatilidad y poder expresivo. La originalidad de este enfoque radica en su interpretación del paisaje. A Turner no solo le interesaba representar los detalles de un lugar, sino más bien describir cómo los efectos atmosféricos transformaban la escena, así como

Obras destacadas

La abadía de Tintern, h. 1795
   (British Museum, Londres)
*Tormenta de nieve: Aníbal y su ejército
   cruzando los Alpes*, h. 1812
   (Tate Collection, Londres)
Dido construye Cartago, o *El declive
   del imperio cartaginés*, 1815
   (National Gallery, Londres)
El «Temeraire» remolcado a dique seco, 1839
   (National Gallery, Londres)
El Rigi azul: lago de Lucerna al alba, 1842
   (Tate Collection, Londres)

ARRIBA: Este retrato de Turner fue realizado por **Cornelius Varley** (1781-1873).

IZQUIERDA: *Dido construye Cartago* muestra más atención al detalle que muchos otros cuadros de Turner.

Tormenta controvertida

Aunque en la actualidad se le reconoce su condición de maestro moderno, las últimas pinturas al óleo de Turner no siempre se valoraron tanto. Uno de sus cuadros más controvertidos fue *Tormenta de nieve: un buque de vapor a la entrada del puerto* (1842), evocación dramática de un buque de vapor cogido en el vórtice de una tormenta.

- Se dice que la escena registra la propia experiencia de Turner, que fue atado al mástil de un barco durante una tormenta.

- Los espectadores contemporáneos no estaban preparados para el aspecto borroso del cuadro, y aconsejaron a Turner que la próxima vez esperara a que escampara la tormenta.

- La crítica del *Athenaeum* denunciaba al arista que prefirió «pintar nata o chocolate, yema de huevo o gelatina de grosella» y que aquí «utiliza toda su colección de cosas de cocina. Dónde está el buque a vapor, dónde empieza el puerto o dónde acaba [...] son cuestiones que no alcanzamos a ver.»

- Semejante publicidad negativa llevó al escritor y crítico de arte John Ruskin a defender al artista en su controvertida publicación *Pintores modernos* (1843), una famosa vindicación intelectual del arte de Turner. Ruskin describió *Tormenta de nieve* como «una de las mejores representaciones del movimiento del mar, la niebla y la luz.»

el impacto emocional que despertaban en el espectador. Dibujando a partir de sus observaciones del mundo, creó auténticos efectos naturalistas del tiempo, el agua y, sobre todo, el espectáculo de la luz en toda su infinita variedad.

Ampliar horizontes

Tal como observó su contemporáneo John Constable, Turner tenía un «maravilloso registro mental», y el alcance de su actividad profesional fue extraordinario. Combinando intelecto y erudición con su pasión por el paisaje, exploró temas históricos y de la mitología clásica, la política, la literatura y el arte. También se mostró interesado en el mundo en el que vivía y se enfrentó a los acontecimientos contemporáneos, tales como la batalla de Waterloo o la llegada de la energía de vapor. Excepcionalmente en un artista de su categoría, repartió sus energías a partes iguales entre el óleo y la acuarela, y la práctica de uno a menudo ayudaba a la de la otra. El resultado fue una aproximación a la pintura desinhibida y heterodoxa que le vio traspasar los límites de ambos medios para conseguir un fabuloso efecto y desarrollar métodos de trabajo que reflejaban su obsesión por la luz. En particular, perfeccionó el uso de aguadas húmedas cristalinas de colores puros, que producían efectos visuales nebulosos. Por consiguiente, sus cuadros más fascinantes son aquellos en los que la brumosidad e intangibilidad de su técnica proporcionan un vehículo perfecto para la insustancialidad del tema, por ejemplo *Lluvia, vapor y velocidad: el gran ferrocarril del Oeste* (h.1844) y las tardías pinturas deslumbrantes y vaporosas de Venecia.

En una época que vio el nacimiento del turismo y los medios de transporte modernos, Turner fue quizá uno de los artistas de su época que más viajó. Su apetito por los temas estimulantes era insaciable y cada año se embarcaba en una gira veraniega para realizar bocetos en busca de nuevos materiales visuales. Las guerras napoleónicas limitaron sus primeros viajes a las costas de su país, pero en años posteriores viajó más lejos: Francia, Países Bajos, Alemania e Italia, el país dorado de los sueños de todo artista. Pero su destino preferido era Suiza, cuyo paisaje ofrecía una perfecta combinación «turneriana» de montañas,

lagos, arquitectura y una luz tenue y clara. La luminosa belleza de las últimas acuarelas suizas, como *El Rigi azul: lago de Lucerna al alba* (1842), representa la culminación de la expresión artística en este medio, al transformar el paisaje de lo particular a lo universal y de lo terrenal a lo metafísico.

ARRIBA: Pintado a los sesenta años, *El «Temeraire» remolcado a dique seco* era una de las obras preferidas de Turner.

Para ser un hombre que consiguió fama y fortuna, Turner dejó, para frustración de muchos, pocos documentos escritos. Por lo tanto, la mayor fuente de información son sus cuadros. Complicaciones con su testamento llevaron al traspaso del contenido de su estudio a la nación: alrededor de 280 pinturas al óleo;

«Parece que pinte con tinta de vapor, tan evanescente y displicente.» John Constable

miles de acuarelas, dibujos y estudios preparatorios; y casi trescientos cuadernos de bocetos. El legado de Turner, que se encuentra en la Clore Gallery de la Tate Gallery, en Londres, nos permite un profundo entendimiento de su vida y métodos de trabajo únicos. **NM**

JOHN CONSTABLE

John Constable, 1776 (East Bergholt, Inglaterra); 1837 (Londres, Inglaterra).

Estilo: Paisajista; observaciones directas de la naturaleza; efectos atmosféricos de la luz cambiante y del clima utilizando pinceladas rápidas; gran formato; aplicación de pigmento puro.

Admirador de Claudio de Lorena, Thomas Gainsborough y los paisajistas holandeses, John Constable es considerado, junto a J. M. W. Turner, uno de los mejores paisajistas británicos de todos los tiempos. A diferencia de Turner, no ganó mucho dinero y solo vendió veinte cuadros en Inglaterra a lo largo de toda su vida, aunque cosechó gran éxito en Francia.

Hijo de un comerciante y granjero, Constable comenzó a trabajar en el negocio familiar en 1792, pero en 1799 ingresó en la escuela de la Royal Academy. Su primera exposición tuvo lugar en 1802 en la Royal Academy, pero sus cuadros, que representaban los paisajes de su infancia, eran ordinarios en comparación con los paisajes idílicos de escenas bíblicas y mitológicas que estaban de moda, y no le concedieron ser miembro de pleno derecho de la Royal Academy hasta 1829.

Basaba sus cuadros en bocetos realizados al natural: nubes, árboles y los efectos de la luz cambiante. Nunca viajó al extranjero, generalmente trabajaba cerca de casa al aire libre: hacía bocetos al óleo a tamaño natural que luego utilizaba para realizar los cuadros en su estudio. A sus cuadros más grandes los llamaba «telas de seis pies». Nunca antes habían tenido los paisajes semejantes proporciones. En 1816 murió su padre, quien le dejó una herencia. Su mujer no tenía buena salud así que, a partir de 1819, vivieron en la popular zona de Hampstead, en Londres. Allí realizó estudios acerca de las formaciones de nubes, numerosos bocetos al óleo y pinturas acabadas. En 1824 se expusieron tres de sus obras en el Salón de París. Una de ellas, *La carreta de heno* (1821), ganó la medalla de oro: Constable alcanzó en Francia un éxito que le era esquivo en casa. Sus obras influyeron enormemente en artistas franceses como Eugène Delacroix y los pintores de la Escuela de Barbizon. **SH**

Obras destacadas

La carreta de heno, 1821 (National Gallery, Londres)

La catedral de Salisbury vista desde el jardín del palacio arzobispal, h. 1825 (Metropolitan Museum of Art, Nueva York)

Valle de Dedham, 1828 (National Gallery of Scotland, Edimburgo)

ARRIBA: *Retrato de John Constable a los veinte años* (1796), de Daniel Gardner.

«Ante la naturaleza [...] intento olvidar que alguna vez he visto un cuadro.»

DERECHA ARRIBA: Guste o no, *La carreta de heno* es famoso en el mundo entero.

DERECHA: A menudo los cuadros de Constable representan lugares que él amaba, como *La catedral de Salisbury*.

JEAN-AUGUSTE DOMINIQUE INGRES

Jean-Auguste Dominique Ingres, 29 de agosto de 1780 (Mountaban, Francia); 14 de enero de 1867 (París, Francia).

Estilo: Retratista y pintor narrativo neoclásico; líneas curvilíneas; estilo idiosincrático; mujeres de piel suave; poco aprecio por la anatomía esencial.

Obras destacadas

Napoleón en su trono imperial, 1806 (Musée de l'Armée, París)

La bañista de Valpinçon o *Gran bañista*, 1808 (Louvre, París)

La gran odalisca, 1814 (Louvre, París)

El baño turco, 1862 (Louvre, París)

Originario del sur de Francia, Jean-Auguste Dominique Ingres llegó a París hacia 1796 para estudiar junto al gran pintor neo-clásico Jacques-Louis David. En 1801 ya había ganado el codi-ciado premio de Roma y pronto recibió el encargo de retratar a Napoleón. Aunque en esta temprana etapa trabajaba el retrato de un modo convencional, la obra de Ingres mostraba signos de su curioso estilo idiosincrático. El gran *Napoleón en su trono imperial* (1806) es descaradamente hierático y poco elegante en relación con las fuentes antiguas.

Desde 1806 Ingres vivió catorce años en Roma, donde dibu-jó las esculturas y las ruinas antiguas y vendió retratos a los miembros de la colonia francesa. En Roma realizó su primer

ARRIBA: Este autorretrato fue pintado en 1865, solo un par de años antes de su muerte.

DERECHA: El lienzo redondo imita las curvas femeninas de *El baño turco*.

1700-99

desnudo femenino, *Gran bañista*, conocido como *La bañista de Valpinçon* (1808), seguido de *La gran odalisca* (1814). No hay forma de escapar a las elongaciones y distorsiones que Ingres aplicó aposta a estos desnudos idealizados para conseguir las fluidas siluetas que buscaba. El artista se deleitaba en el contorno de las formas, fijando un perfil, la nuca o el recodo de un pie con una línea medida a la perfección. Admirador de la pintura del Alto Renacimiento, la influencia de la obra de Agnolo Bronzino y del manierismo es clara en sus desnudos.

El éxito en Francia le llegó finalmente en 1824. *El voto de Luis XIII* (1824), clamoroso éxito del Salón de París de ese año, estableció a Ingres como pintor oficial de la recién restaurada monarquía. En un regreso triunfal a París, recibió la Cruz de la Legión de Honor en 1825 y al año siguiente se convirtió en profesor de la Escuela de Bellas Artes de París. Aunque la *Apoteosis de Homero* (1827), en el Museo del Louvre, represente el apogeo de su éxito, es más conocido por sus retratos y desnudos de menor tamaño ubicados en escenarios orientales, que son algunas de las imágenes más sensuales del cuerpo femenino de todos los tiempos. **KKA**

ARRIBA: En *La gran odalisca* la retratada da la espalda al espectador.

El baño turco (1862)

Hay un cuadro que ha sido considerado por muchos como la personificación de la obra de Ingres. Parece que el artista, envejecido, trabajó en esta composición durante unos diez años aproximadamente. Lleno de idealizados desnudos femeninos, las mujeres tipifican lo que el nombre *Ingres* ha llegado a simbolizar: el cuerpo femenino como una entidad de algún modo pasiva, sin huesos, centrada en una superficie perfecta y con una anatomía deformada. Se ha escrito mucho acerca de la cualidad *voyeurista* de la obra, capaz de turbar con su aire oriental como de fascinar con su suntuosidad casi surrealista.

JOHN SELL COTMAN

John Sell Cotman, 16 de mayo de 1782 (Norwich, Inglaterra); 24 de julio de 1842 (Londres, Inglaterra).

Estilo: Elocuentes acuarelas de paisajes; transcripción semiabstracta de las formas de la naturaleza; planos fijos y claramente definidos.

Obras destacadas

El puente de Greta, h. 1807
  (British Museum, Londres)
Palais de Justice y Rue St. Lô, 1817-1818
  (Victoria & Albert Museum, Londres)
Monte Saint-Michel, 1828 (Manchester City
  Art Galleries, Manchester)

Contemporáneo de J. M. W. Turner y destacado exponente de la «edad de oro» de la acuarela británica, John Sell Cotman nació en Norwich, y se trasladó a Londres en 1798, cuando contaba dieciséis años. Pese a su aparente poca formación hasta ese momento, en 1800 se le otorgó el prestigioso premio Paleta de plata de la Sociedad de las Artes y para entonces ya exponía paisajes en la Royal Academy.

Reunía el material necesario para elaborar sus pinturas en sus viajes para realizar bocetos; el más famoso y productivo fue un viaje a Yorkshire, en 1805, donde exploró los bellos bosques de Rokeby Park, cerca del río Greta, y cuyas consiguientes acuarelas representan algunos de los más bellos y originales logros del medio. Cotman también pintó al óleo y se forjó una reputación como grabador de temas arquitectónicos con series de grabados como las «Antigüedades arquitectónicas de Normandía» (1822), por los que se ganó el título de «Piranesi inglés».

En 1823 regresó a su ciudad natal y se convirtió en miembro destacado de la Escuela de Norwich, importante grupo de paisajistas que trabajaban y exponían en la ciudad. También formaban parte de este grupo los hijos de Cotman, Miles Edmund y John Joseph, cuya obra a menudo es parecida en apariencia y estilo a la de su padre. La originalidad de Cotman radica en su talento para la composición pictórica y en sus progresos técnicos. Fue uno de los primeros artistas en aplicar aguadas puras sin capa de fondo. Sus personales obras se caracterizan por las formas simples y alisadas, así como por un sentido del dibujo que, a veces, casi parece abstracto. Al final de su vida se alejó de las tonalidades frías de la paleta de colores y experimentó con colores más ricos y acuarelas texturadas espesadas con pasta de harina. **NM**

«[...] los ejemplos más perfectos de acuarela creados nunca en Europa.» Laurence Binyon

ARRIBA: *Autorretrato sujetando el libro Normandía,* obra de Cotman realizada a lápiz y acuarela.

DAVID WILKIE

David Wilkie, 18 de noviembre de 1785 (Fife, Escocia); 1 de junio de 1841 (bahía de Gibraltar).

Estilo: Pintor de género; primeras obras con sutiles colores y pincelada elegante y sin pretensiones; obra tardía de mayor tamaño, pinceladas anchas y colores ricos.

Obras destacadas

El violinista ciego, 1806 (Tate Britain, Londres)
La lectura del testamento, 1820
    (Neue Pinakothek, Munich)

David Wilkie estudió en Edimburgo y en la Royal Academy de Londres. En 1806 ya se había establecido como célebre pintor de género, y en 1811 fue nombrado académico de la Royal Academy. En 1822 la Academia tuvo que levantar vallas alrededor de sus obras para protegerlas de los admiradores. Tenía mala salud, por lo que pasó tres años en el extranjero. A su regreso en 1818, su estilo reflejaba la influencia de la pintura española e italiana. Sustituyó las pinceladas delicadas, los colores apagados y los tonos claros por amplias pinceladas y colores intensos. Su nuevo estilo atrajo a la crítica y en 1830 recibió el nombramiento de «Painter in Ordinary» del rey Jorge IV y fue nombrado caballero en 1836. En 1840 viajó a Oriente Medio y murió en el viaje de vuelta. **SH**

LOUIS DAGUERRE

Louis-Jacques-Mandé Daguerre, 18 de noviembre de 1787 (Cormeilles-en-Parisis, Francia); 10 de julio de 1851 (Bry-sur-Marne, Francia).

Estilo: Inventor francés del daguerrotipo, proceso para capturar imágenes reconocido como el más directo precursor del método fotográfico.

Obras destacadas

Ruinas de la capilla de Holyrood, h. 1824
    (Liverpool Museums, Liverpool)
Boulevard du Temple, h. 1838
    (ubicación desconocida)

Cuando Louis Daguerre explicó el proceso químico basado en la plata que se escondía detrás del daguerrotipo, el gobierno francés le compró los derechos de autor a cambio de una pensión vitalicia, para ofrecer su uso «al mundo» y revolucionar para siempre la forma en la que se retrataría a sí mismo. Artista, químico e inventor del diorama, Daguerre pasó una década perfeccionando el proceso inventado por Nicéphore Niépce (h. 1826). Las copias heliográficas de Niépce necesitaban mayor tiempo de exposición, por lo que no se podían captar seres humanos. Con una exposición mucho más rápida y un precio relativamente asequible, el daguerrotipo catalizó la popularidad del retrato fotográfico a finales del siglo XIX. **LNF**

DAVID D'ANGERS

Pierre-Jean David, 12 de marzo de 1788 (Angers, Francia); 6 de enero de 1856 (París, Francia).

Estilo: Escultor romántico; fusionó el clasicismo y el realismo; retratos de personajes importantes, a veces desnudos; bustos, relieves y medallones de bronce.

A pesar de haber nacido en la miseria, David D´Angers revigorizó la tradición renacentista de las esculturas de metal fundido en la Francia del siglo XIX. Mediante los rasgos psicológicos del rostro, su obra reflejaba las experiencias vitales de los sujetos retratados, así como su personalidad.

El joven D´Angers estaba decidido a estudiar escultura en París a pesar de la oposición de su padre. Llegó a la ciudad a los veintiún años y estudió en la Escuela de Bellas Artes, bajo la instrucción de Laurent Rolands; fue allí donde desarrolló su estilo neoclásico, un anticipo del estilo romántico que se apreciaría posteriormente en su carrera.

En 1815 D´Angers modeló su primer medallón con retrato, que representaba al compositor de ópera francés Ferdinand Hérold. Más tarde estudiaría las antigüedades en Roma, donde se familiarizó con el trabajo del escultor neoclásico italiano Antonio Canova. D´Angers regresó a París al cabo de cinco años en el momento de la restauración de los Borbones. Esto le llevó a partir de nuevo, esta vez a Londres. Era incapaz de tolerar el sentimiento monárquico francés a causa de sus creencias republicanas.

D´Angers regresó más tarde a París, donde realizó en medallones y bustos numerosos retratos, entre ellos los de Victor Hugo, Thomas Jefferson y Lord Byron. Entre sus obras más famosas se cuentan las del frontón del Panteón, como *La patria otorgando sus recompensas* (1837), su monumento al general Jacques Gobert en el cementerio de Père Lachaise y su *Filopoemen herido* (1837), en el Museo del Louvre. El impresionante legado D´Angers incluye más de cincuenta estatuas a tamaño natural, ciento cincuenta bustos y unos quinientos retratos de las principales figuras literarias, políticas y artísticas de la época en forma de medallones. **KO**

Obras destacadas

Thomas Jefferson, 1832
  (National Gallery of Art, Washington, D.C.)
Filopoemen herido (Louvre, París), 1837
La patria otorgando sus recompensas, 1837
  (Panteón, París)

«El perfil siempre me ha conmovido [...] El perfil guarda relación con otros seres.»

ARRIBA: David D´Angers dejó atrás sus orígenes humildes.

DERECHA: La estatua *Gutenberg* se levanta orgullosa en una plaza de Estrasburgo.

THÉODORE GÉRICAULT

Jean-Louis-André-Théodore Géricault, 26 de septiembre de 1791 (Ruán, Francia); 26 de enero de 1824 (París, Francia).

Estilo: Pincelada enérgica, pasión y dramatismo conmovedores; combinación audaz de los estilos clásico y barroco; realismo macabro; temas contemporáneos.

Obras destacadas

Oficial de cazadores a la carga, h. 1812 (Louvre, París)

La balsa de la Medusa, 1819 (Louvre, París)

Derby en Epson, 1821 (Louvre, París)

Este hombre apasionado y poco convencional, al que le gustaba la ropa elegante y refinada y la equitación, cumple con creces su reputación de ser el pionero del romanticismo francés. La familia de Théodore Géricault, de clase media y sin antecedentes artísticos, se trasladó a París cuando él era un niño. Al descubrir que tenía una habilidad natural para el arte, Géricault ignoró los reparos de sus padres e inició una carrera artística.

Los primeros mentores de este inquieto estudiante fueron Carle Vernet, quien alimentó su talento por el arte deportivo, y el clasicista Pierre-Narcisse Guérin. Sin embargo, la mayor parte de la temprana formación de Géricault fue autodidacta y consistió en copiar a los viejos maestros del Louvre. Tuvo un interés especial por el vigor barroco de Peter Paul Rubens. Fomentó su vena clásica estudiando la obra de Miguel Ángel en Italia.

Géricault era joven e inexperto cuando su obra *Oficial de cazadores a la carga* (h. 1812) ganó la medalla de oro del Salón de París, así como la admiración de los artistas progresistas, que favorecían el realismo por encima del neoclasicismo. Más tarde ganaría otra medalla con *La balsa de la Medusa* (h. 1819), considerada el «manifiesto» de la vanguardista preocupación del

ARRIBA: Este autorretrato se encuentra en el Museo de Bellas Artes de Ruán.

DERECHA: Géricault pintó *Derby en Epson* con un sentido de la velocidad muy real.

artista por concebir cuadros épicos a partir de hechos reales. De forma polémica, escogió un naufragio reciente, silenciado a causa de una probable negligencia del gobierno, y lo representó con brutal realismo combinado con la majestuosidad del estilo clásico. El heroísmo proviene del sufrimiento humano y no del acontecimiento en sí mismo.

Géricault pasó una temporada en Inglaterra entre 1820 y 1822 donde al exponer a enormes multitudes de gente *La balsa de la Medusa* mitigó en parte la decepción que había sentido ante la crítica francesa de la obra. De vuelta en Francia, realizó un conjunto de notables retratos tardíos que representaban a enfermos mentales revestidos de una nueva humanidad. Esta fue otra de las características de una carrera increíblemente variada, que abarcó tanto las litografías como la pintura, e impresionante si se tiene en cuenta que solo duró doce años aproximadamente. **AK**

ARRIBA: *La balsa de la Medusa*, una obra maestra del movimiento romántico.

En la silla de montar

La muerte de Théodore Géricault se aceleró debido a las graves lesiones en la espina dorsal causadas por otra desafortunada caída del caballo. Este final parece digno de un aventurero apasionado por los caballos, los cuales aparecen en muchos de sus cuadros. El *Derby en Epson* (1821), de brillantes caballos esforzándose a una velocidad feroz sobre un suelo raso y bajo un cielo de tormenta, muestra al romántico en estado puro, llenando este acontecimiento no demasiado notorio de energía, dramatismo, movimiento y un peligro potencial.

GEORGE CRUIKSHANK

George Cruikshank, 27 de septiembre de 1792 (Londres, Inglaterra); 1 de febrero de 1878 (Londres, Inglaterra).

Estilo: Caricaturas satíricas y políticas; grabados cómicos que narran las excentricidades e injusticias sociales; ilustraciones para la obra de Charles Dickens.

Obras destacadas

Ilustraciones para *Oliver Twist,* de la serie de trabajos sobre Charles Dickens, 1838-1841 (British Library, Charles Dickens Museum, Princeton University Library y otras colecciones)

La adoración de Baco, 1860-1862 (Tate Collection, Londres)

En una carrera que abarcó más de setenta años, las incisivas ilustraciones de George Cruikshank describen la sociedad londinense en toda su variedad grotesca y pintoresca. Siguiendo los pasos de su padre, comenzó haciendo caricaturas políticas de Napoleón Bonaparte, del gobierno británico y de la familia real. Más tarde volvería su atención a la sátira social, uniendo el humor irreverente con un fuerte sentido moral y un deseo de reforma. En 1820 colaboró con su hermano Robert en *Vida en Londres* (1821), una visión cómica de conjunto de las juergas de los bajos fondos en las que aparecían Tom y Jerry, personajes de la época de la regencia del príncipe de Gales. Mientras, su anual *Comic almanac* (1835-1853) era uno de los preferidos del público.

Cruikshank debe la mayor parte de sus éxitos a las ilustraciones de libros; sus láminas animaron las obras de muchos autores populares, entre los que se incluían Walter Scott y William Harrison Ainsworth. John Ruskin describió sus dibujos para los *Cuentos de Grimm* (1812) como los mejores grabados después de los de Rembrandt, aunque su asociación creativa más famosa fue con el joven Charles Dickens, en un momento en que el autor era descrito como «el Cruikshank de los escritores». Las viñetas caprichosas realizadas para *Los apuntes de Boz* (1836) y *Oliver Twist* (1838-1841), que reflejan y embellecen el texto, están repletas de detalles y de carácter. En 1871 el artista reivindicó polémicamente que la idea original de *Oliver Twist* había sido suya. Cruikshank se convirtió en paladín de la lucha antialcohólica cuando tenía cincuenta años. Sus ilustraciones se convirtieron en plataforma para expresar sus creencias: expuso los males de la bebida en una serie de grabados llamada «La botella» (1847) y en un enorme y visionario cuadro al óleo, *La adoración de Baco* (1860-1862). **NM**

> «Hace tiempo que creo que Cruikshank está bastante loco.»
>
> Charles Dickens

ARRIBA: George Cruikshank, fotografiado en 1852, a los sesenta años de edad.

JEAN-BAPTISTE-CAMILLE COROT

Jean-Baptiste-Camille Corot, 16 de julio de 1796 (París, Francia); 22 de febrero de 1875 (París, Francia).

Estilo: Paisajes, retratos y temas alegóricos y religiosos; detalles naturalistas en escenarios ideales; armonía estética; lirismo y poesía.

Los paisajes de Jean-Baptiste-Camille Corot salvaron la brecha entre las obras de anteriores décadas y aquellas del movimiento que se manifestó por primera vez en las pinturas de la Escuela de Barbizon y condujeron al impresionismo. Su influencia fue profunda en paisajistas más jóvenes, tal como puede apreciarse en la obra de Gustave Courbet, Claude Monet y Berthe Morisot. De una manera significativa y característica, el pintor, llamado Père Corot por su amabilidad, permitía que los artistas hicieran copias directas de su obra, e incluso a veces firmaba sus cuadros para que aumentara el precio de venta al público, lo que ha llevado a una gran confusión sobre la atribución de sus obras.

Se formó junto a Achille Etna Michallon y posteriormente a Jean-Victor Bertin, cuyas obras reflejaban a su maestro, Pierre-Henri de Valenciennes, un destacado pintor paisajista histórico. En la obra de Corot pueden apreciarse elementos de esta aproximación académica de tradición clásica, aunque más tarde el artista negara el hecho de que sus profesores hubieran tenido alguna influencia en él. Corot hizo largos viajes por Italia y Francia, y mientras viajaba dibujaba y pintaba al natural. Luego consultaba sus pequeños estudios y bocetos para pintar en el estudio cuadros al óleo muy elaborados. Sus poéticos paisajes llenos de naturalismo, sutil idealismo y calidad luminosa fueron muy famosos en la década de 1840, y ya se había creado la reputación de ser uno de los más destacados paisajistas en la década de 1850. A partir de ese momento su estilo cambió. Comenzó a utilizar una luz más suave y difusa, y redujo su paleta de colores, concentrándose en la calidad tonal en vez de en el color. Esta técnica dio a sus cuadros un ambiente atmosférico y sereno; *Recuerdo de Mortefontaine* (1864) es una de sus obras más líricas. **TP**

Obras destacadas

Diana y Acteón, 1836 (Metropolitan Museum of Art, Nueva York)

Recuerdo de Mortefontaine, 1864 (Louvre, París)

«La belleza en el arte es la verdad que procede de la naturaleza.»

ARRIBA: *Autorretrato sentado junto a un atril*, pintado en 1825.

ANDO TOKITARO HIROSHIGE

Ando Tokitaro, 1797 (Tokio, Japón); 12 de octubre de 1858 (Tokio, Japón).

Estilo: Xilógrafo; grabados *ukiyo-e*; paisajes desde ángulos poco comunes; representaciones de las estaciones; colores vibrantes; uso de marcadas perspectivas; paisajes poéticos.

Obras destacadas

«Cincuenta y tres escenas de Tokaido», h. 1832-1834 (Museo Nacional, Tokio)

Annaka, n.º 16 de la serie «Sesenta y nueve escenas de Kisokaido», 1834-1842 (Fine Arts Museum, San Francisco, EE.UU.)

Las cien vistas más famosas de Edo, 1856-1858 (Brooklyn Museum, Nueva York)

Ando Tokitaro Hiroshige fue uno de los artistas y grabadores japoneses más influyentes del siglo XIX. Su dinámica y colorida obra tuvo un profundo impacto en muchos de los artistas impresionistas y postimpresionistas, así como en James McNeill Whistler. Durante la mayor parte de su carrera, su mayor competidor fue el muy respetado Katsushika Hokusai, cuya obra tenía la reputación de haber inspirado la decisión de Hiroshige de convertirse en artista.

De niño, Hiroshige recibió clases de dibujo a la manera de la Escuela de Kano antes de estudiar junto a Ōoka Unpō, que trabajaba al estilo chino. De adolescente, Hiroshige solicitó su entrada en el estudio de Utagawa Toyokuni, especializado sobre todo en xilografías de paisajes. No lo consiguió, y entonces se unió al taller de Utagawa Toyohiro, donde pasó un año formándose y de cuyo maestro tomó el nombre.

Como artista independiente, Hiroshige comenzó por concentrarse en los *bijinga* de hermosas mujeres y actores, populares en aquel tiempo, y luego empezó a elaborar los paisajes que le aseguraron la fama. En 1832 fue invitado a unirse a una delegación de oficiales del shogunado que viajaban de Tokio a Kioto. Más tarde hizo su serie de grabados «Las cincuenta y tres estaciones de Tokaido» (1832-1834; tema que también representó Hokusai), que fue un éxito inmediato. Continuó con varias series de paisajes, entre las que se incluye las «Sesenta y nueve escenas de Kisokaido» (1834-1842), notable por su colorido audaz, su exquisito lirismo y el amplio uso de la perspectiva al crear grandes y realistas espacios vacíos. Hacia el final de su carrera, Hiroshige trabajó cada vez más con grabados policromos *nishiki-e* elaborando paisajes atmosféricos. **TP**

> «Dejo mi pincel en Oriente y me pongo en camino. Debo ver los lugares famosos.»

ARRIBA: *Retrato póstumo a la memoria de Ando Hiroshige*, xilografía de Utagawa Kunisada.

EUGÈNE DELACROIX

Ferdinand Victor Eugène Delacroix, 26 de abril de 1798 (Charenton Saint-Maurice, Francia); 13 de agosto de 1863 (París, Francia).

Estilo: Colorista supremo; destacado romántico; obras llenas de esplendor y brío; fresca aproximación a temas violentos; seguidor del espíritu artístico de la época.

Eugène Delacroix entró en el estudio parisino del destacado pintor neoclásico Pierre-Narcisse Guérin en 1815. Posteriormente, Delacroix sería aclamado como el mayor pintor romántico de Francia, aunque a él no le gustara esta etiqueta. Su obra llegó a abarcar mucho más: entretejió el temprano clasicismo con hilos barrocos y románticos, entre otros. Por ejemplo, el debut de Delacroix en el Salón de París, *La barca de Dante* (1822), combina la expresividad romántica y el colorido de un viejo maestro al que admiraba mucho, Peter Paul Rubens, con las clásicas figuras esculturales. Esta trascendental obra romántica fue criticada por algunas personas por desviarse de los ideales clásicos. Los temas literarios e históricos eran los preferidos de Delacroix.

Obras destacadas

La barca de Dante o *Dante y Virgilio en los infiernos*, 1822 (Louvre, París)

La matanza de Quíos, 1824 (Louvre, París)

La libertad guiando al pueblo, 1831 (Louvre, París)

Mujeres de Argel, 1834 (Louvre, París)

Boda judía en Marruecos, 1839 (Louvre, Paris)

Amigos artistas como el singular pintor romántico francés Théodore Géricault y el acuarelista inglés Richard Parkes Bonington ya influenciaban la pintura de Delacroix. En 1825 trabajó por toda Inglaterra y conoció a J. M. W. Turner y a John Constable, lo que le ayudó a afrontar su trabajo de una forma más libre. Entre las siguientes obras de arte se incluye *La libertad guiando al pueblo* (1831), que señala la revolución de París de 1830. En ella, la composición clásica y los elementos figurativos contrastan con un valiente realismo moderno y un romanticismo típicamente exuberante.

Los efectos de luz y los colores que Delacroix había visto durante sus viajes al norte de África y España le hicieron tomar un nuevo rumbo: el manejo del *impasto* y la experimentación con los colores que más tarde influirían en los impresionistas y postimpresionistas Pierre-Auguste Renoir y Georges-Pierre Seurat. El final de la carrera de Delacroix se distinguió por los cuadros históricos y los magistrales murales que le encargaron realizar en edificios gubernamentales. **AK**

> «¡Han soltado al lobo en el corral de las ovejas!»
> Jean-Auguste Dominique Ingres

ARRIBA: Este elegante autorretrato fue pintado en 1837.

THOMAS COLE

Thomas Cole, 1 de febrero de 1801 (Bolton-le-Moor, Inglaterra); 8 de febrero de 1848 (Catskill, Nueva York, EE.UU.).

Estilo: Padre inglés del paisajismo estadounidense; fundador de la Escuela del río Hudson; visiones románticas, moralistas y alegóricas del mundo natural.

Obras destacadas

El curso del imperio: Desolación, 1836
(New York Historical Society, Nueva York)

Escena de un lago americano, 1844
(Detroit Institute of Art, Detroit)

La historia del paisajismo estadounidense comienza con Thomas Cole. Aunque nació en Inglaterra en 1801, emigró a Estados Unidos junto a su familia cuando tenía diecisiete años. Más sobrecogido por el esplendor y la naturaleza sublime del paisaje que sus contemporáneos estadounidenses, su obra ayudó a establecer la primera escuela nacional de arte estadounidense.

Tras establecerse en Ohio, Cole aprendió la técnica xilográfica en el negocio de su padre. Precoz y dotado por naturaleza, su formación fue en gran parte autodidacta. Luego pasó una temporada como artista itinerante mientras se ganaba la vida con la pintura de retratos. Terminó su formación artística en la Academia de Bellas Artes de Pensilvania en 1824; más tarde se trasladó a Nueva York. Durante todo este tiempo, Cole pintó paisajes al modo romántico aspirando a los temas y al modo de pintar de Claudio de Lorena y Joseph Mallord William Turner, los dos artistas que más le influyeron.

En 1825 ya se había forjado una sólida reputación y conseguido patrocinio. Un año más tarde se convirtió en miembro fundador de la nueva Academia Nacional. Tras viajar a lo largo del río Hudson y por las montañas Catskill durante los veranos para hacer bocetos, Cole pasaba luego los inviernos en el estudio, donde pintaba paisajes llenos del dramatismo de la naturaleza y el clima, con los que demostraba la vulnerabilidad de los paisajes debido a los asentamientos y la industria. Regresó a Europa en 1829 y 1834, para pasar algún tiempo en Inglaterra e Italia.

> «Nadie sabe con qué frecuencia se ve la mano de Dios en una tierra salvaje.»

Cuando volvió a casa, su obra había ganado matices religiosos en los que la naturaleza venía a simbolizar los valores espirituales. La influencia e importancia de Cole fue, hasta su prematura muerte en 1848, de vital importancia para lo que se conoció como la Escuela del río Hudson. **AB**

ARRIBA: Este autorretrato, *Thomas Cole*, fue pintado al óleo hacia 1836.

EDWIN LANDSEER

Edwin Henry Landseer, 7 de marzo de 1802 (Londres, Inglaterra); 1 de octubre de 1873 (Londres, Inglaterra).

Estilo: Pintor y escultor; pinturas de animales antropomorfos, de las tierras altas escocesas, de grupos familiares y escenas de género; emociones de alto dramatismo.

Edwin Henry Landseer tuvo mucho éxito a lo largo de su vida, aunque sufrió problemas mentales durante la vejez. Fue nombrado caballero en 1850, tras haber rechazado semejante honor ocho años antes. Aunque no gozaba de buena salud, esculpió una de sus mejores obras hacia el final de su vida: los cuatro leones de bronce que rodean la columna de Nelson en Trafalgar Square y que se instalaron en 1867. Fue uno de los principales pintores de animales de la Inglaterra victoriana, que combinaba el contenido emocional con un enorme realismo.

Landseer provenía de una familia de artistas y se formó junto al pintor histórico Benjamin Robert Haydon, de quien aprendió la importancia de estudiar anatomía. Esta temprana lección puso en buen camino su carrera artística. Sus cuadros de animales son terriblemente realistas y reflejan su comprensión de la anatomía y la psicología. A los catorce años ya exponía con regularidad en la Royal Academy of Arts, y fue a esta edad cuando ingresó en su escuela; fue elegido miembro de la academia a los veinticuatro años.

Una característica decisiva de la obra de Landseer es la calidad antropomorfa de sus cuadros de animales, que a menudo aludían a un relato dramático y emocional, como el inquietante *La pata del gato* (1824), *Afecto* (1829) y *El viejo perro pastor de Mourner* (h. 1837). En 1824 Landseer viajó a Escocia, atraído por su pintoresco y accidentado paisaje, así como por su gente. Realizó muchos viajes a las tierras altas escocesas y pintó numerosos cuadros de la región, como *El monarca de la cañada* (h. 1851). El cliente más importante de Landseer fue la reina Victoria. Su primer cuadro para ella fue un retrato del perro Dash, el amado spaniel del rey Carlos; marcó el comienzo del largo patrocinio y de la familia real. **TP**

Obras destacadas

El viejo perro pastor de Mourner, h. 1837
　(Victoria & Albert Museum, Londres)
El monarca de la cañada, h. 1851
　(colección particular)
*Los cuatro leones en bronce del monumento
　a Nelson*, h. 1867 (Trafalgar Square, Londres)

1800-99

«Si la gente supiera tanto de pintura como yo, nunca comprarían mis cuadros.»

ARRIBA: *Retrato de sir Edwin Landseer,* pintado por J. C. Watkins.

FRIEDRICH VON AMERLING

Obras destacadas

El pintor Robert Theer, 1831 (Belvedere, Viena)

Rudolf von Arthaber y sus hijos, 1837 (Belvedere, Viena)

Friedrich Amerling, 14 de abril de 1803 (Viena, Austria); 14 de enero de 1887 (Viena, Austria).

Estilo: Pintor de retratos y de cuadros de género al estilo académico vienés; obras que combinan un sutil realismo con detalles suntuosos.

En la década de 1830, Friedrich von Amerling era el principal retratista de Viena. El cuadro que le había llevado a ocupar ese lugar fue un espectacular retrato a tamaño natural del emperador Francisco II de Austria. Esta obra equilibraba con habilidad los detalles suntuosos con el sentido naturalista de un hombre auténtico, combinación que gustó a la burguesía y que proporcionó muchos clientes al artista. A menudo se considera a Von Amerling el principal artista del estilo Biedermeier. Su sofisticado estilo inglés se alimentó de largas temporadas en Londres durante la década de 1820, donde conoció al gran retratista de la sociedad inglesa Thomas Lawrence. **AK**

HERMANOS GREENOUGH

Obras destacadas

Horacio:

Venus Vitrix, 1839 (Boston Athenaeum, Boston)

George Washington, 1840 (Smithsonian American Art Museum, Washington, D.C.)

Richard:

Cornelia Van Rensselaer, 1849 (Nueva York Historical Society, Nueva York)

Benjamin Franklin, 1855 (City Hall, Boston)

Horacio, 1805 (Massachusetts, EE.UU.); 1852 (Massachusetts, EE.UU.).

Richard, 1819 (Massachusetts, EE.UU.); 1904 (Roma, Italia).

Estilo: Escultores de estilo neoclásico; retratos de presidentes estadounidenses; Richard infundió a su clasicismo elementos más alegres y naturalistas que Horacio.

Horacio Greenough pasó la mayor parte de su vida adulta en Italia y se convirtió en un influyente teórico del arte, además de ejercer como escultor. Se trata del primer artista estadounidense conocido en hacer de la escultura su única profesión y en atraer la aclamación internacional. Su pieza más conocida es una estatua enorme de mármol de *George Washington* (1840), representado como el dios griego Zeus. Fue el primer gran encargo del gobierno a un nativo. Horacio alimentó el interés de los escultores estadounidenses por vivir en Italia, y Richard, en París. Richard desarrolló un naturalismo decorativo y dio inicio al amor estadounidense por las estatuas de bronce. Su obra más conocida es su monumento de *Benjamin Franklin* (1855). **AK**

HONORÉ DAUMIER

Honoré Victorin Daumier, 26 de febrero de 1808 (Marsella, Francia); 10 de febrero de 1879 (Valmondois, Francia).

Estilo: Caricaturista; sátira sarcástica de la burguesía francesa del siglo XIX; temas sobre la opresión política, el poder, la avaricia, las injusticias sociales y la hipocresía.

Apodado «el Molière con un lápiz», Honoré Daumier documentó su época de forma brillante produciendo más de cuatro mil litografías en las que satirizó las hipocresías de la Francia del siglo XIX.

Nacido en 1808, Daumier alcanzó notoriedad con su censurada *Gargantúa* (1831), grotesca representación del rey Luis Felipe I dibujada en señal de protesta por el incremento escandaloso de los impuestos. Inspirado en el gigante Gargantúa de las novelas de François Rabelais, Daumier dibujó al monarca como un enorme e inflado glotón sentado en una cómoda, devorando cestas de oro que llenaban los pobres de la nación, mientras los políticos luchaban por conseguir los despojos excretados por su majestad. Por este ataque Daumier pasó seis meses en la célebre cárcel de San Pelagio, en París, a la que llamó «Un centro de recreo encantador donde me doy la gran vida».

Después de que en Francia se prohibiera toda libertad de expresión política, Daumier dirigió su sardónico lápiz hacia la sociedad en su totalidad y atacó su codicia, su corrupción y sus debilidades con sus caricaturas del arquetípico villano ficticio Robert Macaire. Las feroces sátiras de Daumier captaron la condición humana tan profundamente —desde la opresión política y las injusticias sociales hasta la guerra— que resisten como narraciones contemporáneas. En su censurada *Consejo de guerra* (1872), un ejército de esqueletos marcha en señal de protesta a las oficinas del consejo de guerra. Su conmovedora obra cumbre, *Vagón de tercera* (h. 1862-1864), representa a una estoica e irascible anciana que personifica patéticamente la soledad de la vida moderna. Daumier no solo fue un crítico astuto, también fue un genial dibujante. Celebrado hasta la muerte, su epitafio reza: «Gente, aquí yace Daumier, un buen hombre, gran artista, gran ciudadano». **SA**

1800-99

Obras destacadas

Gargantúa, 1831
   (Bibliothèque National de France, París)

Vagón de tercera, h. 1862-1864
   (Metropolitan Museum of Art, Nueva York)

Consejo de guerra, 1872
   (Metropolitan Museum of Art, Nueva York)

«Como artista, lo que distingue a Daumier es la seguridad de su pincelada.» Charles Baudelaire

ARRIBA: Esta fotografía de Honoré Daumier fue tomada entre 1874 y 1878.

EUGENE VON GUERARD

Obras destacadas

Arbusto ardiendo entre el monte Elephant y Timboon, 1857-1859 (Ballarat Fine Art Gallery, Ballarat, Australia)

Serie de 24 litografías «Paisajes de Australia», publicada entre 1866-1868 y 1975

Johann Joseph Eugen von Guerard, noviembre de 1811 (Viena, Austria); 17 de abril de 1901 (Londres, Inglaterra).

Estilo: Pintor vienés a la manera romántica alemana; conocido por sus pinturas y litografías de paisajes austríacos, especialmente de granjas.

Eugene von Guerard viajó por toda Europa y estudió arte entre las décadas de 1820 y 1840. En 1852 se estableció en Melbourne, Australia. Recorrió todo el país, desde el interior hasta los Alpes australianos. Acompañaba a exploradores y hacía bocetos que luego desarrollaba en cuadros. Creó un impresionante registro topográfico y encontró clientes entre los terratenientes adinerados. Su obra representaba la tierra como una Arcadia idealizada, al estilo europeo: asentamientos minúsculos en un paisaje inmenso e idealizado que sugerían el gran poder de Dios. En 1870 fue nombrado conservador de la Galería Nacional de Victoria, en Melbourne, y director de su escuela de arte. **AK**

CURRIER & IVES

Obras destacadas

Igualados: Oso cazando a principios del invierno (artista: Arthur Fitzwilliam), 1861

Invierno en Nueva Inglaterra (artista: G. H. Durrie), 1861

Nathaniel Currier, 1813 (Massachusetts, EE.UU.); 1888 (Massachusetts, EE.UU.).

James Merritt Ives, 1824 (Nueva York, EE.UU.); 1895 (Rye, Nueva York, EE.UU.).

Estilo: Pareja de grabadores que vendían litografías económicas y coloreadas a mano sobre la vida estadounidense de forma animada y hogareña.

A finales de 1800 la firma Currier & Ives —donde trabajaban artistas, litógrafos expertos y un ejército de mujeres que coloreaban a mano— producía en serie millones de impresiones de un catálogo de más de siete mil títulos. El litógrafo Nathaniel Currier fundó la compañía en 1834, y a partir de 1857 trabajó en asociación con James Ives. Los temas abarcaban desde pintorescas escenas de Nueva Inglaterra hasta animales, celebridades y sucesos. En la actualidad, el estilo parece simplista y típicamente estadounidense, pero en su época los grabados captaron la atmósfera popular, así como la tendencia a una creciente automatización, y lideraron el mercado. Hoy día estos grabados son valiosos objetos de coleccionistas. **AK**

JEAN-FRANÇOIS MILLET

Jean-François Millet, 4 de octubre de 1814 (Gruchy, Francia); 20 de enero de 1875 (Barbizon, Francia).

Estilo: Pintor de campesinos concebidos con una vena heroica; paisajes que combinan el estilo clásico italiano con el realismo; fundador de la Escuela de Barbizon.

Los cuadros de Jean-François Millet representan el cambio del tradicionalismo al modernismo a finales del siglo XIX. Combinan una premisa fuertemente clásica y académica con asombrosos detalles realistas. Sus pinturas de campesinos y otras representaciones de la vida rural eran temas controvertidos en aquel momento, ya que Francia todavía se estaba esforzando por curarse de las secuelas de la Revolución francesa. Los socialistas elogiaron la obra de Millet, pero esta fue muy criticada por los sectores conservadores de la sociedad francesa.

Millet comenzó a formarse con el retratista Bon Dumouchel antes de trasladarse a Cherburgo y al estudio de Théophile Langlois de Chèvreville, alumno de Antoine-Jean Gros. Al principio, Millet fue sobre todo un retratista que trabajaba con óleo, carboncillo y pastel, aunque también pintaba escenas pastorales y desnudos.

En 1849 se trasladó a Barbizon, zona con la que más se le relaciona, y su estilo adulto evolucionó. Pasó a pintar escenas de campesinos y, más tarde, paisajes que combinaban los elementos clásicos de estilo italiano con un marco muy realista. Sus pinturas de campesinos están imbuidas de un sentido de intemporalidad y compasión, y dan especial importancia a las difíciles condiciones de la clase trabajadora. Millet expuso sus cuadros en el Salón de París de forma regular, aunque algunas obras como *Las espigadoras* (1857) recibieron una diversa acogida de la crítica. No obstante, alcanzó el éxito y el reconocimiento en vida ayudado por una retrospectiva que se hizo de su obra en 1867 en la Exposición Universal de París. Al año siguiente le concedieron la Legión de Honor. Su obra tuvo una enorme importancia en el progreso del realismo y posteriormente en los artistas impresionistas y postimpresionistas, en particular para Camille Pizarro y Vincent van Gogh. **TP**

Obras destacadas

Las espigadoras, 1857 (Musée d'Orsay, París)
El Ángelus, 1857 (Musée d'Orsay, París)

«[...] lo que más me conmueve del arte es su lado humano.»

ARRIBA: *Autorretrato* (1847), boceto al carboncillo que puede verse en el Museo del Louvre, París.

ADOLPH MENZEL

Adolph Friedrich Erdmann Menzel, 8 de diciembre de 1815 (Breslau, Polonia); 9 de febrero de 1905 (Berlín, Alemania).

Estilo: Versátil pintor realista de cuadros históricos, paisajes y escenas de interiores; tratamiento informal del espacio y las figuras; uso pronunciado de los detalles.

Obras destacadas

La hermana del artista, 1874
 (Neue Pinakothek, Munich)

Los jardines de las Tullerías por la tarde, 1867
 (National Gallery, Londres)

Aunque a menudo se discute si el desarrollo en Europa del movimiento realista durante el siglo xix fue una fase distintiva del arte francés representado por las figuras de Jean-François Millet y Gustave Courbet, hubo otros artistas que contribuyeron al rechazo del romanticismo, entre los que se incluye Adolph Menzel.

En un principio se ganó la aclamación del público con sus xilografías, que sirvieron como ilustraciones para *La historia de Federico el Grande* (1840), de Franz Kugler. Desde luego, ayudó a contribuir a la imagen pública del fundador del Estado prusiano. Hoy en día, la reputación de Menzel descansa sobre una serie de estudios, de formato relativamente pequeño, interiores informales y paisajes que hizo durante la década de 1840. Durante su vida, su reputación se debió sobre todo a algunas pinturas históricas que guardaban relación con acontecimientos significativos de la vida de Federico II el Grande, rey de Prusia. El tratamiento informal que hacía del tema, junto con una fascinación por los efectos de la luz, ha hecho que sus cuadros sean considerados, tanto formal como temáticamente, como precursores del impresionismo.

Hacia la segunda mitad de la década de 1860, Menzel se sintió cada vez más atraído por la representación de lo que se llamaron «temas modernos». *El jardín de las Tullerías por la tarde* (1867), por ejemplo, se basa en una serie de bocetos que el artista había realizado durante una visita a París ese mismo año para ver la Exposición Universal. Inspirado probablemente por el tratamiento menos estricto que Manet hizo de los jardines de las Tullerías, la representación de Menzel de esta bulliciosa escena, repleta de detalles accesorios, sigue siendo totalmente legible. A su muerte a los noventa años, tuvo un funeral de estado en reconocimiento a sus logros artísticos. **CS**

«Es un modo de pintar cursivo, casi arrogante en su certeza.»

Edmond Duranty

ARRIBA: *Retrato de Adolf von Menzel,* por William Rothenstein (1872-1945).

DERECHA: *La hermana del artista,* quizá el mejor interior informal de Menzel.

GUSTAVE COURBET

Jean Désiré Gustave Courbet, 10 de junio de 1819 (Ornans, Francia); 31 de diciembre de 1877 (La Tour-de-Peilz, Suiza).

Estilo: Inconformista en su arte y en su vida; socialista comprometido; líder del realismo en el arte; explora la dignidad de la vida cotidiana sin idealizarla.

Obras destacadas

Los picapedreros, 1849 (desaparecido de la Galerie Neue Meister de Dresde, destruida durante la Segunda Guerra Mundial)

Entierro en Ornans, 1849 (Musée d'Orsay, París)

Buenos días, señor Courbet o *El encuentro,* 1854 (Musée Fabre, Montpellier, Francia)

Aunque le gustaba describirse como un rebelde inculto, Gustave Courbet procedía de una familia de granjeros bastante acomodada, que apoyó su decisión de dedicarse al arte y le proporcionó seguridad financiera durante los primeros años.

Courbet estudió en Besançon y se trasladó a París en 1839. Sin embargo, nunca se estableció en la capital: sus orígenes rurales le hicieron marcharse una y otra vez. Descartó una elevada formación académica en la Escuela de Bellas Artes de París a favor de clases en escuelas independientes de la ciudad. Pronto desarrolló un estilo audaz y original que se ocupaba de las realidades de la vida rural cotidiana. Esto no siempre le granjeó las simpatías de las figuras consagradas del mundo artístico, cautivado todavía por el arte ideal, aunque la exposición del conservador Salón de París aceptó su *Autorretrato (Courbet con un perro negro)* (1842) cuando solo tenía veinticinco años.

ARRIBA: *Autorretrato (hombre con pipa)* de Gustave Courbet, pintado en 1848-1849.

DERECHA: Bruyas y su criado muestran un temor reverencial ante el artista en *Buenos días, señor Courbet.*

1800-99

Courbet marcó un hito en el Salón de 1851 con *Los picapedreros* (1849) y *Entierro en Ornans* (1849). Estas dos obras reflejan la miseria sin idealizar de la vida campesina: la primera representa a agricultores extremadamente pobres ocupados en un trabajo muy duro; y el segundo, un funeral en el campo. Eran dos cuadros de grandes dimensiones que daba a la vida cotidiana la monumentalidad de la imponente pintura «histórica». Algunos críticos quedaron impactados; otros, como el influyente escritor y crítico francés Jules-François-Félix Husson Champfleury, vio en ellos una guía del realismo.

La obra de Courbet, a menudo poco uniforme, trató con honradez los desnudos sensuales, las alegorías interesantes y los paisajes que rememoraban su infancia. También prefiguró el impresionismo en la fidelidad a la naturaleza: véanse sus obras tardías sobre Étretat.

Hacia 1870 Courbet fue nombrado presidente de la Federación de Artistas, que defendía el arte y la libertad ante la censura. También fue muy activo políticamente, pero su implicación en la Comuna de París republicana lo llevó primero a la cárcel y luego a la ruina. Tras escapar a Suiza para eludir los enormes impuestos, acabó sus días destrozado en una vieja pensión que había comprado en La Tour-de Peilz. **AK**

ARRIBA: *Entierro en Ornans* fue expuesto con gran aclamación del público y de la crítica.

¿Complejo de Mesías?

El cuadro *Buenos días, señor Courbet* parece mostrar a un hombre normal y corriente, en este caso también un autorretrato, como cierto tipo de Mesías condescendiente con aquellas personas con quienes se encuentra —un cliente de Courbet y su criado— en el camino alegórico a la justicia. A Courbet le gustaba representarse como un vagabundo, una espina clavada en toda forma de *establishment*, desde la Iglesia hasta el gobierno. Su autorretrato en el *Estudio del pintor* (1854) da la espalda a las figuras consagradas del mundo artístico al representarse posando desnudo como el rey de todo lo que reconoce.

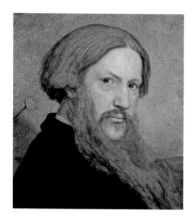

FORD MADOX BROWN

Ford Madox Brown, 16 de abril de 1821 (Calais, Francia); 6 de octubre de 1893 (Londres, Inglaterra).

Estilo: Temas morales e históricos; detalles naturalistas; primeras obras oscuras y dramáticas; obras tardías pintadas con colores vivos sobre brillantes blancos.

Obras destacadas

Adiós a Inglaterra, 1855 (Birmingham Museums and Art Gallery, Birmingham)

Chaucer en la corte de Eduardo III, 1856-1868 (Tate Collection, Londres)

Nacido de padres ingleses, Ford Madox Brown estudió arte en Bélgica, Italia y Francia, antes de trasladarse a Inglaterra en 1845. En Roma conoció a varios artistas alemanes que propiciaron su interés por los colores claros y el medievalismo.

En 1848 Dante Gabriel Rossetti se convirtió en alumno de Brown durante un breve período de tiempo y ambos se hicieron amigos. Brown podría haberse convertido en un miembro clave de la Hermandad de los Prerrafaelitas creada en Londres ese mismo año, pero decidió permanecer al margen del grupo. A pesar de ello, fue una figura importante y muy estimada por sus miembros principales: Rossetti, William Holman Hunt y John Everett Millais. Años más tarde, fue considerado como el prerrafaelita de mayor autoridad debido a su estilo y sus temas.

En su obra, original en un momento en el que el arte británico se estaba convirtiendo en previsible, se amalgaman todas sus influencias europeas. Sin embargo, sus coetáneos ignoraron en gran parte a Brown. Pintaba con un estilo realista e intenso y sus obras versan sobre la vida moderna y las cuestiones sociales contemporáneas. Su estilo del principio cambió en favor de una representación más realista de las figuras y del paisaje, con colores fuertes y nítidos bañados en la luz del sol y una tendencia por la meticulosidad. A partir de 1853 dejó de exponer en la Royal Academy y se convirtió en pionero de las exposiciones individuales. En 1856 ya había empezado a colaborar con William Morris, y en 1861 se convirtió en miembro fundador de Morris, Marshall, Faulkner & Co.; la principal contribución de Brown fue diseñar muebles y vitrales. En 1878 le encargaron doce grandes murales para el ayuntamiento de Manchester, proyecto que fue su gran preocupación durante los últimos años de su vida. **SH**

> «[...] me atraía Holbein, aunque antes mi principal influencia fuera Rembrandt.»

ARRIBA: Este *Autorretrato* (1877) es típico del estilo realista e intenso de Brown.

JEAN-LÉON GÉRÔME

Jean-Léon Gérôme, 11 de mayo de 1824 (Vésoul, Francia); 10 de enero de 1904 (París, Francia).

Estilo: Pintor y escultor neoclásico; orientalista; temas mitológicos, bíblicos e históricos; colores claros; acabados meticulosos; manejo fluido del pincel.

La pintura orientalista del siglo XIX dirigió su mirada hacia lo que en la actualidad es Turquía, Grecia, Oriente Medio y el norte de África, una vasta zona que se veía llena de exotismo y sensualidad. Jean-Léon Gérôme fue uno de sus principales partidarios franceses y representó escenas de mercados de esclavos, harenes y baños poblados de mujeres desnudas de aspecto europeo, todo ello pintado meticulosamente. Viajó a Turquía en 1854 en busca de temas y autenticidad para sus lienzos cuidadosamente minuciosos. Fue el primero de varios viajes parecidos en los que también visitó Egipto, Siria y Palestina y que se tradujeron en obras como su mural alegórico *La era de Augusto, el nacimiento de Cristo* (1852-1854).

Gérôme quiso dedicarse a la pintura e inició un período de prueba en el taller parisino del pintor histórico Paul Delaroche en 1840. Cuando Delaroche cerró su estudio en 1843, Gérôme viajó junto con su profesor a Italia, donde comenzó a desarrollar un estilo neoclásico de pintura figurativa y escultural conocido por su veracidad y su atmósfera dramática, que persiguió durante el resto de su vida, cualquiera que fuera el tema.

Gérôme continuó con sus estudios bajo la orientación del pintor suizo Charles Gleyre y asistió a la Escuela de Bellas Artes de París. Con muchas ganas de regresar a Italia, se presentó al premio de Roma en 1846, pero no lo ganó. Animado por Delaroche, presentó su obra *Jóvenes griegos en una pelea de gallos*, también llamada *Pelea de gallos* (1846-1847), en el Salón de París de 1847. Su pintura narrativa clásica y su manejo fluido del pincel le granjeó la aclamación de la crítica y le puso en el buen camino hacia una carrera de grandes éxitos.

Escultor además de pintor, Gérôme también recibió encargos para hacer retratos en bronce. **CK**

Obras destacadas

Pelea de gallos, 1846-1847 (Musée d'Orsay, París)

La era de Augusto, el nacimiento de Cristo, 1852-1854 (J. Paul Getty Museum, Los Ángeles)

El duque de Aumale, 1899 (castillo de Chantilly, Chantilly, Francia)

«[*Pelea de gallos* expone las] maravillas del dibujo, la acción y el color.» Théophile Gautier

ARRIBA: Retrato de estudio de Jean-Léon Gérôme con un bigote espléndido.

GUSTAVE MOREAU

Gustave Moreau, 6 de abril de 1826 (París, Francia); 18 de abril de 1898 (París, Francia).

Estilo: Predecesor del simbolismo; cuadros históricos, míticos y religiosos en un marco romántico-simbolista; unía ideas intelectuales con paradigmas estéticos.

Obras destacadas

Muerte de Darío, h. 1853
   (Museum Moreau, París)

Edipo y la esfinge, 1864
   (Metropolitan Museum of Art, Nueva York)

Júpiter y Sémele, 1894-1895
   (Museum Moreau, París)

Gustave Moreau fue uno de los predecesores del simbolismo, aunque hacia el final de su vida se desvinculó de la obra de los jóvenes artistas simbolistas. Desarrolló un lenguaje visual basado en una combinación de precedentes clásicos, colorido romántico, detalles decorativos y elementos profundamente simbólicos. Sin embargo, fue el contenido intelectual de su obra lo que mayor importancia tuvo para el artista, que se esforzó por expresar ideas conceptuales y por hacer frente a las polaridades de la vida humana como el bien y el mal, y la muerte y la reencarnación.

Moreau se formó con el artista histórico François-Édouard Picot, y a partir de 1846 estudió en la Escuela de Bellas Artes de París, a la que regresó como profesor en 1891. Sus primeros trabajos son marcadamente románticos y muestran con claridad la influencia de Eugène Delacroix y Théodore Chassériau: a lo largo de su carrera, favoreció la rica y fuerte paleta de colores de estos artistas. Moreau también se sintió atraído por el arte clásico y se esforzó por encontrar un equilibrio entre el clasicismo y el romanticismo. Este interés se acrecentó después de un viaje a Italia en 1841 y una estancia de dos años en el país a partir de 1857, durante la cual estudió las obras de los viejos maestros.

Los ideales intelectuales y estéticos de Moreau pueden verse reflejados en el cuadro *Edipo y la esfinge* (1864), que ese mismo año ganó una medalla en el Salón de París. Su estilo cambió a finales de la década de 1860, en parte como respuesta a una disminución del reconocimiento de su obra por parte del público. Se volvió hacia los precedentes barrocos y la influencia de Rembrandt. También comenzó a pintar el tema de la mujer fatal, un tema muy popular en aquel momento. Al final de su vida Moreau pintó sobre todo pequeños óleos y acuarelas, y revisó algunos de sus temas anteriores. **TP**

«Estoy dominado por [...] una irresistible [...] atracción hacia lo abstracto.»

ARRIBA: Gustave Moreau realizó este *Autorretrato* al óleo en 1850.

FREDERIC EDWIN CHURCH

Frederic Edwin Church, 4 de mayo de 1826 (Hartford, Connecticut, EE.UU.); 7 de abril de 1900 (Nueva York, EE.UU.).

Estilo: Explorador y pintor; grandes lienzos de lugares naturales sublimes; pintor de icebergs, volcanes, los Andes y las cataratas del Niágara; atención por los detalles.

Nacido en 1826, hijo de un rico empresario, en un principio Frederic Edwin Church estudió pintura y dibujo en Hartford, su ciudad natal. En 1844 se fue a Catskill, Nueva York, para convertirse en el único estudiante que aceptaría Thomas Cole, fundador de la Escuela del río Hudson. Bajo su tutela, Church realizó viajes regulares para hacer bocetos y perfeccionó el género de la pintura de paisajes históricos que su maestro apoyaba. La influencia de Cole y la perseverancia de la tradición paisajística en Estados Unidos permitieron que Church llegara a ser la figura principal de la segunda generación de la Escuela del río Hudson.

En el momento de la muerte de Cole en 1848, Church ya se había establecido como paisajista de éxito, y se embarcaba en lienzos cada vez mayores compuestos a partir de los numerosos bocetos al óleo y a lápiz que dibujaba durante sus viajes estivales.

Inspirado por la obra del naturalista alemán Alexander von Humboldt, en especial por sus detalladas descripciones del mundo natural, Church viajó a América del Sur en 1853 y 1857. Continuó trabajando a partir de la riqueza y la cantidad de estudios y bocetos realizados durante estos viajes hasta bien entrada la década de 1880. Su interés y talento descansan sobre su representación de los efectos atmosféricos, su uso de los colores vivos, su ojo por los detalles del follaje, la flora y las rocas y un acabado minuciosamente descriptivo. También pintó escenas de las cataratas del Niágara y de Terranova; cuando fue expuesto, *Niágara* (1857) causó sensación y le propulsó a la fama. Expuso su gran cuadro *El corazón de los Andes* (1859) en Nueva York y Londres, y se ganó la aclamación del público. Se vendió por diez mil dólares, el precio más alto pagado hasta entonces por la obra de un artista estadounidense vivo. **AB**

Obras destacadas

Una casa solariega, 1854
  (Seattle Art Museum, Seattle, EE.UU.)

Niágara, 1857 (Corcoran Galery of Art, Washington, D.C.)

El corazón de los Andes, 1859
  (Metropolitan Museum of Art, Nueva York)

«Church tiene el mejor ojo del mundo para dibujar.»
Thomas Cole

ARRIBA: Frederic Edwin Church tal como era en el apogeo de su fama.

JEAN-BAPTISTE CARPEAUX

Jean-Baptiste Carpeaux, 11 de mayo de 1827 (Valenciennes, Francia); 11 de octubre de 1875 (Courbevoie, Francia).

Estilo: Escultor y pintor; estatuas y monumentos célebres por su romanticismo; vitalidad y sensualidad; desnudos sinuosos a menudo basados en lo cotidiano.

Obras destacadas

Muchacha con concha, 1863-1867 (National Gallery of Art, Washington, D.C.)

Pescador con concha, 1858 (Louvre, París)

El conde Ugolino y sus hijos, 1860 (Metropolitan Museum of Art, Nueva York)

La danza, 1866-1869 (Musée d'Orsay, París)

Flora arrodillada, h. 1873 (Fundaçao Calouste Gulbenkian, Lisboa)

Retrato de Nadine Dumas, 1873-1875 (J. Paul Getty Museum, Los Ángeles)

Jean-Baptiste Carpeaux era, en su época, algo así como *l'enfant terrible* de la escultura. Quizá un concepto insólito, dado que a lo largo de su carrera recibió encargos para realizar importantes monumentos públicos, como la decoración arquitectónica del Pabellón de Flora del palacio del Louvre en 1863 y *La danza* (1866-1869), para la fachada de la nueva Ópera de París. Sin embargo, a menudo su obra provocaba un encendido debate, ya que Carpeaux desdeñaba el clasicismo del estilo académico francés y elaboraba obras célebres por su decorativismo romanticismo, vitalidad y sensualidad. Sus figuras sinuosas y retorcidas no concordaban con las normas artísticas existentes, pero encontraron el favor de la corte del emperador Napoleón III, lo que ayudó a una eventual popularidad de Carpeaux.

A pesar de rebelarse contra el gusto imperante por lo clásico, al adoptar un enfoque más liberal que le llevó a crear obras sobre temas cotidianos célebres por su espontaneidad, ganó el premio de Roma en 1854. Puso rumbo a Italia en 1856, donde empezó a trabajar en su enérgico *Pescador napolitano con una concha* (1857-1861), basado en un pilluelo de la calle y que captó la atención de la emperatriz Eugenia, quien la compró. Carpeaux creó numerosas reproducciones y versiones de este cuadro, y una pieza de tema parecido: *Pescador con concha* (1858). También fue en Italia donde concibió *El conde Ugolino y sus hijos* (1860), basado en una historia de la *Divina Comedia* de Dante Alighieri. Se aseguró la posición de estrella ascendente cuando en 1863 expuso el *Pescador con concha* y *El conde Ugolino y sus hijos* en el Salón de París. No obstante, al caer el Segundo Imperio, Carpeaux escapó de la Comuna de París en 1871 y huyó a Inglaterra. Tuvo problemas financieros al final de su vida y se vio atormentado por problemas de salud. **CK**

«*La danza* [fue] considerada tan escandalosa que trataron de desfigurarla.» *The Independent*

ARRIBA: *Autorretrato como Enrique IV,* pintado en 1870 utilizando un espectro de colores cálidos.

WILLIAM HOLMAN HUNT

William Holman Hunt, 2 de abril de 1827 (Londres, Inglaterra); 7 de septiembre de 1910 (Sonning-on-Thames, Inglaterra).

Estilo: Fundador de la Hermandad de los Prerrafaelitas; paisajes y retratos; temas religiosos y literarios; atención meticulosa por el detalle; colores vivos.

William Holman Hunt fue un rebelde. Como miembro fundador de la Hermandad de los Prerrafaelitas junto a sus amigos John Everett Millais y Dante Gabriel Rossetti, buscó regenerar el arte inglés. El grupo miraba hacia la época medieval y a los artistas anteriores a Rafael en busca de inspiración. Anhelaban crear arte con algún mensaje espiritual y rechazaban el aprendizaje racional que había inundado el arte contemporáneo.

En un principio, Hunt y los demás miembros del grupo vieron su obra despreciada por las figuras consagradas del mundo artístico y los críticos. La única excepción fue John Ruskin, que defendió la obra y las aspiraciones de los jóvenes artistas. Hunt recordaría el trato hostil por parte de críticos y galeristas incluso una vez alcanzado el éxito —le concedieron la Orden del Mérito en 1905— y declinó unirse a la Royal Academy of Arts.

Típica de los prerrafaelitas, la obra de Hunt se caracterizaba por su estilo realista, los colores vivos, su microscópica atención por los detalles, los contenidos alegóricos y los temas relacionados con los problemas sociales, la naturaleza, la religión y la literatura; pero es su capacidad para añadir emoción a los lienzos lo que resulta más convincente, especialmente en sus cuadros religiosos. Hunt viajó a Tierra Santa y a Egipto en busca de escenarios bíblicos para su obra, así como para afianzar su propia fe. El paisaje de *El chivo expiatorio* (h. 1854-1856) fue pintado al natural cerca del mar Muerto en Osdoom y muestra las lejanas montañas de Edom. Entre el terreno abrasado, Hunt retrata con habilidad una humilde cabra, a la que el Antiguo Testamento se refiere como figura de Cristo sufriente que expiará los pecados del pueblo. Quizá este cuadro sea el que mejor represente su aspiración por reunir naturaleza y religión en una pieza espiritualmente profunda. **CK**

Obras destacadas

Claudio e Isabella, 1850 (Tate Britain, Londres)
Nuestras costas inglesas, 1852 (Tate Britain, Londres)
El despertar de la conciencia, 1853 (Tate Britain, Londres)
La luz del mundo, 1845-1853 (Keble College, Oxford)
El chivo expiatorio, h. 1854-1856 (Lady Lever Art Gallery, Port Sunlight, Inglaterra)
El hallazgo de Cristo en el templo, 1854-1860 (Birmingham City Museum and Art Gallery, Birmingham)
El barco, 1875 (Tate Collection, Londres)

«Casi había desesperado de superar la [...] oposición a nuestro estilo.»

ARRIBA: Litografía de un retrato de William Holman Hunt.

DANTE GABRIEL ROSSETTI

Gabriel Charles Dante Rossetti, 12 de mayo de 1828 (Londres, Inglaterra); 9 de abril de 1882 (Birchington-on-Sea, Inglaterra).

Estilo: Poeta y pintor; brillante uso del color; grandes detalles; observación directa de la naturaleza; cofundador de la Hermandad de los Prerrafaelitas.

Dante Gabriel Rossetti creció en un entorno fuertemente artístico y literario. Era hijo de un erudito italiano y refugiado político, y hermano de la poetisa Christina Rossetti y el escritor y crítico William Michael Rossetti. El artista aspiraba a ser poeta y pintor, y estaba fascinado por el arte medieval y la poesía de Dante Alighieri; entre sus tutores artísticos se encontraban John Sell Cotman y Ford Madox Brown. En la escuela de la Royal Academy conoció a William Holman Hunt y John Everett Millais, y juntos fundaron la Hermandad de los Prerrafaelitas.

Obras destacadas

La infancia de la Virgen, 1848-1849
  (Tate Collection, Londres)

Beata Beatrix, 1864-1870 (Tate Collection, Londres; otra versión, pintada en 1872, está en Chicago Art Institute, Chicago)

Proserpina, 1874 (Tate Collection)

ARRIBA: *Retrato de Dante Gabriel Rossetti* (1853), por William Holman Hunt.

DERECHA: *El emparrado azul*, riqueza de color y atmósfera sensual.

Aspiraban a emular a los pintores italianos anteriores a Rafael y a producir un tipo de arte que fuese fiel a la naturaleza e inspirado en la literatura y la mitología. Fabricaban sus propias pinturas, colores ricos y fuertes, y desarrollaron una forma particular de preparar el lienzo que hacía que los colores destacaran aún más. Las habilidades de Rossetti, y su carisma, energía y entusiasmo, hicieron de él la figura central del grupo, así como del consiguiente movimiento prerrafaelita. Su primera gran obra, *La infancia de la Virgen* (1848-1849), fue bien recibida. Su hermana Christina fue la modelo y se expuso con las iniciales «PRB»: un misterio para los no iniciados.

El desarrollo de un estilo único

Los poemas y cuadros de Rossetti inspiraron a muchos jóvenes artistas, incluidos William Morris y Edward Burne-Jones, con quien Rossetti colaboró en las pinturas de la Oxford Union. Rossetti también diseñó junto a Morris vitrales, tejidos y papeles pintados. Su musa fue durante muchos años la poetisa y artista Elizabeth Siddal. Se casaron en 1860 tras diez años de tortuosa relación, pero ella moriría de sobredosis solo dos años más tarde. Apesadumbrado, Rossetti enterró con ella la mayoría de sus poemas inéditos, aunque siete años más tarde exhumaría su ataúd para poder publicarlos.

La obra de Rossetti cambiaba continuamente, desarrollando un estilo más sensual o, como lo ridiculizó un crítico enfadado, «rollizo»; a menudo mostraba bellas mujeres. Su salud comenzó a deteriorarse después de que Lizzie muriera y varios contemporáneos le tacharon de loco. Se volvió adicto al cloral, droga que le provocaba delirios. Tras la muerte de Lizzie, se convirtió en amante de Janey Morris (esposa de William Morris, uno de sus más íntimos amigos), que también se convirtió en su musa.

Rossetti se interesó frívolamente por la acuarela, aunque pronto regresó al óleo; por esas fechas sus obras alcanzaban precios muy altos. En 1881 publicó otro volumen de poemas, pero su salud se fue deteriorando y murió a los cincuenta y tres años. Su obra pasó a ser de gran influencia para el desarrollo del movimiento simbolista europeo. **SH/LH**

ARRIBA: La modelo Janey Morris reflexiona sobre su desgraciado destino en *Proserpina*.

La lectura de los marcos

Rossetti escribía poemas y textos para explicar el simbolismo contenido en sus cuadros. En el marco de *La infancia de la Virgen* escribió sonetos acerca de varios objetos del cuadro y el uso simbólico del color: oro para la caridad, azul para la fe, verde para la esperanza y blanco para la templanza. *Beata Beatrix* simboliza la muerte de su esposa Lizzie: una paloma roja, un reloj de sol que señala la hora de su muerte y una amapola que representa el de láudano que la mató.

JOHN EVERETT MILLAIS

John Everett Millais, 8 de junio de 1829 (Southampton, Inglaterra); 13 de agosto de 1896 (Londres, Inglaterra).

Estilo: Pintor prerrafaelita; preciso y minucioso; colores alegres y brillantes; excelente manejo de la pintura sobre superficies cremosas y con textura.

Obras destacadas

Cristo en casa de sus padres, 1850
(Tate Britain, Londres)

Burbujas, 1886
(Lady Lever Art Gallery, Liverpool)

Nacido en el seno de una próspera familia, John Everett Millais llegó a ser el alumno más joven de la escuela de la Royal Academy con solo once años; ya había ganado una medalla de plata a los nueve años. Mientras estuvo allí trabó amistad con Dante Gabriel Rossetti y William Holman Hunt y, en 1848, los tres fundaron la Hermandad de los Prerrafaelitas.

Sus primeras pinturas fueron planeadas con meticulosidad. Con frecuencia pintaba los fondos de los paisajes en verano y añadía las figuras en un primer plano durante el invierno en su estudio. A pesar de que los primeros cuadros prerrafaelitas fueron ridiculizados, en especial el *Cristo en casa de sus padres*, de Millais, no se habría podido fundar el prerrafaelismo de no haber sido por el apoyo de John Ruskin, principal crítico de arte del momento. La que empezó siendo una íntima amistad acabó cuando Millais se enamoró de la mujer de Ruskin, con quien se casó en 1855 (tras una anulación escandalosa).

Cansado de su estilo, Millais se apartó del prerrafaelismo; comenzó a trabajar en la ilustración de libros y en 1869 le contrataron como artista para el semanario *The Graphic*. Sus obras se volvieron muy comerciales y, tras pasarse al lucrativo mundo de los retratos en la década de 1870, se convirtió en el artista mejor pagado de la Inglaterra victoriana. También alcanzó la popularidad con sus cuadros de niños, sobre todo con *Burbujas* (1886), famoso por haber sido utilizado en los anuncios de los jabones Pears —a lo que Millais se opuso violentamente—. En 1853 se había convertido en socio de la Royal Academy of Arts, de la que pasó a ser miembro de pleno derecho en 1863. Le otorgaron el título de baronet en 1885, y fue el primer artista al que se concedía un título hereditario. En 1896 fue elegido presidente de la Royal Academy, pero murió ese mismo año. **SH/LH**

> «Puedo decir que nunca he colocado conscientemente una pincelada vana en un lienzo.»

ARRIBA: John Everett Millais pintó este *Autorretrato* en 1847 cuando era un adolescente.

1800-99

CAMILLE PISSARRO

Jacob-Abraham-Camille Pissarro, 10 de julio de 1830 (Charlotte Amalie, Saint Thomas, Islas Vírgenes, EE.UU.); 13 de noviembre de 1903 (París, Francia).

Estilo: Pintor impresionista; uso del pastel, el óleo y la aguada; pequeñas pinceladas multidireccionales; colores ricos; horizontes y figuras elevadas en los paisajes.

Considerado uno de los fundadores del impresionismo porque dio consejo a muchos jóvenes, Camille Pissarro estudió en la Escuela de Bellas Artes y en la Academia Suiza junto a varios maestros, como Camille Corot, Gustave Courbet y Charles-François Daubigny. Corot le animó a pintar directamente de la naturaleza y fue una gran influencia. En la Academia Suiza conoció a Édouard Monet, Armand Guillaumin y Paul Cézanne.

El escritor Émile Zola y otros críticos alabaron sus primeros paisajes, aunque recibió poco reconocimiento público. A pesar de todo, su obra se expuso en el Salón de París durante la década de 1860, y en 1863 participó junto a Manet, James McNeill Whistler y otros en el «Salón de los Rechazados». A partir de finales de la década de 1860 fue una de las principales figuras entre los impresionistas, organizando en gran parte sus exposiciones y exponiendo en todas ellas. Como profesor, tuvo gran influencia en Cézanne y en Paul Gauguin, al que ambos se refirieron al final de sus carreras como su «maestro». A su vez, Pissarro se vio inspirado por las ideas de otros artistas, incluido el puntillismo de George Seurat y Paul Signac, y la serie de pinturas bajo la luz cambiante de Claude Monet. También sintió gran admiración por Jean-François Millet y Honoré Daumier y compartió su respeto por las difíciles condiciones de los obreros.

Durante la guerra franco-prusiana de 1870-1871 huyó a Londres, donde conoció a Paul Durand-Ruel, marchante de arte parisino que se convertiría en ferviente defensor de los impresionistas. Hacia el final de su vida fue testigo de la popularidad de los impresionistas y fue venerado por los postimpresionistas. En la década de 1870 trabajó con Monet, Renoir y Sisley, su paleta de colores se volvió más brillante y redujo las huellas del pincel. **SH**

Obras destacadas

Ermita en Pontoise, h. 1867
  (Guggenheim Museum, Nueva York)
El camino de Versalles en Louveciennes, 1869
  (Walters Art Gallery, Baltimore, EE.UU.)
Los muelles de Ruán, 1883
  (Courttauld Gallery, Londres)

«No hay que tener miedo en la naturaleza: hay que ser valiente porque puede decepcionarte.»

ARRIBA: Camille Pissarro pintó este *Autorretrato* en 1873, contra un fondo en pastel.

1800-99

GUSTAVE DORÉ

Paul Gustave Doré, 6 de enero de 1832 (Estrasburgo, Francia); 23 de enero de 1883 (París, Francia).

Estilo: Grabador, ilustrador, pintor y escultor; composiciones dinámicas y dramáticas; ilustraciones oníricas o grotescas; caricaturas detalladas y vitales.

Obras destacadas

Ángel luchando con Jacob, 1855
(Granger Collection, Nueva York)
Nochebuena, sin fecha (Musée d'Orsay, París)

Durante sus cincuenta y un años de vida, Gustave Doré, el más famoso ilustrador de libros francés de mediados del siglo XIX, produjo más de diez mil grabados e ilustró más de doscientos libros, algunos de ellos con más de cuatrocientas láminas.

Sin formación artística, Doré asombró con sus dibujos a un editor parisino cuando solo tenía quince años; ese mismo año se publicó su primer libro ilustrado. Comenzó a proporcionar litografías a un semanario y con dieciséis años se convirtió en el ilustrador mejor pagado de Francia. Pronto empezó a hacer dibujos que un equipo de artesanos grababa en madera; era tan prolífico que una vez dio trabajo a más de cuarenta grabadores. Entre 1860 y 1900 se reeditó uno de sus libros ilustrados cada ocho días. El poeta y crítico literario Théophile Gautier lo apodó «el pequeño genio». Entre sus ilustraciones se cuentan las realizadas para obras de François Rabelais, Honoré de Balzac, John Milton, Dante Alighieri, Lord Byron y Edgar Allan Poe.

Doré inauguró una gran exposición en Londres en 1867, lo que llevó a la fundación de la Doré Gallery en New Bond Street. En 1869 colaboró con Blanchard Jerrold en un retrato de Londres de gran amplitud, *Londres: una peregrinación* (1872). Contenía sombríos estudios de los barrios extremadamente pobres de la ciudad, y captó la atención de Vincent van Gogh. Casi tres décadas más tarde, Van Gogh pintó el patio de una prisión a partir de uno de los grabados de Doré de la cárcel Newgate, en Londres. Para Doré el éxito también supuso recibir más encargos, entre ellos trabajos para Samuel Coleridge, Milton y Alfred Tennyson. En la década de 1870 comenzó a pintar y esculpir, aunque estas obras no fueron muy bien recibidas en Francia, por lo que se trasladó a Londres donde encontró el respeto que buscaba. **SH**

> «He intentado copiar *Los prisioneros de Doré*; es muy complicado.» Vincent van Gogh

ARRIBA: Esta fotografía de estudio de Gustave Doré fue tomada en París hacia 1865.

DERECHA: La encantadora *Nochebuena* representa la magia infantil de la Navidad.

1800-99

ÉDOUARD MANET

Édouard Manet, 23 de enero de 1832 (París, Francia); 30 de abril de 1883 (París, Francia).

Estilo: Pintor fundamental de la vida urbana contemporánea; audaces contrastes de luz; colores sólidos; innovador vanguardista; precursor del modernismo.

Hace tiempo que se considera a Édouard Manet uno de los fundadores del arte moderno. Aunque durante una época se le consideró uno de los impresionistas y tuvo gran influencia en ellos, nunca expuso en las muestras independientes y prefirió dejar su impronta en el arte imperante y buscar el reconocimiento dentro del contexto de las exposiciones del Salón.

Manet nació en el seno de una familia parisina acomodada. Aunque estaba destinado a estudiar derecho, el joven Manet demostró un temprano interés por el dibujo y el arte en general. Animado por su tío, Charles Fournier, y su amigo de infancia, Antonin Proust, se matriculó en el taller del innovador e influyente profesor Thomas Couture. Manet completó su educación en el Louvre, donde copiaba las pinturas de los viejos maestros. También viajó a Bélgica, Holanda, Alemania e Italia; estudió a Frans Hals, Tiziano, Giorgione y Diego Velázquez.

En febrero de 1856 ya había establecido su propio estudio y pronto obtuvo algunos éxitos: dos de sus obras fueron aceptadas en el Salón de 1861 y ganó una mención honorífica por

Obras destacadas

El guitarrista español, 1860
(Metropolitan Museum of Art, Nueva York)

La música en las Tullerías, 1862
(National Gallery, Londres)

Olympia, 1863 (Musée d'Orsay, París)

Almuerzo campestre, 1863
(Musée d'Orsay, París)

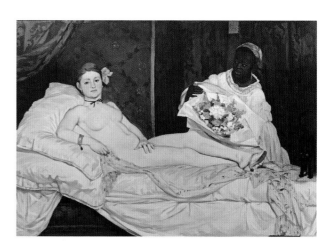

ARRIBA: *Autorretrato con una paleta,* pintado al óleo (1879), pertenece a una colección particular.

DERECHA: El descarnado contraste de luces y sombras de la *Olympia* es tan audaz como el mismo desnudo.

El guitarrista español (1860). Sin embargo, estos primeros elogios no iban a durar mucho. A medida que su estilo fue madurando, Manet comenzó a interesarse cada vez más la vida urbana contemporánea. Se relacionaba con intelectuales como el poeta Charles Baudelaire y el novelista Émile Zola. De acuerdo con este estilo de vida, la primera gran obra de Manet que retrataba la vida urbana es *La música en las Tullerías* (1862).

ARRIBA: Manet se burló de las convenciones artísticas en *Almuerzo campestre*.

«Nadie puede ser pintor a menos que le importe la pintura por encima de todo lo demás.»

Representa a un grupo de personas bien vestidas en un concierto al aire libre e incluye los retratos de varios intelectuales y su autorretrato. La obra refleja la madurez técnica de Manet: una composición plana y gráfica pintada con gruesas pinceladas de

¿Cadáver o belleza?

La primera vez que *Olympia* —cuadro que representa una mujer desnuda recostada— de Édouard Manet se exhibió en el Salón de París de 1865 provocó un gran escándalo. El tema había sido común en el arte occidental durante siglos, pero los espectadores se quedaron horrorizados por la interpretación del artista.

No se trataba de una diosa desnuda de la antigua Grecia ni de una exótica bañista turca sino de una cortesana parisina contemporánea, representada como tal, que devolvía al público furibundo sus miradas con confianza. Los críticos compararon repetidas veces la *Olympia* de Manet con un cadáver:

- «La expresión de [su] cara es la de alguien que ha envejecido prematura y despiadadamente; el color putrefacto de su cuerpo recuerda los horrores de la morgue.» Victor de Jankovitz.

- «Esa venus hotentote con un gato negro, indefensa y [...] desnuda sobre una cama como si fuera un cadáver.» Geronte.

- «La multitud se agolpa alrededor de la manida *Olympia* de Manet como espectadores en una morgue.» Paul de Saint-Victor.

- «Su cara es tonta, su piel cadavérica [...] no tiene forma humana.» Félix Deriège.

- «Una cortesana de manos sucias y pies arrugados [...] tiene el matiz lívido de un cadáver expuesto en la morgue.» Ego.

color, pintura tratada con libertad, luz brillante contrapuesta a la sombra, una paleta de colores limitada y la aplicación de una considerable cantidad de negro.

Una figura controvertida

Manet y su obra fueron muy apreciados por una nueva y radical generación de artistas, entre los que se incluían Claude Monet, Pierre-Auguste Renoir, Edgar Degas y Berthe Morisot. Sin embargo, el pintor fue objeto de escándalo y ofensa pública con la exposición de dos de sus obras en particular: *La merienda campestre* (1863) y *Olympia* (1863). Expuesta en el infame «Salón de los Rechazados», donde se exhibían las obras descartadas por el Salón oficial, *La merienda campestre* se convirtió en el centro de una tormenta de críticas, menos por su tema perturbador que por su estilo. La naturaleza contemporánea de las figuras representadas —una mujer desnuda sentada junto a unos hombres vestidos con ropas modernas— y el modo en que la escena imitaba las poses de los cuadros históricos consternó y confundió a muchos espectadores. Esta reacción molestó a Manet, a pesar de lo cual perseveró en la representación de imágenes que celebraban el ocio parisino. En obras posteriores utilizó pinceladas muy superficiales y una paleta de colores más clara para representar la vida moderna. **AB**

DERECHA: Manet pintó la mayor parte de este cuadro, *Folies-Bergère*, de memoria cuando estaba muy enfermo.

1800-99

HENRI CHAPU

Henri-Michel-Antoine Chapu, 29 de septiembre de 1833 (Le Mée-sur-Seine, Seine-et-Marne, Francia); 21 de abril de 1891 (París, Francia).

Estilo: Escultor y pintor neoclásico; temas alegóricos y clásicos; estatuas, retratos, relieves y monumentos públicos; célebre por sus esculturas funerarias.

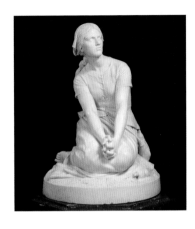

En 1847 Henri-Michel-Antoine Chapu se trasladó a París junto a su familia, procedente de su ciudad natal, Le Mée-sur-Seine. Asistió al colegio para estudiar dibujo y convertirse en decorador de interiores. Sin embargo, su evidente talento hizo que en 1849 fuera admitido en la Escuela de Bellas Artes, donde estudió escultura con Jean-Jacques Pradier y Francisque Duret, y pintura con Léon Cogniet. Ganó el premio de Roma de escultura en 1855 y continuó sus estudios en Italia hasta 1860. A su regreso a París recibió varios encargos; muchos fueron para la realización de monumentos públicos, como estaciones de tren, universidades y grandes almacenes. Sus relieves fueron admirados en lugares tan lejanos como Estados Unidos, y por escultores contemporáneos como Augustus Saint-Gaudens.

La pieza que le catapultó a la fama fue *Juana de Arco en Domremy* (1870-1872), extraordinaria por su conmovedora y novedosa representación de la heroína francesa como una campesina rezando en vez de como una guerrera. Como consecuencia, Chapu recibió numerosos encargos y ayudó a revivir la moda de los medallones con retratos. También fue muy solicitado por sus esculturas funerarias, como la de la *Tumba de la condesa Marie d´Agoult* (1877). Pero su obra más importante todavía estaba por venir en forma de *Efigie de Victoria Augusta Antonia de Sajonia-Coburgo-Gotha, duquesa de Nemours* (1881-1883), creada para un monumento funerario. La graciosa figura recostada fue admirada por su turbadora elegancia, su naturalismo y por lo mucho que se parecía a la representada, y fue el punto culminante de la carrera de Chapu. Incluso fue admirada por la prima de la duquesa de Nemours, la reina Victoria, cuando apareció por primera vez *in situ* en la iglesia inglesa de San Carlos Borromeo en Weybridge, Surrey. **CK**

Obras destacadas

Juana de Arco en Domremy, 1870-1872 (Musée d'Orsay, París)

La juventud, 1875 (Musée d'Orsay, París)

Tumba de la condesa Marie d'Agoult, 1877 (cementerio de Père-Lachaise, París)

Efigie de Victoria Augusta Antonia de Sajonia-Coburgo-Gotha, duquesa de Nemours, 1881-1883 (Walter Art Gallery, Liverpool)

«Si se quiere dejar un rastro inmortal hay que ser enterrado por el señor Chapu.» *Fidière*

ARRIBA: *Juana de Arco en Domremy* se encuentra en el **Musée d'Orsay de París.**

JAMES MCNEILL WHISTLER

James Abbott McNeill Whistler, 11 de julio de 1834 (Lowell, Massachusetts, EE.UU.); 17 de julio de 1903 (Londres, Inglaterra).

Estilo: Paisajes brumosos y oscuros conocidos como «nocturnos»; aplicación de la pintura fina y líquida; retratos elegantes de cuerpo entero; grabados atmosféricos.

Obras destacadas

Arreglo en gris y negro: Retrato de la madre del artista, 1871 (Musée d'Orsay, París)

Nocturno en azul y oro: El viejo puente Battersea, h. 1872-1875 (Tate Collection, Londres)

Nocturno en negro y oro: El cohete a tierra, h. 1875 (Detroit Institute of Arts, Detroit)

Nacido en Massachusetts, James McNeill Whistler viajó a Europa en 1855 para no volver nunca más. Pasó el resto de su vida en París y Londres, donde se dio a conocer tanto por su afilado ingenio, su amaneramiento afectado y su acicalado modo de vestir como por su arte. A propósito, se hacía llamar mariposa frágil y elegante, motivo que utilizó como firma en todas sus obras después de la década de 1860. Sin embargo, esta singular mariposa tenía un agresivo aguijón, tal como descubrieron muchos de sus clientes. Hacia el final de su vida publicó sus extensos escritos públicos en *El noble arte de hacer enemigos* (1890), arte en el que sobresalió.

La naturaleza combativa de Whistler no concordaba, irónicamente, con la encantadora armonía de sus cuadros. El credo por el que más se le recuerda es la idea de que el arte tiene que

ARRIBA: *Arreglo en gris, retrato del artista (Autorretrato)*, realizado en 1872.

DERECHA: La angulosa *Arreglo en gris y negro: Retrato de la madre del artista* es la obra más famosa de Whistler.

1800-99

existir por su propio bien —«el arte por amor al arte»—, creencia que esbozó en su *Conferencia a las diez* (1885). Su obra daba prioridad a la estética por encima de la narración y se concentraba en la disposición perfecta de los colores y las formas. El ejemplo más célebre de este enfoque, *Arreglo en gris y negro: Retrato de la madre del artista*, se convirtió en icono de la pintura moderna. Retrato sorprendentemente delicado y perspicaz, la notable composición y la armonía cromática se avenían en sentido estricto a los principios estéticos que Whistler sostenía. Desarrolló en profundidad estas teorías en sus retratos de la sociedad y en los «Nocturnos», una serie de sombrías y crepusculares vistas del río Támesis influenciadas por la simplicidad de las xilografías japonesas.

La técnica era crucial para alcanzar la fluidez característica de sus obras. Aplicaba múltiples capas de pintura aclaradas con aceite y trementina para conseguir la liquidez deseada y una extraña y bella unidad. Semejante paciencia y hábil destreza también hicieron de él un excelente grabador. Whistler fue una de las principales figuras del renacer del grabado británico gracias a sus sutiles obras de arte, como los grabados para las dos colecciones venecianas de 1880 y 1886. **NM**

ARRIBA IZQUIERDA: *Támesis: nocturno en azul y plata* (h. 1872-1878) es un Whistler clásico.

ARRIBA: *Nocturno en negro y oro* es una obra clave en la historia de la pintura abstracta.

Whistler contra Ruskin

En 1877 la obra de Whistler *Nocturno en negro y oro: la caída del cohete* (h. 1875) se convirtió en el centro de una reñida causa judicial después de que el crítico John Ruskin acusara al artista de exponer una obra inacabada y de «arrojar un bote de pintura a la cara del público», según su colorida frase. Whistler demandó a Ruskin por difamación en 1878 y el caso se convirtió en un debate público acerca del derecho del artista a decidir qué constituía una obra acabada. El tribunal dictaminó a favor de Whistler, aunque no le indemnizaron por los daños causados.

EDGAR DEGAS

Hilaire-Germain-Edgar de Gas, 19 de julio de 1834 (París, Francia); 27 de septiembre de 1917 (París, Francia).

Estilo: Pintor y escultor impresionista; uso expresivo de la línea; pasteles de colores vivos; representaciones de carreras de caballos, bailarinas y mujeres bañándose.

Uno de los mejores dibujantes del mundo, a Edgar Degas se le atribuye haber sido el vínculo entre el arte clásico y el moderno. Dominaba la pintura, el dibujo, la escultura y la fotografía: adoptó en serio esta última a partir de 1895.

Al percibir su talento, los adinerados padres de Degas le permitieron tener un estudio en casa y con veinte años ya estaba decidido a ser artista. Sus primeras piezas estaban influenciadas por la obra de Jean-Auguste Dominique Ingres y Eugène Delacroix; en 1855 conoció a Ingres, quien le dio su famoso consejo: «Sigue las líneas». Degas se matriculó en la Escuela de Bellas Artes de París y pasó tres años estudiando en Italia. En 1865 expuso por primera vez en el Salón de París y fue uno de los miembros de la Sociedad Anónima de los Artistas que expusieron juntos a partir de 1874. La primera exposición incluía obras de Degas, Claude Monet, Berthe Morisot y Pierre-Auguste Renoir y, más tarde, el crítico Louis Leroy la calificaría despectivamente de «exposición de impresionistas» debido al estilo de los artistas, con detalles insuficientes, pinceladas evidentes y el uso de colores sin mezclar.

Obras destacadas

Jóvenes espartanos haciendo ejercicio, h. 1860 (National Gallery, Londres)

Pequeña bailarina de catorce años, h. 1880-1881 (Tate Collection, Londres)

La bañera, 1886 (Musée d'Orsay, París)

Bailarinas en el banco, h.1898 (Kelvingrove Art Gallery and Museum, Glasgow)

ARRIBA: Autorretrato de Edgar Degas pintado al principio de su carrera, en 1862.

DERECHA: *Bailarinas en el banco* muestra la habilidad de Degas para representar el movimiento.

ARRIBA: Algunos encontraron vulgar la vulnerabilidad de la mujer en *La bañera*.

Degas recibió durante toda su carrera el apoyo de su mayor patrocinador, el galerista Paul Durand-Ruel. En un principio, no a todo el mundo le gustaba ni entendía la obra de Degas, pero hacia 1880 sus pinturas, con sus composiciones de ángulos insólitos y pinceladas rápidas y sueltas, se recibían cálidamente. Sin embargo, una de sus obras maestras, una escultura modelada en cera y tela (más tarde fundida en bronce), *Pequeña bailarina de catorce años* (h. 1880-1881), aún suscitó división de opiniones, pues provocó adoración, improperios e indignación. La obra de Degas se expuso en Nueva York en 1886, y en 1905 se mostraron algunos cuadros en Londres junto a los de los impresionistas.

Un poco misógino, Degas nunca se casó y relegó a la mujer a un segundo plano por detrás de su arte. No obstante, muchas de sus obras más famosas representan bailarinas, lavanderas y costureras. Hacia el final de su vida tuvo problemas en la vista, pero siguió haciendo bocetos, dibujando y esculpiendo. **LH**

Los impresionistas

Edgar Degas expuso en siete de las ocho exposiciones de los impresionistas, pero tenía muchas ganas de distanciarse de su estilo. Criticó abiertamente la técnica de pintar al aire libre: «Si fuese el gobierno tendría una brigada de gendarmería especial para vigilar a los artistas que pintan paisajes al natural». También se vio enredado en «el caso Dreyfus», debate que dividió a Francia cuando un militar francés, Alfred Dreyfus, fue acusado en falso de traición. La insistencia de Degas en la culpabilidad de Dreyfus reveló su antisemitismo, lo cual le hizo perder a muchos de sus amigos impresionistas.

HENRI FANTIN-LATOUR

Ignace Henri Jean Théodore Fantin-Latour, 14 de enero de 1836 (Grenoble, Francia); 25 de agosto de 1904 (Buré, Orne, Francia).

Estilo: Pintor y litógrafo; armoniosas naturalezas muertas florales; retratos individuales y en grupo; uso de fondos neutros; composiciones sutiles.

Obras destacadas

Homenaje a Delacroix, 1864
(Musée d'Orsay, París)

Retrato de Édouard Manet, 1867-1880
(Art Institute of Chicago, Chicago)

Flores en un jarrón de barro, 1883
(Ermitage, San Petersburgo)

El oro del Rin, 1888 (Kunsthalle, Hamburgo)

La obra de Henri Fantin-Latour salvó la brecha existente entre realistas e impresionistas, aunque no se identificara con ninguno de los dos movimientos.

El padre de Fantin-Latour era pintor y profesor de arte. El joven Henri fue alumno del gran pintor realista Gustave Courbet y posteriormente pasó a ser miembro del grupo de artistas que vivió y trabajó al lado del maestro del impresionismo Édouard Manet. También estuvo muy influenciado por la obra y la imaginación del pintor romántico Eugène Delacroix.

La obra de Fantin-Latour oscilaba entre la precisa brillantez de sus primeras obras, como *Homenaje a Delacroix* (1864) y *Retrato de Édouard Manet* (1867-1880), al etéreo estilo impresionista de *El oro del Rin* (1888) y *Náyade* (h. 1896). Aunque sus primeros trabajos son realistas y muchas de sus últimas obras son impresionistas y tratan la luz en función del tono en lugar del color, no puede decirse que la diferencia se debiera al paso del tiempo; más bien pasaba con facilidad de un estilo al otro y combinaba las técnicas para que estas se adaptaran a su propio estilo.

Los retratos de Fantin-Latour de la familia Duborg y de Charlotte Duborg muestran una gran intensidad de emociones y unen a la perfección los dos movimientos artísticos. Tanto sus retratos como sus naturalezas muertas suelen tener fondos neutros. Aunque es más famoso por sus naturalezas muertas, en particular las de flores, son quizá más interesantes sus retratos de grupo, como *Taller en el barrio de Batignolles* (1870). Esta obra es una evocación del mundo artístico parisino poco antes de la guerra franco-prusiana, y es aún más conmovedora si cabe por la inclusión del joven Frédéric Bazille, quien murió en combate tan solo unos meses después de que Fantin-Latour pintara el grupo. **LH**

> «Primero copié a los maestros; luego, la vida. Hace unos años que pinto mis sueños.»

ARRIBA: Este *Autorretrato* (1859) puede verse en la Galleria degli Uffizi, Florencia.

1800-99

WINSLOW HOMER

Winslow Homer, 24 de febrero de 1836 (Boston, Massachusetts; EE.UU.);
29 de septiembre de 1910 (Prout's Neck, Maine, EE.UU.).

Estilo: Representaciones de las matanzas de la guerra de Secesión; pintor poético de paisajes estadounidenses; estudio de la relación entre hombre y naturaleza.

Aunque se considera a Winslow un paisajista seguidor de la Escuela del río Hudson, este comenzó su carrera profesional como ilustrador. Nacido y educado en Boston, Massachusetts, empezó a trabajar para una firma de litógrafos, pero en 1859 ya se había trasladado a Nueva York, donde realizó ilustraciones para *Harper's Weekly*. Durante la guerra civil estadounidense siguió al ejército de la Unión hacia el sur como artista corresponsal de *Harper's Weekly*. Esta formación temprana proporcionó a Homer una gran habilidad para la observación minuciosa, y alentó su brillante percepción de las líneas y las formas, así como una composición rigurosa.

La primera obra cumbre aclamada de Homer, *Los prisioneros del frente* (1866), fue pintada al óleo, pero tiene la misma franqueza directa y composición audaz que sus ilustraciones. La obra causó sensación cuando fue expuesta en Estados Unidos y luego en París. Tras su elección como miembro de la Academia Nacional de Diseño a los veintinueve años, Homer viajó a Europa y descubrió de primera mano las obras de Jean-François Millet, Eugène Boudin y Gustave Courbet.

Pintó acuarelas durante la década de 1870, explorando los efectos luminosos y translúcidos del medio. Tras una estancia de casi dos años en un pueblo de pescadores del mar del Norte, Cullercoats, en Inglaterra, Homer regresó a Estados Unidos en 1882 y se estableció de modo definitivo en Prout´s Neck, en la costa de Maine. Vivió y trabajó apartado de todo el mundo, y su estilo y contenido pasaron de un mundo de ocio idílico a la preocupación por la relación entre el hombre y la naturaleza, realizando imágenes pintadas en capas espesas acerca de la lucha del hombre contra los peligros y la grandiosidad del mar. **AB**

Obras destacadas

Los prisioneros del frente, 1866
   (Metropolitan Museum, Nueva York)

Viento del noreste, 1895
   (Metropolitan Museum, Nueva York)

«El sol no saldrá ni se pondrá sin que yo me dé cuenta, y gracias.»

ARRIBA: Este dibujo sin fecha se realizó a partir de una fotografía del artista.

LAWRENCE ALMA-TADEMA

Laurens Tadema, 8 de enero de 1836 (Dronrijp, Países Bajos); 25 de junio de 1912 (Wiesbaden, Alemania).

Estilo: Pintor de retratos, paisajes y acuarelas; pinturas al óleo de temas clásicos; atención a los detalles arquitectónicos y a la representación de texturas.

Obras destacadas

Ajedrecistas egipcios, 1865
(colección particular)

Las rosas de Heliogábalo, 1888
(colección particular)

Primavera, 1894 (J. Paul Getty Museum, Los Ángeles)

Favoritas de plata, h. 1903 (Manchester City Art Galleries, Manchester)

Con el advenimiento del modernismo, los cuadros de Lawrence Alma-Tadema sobre temas clásicos y antiguos —con cielos y mares azules, bellezas femeninas ataviadas con togas y nostalgia por el esplendor y decadencia del mundo antiguo— perdieron popularidad. Sin embargo, volvió a hacerse famoso hacia finales de la década de 1960 debido a su obsesiva atención por los detalles arquitectónicos y su virtuosidad en la representación de las texturas, en particular del mármol.

En 1852 estudió en la Real Academia de Bellas Artes de Amberes, Bélgica. En 1870 escapó del estallido de la guerra francoprusiana hacia Londres, donde se ganó la vida como pintor de temas clásicos. Fue entonces cuando su suerte mejoró. Trabó amistad con los prerrafaelitas y se vio influenciado por su meticulosidad en los detalles y su paleta brillante. En 1873 adquirió la nacionalidad británica y, hombre astuto, cambió su nombre de pila «Laurens» por «Lawrence», que sonaba más inglés, y su apellido «Tadema» por «Alma-Tadema», para asegurar que su nombre apareciera entre los primeros de la lista en los catálogos de las exposiciones. Inglaterra era el mercado ideal para su estilo de paisajes clásicos, y llegó a ser uno de los artistas más famosos y mejor pagados del momento. Viajó a Italia en 1873 y 1883, y en sus visitas a las ruinas antiguas de Roma y Pompeya reunió fotografías y detalles de la vida de la antigua Roma que enriquecerían la autenticidad de su obra. A principios del siglo XX era muy solicitado como escenógrafo y diseñador de vestuario, e incluso llegó a diseñar muebles y tejidos. El declive de su popularidad y la mala salud le persiguieron en sus últimos años; murió durante un viaje al balneario de Kaiserhof en Wiesbaden, adonde fue para someterse a un tratamiento para una úlcera de estómago. **CK**

> «Siempre he poseído la belleza de la antigüedad.»

ARRIBA: *Autorretrato* de Alma-Tadema (1896), pintado con una paleta de colores cálidos.

1800-99

MARIANO FORTUNY I CARBÓ

Mariano José María Bernardo Fortuny i Carbó, 11 de junio de 1838 (Reus, España); 21 de noviembre de 1874 (Roma, Italia).

Estilo: Pintor catalán; temas marroquíes, orientales y españoles; pinceladas sueltas; facilidad para utilizar audazmente el color; representaciones realistas.

Tras cuatro años de estudio en la Escuela de Bellas Artes de Barcelona, Mariano Fortuny i Carbó ganó el premio de Roma en 1857 e hizo de Italia su casa. Cuando España declaró la guerra a Marruecos, las autoridades españolas lo enviaron a documentar la guerra con sus cuadros. Aunque hizo muchos estudios preliminares nunca terminó el trabajo; no obstante, la luz y los colores de Marruecos tendrían gran impacto en sus últimas obras. Una de sus obras maestras, *La vicaría* (1870), fue especialmente bien considerada por sus colores lujosos y minuciosa composición, y contribuyó al gran éxito comercial del artista. *Desnudo en la playa de Portici* (1874) es un excepcional ejemplo del talento del pintor para el dibujo realista. **SH**

Obras destacadas

La batalla de Tetuán, 1863-1870 (Museu Nacional d'Art de Catalunya, Barcelona)

El saludo del torero, h. 1869 (National Gallery, Londres)

La vicaría, 1870, (Museu Nacional d'Art de Catalunya, Barcelona)

Desnudo en la playa de Portici, 1874 (Museo del Prado, Madrid)

JAN MATEJKO

Jan Matejko, 24 de junio de 1838 (Cracovia, Polonia); 1 de noviembre de 1893 (Cracovia, Polonia).

Estilo: Romanticismo; teatralidad; iluminación melancólica; detalles delicados; colores ricos; escenas épicas de la historia polaca.

La historia de su país, su lucha contra la opresión y la muerte de su hermano durante un gran levantamiento alimentaron la fértil imaginación de este destacado pintor polaco. Formado en Cracovia, Munich y Viena, la especialidad de Jan Matejko fueron piezas monumentales históricas mediante las cuales comentaba los temas de actualidad en Polonia. También creó su propia adaptación de la popular figura del bufón Stańczyk, al que usaba como comentarista. El fervor nacionalista de Matejko fue muy popular en su país y fuera de él, pero las críticas abiertas de ciertos estadistas polacos no gustaron. Aunque su obra posterior se volvió más insulsa, siguió siendo un icono nacional y una fuente de inspiración para los aspirantes a artista polacos. **AK**

Obras destacadas

Stanczyk, 1862 (Museo Nacional de Polonia, Varsovia)

Batalla de Grünwald, 1875-1878 (Museo Nacional de Polonia, Varsovia)

AIMÉ-JULES DALOU

Obras destacadas

Maternidad, h. 1873 (Royal Exchange, Londres)

El triunfo de la República, 1889 (place de la Nation, París)

Aimé-Jules Dalou, 31 de diciembre de 1838 (París, Francia); 15 de abril de 1902 (París, Francia).

Estilo: Esculturas simples y pesadas; figuras realistas; formas naturales y superficies desiguales; temas cotidianos; manejo del material a menudo poco refinado.

Aimé-Jules Dalou nació en el seno de una familia de clase obrera, y sus esculturas reflejan sus primeras experiencias. Combina una excelente habilidad técnica y comprensión de la práctica académica con una insistencia sin excusas en el realismo, tanto en lo referente a los temas como al estilo. Participó en la Comuna de París de 1871 y tuvo que marcharse a Inglaterra, donde enseñó en lo que actualmente es el Royal College of Art. Siguió pintando cuadros de campesinos franceses; *Maternidad* (h. 1873) es uno de los más conocidos. De regreso a Francia en 1878, Dalou realizó varios monumentos públicos. *El triunfo de la República* (1889) simboliza la eventual concordancia entre las inclinaciones políticas de Dalou y su obra pública. **PS**

ALFRED SISLEY

Obras destacadas

El puente de Argenteuil, 1872 (Memphis Brooks Museum of Art, Memphis, EE.UU.)

La nieve en Louveciennes, 1875 (Musée d'Orsay, París)

Alfred Sisley, 30 de octubre de 1839 (París, Francia); 29 de enero de 1899 (Moret-sur-Loing, Francia).

Estilo: Pintor impresionista lírico; pincelada ligera; tonos sutiles, reflejos temblorosos; paleta armoniosa; exploraciones del cielo y de los efectos del clima.

Alfred Sisley estudió pintura con Claude Monet, Pierre-Auguste Renoir y Frédéric Bazille. Los amigos pintaban juntos al aire libre intentando captar los efectos de la luz en un estilo más colorido e impreciso de lo que era aceptable en aquel momento. Influenciado por la obra de John Constable, Joseph Mallord William Turner y Gustave Courbet, Sisley iluminó su paleta como habían hecho Monet y Renoir. En 1867 tomó lecciones con Camille Corot y expuso en el Salón de París y en el «Salón de los Rechazados». Aunque la mayor parte de su vida discurrió en Francia, también pasó temporadas en Inglaterra y pintó paisajes de ambos países. Sin embargo, no recibió cierto reconocimiento hasta el final de su vida, ya enfermo. **SH**

DERECHA: *La nieve en Louveciennes*, de Sisley, tiene una bella y lírica calidad tonal.

1800-99

PAUL CÉZANNE

Paul Cézanne, 19 de enero de 1839 (Aix-en-Provence, Francia); 22 de octubre de 1906 (Aix-en-Provence, Francia).

Estilo: Audaz uso del color; innovadora utilización de la perspectiva; formas geométricas e intersección de luces y sombras; composiciones poco habituales.

Obras destacadas

Paul Alexis leyendo un manuscrito a Émile Zola, 1869-1870 (Museo de Arte de São Paulo, São Paulo)

Avenida en el Jas de Bouffan, h. 1871 (National Gallery, Londres)

Los bañistas, h. 1890-1892 (Musée d'Orsay, París)

Las grandes bañistas, 1894-1905 (National Gallery, Londres)

Bodegón con manzanas y naranjas, h. 1895-1900 (Musée d'Orsay, París)

Hijo ilegítimo de un acaudalado banquero, Paul Cézanne quiso ser artista desde niño, una ambición que su autoritario padre desaprobaba. El miedo a su padre y la inseguridad relacionada con el hecho de ser hijo ilegítimo parecen haber asediado a Cézanne durante toda su vida.

A los veintidós años, Cézanne pasó seis meses en París estudiando arte y mezclándose con otros artistas; este período condujo a una de sus grandes depresiones, y su baja autoestima lo llevó a destruir muchos de sus cuadros. Regresó a Aix-en-Provence, aunque en 1862 ya se encontraba de vuelta en París determinado a llegar a ser artista. Junto a su gran amigo, el escritor Émile Zola, pasó a ser políticamente activo y se declaró revolucionario. A pesar de esta postura, Cézanne estaba desesperado por que lo aceptaran en el mundo de la élite artística de París. Volvió a sufrir una nueva depresión cuando el Salón rechazó sus obras, aunque esta vez perseveró. En 1863 se formó una exposi-

ARRIBA: Uno de los varios autorretratos conocidos; esta obra fue pintada en 1875.

DERECHA: *Paul Alexis leyendo un manuscrito a Émile Zola* evoca una atmósfera típicamente sombría.

ción alternativa, el «Salón de los Rechazados». Cézanne expuso junto a otros «pintores rechazados», entre ellos Édouard Manet, Camille Pissarro y Henri Fantin-Latour. El Salón aceptó la primera de sus obras dos décadas más tarde, en 1882.

ARRIBA: *Las grandes bañistas* incorpora un elemento de modernidad a la forma humana.

Las primeras obras de Cézanne evocan atmósferas deprimentes un poco claustrofóbicas y están pintadas con una paleta de colores oscuros y lúgubres. En la década de 1870 su estilo cambió. Sobre esta época se enamoró de Emilie-Hortense Fiquet y fue entonces cuando empezó a relacionarse con los impresionistas, trabajando particularmente de cerca con Pissarro. En 1874 Cézanne expuso con el grupo, aunque no se consideraba un auténtico impresionista. Quería que su arte fuese más «sólido y duradero». Impresionado desde hacía tiempo por el arte flamenco, Cézanne pintó varias naturalezas muertas en paletas de colo-

«Mi único maestro [...] Cézanne fue como el padre de todos nosotros.» Pablo Picasso

¿Una bonita amistad?

Paul Cézanne conoció a Émile Zola en 1852, cuando eran alumnos de la misma escuela. Su amistad siguió siendo íntima durante años y aparentaban idolatrarse mutuamente: al parecer Zola admiraba el arte de Cézanne, y este las obras de Zola. El novelista también era artista aficionado y los dos chicos pasaban juntos su tiempo libre paseando y haciendo bocetos en el campo de Aix-en-Provence.

Cézanne siempre guardó un biombo que habían pintado juntos, objeto que aparece en muchos de sus cuadros; Zola también posó como modelo para Cézanne.

Fue gracias a Zola por lo que el artista dejó Aix-en-Provence y se trasladó a París. Después de que el padre de Zola muriera, él y su madre se trasladaron a la ciudad. Zola convenció a su amigo para que los siguiera y se concentrara en su arte, a pesar de la clara oposición de su padre.

Hacía más de treinta años que los dos eran amigos cuando Zola, que entonces ya era un novelista de éxito, publicó su libro *La obra* en 1886. Su protagonista, Claude Lantier, es un artista fracasado, ansioso, sexualmente inseguro y que acaba suicidándose. Aunque se cree que era una amalgama de los muchos artistas que Zola conocía, Cézanne lo vio como una sátira directa de sí mismo que ridiculizaba muchos de los secretos que había revelado a Zola a lo largo de los años. Fue el final de la que una vez había sido una sincera amistad.

res parecidas a las de los maestros flamencos. La más conocida es *Bodegón con manzanas y naranjas* (h. 1895-1900), que eleva un tema prosaico a la esfera del gran arte.

De vuelta a los orígenes

El padre de Cézanne murió en 1886, y el artista heredó su fortuna. Por entonces los coleccionistas de arte buscaban su obra; no obstante y a pesar del éxito, Cézanne nunca pudo librarse de la sensación de ser un fracasado. El estilo artístico de Cézanne fue evolucionando con los cambios que fueron sucediendo a lo largo de su vida. En la segunda mitad de la década de 1860 utilizaba espesas capas de pintura casi torpes, quizá rabiosas, como en el retrato de su padre de 1866; pronto pasó a elaborar escenas tan sensuales como la del *Avenida en el Jas de Bouffan* (h. 1871), una rica y rara interpretación de las zonas verdes de la hacienda de su padre. Volvió repetidas veces a los paisajes y los temas que le intrigaban, intentando realizar varias recreaciones según las variadas emociones que provocasen en él en diferentes momentos de su carrera. Hacia el final, su obra se caracterizó por los estudios armoniosos de sutil colorido que realizó de desnudos, siendo *Las grandes bañistas* (h. 1894-1905) el más famoso. **LH**

DERECHA: El paisaje del *Monte Saint-Victoire* es un tema recurrente en la obra de Cézanne.

ODILON REDON

Odilon Redon, 20 de abril de 1840 (Burdeos, Francia); 6 de julio de 1916 (París, Francia).

Estilo: Pintor simbolista y artista gráfico; primeros trabajos en blanco y negro; posterior uso de pasteles y óleos de colores vivos; imágenes misteriosas y oníricas.

Contemporáneo del impresionismo, Odilon Redon evolucionó en una dirección independiente con un estilo sumamente personal. Comenzó a estudiar dibujo a los quince años. Debido a la insistencia de su padre se pasó a la arquitectura, pero pronto abandonó. De vuelta a Burdeos, llegó a ser muy hábil en la escultura, el grabado y la litografía. Tras servir en la guerra franco-prusiana en 1870-1871, se marchó a París y se dedicó casi en exclusiva a dibujar al carboncillo y a las litografías realizando imágenes de raras criaturas y plantas, influenciado por las obras de Edgar Allan Poe. No obstante, siguió siendo relativamente desconocido hasta la publicación de la novela de Joris-Karl Huysmans, *Contra natura* (1884); la historia habla de un aristócrata que coleccionaba los dibujos de Redon.

Redon experimentó una crisis religiosa hacia 1890, y en 1894 tuvo una enfermedad muy seria, tras lo cual se volvió más optimista. Comenzó a trabajar en escenas mitológicas y pinturas de flores de vivos colores, que se ajustan a los ideales del simbolismo por ser misteriosas, inesperadas y oníricas.

El contenido temático de su obra durante los últimos veinte años de vida se volvió más optimista, rebosando esperanza y luz. Expuso con los nabis en 1899 y le concedieron la Legión de Honor en 1903. Figura aislada en su época, Redon fue una influencia muy fructífera para posteriores generaciones de artistas. Así, Henri Matisse admiraba especialmente sus cuadros de flores, y los surrealistas lo consideraron uno de sus precursores ya que su arte estuvo dominado por sus sueños. Su popularidad creció cuando en 1913 se publicó un catálogo de grabados y litografías. Ese año participó con una gran representación de cuadros en la Exposición Internacional de Arte Moderno, Armory Show, de Nueva York. **SH**

Obras destacadas

Nubes de flores, h. 1903
(Art Institute of Chicago, Chicago)

Retrato de Violette Heymann, 1910
(Cleveland Museum of Art, Cleveland, EE.UU.)

El cíclope, h. 1914 (Museum Kroller-Mueller, Otterlo, Países Bajos)

1800-99

«Como la música, mis dibujos nos transportan al ambiguo mundo de lo indeterminado.»

ARRIBA: Odilon Redon posó formal, con los brazos cruzados, para esta fotografía de Guy & Mockel.

AUGUSTE RODIN

François-Auguste-René Rodin, 12 de noviembre de 1840 (París, Francia); 17 de noviembre de 1917 (Meudon, Francia).

Estilo: Recreaciones realistas de la figura humana; temas religiosos; modernizó la escultura pública; modelado expresivo de las caras para transmitir emociones.

Auguste Rodin es uno de los mejores escultores que haya existido jamás. Las figuras que creó están imbuidas de vida y son tentadoramente táctiles; su medio, ya fuese arcilla, yeso, mármol o bronce, estaba animado por la magnífica manera en la que recreaba la piel, los músculos, las características físicas únicas y las expresiones faciales.

De niño se burlaban de Rodin por ser miope y pertenecer a una familia humilde, así como por su falta de habilidades académicas,

Obras destacadas

El pensador, 1880 (Philadelphia Rodin Museum, Filadelfia)

Camille Claudel, 1882-1899 (Victoria & Albert Museum, Londres)

Los burgueses de Calais, 1884-1886 (Musée Rodin, París)

El ídolo eterno, 1889 (Musée Rodin, París)

El beso, 1901-1904 (Tate Britain, Londres)

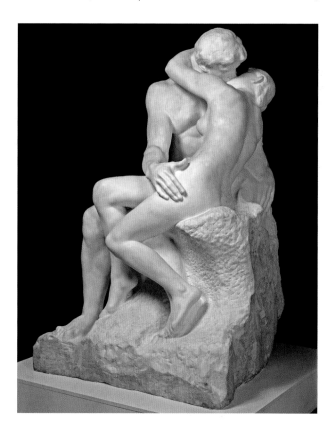

ARRIBA: El rostro de Auguste Rodin se ha hecho tan famoso como su obra.

DERECHA: *El beso* de Rodin es una de las esculturas más reconocidas del mundo.

lo que hizo que se aislara en su timidez. Comenzó a dibujar en serio a los diez años y pronto empezó a esculpir en barro. Pero pasó mucho tiempo hasta que se le reconoció su talento y la Escuela de Bellas Artes de París lo rechazó tres veces. Realizó sus primeras obras en talleres de producción: esculturas decorativas para la calle a partir de los diseños de otras personas.

Durante la década de 1860, Rodin fue decepcionándose cada vez más con su producción artística a consecuencia de lo cual sufrió una crisis nerviosa. Pasó algún tiempo recuperándose en un monasterio, y cuando volvió a estar bien alquiló un estudio y empezó a contratar modelos. A pesar de que el Salón de París lo ignorara, Rodin continuó impávido hasta que su obra recibió el reconocimiento que sabía se merecía.

Por el buen camino

En 1875 visitó Italia, donde se sintió inspirado por el arte clásico, en especial por las obras de Miguel Ángel, y se dispuso a actualizar su obra. Su representación del cuerpo humano pasó a ser tan exacta que, cuando comenzó a exponer, le acusaron de hacer trampas y de realizar moldes de una verdadera persona en lugar de esculpir un modelo.

Su primera obra pública importante fue *Las puertas del infierno* (1880), destinadas a ser las puertas de entrada a un museo; sin embargo, este nunca se terminó de construir y Rodin no terminó el encargo. Su fama y posición quedaron aseguradas y durante las siguientes dos décadas realizó algunas de sus obras más famosas, entre las que se incluyen *El pensador* (1880), *Los burgueses de Calais* (1884-1886) y *El beso* (1901-1904).

La vida romántica de Rodin fue tan apasionada y expresiva como su arte. Su amor por las mujeres puede apreciarse en los tiernos retratos que elaboró, como el busto de su amante y modelo *Camille Claudel* (1882-1899), y en sus exquisitas esculturas como *El ídolo eterno* (1889). Rodin sigue siendo universalmente famoso, y sus obras se encuentran en las galerías de arte de todo el mundo. Su antigua casa de París es en la actualidad el Museo Rodin, donde se exponen ejemplares de casi todas sus obras; hay otro Museo Rodin en Filadelfia, Pensilvania. **LH**

ARRIBA: Pieza fundida en bronce de *El pensador* (1880-1881) de la Colección Burrell, Glasgow, Escocia.

1800-99

Retiro del mundo

Auguste Rodin sufrió una depresión debido a la falta de reconocimiento artístico. Su salud empeoró tras la muerte prematura de su hermana en 1862. Abrumado por el dolor, buscó consuelo en la religión e ingresó en un monasterio. El superior de la orden, el padre Peter Julian Eymard, reconoció que Rodin no tenía vocación religiosa pero que necesitaba un tiempo de duelo. Fue él quien le recomendó que comenzara a esculpir de nuevo para calmar la mente. Gracias al padre Eymard, de quien el artista también hizo una escultura, el mundo tiene el arte de Rodin.

CLAUDE MONET

Claude Oscar Monet, 14 de noviembre de 1840 (París, Francia); 5 de diciembre de 1926 (Giverny, Francia).

Estilo: Paisajes coloridos y cuadros figurativos copiados directamente de la naturaleza; composiciones inspiradas en las xilografías japonesas; pinceladas rotas.

Obras destacadas

Impresión, amanecer, h. 1873
  (Musée Marmottan, París)

Las amapolas, 1873 (Musée d'Orsay, París)

Almiares, efecto de deshielo, 1888-1889
  (Hill-Stead Museum, Farmington,
  Connecticut, EE.UU.)

La catedral de Ruán, el portal a plena luz, 1892
  (Metropolitan Museum of Art, Nueva York)

Estanque de nenúfares y puente japonés, 1899
  (Art Museum, Princeton University,
  New Jersey)

El Parlamento de Londres, 1900-1901
  (Musée d'Orsay, París)

Claude Monet nació en París, aunque su familia se trasladó a El Havre cuando él tenía cinco años. Este traslado acabaría teniendo un gran impacto sobre la futura obra del artista, ya que Monet pasó su infancia explorando la costa y el campo de Normandía y observando los efectos de los rápidos cambios de tiempo sobre el mar y la tierra. Además, la técnica del artista local Eugène Boudin iba a influenciar de por vida la aproximación a la pintura de Monet. Boudin lo introdujo en el concepto de pintura al aire libre: pintura realizada al natural a partir de la observación directa.

Monet se unió a los veintidós años al estudio parisino del pintor académico Charles Gleyre, donde conoció a sus futuros compañeros impresionistas Pierre-Auguste Renoir y Frédéric Bazille. Monet disfrutó de un limitado éxito con varios paisajes, marinas y retratos, aceptados para ser expuestos en los salones anuales, pero rechazaron sus obras de gran formato que cuestionaban las ideas establecidas. La amarga decepción por el rechazo de obras como *Mujeres en el jardín* (1866) incitó a Mo-

ARRIBA: Claude Monet se centró en el espectador en este *Autorretrato con boina* (1886).

DERECHA: Monet pintó algunos de sus cuadros más alegres en Argenteuil, Francia, como *Las amapolas.*

net a unirse a Édouard Manet, Edgar Degas, Camille Pissarro, Renoir y algunos otros, y fundar la Sociedad Anónima de Artistas. El grupo realizó su primera exposición independiente en 1874.

ARRIBA: *Nenúfares por la mañana* capta la tranquilidad del «estanque encantado».

Uno de los cuadros de Monet para la exposición fue *Impresión, amanecer* (h. 1873). La obra suscitó el desdén de la crítica por su aspecto aparentemente inacabado. El crítico Louis Leroy tomó prestado el título de la obra para armar una crítica reprobatoria de la exposición, a la que describió como «La exposición de los impresionistas». Pero lejos de desanimarse, los artistas adoptaron el término burlón «impresionista» decididos a tomar la iniciativa a partir de la acusación y a construir una nueva forma de trabajar para alcanzar el éxito.

Monet nunca se quedó sin temas y a menudo buscaba captar las personas y paisajes que mejor conocía. Sus dos mujeres posaron como modelos, y se inspiró en los jardines y edificios de París, la costa y el campo de Normandía y su querido jardín de Giverny. Este idílico escenario se convirtió en un

«Nadie puede ser artista si no tiene el cuadro en la cabeza antes de empezar a pintarlo.»

imán para los amigos de Monet, como Manet y Renoir, que les proporcionaba un descanso del bullicio de París. Monet continuó la práctica de los pintores de la Escuela de Barbizon de principios del siglo XIX al observar los contenidos directamente de la vida.

Nace el impresionismo

Impresión, amanecer (h. 1873), de Claude Monet, dio nombre al movimiento impresionista. El tema de la obra es el puerto de El Havre, Francia. La pintura es atmosférica y evocadora: Monet empleó pinceladas sueltas y gestuales para transmitir cómo la luz anaranjada del sol emerge a través de la etérea bruma marina y refleja su luz en la superficie del agua.

Cuando Louis Leroy, crítico de arte del periódico *Le Charivari*, vio el cuadro en la exposición independiente de los impresionistas de 1874, exclamó: «Impresión, estaba seguro de ello. Me decía que ya que estaba impresionado tenía que haber alguna impresión en el cuadro [...] y ¡qué libertad, qué facilidad de trabajo! Un papel pintado en estado embrionario está mejor terminado que esa marina».

Los impresionistas permanecieron impertérritos ante semejante acogida. Monet explicaría con los años cómo llegó a titular su entonces célebre amanecer: «El paisaje no es sino una impresión instantánea, de ahí la etiqueta que nos pusieron, por cierto, gracias a mí. Expuse algo que había hecho en El Havre desde mi ventana: el sol en la bruma y varios mástiles de barcos atracados en primer plano [...] me pidieron un título para el catálogo, este realmente no podía referirse a una vista de El Havre y dije: "Pon *Impresión*"».

Pero a diferencia de los artistas de Barbizon que solo pintaban al aire libre los bocetos preliminares, Monet trabajó mucho más a la intemperie, incluso en sus grandes lienzos.

Con luz natural

El deseo de Monet de captar la naturaleza de forma espontánea hizo que volviera la espalda a las tradiciones de la pintura paisajística occidental y dirigiera la mirada al arte oriental, en particular a las xilografías japonesas. Su fascinación por el proceso de la percepción y por cómo este cambia según el momento del día o de la estación alcanza nuevas cotas en sus series de cuadros «Almiares» (1888-1889), «Los álamos» (1892) y «La catedral de Ruán» (1892-1894), sobre una misma escena a una hora diferente del día. Las obras son punto de referencia en la historia de la pintura, porque las luces y las sombras aparecen tan tangibles como la materia sólida. Al final de su carrera Monet se centró en los estanques con nenúfares de Giverny. Las plantas y el agua se confunden con visiones abstractas de colores y se crean texturas diferenciadas utilizando pinceladas entrelazadas de pintura empastada. Poco después de la muerte de Monet, el gobierno francés instaló su última serie de nenúfares en una galería del Musée de l'Orangerie de las Tullerías. **JN**

DERECHA: *El Parlamento de Londres* es una de las muchas obras de Monet que exploran la luz natural.

BERTHE MORISOT

Berthe Pauline Morisot, 14 de enero de 1841 (Bourges, Francia); 2 de marzo de 1895 (París, Francia).

Estilo: Pintora impresionista; escenas domésticas; pinceladas ligeras como una pluma; sutiles matices de luz; óleo, acuarela, pastel, punta seca y litografía.

Obras destacadas

La cuna, 1872 (Musée d'Orsay, París)
La caza de mariposas, 1873
   (Musée d'Orsay, París)

Nieta del artista rococó Jean-Honoré Fragonard, Berthe Morisot se educó en un ambiente muy culto. Conoció a Henri Fantin-Latour en 1859 y a Camille Corot en 1860, dos artistas que la influenciaron; en 1860 recibió críticas favorables en el Salón de París por dos paisajes. Su estilo se volvió más espontáneo después de conocer a Édouard Manet en 1864 e inspirarse en su obra. También hizo de modelo para él y se dice que lo convenció para que experimentase la paleta de múltiples matices de los impresionistas y la pintura al aire libre. Sus temas reflejan las restricciones culturales de su clase y género en el siglo XIX: nada de escenas urbanas ni de desnudos, sino paisajes, retratos e imágenes de la vida doméstica. **SH**

LOUIS-ERNEST BARRIAS

Louis-Ernest Barrias, 13 de abril de 1841 (París, Francia); 4 de febrero de 1905 (París, Francia).

Estilo: Esculturas neoclásicas idealizadas; dio a los asuntos serios un aspecto más humano e informal; figuras femeninas muy proporcionadas en obras alegóricas.

Obras destacadas

El juramento de Espartaco, 1872
   (Jardín de las Tullerías, París)
La defensa de París en 1870, 1881 (La Défense,
   glorieta de Courbevoie, París)

Louis-Ernest Barrias elaboró con éxito esculturas memorables que elevaban el espíritu, tenían un naturalismo idealizado y accesible y agradaban al público. Por eso era el artista adecuado para realizar monumentos a los caídos como *La defensa de París en 1870* (1881) y otras piezas que conmemoraban grandes hazañas.

   Procedente de una familia de artistas, la formación más bien académica de Barrias incluyó estudiar con el célebre escultor francés François Jouffroy en la Escuela de Bellas Artes. En 1865 ganó el premio de Roma, lo que le supuso pasar una temporada en la escuela de la Academia Francesa en la capital italiana. Entre sus temas preferidos se encuentran los alegóricos, los bíblicos y los históricos, a menudo con figuras femeninas. **AK**

PIERRE-AUGUSTE RENOIR

Pierre-Auguste Renoir, 25 de febrero de 1841 (Limoges, París); 3 de diciembre de 1919 (Cagnes-sur-Mer, Francia).

Estilo: Pintor y escultor impresionista; colores apagados que se confunden entre sí; colores audaces; interacción de luces y sombras; voluptuosos desnudos femeninos.

Obras destacadas

Lisa con sombrilla, 1867
    (Folwang Museum, Essen, Alemania)

La Grenouillère, 1869 (Museo Nacional,
    Estocolmo)

El almuerzo de los barqueros, 1880-1881
    (The Phillips Collection, Washington, D.C.)

Las sombrillas, 1881-1886
    (National Gallery, Londres)

Las bañistas, 1918-1919 (Musée d'Orsay, París)

El primer trabajo de Pierre-Auguste Renoir consistió en pintar objetos de cerámica. Con el salario se pagaba lecciones de arte, donde conoció a las personas que le ayudarían a descubrir el impresionismo: Claude Monet, Alfred Sisley y Frédéric Bazille.

En 1862 fue admitido en la Escuela de Bellas Artes y pronto comenzó a exponer en el Salón de París; estas primeras obras ya no existen porque Renoir las destruyó. En 1867 el Salón aceptó un retrato de la que entonces era su amante, *Lisa con sombrilla* (1867). Lo extraordinario del retrato era que se había realizado al aire libre en lugar de en un estudio. Renoir y los impresionistas se hicieron famosos por sus pinturas al aire libre, y *Lisa con sombrilla* preparó el camino. Los artistas trabajaban como un grupo y se utilizaban como modelos entre sí. Renoir y Monet fueron especialmente amigos y a menudo pintaban juntos sobre un mismo tema. Su serie en común más famosa es la pintada en La Grenouillère (1869).

Renoir luchó en la guerra franco-prusiana de 1870-1871, en la que perdió a su amigo Bazille. Cuando el conflicto terminó

ARRIBA: *Autorretrato a los 35 años* (1876), Fogg Art Museum, Massachusetts.

DERECHA: La paleta de Renoir refleja la época y el clima en *La Grenouillère* (1869).

y mientras Renoir intentaba pintar los horrores del mismo, el galerista de arte Paul Durant-Ruel le pidió que se reuniera con él y compró el que sería el primero de muchos Renoir para su galería; pronto siguieron los encargos.

A pesar de ser parte integral del grupo, Renoir solo expuso en cuatro de las ocho exposiciones impresionistas. Años más tarde se apartó del movimiento que había ayudado a fundar y pasó a interesarse por la que había sido su primera pasión: el arte clásico del siglo XVIII. Su estilo se volvió menos impresionista, aunque nunca emuló directamente a los maestros clásicos; tomó las lecciones que había aprendido de sus cuadros y las mezcló con las técnicas impresionistas para dar a su obra más sentido y consistencia.

La salud de Renoir fue empeorando. Se trasladó al sur de Francia a la espera de que el clima cálido aliviara su dolor artrítico. Cuando se le paralizaron las articulaciones de los dedos, se ató un pincel al brazo y pintó con brazadas amplias y extensas. **LH**

ARRIBA: *El almuerzo de los barqueros* es una típica escena impresionista.

Una familia con talento

Pierre-Auguste y Aline Renoir tuvieron tres hijos: Pierre, Jean y Claude. Renoir los pintó varias veces, a menudo junto a su madre o con su bella niñera, Gabrielle Renard, prima de Aline. Pierre y Jean lucharon en la Primera Guerra Mundial, donde ambos resultaron heridos. Tras el conflicto, Pierre se convirtió en un respetado actor de teatro y de cine. Jean llegó a ser uno de los directores de cine más famosos de los primeros tiempos del cine francés y obtuvo una candidatura al Oscar de la Academia por *El hombre del sur* (1945). Sus películas muestran una gran comprensión artística heredada de su padre.

HENRI ROUSSEAU

Henri Julien Félix Rousseau, 21 de mayo de 1844 (Laval, Mayenne, Francia); 2 de septiembre de 1910 (París, Francia).

Estilo: Pintor naïf; junglas pobladas de animales, plantas y pájaros exóticos; retratos innovadores; naturalezas muertas; colores vibrantes y múltiples tonos de verde.

Obras destacadas

La encantadora de serpientes, 1907
(Musée d'Orsay, París)

Paisaje exótico con monos y un papagayo, 1908
(colección particular)

El sueño, 1910 (Museum of Modern Art,
Nueva York)

Una vez Henri Rousseau se describió a sí mismo como uno de los mejores pintores realistas de Francia. La mayoría de los críticos de su época no compartieron su entusiasmo: a menudo Rousseau era objeto de burla y la gente se refería a él como el Aduanero por su ocupación. Sin embargo, la opinión pública comenzó a cambiar durante los últimos años de su vida, y su popularidad no ha dejado de crecer desde su muerte.

Rousseau dejó el colegio en 1860; llegado 1868 ya vivía en París, donde trabajaba de funcionario público. No comenzó a pintar en serio hasta los cuarenta años, y afirmaba que no había tenido más formación y maestro «que la misma naturaleza».

Algunas de las mejores obras de Rousseau representan la exótica naturaleza de animales salvajes y el follaje de la jungla. Con todo, el artista no pintaba a partir de su experiencia personal, ya que en realidad nunca salió de Francia, sino que buscaba temas en el Museo de Historia Natural de París, los jardines botánicos y el parque zoológico, así como grabados cuidadosamente seleccionados. En 1895 ya había expuesto por lo menos un cuadro al año a lo largo de una década en el Salón de los Independientes y atraído la atención por su obra, aunque había hecho pocas ventas. En 1907 Rousseau conoció al marchante de arte Wilhelm Uhde y al pintor Robert Delaunay, cuya madre le encargó a Rousseau *La encantadora de serpientes* (1907). A partir de ese momento otros muchos artistas trabaron amistad con Rousseau y admitieron su influencia. Entre sus jóvenes admiradores se incluían Pablo Picasso, Georges Braque y Constantin Brancusi. Tres años más tarde, Rousseau expuso *El sueño* (1910) en el Salón de los Independientes, con el que se ganó la aclamación de la crítica y disfrutó de este modo del éxito largo tiempo esperado. **HP**

«Cuando [...] veo las extrañas plantas de regiones exóticas, me parece estar soñando.»

ARRIBA: *Henri (el Aduanero) Rousseau en su estudio de la calle Perrel, París, 1907*, de Dornac.

DERECHA: *Paisaje exótico con monos y un papagayo*, escena típica de Rousseau.

MARY STEVENSON CASSATT

Mary Stevenson Cassatt, 22 de mayo de 1844 (Allegheny City, [act. Pittsburg], Pensilvania, EE.UU.); 14 de junio de 1926 (Château de Beaufresne, Francia).

Estilo: Pintora y grabadora; temas de madres e hijos; expuso junto a los impresionistas franceses; dibujos al pastel; grabados de influencia japonesa.

Obras destacadas

El palco, 1878 (Museum of Fine Arts, Boston)

El té, h. 1880 (Museum of Fine Arts, Boston)

Mujer tomando un baño, 1890-1891
(National Gallery of Canada, Ottawa)

El baño del niño, 1893
(Art Institute of Chicago, Chicago)

Nacida en una acaudalada familia, Mary S. Cassatt viajó por toda Europa durante su juventud. Estudió en la Academia de Bellas Artes de Pensilvania y a partir de 1866 continuó su educación en París junto a Jean-Léon Gérôme, y envió cuadros de estilo académico a la exposición anual del Salón de París.

En 1874, año de la primera exposición impresionista, decidió establecerse en París y pronto se alineó junto a este grupo de artistas, adoptando sus pinceladas sueltas y su paleta de colores. Edgar Degas se convirtió en su íntimo amigo y mentor e invitó a Cassatt a que expusiera en la cuarta exposición impresionista en 1879; ambos trabajaron en estrecha colaboración en proyectos de grabados experimentales. Los dos amaban los grabados japoneses, en boga por aquel entonces, y llegaron a ser entusiastas coleccionistas. Tras contemplar una exposición de arte japonés en 1890, Cassatt elaboró una serie de grabados en color inspirados en temas domésticos y en la claridad de los diseños de las fuentes niponas: se cuentan entre los más bellos grabados realizados en París durante el siglo XIX.

Cassatt obtenía la inspiración para sus cuadros del acomodado mundo que la rodeaba, dominado por las mujeres, y su obra representa las rutinas diarias de las que estas se ocupaban en su círculo social: los niños, vestirse para cenar y tomar el té en interiores tapizados. Mientras que semejantes imágenes comparten una informalidad ociosa, obras como *El té* (h. 1880) comunican las incómodas realidades de los rituales sociales y el mundo de la refinada sociedad en la que la artista vivía. Recordada sobre todo como pintora de escenas maternales íntimas y conmovedoras, Cassatt es menos conocida por su promoción de otros artistas, aunque fue la artífice de promocionar el impresionismo en Estados Unidos. **KKA**

> «Hay una mujer que siente las cosas como yo.»
>
> Edgar Degas

ARRIBA: Esta acuarela sobre papel, *Autorretrato*, fue pintada por Cassatt en 1880.

THOMAS EAKINS

Thomas Cowperthwait Eakins, 25 de julio de 1844 (Filadelfia, Pensilvania, EE.UU.); 25 de junio de 1916 (Filadelfia, Pensilvania, EE.UU.).

Estilo: Pintor realista, escultor y fotógrafo; retratista poco favorecedor; enfoque científico; escenas de género de la vida al aire libre a menudo con desnudos.

Hijo de un tejedor emigrante escocés que también era artista aficionado, Thomas Eakins nació en Filadelfia en 1844. Comenzó su formación en la Academia de Bellas Artes de Pensilvania, y en 1866 viajó a París, donde se matriculó en la Escuela de Bellas Artes y se formó en el estudio de Jean-Léon Gérôme. Completó su educación con un viaje por Europa y pasó seis meses en España, donde se sintió especialmente influido por la obra de Diego Velázquez, que vio en el Museo del Prado. Aunque Eakins nunca tuvo éxito durante su vida, luego pasó a ser considerado como el mejor pintor estadounidense de su época.

Obras destacadas

Retrato del Dr. Samuel Gross (*La Clínica Gross*), 1875 (Pennsylvania Academy of the Fine Arts and the Philadelphia Museum of Art, Filadelfia)

La clínica Agnew, 1889 (University of Pennsylvania, Filadelfia)

Determinado a ganarse la vida como artista, a su regreso a Estados Unidos en 1870 comenzó a aceptar encargos para hacer retratos. Eakins trabajaba rigurosamente del natural, elaborando retratos que raras veces resultaban favorecedores para los modelos, ya que prefería ofrecer incisivas representaciones basadas en la observación directa y franca. Su enfoque intransigente hizo que muchos retratos todavía estuviesen en su estudio hacia el final de su vida, ya que el modelo y cliente los había rechazado. Dedicado y muy disciplinado, tenía un punto de vista casi científico y asistió a disecciones anatómicas para entender mejor el funcionamiento del cuerpo humano. Es más, varios de sus retratos de grupo representan cirujanos trabajando, como en *La clínica Gross* (1875) y *La clínica Agnew* (1889). Dramáticamente iluminados y pintados con pinceladas a capas en aumento de la oscuridad a la luz, abrieron nuevos caminos. Sin embargo, al tratarse de cuadros de operaciones en curso, fueron causa de escándalo e indignación. Aunque muchos de sus temas no siempre fueron convenientes, también se le recuerda por sus imágenes de relajadas actividades al aire libre. **AB**

«El gran artista [...] vigila la naturaleza y le roba sus herramientas.»

ARRIBA: Los detalles del autorretrato de Thomas Eakins muestran su disciplina como retratista.

MAX LIEBERMANN

Obras destacadas

Anciana con gato, 1878
(J. Paul Getty Museum, Los Ángeles)

Jesús con 12 años en el templo, 1879
(Hamburger Kunsthalle, Hamburgo)

Max Liebermann, 20 de julio de 1847 (Berlín, Alemania); 8 de febrero de 1935 (Berlín, Alemania).

Estilo: Pintor impresionista, dibujante y grabador; paisajes, retratos y representaciones idílicas de trabajadores rurales; manejo del pincel alegre y espontáneo; colores ricos.

Nacido en una familia judía alemana, el arte de Max Liebermann estaba influenciado por las obras de los viejos maestros holandeses, los impresionistas franceses y los pintores Gustave Courbet y Jean-François Millet, miembros de la Escuela de Barbizon. A menudo pintaba escenas de la vida cotidiana y se le atribuye haber introducido el impresionismo en Alemania. Sus obras posteriores reflejan la tendencia impresionista por las escenas de ocio de la burguesía. A menudo pintaba cerca de su casa en el lago Wannsee. Aunque Liebermann evitó los temas judíos, su obra *Jesús con 12 años en el templo* (1879) fue considerada blasfema, porque su Jesús «parecía demasiado judío». Más tarde Liebermann transformó a Jesús en un niño rubio. **CK**

AUGUSTUS SAINT-GAUDENS

Obras destacadas

Monumento a Abraham Lincoln, 1887
(Lincoln Park, Chicago)

Mausoleo Adams, 1891
(cementerio de Rock Creek, Washington, D.C.)

Augustus Saint-Gaudens, 1 de marzo de 1848 (Dublín, Irlanda); 3 de agosto de 1907 (Cornish, New Hampshire, EE.UU.).

Estilo: Escultor famoso por alejar la escultura estadounidense del neoclasicismo; trabajó el bronce; monumentos de héroes militares; relieves y monedas.

Hombre dinámico, perfeccionista y diligente, Augustus Saint-Gaudens fue un escultor preeminente en Estados Unidos. Se dio a conocer con un monumento al almirante David Farragut, héroe de la guerra de Secesión (1861-1865).

Saint-Gaudens estudió en París y Roma. Favoreció la influencia francesa y llevó a la mayoría de sus obras una expresividad y naturalismo enérgicos pero refinados, a diferencia del clasicismo idealista de sus predecesores. Muchos piensan que la mejor escultura de Saint-Gaudens es su monumento alegórico y poderosamente conmovedor a Marian Hooper Adams, el *Mausoleo Adams* (1891). Diseñó algunas de las monedas estadounidenses de principios de la década de 1900. **AK**

ALBERT PINKHAM RYDER

Albert Pinkham Ryder, 19 de marzo de 1847 (New Bedford, Massachusetts, EE.UU.); 28 de marzo de 1917 (Elmhurst, Nueva York, EE.UU.).

Estilo: Paisajes góticos y oníricos; temas literarios, operísticos, míticos y bíblicos; temas de redención; paleta de colores oscuros; pintura a capas gruesas.

A menudo descrito como un ermitaño visionario, los diminutos lienzos de Albert Pinkham Ryder están pintados con gran meticulosidad; con frecuencia pasaba años repasando capa tras capa hasta conseguir que el cuadro evocase una atmósfera solitaria, poética y onírica. Se sintió atraído por aquellos temas tomados de la ópera, la literatura, la poesía, las leyendas y la Biblia, aunque sus cuadros son, sin embargo, algo más que ilustraciones narrativas: su paleta sombría, sus composiciones simples y sus figuras solitarias y sinuosas crean un particular mundo gótico y taciturno de paisajes y marinas iluminadas por la luna.

Ryder tuvo un problema en los ojos que le impedía mirar la luz brillante. Puede que fuese esta enfermedad la razón por la que huía a un mundo imaginario, casi mítico, ya que era incapaz de trabajar con la intensa luz requerida para representar el mundo natural a su alrededor.

Se formó en un principio con el pintor y grabador William Marshall, y de 1871 a 1875 estudió en la Academia Nacional de Diseño de Nueva York. En 1878 Ryder se unió a la Sociedad de Artistas Estadounidenses que buscaban evitar el estilo académico imperante. Sus primeros trabajos fueron paisajes rurales, pero hacia 1880 su estilo evolucionó hacia las marinas y paisajes melancólicos; el resto del siglo resultó ser su período más creativo, y realizó obras distintivas como *Trabajadores del mar* (1880-1885) y *Sigfrido y las valquirias del Rin* (1888-1891). Tras la muerte de su padre en 1900, el rendimiento de Ryder disminuyó y se volvió aún más solitario. Sin embargo, e inversamente, su reputación creció y le invitaron a exponer en el influyente Armory Show, en Nueva York (1913), donde se aclamó su obra como precursor del arte moderno por su inclinación a la abstracción. **CK**

Obras destacadas

Trabajadores del mar, 1880-1885
   (Metropolitan Museum of Art, Nueva York)

Sigfrido y las valquirias del Rin, 1888-1891
   (National Gallery of Art, Washington, D.C.)

El bosque de Arden, 1888-1897
   (Metropolitan Museum of Art, Nueva York)

«Ryder fue uno de los pintores modernos estadounidenses más capaces y pujantes.» *ARTnews*

ARRIBA: Fotografía de Albert Pinkham Ryder, tomada a finales del siglo XIX.

PAUL GAUGUIN

Eugène Henri Paul Gauguin, 7 de junio de 1848 (París, Francia); 8 de mayo de 1903 (Atuona, Hiva Oa, Polinesia Francesa).

Estilo: Pintor y grabador postimpresionista a quien le gustaba todo lo exótico; visiones idealizadas de la cultura polinesia.

Obras destacadas

La visión tras el sermón (La lucha de Jacobo con el ángel), 1888 (National Gallery of Scotland, Edimburgo)

Cristo en el huerto de los olivos, 1889 (Norton Museum of Art, Florida)

Manao Tupapau, 1892 (Metropolitan Museum, Nueva York)

¿De dónde venimos? ¿Quiénes somos? ¿Adónde vamos?, 1897-1898 (Boston Museum of Fine Arts, Boston)

Paul Gauguin nació en París, pero tras la muerte de su padre pasó su infancia junto a su madre, de ascendencia peruana, en Lima, en casa de su tío. Posteriormente, la familia regresó a Francia y vivió en Orleans, pero los recuerdos de un clima más cálido y de América del Sur tendrían gran influencia en la obra del artista.

En 1872, después de haber pasado cinco años en la marina mercante, Gauguin trabajó con éxito como agente de bolsa en París. Un año después se casó con la danesa Mette Sophie Gad, con quien tuvo cinco hijos. Más tarde, Gauguin abandonaría a su joven familia en Copenhague para perseguir sus metas artísticas. Su tutor Gustave Arosa lo introdujo en el mundo del arte, alimentó sus conocimientos y entusiasmo, y lo animó sistemáticamente para que pintara en su tiempo libre.

En junio de 1874, Gauguin visitó la primera exposición impresionista y conoció al artista Camille Pissarro, quien también lo animó a que se dedicara al arte. En 1885 Gauguin había perdido su trabajo de banquero, pero había llegado a ser una figu-

ARRIBA: La adición de colores vivos eleva el tono de este autorretrato de Paul Gauguin, 1893.

DERECHA: *La visión tras el sermón* utiliza una paleta de colores intensos y contornos audaces.

ra de primer orden en los círculos intelectuales y artísticos de París. Había expuesto un paisaje en el Salón oficial de París y algunas obras junto a los impresionistas y, de este modo, había pasado a ser un pintor a tiempo completo.

En breve, sin dinero y desilusionado por su falta de éxito, Gauguin buscó llevar una vida más despreocupada en Pont-Aven, pueblo rural de Bretaña. En 1888, trabajando al lado de artistas del mismo parecer, como Émile Bernard, su obra abandonó el estilo impresionista y se volvió más expresiva. Experimentando con contornos más audaces, formas expresivas y colores antinaturales y llamativos, Gauguin representó imágenes de visiones míticas e idealizadas de campesinos vestidos con trajes locales, entre los que se incluye *La visión tras el sermón* (1888). El cuadro también muestra la creciente influencia de los grabados japoneses y de la cerámica rústica en su obra.

Pronto Gauguin comenzó a buscar fuentes más exóticas y primitivas para sus cuadros. Decepcionado con el estilo de vida occidental, viajó a Tahití en busca de inspiración antigua e indígena. Gauguin pasó los últimos años de su vida en Oceanía, donde padeció depresiones y creó visiones idealizadas de la cultura polinesia. **AB**

ARRIBA: La incómoda atmósfera de *Nunca más* quizá refleje el frágil estado de Gauguin.

Girasoles para Gauguin

Vincent van Gogh invitó a Paul Gauguin a vivir con él en Arlés 1888. Hacía tiempo que Van Gogh abrigaba la idea de formar una colonia de artistas y, anticipándose a la visita, decoró la habitación de Gauguin con cuatro pinturas de girasoles, ahora famosas. Pero los dos artistas no congeniaron y la tensión fue en aumento. Culminó con los dramáticos acontecimientos del 24 de diciembre, cuando Van Gogh, totalmente trastornado, se cortó un trozo del lóbulo de la oreja.

DANIEL CHESTER FRENCH

Daniel Chester French, 20 de abril de 1850 (Exeter, New Hampshire, EE.UU.);
7 de octubre de 1931 (Stockbridge, Massachusetts, EE.UU.).

Estilo: Esculturas monumentales en bronce y mármol; estilo neoclásico; monumentos para parques, cementerios y edificios; formas alegres, realistas y llenas de vida.

Obras destacadas

El hombre del minuto, 1875 (Old North Bridge, Concord, Massachusetts)

Abraham Lincoln sentado, 1922 (Lincoln Memorial, Washington, D.C.)

La animada mezcla entre un estilo neoclásico y un realismo lleno de vida del escultor estadounidense Daniel Chester French lo catapultó a la fama y lo llevó a realizar obras monumentales para parques, cementerios y edificios a lo largo y ancho de Estados Unidos.

Nacido en New Hampshire, French fue vecino del ensayista y poeta Ralph Waldo Emerson y de la escritora Louisa May Alcott. Animado por Emerson, Alcott y su hermana May, French se trasladó a Boston, Massachusetts, para estudiar escultura junto a William Hunt. Más tarde se trasladó a Nueva York para estudiar en el taller de John Quincy Adams Ward.

Emerson encargó a French la escultura que le proporcionaría el reconocimiento del público, *El hombre del minuto* (1875). La obra es un monumento a los soldados de reserva de la guerra de la Independencia, que estaban listos para luchar a los pocos minutos de recibir el aviso, y se descubrió en el cementerio de las batallas de Lexington y Concord. La escultura tuvo buena aceptación y se convirtió en una imagen icónica de Estados Unidos.

El éxito de French le dio la oportunidad de estudiar en el extranjero, por lo que viajó a Italia. A su vuelta abrió un estudio en Washington, D.C. El lugar resultó ser ideal, y en poco tiempo comenzó a ser muy solicitado para esculpir los monumentos públicos de la ciudad. Llegado el siglo XX, French era el escultor más célebre y respetado de Estados Unidos. Realizó estatuas de antiguos presidentes, incluida la de George Washington obsequiada a Francia, y su más famosa *Abraham Lincoln sentado* (1922) para el Memorial a Lincoln. En 1893 fue cofundador de la Sociedad Nacional de Escultura y en 1917 diseñó la medalla de oro que se otorga a los ganadores del premio Pulitzer. **CK**

«Pocas personas [saben lo que les gusta del arte]. Se les tiene que educar para ello.»

ARRIBA: *Daniel Chester French* (h. 1920), fotografiado por Zaida Ben-Yusef.

VINCENT VAN GOGH

Vincent Willem van Gogh, 30 de marzo de 1853 (Zundert, Países Bajos); 29 de julio de 1890 (Auvers-sur-Oise, Francia).

Estilo: Pintor postimpresionista de paisajes y retratos; en un principio, temas campesinos intensos y sombríos; posterior uso de colores audaces y de grueso empasto.

A pesar de su corta y trágica carrera, Vincent van Gogh es uno de los artistas más famosos del mundo. Su obra preparó el camino para el desarrollo de los movimientos artísticos del siglo XX, en particular del fauvismo y el expresionismo alemán.

Nació en una familia religiosa y se interesó por la religión y el espiritualismo durante la mayor parte de su vida. En 1869 entró a trabajar de aprendiz en Goupil & Cie, en La Haya, compañía dedicada al comercio de arte. Durante esos primeros años, Van Gogh se vio expuesto a un amplio espectro de pinturas, incluyendo los viejos maestros y las obras contemporáneas, y comenzó a coleccionar grabados.

Tras pasar una corta temporada en Inglaterra como profesor, regresó a los Países Bajos después de tomar la decisión de convertirse en pastor. En 1878 se matriculó en Bruselas para estudiar teología y fue predicador durante dos años. En 1880 Van Gogh había vuelto a cambiar de rumbo; esta vez había decidido convertirse en pintor de las clases trabajadoras a la manera de Jules Breton y Jean-François Millet. Aconsejado por su her-

Obras destacadas

Los comedores de patatas, 1885
  (Van Gogh Museum, Amsterdam)

Los girasoles, 1888 (National Gallery, Londres)

*Terraza de café por la noche (place du Forum
en Arlés)*, 1888 (Kröller-Müller Museum,
Otterlo, Países Bajos)

La noche estrellada, 1889
  (Museum of Modern Art, Nueva York)

Campo de trigo con cuervos, 1890
  (Van Gogh Museum, Amsterdam)

ARRIBA: Detalle de *Retrato del artista*,
una de las muchas obras pintadas en 1888.

IZQUIERDA: *Los comedores de patatas* refleja
la honradez con la que los trabajadores se
esfuerzan por ganarse la comida.

Querido Theo...

Dejando aparte el enorme conjunto de cuadros y dibujos que realizó Vincent van Gogh, su legado queda manifiesto en la extensa correspondencia que escribió. La mayoría de las cartas de Van Gogh están dirigidas a su hermano menor, Theo, marchante de arte que promocionó infatigablemente la obra de los impresionistas y postimpresionistas. Proporcionan una valiosa información acerca de las obras de Van Gogh y de la percepción que tenía de sus cuadros, pero además arrojan luz sobre los detalles de la vida del artista, su depresión, sus fracasadas aventuras amorosas, su rutina diaria y la naturaleza de la relación entre los hermanos.

El vínculo fraternal entre ambos era muy estrecho, rayando en lo simbiótico. Theo mantuvo a Vincent financiera y emocionalmente a lo largo de su vida adulta mientras que Vincent, aunque sin duda era una carga, fue una figura central en la vida emocional de Theo. Tal como dejan claro las cartas, ambos se peleaban encarnizadamente, pero también vivieron juntos antes del matrimonio de Theo.

Después de haber sido un pilar para Vincent y de haberle mantenido durante tantos años, Theo se desmoronó tras la muerte de su hermano mayor. Pronto sucumbió a la depresión y a los tres meses ingresó en el sanatorio mental de Auteuil, en Utrecht, donde murió y fue enterrado en 1891. En 1924 el cuerpo de Theo fue trasladado al cementerio de Auvers-sur-Oise, junto a Vincent.

mano Theo, marchante de arte, se inscribió en la Real Academia de Arte de Bruselas. Sin embargo, fue en gran parte autodidacta y realizó abundantes dibujos naturalistas de la campiña alrededor de Etten y La Haya.

Llegado 1885 Van Gogh se había trasladado a Nuenen, en Brabante Septentrional, donde pintó su primera obra destacada, *Los comedores de patatas* (1885). Sus tonos oscuros y sombríos son característicos de sus primeras obras y reflejan la lúgubre realidad de la vida campesina. La obra no tuvo un gran recibimiento. Poco después, Van Gogh se trasladó a Amberes, donde estudió la obra de Peter Paul Rubens y progresó en una mayor asimilación del color.

El factor parisino

En 1886 Van Gogh se trasladó a París y de inmediato se vio influido por el ambiente artístico de vanguardia de la ciudad, en concreto por las obras de los impresionistas y los neoimpresionistas. Estudió en el taller del pintor histórico Fernand Corman e hizo amistad con Émile Bernard, Henri de Toulouse-Lautrec, Camille Pissarro y otros artistas. La obra de Adolphe Monticelli, Paul Cézanne, Paul Gauguin, Paul Signac y Georges Seurat resultó tener una gran influencia en su arte. Van Gogh estudió teoría del color y exploró los efectos luminosos creados por la yuxtaposición de colores complementarios; durante un corto período de tiempo trabajó de forma más científica. También se interesó por las xilografías japonesas.

Exhausto por el ritmo de vida parisiense, y tras discutir con su hermano Theo, en 1888 Vincent se trasladó a Arlés, en el sur de Francia, con la intención de fundar una colonia de artistas. Allí realizó más de doscientos cuadros en 15 meses, entre los que se encuentran *Los girasoles* (1888) y la *Terraza de café por la noche (place du Forum)* (1888). En octubre Gauguin se reunió con Van Gogh en su casa amarilla. Juntos pintaron durante algunas semanas antes de que la relación se hiciera añicos y Van Gogh llegara al dramático extremo de cortarse el lóbulo de la oreja. Gauguin se marchó y Van Gogh tuvo que ser hospitalizado. En mayo de 1889 ingresó voluntariamente en el sanatorio mental de Saint-Rémy, donde permaneció durante un año.

Siguió trabajando y pintó *La noche estrellada* (1889), obra expresionista de profundo trasfondo espiritual. También pintó los oscuros cipreses y olivos que rodeaban el hospital y copió sus obras preferidas de Millet, Honoré Daumier y Eugène Delacroix.

En 1890 Van Gogh se trasladó a Auvers-sur-Oise, cerca de París. Siguió pintando a un ritmo frenético: sus últimas obras se caracterizan por las pinceladas rápidas y estridentes, y por un genial uso del color. Uno de sus cuadros, *Campo de trigo con cuervos* (1890), es particularmente intenso. El 27 de julio de 1890 caminó hasta un campo cercano y se pegó un tiro en el pecho. Murió dos días más tarde. **TP**

ARRIBA: Las pinceladas arremolinadas agitan el cielo de *La noche estrellada*.

«Este hombre se volverá loco o nos dejará a todos atrás.»
Camille Pissarro

1800-99

FERDINAND HODLER

Ferdinand Hodler, 14 de marzo de 1853 (Berna, Suiza); 19 de mayo de 1918 (Ginebra, Suiza).

Estilo: Paisajes y retratos; obras figurativas; temas relacionados con la muerte; paisajes montañosos; trazos precisos y franjas de colores paralelas; actitud mística.

Obras destacadas

La noche, 1889-1890 (Kunstmuseum, Berna)

Lago Thun y las montañas de Stockhorn, 1910 (Scottish National Gallery of Modern Art, Edimburgo)

Canto de la lejanía, 1914 (Hamburger Kunsthalle, Hamburgo)

> «La obra de arte sacará a la luz un nuevo orden inherente a las cosas [...] la idea de unidad.»

ARRIBA: Ferdinand Hodler, pintor suizo de paisajes panorámicos de su país natal.

Tras quedarse huérfano a los quince años, Ferdinand Hodler se formó con el artista Ferdinand Sommer, realizando copias de los cuadros del Oberland bernés y de pueblos que vendían a los turistas. Este aprendizaje influyó en su posterior actitud con respecto a una fiel representación de la naturaleza de los paisajes panorámicos de su Suiza natal, en un momento en que los simbolistas eran dados a utilizar motivos.

La pintura figurativa de Hodler evolucionó con las enseñanzas de Barthélemy Menn en Ginebra y su estudio de los escritos del pintor renacentista alemán Alberto Durero acerca de la proporción. Sus primeros paisajes realistas y pinturas de género estuvieron influenciados por el estudio de los maestros europeos en el Museo del Prado durante un viaje a Madrid entre 1878 y 1879; comenzó a pintar al aire libre. Hacia 1885 ya había desarrollado su estilo, al que llamaba «paralelismo» y que se caracteriza por los grupos de figuras dispuestos de forma simétrica en poses rituales. Por ejemplo, en *La noche* (1889-1890) las figuras están colocadas de forma rítmica para expresar el terror a la muerte, un tema próximo al artista, que había perdido a toda su familia antes de cumplir los cuarenta años.

Hodler expuso con los simbolistas y se unió a los Rosacruces en 1892, al mantener su actitud mística hacia la espiritualidad en el arte. Más tarde se unió a las secesiones de Viena y Berlín en 1900, y conoció y se hizo amigo de Gustav Klimt durante un viaje a Viena en 1903. Hodler estaba firmemente establecido en la escena artística europea hacia 1904, año en el que participó en la Secesión de Viena como invitado de honor. Representó cada vez más las formas de la naturaleza como planos de color, de modo que obras como *Lago Thun y las montañas de Stockhorn* (1910) son casi abstractas. **WO**

1800-99

CARL LARSSON

Carl Larsson, 28 de mayo de 1853 (Estocolmo, Suecia); 22 de enero de 1919 (Falun, Suecia).

Estilo: Pintor realista sueco de óleos, acuarelas y murales de temática histórica; ilustraciones de libros con escenas pastorales y domésticas idealizadas.

Tras formarse en la Academia Sueca de Bellas Artes, en 1882 Carl Larsson se unió a la colonia de artistas suecos en París, donde conoció a su futura esposa, la artista Karin Bergöö. La pareja tuvo ocho hijos, y en 1888 la familia se trasladó a una casa en Sundborn, un regalo del suegro de Larsson, Lilla Hyttnäs («pequeña casa»). Larsson se hizo famoso con sus cuadros sobre una vida doméstica idílica y que a menudo representaban a su propia familia. Sus ilustraciones de libros tomaron por sorpresa al mundo editorial, en particular aquellas que hizo para *Das Haus in der Sonne (Una casa al sol)* (1895), aunque Larsson creía que sus obras más importantes eran sus murales en edificios públicos sobre figuras y acontecimientos de la historia sueca. **CK**

Obras destacadas

Autoexamen, 1906 (Uffizi, Florencia)
Sacrificio en pleno invierno, 1914-1915 (Museo Nacional, Estocolmo)

1800-99

WALTER WITHERS

Walter Herbert Withers, 22 de octubre de 1854 (Birmingham, Inglaterra); 13 de octubre de 1914 (Eltham, Victoria, Australia).

Estilo: Pintor de inspiración impresionista; buscaba representar la especificidad del paisaje australiano en vez de lograr un efecto generalizado.

Enviado de Inglaterra a Australia por su padre en 1882 con el propósito de disipar las fantasías de su hijo en lo referente a realizar una carrera artística, Walter Withers se matriculó en 1884 en las clases nocturnas de la Escuela de la Galería Nacional, en Melbourne. En 1887 Withers marchó a Europa, pero regresó a Australia un año más tarde, con renovado entusiasmo por la pintura al aire libre, y participó en la polémica exposición impresionista «9 por 5» (1889). Enseguida se posicionó como figura destacada de la Escuela de Heidelberg australiana. En sus obras impresionistas y llenas de energía representa el lugar tanto como el efecto, lo que sugiere mayor influencia de John Constable y Thomas Hardy que de Claude Monet. **JR**

Obras destacadas

The Fossickers, 1893 (National Gallery of Australia, Canberra)
La tempestad, 1896 (Art Gallery of New South Wales, Sidney)

FREDERICK MCCUBBIN

Obras destacadas

Entierro en el monte, 1890 (Geelong Art
  Gallery, Geelong, Australia)

Pelando guisantes, 1912 (National Gallery
  of Victoria, Melbourne)

Frederick McCubbin, 25 de febrero de 1855 (Melbourne, Australia);
20 de diciembre de 1917 (Melbourne, Australia).

Estilo: Pintor; fuerte componente narrativo; historias trágicas y poéticas
representadas al modo impresionista; celebración lírica de los montes australianos.

Uno de los pintores australianos más famosos de finales del siglo XIX, Frederick McCubbin tuvo que luchar en un principio por
ganarse la vida con su arte; al final acabó convirtiéndose en un
artista de éxito y un profesor muy respetado. Sus cuadros son
imágenes poéticas y melancólicas del último período pionero.

McCubbin y Tom Roberts iniciaron los campamentos de artistas que llevaron al desarrollo de la Escuela de Heidelberg
australiana. Participó en la vilipendiada exposición impresionista «9 por 5» (1889). Un fuerte componente narrativo caracteriza la mayoría de sus obras. Sus últimos cuadros son celebraciones líricas del monte australiano, y la peculiar luz australiana
es un elemento muy poderoso en su obra. **JR**

DERECHA: *Pelando guisantes* representa
a la mujer de Frederick McCubbin en la cocina.

DOROTHY TENNANT STANLEY

Obras destacadas

La muerte del amor, 1888
  (colección particular)

Árabes en una calle de Londres, publicado
  en 1890 (British Library, Londres)

Dorothy Tennant, 22 de marzo de 1855 (Londres, Inglaterra), 5 de octubre de 1926
(Londres, Inglaterra).

Estilo: Pintora victoriana de desnudos neoclásicos con un trasfondo mitológico;
retratos y escenas de género; ilustraciones de libros infantiles.

Como muchas artistas de finales del siglo XIX, Dorothy Tennant estudió en la Slade School de Bellas Artes, en Londres, y luego completó su formación en París. Sus retratos y desnudos neoclásicos
se mostraban en la Royal Academy y en la Galería Grosvenor; ilustró libros infantiles, como *Cuentos para todo el mundo* (1882).

Tennant es famosa principalmente por una serie de senti-
mentales escenas de género que muestran a niños vagabundos, publicada en el libro *Árabes en una calle de Londres* (1890).
Su carrera se vio eclipsada por la de su primer marido, el eminente explorador y periodista Henry Morton Stanley. En 1890
viajó a Australia y Estados Unidos junto a su marido y lo convenció para que entrara en política. **NM**

JOHN SINGER SARGENT

John Singer Sargent, 12 de enero de 1856 (Florencia, Italia); 15 de abril de 1925 (Londres, Inglaterra).

Estilo: Paisajes; retratos fotorrealistas de la alta sociedad; los ricos, famosos y glamorosos; recreaciones suntuosas de los tejidos; obra exquisitamente detallada.

Obras destacadas

El jaleo, 1882 (Isabella Gardner Museum, Boston)

Madame X (Madame Pierre Gautreau), 1883-1884 (Metropolitan Museum of Art, Nueva York)

Clavel, lirio, lirio, rosa, 1885-1886 (Tate Collection, Londres)

Gaseados, 1918-1919 (Imperial War Museum, Londres)

Hombre encantador e inteligente, y perteneciente a una próspera familia, John Singer Sargent no podría ajustarse menos al estereotipo del artista torturado y pobre que trabaja en un frío estudio en un ático. No se podría escribir una gran novela de su vida, llena como estaba de éxitos artísticos, de satisfacción personal y con pocos contratiempos. A menudo descrito como artista estadounidense, en realidad Sargent nació en Florencia, Italia, de padres estadounidenses y pasó la mayor parte de su vida en Europa. La primera vez que visitó el país natal de sus padres fue justo antes de cumplir veintiún años.

Sargent estudió en París con el eminente retratista Emile Auguste Carolus-Duran. Tanto el profesor como el alumno se movían con comodidad entre la élite artística de París. Sargent

ARRIBA: John S. Sargent es famoso por sus retratos de miembros de la alta sociedad.

DERECHA: *Las hijas de la familia Boit* van, esencialmente, cada una por su lado.

conoció bien a los impresionistas y, aunque no todo el grupo vio con buenos ojos a Sargent y a su obra, estableció una amistad particularmente íntima y provechosa con Claude Monet.

En un principio, el *establishment* agasajó la obra de Sargent, pero tras el escándalo provocado por su *Madame X (Madame Pierre Gautreau)* (1883-1884), Sargent se marchó de París. Tenía veintiocho años, y se estableció en Londres. Sin embargo, rara vez pasaba más de unos pocos meses seguidos en Inglaterra, ya que continuó viajando con frecuencia y visitó regularmente Estados Unidos para trabajar en algunos encargos.

Retratos de ricos y pobres

Los retratos de Sargent lo llevaron a algunas de las casas más sublimes del mundo: de la aristocracia inglesa, de presidentes estadounidenses y en general de millonarios de renombre. Ganó mucho dinero pintando a los ricos. Sin embargo, también dedicó algún tiempo a retratar a los pobres y abandonados, dando a los sin techo y a los trabajadores la misma importancia que a sus patrones. Los retratos de actores muestran una gran comprensión y admiración por su duro trabajo. *El jaleo* (1882) es un maravilloso lienzo de grandes dimensiones de un bailarín gitano a quien dio el mismo protagonismo y pasión que a la mayoría de las personas adineradas que pagaban por sus retratos.

Con los años, Sargent comenzó a pintar paisajes y escenas de género y pasó de la pintura al óleo a la acuarela. A veces se le califica de impresionista, pero, aunque él y Monet trabajaron juntos algunas veces y Sargent intentó pintar algunos cuadros siguiendo el estilo impresionista, como en *Clavel, lirio, lirio, rosa* (1885-1886), esta solo era para él una técnica de las muchas que lo inspiraron a lo largo de su carrera.

Sargent no se casó ni tuvo hijos. Vivió para su pintura y solo algunas veces dejaba que su arte hablara políticamente, de manera notable en *Gaseados* (1918-1919), tributo conmovedor a los muertos de la Primera Guerra Mundial. El aumento de la popularidad de su obra ha llevado a organizar varias grandes exposiciones, incluyendo la retrospectiva en el Whitney Museum of American Art en 1986 y 1987. **LH**

1800-99

ARRIBA: La seductora *Madame X (Madame Pierre Gautreau)* causó un gran escándalo en París.

Madame X

Madame X (Madame Pierre Gautreau), de John S. Sargent, considerada acertadamente hoy en día como una de sus mejores obras, casi supuso su ruina. Se dijo que el cuadro era casi pornográfico, ya que la modelo revelaba seductoramente su traje de noche y su piel blanca como la porcelana. (En un principio Sargent pintó el tirante caído sobre el hombro de la derecha: *quelle horreur!*). El Salón de París se negó a exponer la obra, y el enfado y humillación de Sargent lo llevaron a abandonar París y trasladarse a Inglaterra. Con el tiempo vendió el cuadro al Metropolitan Museum of Art de Nueva York.

TOM ROBERTS

Thomas Williams Roberts, 9 de marzo de 1856 (Dorchester, Inglaterra); 14 de septiembre de 1931 (Kallista, Melbourne, Australia).

Estilo: Primer impulsor de la Escuela de Heidelberg australiana; temas nacionalistas y pioneros; temas de trabajadores masculinos; imágenes urbanas llenas de energía.

Obras destacadas

El campamento del artista, 1886
(National Gallery of Victoria, Melbourne)

Esquilando carneros, 1888-1890
(National Gallery of Victoria, Melbourne)

Cabeza de aborigen (Charlie Turner), 1892
(Art Gallery of New South Wales, Sidney)

Tom Roberts es famoso por sus contundentes imágenes que evocan las mitologías nacionalistas de los pioneros australianos, rudos y luchadores. Nacido en Inglaterra, emigró a Australia junto a su madre viuda y sus dos hermanos cuando tenía trece años. A los dieciocho años ya tomaba clases nocturnas en la escuela de la National Gallery, en Melbourne.

En 1881 Roberts emprendió el viaje reglamentario para cualquier artista serio australiano del momento: viajó a «casa», Inglaterra, donde se encontró con el controvertido impresionismo de James McNeill Whistler. En Francia descubrió el trabajo al aire libre de Jules Bastien-Lepage. En 1885 regresó a Australia, donde combinó la pintura al aire libre con una versión académica del estilo impresionista y, junto con Frederick McCubbin y Louis Abrahams, instauró el primero de varios campamentos de artistas. La obra de Roberts y sus coetáneos estaba imbuida de este deseo de confrontar la nueva tierra y de pintar lo que veían, y esto fue lo que llevó al desarrollo de la Escuela de Heidelberg, un estilo de impresionismo específicamente australiano.

Aunque su exposición impresionista «9 por 5» (1889) fue ridiculizada y vilipendiada en aquel momento, los artistas de Heidelberg se han convertido en los más respetados de Australia. Las escenas masculinas de Roberts se han convertido en imágenes icónicas de los primeros asentamientos y se reproducen con frecuencia. Sus temas versan sobre un tipo de vida que ya estaba siendo eclipsado por la modernidad y están sutilmente impregnados de la nostalgia por una época en decadencia. Menos conocidos son sus retratos, entre ellos algunos de los mejores retratos de aborígenes australianos del siglo XIX. Roberts no los representa como género, sino como personajes individuales. **JR**

«Fuimos al monte e [...] intentamos representarlo tan fielmente como nos fue posible.»

ARRIBA: Tom Roberts, primer impulsor de la impresionista Escuela de Heidelberg en Australia.

MAX KLINGER

Max Klinger, 18 de febrero de 1857 (Grossjena, Alemania); 5 de julio de 1920 (Naumburgo, Alemania).

Estilo: Dibujos obsesivos, minuciosos y lineales; temas de amor, erotismo, fetichismo y muerte; escultura de piedra policroma; temprana asociación con el surrealismo.

Educado en la Academia de Bellas Artes de Berlín, Max Klinger desarrolló un estilo obsesivo, onírico y a veces morboso que a menudo se asocia con el movimiento simbolista.

Aunque Klinger realizó cuadros y esculturas, es más conocido por su trabajo como artista gráfico. «Paráfrasis del encuentro de un guante» (1881) es quizá su obra más famosa, realizada después de que el artista encontrara un guante en una pista de patinaje sobre hielo. Compuesta por diez dibujos posteriormente grabados en varias ediciones, la serie describe un extraño cuento que trata sobre la obsesión de un joven por un guante largo de mujer. Los surrealistas, sobre todo Giorgio de Chirico, admiraron el polémico interés de Klinger por el fetichismo sexual. **NSF**

Obras destacadas

Serie «Paráfrasis del encuentro de un guante», 1881 (National Gallery of Scotland, Edimburgo)

El guante: el lugar, 1881 (Fine Arts Museums of San Francisco, San Francisco)

ALFONSO CASTELAO

Alfonso Daniel Rodríguez Castelao, 30 de enero de 1886 (Rianxo, A Coruña, España); 7 de enero de 1950 (Buenos Aires, Argentina).

Estilo: Escritor, pintor, dibujante y político; intelectual polifacético; retrato amargo y humorístico de la realidad de su época; realismo pictórico teñido de cierta ingenuidad.

Alfonso Castelao defendió desde sus diversas facetas creativas la identidad de Galicia, utilizando sus dotes como pintor y dibujante para plasmar la realidad de su país con tintes de humor y de crítica ironía. Su estilo dibujístico y minucioso va desde el esquematismo hasta la deformación expresionista, y emplea a la vez una ingenuidad calculada que lo emparenta con el arte naif (*Faunalia,* 1941), y con la descarnada denuncia de los aguafuertes de Goya (*A procesión,* 1926). Su linealismo casi expresionista le acerca a la obra del alemán Georg Grosz (*O home que foi ladrón e dispois fíxose filántropo,* 1925). Comprometido con la República y con la causa del nacionalismo gallego, tuvo que exiliarse en Buenos Aires, donde fue nombrado ministro de la Segunda República en el exilio. **FA**

Obras destacadas

O home que foi ladrón e dispois fíxose filántropo, 1925 (Museo de Pontevedra, Pontevedra, España)

A procesión, 1926 (Museo de Pontevedra, Pontevedra, España)

Faunalia, 1941 (Colección Caixa Galicia, A Coruña, España)

LOVIS CORINTH

Franz Heinrich Louis Corinth, 21 de julio de 1858 (Tapiau, Alemania); 17 de julio de 1925 (Zandvoort, Países Bajos).

Estilo: Naturalista académico; desnudos, retratos y autorretratos impresionistas; paisajes expresionistas utilizando pinceladas violentas y colores poco habituales.

Obras destacadas

Autorretrato con esqueleto, 1896 (Städtische Galerie im Lenbachhaus, Munich)

Bacanal, 1899 (Städtisches Museum Gelsenkirchen, Alemania)

*Walchensee, el camino de plata,*1923 (St. Louis Art Museum, St. Louis, EE.UU.)

Pintor y grabador muy prolífico, Lovis Corinth nació en los albores de la época modernista y su carrera, aunque siempre fue obstinadamente individualista, se vio imbuida de varios de los movimientos que poco a poco rediseñarían el arte europeo durante las siguiente décadas.

Tras asistir a las academias de Königsberg y Munich, Corinth se matriculó en la Académie Julian de París, donde practicó un estilo naturalista muy influenciado por Gustave Courbet y los pintores al aire libre de la Escuela de Barbizon. Tras adoptar el seudónimo «Lovis», en 1891 regresó a Alemania, donde se afilió al grupo secesionista de Munich. Desarrolló una técnica más relajada, a menudo con elementos simbolistas, que ayudó a promover una respuesta alemana al impresionismo. En 1900 Corinth se instaló en Berlín, donde abrió una escuela para pintoras —se casó con una de sus alumnas— y donde finalmente comenzó a atraer la atención de la crítica.

Detrás de su éxito y bravuconería aparente, Corinth llevaba años luchando contra el alcoholismo y las depresiones maníacas, y en 1911 sufrió una apoplejía que lo dejó parcialmente paralizado. Se recuperó con la ayuda de su mujer y volvió a pintar, aunque su obra experimentó una profunda transición. Famoso por sus desnudos y alegorías clásicas, comenzó a concentrarse en los paisajes y autorretratos en una búsqueda creciente de intensidad expresionista. Los cuadros que realizó durante los últimos años de su vida en su casa de Walchensee, Baviera, y durante los que trabajó a un ritmo muy intenso, están entre los más famosos de su carrera. A pesar de las dificultades a la hora de centrarse en un modernismo narrativo más amplio, las cualidades enérgicas y sagaces de la obra tardía de Corinth han ayudado a mantener el interés de la crítica por su obra. **RB**

«[El trabajo artístico] es un fin en sí mismo. Es egotista como un dios [...] y se deja adorar.»

ARRIBA: El intenso *Autorretrato con armadura* de Lovis Corinth fue pintado en 1914.

MEDARDO ROSSO

Medardo Rosso, 21 de junio de 1858 (Turín, Italia); 31 de marzo de 1928 (Milán, Italia).

Estilo: Escultor; innovador de la escultura impresionista; temas ordinarios sacados de la vida urbana contemporánea; modelado delicado y realista; obras figurativas, sobre todo de las caras.

Tal era el talento del innovador escultor italiano Medardo Rosso que incluso Auguste Rodin siguió sus pasos: este se inspiró en el *Hombre leyendo el periódico* (1894) de Rosso cuando modeló su *Balzac* (1893-1897).

Las obras de Rosso, concebidas con delicadeza, transmitían la fragilidad emocional de sus modelos de un modo innovador para su tiempo. Sus caras casi se fusionaban con la fluidez de la línea en lo que era una forma de escultura impresionista creada por el artista antes de conocer a los impresionistas franceses y su obra. A principios de la década de 1880 ya esculpía obras como *Beso bajo la farola* (1881), que retrataba temas comunes extraídos de la vida urbana contemporánea. Tenía una gran habilidad para captar el momento fugaz en piezas pequeñísimas, realistas y de frágil apariencia, a menudo modeladas en cera sobre yeso. Estas obras iban en contra del estilo académico predominante y del gusto por las esculturas monumentales que representaban escenas históricas, alegóricas y míticas.

En 1870 Rosso se trasladó de Turín a Milán, donde estuvo en contacto con el vanguardista grupo Scapigliati, que fomentó su deseo de retratar lo ordinario de un modo naturalista. Expulsado de la escuela de arte por protestar contra los métodos de enseñanza tradicionales, se marchó a Roma, donde padeció grandes miserias e incluso llegó a dormir al raso. En 1884 se trasladó a París, donde su obra fue bien recibida y admirada por el pintor y escultor Edgar Degas y el escritor Émile Zola. Los futuristas italianos Carlo Carrà y Umberto Boccioni admitieron la influencia de Rosso, aunque en vida siempre fue más famoso en Francia que en su país natal. Sin embargo, su estilo revivificó la escultura dentro y fuera de Italia. **CK**

Obras destacadas

Beso bajo la farola, 1881 (Galleria Nazionale d'Arte Moderna, Roma)

El corredor de apuestas, 1894 (Museum of Modern Art, Nueva York)

«[...] una obra de arte que no se preocupe por la luz no tiene derecho a existir.»

ARRIBA: Medardo Rosso, con aspecto sombrío, uno de los escultores más influyentes de Italia.

GEORGES SEURAT

Georges-Pierre Seurat, 2 de diciembre de 1859 (París, Francia); 29 de marzo de 1891 (París, Francia).

Estilo: Aplicación científica del color; especialista en el método llamado «puntillista»; asociado a los simbolistas; pintó principalmente paisajes.

Obras destacadas

Tarde de domingo en la isla de La Grande Jatte, 1884-1886 (Art Institute of Chicago, Chicago)

Un baño en Asnières, 1884 (National Gallery, Londres)

El circo, 1890-1891 (Musée d'Orsay, París)

ARRIBA: Como líder del neoimpresionismo, Seurat trató el color de modo científico.

«El arte es armonía. Armonía es la analogía entre lo contrario y [lo] similar.»

ARRIBA DERECHA: El famoso *Tarde de domingo en la isla de La Grande Jatte.*

DERECHA: *Un baño en Asnières* constituye un claro ejemplo de la técnica puntillista.

A pesar de su corta carrera, Georges Seurat fue uno de los líderes de la vanguardia artística parisina en su calidad de impulsor del neoimpresionismo, y su tratamiento científico del color ejerció una gran influencia sobre muchos pintores, como Vincent van Gogh y Pablo Picasso. En sus inicios, Seurat comenzó a estudiar las teorías del color desarrolladas por los científicos Michel Chevreul y Charles Blanc, las cuales exploraban la comprensión de los efectos ópticos, además de la percepción y el significado emocional del color para el espectador. Asimismo recibió la influencia de la obra de Eugène Delacroix y Peter Paul Rubens, cuyas pinturas pudo contemplar y estudiar en el Museo del Louvre de París. En 1879 pasó un año en las fuerzas armadas, tiempo durante el cual realizó un gran número de dibujos a lápiz y carboncillo. Seurat fue un dibujante extraordinario; el dibujo era una parte esencial de su método de trabajo, tanto para hacer bocetos preliminares como obras acabadas que se exponían al público.

La primera de las grandes pinturas de Seurat, *Un baño en Asnières* (1884), fue iniciada en 1883, y en ella se ven reflejadas sus teorías sobre la aplicación del color y su esmerada técnica puntillista. Esta obra fue rechazada por el Salón de París en 1884, pero pudo exhibirse en el Salón de los Independientes y fue alabada por Paul Signac. La obra complementaria de la anterior, *Tarde de domingo en la isla de La Grande Jatte* (1884-1886), fue exhibida en la 8.ª Exposición Impresionista de 1886. Por aquel entonces Seurat era asociado con los simbolistas, aunque más tarde fue rechazado por estos.

En sus últimos años siguió pintando y se dedicó principalmente a las escenas costeras y de entretenimientos, como en *El circo* (1890-1891), obra que quedó inacabada a su muerte y fue acogida con escaso entusiasmo. **TP**

ANDERS ZORN

Anders Leonard Zorn, 18 de febrero de 1860 (Mora, Dalarna, Suecia); 22 de agosto de 1920 (Mora, Dalarna, Suecia).

Estilo: Pintor, escultor y grabador realista; retratos y desnudos; pintó al aire libre; interesado en el arte y la artesanía tradicional sueca.

Obras destacadas

Pescador en St. Ives, Cornualles, 1891
(Art Gallery of New South Wales, Sidney)

El baile del solsticio, 1897 (Museo Nacional, Estocolmo)

Grover Cleveland (Retrato del presidente), 1899
(National Portrait Gallery, Washington, D.C.)

Anders Zorn es conocido por sus evocadoras y líricas representaciones del agua —en especial, por los efectos de la luz sobre ella—, así como por sus desnudos y sus retratos. Su estilo combina elementos del impresionismo y el naturalismo, unido a una paleta rica y vibrante, cuya evolución hacia un lenguaje visual significó la cumbre del romanticismo nacional sueco. Zorn inició su formación en Estocolmo a los quince años como tallador de madera, antes de ingresar en la Real Academia de Arte. Realizó sus primeras obras en acuarela y, más adelante, cuando pasó a trabajar al óleo, conservó en gran medida su estilo acuarelista tanto en la fluidez de sus pinceladas como en los sutiles matices del color. En 1881 comenzó a viajar, y visitó Inglaterra, Francia, España, Italia y los Balcanes antes de establecerse en París. Recibió influencias de Édouard Manet, Auguste Renoir y los impresionistas franceses, y también estudió la obra de Diego Velázquez y Peter Paul Rubens. Durante su estancia en Inglaterra, trabajó junto a James McNeill Whistler y comenzó a pintar al óleo, con obras como *Pescador en St. Ives, Cornualles* (1891).

Zorn empezó a ser solicitado como retratista, y en 1893 realizó el primero de sus frecuentes viajes a Estados Unidos, donde gracias a su popularidad le llegaron a encargar el retrato de dos presidentes, incluyendo el de *Grover Cleveland* (1899). En 1896 volvió a establecerse en su ciudad natal, en la orilla norte del lago Siljan. Se interesó en la artesanía y tradiciones suecas, lo que se vio reflejado en sus últimas pinturas, como *El baile del solsticio* (1897). En los últimos años de su carrera volvió a sus primeros tiempos como aprendiz de tallador y produjo varias tallas en madera. Su casa de Mora, en la que había nacido, se ha convertido en un museo que lleva su nombre. **TP**

> «En Londres puedes pintar como Dios y aun así morirte de hambre.»

ARRIBA: Anders Zorn, reconocido pintor de retratos y desnudos, grabador y escultor.

WALTER SICKERT

Walter Richard Sickert, 31 de mayo de 1860 (Munich, Alemania); 22 de enero de 1942 (Bath, Inglaterra).

Estilo: Superficies pictóricas oscuras; escenas de music hall en Londres; paisajes de Dieppe y Venecia; desnudos; retratos; composiciones basadas en fotografías.

Walter Sickert fue un personaje cosmopolita; nació en Alemania, de madre anglo-irlandesa y padre germano-danés, y pasó la mayor parte de su vida en Inglaterra, aunque vivió algunas temporadas en Dieppe, Francia, y Venecia. Estudió arte bajo la tutela de James McNeill Whistler, y se relacionó con Edgar Degas. Con la entrada del siglo XIX, Sickert se convirtió en un destacado nexo entre los mundos artísticos de Londres y París. Sus primeros trabajos en los music halls londinenses reflejaban su interés impresionista por el ocio popular.

Antes de la Primera Guerra Mundial inmortalizó un estilo particular de experiencia urbana mediante la representación de la clase obrera londinense de Camden Town, el barrio donde residía. Sus pinturas de interiores mugrientos y sus —también harapientos— moradores reafirmaban su propuesta de que el arte debía enfrentarse a los hechos más crudos de la realidad. Sus ideas condujeron, en 1911, a la creación de una sociedad artística independiente, el Grupo Camden Town, que representaba sobre todo escenas de la vida urbana. Su contribución a la exposición de la asociación fue la serie de «El crimen de Camden Town» (1908 en adelante) —el título hace referencia al asesinato de una prostituta local en 1907—. Las obras representan a una mujer desnuda junto a un varón totalmente vestido, lo cual produce un efecto ambiguo y turbador.

En la etapa final de su vida, Sickert alcanzó una notable fama, y fueron controvertidos sus atrevimientos pictóricos como el uso de fotografías de prensa como base de sus composiciones. Así, *La llegada de la señorita Earhart* (1932) fue realizada a partir de un reportaje periodístico sobre el histórico vuelo transatlántico en solitario de Amelia Earhart y se mostró solamente cinco días después del acontecimiento. **NM**

Obras destacadas

El crimen de Camden o *¿Qué tenemos que hacer por el alquiler?*, h 1908 (Yale Center for British Art, New Haven, Connecticut, EE.UU.)

Ennui, h. 1914 (Tate Collection, Londres)

La llegada de la señorita Earhart, 1932 (Tate Gallery, Londres)

> «Las artes plásticas son artes vulgares, que se deleitan en hechos materiales vulgares.»

ARRIBA: Walter Sickert, de origen alemán, fue el promotor del Grupo Camden Town.

ANTOINE BOURDELLE

Émile-Antoine Bourdelle, 30 de octubre de 1861 (Montauban, Francia); 1 de octubre de 1929 (París, Francia).

Estilo: Escultor; utilización de formas planas, simplificadas; superficies rugosas, onduladas; retrato y objetos mitológicos; escultura arquitectónica y monumental.

Obras destacadas

Ludwig van Beethoven, 1903 (Musée d'Orsay, París)

Hércules arquero, 1909 (Musée d'Orsay, París)

La elocuencia, 1917 (Ermitage, San Petersburgo)

El escultor Antoine Bourdelle se formó artísticamente en su Montauban natal antes de ingresar en la École des Beaux-Arts de Toulouse. Luego trabajó como ayudante en el estudio de Auguste Rodin, y las superficies rugosas y ondulantes de las esculturas del gran maestro parisino influenciaron su estilo. Sin embargo, la extraordinaria calidad de la obra de Rodin ensombreció a la de su ayudante, y hasta después de la muerte de aquel, en 1917, la producción de Bourdelle no fue apreciada tal como merecía. Bourdelle fue, a su vez, un maestro con gran influencia, y entre sus discípulos se contó el suizo Alberto Giacometti. Pese a todo, llegó a desarrollar su propio estilo de formas planas simplificadas, con una vinculación directa con el arte griego y románico. Realizó obras dinámicas y enérgicas, que con frecuencia describían temas mitológicos, como su *Hércules matando a los pájaros del lago Estínfalo* (1909).

Bourdelle también se vio atraído por la integración de la arquitectura con la escultura monumental. Realizó una serie de relieves para el teatro de París, en los Campos Elíseos, basados en las danzas de Isadora Duncan, y en 1912 se le encomendó la realización de un monumento en honor al general Carlos María de Alvear, héroe argentino de la Independencia, que se situó en Buenos Aires. Bourdelle diseñó la estatua ecuestre y su pedestal, que incluía estatuas alegóricas en cada una de sus cuatro esquinas, como la de *La elocuencia* (1917), y que incluso han sido más admiradas que la propia estatua de Alvear. Por otra parte, el compositor Ludwig van Beethoven fue un personaje por el que Bourdelle sintió especial admiración. En este sentido, realizó diversas estatuas del genio de Bonn, con quien el propio escultor decía tener un gran parecido físico. **CK**

«Contener, mantener y dominar son las reglas de la construcción.»

ARRIBA: Antoine Bourdelle fue considerado uno de los más grandes escultores franceses.

1800-99

ARISTIDE MAILLOL

Aristide Maillol, 8 de diciembre de 1861 (Banyuls-sur-Mer, Francia); 27 de septiembre de 1944 (Banyuls-sur-Mer, Francia).

Estilo: Escultor, pintor, grabador y creador de tapices; tradición grecorromana; esculturas de gran tamaño y monumentos conmemorativos; figuras femeninas.

Aristide Maillol comenzó su carrera como pintor, y en 1881 se trasladó a París para estudiar en la École des Beaux-Arts junto con el pintor y escultor neoclásico Jean-Léon Gérôme. Allí se integró en los Nabis («Profetas»), grupo de artistas de la vanguardia postimpresionista, entre los que se contaban Pierre Bonnard y Édouard Vuillard. Este movimiento fue conocido por su uso de la línea, los patrones, el interés en la decoración y las perspectivas planas. La obra de Maillol también estuvo influenciada por Paul Gauguin. Maillol se inspiró en los tapices medievales y regresó a Banyuls-sur-Mer para montar un estudio donde fabricar tapices de estilo *art nouveau*.

Aunque su fama actual se debe más a su faceta como escultor, Maillol comenzó a esculpir a partir de 1895. Al principio realizó objetos de madera y de terracota, de un estilo similar al de sus tapices. En 1900, debido a sus problemas en la vista, se vio obligado a dedicarse a la escultura, y con el apoyo de su representante, empezó a vender esculturas de bronce. Cuando exhibió su escultura femenina de largos miembros *El Mediterráneo* (1902-1905) en el Salon de Otoño de París de 1905, recibió el aplauso general del público. Desde ese momento, sus obras estuvieron muy solicitadas, como su *Monumento a Louis-Auguste Blanqui* (1905-1906).

Maillol sirvió de puente entre el romanticismo y el modernismo y destacó por su habilidad para recurrir al clasicismo para crear obras de una elegante serenidad y gracia, en un momento en el que muchos de sus coetáneos tendían más a retratar la turbulenta vida moderna urbana de una forma abstracta. Sus obras figurativas, de línea limpia y armonía equilibrada de la masa y la pose, influyeron en la escultura figurativa de Europa y Estados Unidos hasta bien entrada la década de 1950. **CK**

Obras destacadas

El Mediterráneo o *El Pensamiento*, 1902-1905, fundido en 1951-1953 (Museum of Modern Art, Nueva York)

Monumento a Louis Auguste Blanqui, 1905-1906, fundido en 1969 (Hirshhorn Museum and Sculpture Garden, Washington, D.C.)

«Para mi gusto, en la escultura debería haber tan poco movimiento como sea posible.»

SUPERIOR: Detalle de un retrato de Aristide Maillol, de Jozsef Rippl-Rónai (1899).

GUSTAV KLIMT

Gustav Klimt, 17 de julio de 1862 (Baumgarten, Penzing, Viena, Austria); 6 de febrero de 1918 (Viena, Austria).

Estilo: Pintor y diseñador simbolista y *art nouveau*; descripciones sensuales y eróticas de la mujer; muy decorativo con dorados y adornos.

Obras destacadas

La esperanza I, 1903
(National Gallery of Canada, Ottawa)

Retrato de Adele Bloch-Bauer I, 1907
(Neue Galerie, Nueva York)

La esperanza II, 1907-1908
(Museum of Modern Art, Nueva York)

El beso, 1908 (Österreichische Galerie Belvedere, Viena)

Desde alrededor de 1900 hasta su muerte en 1918, Gustav Klimt dominó la escena artística de Viena. Fue fundador de la Secesión de Viena y el principal miembro del movimiento vienés de *art nouveau*. Hijo de un tallista, Klimt estudió en la Escuela Estatal de Artes Aplicadas de Viena. En 1881 abrió un estudio con su hermano Ernst y un compañero de estudios para realizar murales para edificios públicos. En 1890 Klimt pintó el auditorio del Viejo Burgtheater con una precisión casi fotográfica, por lo que recibió el premio del Emperador. A partir de entonces, su obra fue cada vez más experimental.

Klimt continuó experimentando tanto con elementos del arte contemporáneo como con los estilos históricos menos valorados en aquella época, como el japonés, el chino, el del Antiguo Egipto y el micénico. En 1897, con otros artistas vieneses destacados, abandonaron la Academia de las Artes para fundar la Unión de Pintores Austríacos, que sería conocida como la secesión vienesa y de la que Klimt fue el primer presidente. La Secesión se mostraba contraria al clasicismo opresivo y se convirtió en la versión vienesa del *art nouveau*. Su primera exposición se celebró en marzo de 1898, y dos años después Klimt recibió la medalla de oro en la Exposición Universal de París.

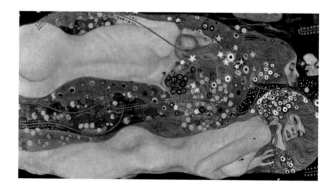

ARRIBA: Gustav Klimt pintó retratos de mujeres muy ornamentales y eróticos.

DERECHA: Gustav Klimt pintó *Serpientes de agua II* entre 1904 y 1907.

IZQUIERDA: El *Retrato de Adele Bloch-Bauer I* fue pintado durante la etapa dorada de Klimt.

Hacia 1905 Klimt se sentía muy desanimado con la Secesión, ya que había visto cómo se apartaba de sus ideas originales. Este fue el comienzo de lo que se conoció como su época dorada. Sus fuentes fueron los movimientos vanguardistas europeos, los pintores británicos como Edward Burne-Jones y Lawrence Alma-Tadema, el arte japonés, los frescos bizantinos y los mosaicos que había visto en las iglesias de Ravena, Italia. Siguió desarrollando sus formas entrelazadas de oro y plata, con colores caleidoscópicos, movimiento y elementos eróticos, además de un gran simbolismo. Se centró cada vez más en el ocultismo y lo espiritual. También buscó la inspiración en los paisajes de Salzburgo, donde pasó muchos veranos.

En 1909 viajó a París, donde conoció a Henri de Toulouse-Lautrec y a los fauvistas. Durante los dos años siguientes viajó a Venecia y Roma, y ganó el primer premio de la Exposición Universal de Roma de 1911. Tras la muerte de su madre en 1915 comenzó a pintar en tonos más sombríos. Falleció unos meses antes del final de la Primera Guerra Mundial. **SH**

Polémico y escandaloso

Gustav Klimt fue un artista polémico durante su vida, tan amado como odiado por el público, los galeristas y la crítica. Fue blanco frecuente de críticas violentas, y su obra fue expuesta tras una pantalla para evitar herir la sensibilidad de los más jóvenes. En 1900 se le acusó de pornográfico y pervertido. El énfasis que puso Klimt en la sexualidad como elemento determinante de la vida fue muy perturbador en su momento, pero con ello creó un preludio del erotismo de la sexualidad moderna, que apareció constantemente en el expresionismo y el surrealismo.

JOAQUÍN SOROLLA

Obras destacadas)

Serie «Las regiones de España», 1911-1918
  (Hispanic Society of America, Nueva York)
Pescadoras valencianas, 1915
  (Museo Sorolla, Madrid)

Joaquín Sorolla y Bastida, 27 de febrero de 1863 (Valencia, España); 10 de agosto de 1923 (Madrid, España).

Estilo: Retratos; paisajes al aire libre, paisajes urbanos y escenas junto al mar; maestro en los efectos de la luz; obras figurativas que muestran la cultura española.

Joaquín Sorolla inició sus estudios de arte en 1877 en Valencia y luego pasó algún tiempo en Madrid y en Roma, para finalmente regresar a España. Por influencia de los impresionistas franceses comenzó a pintar paisajes al aire libre, paisajes urbanos y escenas junto al mar, con los que se hizo famoso. Sorolla fue elegido por la Hispanic Society of America para decorar su biblioteca con una serie de 14 murales en los que se describe la gente y las costumbres de España, «Las regiones de España» (1911-1918). Gracias al éxito alcanzado, se le encargaron numerosos retratos, entre ellos el presidente de Estados Unidos William Howard Taft. En 1920 Sorolla sufrió una hemiplejia y permaneció paralizado hasta su muerte. **CK**

FREDERICK MACMONNIES

Obras destacadas

Bacante con un fauno niño, 1893-1894
  (Metropolitan Museum of Art, Nueva York)
Monumento conmemorativo de la batalla del Marne, 1920-1932 (cerca de Meaux, Francia)

Frederick William MacMonnies, 28 de septiembre de 1863 (Brooklyn, Nueva York, EE.UU.); 22 de marzo de 1937 (Nueva York, EE.UU.).

Estilo: Destacado escultor de la Escuela de Bellas Artes; estilo vivo, decorativo y de gran dramatismo; famoso por sus fuentes en monumentos públicos.

Frederick MacMonnies estuvo en el corazón del renacimiento americano a finales del XIX, y alcanzó la fama con su enorme escultura *La fuente de Columbia* (1893) para una exposición en Chicago. De gran talento técnico, MacMonnies implantó la moda de las fuentes con esculturas en los grandes jardines de Estados Unidos. Sus exultantes monumentos públicos solían tener un carácter nacionalista y a veces controvertido: *Bacante con un fauno niño* (1893-1894) fue retirado de la biblioteca de Boston por el realismo de su desnudo femenino. El estilo de MacMonnies conectaba con el *art nouveau*, el barroco y el modelado de la superficie de los impresionistas. Tuvo un papel destacado en la formación de futuros escultores. **AK**

EDVARD MUNCH

Edvard Munch, 12 de diciembre de 1863 (Ådalsbruk, Løten, Noruega); 23 de enero de 1944 (Ekely, Skøyen, Oslo, Noruega).

Estilo: Pintor y grabador; tratamiento intenso de la psicología de temas emocionales; adelantado de gran influencia en el expresionismo alemán.

Educado en Oslo, Edvard Munch estudió en la Real Escuela de Arte y Diseño bajo la dirección del pintor naturalista Christian Krohg. Con sus viajes a Francia, Alemania e Italia recibió las influencias del impresionismo y del simbolismo, especialmente de Vincent van Gogh, Henri de Toulouse-Lautrec y el uso del color y las formas simplificadas de Paul Gauguin. También estuvo muy interesado por el psicoanálisis: sus padres, un hermano y una hermana murieron cuando era joven y los trastornos psicológicos le afectaron tanto a él como a una de sus hermanas. Estas circunstancias nos ayudan a comprender el ambiente de desesperanza y preocupación, enfermedad y aislamiento de la obra de Munch —como en *La niña enferma* (1907), retrato de su hermana Sophie fallecida—. Aunque su vida emocional fue turbulenta, Munch planificó sus angustiosas pinturas de forma cuidadosa, y *El grito* (1893) está considerado un icono de la angustia existencial. En la década de 1890 comenzó a simplificar sus obras en amplias zonas de color de contornos sinuosos acentuados por pinceladas cargadas y figuras distorsionadas. Adquirió notoriedad al exponer en el Verein Berliner Künstler (1892) en Berlín, y su obra *Amor y dolor* (1893-1894), más conocida como *El vampiro*, provocó tal polémica que la exposición se cerró después de una semana. También exhibió las primeras pinturas de su serie «El friso de la vida: Un poema sobre la vida, el amor y la muerte» (1893-1913), a la que volvería durante el resto de su vida. Tras superar una crisis nerviosa en 1908, la obra de Munch se volvió más optimista y cada vez pintó más escenas de naturaleza. También llegó a realizar una serie de murales para la Universidad de Oslo y gran cantidad de obra gráfica. En 1916 Munch se trasladó a Ekely, cerca de Oslo, donde vivió hasta su fallecimiento, justo después de cumplir ochenta años. **SH**

Obras destacadas

El grito, 1893 (Galería Nacional, Oslo)

Amor y dolor o *El vampiro*, 1893-1894 (Munchmuseet, Oslo)

La niña enferma, 1907 (Tate Collection, Londres)

1800-99

«La enfermedad, la locura y la muerte eran los ángeles negros que vigilaban mi cuna.»

ARRIBA: Detalle de *Autorretrato con cigarrillo*, pintado en 1895.

HENRI DE TOULOUSE-LAUTREC

Henri Marie Raymond de Toulouse-Lautrec Monfa, 24 de noviembre de 1864 (Albi, Tarn, Midi-Pyrénées, Francia); 9 de septiembre de 1901 (Malrome, Francia).

Estilo: Escenas decadentes de la vida bohemia nocturna de París; empleo de bloques de color; impactantes diseños gráficos para carteles; retratos estilizados.

Obras destacadas

En el Moulin Rouge, el baile, 1890
(Philadelphia Museum of Art, Filadelfia)

El beso, 1892 (Collection Madame Porta,
Le Vesinet, Francia)

La Goulue entrando en el Moulin Rouge, 1892
(Museum of Modern Art, Nueva York)

Las dos amigas, 1894
(Tate Collection, Londres)

Pintor, artesano, artista gráfico, ilustrador y litógrafo, Henri de Toulouse-Lautrec llegó a ser uno de los personajes más conocidos del mundo del arte debido a una deformidad de la infancia. Hijo de un conde francés, nació en Albi, ciudad cercana a Toulouse. De pequeño se rompió las dos piernas, que le quedaron atrofiadas, mientras el resto de su cuerpo crecía normalmente. Su pequeña estatura le hizo objeto de innumerables caricaturas.

El excéntrico y adinerado padre de Toulouse-Lautrec cubrió los gastos de estudio de su hijo en París desde muy temprana edad, y allí le alquiló un estudio. Se hizo muy conocido en el barrio de Montmartre, donde pasaba las noches realizando bosquejos del Moulin Rouge y de otros locales nocturnos. Realizó con regularidad carteles publicitarios de sus lugares favoritos.

Prostitutas amigas suyas hacían de modelos para sus obras, entre las cuales se hallan algunas sobre la agitada vida bohemia de París, como *En el Moulin Rouge, el baile* (1890), escenas lésbicas, incluyendo *El beso* (1892), y tiernas escenas como en *Las dos amigas* (1894). Realizó muchas de sus obras sobre cartón y empleó pintura al óleo especialmente diluida, pintura mezclada con *gouache* o témpera para crear colores y líneas peculiares. Gracias a su trabajo, se conocen todavía hoy los nombres de algunas bailarinas, como Jane Avril y La Goulue. Estuvo influenciado por Paul Gauguin, Francisco de Goya y Edgar Degas en el uso del color, en su estilo vivo y en la elección de sus motivos, respectivamente. En su momento, tuteló la obra de otros artistas, entre ellos la de su modelo y amante Suzanne Valadon. Toulouse-Lautrec padeció alcoholismo y sífilis. La combinación de estos dos males le provocó períodos de depresión, así como su temprana muerte a los treinta y seis años. **LH**

«Solo existe la figura humana; el paisaje no es más, o no debería ser más, que un accesorio.»

ARRIBA: Toulouse-Lautrec era muy conocido por sus carteles de la vida nocturna parisina.

DERECHA: Un detalle del cartel de Toulouse-Lautrec *La Goulue entrando en el Moulin Rouge.*

VILHELM HAMMERSHØI

Vilhelm Hammershøi, 15 de mayo de 1864 (Copenhague, Dinamarca); 13 de febrero de 1916 (Copenhague, Dinamarca).

Estilo: Está relacionado con las escuelas naturalistas y simbolistas: personajes solitarios, estudios arquitectónicos y paisajes urbanos sin personas; paleta apagada y sin saturar.

Obras destacadas

Retrato de una joven, 1885
  (ubicación desconocida)

Interior, 1899 (Tate Collection, Londres)

Interior de un patio o *Strandgade 30*, 1899
  (Toledo Museum of Art, Toledo, EE.UU.)

El arte silencioso, solitario y enigmático de Vilhelm Hammershøi desapareció casi totalmente de la memoria de la gente y los críticos tras su muerte. Hammershøi nació en una familia acomodada y pronto comenzó su formación artística. Ingresó en la Real Academia de Bellas Artes y más tarde en escuelas libres menos conservadoras. Realizó su debut profesional a los veintiún años en la Exposición Charlottenborg con su *Retrato de una joven* (1885), que generó muchos comentarios por su soterrada intensidad emocional.

Hammershøi pasó los años siguientes pintando en Copenhague y sus alrededores, pero fue rechazado dos veces en las exposiciones. En la década de 1890 se casó con Ida Ilsted y se trasladó al barrio viejo de la capital danesa, dos hechos que definirían su obra posterior. Empleando una gama de colores suaves y sin estridencias, capturó la luz grisácea del norte. Hammershøi pintó repetidamente las habitaciones espartanas de su casa durante este período; a veces vacías, a veces con un único y solitario personaje —normalmente su esposa— vuelto de espaldas. A pesar de su evidente deuda con los maestros holandeses del siglo XVII, el ambiente de Hammershøi de aislamiento callado es indudablemente moderno —aunque muy diferente a la inquietante ansiedad de su coetáneo Edvard Munch—. Desgraciadamente, su obra no fue bien comprendida por la crítica danesa del momento, además de que su técnica tan formal no encajaba bien con el arte cada vez más abstracto de la vanguardia. Tras un largo período de oscuridad, las exposiciones itinerantes de las décadas de 1980 y 1990 permitieron que el misterioso silencio de Hammershøi llegara a captar la atención del público. En nuestra época tan saturada de información, este artista tan esquivo resulta más sugerente que nunca. **RB**

«[...] una extraña y embriagadora fusión de Vermeer y Edward Hopper.» Michael Palin, actor y escritor

ARRIBA: Vilhelm Hammershøi pintó este autorretrato típicamente deprimido en 1891.

ALEXEI VON JAWLENSKY

Alexei Georgewitsch von Jawlensky, 26 de marzo de 1864 (Torzhok, Rusia);
15 de marzo de 1941 (Wiesbaden, Alemania).

Estilo: Pintor expresionista; composiciones planas y abstractas; combinaciones
discordantes de color; iconos y arte tradicional ruso como motivos.

El pintor ruso expresionista Alexei von Jawlensky estudió en la
Academia de Arte de San Petersburgo. En 1896 se trasladó a Munich, Alemania, a estudiar en la Escuela de Pintura Azbé, donde
conoció a otros artistas rusos, entre ellos a Vasili Kandinsky. En
1909 colaboró en la fundación de la Nueva Asociación de Artistas de Munich (NKV), de donde surgió el grupo expresionista alemán *Der Blaue Reiter* («El jinete azul»). Con el comienzo de la Primera Guerra Mundial fue deportado y marchó a Suiza, donde
contactó con los dadaístas de Zurich. Durante su estancia en As-
cona comenzó a pintar las cabezas abstractas, su obra más conocida. En 1924 integró junto a Paul Klee, Lyonel Feininger y Kandinsky el grupo *Die Blaue Vier* («Los cuatro azules»). **WO**

Obras destacadas

Alexander Sajaroff, 1909
 (Städtische Galerie, Munich)
Cabeza mística o Cabeza de muchacha,
 1917 (Merzbacher Collection, Suiza)

1800-99

CAMILLE CLAUDEL

Camille Claudel, 8 de diciembre de 1864 (Fère-en-Tardenois, Francia);
19 de octubre de 1943 (Montfavet, Aviñón, Francia).

Estilo: Escultora; trabajos figurativos explorando el cuerpo humano; escenas
de la vida diaria; composiciones narrativas; influencia de Auguste Rodin.

Camille Claudel llegó a París con su familia en 1881. Se matriculó
en la Académie Colarossi. Gracias a que compartía estudio con
el escultor francés Alfred Boucher, a comienzos de la década de
1880 conoció a Auguste Rodin, del que se convirtió en alumna,
amante y modelo. Claudel tenía un gran interés en los grupos de
personajes y en la sensualidad del cuerpo. Su obra *La edad madura* (1894-1895) muestra un modelado vigoroso, al estilo de
Rodin, además de un toque personal filosófico y simbólico. La
influencia de Rodin fue una inspiración al principio, pero cada
vez le dificultó más la búsqueda de su propia forma de expresar-
se. Esto y el rechazo que sufrieron algunas obras por su excesiva sensualidad, causaron su desequilibrio mental. **AK**

Obras destacadas

La edad madura, versión en yeso,
 1894-1895 (Musée Rodin, París)
La edad madura, versión en bronce,
 1899 (Musée d'Orsay, París)

VASILI KANDINSKY

Vasili Kandinsky, 4 de diciembre de 1866 (Moscú, Rusia); 13 de diciembre de 1944 (Neuilly-sur-Seine, Francia).

Estilo: Es el padre de la pintura abstracta; interesado en la relación entre el arte y la música y el valor espiritual del arte; explorador del color.

1800-99

Obras destacadas

Cosacos, 1910-1911
  (Tate Collection, Londres)
Composición VI, 1913
  (Ermitage, San Petersburgo)
Composición nº 218, 1919
  (Ermitage, San Petersburgo)
Círculos sobre negro, 1921
  (Gugghenheim Museum, Nueva York)

Vasili Kandinsky cambió el arte para siempre. Su concepción de la obra de arte como color puro y formas abstractas marcó una revolución en el mundo artístico: el nacimiento de la abstracción. Sus agrupaciones de círculos, líneas en zig-zag, curvas y diagonales cargadas de energía demostraron que un lienzo compuesto de bloques de colores vivos y formas geométricas aportaba un sentido estético de la belleza y podía provocar una respuesta emocional comparable a la que produce la música clásica.

Escritor, teórico, grabador, litógrafo y pintor, Kandinsky estudió derecho y economía antes de estudiar arte. En 1896 se trasladó a Alemania, donde continuó estudiando con Franz von Stuck en la Academia de Arte de Munich. Al principio pintó paisajes y temas inspirados en el arte tradicional ruso, antes de apartarse del arte figurativo y dedicarse a la creación de obras abstractas.

Kandinsky escribió un ensayo de gran trascendencia, *De lo espiritual en el arte* (1910), donde describe sus teorías sobre el valor espiritual del arte y el potencial emocional del color. Antes de 1911 ya había formado el grupo de vanguardia *Der Blaue Reiter* («El jinete azul») junto con el artista Franz Marc. El nombre del grupo procede de un dibujo de Kandinsky, y el grupo vino a encarnar el expresionismo alemán con especial atención hacia la abstracción y la espiritualidad de la naturaleza. En 1922 Kandinsky fue nombrado profesor en la prestigiosa escuela Bauhaus de Berlín. La escuela fue cerrada en 1933 por presiones del partido nazi y Kandinsky se exilió en París, donde permaneció el resto de su vida. Su habilidad para destilar el poder emocional y espiritual del arte hasta sus formas más concentradas y sin ninguna referencia figurativa aparente todavía tiene una gran presencia entre los artistas y amantes del arte actuales. **CK**

> «El color es un poder que influye directamente en el alma.»

ARRIBA: Vasili Kandinsky, padre de la pintura abstracta y fundador de *Der Blaue Reiter*.

DERECHA: *Composición n.º 218* es una de las obras de Kandinsky en colores puros.

RAMON CASAS

Obras destacadas

El garrote vil, 1894 (Museo Nacional
   Centro de Arte Reina Sofía, Madrid)

Ilustraciones para *Pèl i Ploma*, 1899
   (Museu Nacional d'Art de Catalunya,
   Barcelona)

Ramon Casas i Carbó, 4 de enero de 1866 (Barcelona, España); 29 de febrero
de 1932 (Barcelona, España).

Estilo: Pintor y diseñador gráfico; ilustrador de carteles, tarjetas postales, publicidad
y revistas; destacó por sus retratos y pinturas de escenas con multitudes.

Ramon Casas fue un retratista muy demandado en su tiempo.
No obstante, su fama se debe más a su papel en el círculo artístico de Barcelona de donde surgió, a finales del siglo XIX, el modernismo catalán. Hijo de un acaudalado industrial, Casas empleó su fortuna en abrir en 1897 el bar Els Quatre Gats («Los
cuatro gatos»). Este local, inspirado en el parisino Le Chat Noir
(«El gato negro»), se convirtió en el centro de reunión de los artistas de aquella época, entre ellos un joven Pablo Picasso. Los
carteles de Casas para su café llegaron a definir el modernismo
catalán con sus líneas sencillas pero llenas de vida. Mientras, sus
lienzos de escenas de multitudes, como *El garrote vil* (1894), fueron crónica de la turbulenta vida de la ciudad. **CK**

ARTHUR STREETON

Obras destacadas

Verano dorado, Eaglemont, 1889
   (National Gallery of Australia, Canberra)

La tierra de la lana dorada, 1926
   (National Gallery of Australia, Canberra)

Arthur Ernest Streeton, 8 de abril de 1867 (Mount Duneed, Australia);
1 de septiembre de 1943 (Olinda, Australia).

Estilo: Paisajes australianos iluminados y coloridos; imágenes al aire libre con influencia
impresionista; paisajes del campo francés durante la Primera Guerra Mundial.

Arthur Streeton fue cofundador del primero de los movimientos artísticos importantes de Australia, la Escuela de Heidelberg. Streeton y sus colegas compartían el sencillo rasgo cultural de pintar únicamente motivos australianos. Bajo la influencia
de los impresionistas franceses y de J. M. W. Turner, Streeton
pintó varios paisajes australianos realistas, en los que mostraba
campos de un color amarillo dorado y cielos azules. Una de estas pinturas, *Verano dorado, Eaglemont* (1889), se convirtió en la
primera obra creada por un ciudadano australiano de nacimiento que se colgara en la Royal Academy of Arts londinense.
En 1918 Streeton fue nombrado Artista Australiano Oficial de
la Guerra y se dedicó a documentar el conflicto. **SG**

EMIL NOLDE

Emil Hansen, 7 de agosto de 1867 (Nolde, Dinamarca); 15 de abril de 1956 (Seebüll, Neukirchen, Alemania).

Estilo: Colores expresivos que buscan producir imágenes iluminadas; paisajes opresivos; imaginería religiosa violenta; acuarela, escultura en madera y litografía.

Emil Hansen nació en Nolde, ciudad de la cual tomó el nombre en 1902. Se ganaba la vida como tallador de madera y complementaba sus ingresos vendiendo postales. Más tarde se trasladó a estudiar arte a Munich y París. Desde el principio, su obra mostraba un fuerte sentimiento por la naturaleza y una gama de colores brillantes que conseguía mediante la aplicación de espesas capas de pintura con amplias pinceladas. En 1906 Nolde aceptó la invitación para unirse a *Die Brücke* («El puente»), grupo de artistas expresionistas con base en Dresde; pero esta asociación solo duró año y medio, período después del cual Nolde volvió a sus personales métodos de pintura.

El artista empleó las acuarelas. Como persona profundamente devota, se sitió casi obligado a pintar imágenes religiosas y espirituales, como en *Danza alrededor del becerro de oro* (1910), donde se muestra una actividad frenética, colores violentos y movimientos intencionadamente obscenos. Otro de los cambios en este artista se produjo cuando viajó al Lejano Oriente y quedó impresionado por las formas primitivas de la naturaleza y la vida humana que pudo contemplar. Nolde volvió a los temas conocidos de luz y mar, fusionándolos con imágenes exóticas y rasgos humanos exagerados. Más tarde recreó algunas de estas acuarelas en xilografías.

Hacia 1920 ya se había retirado junto a la frontera danesa, donde encontró interminables fuentes de inspiración para su pintura en su propio jardín. Aunque al principio apoyó la causa nazi, más tarde el partido le prohibió pintar y criticó su obra. En secreto, produjo cientos de acuarelas a las que tituló «Cuadros sin pintar». Poco antes de morir, en 1956, Nolde recibió la Orden al Mérito alemana, la más alta condecoración civil que concedía el país. **SG**

Obras destacadas

Danza alrededor del becerro de oro, 1910 (Staatsgalerie Moderne Kunst, Munich)

Crucifixión, 1912 (Nolde-Stiftung, Seebull, Alemania)

Naturaleza muerta con bailarinas, 1914 (Musée National d'Art Moderne, París)

«La gente lista sabe vivir; los sabios iluminan la vida y crean nuevas dificultades.»

ARRIBA: Este retrato del pintor y artista gráfico Emil Nolde se realizó en 1952.

ÉMILE BERNARD

Émile Bernard, 28 de abril de 1868 (Lille, Francia); 16 de abril de 1941 (París, Francia).

Estilo: Imágenes aparentemente sencillas con formas y disposiciones espaciales no realistas; zonas de colores planos; contornos en negro intenso; motivos populares, como la vida rural de la Bretaña y escenas parisinas.

Obras destacadas

Bañistas con una vaca roja, 1887
  (Musée d'Orsay, París)

Mujeres bretonas en el prado, 1888
  (colección particular)

Segadores en Pont-Aven, 1888
  (Josefowitz Collection, Suiza)

Cuando todavía era muy joven, Émile Bernard se convirtió en el pilar del arte progresista francés. Durante la década de 1880 se formó como pintor en el estudio parisino de Fernand Cormon, donde conoció y trabó amistad con Henri de Toulouse-Lautrec, Paul Gauguin y Vincent van Gogh, y donde tuvo oportunidad de toparse con el entonces poco conocido trabajo de Paul Cézanne.

Fue a finales de la década de 1880 cuando, después de coquetear con el impresionismo y el puntillismo, un Bernard de talento precoz desarrolló su propio estilo de colores planos y contornos gruesos en negro que se denominó *cloisonnisme* (cloisonismo). El nombre procede de la técnica empleada en las vidrieras y se debía en gran medida a las destrezas decorativas de Bernard como artesano e impresor, pero con el típico gusto de la época por los grabados japoneses. La primera de las obras representativas del cloisonismo de Bernard —*Mujeres bretonas en el prado* (1888)— afectó profundamente a Gauguin, y los dos se hicieron grandes colegas del movimiento simbolista-sintetista. Sin embargo, Bernard y Gauguin rompieron a principios de la década de 1890.

A finales del siglo XIX y principios del XX pasó largas temporadas en Egipto, donde retrató la vida en las calles y los burdeles de El Cairo, y también en Italia, donde, debido a la influencia de los maestros del Renacimiento, adoptó un estilo más naturalista y tradicional con personajes monumentales. En la década de 1920, la obra de Bernard se vio dominada por retratos femeninos bastante convencionales. No obstante, también realizó diversos proyectos literarios, y se le llegó a reconocer como un consumado escritor. Escribió una gran número de artículos y se le publicaron trabajos sobre otros artistas —Van Gogh, Redon, Cézanne—, y su correspondencia con ellos. **AK**

«Tienes que simplificar el espectáculo si quieres que tenga sentido.»

ARRIBA: Detalle de un autorretrato pintado hacia el final de la carrera del artista.

CHARLES CONDER

Charles Edward Conder, 24 de octubre de 1868 (Londres, Inglaterra); 9 de febrero de 1909 (Virginia Water, Runnymede, Inglaterra).

Estilo: Uso romántico del impresionismo, comprometido con la calidad lineal inspirada en el *art nouveau;* escenas de lánguido disfrute de la sabana australiana.

Charles Conder fue el más bohemio y romántico de los artistas de la Escuela de Heidelberg australiana. Su corta vida cumple a la perfección con todos los esquemas de una trágica existencia de artista. Su madre murió de tuberculosis cuando la familia visitaba India, y a él lo enviaron junto a su hermano a un colegio interno en Inglaterra. Cuando falleció su hermano, su padre intentó convencerlo de que abandonara sus ambiciones como artista y lo envió con su tío a Australia.

A su llegada a Sidney, en junio de 1884, Conder comenzó a trabajar con su tío en la oficina de registro de la propiedad horizontal, lo que le obligaba a viajar por toda Nueva Gales del Sur. No obstante, poco tiempo después, estaba ya estudiando arte en Sidney y ganando premios por sus ilustraciones y cuadros de la naturaleza. En 1888 conoció al pintor Tom Roberts, fundador de la Escuela de Heidelberg. Los dos artistas se hicieron muy amigos y pintaron juntos en Sidney y Melbourne. Conder también conoció al pintor italiano Girolamo Nerli, quien fomentaba el método impresionista de representar los paisajes.

Conder pintaba paisajes encantadores y poéticos. Llegó a ser una figura influyente en el entorno social de los artistas paisajistas que comenzaban a surgir con un espíritu nacionalista. Sus obras combinaban armoniosamente las elegantes líneas del *art nouveau* con el toque delicado de la visión impresionista. Fue un promotor clave de la exposición impresionista «9 por 5» (1889), donde tanto Conder como sus colegas sufrieron duras críticas. Abandonó Australia en 1890, viajó por Europa y estudió en París, donde se mezcló en círculos bohemios con artistas como Henri de Toulouse-Lautrec. A finales de la década de 1890 creó obras que merecieron el elogio de artistas coetáneos como Edgar Degas y Camille Pissarro. **JR**

Obras destacadas

Día festivo en Mentone, 1888
(Art Gallery of South Australia, Adelaida)

Bajo un cielo sureño, 1890
(National Gallery of Australia, Canberra)

Rickett's Point, 1890 (National Gallery of Victoria, Melbourne)

«Conder será conocido como un gran maestro del modernismo.»
Fred McCubbin, artista

ARRIBA: Detalle de *Charles Conder*, de William Rothenstein (1872-1945).

ÉDOUARD VUILLARD

Jean-Édouard Vuillard, 11 de noviembre de 1868 (Cuiseaux, Francia); 21 de junio de 1940 (La Baule, Francia).

Estilo: Lienzos muy decorativos y estéticos; interiores hogareños, paisajes, retratos y escenas teatrales; miembro del grupo de los nabis.

Obras destacadas

Después de la comida, 1890 (Musée d'Orsay, París)

Théodore Duret, 1912 (National Gallery of Art, Washington, D.C.)

Place Vintimille, París, 1916 (Metropolitan Museum of Art, Nueva York)

«No pertenezco a ninguna escuela, simplemente quiero hacer algo personal.»

ARRIBA: Detalle de *Autorretrato*, de Édouard Vuillard, que pertenece a una colección particular.

A Édouard Vuillard se le suele identificar por sus cuadros de interiores hogareños y, de hecho, estas obras representan el equilibrio esencial de su arte —una interpretación innovadora y moderna de la tradición realista de la pintura holandesa del siglo XVII—. Trabajó siguiendo la norma de los nabis, y en el estilo sintético de Paul Sérusier, aunando un sentido estético de la distribución, los aspectos decorativos y la línea en una adhesión a la realidad de la escena. Muchas de sus obras transmiten un aire misterioso y trascendental, mientras que su paleta sutil y lírica utiliza la luz y la atmósfera para provocar una respuesta emocional profunda.

Vuillard pasó algún tiempo trabajando en el estudio de Diogène Maillart en París antes de ingresar en la Académie Julian en 1886. Allí se formó bajo la tutela de Tony Robert-Fleury; más tarde estudió algún tiempo en la École des Beaux Arts bajo la dirección de Jean-Léon Gérôme.

En 1888 Vuillard se unió a los nabis, un grupo de artistas de la vanguardia que se habían conocido a través de la Académie Julian y que estaban influenciados por Sérusier, quien a su vez recibió la influencia de Paul Gauguin. Al igual que los impresionistas, también se inspiraron en los esquemas decorativos japoneses. Durante la década de 1890, Vuillard comenzó a aceptar trabajos decorativos, y para 1900 ya se dedicaba a los retratos y paisajes, haciéndose muy popular con ambas modalidades artísticas. Se apartó de la perspectiva plana del estilo inicial de los nabis y se acercó a escenas de mayor realismo, con un cálculo más preciso del espacio pero manteniendo la calidad poética de sus primeras obras. A su muerte, en 1940, Vuillard había conseguido una considerable aceptación popular y una amplia admiración de sus colegas pintores. **TP**

GUSTAV VIGELAND

Gustav Vigeland, 11 de abril de 1869 (Mandal, Noruega); 12 de marzo de 1943 (Oslo, Noruega).

Estilo: Retratos en bustos y relieves; aspecto naturalista que expresa emociones; motivos medievales; temas de nacimiento, infancia, madurez y muerte.

Gustav Vigeland heredó la destreza de su padre como carpintero, pero fue la escultura la que fascinó a un joven Vigeland. Estudió en Oslo y Copenhague, antes de pasar varios meses en París, donde recibió la influencia de Auguste Rodin. Sus esculturas —principalmente retratos en bustos y relieves, con temas recurrentes como la muerte y la relación entre el hombre y la mujer— tenían un enfoque naturalista. Vigeland concedía una gran importancia al sentimiento y la expresión, y retrató personajes esqueléticos con estados de humor contrapuestos de desolación y de éxtasis.

Dos de las exposiciones de su obra, hacia el final del siglo XIX, tuvieron una respuesta favorable de la crítica; pero aun así no era todavía capaz de vivir de su trabajo. Encontró empleo en la restauración de la catedral de Nidaros en Trondheim, donde se vio influido por la imaginería medieval, por lo que comenzó a emplear en sus obras los motivos simbólicos de dragones y lagartos luchando contra el hombre. Sus bustos de personajes noruegos destacados, como el dramaturgo Henrik Ibsen, le permitieron ganarse el sustento con la escultura y dedicarse al inmenso proyecto que le ocuparía el resto de su vida.

Frogner Park, más tarde llamado Vigeland Park, en Oslo, se convirtió en la exposición al aire libre de la obra de Vigeland, ya que llegó a diseñar más de doscientas esculturas para ser colocadas en el parque. En estas esculturas se representaban hombres, mujeres y niños —corriendo, luchando, bailando—alrededor del tema del viaje del hombre desde el nacimiento hasta su muerte. En el centro del parque está la espectacular obra *Monolito* (1929-1943), tallada en una única columna de granito macizo de 17 m de altura y compuesta por 121 figuras. Vigeland produjo en su estudio esculturas para el parque hasta su muerte, en 1943. **SG**

Obras destacadas

Henrik Ibsen, 1903
  (Vigeland Museet og Parken, Oslo)
Monolito, 1929-1943
  (Vigeland Museet og Parken, Oslo)
La rueda de la vida, 1933-1934
  (Vigeland Museet og Parken, Oslo)

1800-99

«Yo ya era escultor antes de nacer. Me vi empujado por fuerzas poderosas.»

ARRIBA: Este retrato de Gustav Vigeland se hizo en 1891 y se conserva en el Museo Vigeland.

HENRI MATISSE

Henri-Émile-Benoît Matisse, 31 de diciembre de 1869 (Le Cateau-Cambrésis, Francia); 3 de noviembre de 1954 (Niza, Francia).

Estilo: Líneas enérgicas que sugieren más que definen; uso atrevido del color y las formas; movimiento fluido; recortes en papel muy personales.

Obras destacadas

Estudio de desnudo azul, h. 1899-1900
(Tate Collection, Londres)

La ventana abierta, Collioure, 1905
(National Gallery of Art, Washington, D.C.)

Armonía en rojo o *Habitación en rojo*, 1908
(Ermitage, San Petersburgo)

La danza, 1909
(Museum of Modern Art, Nueva York)

La familia del pintor, 1911
(Ermitage, San Petersburgo)

Odalisca con pantalón rojo, h. 1924-1925
(Musée de l'Orangerie, París)

Desnudo azul IV, 1952
(Henri Matisse Museum, Niza)

El caracol, 1953 (Tate Collection, Londres)

Henri Matisse no descubrió su pasión por la pintura hasta los diecinueve años. Aun así, llegó a ser uno de los pintores más apreciados y de mayor influencia de París. Sigue siendo muy famoso en todo el mundo por sus pinturas, esculturas y obra gráfica, además de por sus «recortes» de papel.

Al final de su adolescencia, mientras trabajaba como administrativo en un bufete de abogados, comenzó a recibir lecciones de dibujo. Un par de años más tarde comenzó a pintar más seriamente durante una larga convalecencia después de una operación de apendicitis. En 1891 abandonó el derecho y se trasladó a París para estudiar pintura; allí fue discípulo de William-Adolphe Bouguereau antes de ingresar en la École des Beaux-Arts, donde recibió las enseñanzas del pintor simbolista Gustave Moreau. Sus primeras obras fueron sombrías, incluyendo un gran número de naturalezas muertas y escenas paisajísticas. Después de unas vacaciones en Bretaña, su paleta de colores cambió. Su trabajo comenzó a resurgir, imbuido de los matices de la luz natural y se concentró más en las personas envueltas y rodeadas de tejidos vivos, en lugar de objetos inanimados.

ARRIBA: Se admira a Henri Matisse por su brillante uso del color y por sus dibujos.

DERECHA: *La danza* (1909), considerada un punto de inflexión en la carrera de Matisse.

1800-99

IZQUIERDA: *El caracol*, creado mediante recortes de papel sobre un fondo blanco.

Matisse admiró a los impresionistas y comenzó a experimentar con diferentes estilos de pintura y de técnicas de representación de la luz. Hacía tiempo que admiraba las obras de Édouard Manet, Paul Cézanne, Georges-Pierre Seurat y Paul Signac, y en 1899 adquirió la obra maestra de Cézanne, *Los bañistas* (h. 1890-1892). En 1905 ya se había asociado con André Derain, y viajaron juntos al sur de Francia para estudiar los efectos de la luz y el color que según Matisse no podían apreciarse en ningún otro lugar. Cuando Derain y Matisse expusieron su obra juntos por primera vez, unos críticos poco impresionados les llamaron los *fauves*, es decir, las «bestias salvajes», acusándoles de primitivismo. El público que acudió a la exposición quedó sorprendido por lo que consideraba un uso «salvaje» del color, y se quejó de que los motivos eran «bárbaros». El apodo se les quedó, pero la fama de los artistas creció y su obra se hizo cada vez más respetada y apreciada.

«Yo no pinto cosas, lo que yo pinto es la diferencia entre las cosas.»

Dibujar con las tijeras

En 1943 Henri Matisse comenzó a trabajar en un proyecto nuevo —originariamente una carpeta— de la que se publicó en 1947 una edición limitada de 250 ejemplares. Se tituló *Jazz* y se la reconoce por uno de los recortes más famosos del artista, la viva figura de *Ícaro* (1947). El joven que soñaba con volar y cuyos sueños se truncaron al acercarse demasiado al sol está representado sumergido bajo un cielo brillante azul y con estrellas amarillas; ha perdido sus alas chamuscadas por el sol, pero incluso unos instantes antes de morir, su poderosa figura negra baila con alegría. Hay quien ha especulado con la idea de que este y muchos otros de los recortes de Matisse eran la crítica soterrada a la ocupación de Francia por los nazis y que Ícaro podría representar a los luchadores de la Resistencia francesa.

Matisse describía sus recortes en papel, de los que en la carpeta original titulada «dibujar con las tijeras» aparecieron veinte. Cuando se convirtió esta carpeta en un libro, en 1947, las veinte ilustraciones iban acompañadas de textos escritos por el propio Matisse. Le llevó algún tiempo dar con un título adecuado para el libro. Muchos de los recortes estaban inspirados en actos circenses, como, *El caballo*, *El jinete* y *El payaso*; *El tragasables*; y *El lanzador de cuchillos*, así que su título original fue *El circo*. Más tarde cambió el título por el de *Jazz* ya que el estilo frenético de la música jazz le sugería muchas ideas creativas. Algunas de las otras ilustraciones del libro con títulos elegidos al azar eran *El corazón*, *El tobogán*, *El funeral de Pierrot* y *El nadador del acuario*.

DERECHA: *Desnudo azul IV (Nu Bleu IV)* es probablemente el cuadro más famoso de Henri Matisse.

El apodo fue cada vez menos peyorativo y más descriptivo de un movimiento artístico reconocido: el fauvismo. Hacia 1907 Matisse y Pablo Picasso se habían hecho amigos. Juntos cambiaron el aspecto del arte del siglo XX. Matisse nunca fue impresionista, ni neoimpresionista, ni cubista. Los admiraba y con frecuencia experimentó con algunos elementos de sus obras, pero su estilo era personal y característico.

De París a la Riviera francesa, pasando por Moscú

Uno de los más importantes patrocinadores de la obra de Matisse fue Serguei Shchukin, quien regularmente viajaba a París para adquirir todo el contenido del estudio del artista y llevárselo a Rusia. Shchukin era un adinerado industrial de Moscú, que poseía un gran palacio. Le encargó a Matisse que pintara dos murales sobre la música y la danza, así que Matisse viajó a Moscú, deteniéndose, de camino, en varias ciudades europeas.

Excepto su breve visita a Marruecos en 1916, Matisse se quedó en París durante la mayor parte de la Primera Guerra Mundial. Ya tenía cuarenta y cinco años cuando estalló el conflicto; demasiado mayor para ser reclutado. En 1917 decidió que era el momento de dejar París y se trasladó a Niza, en la Riviera francesa. Su estilo artístico y el uso de los colores se hizo más intenso, más evidente en sus pinturas sensuales y maravillosas de odaliscas y de interiores de habitaciones con vistas a esta región litoral a través de ventanas totalmente abiertas. En 1925 se le concedió la mayor condecoración francesa, la Legión de Honor, por su contribución al mundo del arte.

Tras someterse a una operación en 1941, Matisse no podía pintar, ya que el solo hecho de ponerse de pie frente al caballete le resultaba muy doloroso. Fue entonces cuando comenzó a crear sus famosos recortes en papel, que, con algo de ayuda, podía realizar desde la cama o sentado en una butaca. Sus ayudantes pintaban hojas de papel con colores vivos al *guoache*. Matisse los recortaba con la forma deseada y los colocaba en los lienzos. Inevitablemente de estilo abstracto y naïf, a Matisse le encantaba esta nueva forma de arte, y decía que sus recortes eran «más completos» que sus pinturas o esculturas. **LH**

FRANCES HODGKINS

Frances Mary Hodgkins, 28 de abril de 1869 (Dunedin, Nueva Zelanda); 13 de mayo de 1947 (Dorchester, Inglaterra).

Estilo: Artista expatriada; neo-romántica; retratos; naturalezas muertas; paisajes; estilo caligráfico fluido; colores límpidos y temperamentales.

Obras destacadas

Calabazas y pimientos, 1935 (Fletcher Trust Collection, Nueva Zelanda)

Granero circular, 1939 (Dunedin Public Art Gallery, Dunedin, Nueva Zelanda)

La granja Purbeck, 1942 (Auckland Art Gallery Toi O Tamaki, Nueva Zelanda)

Frances Hodgkins es una de las artistas más completas que ha nacido en Nueva Zelanda en la época moderna. Se educó en la década de 1870 en la provinciana Dunedin, donde recibió una gran influencia de su padre, pintor aficionado. Tres años después de la muerte de su progenitor, viajó a Europa en busca del gran arte y de una vida más artística y aventurera. Dicho estilo de vida le llevaría a la ruina en ocasiones, y durante la mayor parte de su carrera tuvo que luchar para subsistir con sus cuadros y sus clases, ayudada por numerosos amigos.

Hodgkins se convirtió en una artista itinerante que vivió y trabajó en España, Italia, Marruecos y Francia, siempre en busca del trabajo y la inspiración —en su correspondencia con su casa se narran con lucidez sus vivencias por Europa—. En 1914 se estableció en Inglaterra, donde por fin encontró el éxito, y en 1929 fue elegida miembro de la Seven and Five Society, que propugnaba un regreso del arte al orden después de la Primera Guerra Mundial.

Al final de su carrera, Hodgkins pudo disfrutar de su éxito en Europa. Sin embargo, en Nueva Zelanda se la consideraba una modernista británica. No se la reconoció oficialmente hasta 1962. El estilo de Hogkins era único. Pintaba motivos hogareños o escenas rurales con maquinaria de granja, con un sentido desolado o patético. Pero por lo que más es conocida es por sus «paisajes de naturaleza muerta», una combinación de los dos géneros que en su momento se consideró de un gran radicalismo. En estas composiciones planas se ve la influencia del cubismo y el surrealismo. Combinaba su valiente experimentación con el color —a veces intenso, a veces sutil—, y la pincelada caligráfica, lo que la hacía destacar entre sus colegas. **NG**

«Cada cuadro indica un estado de ánimo, igual que el sonrojo sobre una piel delicada.» M. Evans

ARRIBA: Esta fotografía de Frances Hodgkins es de noviembre de 1912.

ERNST BARLACH

Ernst Barlach, 2 de enero de 1870 (Wedel-an-der-Niederelbe, Alemania); 24 de octubre de 1938 (Rostock, Alemania).

Estilo: Escultor, grabador y escritor; vanguardista alemán en sus comienzos, más tarde expresionista; esculturas de gran formato; tallas en madera y bronces.

Se conoce a Ernst Barlach principalmente por sus esculturas, que ejercen de puente entre el *Jugendstil* (*art nouveau* en Alemania y Austria) y el expresionismo alemán. También es muy conocido por sus grabados, tallas y litografías para ilustraciones de poemas y de sus propias obras teatrales. Escritor prolífico, Barlach escribió una autobiografía, dos novelas y ocho obras teatrales expresionistas que fueron representadas con éxito bajo la República de Weimar, y todavía hoy se siguen poniendo en escena.

Barlach criticó abiertamente al partido nazi. En 1937 los nazis ya le habían confiscado casi cuatrocientas de sus obras de los museos alemanes. En 1936 realizó su talla en madera *El espantoso año 1937*, pero fue en 1937 cuando le dio este nombre en respuesta a la exposición *Entartete Kunst* («Arte degenerado»), organizada por los nazis para denigrar el arte moderno, y en la que incluyeron algunas de sus obras.

Algunas de las primeras obras de Barlach en bronce y en madera eran decorativas, según el estilo *Jugendstil*, pero un viaje espiritual a Rusia en 1906 le hizo cambiar de rumbo. Influenciado por las tallas alemanas de la Edad Media y la solidez inquebrantable de los campesinos rusos, simplificó las líneas de su trabajo. Además, la pobreza de la que fue testigo durante la Primera Guerra Mundial le impulsó a intentar transmitir el sufrimiento emocional del que había sido testigo con títulos alegóricos como *El vengador* (1914), que intenta retratar la condición humana desde el éxtasis de la soledad, y que da como resultado unas esculturas figurativas de gran tamaño revestidas de tejidos colgantes. Su obra ha sido comparada con la de los expresionistas, pero su objetivo era el de retratar la crisis existencial humana y la posibilidad de salvación. **CK**

Obras destacadas

El pastor de la estepa, 1908 (Ernst Barlach Haus, Ratzeburg, Alemania)

El vengador, 1914 (Tate Collection, Londres)

El espantoso año 1937, 1936 (National Gallery of Scotland Collection, Edimburgo)

«Barlach aprendió rápidamente a respetar el sufrimiento silencioso de los campesinos.» *Time*

ARRIBA: Ernst Barlach realizó este autorretrato (1928) a carboncillo.

GIACOMO BALLA

Giacomo Balla, 18 de julio de 1871 (Turín, Italia); 1 de marzo de 1958 (Roma, Italia).

Estilo: Pintor futurista, escultor y escenógrafo; representó la luz, el movimiento, la energía y la velocidad sobre sus lienzos de paisajes, escenas urbanas y retratos.

Obras destacadas

Luz de la calle, h. 1909-1910
 (Museum of Modern Art, Nueva York)

Velocidad del automóvil, 1912
 (Museum of Modern Art, Nueva York)

El puño de Boccioni o *Líneas de fuerza,* 1915
 (Hirschhorn Museum, Washington, D.C.)

Autoballarioso, 1946 (Galleria Civica d'Arte
 Moderna e Contemporanea, Turín)

ARRIBA: El italiano Giacomo Balla se convirtió en figura prominente del movimiento futurista.

«[...] Todas las cosas cambian rápidamente.»

Manifiesto técnico, futurista

ARRIBA DERECHA: *Dinamismo de perro con correa,* que marcó la nueva dirección del artista.

DERECHA: *Velocidad de automóvil + luz + ruido* refleja un interés por la velocidad y la energía.

Giacomo Balla fue un artista de extraordinaria imaginación y visión, que realizó una contribución enorme al desarrollo de las formas modernas de arte. Este hecho se aprecia claramente en sus obras futuristas y abstractas. Exploró las teorías científicas en relación con la difusión y la refracción de la luz, y llevó estos conocimientos a sus sofisticadísimas representaciones de la luz y el movimiento y de las intangibles fuerzas de la velocidad y la energía. También estudió el trabajo innovador de algunos fotógrafos, como Anton Giulio Bragaglia, Eadweard Muybridge y Étienne-Jules Marey, que dieron forma a los mecanismos del movimiento.

Mayormente autodidacta, en 1895 Balla se trasladó de Turín a Roma para ganarse la vida como retratista e ilustrador. En 1900 visitó París, donde quedó impresionado por la obra de los neo-impresionistas. A su vuelta a Roma experimentó con el puntillismo para representar la luz, la atmósfera y el movimiento como demostró en *Luz de calle* (h. 1909-1910).

El estilo de Balla se hizo más abstracto durante este período; el artista se estableció como una figura dominante del movimiento futurista, y firmó los dos manifiestos del grupo en 1910. Sus dinámicos lienzos, como *Velocidad del automóvil* (1912), estaban llenos de energía explosiva, ritmo e intensidad. Hacia 1914 comenzó a experimentar con la escultura, y su obra más famosa fue *El puño de Boccioni* (1915). En 1917 comenzó a diseñar escenografías altamente experimentales y actuó en varias obras. Persiguió su concepción abstracta y científica del arte, explorando los fenómenos e ilusiones ópticas, y desde 1925 empezó una serie de obras basadas en letras y números. En la última etapa, su trabajo se aproximó más al puntillismo, alejándose de las brillantes abstracciones de sus primeros tiempos. **TP**

LYONEL FEININGER

Leonell Charles Feininger, 17 de julio de 1871 (Nueva York, EE.UU.); 13 de enero de 1956 (Nueva York, EE.UU.).

Estilo: Pintor, ilustrador, caricaturista y dibujante de cómics, paisajes marinos y urbanos; iglesias, rascacielos, personajes paseando y barcos en el mar.

Obras destacadas

El levantamiento, 1910
(Museum of Modern Art, Nueva York)

La dama de malva, 1922
(Museo Thyssen-Bornemisza, Madrid)

Manhattan II, 1940 (Modern Art Museum
of Fort Worth, Texas)

Lyonel Feininger combinó muchos de los movimientos artísticos de la primera mitad del siglo XX en su propia e idiosincrásica obra. Nació en Estados Unidos de padres alemanes y viajó mucho durante su vida. Residió en Chicago, París, Berlín y Nueva York. Comenzó su carrera como ilustrador y dibujante de viñetas con las tiras cómicas publicadas en *The Kin-der-Kids y Wee Willie Winkie's World*.

Feininger encontró la inspiración en pueblos como Gelmeroda, a las afueras de Weimar, Alemania. Las iglesias, las casas y el paisaje de la zona se convirtieron en el motivo de sus cuadros líricos. Se vio enormemente influenciado por las obras de Henri de Toulouse- Lautrec y Paul Cézanne, que estudió durante su estancia en París de 1906 a 1908. Luego se trasladó a Berlín, donde se unió a la Secesión y llegó a exponer con sus artistas, recibiendo los elogios de los componentes de *Der Blaue Reiter* («El jinete azul»). Walter Gropius invitó a Feininger a ingresar en la Bauhaus como responsable del taller de artes gráficas, y allí ejercería como profesor hasta su cierre en 1932. En 1924 fundó el *Blaue Vier* («Los cuatro azules») junto con Alexei von Jawlensky, Vasili Kandinsky y Paul Klee.

La última etapa del desarrollo de Feininger como artista llegó con su retorno a Estados Unidos en 1937, después de que los nazis calificaran su arte como «degenerado». Sus enseñanzas, escritos y acuarelas de esta época abrieron el camino al expresionismo abstracto en Estados Unidos. Denominó a su estilo «prismaísmo», mientras que otros le llamaron «cubismo cristalino». Con sus rayos de luz entrecruzados y personajes influidos de sus trabajos gráficos fusionó el expresionismo y el cubismo en obras de atmósfera enigmática. En 1944 Feininger presentó una gran exposición retrospectiva en el MoMA de Nueva York. **JJ**

> «[Los cuadros] deben transportarnos y no detenerse en el retrato de un episodio.»

ARRIBA: Lyonel Feininger comenzó su carrera como ilustrador y dibujante de cómics.

PIET MONDRIAN

Pieter Cornelis Mondrian, 7 de marzo de 1872 (Amersfoort, Países Bajos); 1 de febrero de 1944 (Nueva York, EE.UU.).

Estilo: Pinturas tipo cuadrícula; cuadrados y rectángulos de colores primarios; cuadros distribuidos según una serie de líneas horizontales y verticales entrecruzadas.

El desarrollo de la obra de Piet Mondrian refleja el devenir de la pintura durante las dos primeras décadas del siglo XX, alejándose de la intención de presentar formas comprensibles en favor de un tratamiento impresionista de la naturaleza y de sus formas variables o de un tratamiento esquemático. Sus primeras obras se hallan también en deuda con el simbolismo, sobre todo en el uso tan atrevido del color. No obstante, esta afinidad tan estrecha no debe restar importancia a su producción posterior. En muchos aspectos, Mondrian modificó de modo radical las posibilidades de lo que podría ser un cuadro, y de la forma en que este podía transmitir un tema.

La única conexión deducible entre sus obras de la década de 1910 es su preocupación por la estructura subyacente del mundo sensible y la forma en que esta se podía utilizar para identificar y estructurar una imagen. Este deseo de buscar y descubrir una realidad oculta y subyacente y su esquema universal se convirtió en un tema que preocupó al artista en repetidas ocasiones. Hacia 1920 Mondrian se inclinó aparentemente hacia el cubismo, tomando del mismo su fase analítica, en la que se establece la liberación de la forma. En este acto de emancipación se daba de forma implícita una cierta verdad que podría ser revelada; una verdad que tenía que ver con la forma en que el mundo sensible estaba organizado.

Hacia 1920 Mondrian estaba ya creando una serie de pinturas con cuadrados y rectángulos yuxtapuestos, colores primarios o de blancos y negros. Estos cuadrados y rectángulos quedan separados por líneas negras muy pronunciadas que forman parte de toda la composición. Mondrian siguió desarrollando su estrategia durante los veinte años siguientes, con cuadros cada vez más refinados y sutiles. **CS**

Obras destacadas

Composición 10 en blanco y negro, 1915 (Kröller-Müller Museum, Otterlo, Países Bajos)

Composición con amarillo, azul y rojo, 1937-1942 (Tate Collection, Londres)

Broadway boggie woogie, 1942-1943 (Museum of Modern Art, Nueva York)

«La postura del artista es humilde. Básicamente no es más que un medio.»

ARRIBA: El pintor neerlandés Piet Mondrian es famoso por sus pinturas en cuadrícula.

JOAQUÍN TORRES-GARCÍA

Joaquín Torres-García, 28 de julio de 1874 (Montevideo, Uruguay); 8 de agosto de 1949 (Montevideo, Uruguay).

Estilo: Pintor, artesano, muralista y escultor; fundador del universalismo constructivo; paisajes urbanos y retratos abstractos; uso de símbolos.

Obras destacadas

Nueva York, 1921 (Museo Nacional Centro de Arte Reina Sofía, Madrid)

Constructivismo universal, 1930 (Museo Nacional Centro de Arte Reina Sofía, Madrid)

Arte universal, 1943 (Museo Nacional de Artes Visuales, Montevideo)

«[El artista debe] ser consciente del mundo sin olvidarse de lo que tiene a su alrededor.»

ARRIBA: Esta foto fue tomada después de que Torres-García se casara con Manolita Piña de Rubiés en 1909.

Joaquín Torres-García tuvo una gran influencia en la introducción del arte moderno en América Latina. Colaboró en el desarrollo de una identidad cultural latinoamericana en el arte y la arquitectura del siglo XX de dicha región del mundo.

Nació en Montevideo y estudió arte en Barcelona, España. Con el cambio de siglo se relacionó con círculos de la vanguardia y conoció a artistas como Pablo Picasso. Además de realizar encargos de murales e ilustraciones para publicaciones, en 1903 Torres-García ayudó al arquitecto local Antoni Gaudí a crear cristaleras para la catedral de Palma de Mallorca y más tarde para la Sagrada Familia de Barcelona.

Sin embargo, Torres-García no tuvo éxito económico y en 1920 se trasladó a Nueva York en busca de mejor fortuna. Allí pintó varios cuadros de rascacielos, como *Nueva York* (1921). Luego se trasladó a París y en 1929 fundó el grupo *Cercle et Carré* («Círculo y cuadrado») de artistas abstractos, junto con el crítico y artista Michel Seuphor. Siguió desarrollando sus ideas sobre un estilo geométrico abstracto, donde fusionaba el constructivismo y el cubismo. Un estilo que llegó a conocerse como «constructivismo universal».

Sus obras empleaban una paleta de colores de tierra, y sus estructuras cuadriculadas incluían un conjunto de símbolos que con frecuencia hacían referencia al arte precolombino. En 1934 Torres-García volvió a su Uruguay natal para establecerse, y esto reforzó su continuo interés en el arte precolombino. Formó la Asociación de Arte Constructivo junto con 32 artistas locales y definió sus ideas en su manifiesto, *Escuela del Sur* (1935). En 1943 fundó el Estudio Torres-García, donde enseñaba pintura, escultura, cerámica y arquitectura, todo imbuido de ideas vanguardistas. **CK**

PAULA MODERSOHN-BECKER

Paula Becker, 8 de febrero de 1876 (Dresde, Alemania); 20 de noviembre de 1907 (Worpswede, Alemania).

Estilo: Pintora expresionista; zonas de colores planos; contornos marcados; retratos de campesinos; imágenes de madres y bebés; autorretratos inquietantes.

Paula Modersohn-Becker, pintora alemana de las primeras etapas del expresionismo, demostró resistencia y voluntad en la búsqueda de su propia forma de expresión. Se formó en Bremen, Londres y Berlín. En 1898, enamorada del paisaje e impulsada por el antiacademicismo de los artistas, se unió a una comunidad artística en la pequeña localidad de Worpswede, donde recibió lecciones de arte de vanguardia a cargo del pintor Fritz Mackensen. Pronto se mostró descontenta con el estilo naturalista al que aspiraba la comunidad de artistas. Su obra era ya más lineal y resaltaba las peculiaridades físicas para conseguir un efecto expresivo, como en su dibujo *Campesina hilando* (1899). En 1900 viajó por primera vez a París, donde estudió en la Académie Colarossi y recibió la inspiración de Paul Cézanne.

En 1901 se casó con el pintor Otto Modersohn, lo que dio como resultado una breve colaboración entre ambos, pero su incansable búsqueda de una forma de expresión más sencilla le llevó de nuevo a París en 1903 y 1905; allí admiró los trabajos de Cézanne, Paul Gauguin y Vincent van Gogh. También estudió el arte gótico y egipcio en el Museo del Louvre, visitó al escultor Auguste Rodin y estudió en la Académie Julian. Fue durante su siguiente visita a París cuando Modersohn-Becker realizó sus obras más importantes, incluidos sus autorretratos y los cuadros de niños. En su obra *Madre e hijas recostadas* (1906) representa la maternidad sin sentimentalismos, inspirada en su experiencia con la vida campesina. Sus autorretratos, y principalmente *Autorretrato con collar ámbar* (1906), son elementos importantes en la historia de la pintura femenina y en cuanto a la identidad artística. Ese mismo año recibió la aceptación por las obras mostradas en una exposición conjunta. **WO**

Obras destacadas

Autorretrato con collar ámbar, 1906
  (Paula Modersohn Museum, Bremen, Alemania)
Madre e hijas recostadas, 1906
  (Paula Modersohn Museum, Bremen)

«No es necesario reflexionar mucho sobre la naturaleza [...] lo principal es mi percepción.»

ARRIBA: La artista mantiene una pose serena en su *Autorretrato* de 1906-1907.

GWEN JOHN

Gwen John, 22 de junio de 1876 (Haverfordwest, Gales); 18 de septiembre de 1939 (Dieppe, Francia).

Estilo: Cuadros de pequeño tamaño con una gama de tonos reducida y una intensa calidad emocional; retratos de tres cuartos de personajes femeninos sentados.

Obras destacadas

Autorretrato, 1902 (Tate Collection, Londres)

Mujer desnuda, 1909-1910 (Tate Collection, Londres)

La convaleciente, 1923-1924 (Fitzwilliam Museum, Cambridge; hay versiones del cuadro en otros museos)

Gwen John, al igual que su hermano menor, el pintor Augustus John, estudió en la Slade School of Fine Art de Londres en la década de 1890, pero su carrera siguió una trayectoria distinta a la del famoso artista. Este disfrutó de fama gracias a su talento y a su estilo de vida salvajemente bohemio; al contrario que Gwen, que vivió y trabajó en una relativa oscuridad y aislamiento. A su manera, se resistió a las convenciones sociales y persiguió una vida independiente.

Terminó su formación artística en París, y en 1904, después de viajar a Toulouse con su amiga y modelo Dorothy «Dorelia» McNeill, se trasladó definitivamente a Francia, donde completó sus escasos ingresos posando como modelo para diferentes artistas, el más famoso de los cuales fue Auguste Rodin, con quien tuvo una apasionada y a veces obsesiva relación. En 1913 se convirtió al catolicismo y más tarde se mudó al pueblo de Meudon, donde vivió tranquila y aisladamente el resto de su vida, dedicándose enteramente al arte. Los sencillos cuadros de interiores y los retratos de John poseen una gran belleza contenida e intensidad emocional. Aunque sus motivos son principalmente sencillos en tono y color, muestran un frío distanciamiento y una quietud silenciosa de enorme expresividad. Durante la década de 1910 desarrolló un concepto de la pintura que implicaba múltiples variaciones de un determinado tema, normalmente un personaje femenino en solitario dentro de un interior austero. La niña convaleciente fue uno de estos motivos repetidos, así como una serie profundamente meditativa sobre monjas, que surgieron de un encargo de Mère Poussepin, la fundadora del convento del pueblo. Algunas de sus obras más logradas son unos expresivos estudios en acuarela y tiza de niños campesinos bretones y de su adorado gato. **NM**

«Puede que nunca tenga otra cosa que expresar sino mi deseo de una vida interior más rica.»

ARRIBA: Detalle de dibujo a lápiz, *Autorretrato*, parte de una colección particular.

DERECHA: En *La convaleciente* (1923-1924) se aprecia un acusado sentido de la tonalidad.

JULIO GONZÁLEZ

Julio González, 21 de septiembre de 1876 (Barcelona, España); 27 de marzo de 1942 (Arcueil, Francia).

Estilo: Escultor, pintor y artesano; obras cubistas y abstractas que sugieren personajes; esculturas de hierro soldado usando formas lineales y espaciales.

Obras destacadas

Gran maternidad, 1934
  (Tate Liverpool, Liverpool)
Nativa (Femme sauvage), 1940
  (Tate Collection, Londres)

Pionero de la escultura soldada, Julio González colaboró con Pablo Picasso entre 1928 y 1932. González había aprendido a trabajar el metal en el taller de su padre en Barcelona. También asistió a clases nocturnas en la Escuela de Bellas Artes, donde estudió escultura y pintura. En 1897 comenzó a frecuentar el centro de la Ciudad Condal con artistas de la vanguardia. Conoció a Picasso en el café Els Quatre Gats («Los cuatro gatos»). En 1900 González se trasladó a París, donde se relacionó con artistas como Juan Gris, Constantin Brancusi, Manolo Hugué, Max Jacob y Jaime Sabartés. Creó joyas y otras obras en metal y siguió pintando y esculpiendo.

En 1918 González trabajó en la fabrica Renault en Boulogne-Billancourt; y las técnicas de soldadura que aprendió allí las aplicó a sus posteriores esculturas en hierro. En 1920 había retomado su amistad con Picasso, y en 1922 exhibió por primera vez solo en la Galería Povolovsky de París. González le prestó a Picasso su ayuda técnica para la ejecución de sus esculturas en hierro, y a su vez este le animó a realizar sus propios trabajos. Sus obras de este período son de estilo abstracto y emplea formas desnudas, casi lineales para jugar con el espacio y para representar a los personajes. En *Gran maternidad* (1934), las graciosas y contoneantes líneas sugieren la figura de una madre. Durante la década de 1930 participó frecuentemente en exposiciones con artistas surrealistas y abstractos. Desgraciadamente, al final de dicha década se vio obligado a abandonar la escultura, probablemente debido a la escasez de hierro y de otros materiales provocada por la Segunda Guerra Mundial. Volvió a la pintura y al dibujo, con frecuencia concentrándose en motivos militares, trabajando sin descanso hasta su muerte por un ataque al corazón a los sesenta y dos años. **CK**

> «El hierro debe dejar de ser un asesino [...] [en] las pacíficas manos de los artistas.»

ARRIBA: Fotografía de Julio González en el Instituto de Arte Moderno de Valencia.

CONSTANTIN BRANCUSI

Constantin Brancusi, 19 de febrero de 1876 (Hobitza, Rumanía); 16 de marzo de 1957 (París, Francia).

Estilo: Escultor en madera, piedra, mármol y bronce; uso de tallas directas; formas básicas; motivos de peces y aves en movimiento.

La escultura de Constantin Brancusi estuvo siempre marcada por su país de origen, Rumanía. Allí fue donde aprendió a tallar madera y piedra; sus leyendas tradicionales y su artesanía le inspiraron para crear obras como *Maiastra* (h. 1912) y *El pájaro en el espacio* (1923). Estudió en la Escuela de Artes y Oficios de Craiova y luego en la Escuela Nacional de Bellas Artes de Bucarest. Durante toda su vida volvería una y otra vez a su estudio de Rumanía, donde le encargaron obras públicas, como su escultura de 29 m en hierro fundido *La columna sin fin* (1938), en Târgu Jiu, en homenaje a los soldados caídos en la Primera Guerra Mundial.

Brancusi abandonó Rumanía para marcharse a París en 1904 a estudiar en la École des Beaux-Arts. Vivió en la capital francesa el resto de su vida y allí absorbió la influencia de artistas como Paul Gauguin, Henri Rousseau, Henri Matisse y el escultor Auguste Rodin, con quien colaboró brevemente en 1907 tallando sus esculturas en mármol. Pero Brancusi estaba deseoso de tallar sus propias obras. En aquellos momentos, los escultores solían hacer moldes en yeso o arcilla, mientras que los canteros realizaban la talla para ellos, utilizando un método conocido como «talla directa». Perseguía la liberación de la escultura de su propio material, siguiendo un método que se adaptaba al propio material. Este deseo entroncaba con su interés por el arte tradicional, el arte africano y la tendencia al modernismo de París, lo cual le llevó a crear trabajos geométricos innovadores como *El beso* (1910), *Torso de hombre joven* (1924) y *Pez* (1926), cuyas formas básicas desdeñan el realismo y la cualidad figurativa. Hubo quien llegó a etiquetar su obra como arte abstracto, lo que fue negado rotundamente por Brancusi. Las esculturas, métodos y conceptos de Brancusi ejercieron gran influencia en escultores posteriores. **CK**

Obras destacadas

El beso, 1910
   (cementerio de Montparnasse, París)
Torso de hombre joven, 1924
   (Hirshhorn Museum and Sculpture
   Garden, Washington, D.C.)
Pez, 1926 (Tate Collection, Londres)

«Crea como un Dios, ordena como un rey y trabaja como un esclavo.»

ARRIBA: Una fotografía de Constantin Brancusi con una iluminación artística.

MARSDEN HARTLEY

Edmund Hartley, 4 de enero de 1877 (Lewiston, Maine, EE.UU.); 2 de septiembre de 1943 (Ellsworth, Maine, EE.UU.).

Estilo: Exploró una serie de estilos modernos; más tarde estudió los paisajes y personajes en un estilo expresionista personal; está relacionado con los regionalistas.

Obras destacadas

Retrato de un oficial alemán, 1914 (Metropolitan Museum of Art, Nueva York)

Paisaje nº 3. El dinero entra en las minas, Nuevo México, 1920 (The Art Institute of Chicago, Chicago)

1800-99

Marsden Hartley es uno de los pintores más importantes de la primera mitad del siglo xx. La diversidad de su obra refleja su estilo de vida nómada y una incesante búsqueda de lo espiritual. Nacido en Maine de padres ingleses, su infancia se vio tan afectada por la muerte de su madre que en 1906 adoptó el nombre de soltera de aquella en un intento de reconstruir los lazos familiares. Aunque sus primeros paisajes impresionistas estaban influidos por Albert Pinkham Ryder y Giovanni Segantini, su primera fuente de inspiración era literaria: el trascendentalismo americano de Ralph Waldo Emerson, Walt Whitman y sus seguidores.

En 1909 Hartley conoció a Alfred Stieglitz, el propietario de la Galería 291 de Nueva York, donde inauguró su primera gran exposición y le presentó a los postimpresionistas y cubistas europeos para que trabajara con ellos. En su primer viaje a Europa Hartley conoció a Vasili Kandinsky y Franz Marc, de los que quedó muy impresionado. El hedonismo y vigor artístico de Berlín y su magnificencia militar le resultó embriagadora, y respondió a ello con una serie de abstracciones cubistas creadas con una paleta fauvista de colores brillantes. La serie «El oficial alemán» (1914) fue realizada en homenaje a su amigo —y posiblemente amante— el teniente prusiano Karl von Freyburg, que cayó muerto en los primeros meses de la Primera Guerra Mundial. Fue recibida con hostilidad en Estados Unidos, y Hartley tuvo que volver a un estilo más objetivo y figurativo. Durante las dos décadas siguientes viajó incansablemente por Europa y América, creando hermosos paisajes y naturalezas muertas, pero siempre buscando una auténtica forma de expresión de un realismo decidido. Durante los últimos años pintó personas y lugares de su estado natal con un expresionismo sencillo y directo. **RB**

> «Volví a los altos árboles y acantilados de granito [...], el tipo de integridad en la que creo.»

ARRIBA: Esta fotografía fue tomada a comienzos de la carrera de Marsden Hartley.

KATHERINE DREIER

Katherine Sophie Dreier, 10 de septiembre de 1877 (Brooklyn, Nueva York, EE.UU.); 29 de marzo de 1952 (Milford, Connecticut, EE.UU.).

Estilo: Pintora abstracta; exploración del color, la línea y las formas geométricas; influyente protectora y promotora del arte moderno en Estados Unidos.

A Katherine Dreier se la conoce sobre todo por ser la introductora del surrealismo en Estados Unidos como promotora de la International Exhibition of Modern Art (1926). En 1920 había sido cofundadora de la sección estadounidense de la Société Anonyme con Marcel Duchamp y Man Ray. Protectora, seguidora y amiga de artistas, fue una ávida coleccionista de arte moderno, llegando a crear la base de las colecciones del Museo de Arte Moderno y del Guggenheim de Nueva York. Fue también una pintora abstracta de gran colorido, influenciada por Vasili Kandinsky; dos de sus cuadros fueron expuestos en la Armory Show de Nueva York (1913). Como artista femenina en un mundo de hombres, su obra fue frecuentemente infravalorada. **CK**

Obras destacadas

Retrato abstracto de Marcel Duchamp, 1918 (Museum of Modern Art, Nueva York)

Dos mundos (Zwei Welten), 1930 (Yale University Art Gallery, New Haven, Connecticut, EE.UU.)

GABRIELE MÜNTER

Gabriele Münter, 19 de febrero de 1877 (Berlín, Alemania); 19 de mayo de 1962 (Murnau am Staffelsee, Alemania).

Estilo: Pintora expresionista de paisajes y naturalezas muertas; formas simplificadas; perfiles oscuros; distorsiones angulares; exploración de la identidad y de las relaciones.

Miembro fundador de la vanguardia expresionista alemana con *Der Blaue Reiter* («El jinete azul»), Gabriele Münter mostró al resto de los miembros las vidrieras bávaras y su uso de bloques geométricos de colores intensos. Aun así, su contribución al grupo se ha visto ensombrecida por su prolongada relación con uno de sus colegas, el pintor ruso Vasili Kandinsky. Los primeros cuadros de Münter fueron principalmente paisajes y naturalezas muertas, y muestran una búsqueda constante de su identidad y de sus relaciones. El comienzo de la Primera Guerra Mundial forzó la vuelta de Kandinsky a Rusia, y la pareja nunca volvió a reunirse de nuevo. Münter retomó la pintura en la década de 1920 y su estilo se desvió hacia el expresionismo. **WO**

Obras destacadas

Retrato de Jawlensky, 1909 (Städtische Galerie im Lenbachhaus, Munich)

Naturaleza muerta en gris, 1911 (Städtische Galerie im Lenbachhaus, Munich)

Kandinsky, h. 1910 (colección particular)

Obras destacadas

Cuadrado negro, 1915
  (Galería Tretiakov, Moscú)

*Composición suprematista: blanco
  sobre blanco*, 1918 (Museum
  of Modern Art, Nueva York)

Caballería roja, 1928-1932 (Museos
  Estatales de Rusia, San Petersburgo)

Cuadrado negro, h. 1930
  (Ermitage, San Petersburgo)

KASIMIR MALEVICH

Kasimir Severinovich Malevich, 26 de febrero de 1878 (Kiev, Rusia [act.
en Ucrania]); 15 de mayo de 1935 (Leningrado [act. San Petersburgo], Rusia).

Estilo: Pintor suprematista; desdeñó el concepto de arte como representación de
la realidad; negó el arte figurativo utilizando formas geométricas y monocromáticas.

Aunque estuvo inspirado por la diferentes tendencias, principalmente futuristas y cubistas, la verdadera contribución de
Kasimir Malevich al desarrollo del arte abstracto europeo reside en un movimiento exclusivo de la vanguardia rusa. En 1915
Malevich abandonó los últimos vestigios de imágenes reconocibles y se decantó por formas geométricas básicas, como el
círculo, el cuadrado o una cruz sobre un fondo monocromático. Su intención era liberar a la forma de la concepción académica del arte, que para él era un «estanque lleno de basura».

Además, el movimiento suprematista, que nació en 1915 en
Petrogrado con Malevich y otros cinco artistas, se consideraba
como «el arte puro de la pintura». Malevich tenía un verdadero
interés en la iconografía. El cuadro más significativo que pintó
en aquella época fue *Cuadrado negro* (h. 1930), pintado a mano

ARRIBA: Kasimir Malevich realizó una serie
de autorretratos en 1933, como este.

DERECHA: *Composición suprematista: blanco
sobre blanco* fue una obra de arte
revolucionaria.

alzada. Esta obra consiste en un único cuadrado negro pintado sobre un fondo blanco y que se expuso por primera vez colgada en una esquina, a modo de imagen religiosa, en una casa católica ortodoxa. Sus cuadros fueron la máxima negación del arte figurativo, radicales en el empleo de formas geométricas y un único color. El artista asumió algunas funciones pedagógicas, enseñando primero en los Talleres Libres Estatales de Moscú y más tarde en la Escuela de Arte de Vitebsk, invitado por Marc Chagall. Mientras enseñaba en el Instituto de Cultura Artística de Petrogrado, Malevich siguió desarrollando su interés por el *arkhitekton*, realizando maquetas rudimentarias de proyectos arquitectónicos que él mismo tenía la esperanza de que algún día se llevaran a cabo. En 1927 volvió a la pintura, pero debido a la incapacidad de sus obras figurativas de desafiar la imaginería establecida en el realismo social, no dejaba lugar a duda que su verdadero y perdurable legado había sido la obra que firmó durante su etapa de suprematismo. **CS**

ARRIBA: Los soldados de *Caballería roja* van a defender las fronteras soviéticas.

El toque de Malevich

Kasimir Malevich fue un pionero del arte abstracto, y su obra es precursora del minimalismo. Muchos artistas se han inspirado en su ruptura con el arte figurativo.

- La influencia de Malevich se ve claramente en las obras monocromáticas de Barnett Newman, Yves Klein y Ad Reinhardt así como en las pinturas abstractas de El Lissitski.

- Con su *Composición suprematista: blanco sobre blanco* (1918), Malevich fue quizá el primer artista en realizar un cuadro totalmente blanco, aunque luego otros adoptaron su estrategia.

PAUL KLEE

Paul Klee, 18 de diciembre de 1879 (Münchenbuchsee, Suiza); 29 de junio de 1940 (Muralto, Suiza).

Estilo: Pautas gráficas tipo mosaico; formas figurativas y abstractas entretejidas; puntillismo; uso de colores intensos y variados como elementos de la composición.

Obras destacadas

Cúpulas rojas y blancas, 1914
 (Nordrhein-Westfalen, Düsseldorf)

Jungwaldtafel, 1926
 (Staatgalerie, Stuttgart)

Nueva Armonía, 1936
 (Guggenheim Museum, Nueva York)

La característica que define la obra de Paul Klee es la imposibilidad de clasificarle dentro de ningún movimiento. Klee explotó el potencial de todas las tendencias artísticas que iba conociendo, trabajando de forma simultánea con el arte figurativo y abstracto, y experimentando con el cubismo, el puntillismo y el dibujo libre. Aunque estaba involucrado en colectivos artísticos, incluyendo *Der Blaue Reiter* («El jinete azul»), la nueva Secesión de Munich, *Die Blaue Vier* («Los cuatro azules») y la Bauhaus, Klee siguió siendo independiente y rechazó los intentos de los surrealistas de reclamar su pertenencia a su movimiento.

Estudió en la Academia de Bellas Artes de Munich. Tras un viaje a Túnez con los artistas Louis Moilliet y August Macke declaró:

ARRIBA: La triste pose de Paul Klee contrasta con sus cuadros tan llenos de vivos colores.

DERECHA: La visita de Klee a Túnez sirvió de inspiración para los colores de *Cúpulas rojas y blancas*.

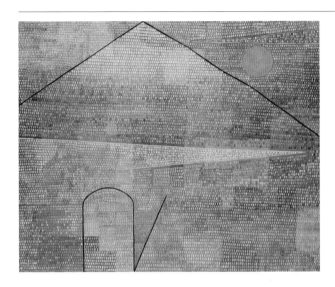

1800-99

IZQUIERDA: *Ad Parnassum* (1932) fue el último de la serie de cuadrados mágicos de Klee.

«El color y yo somos uno: soy pintor». Esta afirmación ilustra la preocupación predominante en su obra, en la que el color se usa como instrumento que evoca la hora del día o que provoca una respuesta emocional a la vez que como elemento de la composición, donde la comprensión matemática del ritmo y las pautas puede determinar la distribución de los diferentes tonos en el lienzo. El temprano interés de Klee en la música resultó una influencia formativa en su obra. Algunas de sus obras, como *Fuga en rojo* (1921) y *Paisaje en La mayor* (1930), están dispuestas según estructuras musicales, donde los movimientos de las notas en el pentagrama sirven de modelo para una precisa distribución de los colores. El ritmo era un concepto fundamental para Klee, y lo definía no como una repetición, sino como un equilibrio entre lo regular y lo irregular. Sus lienzos suelen estar cubiertos de líneas uniformes, sobre las que aparecen formas incongruentes que interrumpen la visión de la superficie. Siempre comprometido políticamente, Klee fue perseguido durante la época de dominio nazi. Le retiraron de la lista de profesores de la Bauhaus por ser judío —aunque no lo era—, y se confiscaron más de un centenar de obras suyas de colecciones particulares en Alemania. **PS**

¿El arte? Es sencillo

Paul Klee dio muchas conferencias y publicó muchos escritos sobre arte, en los que defendía la práctica autónoma y la estética sobre cualquier otro mensaje o tema. Defendió que «pintar bien consiste en lo siguiente: colocar el color correcto en el lugar correcto». En uno de sus cuadernos registra una actitud similar hacia el dibujo: «Una línea nace. Se va a dar un paseo, por así decirlo, sin rumbo, solo por pasear». El comedimiento también era una de sus claves: «La naturaleza es demasiado expresiva, hasta el punto de resultar confusa; dejen que el artista sea silencioso y ordenado».

NORMAN LINDSAY

Obras destacadas

Sátiro persiguiendo una ninfa, 1913
(Norman Lindsay Gallery & Museum,
Faulconbridge, Australia)

Figura de hembra sosteniendo sus pechos,
1930s (Norman Lindsay Gallery & Museum,
Faulconbridge, Australia)

Norman Alfred William Lindsay, 22 de febrero de 1879 (Creswick, Australia);
21 de noviembre de 1969 (Springwood, Australia).

Estilo: Excelente dibujante; fantasía, mitología y erotismo; escenas pastorales
pastiche; desnudos suntuosos; interesante experimentación con diferentes medios.

Norman Lindsay fue un artista muy controvertido. Hijo de un cirujano, llegó a ser un brillante escultor, ilustrador, dibujante de cómics y pintor, así como un consumado novelista. Muchas de sus obras representan a mujeres excitadas sexualmente, lo que le valió la acusación de indecente, particularmente en Estados Unidos, donde muchas de sus obras terminaron en la hoguera. Excepto por un par de años que pasó en Europa, Lindsay pasó toda su vida en Australia, moviéndose entre los estados de Victoria y Nueva Gales del Sur. Su antigua casa de Faulconbridge, Nueva Gales del Sur, es ahora una galería de arte dedicada a su obra. Una versión muy adornada de su vida inspiró la película *Sirenas* (1994), que a su vez renovó el interés existente en Lindsay y su arte. **LH**

EDWARD STEICHEN

Obras destacadas

Laguna a la luz de la luna, 1904
(Museum of Mordern Art, Nueva York)

El edificio Flatiron, 1904
(Metropolitan Museum, Nueva York)

Edward Steichen, 27 de marzo de 1879 (Bivange, Luxemburgo); 25 de marzo
de 1973 (West Redding, Connecticut, EE.UU.).

Estilo: Matizado sentido de las posibilidades de la fotografía; pronto seguidor
de los estilos pictorialistas, retratistas y documentalistas.

Edward Steichen fue uno de los primeros en proponer la fotografía como medio artístico. Steichen se convirtió en poco tiempo en un maestro del estilo pictorialista, que emulaba las técnicas pictóricas y sus motivos. En la década de 1920 aceptó trabajos comerciales para revistas como *Vanity Fair* y *Vogue*. Tras cerrar su estudio en 1938, se centró en un estilo documental. Después de la Segunda Guerra Mundial, fue nombrado director de fotografía del MoMA de Nueva York, y fue el comisario de la exposición titulada *La familia del hombre* (1955), compuesta de 503 imágenes realizadas por 273 fotógrafos sobre temas universales como el amor, los niños y la muerte. **LNF**

1800-99

FRANCIS PICABIA

Francis-Marie Martinez Picabia, 22 de enero de 1879 (París, Francia);
30 de noviembre de 1953 (París, Francia).

Estilo: Pintor abstracto y poeta del que se dice que pintó la primera pintura
abstracta en 1908-1909; figura clave del dadaísmo y del surrealismo.

Francis Picabia creció en París y estudió en la Escuela de Bellas
Artes y la Escuela de Artes Decorativas. Desde muy pronto se
vio influenciado por los paisajes de Alfred Sisley y creó con éxito algunas obras impresionistas propias, pero en 1909 estaba
ya más interesado en el cubismo.

Picabia estuvo especialmente influenciado por la obra de
Marcel Duchamp. Juntos formaron en 1912 la *Section d'Or*, una
rama del cubismo. Picabia empleó su desahogada situación
económica para financiar su trabajo y comenzó a producir sus
primeras obras puramente abstractas. Su estilo fusionaba el
fauvismo y sus brillantes colores con los tonos neutros del cubismo, tal y como se ve en su famosa obra, *Vuelvo a ver en mi
memoria a mi querida Udnie* (1914).

Obras destacadas

Vuelvo a ver en mi memoria a mi querida Udnie,
   1914 (Museum of Modern Art, Nueva York)
La máquina que gira rápido, 1916-1918
   (National Gallery of Art, Washington, D.C.)

Los cuadros abstractos que Picabia presentó en el Armory
Show en Estados Unidos tuvieron una buena acogida. Después
de su éxito, visitó Nueva York dos años más tarde, cuando él, Duchamp y Man Ray fueron fundamentales para la fundación de la
Sociedad Dadaísta de Nueva York. Sin embargo, el interés de Picabia en el movimiento no duró mucho, y en 1917 ya había publicado el primero de sus «dibujos mecánicos» con una fantástica
acogida de la crítica. No tardó en comenzar a convertir las imágenes a color de dibujos técnicos en figuras
humanas, en un intento de demostrar las
contradicciones de la percepción visual. En
1921 Picabia se separó del dadaísmo para
dedicar su fidelidad al surrealismo. Comenzó a realizar collages y a trabajar con imágenes transparentes superpuestas, buscando
la forma de mostrar espacios tridimensionales sin recurrir a las
reglas tradicionales de la perspectiva. Después de la Segunda
Guerra Mundial volvió a París para vivir en la casa de su infancia.
Allí retomó la pintura abstracta y la poesía hasta su muerte. **SH**

«Entre mi cabeza
y mi mano siempre
está la cara de la muerte.»

ARRIBA: En este detalle de *Autorretrato*
(1940), Francis Picabia tiene un aspecto
llamativo.

1800-99

FRANZ MARC

Franz Marc, 8 de febrero de 1880 (Munich, Alemania); 4 de marzo de 1916 (Verdún, Francia).

Estilo: Pintor y miembro fundador de *Der Blaue Reiter* («El jinete azul»); motivos animales; uso del color a la manera de los fauvistas y de los expresionistas.

Obras destacadas

Caballo en el paisaje, 1910
(Museum Folkwang, Essen, Alemania)

Grandes caballos azules, 1911 (Walker Art Center, Minneapolis, EE.UU.)

La carrera artística de Franz Marc solo duró 16 años desde el comienzo de su formación en 1900 hasta su prematuro fallecimiento en 1916 durante la Primera Guerra Mundial. Comenzó sus estudios en la Akademie der Bildenden Künste de Munich, trabajando el paisajismo a la manera tradicional. Se formó durante dos años, antes de trasladarse a la Alta Baviera, donde realizó muchos estudios de la naturaleza. Su comprensión de la anatomía y del mundo natural es evidente en su obra, y durante toda su carrera continuó siendo una de sus fuentes.

En 1903 y 1907 visitó París, donde conoció las obras de Vincent van Gogh y Paul Gauguin. Durante este período desarrolló el uso de colores intensos, que empleaba para proyectar emociones y para transmitir un profundo sentido espiritual. Se concentró en los animales como motivos, usándolos de forma simbólica para reflejar su interpretación de la espiritualidad y, mediante composiciones uniformes, para crear el equilibrio y armonía de la naturaleza del animal en su entorno.

Marc conoció a August Macke en 1910, y pronto los dos se hicieron amigos íntimos. Un año más tarde, Marc entabló una buena amistad con Vasili Kandinsky a través de la Nueva Asociación de Artistas de Munich. Marc y Kandinsky compartían aspiraciones similares en su obra y percibían su arte dentro de un marco espiritual cerebral. Expusieron juntos en 1911, en la exposición llamada *Der Blaue Reiter* («El jinete azul»). Reunieron a artistas cuyos estilos y formas de expresión diferían, pero cuyas intenciones eran las de transmitir una verdad espiritual mediante sus pinturas. Al año siguiente publicaron su manifiesto, que está considerado una de las recopilaciones de ensayos sobre arte moderno más importantes del siglo XX. **TP**

> «Buscamos las cosas en la naturaleza [...] Buscamos y pintamos el lado espiritual.»

ARRIBA: Este retrato se realizó en 1912, unos años antes de que Marc muriera en combate.

ERNST LUDWIG KIRCHNER

Ernst Ludwig Kirchner, 6 de mayo de 1880 (Aschaffenburg, Alemania); 15 de junio de 1938 (Frauenkirch, Suiza).

Estilo: Pintor expresionista y grabador; líneas y colores expresivos que se hacen más agudos y agresivos en sus últimas obras; paisajes, paisajes urbanos y retratos.

La relación de Ernst Ludwig Kirchner con el grupo *Die Brücke* («El puente») es importante. Fue miembro fundador, pero sus acciones fueron la causa de su desaparición. *Die Brücke* fue fundado en Dresde en 1905. Sus cinco miembros originales vivían y trabajaban juntos en la creación de pinturas y grabados. Su manifiesto apelaba al esfuerzo de los jóvenes artistas por derrocar el viejo academicismo y pronto encontraron seguidores. El grupo se inspiró en exposiciones de artistas como Vincent van Gogh, los fauvistas, Gustav Klimt y Edvard Munch, que provocaron el deseo de crear un estilo de arte erótico y primitivo, creando tanto en el estudio como al aire libre, como puede verse en las obras de Kirchner *Bañistas en Moritzburg* (1909-1926) y *Muchacha con sombrilla japonesa* (1909).

Sin embargo, este fértil período se terminó cuando el grupo se trasladó a Berlín. Los cuadros de Kirchner perdieron el amor por la vida y se volvieron más ásperos. Los colores son sucios y muestran la desesperación, la angustia y la soledad de la ciudad. En 1913 se declaró líder de *Die Brücke* en una historia del grupo. Esto hizo que sus compañeros se enfadaran y precipitó la desaparición del grupo. Unos años más tarde, Kirchner jugó de nuevo con la historia y cambió las fechas de algunas de sus obras para sugerir que no había estado influido por los fauvistas. Cuando servía en la Primera Guerra Mundial sufrió una crisis nerviosa, y se trasladó a Frauenkirch, cerca de Davos, Suiza, donde pasó el resto de su vida. Durante la década de 1930 realizó muchas exposiciones, pero luego volvió a caer en la depresión. Su inestabilidad se vio acrecentada por su inclusión en la exposición de «arte degenerado» organizada por el régimen nazi en 1937, y al año siguiente se suicidó. **WO**

Obras destacadas

Muchacha con sombrilla japonesa, 1909 (Kunstsammlung Nordhrein-Westfalen, Düsseldorf)

Bañistas en Moritzburg, 1909-1926 (Tate Collection, Londres)

> «El gran poeta Walt Whitman es el responsable de mi visión de la vida.»

ARRIBA: Detalle de *Autorretrato con una modelo* (1905), uno de los primeros retratos de Kirchner.

ANDRÉ DERAIN

André Derain, 10 de junio de 1880 (Chatou, Francia); 8 de septiembre de 1954 (Garches, Hauts-de-Seine, Francia).

Estilo: Fundador del fauvismo; pintor, ilustrador, escultor y escenógrafo; paisajes de colores vivos; pinceladas vigorosas; retratos y desnudos de contornos marcados.

Obras destacadas

Puente de Charing Cross o *Puente de Westminster*, 1901 (Musée d'Orsay, París)

Puente de Londres, 1906 (Museum of Modern Art, Nueva York)

Madame Derain con un chal blanco, h. 1919-1920 (Tate Collection, Londres)

Las opiniones sobre la personalidad de André Derain están tan divididas como las opiniones acerca de su obra. Se dice que fue un buen hombre y el autor de algunos de los escritos de artistas más vivaces y divertidos. Se le etiquetó como colaborador de los nazis y, según el crítico de arte Clement Greenberg, fue técnicamente uno de los pintores de más talento, aunque con el inconveniente de su mal carácter.

Derain fue uno de los padres fundadores del fauvismo —y uno de sus más fervientes practicantes— que llegó a la madurez de su visión con Henri Matisse en 1905. Sin embargo, Derain siempre estaba reinventando su arte. Al principio mostró la influencia del arte africano y del cubismo y, más adelante, estuvo encantado por los hallazgos arqueológicos y por la pintura del Renacimiento. Sus obras figurativas se inclinaron más hacia la tradición desde 1921.

Cuando se publicó la colección de ensayos bajo el título de *Pour et Contre Derain (A favor y en contra Derain)* (1931), quedó clara la división del público sobre la obra de Derain y sobre su estilo cada vez más conservador. Para sus seguidores, se convirtió en el pretexto de una condena general del arte moderno, mientras que para otros, sus nuevas obras eran cerebrales y mecánicas. No obstante, disfrutó de un período de éxitos continuados, llegando al cenit con la retrospectiva de Berlín de 1935, y con su inclusión en la Exposition des Artistes Indépendants (1937) de París. Pero con el comienzo de la Segunda Guerra Mundial, se produjeron una serie de desgracias. Los rumores de que estaba asociado al Tercer Reich, el nacimiento de dos hijos ilegítimos, y la ruptura de su matrimonio fueron la causa de un declive que transformó a un hombre seguro de sí mismo en una persona retraída y cargada de dudas. **TC**

> «Siempre con una pipa en la boca, flemático, burlón, frío y contestatario.» Fernande Olivier

ARRIBA: Detalle de *Autorretrato* (1913), que muestra al artista con un estado de ánimo sombrío.

HANS HOFMANN

Hans Hofmann, 21 de marzo de 1880 (Weissenburg, Alemania); 17 de febrero de 1966 (Nueva York, EE.UU.).

Estilo: Pintor expresionista abstracto; uso de colores exuberantes; ejerció gran influencia sobre varias generaciones de artistas.

Cuando Hans Hofmann tenía seis años, su familia se trasladó a Munich, ciudad donde en 1915 abrió una escuela de arte, que obtuvo reconocimiento internacional. Hofmann dio clases hasta que en 1932 emigró a Estados Unidos. Algunos consideran que la principal contribución de Hofmann al arte fue su talento como profesor, más que su propia obra.

Aunque le interesaban las matemáticas, la ciencia y la música, además del arte, comenzó estudios formales de arte en 1898. En 1904 se trasladó a París, donde estuvo estudiando durante diez años. Trabó amistad con muchos de los líderes del movimiento vanguardista, como Henri Matisse, Pablo Picasso y Georges Braque, pero la figura que más influyó en él fue Robert Delaunay, quien, con la importancia que le daba al color en detrimento de la forma, marcó el estilo de Hofmann. Desarrolló y redactó sus propias teorías sobre el color y la composición durante toda su vida, y su exploración de la estructura pictórica, de las tensiones espaciales y de las relaciones de los colores fue incansable. Para algunos críticos, estos escritos contribuyeron a que Hofmann fuera más apreciado como académico que como pintor creativo. Después de mudarse a Estados Unidos, siguió enseñando y pintando. Inauguró la Hans Hofmann School of Fine Arts en Manhattan, y celebró exposiciones en San Francisco, Nueva York y París. A pesar de su creciente reconocimiento como pintor, hasta cumplir los setenta años no pudo dejar de enseñar y dedicarse completamente a su obra. En 1960 fue uno de los cuatro artistas que representaron a Estados Unidos en la Bienal de Venecia. Tres años más tarde, una exposición retrospectiva de su obra en el MoMA viajó por todo Estados Unidos, Sudamérica y Europa. **SH**

Obras destacadas

Paisaje, 1942 (Detroit Institute of Arts, Detroit)
Pompeya, 1959 (Tate Modern, Londres)
Sin título (serie «Renata»), 1965
  (Museo Thyssen-Bornemisza, Madrid)

«Cuando pinto, improviso [...] Cuando enseño, explico cada línea, forma y color.»

ARRIBA: Esta fotografía de Hans Hofmann pintando en su estudio se realizó en 1952.

FERNAND LÉGER

Joseph Fernand Henri Léger, 4 de febrero de 1881 (Argentan, Francia);
17 de agosto de 1955 (Gif-sur-Yvette, Francia).

Estilo: Pintor cubista, escultor y director de cine; formas cilíndricas en colores
primarios y en blanco y negro, pintura figurativa; grandes zonas de colores uniformes.

Obras destacadas

La partida de cartas, 1917
   (Rijksmuseum Kröller-Müller, Países Bajos)

Elementos mecánicos, 1920
   (Metropolitan Museum of Art, Nueva York)

Bodegón con jarra de cerveza, 1921-1922
   (Tate Collection, Londres)

Elementos mecánicos, 1926
   (Tate Collection, Londres)

Los primeros cuadros de Fernand Léger fueron de estilo impresionista. Sin embargo, en 1907 el joven artista quedó impresionado por una retrospectiva de Paul Cézanne. Después de trabar amistad con artistas de la vanguardia como Robert Delaunay y Marc Chagall y de entrar en contacto con los cuadros cubistas de Pablo Picasso y Georges Braque, desarrolló un concepto personal del cubismo. El estilo de Léger, al que se llegó a llamar «tubismo», se centraba en formas cilíndricas y abstractas de gran colorido. Realizó su primera exposición individual en la Galería Kahnweiler en 1912.

La Primera Guerra Mundial interfirió en el pujante éxito de Léger; el artista pasó dos años en el ejército y durante ese período desarrolló la fascinación por la belleza de la maquinaria, de ahí que realizara bocetos de cañones, rifles y aeroplanos. Volvió a la pintura y se embarcó en su etapa «mecánica» de la posguerra. Sus formas tubulares se hicieron muy refinadas y en

ARRIBA: Detalle de la foto *Fernand Léger con uno de sus cuadros* (1948).

DERECHA: Uno de los cuadros de la serie «Elementos mecánicos» (h. 1918).

sus lienzos se hacía referencia a máquinas enigmáticas y sofisticadas; incluso los personajes tenían un aire robótico.

En la década de 1920 el artista se hizo amigo íntimo de Le Corbusier y Amédée Ozenfant. Alineó su obra con sus estilos puristas, por lo que pintó grandes zonas de color plano y uniforme, con contornos negros muy marcados. Durante la Segunda Guerra Mundial se refugió en Estados Unidos; enseñó en la Universidad de Yale y trabajó en cuadros de acróbatas, ciclistas, músicos, saltadores de trampolín y albañiles. También trabajó en una serie de cuadros inspirados en la maquinaria agraria abandonada en los campos, una yuxtaposición de elementos mecánicos con elementos orgánicos y sus formas naturales. Después de regresar a Francia en 1945, continuó sus estudios de la figura humana. En su última etapa realizó ilustraciones de libros, murales, vidrieras, tapices, mosaicos, escultura y diseño de vestuario y escenografías. **NSF**

ARRIBA: *La partida de cartas* (1917), ejemplo de las formas tubulares de Léger.

Por amor al hombre

En el ejército francés, Fernand Léger «descubrió a los franceses» y quedó deslumbrado por el potencial estético de la nuevas máquinas. Según sus propias palabras, *La partida de cartas* (1917) «fue el primer cuadro en el que de forma intencionada elegí un motivo de nuestra propia época». Las formas humanas tubulares del cuadro marcan el comienzo del período mecánico de Léger, durante el cual este se interesó por la pintura figurativa y por el espíritu del hombre. Durante sus últimos años, Léger se centró principalmente en la búsqueda de la representación del hombre común.

PABLO PICASSO

Pablo Ruiz Picasso, 25 de octubre de 1881 (Málaga, España); 8 de abril de 1973 (Mougins, Francia).

Estilo: Inventor del cubismo; esculturas, grabados, cerámica, collage; motivos repetitivos; naturalezas muertas, retratos, escenas, paisajes y homenajes.

Obras destacadas

La primera comunión, 1896
(Museu Picasso, Barcelona)

Mujer en azul, 1901 (Museo Nacional
Centro de Arte Reina Sofía, Madrid)

La tragedia, 1903
(National Gallery of Art, Washington, D.C.)

Los saltimbanquis, 1905
(National Gallery of Art, Washington, D.C.)

Las señoritas de Aviñón, 1907
(Museum of Modern Art, Nueva York)

Ma jolie, 1911
(Museum of Modern Art, Nueva York)

Pájaros muertos, 1912 (Museo Nacional
Centro de Arte Reina Sofía, Madrid)

Botella y copa de vino en la mesa, 1912
(Metropolitan Museum, Nueva York)

Guitarra, 1912-1913
(Museum of Modern Art, Nueva York)

Serie «Minotauromaquia», 1935
(Museum of Modern Art, Nueva York)

Guernica, 1937 (Museo Nacional
Centro de Arte Reina Sofía, Madrid)

Mujer llorando, 1937
(Tate Collection, Londres)

Las Meninas, 1957 (Museu Picasso, Barcelona)

ARRIBA: Este retrato de Pablo Picasso fue tomado en su estudio a comienzos del siglo XX.

DERECHA: *Las señoritas de Aviñón* supuso un punto de inflexión en la historia del arte.

El genio de Pablo Picasso dominó el arte del siglo XX, y el resto de los artistas de este siglo aparecen oscurecidos por su sombra si se les compara con él. De un talento comparable al de Leonardo da Vinci o Miguel Ángel, su creatividad no conocía límites en cuanto a destreza, inventiva y vivacidad. Cambiaba de un estilo a otro como un camaleón, así como de un medio a otro. Su producción era abundante pero siempre original, y a menudo provocativa. Tuvo una destacada influencia en sus colegas Georges Braque, Henri Matisse y Fernand Léger. También ejerció su influencia en artistas de generaciones posteriores como, por citar algunos, Arshile Gorky, Willem de Kooning y David Hockney.

Picasso recibió sus primeras lecciones de pintura de su propio padre, y estudió formalmente desde los once años en la Escuela de Arte de A Coruña. A los catorce años Picasso había pintado *La primera comunión* (1896), una obra de sorprendente realismo, y que revela el dominio de la composición, el color y la técnica de los antiguos maestros. Adoptó estilos de otros artistas, lo cual resultó en obras que parecían ser de Peter Paul Rubens, como *El retrato de tía Pepa* (1896), o de Henri de Toulouse-Lautrec, como *Mujer en azul* (1901).

En 1904 Picasso se estableció en París, donde se convirtió en el centro de la vanguardia artística de la ciudad, y vivió en Francia el resto de su vida. Las primeras obras del artista, pinturas, grabados y esculturas, se dividen en su «etapa azul» (1901-1904), «etapa rosa» (1905-1907), período primitivo (1908-1909), cubismo analítico (1908-1912) y cubismo sintético (1912-1913).

Durante la «etapa azul», sus obras estaban plenas de melancolía. Con tonos azules, y características faciales alargadas como en la obra de El Greco, representa a personajes demacrados, alcohólicos, mendigos, prostitutas, vagabundos y pobres, como en *La tragedia* (1903). Su «etapa rosa» destaca por sus colores rosa y naranja,

ARRIBA: *Guernica* se ha convertido en un símbolo universal del dolor y la angustia de la guerra.

«A los quince años ya pintaba como Velázquez, y tardé ochenta años en aprender a pintar como un niño.»

Guernica (1937)

Tras el cristal antibalas que lo protege en el Museo Nacional Centro de Arte Reina Sofía de Madrid, el *Guernica* es la obra que mejor expresa el horror y la brutalidad de la guerra desde la serie de aguafuertes de Francisco de Goya «Los desastres de la guerra» (1810-1820).

Picasso vivía en Francia cuando comenzó la guerra civil en España, en 1936. Fue leal al bando republicano, cuyo gobierno le encargó pintar este famoso mural para la Exposición Universal de París de 1937. En abril, la ciudad vasca de Guernica fue bombardeada por aviones alemanes y 1.600 personas murieron durante el bombardeo. Este sería el motivo que elegiría Picasso para formular su poderosa protesta contra el fascismo de Francisco Franco.

El enorme lienzo de 3,5 por 7,8 m está pintado de gris y blanco. Sus tonos muestran la tristeza del suceso y le dan a la obra un aire documental. Las imágenes han sido interpretadas muchas veces (un toro, un caballo, una bombilla, personajes corriendo en desbandada con caras de sufrimiento y de incredulidad ante el horror, un brazo sosteniendo una flor, una espada rota), pero Picasso no hizo ninguna declaración sobre sus posibles significados. No obstante, el simbolismo de la famosa imagen de la mujer llorando y sosteniendo la cabeza de su hijo muerto es evidente. Después de ser expuesto en París, el cuadro estuvo de gira por Europa para finalmente ser colgado en el MoMA. Años más tarde, después de la muerte de Franco, fue devuelto a España (1981), ya que Picasso había establecido que el mural solo debería volver a España cuando esta fuera de nuevo una democracia.

DERECHA: *Mujer llorando,* pintada después del *Guernica,* forma parte de una serie de obras de duelo.

con los que Picasso representó arlequines, acróbatas y artistas de circo, como en *Los saltimbanquis* (1905). En su período primitivo se aprecia cómo el artista se inspira en la escultura del arte íbero, además del arte africano y australiano, y esta fuente de inspiración fue la que le llevó a crear la rompedora obra *Las señoritas de Aviñón* (1907), en la que sus personajes angulares suponen un giro hacia el cubismo.

Junto con su amigo Braque, Picasso desarrolló las técnicas y teorías del audaz estilo cubista, con el que se representan formas tridimensionales en un plano bidimensional, como en *Ma jolie* (1911) y *Pájaros muertos* (1912). También realizó un proceso inverso, por el que hacía que los objetos tridimensionales aparecieran en las esculturas de una forma casi pictórica, como en *Guitarra* (1912-1913). Picasso y Braque desarrollaron el cubismo sintético, e incorporaron a sus lienzos collage de periódicos, recortes de papel y trozos de tela, como en *Botella y copa de vino en la mesa* (1912).

Las obras maestras

Las principales obras de Pablo Picasso son más difíciles de clasificar, ya que pasan del estilo realista neoclásico escultural de los años de la Primera Guerra Mundial al surrealismo de la década de 1920, o a la exploración de temas mitológicos de la década siguiente. Como en su serie de aguafuertes «Minotauromaquia» (1935), donde se aprecia su calidad como dibujante. Aun así, a lo largo de toda su carrera jugó con la composición, el espacio, la técnica, el color y algunos temas repetitivos, como el toreo, la guitarra y el arlequín. Durante la guerra civil española su obra se volvió antifascista, como en *Guernica* (1937). En otros dibujos, aguafuertes y pinturas, como *Mujer llorando* (1937), se muestra el dolor de la guerra. También homenajeó a antiguos pintores con obras como *Las meninas* (1957), una interpretación de la obra de Diego Velázquez, mientras que en la década de 1960 produjo algunas obras más coloridas en que algunos vieron un giro hacia el neoexpresionismo. Siempre cambiante, siempre inventivo, uno se pregunta qué obras crearía hoy día si siguiera entre nosotros. **CK**

UMBERTO BOCCIONI

Umberto Boccioni, 19 de octubre de 1882 (Reggio di Calabria, Italia); 17 de agosto de 1916 (Sorte, Italia).

Estilo: Pintor y escultor futurista teórico; imágenes astilladas que sugieren dinamismo, tecnología y velocidad; colores iridiscentes; motivos contemporáneos.

Obras destacadas

La calle ante la casa, 1911
(Niedersächsisches Landesmuseum,
Hannover, Alemania)

Formas únicas de continuidad en el espacio,
1913 (Metropolitan Museum of Art,
Nueva York)

Umberto Boccioni fue el líder teórico del movimiento futurista italiano. Estudió diseño en Roma y en 1901 se hizo alumno del pintor Giacomo Balla, quien le dio a conocer las técnicas postimpresionistas que le inspiraron y le motivaron a viajar a París al año siguiente. A este le siguieron otros viajes, y luego, después de la publicación del primer manifiesto futurista de Filippo Marinetti en 1909, escribió junto con otros artistas futuristas, Gino Severini, Carlo Carrà y Balla, *El manifiesto de los artistas futuristas* (1910) y *El manifiesto técnico de la pintura futurista* (1910). El mismo año Boccioni celebró su primera exposición individual en Venecia, y en 1912 participó en la exposición que viajó de París a otras ciudades europeas.

Su pintura es un ejemplo de la creencia de los futuristas en el dinamismo, la velocidad, la violencia, la tecnología y la vida moderna. En *La fuerza de la calle* (1911), las personas, los edificios, el tráfico y los sonidos coexisten en un único instante en el tiempo. Esto se consigue gracias a la interacción de formas derivadas del cubismo, pero fracturadas bajo una luz iridiscente que sugiere movimiento.

Boccioni atacó los motivos y materiales de la escultura tradicional en su *Manifiesto técnico de la escultura futurista* (1912), y su escultura *Formas únicas de continuidad en el espacio* (1913) representa el ideal del movimiento futurista en su intento de representar el espacio, el movimiento y el tiempo con una sola imagen. De 1912 a 1914 viajó, hizo exposiciones y colaboró con publicaciones. Escribió *Pintura y escultura futurista (Dinamismo plástico)* (1914), donde explica su teoría de que la materia debe ser activada. Argumentaba que la diferencia entre el cubismo y el futurismo reside en el uso de la cuarta dimensión para activar la materia. En 1915 se alistó en el ejército y murió tras una caída de un caballo. **WO**

> «Para que un retrato sea una obra de arte, no puede ni debe recordar al modelo.»

ARRIBA: *Autorretrato* de Umberto Boccioni
(1908) en la Pinacoteca di Brera, Milán.

GEORGE WESLEY BELLOWS

George Wesley Bellows, 12 de agosto de 1882 (Columbus, Ohio, EE.UU.);
8 de enero de 1925 (Nueva York, EE.UU.).

Estilo: Pintor y litógrafo; motivos deportivos y de clase trabajadora; paleta de colores
sombría; luz intensa; suele transmitir visiones sociales y políticas en sus obras.

George Wesley Bellows es uno de los principales artistas estadounidenses del siglo XX, reconocido no solo por sus cuadros
de cruda realidad urbana, sino por sus grabados.

Asistió a la Universidad Estatal de Ohio desde 1901 hasta 1904
y participó en actividades deportivas. Más tarde eligió como motivo artístico acontecimientos deportivos, sobre todo combates
de boxeo, que representó con enorme energía y presencias físicas casi tangibles. Mientras estaba en la universidad, Bellows
trabajó como ilustrador y terminó dejando los estudios antes
de graduarse con la intención de desarrollar su carrera de artista. Se trasladó a Nueva York y recibió clases de Robert Henri en
la New York School of Art. Bellows se relacionó con la neoyorquina Escuela Ashcan, un grupo de artistas que describía escenas de la realidad urbana y la lucha de la clase obrera contra la
pobreza. El estilo de sus primeros años se define por los tonos
sombríos y por la mezcla del blanco en pinceladas anchas y
texturizadas. Los cuadros de Bellows tienen un sentido profundo de lo físico que los acerca al acontecimiento, y da vida a violentas y oscuras escenas de combates de boxeo.

En 1923 la lucha de puños se declaró ilegal en Nueva York.
Cuando se rebautizó con el nombre de boxeo, se puso de
moda. El estilo de Bellows se había alejado
de la libertad y tangibilidad de sus primeras pinceladas y había entrado en una fase
de mayor control y de formas lineales. Sus
personajes tenían un aire más monumental, con contornos más suaves e idealizados y una mucho mayor concentración de
la composición y de la estructura. Hacia el final de su carrera se
alejó de los motivos de vitalidad masculina y de los temas sociales, y se centró más en escenas caseras. La obra de Bellows
como litógrafo también fue muy importante. **TP**

Obras destacadas

Combate en Sharkey, 1909
  (Cleveland Museum of Art, Cleveland)
Ambos son miembros de este club, 1909
  (National Gallery of Art, Washington, D.C.)

«El artista ideal [...] mantiene su
capacidad de admiración y la
alimenta con lujuria creativa.»

ARRIBA: George Wesley Bellows,
fotografiado de modo informal alrededor
de 1924.

GEORGES BRAQUE

Georges Braque, 13 de mayo de 1882 (Argenteuil, Francia); 31 de agosto de 1963 (París, Francia).

Estilo: Pintor y grabador; co-inventor del cubismo; creador del *papier collé*; motivos principales: naturalezas muertas, interiores, el estudio, mesas de billar y aves.

Obras destacadas

Viaducto en l'Estaque, 1908
(Musée National d'Art Moderne, París)

Violín y jarro, 1910 (Kuntsmuseum,
Basilea, Suiza)

Bodegón con tenora, 1913
(Museum of Modern Art, Nueva York)

Considerado el padre de la pintura moderna francesa, Georges Braque es quizá más conocido por su papel en la revolucionaria aventura de la invención del cubismo. Realizó estudios de pintor decorador, con los que aprendió a pintar carteles y a imitar las superficies de la madera y el mármol. Estos fundamentos instauraron en Braque un firme sentido de la disciplina, y utilizó estas técnicas prácticas para producir efectos excitantes en el desarrollo del lenguaje del cubismo.

Formó parte de la vanguardia parisina de 1906 con sus paisajes fauvistas, en los que empleaba pinceladas enérgicas y colores antinaturales. En 1907 Braque dejó una tarjeta de visita en el estudio de Pablo Picasso, en Montmartre, en la que escribió las palabras «recuerdos por adelantado», gesto con el que comenzó una de las colaboraciones más estimulantes del siglo XX. Durante unos seis años, los dos artistas vivieron y trabajaron cerca el uno del otro, rompiendo con las convenciones de

ARRIBA: Georges Braque ganó el primer premio en el 34.º Festival de Venecia.

DERECHA: En la obra *Estaque* (1906), Braque utiliza los colores típicos de los primeros paisajes fauvistas.

la composición para examinar los objetos tridimensionales sobre superficies bidimensionales.

Aunque Braque no era un dibujante experto, su destreza con la pintura era intuitiva. Empleando paletas monocromáticas, deconstruía las naturalezas muertas en una serie de planos y motivos que llegaron a ser cada vez más complejos y abstractos. Gracias a sus destrezas de artesano para imitar la madera, reprodujo la naturaleza ilusoria de la pintura. En 1912 inventó el *papier collé* (papel pegado), técnica que consistía en pegar recortes de papel dentro de un marco, e insistía en la naturaleza plana de la superficie pictórica.

El cubismo se convirtió en algo vital para Braque. Estaba fascinado con la descripción de objetos sencillos y cotidianos en el espacio. Sus naturalezas e interiores de las décadas de 1930 y 1940 están animados por un sutil pero firme uso del color, de la decoración y de la textura. Con frecuencia realizó series. **LA**

ARRIBA: *Bodegón con tenora* es un buen ejemplo de la técnica de *papier collé* de Braque.

El gusto por la música

Georges Braque fue, al decir de todos, un consumado cantante, y se dice que era capaz de interpretar las sinfonías de Beethoven con el acordeón. En una fotografía de hacia 1911 se ve al artista sentado tocando dicho instrumento. En la pared que se ve detrás de él, entre los objetos de su estudio, están colgados un violín y una flauta. Los motivos musicales son uno de los temas principales de los cuadros de Braque, y especialmente en sus obras cubistas. En alguna ocasión declaró que «un instrumento musical es un objeto al que se puede dar vida al tocarlo».

EDWARD HOPPER

Edward Hopper, 22 de julio de 1882 (Nyack, Nueva York, EE.UU.); 15 de mayo de 1967 (Nueva York, EE.UU.).

Estilo: Pintor y grabador; imágenes de soledad en las ciudades de Estados Unidos; luz y atmósfera peculiares; gasolineras, moteles, oficinas y ciudades vacías.

Obras destacadas

Mesas para damas (Tables for Ladies), 1930
(Metropolitan Museum of Art, Nueva York)

Gas, 1940 (Museum of Modern Art, Nueva York)

Noctámbulos (Nighthawks), 1942
(Art Institute of Chicago, Chicago)

Mañana en una ciudad (Morning in a City)
1944 (Williams College Museum of Art, Massachusetts)

La pintura de Edward Hopper evoca la soledad y desesperación que caracteriza la vida en las ciudades de Estados Unidos entre las dos guerras mundiales. Sus localizaciones tienen un aspecto desolado, con vastos espacios vacíos y un marcado contraste entre la luz natural y artificial. Su popularidad nace de su capacidad para crear escenas de la vida diaria con un aire de intemporalidad, como profundas afirmaciones de la condición humana. Aunque es más conocido por sus óleos, demostró el mismo talento con sus acuarelas y aguafuertes.

Cuando estudiaba pintura y arte comercial en Nueva York, Hopper recibió clases de William Merritt Chase, un elegante imitador de John Singer Sargent, y de Robert Henri, quien animaba a sus alumnos a crear pinturas realistas de la vida urbana. Entre 1906 y 1910 Hopper realizó viajes a París, pero se mostró indiferente ante los movimientos vanguardistas. Se ganó la vida como pintor comercial, pero siguió pintando en su tiempo libre, y vendió su primera obra en el Armory Show de Nueva York en 1913, aunque no vendió ninguna obra más hasta 1923.

Hopper se casó con Josephine Verstille Nivison, a quien había conocido cuando ambos eran estudiantes de arte. Su dura-

ARRIBA: Esta fotografía se hizo en el estudio del artista en Nueva York en febrero de 1950.

DERECHA: *Gas* (1940) revela la elocuente belleza de lo mundano.

dera y compleja relación fue la más importante en la vida de Hopper. La presencia de Josephine era fundamental para su trabajo, ya que sirvió de modelo para todos los personajes femeninos de sus pinturas y mostró gran pericia para representar el papel necesario en cada momento. Desde el momento de su matrimonio, la fortuna profesional de Hopper cambió. En su segunda exposición individual en Nueva York en 1924 lo vendió todo y decidió dedicarse por entero a la pintura. Se convirtió en el principal valedor del nuevo realismo, la pintura americana de escenas. Fue el primer artista en hacer de las escenas rurales y urbanas de Estados Unidos el motivo principal de su obra, y para 1933 el MoMA ya había organizado una exposición retrospectiva que consolidó su fama. Conforme fueron pasando los años, cada vez le resultaba más difícil encontrar nuevos motivos y con el crecimiento del expresionismo abstracto se terminó encontrando en discordia con el mundo. Falleció en 1967, aislado, y casi olvidado, pero su obra ha servido de inspiración a muchos artistas, escritores y directores de cine, como Mark Rothko, Norman Mailer y Alfred Hitchcock. **SH**

ARRIBA: *Noctámbulos* (1942) se convirtió en una visión icónica de la soledad urbana.

Cuadernos de bocetos de Hopper

Edward Hopper conservó numerosos cuadernos de bocetos, que demostraban el minucioso trabajo de preparación de sus cuadros. También realizó dibujos muy cuidados de sus cuadros terminados antes de que cada uno de ellos saliera del estudio. Su esposa, entonces, anotaba el título, la fecha de su terminación, una descripción, el precio de venta y el nombre del comprador. Solía añadir sus propios comentarios, como el estado de ánimo de Hopper al pintar determinado cuadro, o la razón por la que una pintura no llevaba el título que a ella le gustaba.

WYNDHAM LEWIS

Obras destacadas

A Battery Shelled, 1918 (Imperial War Museum, Londres)

Una lectura de Ovidio (de la serie «Tyros»), h. 1920 (Scottish National Gallery of Modern Art, Edimburgo)

Percy Wyndham Lewis, 18 de noviembre de 1882 (nació en el yate de su padre frente a Amherst, Canadá); 7 de marzo de 1957 (Londres, Inglaterra).

Estilo: Pinturas sobre la guerra con figuras estilizadas y deshumanizadas; arte semiabstracto, formas geométricas; personajes grotescos conocidos como «tyros».

Durante toda su vida, Wyndham Lewis cumplió con su papel de rebelde vanguardista. Fue uno de los primeros artistas británicos en desarrollar un estilo personal basado en las lecciones del arte moderno europeo. En los años anteriores a la Primera Guerra Mundial fundó el vorticismo, movimiento de escritores y artistas que celebraban la experiencia de la modernidad y que publicaban sus obras en un periódico radical llamado *Blast* (1914-1915). El uso de planos fracturados y sus formas mecanizadas parecían encapsular el espíritu de la era de la agresión de las máquinas, y durante la guerra fue contratado como artista oficial de los gobiernos de Gran Bretaña y Canadá. Su arte se vio más tarde eclipsado por su dedicación a la escritura y por sus ideas políticas autoritarias. **NM**

ELIE NADELMAN

Obras destacadas

Hombre al aire libre, 1915 (Museum of Modern Art, Nueva York)

Bailarina (*High Kicker*), h. 1918-1919 (The Jewish Museum, Nueva York)

Elie Nadelman, 20 de febrero de 1882 (Varsovia, Polonia); 28 de diciembre de 1946 (Bronx, Nueva York, EE.UU.).

Estilo: Escultor modernista; referencias a la escultura clásica, al arte tradicional y al vodevil; formas sencillas; sentido de la gracia de la línea; esculturas de actores.

Elie Nadelman, un chico judío de clase media, abandonó Polonia para irse a Munich y luego a París. En una época en la que el arte clásico estaba anticuado, Nadelman se sentía atraído por este, y emulaba su belleza y poder estético. Durante la Primera Guerra Mundial emigró a Nueva York, donde se vio atraído por el mundo del vodevil. Admirador del arte tradicional, reunió una importante colección después de casarse con una adinerada viuda en 1919. Su obra es una síntesis ecléctica que refleja tanto la influencia de la clase baja como de la más acomodada. Aunque delgados y modernos, sus alegres personajes suelen ser actores, con referencias al arte tradicional y clásico. Su capacidad para sacar partido tanto de lo cotidiano como de lo académico fue algo innovador. **CK**

1800-99

JOSÉ CLEMENTE OROZCO

José Clemente Orozco, 23 de noviembre de 1883 (Ciudad Guzmán, México);
7 de septiembre de 1949 (Ciudad de México, México).

Estilo: Pintor y litógrafo; murales; temas de sufrimiento de la población indígena
mexicana, y la vida en la metrópolis y su efecto deshumanizante.

Junto con Diego Rivera y David Alfaro Siqueiros, el pintor y litógrafo José Clemente Orozco encabezó el movimiento muralista mexicano. Sus enormes murales, con un uso dramático de la
perspectiva y una paleta de colores vivos como el rojo sangre,
los ocres amargos, el azul cielo y el amarillos ácidos, describen
el sufrimiento de la población indígena mexicana a lo largo de
la agitada historia del país. A pesar de la visión, a veces qui-
jotesca, de Orozco en los últimos años de su vida (llegó a de-
clararse partidario de Adolf Hitler), sus contradicciones nunca
afectaron a su obra, en la que su capacidad para simpatizar con
los oprimidos y con los temas de política social no tenía igual.

Al igual que sus colegas muralistas, Orozco se casó con ideas
políticas izquierdistas, y su primera incursión en el arte fue como
dibujante de viñetas políticas, donde su desprecio por los hambrientos de poder se hacía evidente en la mordiente sátira de sus
trabajos. Antes de 1922 ya había pasado del óleo y la acuarela
a la pintura de frescos. Al contrario que Rivera y Siqueiros, se desencantó del socialismo por el alto coste en vidas humanas de la
Revolución mexicana (1910-1921). En 1927 se trasladó a Estados
Unidos, donde vivió hasta 1934. Durante este período ya había
alcanzado la fama y se le encargaron varios murales, como la serie «Civilización americana» (1932-1934), don-
de describe la historia de América desde la
llegada de los aztecas a México hasta la sociedad industrializada contemporánea. Los
24 paneles del mural cubren unos 297 m².
De nuevo se ve a Orozco en la situación difícil del hombre de la calle, esta vez desta-
cando el efecto deshumanizante de la mecanización de la sociedad urbana. Pero fue tras su regreso a su tierra natal cuando
produjo sus mejores obras, entre ellas la que podría ser su obra
maestra, *El hombre en llamas* (1936-1939). **CK**

Obras destacadas

La llegada de Quetzalcóatl y *El retorno
de Quetzalcóatl* (murales), 1932-1934
(Baker Library, Dartmouth College,
Hanover, New Hampshire, EE.UU.)

El hombre en llamas, 1936-1939
(hospicio Cabañas, Guadalajara, México)

> «Orozco fue el único gran
> artista de la contrarrevolución.»
> Diego Rivera

ARRIBA: Este retrato se hizo cuando el artista
había cumplido ya sesenta años.

ERICH HECKEL

Erich Heckel, 31 de julio de 1883 (Döbeln, Alemania); 27 de enero de 1970 (Radolfzell, Alemania).

Estilo: Pintor y grabador; fundador del grupo *Die Brücke*; personajes en interiores y paisajes; empleo de colores intensificados; capas espesas de pintura.

Obras destacadas

Fränzi tumbada, 1910
 (Museum of Modern Art, Nueva York)

Retrato de un hombre, 1919
 (Museum of Modern Art, Nueva York)

Paisaje de otoño, 1924 (Museumsberg
 Flensburg, Schleswig-Holstein, Alemania)

Después de estudiar arquitectura, Erich Heckel cambió de rumbo para hacerse pintor y grabador. Fue cofundador del grupo expresionista alemán *Die Brücke* («El puente»), surgido en Dresde en 1905, con tres compañeros estudiantes de arquitectura: Fritz Bleyl, Karl Schmidt-Rottluff y Ernst Ludwig Kirchner. El grupo aunaba los puntos de vista políticos radicales de sus miembros y su deseo de forjar un nuevo estilo de pintura que reflejara la vida moderna contemporánea con su ritmo acelerado, su agitación y su liberalidad sexual. Estos artistas destacaron por sus paisajes, sus desnudos, sus pinceladas rápidas y expresivas, el uso de colores vivos y las formas sencillas.

El estilo personal de Heckel estaba influido por Paul Gauguin, Henri Matisse y Vincent van Gogh. Solía pintar personajes en interiores y en paisajes con colores intensos, usando capas espesas de pintura para crear una particular riqueza textural. Fue también un grabador prolífico, con más de un millar de impresiones. La mayoría de ellas realizadas entre 1905 y 1923. Aunque es conocido por sus aguafuertes y litografías, obtuvo más reconocimiento con sus tallas en madera, de formas simplificadas y un estilo plano innovador. Después de su participación activa en la Primera Guerra Mundial, la obra de Heckel se hizo más melancólica. Su anguloso autorretrato con el título de *Retrato de un hombre* (1919) está marcado por la tristeza personal y de su país, resaltada por su técnica habitual de producir una superficie pictórica mediante un pincel en lugar de usar un rodillo de tinta. El partido nazi condenó en 1937 la obra de Heckel por «degenerada», y muchos de sus trabajos fueron destruidos y retirados de los museos nacionales. Después de la Segunda Guerra Mundial trabajó como profesor y siguió pintando hasta su muerte. **CK**

> «Lo que me intriga es el secreto de la relación entre los colores.»

ARRIBA: Detalle de uno de sus melancólicos autorretratos, pintado en 1915.

AMEDEO MODIGLIANI

Amedeo Clemente Modigliani, 12 de julio de 1884 (Livorno, Italia); 24 de enero de 1920 (París, Francia).

Estilo: Pintor; escultor; personajes de estilo primitivo y cuellos largos, cabezas ovaladas y líneas gráciles; escenarios simples; sencillas y amplias pinceladas.

Amedeo Modigliani desarrolló un estilo único bajo la influencia de sus amigos y compañeros artistas, sus estudios tanto en Italia como en París, un gran número de movimientos artísticos y arte primitivo. Apasionado de la pintura desde tierna edad, asistió a la mejor escuela de arte de Livorno de 1898 a 1900. En 1901 se fue a Roma y al año siguiente se matriculó en la Accademia di Belle Arti de Florencia. Luego se trasladó a Venecia a estudiar en el Istituto di Belle Arti, pero también comenzó a visitar zonas menos recomendables de la ciudad. Al mismo tiempo desarrolló un interés por la filosofía radical de Friedrich Nietzsche.

Se trasladó a París en 1906, donde se encontró con las obras de Henri de Toulouse-Lautrec, Georges Rouault y Pablo Picasso en su «etapa azul», y asimiló sus ideas. Es evidente la influencia de Paul Cézanne en sus pinturas, tanto por la deliberada distorsión de la figura como por el uso libre de zonas de colores planos y uniformes. Su amistad con Constantin Brancusi estimuló su interés por la escultura, en la que siguió creando formas poderosas y alargadas, de ritmo sencillo y lineal.

Desde 1915 se dedicó por entero a la pintura. Su interés por las máscaras y la escultura africana es patente, especialmente en el tratamiento de las caras de sus modelos: planas como máscaras, con ojos almendrados, narices torcidas, labios fruncidos y cuellos alargados. A pesar de la economía de su composición y de los fondos neutros, los retratos transmiten claramente la personalidad de los modelos. Muchos de ellos son elegantes y llamativas combinaciones de líneas curvas y planos, así como sorprendentes idealizaciones de la sexualidad femenina. Modigliani falleció en París de meningitis tuberculosa, después de padecer una salud frágil por el abuso del alcohol y de los narcóticos. **SH**

Obras destacadas

Cabeza de mujer, 1912
   (Philadelphia Museum of Art, Filadelfia)
Desnudo femenino, h. 1916
   (Courtauld Institute Galleries, Londres)
Mujer con el pelo rojo, 1917
   (National Gallery of Art, Washington, D.C.)

«Lo que busco no es lo real ni lo irreal, sino, más bien, lo inconsciente.»

ARRIBA: El autorretrato del artista de 1919 tiene una expresión característica, como de máscara.

MAX BECKMANN

Max Beckmann, 12 de febrero de 1884 (Leipzig, Alemania); 27 de diciembre de 1950 (Nueva York, EE.UU.).

Estilo: Autorretratos; trípticos de gran tamaño; colores intensos de contornos marcados; composiciones alegóricas complejas; mitología, paisajes y personajes enmascarados.

Obras destacadas

Noche, 1918-1919 (Kunstsammlung Nordrhein-Westfalen, Düsseldorf)

Nacimiento, 1937 (Staatliche Museen zu Berlin, Berlín)

Muerte, 1938 (Staatliche Museen zu Berlin, Berlín)

Los argonautas, 1949-1950 (National Gallery of Art, Washington, D.C.)

Uno de los principales artistas alemanes del siglo XX, Max Beckmann es difícil de clasificar, ya que flirteó con diversos estilos. Después de una breve estancia en París, en 1904 se trasladó a Berlín, donde en 1910 lo eligieron miembro de la prestigiosa Secesión. La influencia del impresionismo domina las primeras obras de Beckmann, pero su estilo cambió radicalmente después de servir como voluntario en la Primera Guerra Mundial. Traumatizado por los horrores de la guerra, Beckmann padeció una crisis nerviosa y fue licenciado del ejército en 1915.

Cuando volvió a pintar, su obra fue el reflejo de sus traumas y sufrimientos y de sus ansiedades personales. Sus cuadros, que describen temas sociales, religiosos y mitológicos, adoptaron un aire cubista característico, con una mayor intensidad de color y contorsiones del espacio y la forma, así como un mayor uso alegórico de personajes disfrazados. Durante los años de la República de Weimar, en la década de 1920, el artista disfrutó del éxito. Enseñó en la Escuela de Bellas Artes de Frankfurt, recibió el Premio de Honor del Imperio a las Artes Alemanas y lideró la-

ARRIBA: Detalle de *Autorretrato en Florencia,* pintado en 1907.

DERECHA: De personajes expresivos, *Muerte* (1938) se asocia a *Nacimiento* (1937).

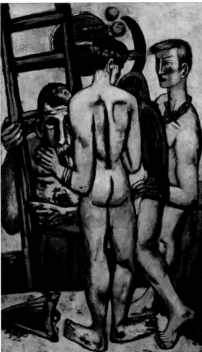

Neue Sachlichkeit («Nueva objetividad»), un movimiento que rechazaba el expresionismo en favor del realismo.

Sin embargo, su fortuna cambiaría de forma drástica con la llegada al poder de Adolf Hitler en 1933. Los nazis consideraban el arte moderno como algo corrupto social y moralmente, y confiscaron más de quinientas de sus obras. El día posterior a la inauguración de la famosa exposición de 1937 *Entartete Kunst* («Arte degenerado»), organizada por los nazis para denigrar el arte moderno, y que incluía diez de las obras de Beckmann, este salió de Alemania hacia Amsterdam. Beckmann siguió pintando sin descanso en esta etapa de pobreza y tiempos duros. Su serie de trípticos en los que se muestran imágenes épicas y violentas sobresalen como sus obras más importantes. Después de la guerra, se trasladó a Estados Unidos, donde pasó los últimos tres años de su vida enseñando arte. Realizó otros trípticos en los que representó paisajes, rascacielos y gente de Estados Unidos. El último de ellos, *Los argonautas* (1949-1950), lo terminó el día antes de morir. **SG**

ARRIBA: *Los argonautas* es una obra claramente menos brutal que los primeros trabajos de Beckmann.

Tríptico críptico

Max Beckmann fue un entusiasta del arte medieval alemán y del tríptico. Le fascinaba la capacidad del tríptico para representar el pasado, el presente y el futuro en una sola obra. *La partida* (1933) contiene paneles oscuros y opresivos que simbolizan la crueldad del partido nazi y un panel central abierto y luminoso que representa el alivio del tormento. El simbolismo mitológico de los personajes fue un tema recurrente en los trípticos posteriores de Beckmann. Por temor a los nazis, ocultó la obra en un ático con una críptica etiqueta que decía «Escenas de la tempestad de Shakespeare».

WALTER JOSEPH PHILLIPS

Walter Joseph Phillips, 25 de octubre de 1884 (Barton-on-Humber, Inglaterra); 5 de julio de 1963 (Victoria, Canadá).

Estilo: Pintor, grabador y dibujante; acuarelas; xilografías; naturalezas muertas; retratos; paisajes de praderas y de las montañas Rocosas.

Obras destacadas

Invierno, 1917
   (National Gallery of Canada, Ottawa)
Por la tarde, 1921
   (National Gallery of Canada, Ottawa)
Johnson's Creek cerca de Banff, 1947
   (National Gallery of Canada, Ottawa)

La afinidad del artista británico-canadiense Walter Joseph Phillips con la naturaleza hizo que las praderas canadienses y las montañas Rocosas cobraran vida en el papel. Sus acuarelas y sus xilografías a color, de gran aceptación, captan toda la sensación de los espacios abiertos en cualquiera de las estaciones. Sus retratos del manto nevado canadiense que cambia de azul a verde y a rosa según la luz, los tranquilos lagos que reflejan los cambios de tiempo, los amplios cielos, las rocas desnudas, las colinas cubiertas de hierba y los exuberantes bosques de abetos, abedules y chopos todavía no han encontrado rival. Phillips fue también un escritor de prestigio sobre la naturaleza, el arte y la técnica de la xilografía. Escribió *The Technique of the Color Wood-Cut* (*La técnica de la xilografía a color*) (1926) y *Wet Paint* (*Recién pintado*), un manuscrito sobre los bocetos para acuarela que, aunque nunca fue publicado, algunas secciones aparecieron en su columna del periódico *The Winnipeg Tribune*.

Inglés de nacimiento, Phillips se formó en la Birmingham Municipal School of Art. En su ciudad natal visitó la Birmingham Art Gallery, de donde le vino la influencia de los antiguos acuarelistas ingleses y de las obras de los prerrafaelitas y de William Morris. En 1901 marchó a Sudáfrica, pero en 1907 regresó a Inglaterra, donde trabajó como pintor comercial. Finalmente, tuvo éxito con sus acuarelas y junto a su mujer, Gladys Pitcher, emigró en 1913 a Winnipeg, Canadá, donde se ganó la vida dando clases y pintando. Aunque la acuarela es su medio principal, Phillips es también apreciado por sus xilografías, muy influenciadas por la sencillez y claridad de líneas de las obras japonesas. En 1940 Phillips consiguió un puesto en la plantilla de la Banff School of Fine Arts y en 1941 se trasladó a Calgary, donde enseñó en el Institute of Technology and Art. **CK**

«El dibujante es inevitablemente un cazador solitario [...] mirándose hacia dentro y a la naturaleza.»

ARRIBA: Walter J. Phillips fue muy respetado como artista y como profesor.

KARL SCHMIDT-ROTTLUFF

Karl Schmidt-Rottluff, 1 de diciembre de 1884 (Rottluff, Alemania); 9 de agosto de 1976 (Berlín, Alemania).

Estilo: Pintor, escultor y grabador; miembro fundador de *Die Brücke*; personajes, paisajes y naturalezas muertas; figuras distorsionadas; contrastes exagerados de color.

El grupo expresionista alemán *Die Brücke* («El puente») se fundó en 1905. Karl Schmidt-Rottluff era amigo de uno de los cofundadores, Erich Heckel, desde 1901, y a través de este conoció al resto de miembros fundadores. Schmidt-Rottluff acuñó el nombre del grupo; un apodo que simbolizaba el deseo de los jóvenes artistas de ser el nexo entre el estilo academicista del neorromanticismo alemán y la vanguardia emergente con su nuevo estilo artístico. El grupo se trasladó a Berlín en 1911 y desapareció en 1913, pero aun así, su vigorosa influencia sobre la pintura alemana duraría décadas. Las pinturas de paisajes de Schmidt-Rottluff, como *La presa (Deichdurchbruch)* (1910) o *Casas de noche* (1912), son típicas de los trabajos del grupo, en los que aparecen bloques de colores ácidos y brillantes con un fuerte contraste, pinceladas rápidas y formas simplificadas. Con el estallido de la Primera Guerra Mundial, fue reclutado y enviado al frente ruso en otoño de 1915. Su obra cambió hacia una paleta más oscura, tal y como se puede apreciar en su pintura *Mujer con bolso* (1915), y en aquella época comenzó una serie de xilografías religiosas. Los rostros distorsionados y alargados de sus obras, incluyendo la escultura *Cabeza de hombre* (1917), también reflejan su pasión por el arte primitivo sin contaminar. Un interés que surge por las máscaras africanas que contempló en el museo etnográfico de Dresde. Durante la década de 1930, con el ascenso al poder del partido nazi en Alemania, Schmidt-Rottluff se convirtió en uno de los artistas seriamente perseguidos por el nuevo régimen. No solo se destruyó y etiquetó su obra como «degenerada», sino que en 1940 se le prohibió pintar y se le puso bajo vigilancia de la famosa SS. Tras el final de la Segunda Guerra Mundial, retomó su carrera y en 1947 se le nombró profesor de la Escuela de Bellas Artes de Berlín. **CK**

Obras destacadas

La presa (Deichdurchbruh), 1910
  (Brücke Museum, Berlín)

Casas de noche, 1912
  (Museum of Modern Art, Nueva York)

Mujer con bolso, 1915
  (Tate Collection, Londres)

Cabeza de hombre, 1917
  (Tate Collection, Londres)

«El arte se renueva sin parar, ya que siempre surgen nuevas personalidades.»

ARRIBA: Detalle de *Autorretrato con monóculo*, **pintado en 1910.**

1800-99

ROBERT DELAUNAY

Robert-Victor-Félix Delaunay, 12 de abril de 1885 (París, Francia); 25 de octubre de 1941 (Montpellier, Francia).

Estilo: Pintor; atrevido uso del color y los contrastes; composiciones vivas; intenta retratar más de un objeto al mismo tiempo.

Obras destacadas

La Torre Eiffel (Campo de Marte: la torre roja),
1911 (Art Institute of Chicago, Chicago)

Sol, torre, aeroplano, 1913 (Albrigth-Knox
Art Gallery, Buffalo, EE.UU.)

Contrastes simultáneos: sol y luna, 1913
(Museum of Modern Art, Nueva York)

Homenaje a Blériot, 1914
(Kunstmuseum, Basilea, Suiza)

Robert Delaunay se formó como pintor en París. Al principio trabajó en escenografías, antes de comenzar a pintar en 1905. Sus cuadros emplean colores atrevidos y juegan con la profundidad, el tono y las perspectivas. Sus principales influencias fueron los impresionistas y postimpresionistas. Bajo la inspiración de Paul Cézanne, examinó el volumen y el color mediante la pintura. Conforme fue madurando, su estilo fue cambiando y evolucionó hasta concebir obras más cercanas al estilo de Paul Klee. Desde 1904 hasta el comienzo de la Primera Guerra Mundial, Delaunay expuso en el Salón de los Independientes y, en 1906, en el Salón de Otoño.

En 1909 comenzó a trabajar en su famosa serie de estudios de París y de la Torre Eiffel. Experimentando con los efectos emotivos de los contrastes de color, describen la energía de la vida de la ciudad y son una celebración del mundo moderno. La pintora Sonia Delaunay, con quien se casó en 1910, colaboró con él en numerosos proyectos. Tras aceptar la invitación de Vasili Kandinsky a unirse a *Der Blaue Reiter* («El jinete azul»), un grupo de artistas residentes en Munich, Delaunay se convirtió en el primer artista francés en realizar obras totalmente abstractas. El poeta y crítico de arte Guillaume Apollinaire bautizó el estilo de Delaunay con el nombre de «orfismo», en referencia a la relación de sus cuadros abstractos con la música. Entre 1914 y 1920 el matrimonio Delaunay diseñó decorados para los *Ballets rusos*. Cuando regresaron a París, Robert comenzó su segunda serie de la Torre Eiffel. En 1925 realizó murales para la Exposición Internacional de las Artes Decorativas y en 1937 decoró los pabellones de los viajes en ferrocarril y en avión de la Exposición Internacional del Arte y la Tecnología en la Vida Moderna. Sus últimas obras fueron los decorados de la sala de esculturas del Salón de las Tullerías. **SH**

> «Para mí es indispensable la observación directa de la esencia luminosa de la naturaleza.»

ARRIBA: En este *Autorretrato* (1905) de Robert Delaunay se aprecia la influencia fauvista.

DERECHA: La ciudad gris enmarca *La Torre Eiffel: (Campo de Marte: la torre roja).*

DIEGO RIVERA

Diego Rivera, 8 de diciembre de 1886 (Guanajuato, México); 24 de noviembre de 1957 (Ciudad de México, México).

Estilo: Imaginería y simbolismo mexicano; temas históricos y políticos; colores intensos y soleados; rituales y creencias precolombinas; grandes frescos y murales.

Obras destacadas

Cabeza clásica, 1898 (Museo Casa Diego Rivera, Guanajuato, México)

La Torre Eiffel, 1914 (colección particular)

Retrato de Martín Luis Guzmán, 1915 (colección de la Fundación Televisa, Ciudad de México)

La molendera, 1924 (Museo Nacional de Arte, Ciudad de México)

El hombre en la encrucijada, 1934 (Palacio de Bellas Artes, Ciudad de México)

Diego Rivera fue un hombre de conciencia política, librepensador y antirreligioso, de una personalidad entusiasta y a veces bravucona. Junto con su mujer, Frida Kahlo, está considerado uno de los artistas más importantes de México. La fama le viene de su asociación del arte precolombino con los movimientos artísticos más modernos: el cubismo y el realismo social.

Siendo un muchacho, Rivera marchó a Ciudad de México para estudiar arte, y sus primeros trabajos quedaron como pruebas de su habilidad. Su pintura al óleo *Cabeza clásica* (1898) es una naturaleza muerta de un busto de mármol donde demuestra su gran maestría con solo doce años. Cumplidos los veinte recibió una beca para viajar a Europa y continuar sus estudios. En Europa se estableció durante quince años y fue durante el tiempo que pasó en Italia cuando comenzó a desarrollar su gran pasión por los frescos y murales. En Francia descubrió el cubismo, que se puede apreciar extraordinariamente en *La Torre Eiffel* (1914) y en *Retrato de Martín Luis Guzmán* (1915).

ARRIBA: Con su gran físico y personalidad, Diego Rivera hacía sentir su presencia.

DERECHA: *Mujer moliendo maíz* (1924), pintura documental de la vida en México.

Hacia 1920 Rivera regresó a su país y comenzó a investigar la herencia cultural mexicana, y quedó fascinado por la cultura y el arte precolombino. Viajó a la península de Yucatán para visitar las ruinas de Chichén Itzá y Uxmal. Allí se interesó en la forma de vida de los indígenas y realizó una serie de bocetos. Como marxista comprometido y miembro del Partido Comunista Mexicano, Rivera pintó varios retratos de Vladimir Lenin.

De 1923 a 1928 estuvo contratado por el Ministerio de Educación. Durante ese tiempo pintó un número increíble de frescos, que se cuentan entre sus obras más impresionantes. Junto con artistas como José Clemente Orozco y David Alfaro Siqueiros, fue un elemento fundamental del movimiento muralista mexicano. En la década de 1930 le encargaron varios murales para edificios públicos en Estados Unidos, donde su arte era muy apreciado, aunque no su ideario político. Rivera sigue siendo apreciado en México tanto por su obra como por su deseo de forjar una nueva identidad nacional a través de esta. **LH**

ARRIBA: *El hombre en la encrucijada* es una obra concienzuda de realismo social.

Los amores de Rivera

Diego Rivera era tan famoso por su arte como por su agitada vida amorosa. Le encantaban las mujeres, aunque a menudo las menospreciara. En 1911 alegó estar casado con una artista rusa, Angeline Beloff; su relación duró diez años, durante los cuales le fue continuamente infiel. Se casó entonces con Guadalupe Marín, pero su matrimonio fracasó a los cinco años tras conocer a Frida Kahlo. Se casó con esta en 1929, pero sus infidelidades continuaron y se divorciaron al cabo de diez años. Un año más tarde se volvieron a casar y permanecieron juntos hasta la muerte de Frida.

AUGUST MACKE

August Macke, 3 de enero de 1887 (Meschede, Alemania); 26 de septiembre de 1914 (Perthes-les-Hurlus, Francia).

Estilo: Cofundador de *Der Blaue Reiter*; preparó el camino hacia el expresionismo; paisajes, retratos, interiores y naturalezas muertas; uso expresivo de los colores.

Obras destacadas

Paisaje en Tegernsee, 1910 (Lenbachhaus, Munich)

Café turco II, 1914 (Lenbachhaus, Munich)

August Macke desarrolló su trabajo en un momento de extraordinaria innovación en el arte alemán, y estuvo al frente de su campo a pesar de la brevedad de su carrera. En el momento de su trágica muerte en 1914, un mes después de que le llamaran a filas en la Primera Guerra Mundial, su estilo artístico todavía estaba evolucionando. Algunas de sus mejores obras las había realizado tan solo unos meses antes de su fallecimiento, después de su viaje a Túnez. Se formó en Düsseldorf, en la Kunstakademie y en la Kunstgewerbeschule, donde recibió clases del grabador Fritz Helmuth Ehmcke, antes de viajar a Italia, Países Bajos, Bélgica e Inglaterra. Fue, sin embargo, su encuentro con la obra de los impresionistas en París, en 1907, lo que más influyó en su primera etapa. Luego absorbió la influencia de los postimpresionistas y fauvistas. En 1909 regresó a París, donde conoció a Louis Moilliet y a Karl Hofer, y comenzó a trabajar con composiciones sencillas, descomponiendo las formas a su estado más elemental y empleando colores intensos y vivos, como se puede apreciar en *Paisaje en Tegernsee* (1910).

En 1910 Macke conoció a Franz Marc en Munich, y se hicieron buenos amigos, además de compartir una intensidad similar en su visión del arte. Poco tiempo más tarde conoció a Vasili Kandinsky, y el trío contribuyó a la realización de la primera exposición y almanaque de *Der Blaue Reiter* («El jinete azul»), uno de los manifiestos artísticos más importantes del siglo xx. En 1912 Macke conoció a Robert Delaunay, cuya obra también ejerció una profunda influencia en él. Realizó un giro hacia una mayor abstracción, explorando las teorías cubistas de Delaunay, aunque su obra seguía fundamentada en la objetividad. En 1914 viajó a Túnez con Paul Klee y Moilliet y realizó una serie de fantásticas acuarelas y varios óleos. **TP**

«[He encontrado] una felicidad en el trabajo que desconocía.»

Macke, bajo el encanto de Túnez

ARRIBA: Detalle de *Autorretrato en casa,* dibujado por August Macke en 1912.

1800-99

JUAN GRIS

José Victoriano Carmelo Carlos González-Pérez, 23 de marzo de 1887 (Madrid, España); 11 de mayo de 1927 (Boulogne-Billancourt, París, Francia).

Estilo: Pintor cubista experimental de retratos y naturalezas muertas; colores brillantes y formas sorprendentes; juega con el espacio y la perspectiva.

El momento definitorio de la corta vida de Juan Gris fue su mudanza a París en 1906, cuando comenzó a moverse en los mismos círculos que Pablo Picasso y Georges Braque. Al igual que estos, comenzó a explorar los principios del cubismo, subvirtiendo los géneros tradicionales del retrato y las naturalezas muertas. En este cubismo inicial, el objeto de la pintura se fracturaba en elementos individuales, careciendo de la perspectiva tradicional, de forma que el espectador se ve forzado a recomponerlos. Para cuando Gris se interesó en él, el cubismo seguía varias tendencias. Se podían integrar objetos reales en el cuadro, mientras que las formas descompuestas, sin aparente relación con un objeto en particular, se podían combinar para sugerir su forma. Gris intentó integrar o sintetizar estos elementos (cubismo sintético) utilizando otros fragmentos, pero de colores, formas o perspectivas naturales. Las sombras envuelven a los objetos para sugerir espacio o fondo, mientras que la forma natural de los objetos en sí puede estar distorsionada.

Su continua experimentación le llevó a los motivos pictóricos de Diego Velázquez: naturalezas muertas junto a una ventana que se abre a un mundo que nos lleva a otro mundo que está más allá. Un elemento real, como una página de periódico, se puede insertar con un ángulo determinado para que parezca artificial, y aun así, servir de puente en la dirección opuesta, hacia el espacio del espectador. Un ejemplo es *La celosía* (1914).

El éxito de Gris reside en su tratamiento del objeto desde todos los ángulos posibles, jugando con el espacio y, aun así, empleando la perspectiva. Combinó los cuerpos sólidos con los planos y, las sombras, y dispuso en capas la estructura ósea, la personalidad, la carne y la ropa, como en *Retrato de Josette* (1916), vislumbrando así los desarrollos futuros. **SC**

Obras destacadas

Retrato de Picasso, 1912 (Art Institute of Chicago, Chicago)
La celosía, 1914 (Tate Collection, Londres)
Retrato de Josette, 1916 (Museo Nacional Centro de Arte Reina Sofía, Madrid)

«En el momento en que sabes cuál va a ser el resultado estás perdido.»

ARRIBA: Amedeo Modigliani pintó este retrato alargado, *Juan Gris*, en 1915.

ALEXANDER ARCHIPENKO

Alexander Porfiryevich Archipenko, 30 de mayo de 1887 (Kiev, Rusia [act. en Ucrania]); 25 febrero de 1964 (Nueva York, EE.UU.).

Estilo: Escultor, pintor y artista gráfico; uso innovador del espacio negativo para retratar la figura humana; representación de la forma femenina.

Obras destacadas

Mujer andando, 1912 (Von der Heydt-Museum, Wuppertal, Alemania)

Torso, 1914 (Chi-Mei Museum, Taiwan)

La boxe, 1935 (Peggy Guggenheim Collection, Venecia)

Alexander Archipenko fue un escultor, pintor y artista gráfico ucraniano que creó una forma innovadora de ver la figura humana empleando un espacio negativo, y así desafiando la concepción tradicional de la escultura.

Estudió pintura y escultura en la Escuela de Arte de Kiev entre 1902 y 1905. Se trasladó a París en 1908 y asistió a la École des Beaux-Arts, pero pronto rechazó su academicismo. Después de solo dos semanas se marchó para estudiar por su cuenta en el Louvre, donde se sintió atraído por la escultura egipcia, asiria, griega clásica y gótica. En 1910 comenzó a exponer su obra en el Salón de los Independientes, y al año siguiente expuso como escultor cubista junto a Kasimir Malevich, Marcel Duchamp, Pablo Picasso y Georges Braque. Dos años más tarde inauguró la primera de sus numerosas escuelas de arte. Se unió al grupo *Section d'Or* donde ya estaban Braque, Duchamp, y Picasso, y realizó el primero de sus bajorrelieves en yeso tallado y pintado, a los que llamó «escultopinturas».

Por entonces, Archipenko estaba experimentando con el uso del espacio negativo y las formas cóncavas, convexas y geométricas, tal y como se puede ver en su escultura en bronce *Mujer andando* (1912). Su obra es principalmente de figuras femeninas y su falta de volumen les da un aspecto casi bidimensional. Además de realizar bronces, Archipenko siguió la estela de Picasso y comenzó a realizar esculturas con materiales cotidianos. Sus obras tuvieron gran aceptación y su fama se extendió rápidamente por toda Europa. Tras la Primera Guerra Mundial, Archipenko retomó su carrera con su primera exposición individual en Nueva York. Emigró a Estados Unidos y siguió realizando obras destacadas, aunque no estaban al nivel de sus trabajos anteriores en Europa. **SH**

«La geometría [...] se debe a una simplificación de la forma y no a ningún dogma cubista.»

ARRIBA: Este retrato se realizó hacia 1930 en el estudio del propio artista.

DERECHA: *Vaso sobre una mesa*, pintura cubista de Alexander Archipenko.

JEAN ARP

Jean Arp, 16 de septiembre de 1886 (Estrasburgo, Francia); 7 de junio de 1966 (Basilea, Suiza).

Estilo: Esculturas, collage, grabados y poemas dadaístas; bioformas; relieves en madera; repetición de motivos tales como bigotes; experimenta con el azar.

Obras destacadas

Collage con cuadrados colocados según las leyes del azar, 1916-1917 (Museum of Modern Art, Nueva York)

Escultura para ser perdida en el bosque, 1932 (Tate Collection, Londres)

Pistilo, 1950 (La Fondation Art, París)

«Dadá es, como la naturaleza, algo sin significado. Dadá está por naturaleza contra el arte.»

ARRIBA: El artista, también llamado Hans Arp, retratado hacia 1940.

Jean Arp comenzó a realizar esculturas abstractas en 1910, y cuando estalló la Primera Guerra Mundial ya se relacionaba con la vanguardia parisina. En lugar de volver a casa y realizar el servicio militar, se marchó a Suiza y fundó el movimiento dadaísta de Zurich (1916). Los dadaístas intentaban utilizar el arte como forma de subversión contra el orden burgués. Su revolución no luchaba solo contra una estética académica. También pensaban que las actitudes burguesas habían precipitado la guerra, y abogaban por la vuelta al orden natural.

Arp y otros artistas respondieron con una paleta de colores más brillantes y obras más humorísticas y alegres. Arp comenzó a crear composiciones de cuerdas clavadas a tableros y bajorrelieves a los que llamó *Bigotes* (h. 1925), y en los que incluía bigotes, sombreros y corbatas que de forma retorcida se burlaban de la arrogancia y del orden jerárquico burgués. Quizá debido a la guerra y a la epidemia de gripe de 1918, Arp se hizo consciente de la fragilidad de la vida y comenzó a experimentar con las ideas de la espontaneidad y la composición automática, que le llevaron a los «collages aleatorios», como en el *Collage con cuadrados colocados según las leyes del azar* (1916-1917). En la década de 1920 fundó, junto con Max Ernst, el grupo dadaísta de Colonia y volvió a instalarse en París. Estuvo experimentando con el surrealismo antes de fundar el grupo *Abstraction-Création*. Arp siguió desarrollando su estilo artístico en la línea de la aleatoriedad y comenzó a realizar esculturas, como la *Escultura para ser perdida en el bosque* (1932), que dejó en los bosques cercanos a su casa para que la gente se la encontrara por accidente. En su continuo deseo de emular a la naturaleza, sus esculturas se volvieron biomórficas, es decir, con formas que recuerdan a rocas o a plantas. **CK**

1800-99

MARCEL DUCHAMP

Henri-Robert-Marcel Duchamp, 28 de julio de 1887 (Blainville-Crevon, Francia); 2 de octubre de 1968 (Neuilly-sur-Seine, Francia).

Estilo: Escultor y pintor surrealista y dadaísta; primeras pinturas cubistas; inventor del *ready-made*; alter ego femenino; ingeniosa exploración de la sexualidad.

El arte nunca volvería a ser lo mismo después de Marcel Duchamp, quien creó el concepto del *ready-made* u «objeto encontrado», en el que se emplean objetos tan diversos como un orinal o una rueda de bicicleta. Él abrió las puertas para que una lata de excrementos fuera considerada un objeto artístico —*Mierda de artista* (1961), de Piero Manzoni—, o incluso un tiburón —*La imposibilidad física de la muerte en la mente de algo vivo* (1991), de Damien Hirst.

Durante su juventud, desarrolló un gusto por la pintura simbolista y tuvo como principal influencia al pintor simbolista Odilon Redon. En sus primeros trabajos también se aprecian influencias del postimpresionismo, el cubismo y el fauvismo. Duchamp asistió a la Académie Julian, pero parecía preferir dibujar caricaturas o jugar a juegos que pusieran a prueba su ca-

Obras destacadas

Desnudo bajando una escalera nº 2, 1912 (Philadelphia Museum of Art, Filadelfia)

Rueda de bicicleta, 1913 (otra versión en 1951), (Museum of Modern Art, Nueva York)

El gran cristal (La novia desnudada por sus solteros, aún), 1915-1923 (Philadelphia Museum of Art, Filadelfia)

¿Por qué no estornudar Rrose Sélavy?, 1921 (Philadelphia Museum of Art, Filadelfia)

ARRIBA: Marcel Duchamp adopta una pose teatral para este retrato hacia 1934.

IZQUIERDA: Los hermanos Duchamp estudian sus movimientos en *Retrato de jugadores de ajedrez* (1911).

Su otro yo

Después de apartarse de los círculos cubistas de los años anteriores a la guerra, Marcel Duchamp estuvo cada vez más interesado en cambiar su identidad. Primero pensó en tomar un nombre judío, porque consideraba que sería un cambio el pasar de una religión a otra, pero luego pensó que convertirse en mujer sería un cambio aún más drástico: Rose (o Rrose, como llegó a llamarse) Sélavy fue el seudónimo más famoso del artista. Este le brindó la oportunidad de explorar lo que sería la vida como mujer y abandonarse a su siempre presente afición a los juegos de palabras. El nombre de su alter ego, que suena como la conocida frase en francés: *Eros, c'est la vie* («Amor, eso es la vida»), ha tenido otras interpretaciones como: *Arroser la vie* («hacer una tostada con la vida»).

Tal y como suele ocurrir con muchos hombres que se visten de mujer, Duchamp, cuando era Sélavy, era la imagen del glamour. Esto queda patente en las fotografías de Man Ray a lo largo de la década de 1920. El amigo de Duchamp, el escritor Robert Lebel, fue quien sugirió que en las fotografías que hizo Man Ray de Duchamp como mujer «se puede entrever... la inherente naturaleza andrógena del artista, tal y como ocurre con Leonardo da Vinci, que dota a la Mona Lisa de atributos masculinos, y a quien Duchamp rinde homenaje a su propio estilo».

Duchamp firmó varias obras como Sélavy e incluyó este en el título de una de sus esculturas, *¿Por qué no estornudar Rrose Sélavy?* (1921).

DERECHA: *Fuente,* famoso *ready-made* que fue firmado como «R. Mutt».

pacidad mental. Le gustaban los juegos de palabras, tanto visuales como verbales, e incluía comentarios ingeniosos en sus caricaturas. La forma de vivir y trabajar de Duchamp —una combinación de elaboración artística, chiste y juego— se convirtió en una fórmula a la que fue fiel toda su vida. Sin embargo, en 1906, comenzó un período de serio compromiso con la pintura. Sus obras tienden hacia lo místico y religioso, con motivos parecidos a los que elegían Edvard Munch o Paul Gauguin.

Desde 1911 se asoció a Duchamp con el grupo Puteaux, formado, entre otros, por Francis Picabia, Robert Delaunay y Juan Gris. El grupo describía su obra como cubismo órfico. Aunque es cierto que Duchamp adoptó temporalmente un estilo cubista, no estaba comprometido con el movimiento ni estaba contento con el grupo después de oír objeciones respecto a su controvertido *Desnudo bajando una escalera n.º 2* (1912), donde se ve un desnudo de aspecto fracturado. Duchamp envió esta obra al Salón de los Independientes, pero le pidieron que le cambiara el nombre o que la retirara. Retiró su obra y decidió

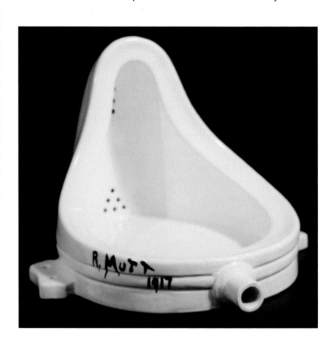

no formar parte de un grupo nunca más. En 1913 envió la obra al Armory Show de Nueva York, donde le resultó divertida a un público americano más acostumbrado al realismo. Duchamp estaba amargamente decepcionado por las reacciones hacia su arte y particularmente por la falta de apertura de mente en una parte de la autodenominada vanguardia artística de la época.

Huir del fuego y caer en las brasas

Cansado de jugar con las reglas, Duchamp decidió subvertir todas las formas tradicionales de arte mediante la introducción de un concepto nuevo, el *ready-made* u «objeto encontrado». Bajo una gran influencia de un libro escrito por Max Stirner y titulado *El único y su propiedad*, Duchamp concibió la idea de que cualquier objeto banal o de producción en serie se podía transformar en arte gracias tan solo al deseo del artista. El primero de los iconoclastas *ready-mades* fue *Rueda de bicicleta* (1913). El más famoso fue *Fuente* (1917), orinal de porcelana que provocó el escándalo en una exposición de Nueva York. El enorme número de bocetos, escritos y estudios para *El gran cristal (La novia desnudada por sus solteros, aún)* (1915-1923) es revelador de la distancia que Duchamp había tomado respecto de las representaciones realistas en su camino hacia una forma más abstracta y matemática de representar la realidad y de su deseo de hacer que la producción en masa tuviera un lugar en su obra. Este enfoque iconoclasta de Duchamp fue del agrado del movimiento dadaísta. Fue en Nueva York donde Duchamp entabló relación con el movimiento a través de Picabia y Man Ray. Duchamp dejó el arte y se dedicó a jugar al ajedrez en la década de 1920. Aunque llegó a ser jugador de categoría internacional, se le recuerda más por su papel de *enfant terrible* en el mundo artístico. Su legado es muy amplio; comprende el cubismo, el dadaísmo, y los movimientos surrealistas. Pero Duchamp también sirvió de inspiración al pop, al conceptualismo y al minimalismo, y su herencia ha dejado huella en varias generaciones de artistas. **JN**

ARRIBA: Se pueden ver réplicas de la *Rueda de bicicleta* de Duchamp por los museos de todo el mundo.

«Me he obligado a mí mismo a contradecirme para evitar supeditarme a mi propio gusto.»

1800-99

MARC CHAGALL

Moishe Shagal, 7 de julio de 1887 (Vitebsk, Rusia [act. en Bielorrusia]); 28 de marzo de 1985 (Saint-Paul de Vence, Alpes-Maritimes, Francia).

Estilo: Pintor, grabador y ceramista; temas rusos; secuencias de sueños; escenas de amor; episodios bíblicos; influencias tradicionales y cubistas.

Marc Chagall fue un inmigrante ruso que vivió la mayor parte de su vida de adulto en Francia y que nunca dejó de añorar su tierra natal, aunque le resultara imposible vivir allí. Es famoso uno de sus comentarios en sus escritos: «Ni la Rusia imperial, ni la Rusia soviética me necesitan, soy un extraño para ellos. Quizá Europa me ame, y con ella, mi Rusia». Este sentido de doble nacionalidad y personalidad siempre estuvo con él y fue decisivo en su obra.

Chagall estudió en San Petersburgo, París y Berlín. Además de cuadros, también realizó cerámica y vidrieras. Dominó el arte del grabado, la escenografía y la pintura mural. Algunos críticos consideran que se diversificó demasiado. Aun así, la belleza de su trabajo también reside en su variedad: una dicotomía que refleja su historia personal y su personalidad.

Fue en París, en 1910, cuando Chagall descubrió el cubismo, y muchas de sus obras de aquella época muestran una fuerte influencia cubista, como *Homenaje a Apollinaire* (1911-1912) y

Obras destacadas

Homenaje a Apollinaire, 1911-1912
(Van Abbemuseum, Eindhoven, Países Bajos)

Autorretrato con siete dedos, 1912
(Stedelijk Museum, Amsterdam)

El cumpleaños, 1915
(Museum of Modern Art, Nueva York)

Doble retrato con copa de vino, 1917
(Musée d'Art Moderne, París)

La crucifixión blanca, 1938
(Art Institute of Chicago, Chicago)

ARRIBA: Marc Chagall estaba en plena forma a los 97 años, cuando se tomó esta foto.

DERECHA: En *El cumpleaños,* la joven pareja parece flotar por encima de un mundo rutinario.

IZQUIERDA: La fuerte influencia del cubismo es patente en la obra de Chagall *Homenaje a Apollinaire*.

Autorretrato con siete dedos (1912). Justo antes de la Primera Guerra Mundial celebró su primera exposición individual, en Berlín, y luego regresó a Vitebsk. Al año siguiente de la Revolución rusa de 1917 fue nombrado director de la Escuela de Arte de Vitebsk. Este cargo no le duró mucho y quedó desencantado, por lo que marchó a Moscú. Al principio Chagall fue un gran defensor de la Revolución. Sin embargo, se fue desilusionando cada vez más y regresó a París y Berlín, viajó por Oriente Medio y finalmente decidió establecerse en Francia. Vivió durante algunos años con el temor de lo que ocurría en el mundo, un miedo que mostró en su obra, tal y como se aprecia en *La crucifixión blanca* (1938). En 1941, como judío que vivía en el París ocupado por los nazis, él y su familia se vieron forzados a huir a Estados Unidos. En 1948 regresó a Francia y estableció su residencia en la Riviera. Siguió viajando por el mundo, con frecuencia para realizar encargos de entidades públicas relacionadas con el mundo del arte. **LH**

Amada Bella

En 1915 Marc Chagall se casó con su amor de la infancia, Bella Rosenfeld, hija de un adinerado comerciante. Su feliz matrimonio sirvió de inspiración para muchos de sus cuadros. Conoció a Bella en Vitebsk, y esta ciudad sería un tema recurrente en su obra. El retrato de Bella aparece en muchos cuadros, como en *El cumpleaños* (1915) y en *Doble retrato con copa de vino* (1917). Bella falleció en 1944 muchos en Nueva York, pero su recuerdo siguió inspirando sus obras. Transcurridos varios años de depresión tras su muerte, Chagall tuvo un hijo con Virginia Haggard, pero no llegaron a casarse.

GEORGIA O'KEEFFE

Georgia Totto O'Keeffe, 15 de noviembre de 1887 (Sun Prairie, Wisconsin, EE.UU.); 6 de marzo de 1986 (Santa Fe, Nuevo México, EE.UU.).

Estilo: Fusión de arte abstracto y figurativo; óleos y acuarelas enérgicos; paisajes rurales, urbanos y formas naturales; representación erótica de las flores.

Obras destacadas

Abedul y pino nº 1, 1925 (Philadelphia Museum of Art, Filadelfia)

Nueva York con luna, 1925 (Museo Thyssen-Bornemisza, Madrid)

Belladona, 1939 (Georgia O'Keefe Museum, Santa Fe, Nuevo México, EE.UU.)

Criada en una gran familia, la destreza creativa de Georgia O'Keeffe se reconoció desde temprana edad. Entre 1905 y 1906 estudió en la escuela de arte del Instituto de Chicago, y de 1907 a 1908 en la Art Students' League de Nueva York, donde obtuvo el premio William Merritt Chase por una naturaleza muerta pintada al óleo.

En un curso de arte de verano, O'Keeffe conoció las ideas del pintor y profesor Arthur Wesley Dow, quien consideraba que el arte debía ser la expresión de los sentimientos del artista a través de composiciones armónicas de líneas, colores y matices. En 1915 comenzó a experimentar con algunas ideas. Envió algunos de sus dibujos abstractos a un amigo, quien, a su vez, los mostró al fotógrafo Alfred Stieglitz. En 1916 Stieglitz expuso diez de estos dibujos en su galería de Nueva York, conocida como 291. Un año más tarde, se celebró una exposición individual de su obra y la primavera siguiente aceptó la propuesta de Stieglitz de ayudarla económicamente para que pintara durante un año en Nueva York. Durante los años siguientes trabajaron juntos y se casaron en 1924, cuando ella comenzó a pintar sus lienzos de gran tamaño de flores. La pareja se trasladó a un apartamento en la planta treinta del Hotel Shelton de Nueva York, y durante doce años, O'Keeffe pintó formas naturales y paisajes de rascacielos desde allí. Sin embargo, en 1928 visitó Nuevo México, y las sorprendentes vistas y severos paisajes la encantaron, por lo que tres años después de la muerte de Stieglitz decidió mudarse allí de forma definitiva. Hasta mediados de la década de 1970, O'Keeffe representó la atmósfera etérea de las vistas de Nuevo México, pero su vista iba fallando, por lo que al final tuvo que abandonar la pintura al óleo. Siguió trabajando con lápiz y acuarelas, y más tarde con arcilla. **SH**

«La mayoría de la gente de la ciudad va con prisa y no tiene tiempo de mirar una flor.»

ARRIBA: Georgia O'Keeffe, fotografiada en una exposición de su obra en 1931.

JOSEF ALBERS

Josef Albers, 19 de marzo de 1888 (Bottrop, Westfalia, Alemania); 25 de marzo de 1976 (New Haven, Connecticut, EE.UU.).

Estilo: Artista, matemático y educador cuya obra fue la base de algunos de los más importantes programas educativos sobre arte del siglo xx.

Maestro del diseño, la fotografía, la tipografía, el grabado y la poesía, Josef Albers se inspiró en principio en el cubismo y en las obras de Paul Cézanne y Henri Matisse. Aunque estudió arte en Berlín, Essen y Munich, la parte más importante de su formación la completó en la Bauhaus de Weimar. En 1923 Albers estaba enseñando diseño de mobiliario, caligrafía y dibujo en esta escuela, y contribuyendo a cambiar el enfoque de la misma del expresionismo al constructivismo, además de desarrollar de forma significativa el diseño industrial. Sus métodos educativos eran tan innovadores como sorprendentes, ya que no utilizaba la copia de la naturaleza ni de las obras de otros artistas. Cuando la Bauhaus cerró en 1933, emigró a Estados Unidos. Durante los 16 años siguientes fue el responsable del departamento de arte del Black Mountain College de Carolina del Norte, escuela que partía del principio de que las bellas artes integraban todas las materias. Fue durante este período cuando Albers comenzó a ganar fama como pintor abstracto. En su libro *La interacción del color* (1963), Albers explica algunas de sus avanzadas teorías. Fue uno de los primeros artistas modernos en investigar los efectos psicológicos del color y el espacio y de cuestionar la naturaleza de la percepción. Su obra maestra, la serie de pinturas abstractas «Homenaje al cuadrado» (1950-1976), demuestra su disciplinado concepto de la composición. En ella elige colores atenuados que producen ilusiones ópticas y la forma sencilla del cuadrado, muy alejada del mundo natural. Los pintores abstractos más radicales se inspiraron en su empleo de pautas y colores intensos, mientras que los artistas más conceptuales o artistas op exploraron sus ideas sobre la percepción. Albers fue el primer artista vivo en celebrar una exposición individual en el Metropolitan Museum de Nueva York. **SH**

Obras destacadas

Imposibles, 1931 (Solomon R. Guggenheim Museum, Nueva York)

Homenaje al cuadrado (733), 1965 (Dallas Museum of Art, Dallas)

Verrant I, 1966 (Southern Alleghenies Museum of Art, Loretto, EE.UU.)

«Puedes pasar de un maestro a otro y aprender nuevos trucos y secretos.»

ARRIBA: Josef Albers fotografiado antes de emigrar a Estados Unidos.

GIORGIO DE CHIRICO

Giorgio de Chirico, 10 de julio de 1888 (Volos, Grecia); 20 de noviembre de 1978 (Roma, Italia).

Estilo: Pintor metafísico; maniquíes como motivos recurrentes, arquitectura renacentista, estatuas clásicas, trenes y fruta; el tiempo, los viajes y la nostalgia.

Obras destacadas

La nostalgia del infinito, h. 1912-1913 (Museum of Modern Art, Nueva York)

El viaje angustiado, 1913 (Museum of Modern Art, Nueva York)

Estación de Montparnasse (La melancolía de la partida), 1916 (Tate Collection, Londres)

Autorretrato, 1953 (Fondazione Giorgio de Chirico, Roma)

Los primeros cuadros de Giorgio de Chirico tenían un aspecto enigmático y turbador. Como antecedente del surrealismo, sus melancólicos lienzos presentan paisajes arquitectónicos, columnatas, arcos y torres; plazas desiertas; piñas de plátanos; estatuas clásicas truncadas y una perspectiva exagerada.

Los oníricos paisajes urbanos de De Chirico representan la vida en una ciudad italiana. La arquitectura saluda al Renacimiento italiano, las plazas de la ciudad están desoladas y sin vida humana en las tardes calurosas. Los cielos azules y las sombras alargadas indican el calor del verano mediterráneo y las cabezas y torsos clásicos son representativos de las estatuas gastadas por el clima y el paso del tiempo que se encuentran por todas partes en el país.

De Chirico estudió arte en Atenas, Florencia y finalmente en Munich, donde recibió la influencia de los filósofos Friedrich Nietzsche y Arthur Schopenhauer. Luego fue cambiando de residencia entre París, Nueva York e Italia antes de establecerse definitivamente en Roma en 1944. Una vida llena de viajes y

ARRIBA: Giorgio de Chirico en 1946, probablemente en Italia, donde vivía entonces.

DERECHA: *El viaje angustiado* fue pintado durante un período de constantes viajes.

ARRIBA: Algunas obras, como *La torre roja*, influenciaron a los artistas surrealistas.

despedidas. En sus primeras obras se aprecia su añoranza de Italia en títulos como *La nostalgia del infinito* (h. 1912-1913) y *El viaje angustiado* (1913).

En uno de sus viajes conoció a Nietzsche, experiencia que tendría un profundo efecto sobre sus puntos de vista. Con el estallido de la Primera Guerra Mundial, De Chirico regresó a Italia, donde conoció a Filippo de Pisis y Carlo Carrà, y juntos formaron la Scuola Metafísica. La obra de De Chirico se fue volviendo cada vez más extraña: las naturalezas muertas y los interiores estaban atestados de maniquíes sin cara y de objetos incongruentes, desde galletas hasta guantes de goma. Aun así, exploró temas como los viajes y la añoranza, como en *Estación Montparnasse* (1916).

Aunque De Chirico había rechazado su estilo metafísico antes de la década de 1930, sigue siendo famoso por las obras del período 1909-1919, que influyeron en artistas surrealistas como Max Ernst, Salvador Dalí y René Magritte. **CK**

No tenemos plátanos

Giorgio de Chirico vivía en un apartamento de Roma que está hoy abierto al público como Fundación Giorgio de Chirico. Su mobiliario a imitación del estilo imperio refleja el gusto del pintor por lo neoclásico. El museo también aloja una serie de obras del artista. Quizá la más interesante sea su *Autorretrato* (1953), donde el artista aparece con un aire casi de patricio, como un saludo a los antiguos maestros. Una banda roja cruza la casaca negra del modelo, y un cuello blanco sobresale casi como un collarín, mientras que al fondo se ven torbellinos de nubes al estilo de Giorgione, y sin ningún plátano a la vista.

THOMAS HART BENTON

Obras destacadas

Murales de Indiana, 1933 (Indiana University, Bloomington, EE.UU)

Búfalo y girasol, 1944 (Museum of Nebraska Art, Kearney, EE.UU.)

Thomas Hart Benton, 15 de abril de 1889 (Neosho, Missouri, EE.UU.); 19 de enero de 1975 (Kansas City, Missouri, EE.UU.).

Estilo: Pintor, escultor y escritor; murales y lienzos de escenas de la vida cotidiana en el Medio Oeste de Estados Unidos; historias de pioneros y de interés social.

Aunque en parte eclipsado por el enorme éxito de su antiguo alumno Jackson Pollock, el pintor regionalista americano Thomas Hart Benton tuvo también una fama considerable en su época. Estudió pintura en el Chicago Art Institute, y en 1908 marchó a estudiar a la Académie Julian de París. Los primeros trabajos de Benton eran vanguardistas, siguiendo la moda de la pintura abstracta. Más tarde ingresó en el movimiento regionalista americano y atacó al vanguardismo de forma vehemente. Comenzó a realizar murales que mostraban la vida cotidiana tradicional en la América rural del Medio Oeste y de los primeros pioneros: los comerciantes, cazadores y exploradores, donde él veía el espíritu de lo que conformaba su país. **CK**

HANNAH HÖCH

Obras destacadas

Corte con el cuchillo de cocina en el vientre cervecero de Weimar, en la última época cultural de Alemania, 1919-1920 (Staatliche Museum, Berlín)

Bailarín indio, de la serie «De un museo etnográfico», 1930 (Museum of Modern Art, Nueva York)

Joanne Höch, 1 de noviembre de 1889 (Gotha, Turingia, Alemania); 31 de mayo de 1978 (Berlín, Alemania).

Estilo: Dadaísta; inventora del fotomontaje; uso del collage; exploración de temas de género; feminismo y racismo; figuras andróginas; referencias a maniquíes.

Se atribuye a Hannah Höch, junto con Raul Hausmann, la invención del fotomontaje. Después de sus primeros trabajos, como *Corte con el cuchillo de cocina en el vientre cervecero de Weimar* (1919-1920), comenzó a tratar temas de género en una sociedad en rápida evolución. Usaba imágenes de revistas para criticar la representación estereotipada de la mujer, con referencias a muñecas y maniquíes. Sus trabajos posteriores son una crítica más directa a las convenciones occidentales sobre la belleza, incorporando nociones de exotismo y primitivismo, así como una bofetada a la ideología estética nazi y a su discriminación racial. Como bisexual, la sexualidad de Höch se reflejó con frecuencia en sus figuras andróginas. **WO**

PAUL NASH

Paul Nash, 11 de mayo de 1889 (Londres, Inglaterra); 11 de julio de 1946 (Boscombe, Hampshire, Inglaterra).

Estilo: Imágenes impactantes de campos de batalla y batallas aéreas; representaciones abstractas de objetos naturales; paisajes visionarios.

Paul Nash es conocido por su obra como artista oficial de la guerra, y sus cuadros representan algunas de las imágenes más memorables de las dos guerras mundiales. Aunque sus primeras acuarelas y dibujos, como *El caminante* (h. 1911), se habían centrado en la belleza inherentemente onírica de la naturaleza, sus experiencias en el frente como soldado y oficial artista de guerra forjaron una visión que el describía como «una amarga verdad». El vocabulario pictórico de sus paisajes se convirtió en alambre de espino, cráteres y troncos de árboles reventados por las bombas. En la Segunda Guerra Mundial se centró en las interacciones entre el hombre y el paisaje en «las flores aéreas» de *La batalla de Inglaterra* (1941) y en *Totes Meer (Mar muerto)* (1940-1941), un mar repleto de restos de aeroplanos siniestrados.

Su período artístico más experimental se dio en el período de entreguerras, cuando su estilo estuvo más cercano a la abstracción y al surrealismo europeo. En 1933 fue miembro fundador de la Unit One, movimiento de gran influencia aunque de corta vida y donde se encontraban también Barbara Hepworth y Henry Moore. Siempre conservó un elemento naturalista en su obra, pero transformaba las formas orgánicas en formas geométricas abstractas. Su objetivo en la vida fue definir un carácter nacional en el arte contemporáneo inglés, un problema al que se enfrentó en sus propias pinturas de paisajes. En sus últimas obras logró una síntesis visionaria del romanticismo y el surrealismo que le permitió acceder a un sentido más profundo y metafísico que se describió como *genius loci*, o «el espíritu del lugar». En repetidas ocasiones se sintió atraído por yacimientos arqueológicos, que estudió por su significado histórico y místico y por su representación simbólica del paso del tiempo. **NM**

Obras destacadas

Estamos haciendo un mundo nuevo, 1918
  (Imperial War Museum, Londres)
Totes Meer (Mar muerto), 1940-1941
  (Tate Collection, Londres)
La batalla de Inglaterra, 1941
  (Imperial War Museum, Londres)

«Ya no soy un artista interesado e inquieto. Soy un mensajero.»

ARRIBA: Paul Nash fotografiado en su estudio en 1944.

EGON SCHIELE

Egon Schiele, 12 de junio de 1890 (Tulln, Austria); 31 de octubre de 1918 (Viena, Austria).

Estilo: Pintor expresionista de retratos, autorretratos y paisajes; personajes angustiados; dibujos explícitos de adolescentes; paisajes urbanos claustrofóbicos.

Obras destacadas

Autorretrato, 1910 (Leopold Museum, Viena)

Retrato de Wally Neuzil, 1912 (propiedad en disputa)

La muerte y la doncella, 1915 (Österreichische Galerie, Viena)

El abrazo, 1917 (Österreichische Galerie Belvedere, Viena)

La familia, 1918 (Österreichische Galerie Belvedere, Viena)

Egon Schiele, amigo y protegido de Gustav Klimt, profundizó en la línea expresiva de su colega para describir cuerpos atormentados, y representó su honesta sexualidad de forma impactante para la Viena de principios del siglo xx.

Los autorretratos de Schiele muestran un personaje angular y angustiado situado frente al vacío, como representando el mito del artista atormentado. Este es solo uno de los aspectos de su obra. Sus paisajes urbanos son composiciones rítmicas y aunque se percibe una tensión subyacente en sus atiborrados lienzos, estos tienen gran encanto. Sus cuadros de árboles muestran tal dinamismo que se podría decir que realiza retratos emocionales de los árboles. Sus auténticos retratos, como el de su suegro, son empáticos y se cuentan entre los más conseguidos de su género.

Schiele fue admitido en la Akademie der Bildenden Künste a los dieciséis años, pero rechazó las rígidas enseñanzas de la Aca-

ARRIBA: Detalle de una fotografía de Egon Schiele realizada hacia 1914.

DERECHA: *La muerte y la doncella* está considerada una de las obras maestras de Egon Schiele.

demia y la abandonó para formar el *Neukunstgruppe* («Grupo del arte nuevo»). Entonces comenzó a dibujar desnudos femeninos de mujeres y adolescentes con un grado de franqueza que causó conmoción en 1911, después de trasladarse a Kramau. Le obligaron a abandonar la ciudad, ya que vivía con su novia, Valeri *Wally* Neuzil, y empleaba a menores como modelos. En Neulengbach no le comprendieron mejor y fue condenado a prisión en 1912 por facilitar dibujos inmorales a los niños.

En 1915 Schiele abandonó a Wally y se casó con Edith Herms. Con el inicio de la Primera Guerra Mundial, se alistó en el ejército, pero en 1917 estaba ya de regreso en Viena y pudo volver a pintar. En 1918 Schiele se encontraba más estable que nunca; Edith estaba embarazada y él obtuvo un gran éxito en la Secesión de Viena; Klimt falleció ese mismo año y se consideraba que Schiele sería el sucesor. Durante esta etapa, y como anuncio de su paternidad, pintó *La familia* (1918), donde aparecen él, su mujer y su hijo desnudos, mostrando su recién hallado optimismo. Su mujer, todavía embarazada, murió durante la pandemia de gripe que arrasó Europa; Schiele falleció solo tres días más tarde. **WO**

ARRIBA: *El abrazo* fue pintado por Schiele en 1917, a su regreso a Viena tras su paso por el ejército.

Curiosidades

- Consiguió la distorsión de sus personajes trabajando desde una escalera.
- El mayor número de obras de Egon Schiele está en el Museo Leopoldo de Viena.
- El diario que supuestamente escribió Schiele en la cárcel lo escribió, de hecho, su amigo el crítico Arthur Roessler.
- *Retrato de Wally Neuzil* (1912) y *Ciudad muerta III* (1911) estuvieron retenidos 21 meses en Nueva York. Los cuadros habían sido cedidos, pero hizo falta un juicio para ordenar su regreso a Austria, ya que se alegó que los nazis los habían robado a sus propietarios originales.

EL LISSITSKI

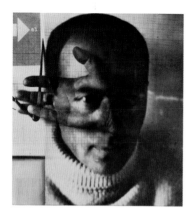

Lazar Markovich Lissitski, 22 de noviembre de 1890 (Pochinok, región de Smolensk, Rusia); 30 de diciembre de 1941 (Moscú, Rusia).

Estilo: Artista suprematista; diseñador, fotógrafo, profesor, tipógrafo y arquitecto.

Obras destacadas

Proun P23, n.º 6, 1919 (Van Abbemuseum, Eindhoven, Países Bajos)

Proun 19D, h. 1922 (Museum of Modern Art, Nueva York)

Kurt Schwitters, h. 1924 (Museum of Modern Art, Nueva York)

El estilo de El Lissitski dominó el diseño gráfico del siglo XX y fue una de las figuras más importantes de la vanguardia rusa. Creció y estudió en Vitebsk hasta 1909, cuando se trasladó a Alemania para estudiar arquitectura e ingeniería. También pasó un tiempo en París e Italia, estudiando arte y realizando bocetos de arquitectura y de paisajes. Recibió una fuerte influencia de Vladimir Tatlin y del constructivismo.

En 1919 Lissitski se hizo profesor de arquitectura y artes gráficas en la Escuela de Arte de Vitebsk, que dirigía Marc Chagall. Allí, Lissitski conoció también a Kasimir Malevich, pintor y teórico cuyas obras suprematistas geométricas le supondrían una gran fuente de inspiración. Malevich invitó a Lissitski a unirse a la asociación de los Unovis («forjadores del arte nuevo») Suprematistas. Aunque los Unovis se disolvieron en 1922, desempeñaron un papel clave en la difusión de la ideología suprematista en Rusia y en el extranjero, así como en la consolidación de la fama del artista.

Por entonces, Lissitski había desarrollado una alternativa al estilo suprematista: una serie de obras abstractas y geométricas a las que denominó «Proun». La serie incluye litografías, montajes y cuadros. Una de las piezas más famosas es la pintura al óleo *Proun 19D* (h. 1922), a la que Lissitski se refería como «la estación intermedia entre la pintura y la arquitectura». Durante este prolífico período fue embajador cultural de Rusia en Weimar, Alemania, y ejerció gran influencia en figuras importantes de la Bauhaus y del movimiento neerlandés *De Stijl*. En 1930 ya había abandonado la pintura y se dedicaba principalmente a la tipografía y al diseño industrial. Sus dinámicas técnicas de fotomontaje, grabados e iluminación fueron enormemente influyentes, y consiguió una fusión única entre suprematismo, constructivismo y neoplasticismo. **LH**

«El artista construye un símbolo nuevo con su pincel [...] es el símbolo de un mundo nuevo.»

ARRIBA: Detalle de un autorretrato de El Lissitski, pintado en 1924.

GIORGIO MORANDI

Giorgio Morandi, 20 de julio de 1890 (Bolonia, Italia); 18 de junio de 1964 (Bolonia, Italia).

Estilo: Cuadros de naturalezas muertas consistentes en jarrones, botellas y otros contenedores; pinturas contemplativas imbuidas de resonancia psicológica y poética.

Aunque Giorgio Morandi nunca se consideró a sí mismo un asceta, uno podía rápidamente imaginar que la original naturaleza de su contribución a la pintura del siglo XX era el resultado de un exilio autoimpuesto. A pesar del clamor de varios movimientos que luchaban por hacerse con un puesto durante el avance del arte moderno, la obra de Morandi, con su quietud y su sentido extrovertidamente reposado, se diferencia de todo lo demás. Es posible que esto se deba al hecho de haber trabajado toda su vida en un pequeño taller de su ciudad natal, salvo un viaje fuera de Italia.

Al principio se asociaba a Morandi con el movimiento de la pintura metafísica italiano. Su contribución, en forma de una serie de naturalezas muertas de su primera época, parece ser el resultado de su negación a representar el mundo concreto y los hechos observables. Hacia finales de la década de 1920, la relativa fidelidad de Morandi al movimiento finalmente desapareció. Desde ese momento, siguió su búsqueda de la naturaleza de la pintura, libre de cualquier concesión a los avances estilísticos. Morandi fue elogiado por la crítica durante su vida, y recibió el segundo premio de pintura en la Cuatrienal de Roma de 1939, además del primer premio en la Bienal de Venecia de 1948. Pero, aun así, se sentía incómodo con la atención suscitada por su obra. Sus cuadros en sí son naturalezas muertas compuestas de sutiles disposiciones de botellas, jarras, utensilios de cocina y cuencos desprovistos de todo detalle ajeno. El artista eliminaba las etiquetas para poder concentrarse en la forma del propio objeto. La naturaleza intensa y callada de un cuadro como *Bodegón* (1958) consiste en una meditación sobre la naturaleza de los objetos en sí. Es esta naturaleza única de la búsqueda de Morandi la que le sigue garantizando su imperecedera importancia. **CS**

Obras destacadas

Bodegón, 1946 (Tate Collection, Londres)
Bodegón, 1949 (Museum of Modern Art, Nueva York)
Bodegón, 1962 (National Gallery of Art, Washington, D.C.)

1800-99

«No hay nada más surrealista, nada más abstracto que la realidad.»

ARRIBA: Giorgio Morandi tal y como se ve el propio artista, un autorretrato sin fechar (detalle).

MAN RAY

Emanuel Rudnitsky, 27 de agosto de 1890 (Filadelfia, Pensilvania, EE.UU.); 18 de noviembre de 1976 (París, Francia).

Estilo: Fotógrafo, escultor y pintor surrealista y dadaísta; retratos fotográficos vanguardistas; pionero en instantáneas de moda; collages innovadores.

Obras destacadas

Regalo, 1921 (colección particular)

Sin título (rayograma), 1922 (George Eastman House, Nueva York)

El violín de Ingres, 1924 (J. Paul Getty Museum, Los Ángeles)

Lágrimas, 1930-1932 (J. Paul Getty Museum, Los Ángeles)

Man Ray fue un artista de variados talentos que adquirió la fama no tanto por sus cuadros convencionales como por sus fotografías de moda y retratos vanguardistas, por sus *ready-mades* y por los expresivos montajes que componía con materiales encontrados. Su nombre era Emanuel Rudnitsky, pero lo cambió con la intención de ocultar su ascendencia judía. Mediante la combinación del diminutivo de su nombre, *Manny*, y un apellido inventado por su familia, Man Ray nunca volvería a mencionar su pasado y siempre potenciaría su nueva identidad.

ARRIBA: Retrato de Man Ray, uno de los fotógrafos más creativos de su época.

DERECHA: *Regalo,* una plancha con una hilera de clavos, es una de las esculturas más famosas de Man Ray.

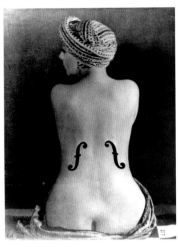

Man Ray pasó la primera mitad de su carrera en Nueva York, donde se formó como pintor. Sus primeras obras fueron cubistas, y consistían en objetos tridimensionales aplanados y descompuestos en bloques de color con contornos muy marcados, de un estilo parecido al de Pablo Picasso. Celebró su primera exposición individual en 1915, donde mostró paisajes cubistas y un reducido número de obras abstractas. Esta exposición fue muy importante en su carrera, ya que fue la primera vez que fotografió sus propias obras. Comenzó a explorar las posibilidades creativas de la cámara de fotos.

En 1921 se trasladó a París, donde se convirtió en uno de los fotógrafos más creativos del momento. Conoció el surrealismo y diversificó su obra como artista, trabajando con muchas disciplinas, como la fotografía, la pintura y la escultura. Pero fueron sus retratos comerciales y sus fotografías de moda los que le dieron la fama. Realizó imágenes recortadas de modelos femeninos desde ángulos inusuales y fotografió a personajes famosos, como Georges Braque, Pablo Picasso, Henri Matisse, Gertrude Stein y Ernest Hemingway. Durante la Segunda Guerra Mundial regresó a Estados Unidos, donde siguió trabajando con la fotografía de moda. En 1951 volvió a París y siguió disfrutando del éxito de su carrera hasta su muerte a los ochenta y seis años. **WD**

ARRIBA: En *El violín de Ingres*, Man Ray pintó dos agujeros de violín sobre una foto de desnudo clásico.

ARRIBA IZQUIERDA: Aunque la cara de *Lágrimas* es real, las lágrimas son cuentas de cristal.

Los rayogramas

A Man Ray le gustaba experimentar en su cuarto oscuro, lo que le llevó a desarrollar una técnica que denominó «rayograma». El artista colocaba una serie de objetos elegidos al azar sobre una hoja de papel sensible a la luz y la exponía a esta para que las partes descubiertas se volvieran negras. Man Ray no fue el primero en realizar fotografías sin cámara, que se conocían como fotogramas, pero su técnica era única. Desplazaba los objetos y la fuente de luz, o incluso buscaba refracciones a través de objetos de cristal para crear imágenes más dinámicas compuestas de tonalidades de gris, en lugar de únicamente blanco y negro.

NAUM GABO

Naum Neemia Pevsner, 5 de agosto de 1890 (Bryansk, Rusia); 23 de agosto de 1977 (Waterbury, Connecticut, EE.UU.).

Estilo: Escultor constructivista; uso de plástico, celuloide, plexiglás, láminas de metal, cristal y piedras; exploración del volumen, el espacio, el tiempo y el movimiento.

Obras destacadas

Construcción en el espacio: Diagonal,
 1921-1925 (Tate Collection, Londres)
Escultura cinética de piedra, 1936-1944
 (Tate Collection, Londres)
Constructie, 1955-1957 (De Bijenkorf,
 Rotterdam)

«Hago imágenes para comunicar mis impresiones del mundo.»

ARRIBA: Naum Gabo fotografiado en 1970
en la Tate Gallery de Londres.

Naum Gabo fue un escultor constructivista muy conocido por su uso de materiales transparentes como el plástico, lo que le permitió crear esculturas coloridas y brillantes en la década de 1920, y que hacía tanto uso de la luz como del espacio. No obstante, este artista también destaca por su carácter pionero en las esculturas cinéticas y sus posteriores trabajos de piedra tallada, de piedras encontradas y por sus tallas en madera.

Gabo se trasladó a Noruega a comienzos de la Primera Guerra Mundial y regresó a Rusia en 1917. Allí se unió al grupo de Alexander Rodchenko y Vladimir Tatlin, quienes encabezaban el movimiento constructivista y pretendían realizar arte abstracto con énfasis en la forma y la textura de los materiales empleados. Gabo eligió la construcción en lugar de la talla o la fundición para sus esculturas de formas geométricas, seleccionando materiales fabricados por el hombre que acentuarían su modernidad. Por influencia del cubismo, exploró el volumen y la masa de una forma innovadora, empleando su «sistema estereométrico», según el cual el espacio, la profundidad y el volumen se sugieren mediante múltiples puntos de vista, planos rectos y curvos y transparencias.

En 1922, después de que el nuevo régimen soviético condenara el constructivismo, Gabo se marchó a Berlín. Sus principios influyeron sobre artistas europeos del movimiento *De Stijl* en Países Bajos, la Bauhaus en Alemania, y el grupo *Abstraction-Création* de Francia; pero fue tras su traslado a Inglaterra cuando su influencia se haría más patente. De 1939 a 1946 vivió en Cornwall, donde sus ideas influyeron en artistas británicos como el pintor Ben Nicholson y la escultora Barbara Hepworth, y en jóvenes arquitectos, diseñadores y artistas como el pintor Peter Lanyon. En 1947 se trasladó a Estados Unidos. **CK**

ALEXANDER RODCHENKO

Alexander Mijailovich Rodchenko, 5 de diciembre de 1891 (San Petersburgo, Rusia); 3 de diciembre de 1956 (Moscú, Rusia).

Estilo: Pintor, escultor y diseñador gráfico; fundador del constructivismo; composiciones diagonales dinámicas; primeros planos fotográficos experimentales.

Alexander Rodchenko fue uno de los artistas más versátiles que surgieron tras la Revolución rusa de 1917. Destacado fotógrafo, pintor, realizador de collages, dibujante de carteles para teatros y diseñador de portadas de libros, destacó por su sentido del diseño y su tipografía de vanguardia. Maestro de la fotografía, experimentó con éxito con primeros planos de objetos extraídos de su entorno habitual, eliminando los detalles innecesarios y destacando la composición diagonal dinámica. Sus temas favoritos eran el deporte, el circo, los desfiles de celebraciones y la vida soviética.

Rodchenko asistió a la Escuela de Arte de Kazán, y continuó estudiando artes gráficas en la universidad. Bajo la influencia de los futuristas, el cubismo y el *art nouveau*, en 1915 realizó sus primeros dibujos abstractos, inspirado por el suprematista y colega ruso Kasimir Malevich. Poco después realizó sus famosas obras geométricas, «Negro sobre negro» (1918), bajo la evidente influencia de la serie de cuadros de Malevich «Blanco sobre blanco». Rodchenko también llegó a conocer al constructivista Vladimir Tatlin, y desde 1922 en adelante comenzó a centrarse más en la fotografía, el medio en el que se le reconoce su mayor contribución al mundo del arte. Impresionado por los fotomontajes de los dadaístas alemanes, comenzó sus propios experimentos en este medio. Primero utilizó imágenes encontradas, y desde 1924 empezó a realizar sus propias fotografías. En 1928 se unió al círculo de artistas Octubre, destacada organización de fotógrafos y realizadores cinematográficos de la época, pero fue expulsado tres años más tarde acusado de «formalismo». En la década de 1940 volvió a la pintura y produjo obras abstractas expresionistas, algunas de las cuales son de un estilo marcadamente similar a las pinturas *drip* de Jackson Pollock. **SH**

Obras destacadas

Pintura sin objeto n.º 80 (Negro sobre negro), 1918 (Museum of Modern Art, Nueva York)

Composición abstracta, 1919 (Museo Estatal Ruso, San Petersburgo)

Balcones, 1925 (Museum of Modern Art, Nueva York)

> «Uno tiene que hacer varias tomas de un objeto [...] como si lo examinara en redondo.»

ARRIBA: Detalle del retrato de Rodchenko, realizado por Nikolai Russokov (1915).

STANLEY SPENCER

Stanley Spencer, 30 de junio de 1891 (Cookham, Berkshire, Inglaterra); 14 de diciembre de 1959 (Cliveden, Buckinghamshire, Inglaterra).

Estilo: Pintor de temas religiosos en un contexto terrenal, especialmente Cookham; estilización exagerada y naïf de los personajes; retratos de familia y autorretratos.

Obras destacadas

La Resurrección, Cookham, 1924-1927 (Tate Collection, Londres)

Desnudo doble: El artista y su segunda mujer, 1937 (Tate Collection, Londres)

Contemplación, de la serie «Las beatitudes del amor», h. 1937-1938 (varias colecciones; la referencia es de Stanley Spencer Gallery, Cookham)

Serie «Construyendo barcos en Clyde», 1940-1946 (Imperial War Museum, Londres)

Durante sus años en la Slade School of Fine Art, la devoción de Stanley Spencer a su lugar de nacimiento en Berkshire le valió el epónimo sobrenombre de «Cookham». Su pintoresca situación junto al Támesis le brindó la inspiración y el escenario para su enfoque artístico, y sus idiosincrásicos cuadros describen el pueblo como un «paraíso en la Tierra», combinando la convicción espiritual con un aire hogareño secular. La más conocida de estas obras es *La Resurrección, Cookham* (1924-1927), una alegre y mordaz visión del Día del Juicio situado en la iglesia local.

En la obra de Spencer hay un elemento intensamente autobiográfico. Además, solía elegir los motivos en función de su significado personal. Su preocupación por el amor, tanto religioso como espiritual, culminó en un ambicioso plan —aunque inacabado— conocido como «Iglesia-casa» o «Capilla de mí», una de cuyas obras es la serie «Las beautitudes del amor» (h. 1937-1938), con imágenes de gran carga sexual en las que se muestran parejas físicamente desiguales y excéntricas.

Aunque los personajes de la mayoría de sus cuadros son redondeados y estilizados de una forma naïf, Spencer también pintó retratos intimistas y naturalistas de sí mismo y de su familia, como *Desnudo doble: El artista y su segunda mujer* (1937). El motivo principal de la obra de Spencer, Cookham, se vio interrumpido dos veces por la guerra. Durante la Primera Guerra Mundial fue reclutado y sirvió primero en un hospital y luego como soldado en Macedonia —experiencias que sirvieron de base a un ciclo de murales que completó en la capilla Sandham Memorial de Burghclere, en Hampshire—. En la Segunda Guerra Mundial se le encargó pintar los astilleros de Port Glasgow, en Escocia, después de lo cual regresó de nuevo al tema de la resurrección. **NM**

> «Todo tiene una especie de doble sentido para mí [...] el ordinario [...] y el imaginario.»

DERECHA: Obra de la serie «Construyendo barcos en Clyde», de Spencer.

ARRIBA: Spencer fotografiado unos años antes de su muerte.

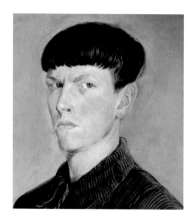

OTTO DIX

Otto Dix, 2 de diciembre de 1891 (Gera, Alemania); 25 de julio de 1969 (Singen, Alemania).

Estilo: Expresionismo alemán; visiones de la guerra expresadas con realismo brutal; comentarios sociales y políticos; retratos; imágenes violentas, sexuales y crudas.

Obras destacadas

El cerillero, 1920 (Staatsgalerie, Stuttgart, Alemania)

Calle de Praga, 1920 (Galerie der Stadt, Stuttgart, Alemania)

Metrópolis, 1928 (Kunstmuseum, Stuttgart, Alemania)

Los siete pecados capitales, 1933 (Staatliche Kunsthalle, Karlsruhe, Alemania)

Otto Dix vivió durante la época del cataclismo alemán de la primera mitad del siglo XX y fue el creador de obras de crítica social que reflejan este período turbulento. Ingresó en la escuela de arte Hochschule für Bildende Künste de Dresde en 1910, demostrando un estilo expresionista en sus primeros trabajos como retratista. Pero tanto su estilo como su vida se verían drásticamente alterados con el estallido de la Primera Guerra Mundial, en la que sirvió como soldado voluntario y obtuvo la Cruz de Hierro.

Los efectos traumáticos de la guerra sobre Dix se dejaron ver en forma expresionista, con la realización de una serie de obras donde llevó la amarga realidad de la sociedad coetánea a extremos absurdos. Junto con su amigo George Grosz, fue miembro fundador del movimiento Nueva objetividad.

Dix estaba especialmente afectado por el trato que recibían los mutilados de guerra, como mostró en *El cerillero* (1920), *Calle de Praga* (1920), y en el tríptico *Metrópolis* (1928), donde se ven escenas de soldados con muñones en lugar de piernas e ignorados por el decadente público berlinés. Exploró el lado oscuro de la vida a través de imágenes de violencia, muerte y prostitución yuxtapuestas a la constante búsqueda del placer de lo que él vio como una Alemania moralmente superficial. En 1927 fue nombrado profesor en la Academia de Dresde y fue elegido para la Academia prusiana en 1931. La llegada de los nazis supuso su destitución de estos cargos. Se prohibió la exposición de sus obras; aunque muchas de ellas se mostraron en la exposición de «Arte degenerado» de 1937. Se le condenó por formar parte de una conspiración para asesinar a Adolf Hitler. Más tarde fue liberado y luego capturado por los franceses. Dix continuó pintando después de la guerra, con temas religiosos como motivo y un estilo menos frenético que el de su período de Berlín. **SG**

«El artista no debe reformar y convertir. No tiene categoría para eso. Solo debe servir de testigo.»

ARRIBA: Otto Dix pintó su autorretrato en 1912, cuando aún estudiaba en Dresde.

JACQUES LIPCHITZ

Chaim Jacob Lipchitz, 22 de agosto de 1891 (Druskininkai, Rusia [act. Lituania]);
26 de mayo de 1973 (Capri, Italia).

Estilo: Escultor cubista; temas bíblicos y mitológicos; bronces; anatomía
naturalista.

El artista lituano Jacques Lipchitz acogió la ideología del cubismo y la trasladó a su obra escultórica. Se le conoce en todo el mundo como el escultor más destacado del cubismo.

Después de estudiar ingeniería, se trasladó a París en 1909 para asistir a la École des Beaux-Arts y a la Académie Julian. Allí conoció a una serie de artistas destacados de vanguardia, incluyendo a Henri Matisse, Amedeo Modigliani, Juan Gris y Pablo Picasso. En 1912 expuso en el Salón Nacional de Bellas Artes y en el Salón de Otoño. Lipchitz comenzó a aplicar los principios del cubismo a los espacios tridimensionales y celebró su primera exposición individual en París en 1920. Luego comenzó a experimentar con formas abiertas y con la relación entre los sólidos y el espacio utilizando cintas de metal a las que llamaba «esculturas transparentes». Estas le llevaron a la creación de bronces dinámicos, donde mostraba una mayor tendencia hacia formas naturalistas. Estos son, seguramente, sus trabajos más conocidos, caracterizados por la composición retorcida y entrelazada de personajes clásicos o bíblicos y de animales que dominan sus motivos.

Con la ocupación de Francia por los nazis durante la Segunda Guerra Mundial y la deportación de los judíos a los campos de exterminio, Lipchitz escapó a Estados Unidos en 1941. Sin otra cosa que una o dos maquetas, volvió a reconducir su carrera y se le reconoció como el pionero en una nueva visión intercultural del arte. Fue uno de los primeros artistas en mostrar la conexión entre las grandes esculturas de exteriores y la arquitectura y su entorno. En 1949 Lipchitz expuso en la 3ª Internacional de Escultura, en el Philadelphia Museum of Art, Pensilvania. Una retrospectiva de su obra recorrió Estados Unidos en 1954, y entre sus últimas obras hay varias esculturas monumentales. **SH**

1800-99

Obras destacadas

Mujer embarazada, 1912 (Tate Collection, Londres)

Hombre con guitarra, 1915 (Museum of Modern Art, Nueva York)

Mujer tumbada, 1921 (Tate Collection, Londres)

Agar en el desierto III, 1957 (Von der Heydt-Museum, Wuppertal, Alemania)

«El cubismo es como situarse en un determinado punto de una montaña [...] Es un punto de vista.»

ARRIBA: Jacques Lipchitz, con su birrete de artista, fotografiado en 1967.

MAX ERNST

Max Ernst, 2 de abril de 1891 (Brühl, Alemania); 1 de abril de 1976 (París, Francia).

Estilo: Pintor dadaísta y surrealista; imaginería alucinante, irracional y absurda; uso de técnicas y materiales no tradicionales; inclusión de alter ego en forma de pájaro.

En 1948 Max Ernst comenzó su autobiografía con las palabras: «Max Ernst murió el 1 de agosto de 1914. Volvió a la vida el 11 de noviembre de 1918, un joven que quería ser mago y encontrar el mito principal de su época». Ernst no falleció en 1914, pero sí que encontró el mito de su tiempo a través de la reinvención de las técnicas de frottage, collage, grattage y calcomanía.

Los cuatro años de servicio de Ernst en el ejército alemán durante la Primera Guerra Mundial le hicieron ver el mundo como un absurdo. Esta percepción se expresó en su arte, y no

1800-99

Obras destacadas

Célebes o *El elefante de las Célebes,* 1921 (Tate Collection, Londres)

Edipo Rey (de la novela-collage *Una semana de bondad* o *Los siete elementos capitales*), 1934

Europa después de la lluvia, 1940-1942 (Wadsworth Atheneum, Hartford, EE.UU.)

Capricornio, 1948 (Nationalgalerie, Berlín)

ARRIBA: Max Ernst en 1946, fotografiado junto a *La tentación de san Antonio.*

DERECHA: Un contenedor de maíz sudanés se convierte en un siniestro elefante en *Célebes* o *El elefante de las Célebes.*

1800-99

menos en la representación de su alter ego: el hombre pájaro Loplop. Ernst dijo que este personaje venía de una confusión de su infancia entre humanos y pájaros por su personal asociación de los pájaros con la muerte.

ARRIBA: *Europa después de la lluvia,* iniciada en la Francia ocupada y terminada en Nueva York.

Ernst escribió que los artistas, asqueados por la guerra, atacaban los aspectos del sistema que la habían provocado, como la lógica, el idioma y la pintura. Junto con Jean Arp y Johannes Theodor Baargeld, celebró la primera exposición de los dadaístas de Colonia en 1920. El cuadro al óleo *Célebes* (1921) fue uno de los primeros de la pintura surrealista. Cuando se trasladó a París, en 1922, ya había comenzado a utilizar el collage para crear yuxtaposiciones de objetos aparentemente sin sentido, culminando en su surrealista novela-collage *Una semana de bondad* (1934), donde se presentan imágenes tomadas de la literatura victoriana y que habían sido publicadas primero como una serie de panfletos. En la legendaria exposición *Arte fantástico, Dada y surrealismo* (1936), en el MoMA de Nueva York, se exhibieron 45 de sus obras.

Con el inicio de la Segunda Guerra Mundial, Ernst marchó de París al sur de Francia junto con su pareja, Leonora Carrington, pero primero los franceses le hicieron prisionero por considerarle aliado del enemigo, y luego fue perseguido por los nazis. Escapó a Estados Unidos con la benefactora del arte Peggy Guggenheim, con quien se casó en 1942. Luego conoció a la pintora británica Dorothea Tanning, con quien se casó en 1946, y residieron primero en Arizona y luego en Francia. **WO**

Las técnicas de Ernst

- Collage. Max Ernst utilizó fragmentos de ilustraciones de libros, anuncios y fotografías para componer imágenes inquietantes.

- Frottage. La contemplación intensa de las texturas obtenidas de tableros de madera evoca fuertes asociaciones; Ernst desarrolló el frottage en esta línea.

- Grattage. Decapaba pintura para mostrar otras capas y añadir texturas usando la superficie del objeto que está bajo el lienzo.

- Calcomanía. Ernst presionaba el papel u otros materiales sobre el cuadro, y luego investigaba los resultados aleatorios que se producían.

GRANT WOOD

Grant DeVolson Wood, 13 de febrero de 1892 (Anamosa, Iowa, EE.UU.); 12 de febrero de 1942 (Iowa, EE.UU.).

Estilo: Encabezó el regionalismo estadounidense; paisajes sencillos e idealizados y escenas históricas; retratos y estudios de personajes de exagerado realismo.

En una ocasión, él mismo la describió como «un ejercicio de verticalidad», pero *Gótico americano* (1930), de Grant Wood, es un cuadro de una austera pareja rural —de hecho se trata de la hermana del artista y de su dentista— de pie delante de una granja gótica de madera, y que se ha convertido en una de las imágenes más icónicas y parodiadas del arte estadounidense. Wood era originario de Iowa y un artista dotado de talento en muchos medios, a pesar de ser principalmente autodidacta. Durante la década de 1920 realizó varios viajes a Europa, y sus cuadros mostraron una fuerte influencia impresionista hasta que, en Munich, descubrió la obra de Jan van Eyck y Hans Memling. La claridad visceral del gótico tardío medieval fue una revelación para Wood, quien decidió aplicar unos principios similares al entorno estadounidense. Esto le llevó a convertirse en líder del movimiento regionalista de Estados Unidos, una reacción local contra el cada vez más pujante arte abstracto del vanguardismo europeo. Después de construirse un estudio en su ciudad natal de Cedar Rapids, Wood fundó la colonia de artistas del Medio Oeste, y desde 1934 hasta su muerte enseñó en la escuela de arte de la Universidad de Iowa.

Los cuadros característicos de Wood de la década de 1930 eran sencillos paisajes de sensualidad redondeada —visiones idealizadas de una América agrícola, lejos de la realidad de la era industrial, y la depresión económica, pero también creó imágenes más duras y controvertidas, como *Gótico americano*—. Pronto se consideró que su obra era una aguda crítica de la represión provinciana, lo que resultó muy divertido para los críticos de arte metropolitanos y causó enojo a sus conciudadanos de Iowa. No obstante, y de forma gradual, se llegó a considerar a Wood como un valedor de los estoicos valores perdurables del Medio Oeste. **RB**

Obras destacadas

Gótico americano, 1930 (Art Institute of Chicago, Chicago)

Young Corn, 1931 (Cedar Rapids Museum of Art, Cedar Rapids, Iowa, EE.UU.)

Hijas de la revolución, 1932 (Cincinnati Art Museum, Cincinnati, EE.UU.)

«Lo más importante en el arte es la profundidad e intensidad de la experiencia del artista.»

ARRIBA: Detalle del único autorretrato que pintó Grant Wood en toda su vida.

1800-99

CHAÏM SOUTINE

Chaïm Soutine, 1893 (Smilovichi, Bielorrusia); 9 de agosto de 1943 (París, Francia).

Estilo: Pintor expresionista de paisajes, retratos y naturalezas muertas; uso de colores intensos y atrevidos; retratos tiernos pero de intensidad psicológica; pinceladas rítmicas y salvajes.

Los padres de Chaïm Soutine no compartían la decisión de su hijo de convertirse en pintor. En 1912 el joven artista abandonó Lituania y se marchó a vivir al sur de Francia, antes de establecerse definitivamente en París. Mientras vivía en la absoluta pobreza, Soutine recurrió al Louvre, museo que visitaba todos los días para estudiar los cuadros de Tiziano, Tintoretto, Gustave Courbet, Paul Cézanne y Vincent van Gogh, entre otros artistas. Su estilo expresionista estaba sin duda inspirado en estas visitas, tal y como demostraría en la escena distorsionada de *Paisaje con asno rojo* (1922-1923) y la contemplativa *Mujer sentada en una butaca* (1919).

Hacia 1915 ya había hecho algunos amigos importantes y contactos útiles; entre ellos el pintor y escultor italiano Amedeo Modigliani. Pero tuvo que esperar hasta 1923 para conseguir el apoyo financiero necesario, que finalmente le llegó gracias a que algunos benefactores, como el adinerado coleccionista de arte Albert Barnes, de nacionalidad estadounidense, y la decoradora de interiores Madeline Castaing, comenzaron a adquirir sus obras.

Soutine comenzó a pintar retratos de las personas que, mal pagadas, trabajaban duro sirviéndole; tal y como puede verse en *Le Pâtissier de Cagnes* (1922-1923) así como en sus controvertidas naturalezas muertas de faisanes, pavos y conejos. *El buey desollado* (1925) rinde homenaje a la obra de igual título de Rembrandt (1655), y es una de las obras más grotescas de Soutine. Se le podría describir como «un artista de artistas», ya que su obra ejerció gran influencia sobre muchos de ellos: Willem de Kooning, que se refería a Soutine como su artista favorito; Jackson Pollock, cuyo cuadro *Scent* (1955) era un tributo a Soutine; y Francis Bacon, quien declaró que había quedado dramáticamente afectado por los cuadros de Soutine cuando los vio por primera vez en la década de 1940. **HP**

Obras destacadas

Mujer sentada en una butaca, 1919 (Barnes Foundation, Merion, EE.UU.)

Paisaje con asno rojo, 1922-1923 (colección particular)

Le Pâtissier de Cagnes, 1922-1923 (colección particular)

El buey desollado, 1925 (Minneapolis Institute of Art, Minneapolis, EE.UU)

> «Cuando [...] Chaïm Soutine pintaba un retrato [...] su padre le azotaba.» Paul Johnson

ARRIBA: Chaïm Soutine aparece melancólico en este detalle de un *Autorretrato* sin fechar.

GEORGE GROSZ

Georg Ehrenfried Gross, 26 de julio de 1893 (Berlín, Alemania); 6 de julio de 1959 (Berlín, Alemania).

Estilo: Pintor y dibujante dadaísta; caricaturas de la sociedad alemana, ambicioso y violento; sátira política; economía de líneas; temas grotescos y perversos.

Obras destacadas

Metrópolis, 1916-1917
(Museo Thyssen-Bornemisza, Madrid)

Apto para el servicio, 1918
(Museum of Modern Art, Nueva York)

Los pilares de la sociedad, 1926
(Nationalgalerie, Berlín)

El pintor y dibujante George Grosz de joven solía leer historias de ejecuciones, asesinatos y suicidios. Antes de la Primera Guerra Mundial, cuando estudiaba arte en Dresde, Berlín y París, era apolítico, pero sus experiencias en el servicio militar le provocaron una crisis mental que le cambió totalmente. Luego creó dibujos a tinta de una fuerza satírica salvaje.

Junto con los artistas Wieland y Helmut Herzfelde (también conocido como John Heartfield), Grosz se mostró activo en el movimiento dadaísta berlinés. Cambió su nombre para hacerlo más inglés, de Georg a George, como un gesto contra la sociedad y el nacionalismo alemán, y en 1919 ingresó en el Partido Comunista. En su obra *Metrópolis* (1916-1917), Grosz atacó a los alemanes de comportamiento moralmente indefendible, con el convencimiento de que estaban llevando a la sociedad hacia su inevitable destrucción. En sus cuadros se muestra a los corruptos y a los ignorantes huyendo de una ciudad que parece desplomarse hacia el infierno en la Tierra. Pronto combinó la caricatura con el realismo academicista para atacar a los poderosos, dirigiéndose a los nacionalistas, la prensa, el clero y los militares en obras como *Los pilares de la sociedad* (1926). Fue perseguido por su representación blasfema de Cristo con una máscara de gas. Aunque su compromiso político se iba diluyendo conforme crecía su fama, su posición se hizo bastante precaria, al igual que la de todos los disidentes y artistas de vanguardia, cuando el Partido Nacionalsocialista llegó al poder. En 1932 Grosz se marchó a Estados Unidos con su familia y solo regresó a Berlín en 1959 para morir poco después. En sus últimos años, estuvo convencido de que el arte no tenía capacidad para cambiar nada, y sus obras perdieron su cualidad sarcástica conforme se fue centrando en pintar la naturaleza. **WO**

«Mi objetivo es que todos me entiendan, yo reniego de la profundidad [...]»

ARRIBA: Detalle de *Autorretrato, advirtiendo*, obra sin fechar de George Grosz.

DERECHA: *Suicidio* (1916) refleja la corrupción moral de Berlín.

1800-99

JOAN MIRÓ

Joan Miró i Ferrà, 20 de abril de 1893 (Barcelona, España); 25 de diciembre de 1983 (Palma de Mallorca, España).

Estilo: Pintor, escultor y ceramista; colores brillantes; formas fluidas y oníricas; objetos flotantes; uso de la caligrafía; influencias del cubismo y del surrealismo.

Obras destacadas

Bodegón II, 1922-1923
(Museum of Modern Art, Nueva York)
Cuerda y gente I, 1935
(Museum of Modern Art, Nueva York)
El oro del azur, 1967
(Fundació Joan Miró, Barcelona)
Mujer y pájaro, 1982
(parque Joan Miró, Barcelona)

Joan Miró, de origen catalán, es uno de los más apreciados artistas españoles contemporáneos. Se formó en la Academia de Arte Francesco Gali en su Barcelona natal. Aunque al principio intentó dedicarse a los negocios —que estudiaba al tiempo que se formaba como artista— sus planes cambiaron después de padecer una grave crisis nerviosa. Sus padres, que hasta ese momento habían estado absolutamente en contra de su tendencia artística, finalmente le permitieron seguir la carrera que había elegido. Influenciado por el fauvismo, el cubismo y el surrealismo, Miró tomó diferentes elementos de estos y creó su propio y excitante estilo. Sus obras se caracterizan por los colores intensos y brillantes y las formas abstractas de apariencia naïf, pero, tras un examen más a fondo, estas muestran su complejidad artística. Entre sus técnicas se encuentran la pintura, el grabado, el aguafuerte, la escultura, la litografía y la caligrafía.

Durante la década de 1920 vivió en París, corazón del mundo del arte, donde conoció a Pablo Picasso y formó parte del movimiento surrealista. Volvió a España durante algunos años, pero de nuevo marchó a París al estallar la guerra civil española, en un intento de escapar del fascismo. En 1937 se expuso su obra en la Feria Mundial parisina. Con el inicio de la Segunda Guerra Mundial y la invasión de Francia por los nazis, se vio obligado a huir una vez más, y en 1940 regresó a España. En 1941 se celebró una exposición de su obra en el Museum of Modern Art de Nueva York, y esto le animó a visitar por primera vez Estados Unidos. En 1956 se trasladó a Palma de Mallorca, donde siempre había querido vivir. Como joven artista en París, solía estar tan necesitado de dinero que no le llegaba ni para comer; comprar la casa de sus sueños en la isla, le sirvió para confirmar lo lejos que había llegado. **LH**

«La pintura y la poesía se hacen como se hace el amor —en un abrazo total.»

ARRIBA: Joan Miró fotografiado en su estudio de Ibiza en 1974.

NORMAN ROCKWELL

Norman Percevel Rockwell, 3 de febrero de 1894 (Nueva York, Nueva York, EE.UU.); 8 de noviembre de 1978 (Stockbridge, Massachusetts, EE.UU.).

Estilo: Pintor e ilustrador; estilo realista detallado; visiones globales idealizadas de la vida en Estados Unidos; primeras obras de tono optimista y más tarde con contenido social.

Desde la edad de 14 años, Norman Rockwell estudió en varias escuelas de arte de Nueva York. A los 16 años, siendo aún un estudiante, realizó su primer encargo, consistente en cuatro tarjetas navideñas. Con tan solo 18 años, ya era ilustrador profesional a jornada completa. Cuatro años más tarde pintó su primera portada para el *Saturday Evening Post*, la mayor publicación semanal de Estados Unidos, y durante los siguientes 47 años realizó 321 portadas para esta revista. Gracias a esto tuvo el mayor público que hubiera tenido cualquier artista hasta ese momento.

Rockwell también trabajó para muchas otras publicaciones, dibujando motivos de la vida cotidiana en Estados Unidos. Su obra tenía una enorme acogida, llena de anécdotas y detalles, aunque los críticos la suelen tachar de sensiblera. También le encargaron la ilustración de más de cuarenta libros y calendarios de los Boy Scouts de 1925 a 1976. Retrató a personajes de fama mundial y a varios presidentes estadounidenses: Dwight D. Eisenhower, John F. Kennedy y Lyndon B. Johnson. Inspirado por el discurso del presidente Franklin D. Roosevelt al Congreso pintó la serie «Libertad» (1943), que fue publicada en el *Saturday Evening Post*. Sus obras recorrieron Estados Unidos en una exposición financiada por la misma publicación y el Departamento del Tesoro, y en ella se recaudaron más de 130 millones de dólares para la guerra. En 1953 Rockwell se trasladó con su familia de Vermont a Massachusetts. Entre 1963 y 1973 trabajó para la revista *Look*, ilustrando algunas de sus más profundas preocupaciones e inquietudes, incluyendo los derechos civiles, la guerra contra la pobreza de Estados Unidos y la carrera del espacio. En 1977 recibió la Medalla Presidencial a la Libertad, y en 2001 se expuso su obra en el Museo Guggenheim de Nueva York. **SH**

Obras destacadas

Las cuatro libertades, 1943 (Norman Rockwell Museum, Stockbridge, EE.UU.)

April Fool (día de las inocentadas), 1948 (National Museum of American Illustration, Newport, Rhode Island, EE.UU.)

La regla de oro, 1961 (Norman Rockwell Museum, Stockbridge, EE.UU.)

1800-99

«En la ciudad te tienes que enfrentar constantemente con cosas desagradables.»

ARRIBA: Rockwell, fotografiado en el Museo Norman Rockwell, en 1969.

LÁSZLÓ MOHOLY-NAGY

László Weisz, 20 de julio de 1895 (Bácsborsod, Hungría); 21 de noviembre de 1946 (Chicago, Illinois, EE.UU.).

Estilo: Constructivismo; investigación de los efectos de la luz en la fotografía; pintura en superficies planas; collage de papel; esculturas de madera, metal y cristal.

Obras destacadas

Gran pintura del ferrocarril, 1920 (Museo Thyssen-Bornemisza, Madrid)

A II, 1924 (Solomon R. Guggenheim Museum, Nueva York)

Twisted Planes, 1946 (Addison Gallery of American Art, Andover, EE.UU.)

László Weisz nació en una familia mixta judía-húngara, y cambió su apellido judío alemán por el de su tío, «Nagy», al que más tarde añadió «Moholy» en honor a la ciudad donde había crecido. Después de servir en el ejército durante la Primera Guerra Mundial, abandonó sus estudios de derecho en la Universidad de Budapest para estudiar arte. Luego se marchó a Viena en 1919, donde primero descubrió el constructivismo y la obra de Kasimir Malevich y El Lissitski.

En 1920 se trasladó a Berlín, donde conoció a los dadaístas, y se comenzó a interesar por la fotografía. Empezó a crear collages con tiras de colores yuxtapuestos y a transferir estas composiciones a sus cuadros. En 1923 empezó a trabajar como profesor en la Bauhaus, escuela de arquitectura, arte y diseño. Renunció a su puesto de profesor en 1928 y trabajó en diseños de escenografías para teatro y cine durante algunos años en Berlín. A lo largo de su carrera fue un innovador en fotografía, tipografía, escultura, pintura y diseño industrial. Experimentó exponiendo a la luz papel fotosensible con diferentes objetos sobre él, inventando de esta forma el «fotograma», que le llevó a crear obras abstractas.

En 1934 Moholy-Nagy abandonó Alemania por temor a la ascensión del partido nazi. Marchó a Amsterdam y luego a Londres, donde trabajó como fotógrafo y diseñador. Vivió con el arquitecto Walter Gropius, fundador de la Bauhaus, durante ocho meses. Tuvieron la intención de inaugurar juntos una versión inglesa de la Bauhaus, pero no pudieron conseguir apoyo suficiente. En 1937 Moholy-Nagy emigró a Chicago para ocupar el cargo de director de la New Bauhaus. Desgraciadamente, la escuela cerró solo después de un año al perder el respaldo financiero. En 1939 fundó su propia escuela de diseño, que se conoció con el nombre de Instituto de Diseño en 1944. **SH**

> «Las máquinas han sustituido a la espiritualidad trascendental de otros tiempos.»

ARRIBA: Detalle de un autorretrato realizado en acuarela y carboncillo.

PAUL OUTERBRIDGE

Paul Outerbridge, Jr., 15 de agosto de 1896 (Nueva York, EE.UU.); 17 de octubre de 1958 (Laguna Beach, EE.UU.).

Estilo: Fotógrafo, ilustrador y diseñador gráfico; uso innovador de la fotografía a color; desnudos femeninos; estudios de naturalezas muertas de objetos cotidianos.

Paul Outerbridge fue un fotógrafo modernista rompedor, además de pionero de la fotografía a color. Aplicó sus destacados conocimientos técnicos al mundo de la publicidad y a la creación de obras vanguardistas que solían presentar a mujeres desnudas en lo que se consideraron fotografías turbadoramente eróticas.

Outerbridge estudió en la Art Students League neoyorkina de 1915 a 1917, antes de realizar su servicio militar en la British Royal Flying Corps (Canadá) y el ejército de Estados Unidos. En 1921, después de trabajar como ilustrador y diseñador, se matriculó en la escuela de fotografía de Clarence H. White. Tenía tanto talento que sus fotografías fueron publicadas en menos de un año. Una de sus primeras imágenes publicitarias, *Ide Collar* (1922), publicada en *Vanity Fair*, causó tal sensación que se dice que Marcel Duchamp recortó la imagen en blanco y negro del cuello almidonado y la colocó con una chincheta en la pared de su estudio; la fotografía apareció en poco tiempo en las paredes de las galerías de arte y se expuso en el Salón Internacional de Nueva York (1923).

Después de ganarse cierta fama como fotógrafo innovador, en 1925 Outerbridge se trasladó a París para trabajar en la revista francesa *Vogue*. Allí conoció a Man Ray y Pablo Picasso. Regresó a Nueva York en 1929, y experimentó con la fotografía a color, especialmente con el laborioso proceso al carbón de tres colores que le permitía controlar los tonos para crear imágenes de un realismo sorprendente. Se centró en el retrato erótico de desnudos femeninos como el de *La muchacha holandesa* (1936), así como en imágenes surrealistas inquietantes como la de *Mujer con garras* (1937). Se desencantó cuando sus obras se catalogaron como escandalosas. En 1943 se marchó a Hollywood, donde solo tomó fotografías ocasionalmente. Comenzó un negocio de moda y finalmente cerró su estudio fotográfico en 1945. **CK**

Obras destacadas

Ide Collar, 1922 (Museum of Modern Art, Nueva York)

Toy Display (Circo), 1924 (Corcoran Gallery of Art, Washington, D.C.)

La muchacha holandesa, 1936 (Cleveland Museum of Art, Cleveland, EE.UU.)

Mujer con garras, 1937 (Getty Center, Los Ángeles)

«El artista tiene el privilegio de señalar el camino y de inspirar una vida mejor.»

ARRIBA: Detalle de un autorretrato característico y único realizado en 1927.

DAVID ALFARO SIQUEIROS

David Alfaro Siqueiros, 29 de diciembre de 1896 (Santa Rosalía de Camargo, Chihuahua, México); 6 de enero de 1974 (Cuernavaca, Morelos, México).

Estilo: Pintor, grabador y litógrafo realista y socialista de arte público, monumental y heroico; temas de identidad, opresión y Revolución mexicana.

Obras destacadas

Retrato del México actual (mural), 1932 (Santa Barbara Museum of Art, Santa Bárbara, EE.UU.)

Guerra, 1939 (Philadelphia Museum of Art, Filadelfia)

La marcha de la humanidad en la Tierra y hacia el cosmos (mural), 1965-1971 (Poliforum Cultural Siqueiros, Ciudad de México)

Junto con Diego Rivera y José Clemente Orozco, David Alfaro Siqueiros encabezó el movimiento muralista mexicano. Al igual que ellos, fue socialista y persiguió, a través de sus murales en edificios públicos, la presentación de los problemas y sufrimientos de su gente y el establecimiento de una identidad para su país después de la Revolución mexicana (1910-1921). Siqueiros fue el más radical del trío. Marxista devoto toda su vida, estuvo casado con la idea de un «arte colectivo» que educaría al proletariado en su ideología marxista. Rara vez utilizaba el caballete, que consideraba burgués; prefería las pinturas y métodos comerciales e industriales como la pintura al esmalte y las pistolas de pintar con compresor.

Recibió la influencia de los indígenas mexicanos y, gracias a sus viajes, también se vio expuesto al cubismo en París y a los frescos renacentistas en Italia. La obra de Siqueiros muestra a campesinos heroicos, musculosos, y a trabajadores corrientes luchando contra el invasor, los regímenes totalitarios y el capitalismo opresor. Sus ideas políticas le llevaron a exiliarse de México en 1932 y 1940; esta última vez, tras su participación en un intento de asesinato de Lev Trotski. Consiguió convertir estos períodos de exilio en oportunidades, viajando a Estados Unidos, donde se le encargó la pintura de murales en edificios públicos. No obstante, su espíritu revolucionario no estaba vencido y desde 1960 pasó tres años en una prisión estadounidense por incitar a la revuelta. A su regreso a Ciudad de México, en el Poliforum Cultural Siqueiros, terminó su último y mayor trabajo, la obra épica *La marcha de la humanidad en la Tierra y hacia el cosmos* (1965-1971). Este mural culmina su sueño del arte colectivo a escala monumental —retratando la historia de la especie humana y decorando el edificio tanto por dentro como por fuera—. Mayor en tamaño que la capilla Sixtina de Miguel Ángel, la obra fue apodada «la capilla Siqueiros». **CK**

«Siqueiros es como la pimienta en un plato picante y rojo como el capote de un matador.» *Time*

ARRIBA: David Alfaro Siqueiros en México frente a una de sus obras en 1966.

ANDRÉ MASSON

André-Aimé-René Masson, 4 de enero de 1896 (Balagne-sur-Thérain, Picardía, Francia); 28 de octubre de 1987 (París, Francia).

Estilo: Pinturas pobladas de formas semilegibles, lienzos que se han creado usando una serie de técnicas aparentemente espontáneas.

Aunque el nombre de André Masson es principalmente sinónimo de surrealismo, la obra de este artista incluye temas mitológicos como en *El laberinto* (o *El ovillo de Ariadna*) (1938), tratamientos casi cubistas del paisaje como en *El convento de los capuchinos de Céret* (1919), y abstracciones líricas como en *En el bosque* (1944).

La formación de Masson comenzó a los once años, cuando se matriculó en la Real Academia de Bellas Artes de Bruselas, pero su formación se vio profundamente alterada por la Primera Guerra Mundial; resultó gravemente herido en 1916, en la batalla del Somme, y no volvió a pintar hasta 1919. Su primera obra destacada de este período incluía imaginería de bosques y daba un tratamiento casi cubista al espacio y la forma. Sin embargo, los cuadros después de esta serie eran quizá más representativos de su auténtica contribución al arte. Después de haber conocido a André Breton en septiembre de 1924, la obra de Masson se mostró al año siguiente en la primera exposición de pintura surrealista, en la Galería Pierre de París.

Teniendo en cuenta el intento del surrealismo de mostrar el funcionamiento de la mente subconsciente, uno enseguida entiende por qué los cuadros de Masson eran tan admirados. Al adoptar una serie de técnicas automatizadas, perseguía descubrir un nivel de realidad más básico. *La batalla de los peces* (1926) es el resultado de una serie de técnicas espontáneas, como el verter pegamento directamente sobre el lienzo y a continuación cubrirlo de arena. Las formas similares a peces que surgen son el resultado directo del artista, y por ello del espectador que contempla el cuadro. Aunque Masson intentaba cada vez más diferenciarse del surrealismo, su obra seguía sosteniéndose en su irrefrenable convencimiento de que es el gesto espontáneo el que puede desvelar ciertas verdades. **CS**

1800-99

Obras destacadas

El velador en el estudio, 1924 (Tate Collection, Londres)

La batalla de los peces, 1926 (Museum of Modern Art, Nueva York)

En el bosque, 1944 (Albright-Knox Art Gallery, Buffalo, EE.UU)

Pasiphae, 1945 (Museum of Modern Art, Nueva York)

«No hay ningún tabú que pueda llevarme hacia la rigidez de un estilo.»

ARRIBA: André Masson, fotografiado en París en 1987, poco antes de morir.

JOHN BUCKLAND WRIGHT

John Buckly Wright, 1897 (Dunedin, Nueva Zelanda); 1954 (Londres, Inglaterra).

Estilo: Impresor, grabador e ilustrador; grabados y aguafuertes; desnudos románticos, líricos y eróticos de ninfas y personajes clásicos; túnicas retorcidas.

Obras destacadas

Baigneuses Balinaises, 1931
  (Rare Book Collection, University
  of Florida, Gainesville, EE.UU.)
Metamorfosis n.º III, 1938 (Auckland Gallery
  Toi Tāmaki, Auckland, Nueva Zelanda)
Camber Sands, 1953 (Auckland Art Gallery
  Toi O Tāmaki, Auckland, Nueva Zelanda)

John Buckly Wright tuvo un papel destacado en el resurgimiento de las artes gráficas que se produjo en Europa en el período de entreguerras. Procedía de un entorno de clase media neozelandesa, pero desde los once años vivió en Inglaterra, donde su familia se instaló después de la muerte de su padre. Al recibir su herencia, abandonó una prometedora carrera de arquitecto y se trasladó a Bruselas para aprender técnicas de impresión. No se trataba de un capricho; Buckland Wright siguió estudiando hasta obtener el título de maestro grabador, y su colaboración fue esencial para que su amigo Stanley William Hayter construyera el legendario taller de impresión Atelier 17 en París, que atrajo a Pablo Picasso, Henri Matisse, y a los surrealistas, como Max Ernst e Yves Tanguy.

J. B. W., tal y como se autodenominaba, diseñó una estética personal fundamentada en una línea plásticamente expresiva y una composición impecable. Sus ilustraciones para libros fueron muy bien acogidas y disfrutó especialmente en los trabajos para las obras de los grandes poetas, como Homero, Edgar Allan Poe y John Keats. Sus impresiones eran intensamente románticas, a menudo presentaba desnudos púberes a la manera clásica, que deambulaban por escenarios naturales cargados de erotismo.

Durante la Primera Guerra Mundial, Wright se alistó en el servicio de ambulancias y fue destinado a Francia, donde fue condecorado. Pero se dice que sus experiencias en la guerra le afectaron profundamente. Sus sentimientos sobre las barbaridades del conflicto quedaron expresados en grabados impresionantes como *London Fire* (1941), donde se muestra la devastación que causaron los bombardeos de Londres. A partir de 1948 enseñó en Londres en la Camberwell School of Arts and Crafts, y desde 1953 en la Slade School of Fine Art. **NG**

> «[...] J. B. W. triunfa con una lírica impresionante y con su poder expresivo.» *David Eggleton*

ARRIBA: Esta fotografía es propiedad del hijo de Wright, Chris Buckland-Wright.

RENÉ MAGRITTE

René François Ghislain Magritte, 21 de noviembre de 1898 (Lessines, Hainaut, Bélgica); 15 de agosto de 1967 (Bruselas, Bélgica).

Estilo: Pintor surrealista; imágenes ingeniosas y divertidas; disposiciones extrañas de objetos conocidos situados en contextos inusuales.

René Magritte era el hijo mayor de un sastre, Léopold Magritte, y una modista, Adeline. Su infancia estuvo marcada por la trágica muerte, en 1912, de su madre, quien se suicidó ahogándose en el río Sambre. El joven René estuvo presente durante la recuperación del cuerpo, y aunque la imagen de su madre flotando en el río con su vestido ocultándole la cara ha podido ejercer gran influencia sobre pinturas como *Los amantes* (1928), Magritte rechazaba este argumento.

En 1916 Magritte comenzó sus estudios en la Academia Real de Bellas Artes de Bruselas. En 1922 se casó con Georgette Berger, a quien había conocido en 1913. Realizó trabajos diversos, aunque principalmente ejerció como diseñador de carteles y de publicidad hasta que en 1926 consiguió un contrato con la Galería La Centaure de Bruselas.

Ese mismo año pintó su primer cuadro surrealista, *El jinete perdido* (1926). Esto marcó el comienzo de una etapa muy prolífica, y no era raro que llegara a realizar un cuadro al día.

1800-99

Obras destacadas

Los amantes, 1928 (Museum of Modern Art, Nueva York)

El retrato, 1935 (Museum of Modern Art, Nueva York)

La cámara de escucha, 1952 (Menil Collection, Houston)

El imperio de la luz, 1954 (Musée d'Art Moderne, Bruselas)

El hijo del hombre, 1964 (colección particular)

La firma en blanco, 1965 (National Gallery of Art, Washington, D.C.)

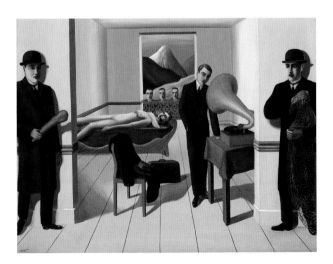

ARRIBA: René Magritte fotografiado con su distintivo sombrero hongo o bombín.

IZQUIERDA: *El asesino amenazado* hace referencia a crímenes ficticios.

Influencia sobre la cultura popular

La década de 1960 es sinónimo de la llegada y establecimiento de la cultura popular. La producción en masa, la tecnología y el consumismo eran algo nuevo y lo que provocó la aparición del *baby boom*. Un artista como René Magritte, que en épocas anteriores solo hubiera sido conocido por una parte de la sociedad, de repente está al alcance de miles de personas gracias a la reproducción en masa de sus imágenes en portadas de discos de rock.

El conjunto de Jeff Beck fue uno de los primeros en reproducir la obra de Magritte, y eligió *La cámara de escucha* (1952) para su álbum de 1969 titulado *Beck-Ola*. Cinco años más tarde, *Late for the Sky* de Jackson Browne empleaba una obra que hacía clara referencia a *El imperio de la luz*.

La duradera popularidad de Magritte no se limitó tan solo a la industria de la música. La serie americana de dibujos animados de culto *Los Simpson* hace referencia al cuadro de Magritte *El hijo del hombre* (1964) en su episodio «Las tres casas del terror IV»; y en el videojuego «Kingdom of Loathing» aparecen motivos visuales inspirados tanto por *El hijo del hombre* como por *La traición de las imágenes* (1929).

Las películas *Toys, El secreto de Thomas Crown* y *Extrañas coincidencias* contienen referencias a *El hijo del hombre*, donde aparece un hombre con sombrero hongo y con la cara tapada por una manzana de gran tamaño.

Celebró su primera exposición en Bruselas en 1927, pero fue denostado por la crítica. Esta experiencia tan desoladora hizo que Magritte dejara la capital belga para establecerse en París, donde trabó amistad con André Breton y comenzó a relacionarse con los surrealistas. En 1930 no tuvo más remedio que regresar a Bruselas tras la finalización de su contrato con La Centaure, ya que no podía permitirse quedarse en París. Vivió en Bruselas durante la ocupación nazi de Bélgica en la Segunda Guerra Mundial, lo cual le llevó a romper con Breton, quien se marchó a Estados Unidos en 1941.

Acercar el surrealismo a las masas

La obra de Magritte se hizo más ligera y experimental durante la segunda mitad de la década de 1940. Realizó pastiches cómicos de cuadros fauvistas que eran tan rápidos e inacabados que sus amigos los describían como *vache*, es decir, «crudos» o «como vacas». Probablemente estaba reaccionando al período oscuro de la guerra y buscando de forma activa librarse del pesimismo y la violencia de sus primeras obras. Magritte estaba también entusiasmado con presentar desafíos al espectador. Aunque sus cuadros pueden contener objetos comunes y familiares, suelen mostrarse en contextos tan inusuales que le aportan un nuevo significado. Un ejemplo de este caso podría ser *La traición de las imágenes* (1929). Esta obra muestra una pipa de fumar, y debajo de la pipa, Magritte escribió las palabras, *Ceci n'est pas une pipe,* que significan «Esto no es una pipa». Aunque inicialmente se podría considerar como una contradicción de términos, las palabras son ciertas. El cuadro no es una pipa, es la imagen de una pipa. Magritte quería demostrar que independientemente de lo realista que un artista pudiera retratar un objeto, la obra nunca sería el propio objeto sino una representación del mismo.

Aunque Magritte disfrutó de éxito durante su vida, la garantía de su fama ha sido el legado de su obra. Durante generaciones, artistas y directores de cine se han inspirado en sus cuadros. Por ejemplo, en las dos versiones cinematográficas de *El secreto de Thomas Crown* (1968 y 1999) se hace referencia directa al cuadro de Magritte *El hijo del hombre* (1964), donde se representa a un

ARRIBA: Otro de los acertijos visuales de Magritte, *El modelo rojo,* pintado en 1935.

1800-99

hombre con un bombín y la cara tapada por una manzana de gran tamaño. La imaginería de Magritte también se hizo conocida entre el gran público gracias a las técnicas de producción en masa y a la cultura popular. Son numerosos los músicos que han elegido sus imágenes para las portadas de sus discos. Por ejemplo, el grupo Styx tomó *La firma en blanco* (1965) como portada de su disco *Gry Illusion* (1977). En 1965 se celebró una retrospectiva de la obra de Magritte en el Museum of Modern Art de Nueva York, y en 1992, más de veinte años después de la muerte del artista en Bruselas en 1967, el Metropolitan Museum of Art celebró una retrospectiva de su obra. **JN**

«Yo no pinto esa mesa literalmente, sino la emoción que me produce.»

ALEXANDER CALDER

Alexander Calder, 22 de julio de 1898 (Lawnton, Pensilvania, EE.UU.); 11 de noviembre de 1976 (Nueva York, EE.UU.).

Estilo: Esculturas móviles suspendidas de sentido lírico; formas y colores básicos; esculturas públicas de gran tamaño que son antropomórficas en su fluidez orgánica.

Obras destacadas

Arco de pétalos, 1941 (Solomon R. Guggenheim Museum , Nueva York)

Insecto (Glassy Insect), 1953 (Museum of Modern Art, Nueva York)

Les Flèches, 1976 (National Gallery of Art, Washington, D.C.)

No sería muy rebuscado decir que la formación original de Alexander Calder como ingeniero mecánico le permitió desarrollar una comprensión de la forma, la estructura y el equilibrio que determinó la elaboración de sus esculturas y en particular de sus móviles. Durante las primeras etapas de su carrera, siempre fue muy consciente de las corrientes artísticas de la vanguardia europea. Gracias a una serie de visitas a París, pudo desarrollar su propia identidad como artista, al tiempo que se exponía a la influencia de una serie de artistas destacados, como el surrealista Joan Miró, quien, a su vez se vio influido por el estilo de escultura lírica de Calder.

En 1931 Calder se integró en el grupo *Abstraction-Création*, un colectivo artístico compuesto de miembros eminentes, como Piet Mondrian y Vasili Kandinsky. Los experimentos del escultor con obras abstractas y cinéticas de comienzos de la década de 1930 fueron evolucionando gradualmente hacia una serie de «móviles», término acuñado por Marcel Duchamp.

Los primeros móviles de Calder se podían mover o bien a mano o mediante un pequeño motor eléctrico. Algunas obras como *Sin título* (h. 1932) suponían el desarrollo de este descubrimiento, hasta el punto que su movimiento era generado por corrientes de aire. Como objetos, los móviles ocupaban espacio de una forma muy específica y sofisticada. Funcionaban en cuanto a su cualidad pictórica mediante la armonía de forma, líneas y colores. No obstante, el nombre de Calder, no se asocia solo a los móviles que creaba: Jean Arp etiquetó las formas escultiurales estáticas de Calder como «estables» porque no se movían. En todo caso, el artista había aportado a la tradición de la escultura una nueva forma de concebir las formas tridimensionales y, lo que es más importante, de activarlas en el espacio. **CS**

«Para muchos, [...] un móvil [son] objetos que se mueven, para unos pocos, puede ser poesía.»

ARRIBA: Alexander Calder, fotografiado con gesto alegre en 1963.

TAMARA DE LEMPICKA

Maria Górska, h. 1898 (Varsovia, Polonia, o Moscú, Rusia); 18 de marzo de 1980 (Cuernavaca, México).

Estilo: *Art déco;* pintura precisa y estilizada; con colores puros; líneas angulares que contrastan con formas suaves y redondeadas; objetos glamourosos y elegantes.

Tamara de Lempicka (tal y como fue conocida) dijo que había nacido en Varsovia en 1898, aunque es posible que naciera en Moscú unos años antes. En 1916 se casó con Tadeusz Łempicki, abogado ruso de la alta sociedad, y en 1918 huyeron de la Revolución rusa y se trasladaron a París. Allí estudió arte con Maurice Denis y André Lhôte, cambió su nombre y se relacionó con importantes personajes literarios. Hacia 1923 ya estaba exponiendo su obra en los principales salones. Para su primera exposición destacada en Milán en 1925, pintó 28 obras en seis meses.

1800-99

Obras destacadas

Autorretrato en el Bugatti verde, 1925
   (colección particular)
Kizette en el balcón, 1927
   (Musée National d'Art Moderne, París)
Retrato de Madame M, 1930
   (colección particular)
Lady in blue, 1939 (Metropolitan
   Museum of Art, Nueva York)

De Lempicka desarrolló un estilo atrevido y singular, que a veces ha sido descrito como cubismo suave y que venía a dar cuerpo al *art déco.* Sus cuadros son composiciones cuidadas y sus motivos glamourosos y elegantes. Sus ocasionales desnudos, de composiciones curvas y sinuosas recuerdan a los de Jean-Auguste-Dominique Ingres, y sus estilizados retratos transmiten la riqueza material de sus aristocráticos modelos. Pronto se convirtió en la retratista más en boga de su generación, pintando a duquesas, duques y personajes de la alta sociedad con su estilo chic y decadente. De un enfoque similar al de Fernand Léger, su obra es más femenina y tuvo buena aceptación de la crítica. Fue una celebridad, famosa por su belleza, sus fiestas y sus aventuras amorosas con personas de ambos sexos. En 1939 De Lempicka se trasladó a Estados Unidos con su segundo marido y antiguo benefactor, el barón Raoul Kuffner; allí repitió su éxito artístico y social, tanto en Hollywood como en Nueva York. Sin embargo, en la década de 1950, su obra dejó de estar de moda. Probó a pintar con un estilo más desenfadado, pero tuvo una acogida fría. El interés por sus primeras obras no se reavivó hasta la década de 1970 y antes de que muriera en 1980 su obra volvía a recibirse con entusiasmo. **SH**

«Vivo la vida al margen de la sociedad, y las normas sociales no me incumben.»

ARRIBA: Retrato fotográfico de Tamara de Lempicka de 1925.

HENRY MOORE

Henry Spencer Moore, 30 de julio de 1898 (Castleford, West Yorkshire, Inglaterra); 31 de agosto de 1986 (Much Hadham, Hertfordshire, Inglaterra).

Estilo: Escultor, dibujante y grabador; exponente de la abstracción y la talla directa; formas orgánicas; arte público monumental.

Obras destacadas

Figura reclinada, 1929 (City Art Gallery, Ledds, Inglaterra)

Virgen con el Niño, 1943-1944 (iglesia de San Mateo, Northampton, Inglaterra)

Figura reclinada, 1957-1958 (sede central de la Unesco, París)

Motivo vertical nº 9, 1979 (Hofstra University Museum, Hempstead, Nueva York)

Henry Moore nacido en Yorkshire, fue un artista que se sentía ligado a la piedra. A los 11 años decidió ser escultor. Pronto rechazó las prácticas tradicionales y los principios clásicos de la escultura en talla directa y se dejó influenciar por los artes precolombino, oceánico y africano. Aunque sobresalió en su capacidad para imitar los modelos clásicos en el Royal College of Art londinense en la década de 1920, también aprendió mucho de los bocetos realizados en el Museo Británico. En el arte antiguo no occidental descubrió un ideal de escultura que se fundamentaba en «la veracidad de los materiales», donde se exploraban las posibilidades artísticas de la forma abstracta y el potencial inherente al material correspondiente. Más tarde, buscó la inspiración en los objetos naturales como rocas, conchas y huesos, para realizar trabajos que recuerdan a paisajes de colinas y cuevas. Aunque muestren elementos abstractos y surrealistas, sus obras siempre se pueden asociar al cuerpo humano, especialmente a su tema recurrente de madres e hijos y de figuras reclinadas.

Durante la década de 1930, Moore fue un miembro importante de la vanguardia británica, se asoció a la Seven and Five Society and Unit One, y participó en la International Surrealist Exhibition de Londres en 1936. Vivió y trabajó en Hampstead, al norte de Londres, en estrecho contacto con artistas emigrantes británicos y europeos relacionados con el modernismo internacional. Moore siempre fue consciente de la tradición artística y estuvo preocupado por la humanidad de su obra. Esto se expresa de forma clara en sus dibujos de las personas que buscan refugio en las estaciones del metro durante los bombardeos de Londres. Tras la Segunda Guerra Mundial se le reconoció internacionalmente por sus esculturas monumentales en bronce. **TA**

«[...] de igual importancia [que el diseño abstracto] es el elemento psicológico y humano.»

ARRIBA: Henry Moore, fotografiado junto a una de sus esculturas en 1972.

DERECHA: La imponente y severa belleza de *El arco* (1963-1969).

A. J. CASSON

Obras destacadas

Orilla norte, lago Superior, 1928
  (colección particular)

El pino blanco, 1957 (McMichael Canadian
  Art Collection, Canadá)

Alfred Joseph Casson, 12 de mayo de 1898 (Toronto, Ontario, Canadá);
20 de febrero de 1992 (Toronto, Ontario, Canadá).

Estilo: Cuadros lineales y nítidos; pequeños pueblos canadienses y escenas
de naturaleza; colores brillantes y vivaces; patrones abstractos bidimensionales.

Alfred J. Casson trabajó como ilustrador en Toronto junto con Franklin Carmichael, que le invitó a unirse al Group of Seven. Casson se unió a sus filas en 1926, pero insistió en desarrollar su propio estilo. Mientras que el resto del grupo se esforzaba en representar la claridad, pureza y extensión de la naturaleza canadiense, Casson realizaba delicadas acuarelas y óleos de pequeños pueblos y otras escenas rurales. En 1925 fundó la Asociación Canadiense de Pintores de Acuarelas junto con Carmichael y F. H. Brigden. Inspirado en la obra de su colega Lawren Harris, Casson simplificó su estilo años más tarde y se acercó a la abstracción, para lo cual redujo sus motivos a patrones bidimensionales. **NSF**

LOUISE NEVELSON

Obras destacadas

Cielo-Catedral, 1958 (Museum of Modern Art,
  Nueva York)

Horizonte transparente, 1973 (Massachusetts
  Institute of Technology, Cambridge, EE.UU.)

Leah Berliawsky, h. 1899 (Kiev, Rusia [act. en Ucrania]); 1988 (Nueva York, EE.UU.).

Estilo: Escultora; esculturas de la década de 1950, normalmente monumentales,
negras, pintadas, muros panelados, cajas de lados abiertos llenas de objetos
encontrados.

Louise Nevelson, apodada «la gran dama de la escultura contemporánea» por sus inmensas pestañas postizas, sus vestidos llamativos y su aire de realeza, fue realmente aceptada casi a los 60 años, con su sensacional show en Nueva York *Moon Garden + One* (1958).

En 1905 la familia de Nevelson se trasladó de Rusia a Maine, donde su padre tenía un almacén de maderas; de ahí el gusto de Nevelson por la madera como material artístico. Al comienzo de su carrera ayudó a Diego Rivera con sus murales en Nueva York y en algunas películas europeas. Después de 1958 realizó escultura de exteriores y experimentó con plexiglás y acero. Influenciada por el constructivismo y el cubismo, colaboró en dar forma a las instalaciones modernas de arte. **AK**

LUCIO FONTANA

Lucio Fontana, 19 de febrero de 1899 (Rosario, Santa Fe, Argentina); 7 de septiembre de 1968 (Comabbio, Varese, Italia).

Estilo: Fundador del espacialismo; pintor y escultor; pinturas monocromáticas; colores brillantes; lienzos rasgados o perforados; formas esculturales evocativas del cuerpo.

En lugar de continuar utilizando el subconsciente como medio para generar imágenes e ideas, una serie de artistas de la posguerra en Europa adoptaron otras estrategias para representar la universalidad de la experiencia humana. La contribución de Lucio Fontana a este debate fue su intento de hacer de lo infinito algo visible de alguna manera.

De origen argentino, Fontana se trasladó a Milán junto con su familia a los seis años. Permaneció en Italia hasta 1922, cuando él y su padre, el escultor Luigi Fontana, volvieron a Argentina para montar un estudio de escultura. Regresó a Milán seis años más tarde para estudiar en la Accademia di Brera. Celebró su primera exposición individual en 1930 en la Gallerie del Milione de Milán.

Fontana experimentó con una serie de estilos semiabstractos antes de la Segunda Guerra Mundial, pero después de 1945 comenzó a desarrollar sus propias ideas de forma contundente y metódica. Empezó por desarrollar un lenguaje formal que se basaba en su idea del espacialismo. Su deseo de aunar ciencia y tecnología se asociaba con la necesidad de romper con los límites de la tradición pictórica occidental, lo que dio como resultado una serie de obras marcadas por el deseo de transformar la materia en energía y por sus incursiones en la cuarta dimensión. Por ejemplo, en *Concepto espacial* (1949-1950), parte de su famosa serie «Buchi», las filas horizontales de agujeros *(buchi)* no tenían un objetivo decorativo ni de composición, sino que se trataba de umbrales hacia un espacio pictórico y, por extensión, trascendental, que se encuentra más allá del plano de la pintura. El significado de las series «Buchi» y «Tagli» (rasgadura) se centra en la noble forma de Fontana de crear obras que ponían a prueba los límites dentro de los cuales se podía concebir el espacio pictórico. **CS**

Obras destacadas

Concepto espacial. Expectativas, 1959 (Solomon R. Guggenheim Museum, Nueva York)

Concepto espacial. Expectativas, 1960 (Museum of Modern Art, Nueva York)

Concetto spaziale. La fine di dio, 1963 (Fundazione Lucio Fontana, Milán)

«Sus rasgaduras tienen todavía la capacidad de abrir nuevas perspectivas en la pintura.» *Time*

ARRIBA: Detalle de una fotografía propiedad del Archivo Arici Graziano, realizada en 1960.

HENRI MICHAUX

Henri-Eugène-Marie-Ghislain Michaux, 24 de mayo de 1899 (Namur, Bélgica); 18 de octubre de 1984 (París, Francia).

Estilo: Dibujos caligráficos de «escritura ilegible»; meditaciones escritas sobre el proceso de la creación; preocupación por los estados alterados de la conciencia.

Obras destacadas

Alfabeto, 1927 (colección particular)
Narración, 1927 (colección particular)
Dibujo bajo el efecto de la mezcalina, 1958 (Musée National d'Art Moderne, París)

La extraordinaria producción del poeta y artista de origen belga Henri Michaux no ha encontrado su sitio fácilmente en el arte del siglo XX. Famoso por sus experimentos con mezcalina, una droga alucinógena, en la década de 1950, sus dibujos escultóricos y sus escrituras llenas de energía revelan a un artista profundamente comprometido con la exploración de los estados alterados del ser.

Michaux abandonó Bruselas en 1923 para instalarse en París, donde se relacionó con una serie de destacados artistas y escritores. Aunque solo comenzó a dibujar y a pintar de forma continuada desde mediados de la década de 1930, dos de sus primeras obras, *Alfabeto* (1927) y *Narración* (1927), nos presentan una preocupación que seguiría siendo crucial en el futuro. Luchando por ir más allá de los límites del lenguaje formal, Michaux buscaba medios de expresión más liberados. Mediante el uso de una «escritura ilegible», intentaba registrar la estremecedora intensidad de su vida.

Michaux viajó mucho durante la década de 1930, escribió profusamente y desarrolló un interés por las culturas no occidentales. Tras la muerte de su esposa en 1948, debida a horribles quemaduras, realizó cientos de dibujos a tinta a gran velocidad. Pero lo que le hizo más famoso fueron sus experimentos con mezcalina.

En 1957 escribió: «La mezcalina multiplica, agudiza, acelera e intensifica los momentos de conciencia interna». Los dibujos que realizaba en esos momentos eran agrupaciones vibrantes de marcas frenéticas en enjambre que tenían aspecto de sismografías del estado alterado del artista. Michaux siguió escribiendo, exponiendo y viajando a lo largo de las tres décadas siguientes e influyó en una gran variedad de creadores, como los escritores Allen Ginsburg y Jorge Luis Borges y el rapero M. C. Solaar. Murió en 1984 a los ochenta y cinco años. **EK**

«Quería dibujar la conciencia de la existencia en el flujo del tiempo.»

ARRIBA: Henri Michaux, con una mirada intensa, fotografiado alrededor de 1960.

RUFINO TAMAYO

Rufino Arellanes Tamayo, 29 de agosto de 1899 (Oaxaca, México); 24 de junio de 1991 (Ciudad de México, México).

Estilo: Artista famoso por sus representaciones de figuras humanas, animales y naturalezas muertas de colores intensos y formas semiabstractas y simplificadas.

Rufino Tamayo, descendiente de indios zapotecas, nació en Oaxaca, México. Sus padres murieron cuando él era joven y fue criado por su tía en Ciudad de México, donde pasó mucho tiempo en el Museo Nacional, dibujando los tesoros arqueológicos del México precolombino. Una experiencia que influyó en su estilo artístico durante el resto de su vida.

Tamayo realizó obras de sorprendente sencillez y colores intensos. Mezcló el arte tradicional mexicano con los estilos modernos europeos, especialmente el de Pablo Picasso y Henri Matisse. Producía enérgicas formas semiabstractas, distorsionadas mediante técnicas modernas para hacerlas más expresivas. A pesar de su aceptación por el gran público, la naturaleza universal de su arte fue motivo de burla por parte de los muralistas mexicanos como Diego Rivera, José Clemente Orozco y David Alfaro Siqueiros, quienes pensaban que el arte mexicano debía seguir mostrando la ideología revolucionaria. Su oposición fue tan intensa que Tamayo consideró que no podía seguir más tiempo en México y se trasladó a Nueva York.

Tamayo vivió en Estados Unidos durante una década, experimentando con diferentes influencias europeas y enseñando arte en la Dalton School de Manhattan. Fue un artista prolífico, hasta el punto de que se describía a sí mismo como un trabajador del arte que a veces pasaba ochos horas al día pintando. Finalmente se le reconoció como un gran artista y volvió a Ciudad de México como un héroe. Junto con su mujer, inauguró el Museo Tamayo de Arte Contemporáneo en 1981. La pareja donó su colección de obras de arte a la nación. También construyó el Museo Rufino Tamayo en Oaxaca. Rufino Tamayo falleció en 1991, dejando detrás un impresionante legado. **JM**

Obras destacadas

El nacimiento de la nacionalidad, 1952 (Palacio de Bellas Artes, Ciudad de México)

América, 1955 (Bank of the Southwest, Houston)

Prometeo, 1958 (edificio de la Unesco, París)

«El arte es una forma de expresión que la tiene que entender todo el mundo [...]»

ARRIBA: Rufino Tamayo, fotografiado en su estudio a los ochenta y dos años.

YVES TANGUY

Raymond Georges Yves Tanguy, 5 de enero de 1900 (París, Francia); 15 de enero de 1955 (Woodbury, Connecticut, EE.UU.).

Estilo: Paisajes oníricos; composiciones bajo el agua llenas de formas biomórficas; formas minerales y metálicas; dibujos de «cadáveres exquisitos» y colaborativos.

Obras destacadas

Apagamiento de luces inútiles, 1927
(Museum of Modern Art, Nueva York)

El tiempo amueblado, 1939
(Museum of Modern Art, Nueva York)

Los transparentes, 1951
(Tate Collection, Londres)

Yves Tanguy, antiguo marino mercante, decidió dedicarse a la pintura tras descubrir en 1923 la obra de Giorgio de Chirico *El cerebro del niño* (1914) en el escaparate de una galería de París y conocer el grupo surrealista al encontrarse con su manifiesto en una librería el año siguiente. Aunque era reservado hasta el punto de aislarse, llegó a ser un personaje importante en el grupo, y realizó obras que materializaban la idea de André Breton de que el arte era una expresión del subconsciente. Siempre declaró seguir el método surrealista del automatismo, evitando toda planificación o preparación. Sus cuadros conjuraban el reino de lo inconsciente en tenebrosos paisajes poblados de formas biomórficas, representadas por pinceladas minúsculas y meticulosas. Recuerdan a la cultura megalítica de la región de Finisterre, donde pasaba las vacaciones de su infancia, y a donde regresó como hombre joven acompañado de sus amigos de París, el escritor Jacques Prévert y el músico Maurice Duhamel. En un viaje al norte de África en 1930 encontró más inspiración en las extrañas formaciones rocosas.

En 1939, huyendo de la guerra en Europa, Tanguy salió de Francia hacia Estados Unidos con el pintor Kay Sage. En Nueva York se unió al importante grupo de los surrealistas exiliados, pero más tarde encontró un entorno más rural, en Connecticut, del que declaró: «Aquí tengo la sensación de mayor espacio y luz —más sitio—». Realizó cuadros de gran tamaño que incluían cada vez más formas metálicas, quizá por la influencia de su interés en las armas de fuego —tenía una colección de pistolas—, así como de la imaginería militar que invadía los medios estadounidenses. Tanguy se quedó en Estados Unidos después del final de la guerra. Falleció en 1955, cuando el Museo de Arte Moderno de Nueva York estaba finalizando los preparativos para una exposición retrospectiva de su obra. **LB**

> «En Yves Tanguy tenemos al iconógrafo de la melancolía del surrealismo.» J. J. Sweeney

ARRIBA: Yves Tanguy, fotografiado en 1938 por el fotógrafo francés Denise Bellon.

ALBERTO GIACOMETTI

Alberto Giacometti, 10 de octubre de 1901 (Borgonovo, Stampa, Suiza); 11 de enero de 1966 (Chur, Graubünden, Suiza).

Estilo: Escultor, pintor, dibujante y grabador; retratos, naturalezas muertas y paisajes; esculturas figurativas de formas deportivas, alargadas y elegantes.

Debido a su amistad con el filósofo y escritor Jean-Paul Sartre, el suizo Alberto Giacometti fue el artista más íntimamente ligado al existencialismo. Comenzó a dibujar cuando tenía nueve años y creó su primera escultura a los catorce. Su padre, Giovanni, era un pintor postimpresionista muy conocido. A los dieciocho estudió en Ginebra, luego viajó por Italia realizando bocetos y estudiando la arquitectura clásica. Tres años más tarde, Giacometti se trasladó a París, donde estudió con Antoine Bourdelle, antiguo alumno del escultor Auguste Rodin. Hasta ese momento, Giacometti había reverenciado a los maestros del barroco y del Renacimiento, pero cuando se inspiró en Constantin Brancusi y Jacques Lipchitz empezó a experimentar con el cubismo y el constructivismo. Después de conocer a André Breton en 1930, se unió a los surrealistas.

En 1939 conoció a Sartre y a Simone de Beauvoir, con los que trabó una buena amistad. Para escapar de la ocupación nazi en Francia, regresó a Ginebra durante la Segunda Guerra Mundial. Allí trabajó de memoria realizando diminutas esculturas figurativas de sus modelos. Giacometti volvió a París en 1945 y desarrolló su estilo tan original de figuras de palo, produciendo bronces de acabado irregular, como en *Hombre que camina* (1947). Las figuras femeninas están principalmente paradas de pie, mientras que las masculinas parecen caminar, cada uno, ambigua, misteriosa y fría, con frecuencia de cabezas reducidas y de pies enormes y enraizados. Estas imágenes angustiadas y fantasmales han sido descritas como la expresión absoluta del pesimismo existencialista. Giacometti decía que rara vez estaba satisfecho con su obra, y con frecuencia destruía lo que había creado durante el día. Se quedó en París en el mismo estudio que había usado en la década de 1920 hasta el final de su vida. **SH**

Obras destacadas

Hombre que camina, 1947 (Alberto Giacometti Foundation, Zurich)

Hombre señalando, 1947 (Tate Liverpool, Liverpool)

Piazza, 1947-1948 (Guggenheim Museum, Nueva York)

1900–09

«Solo me interesa la realidad [...] podría pasarme el resto de mi vida copiando una silla.»

ARRIBA: Alberto Giacometti trabajando en su estudio, fotografía de 1958.

LEN LYE

Obras destacadas

Universo, 1963 (Auckland Art Gallery Toi
O Tamaki, Auckland, Nueva Zelanda)

Lluvia, árbol y tierra, 1977 (Govett-Brewster
Gallery, New Plymouth, Nueva Zelanda)

Películas:

El baile del arco iris, 1936 (Collection
of the New Zealand Film Archive)

Grito de colores, 1952 (Collection
of the New Zealand Film Archive)

Leonard Charles Huia Lye, 5 de julio de 1901 (Christchurch, Nueva Zelanda);
15 de mayo de 1980 (Warwick, Rhode Island, EE.UU.).

Estilo: Creador de películas y animaciones experimentales; esculturas móviles
y sonoras; creó patrones y texturas abstractas en celuloide; temas del Pacífico Sur.

El reconocimiento internacional de Len Lye se debe a su pionera contribución a las técnicas de animación cinematográficas.
Durante la década de 1960 también fue un miembro destacado del movimiento del arte cinético. Dejó Nueva Zelanda en
1919, después de terminar sus estudios en la Canterbury
School of Art, pero conservó su interés por el arte maorí, aborigen, y del Pacífico Sur. Vivió en Samoa, Sidney y Londres, antes
de establecerse en Nueva York en 1944. Lye experimentó con
los nuevos procesos de fotografía a color, pintando, arañando
o usando plantillas directamente sobre el celuloide. Su obra
fue incluida en la Territorium Artis de 1992 en Bonn, Alemania,
junto con Pablo Picasso y Marcel Duchamp. **NG**

JEAN DUBUFFET

Obras destacadas

El árbol de los fluidos (serie «Cuerpos de
dama»), 1950 (Tate Collection, Londres)

Triunfo y gloria (serie «Cuerpos de dama»),
1950 (Guggenheim Collection, Nueva York)

Jean Philippe Arthur Dubuffet, 31 de julio de 1901 (El Havre, Francia); 12 de mayo
de 1985 (París, Francia).

Estilo: Pintor, litógrafo y escultor art brut; motivos e imaginería extraídos de
prácticas artísticas marginales; tratamiento primitivo de la figura humana.

Tanto en su arte como en su vida, Jean Dubuffet se mofó de las
normas de la sociedad en la cultura occidental. Aunque muchos
otros artistas de la posguerra en París compartían su idea de que
la cultura dominante era conformista y moralmente corrupta,
ninguno estaba tan fascinado como Dubuffet por las verdades
reveladas por el art brut ejecutado por no artistas, incluyendo
a los desequilibrados, los prisioneros, los niños y los grafiteros.
Adoptó una ecléctica gama de estilos, y su obra estuvo marcada
por el rechazo a ceder ante lo que se considerase de buen gusto.
En lugar de ello, la ambición de por vida de Dubuffet fue la de
desvelar, a través de su arte, una realidad más primaria que yacía
oculta tras un velo de respetabilidad y de decoro social. **CS**

WIFREDO LAM

Wifredo Oscar de la Concepción Lam y Castilla, 8 de diciembre de 1902 (Sagua La Grande, Cuba); 11 de septiembre de 1982 (París, Francia).

Estilo: Pintor, escultor y ceramista afrocubano; temas de vudú, rituales y santería; entornos selváticos; paleta de colores de tierra; formas híbridas como de máscaras.

La vida de Wifredo Lam fue un crisol de influencias culturales y artísticas que conformaron un estilo único y personal. Nació en Cuba de padre chino y madre congoleña-cubana. Vivió en Cuba, España, Francia, Martinica, Italia y Estados Unidos. En su deambulante estilo de vida recibió lecciones de arte de Fernando Álvarez de Sotomayor (director del Museo del Prado de Madrid y antiguo profesor de Salvador Dalí), se relacionó con los cubistas y surrealistas en la década de 1930 en París, se hizo amigo de Picasso y André Breton, y exploró los rituales vudús de Haití.

Lam aprendió mucho de esa existencia transatlántica, incorporando a su arte los desarrollos del arte contemporáneo europeo, junto con una característica mezcla de arte moderno afrocubano. Sus temas predominantes eran la exuberante jungla, la herencia esclavista de muchas de sus gentes y la iconografía de la santería de los yoruba de Nigeria. La santería fue la religión que adoptaron los esclavos llegados del oeste de África a las plantaciones de azúcar en Cuba y muchas de las obras de Lam hacen referencia a sus personajes espirituales.

Lam aprendió que intentaba describir el drama de su país, y eso es lo que hizo en su obra clave *La jungla* (1943), causando un gran impacto al exponerla en Nueva York. En el cuadro se ve la selva iluminada por la luz de la luna y repleta de figuras cubistas enmascaradas, mitad humanas y mitad bestias, que miran hacia fuera, al espectador del cuadro, de forma acusadora, entre las hojas de caña de azúcar que les rodean. En una época en la que el arte europeo miraba hacia África, Lam atrajo la atención sobre la herencia africana de Cuba, siempre inclinándose ante la cultura del imperio y del comercialismo que había servido de base al comercio de esclavos y al desplazamiento de millones de personas. **CK**

Obras destacadas

Madre e hijo, 1939 (Museum of Modern Art, Nueva York)

La jungla, 1943 (Museum of Modern Art, Nueva York)

Ibaye, 1950 (Tate Collection, Londres)

1900–09

«Lo que yo quería con toda mi alma era pintar la tragedia de mi país.»

ARRIBA: Esta fotografía de Wifredo Lam la realizó Gjon Mili.

MARK ROTHKO

Marcus Rothkowitz, 25 de septiembre de 1903 (Daugavpils, Rusia [act. en Letonia]); 25 de febrero de 1970 (Nueva York, EE.UU.).

Estilo: Pintor expresionista abstracto y grafista; extraordinario colorista; aspectos del surrealismo; bloques intensos de color y textura.

Obras destacadas

Lento remolino al borde del mar, 1944
(Museum of Modern Art, Nueva York)

Sin título (Púrpura, blanco y rojo), 1953
(Art Institute of Chicago, Chicago)

Rojo luminoso sobre negro, 1957
(Tate Collection, Londres)

Mark Rothko, uno de los más grandes coloristas del mundo, influyó decisivamente en el futuro del arte abstracto y moderno. Nació en la actual Letonia, de padres judíos, aunque su familia emigró a Estados Unidos en 1913. Brillante estudiante, ingresó en la Universidad de Yale en 1921, y luego estudió en la Art Students League de Nueva York con Max Weber.

En 1928 se celebró su primera exposición, pero la fama tardó aún en llegar, y durante muchos años sus principales ingresos procedieron de sus clases como profesor de arte. Su pintura estuvo influenciada por el intenso uso del color de Milton Avery, aunque Rothko alcanzó nuevas cotas. Convencido de que la pintura moderna había muerto, exploró la forma, el espacio y el color más que los sujetos representados. En 1935 contribuyó a fundar Ten, grupo de artistas afines al arte abstracto y el expresionismo. Experimentó con un estilo surrealista inspirado por fábulas mitológicas y símbolos; también se dedicó a escribir.

Temiendo la expansión nazi por Europa, en 1938 se convirtió en ciudadano estadounidense, y en 1940 cambió su nombre de Marcus Rothkowitz por el de Mark Rothko. Aquel mismo año participó en la creación de la Federación de Pintores y Escultores Modernos, que pretendía salvaguardar el arte libre de la propaganda política. Después de 1943 su amistad con el artista abstracto Clyfford Still influyó en el desarrollo de los llamados color fields (campos de color) de Rothko. Grandes y ambiguos rectángulos, y difusas divisiones de color transmiten ondas de emociones, de la desesperación al éxtasis. A finales de la década de 1940 su estilo se desplazó hacia la abstracción total. En 1961 alcanzó finalmente el éxito, y se celebró una gran retrospectiva de su obra en el MoMA de Nueva York. El pintor se suicidó en 1970 en su estudio neoyorquino. **SH**

«No soy un pintor abstracto [...] Me cuido de la expresión de las emociones básicas del hombre.»

ARRIBA: Mark Rothko, fotografiado en su apartamento neoyorquino en 1967.

DERECHA: *Sin título* (1960-1961), obra que fue pintada en la cima de su éxito.

BARBARA HEPWORTH

Obras destacadas

Bebé, 1929 (Tate Collection, Londres)

Tres formas (Escultura de alabastro gris), 1935 (Tate St. Ives, St. Ives, Inglaterra)

Figura de cuerda (Zarapito), versión II, 1956 (Tate St. Ives, St. Ives, Inglaterra)

Jocelyn Barbara Hepworth, 10 de enero de 1903 (Wakefield, West Yorkshire, Inglaterra); 20 de mayo de 1975 (Trewyn, Cornualles, Inglaterra).

Estilo: Esculturas abstractas en bronce, mármol, piedra y madera, a menudo con formas orgánicas a gran escala y situadas en entornos naturales.

Barbara Hepworth estudió escultura primero en la Leeds School of Art y luego en la London's Royal College of Art. Junto con el escultor Henry Moore —a quien conoció en Leeds— y su segundo esposo, el pintor Ben Nicholson, lideró el abstraccionismo británico en la década de 1930. Se destacó por el uso del espacio negativo, que logró por medio de la perforación de sus esculturas en piedra y madera. Durante la Segunda Guerra Mundial se trasladó a Saint Ives, en Cornualles, donde su obra alcanzó una nueva dimensión, y comenzó a trabajar esculturas en bronce. Junto a su marido y Peter Lanyon, fundó en Saint Ives la Penwith Society of Artists en 1949. Hepworth fue nombrada *Dama* en 1965. **CK**

AARON SISKIND

Obras destacadas

Banda en el salón de baile Saboya, del proyecto «Harlem Document», 1937 (Smithsonian Art Museum, Washington, D.C.)

Nueva York 2, 1951 (Art Institute of Chicago, Chicago)

Aaron Siskind, 4 de diciembre de 1903 (Nueva York, Nueva York, EE.UU.); 8 de febrero de 1991 (Providence, Rhode Island, EE.UU.).

Estilo: Documentalista cinematográfico, pionero del expresionismo abstracto, arte con objetos confeccionados, arquitectura, figuras aisladas.

Aaron Siskind se interesó por la fotografía en 1929, cuando le regalaron una cámara para inmortalizar su luna de miel. En la década siguiente se afilió a la New York Photo League y recibió elogios por la creación de varias series que documentaban la vida en las zonas más deprimidas de la ciudad. Sin embargo, durante la década de 1940, su obra se transformó y comenzó a producir primeros planos muy cortos de objetos confeccionados, graffiti, y superficies desgastadas y envejecidas. Este cambio lo situó en primera fila del emergente movimiento expresionista abstracto, y expuso en la Charles Egan Gallery junto con Willem de Kooning y Franz Kline. A partir de la década de 1950 su obra fue reconocida entre las mejores. **RB**

ARSHILE GORKY

Vostanik Manoog Adoyan, 15 de abril de 1904 (Jorkom, Van, Turquía);
21 de julio de 1948 (Sherman, Connecticut, EE.UU.).

Estilo: Pintor abstracto; primeros paisajes y retratos con estilos cubistas
y surrealistas; fusión de formas curvilíneas y biomórficas; empleo de colores vivos.

La vida de este pintor fue típica de un artista luchador atormentado por la pobreza y la agitación política. Impulsado por
la fuerza de su confianza en sí mismo, tuvo un final trágico. La
carrera de Gorky es también una historia de éxito. Inmigrante
en Estados Unidos, su influencia en el arte de este país fue
enorme. Sus lienzos abstractos líricos —poblados por formas
biomórficas flotantes de colores brillantes que recuerdan obras
de Joan Miró y Vasili Kandinsky— alcanzaron la cima del expresionismo abstracto e inspiraron a artistas de la Escuela de Nueva York, como Willem de Kooning, Lee Krasner, Jackson Pollock,
Mark Rothko, Philip Guston y Barnett Newman.

Nació en la Armenia turca, y su padre emigró a Estados Unidos en 1910 para eludir el servicio militar. Cuando los turcos in-
vadieron Armenia en 1915, Gorky huyó con su madre y hermana para escapar de la «limpieza étnica» contra los armenios. En
1919 su madre murió de hambre y él emigró a Estados Unidos
un año después, cuando solo tenía dieciseis años. La tragedia y

Obras destacadas

El artista y su madre, h. 1926-h. 1942
  (National Gallery of Art, Washington, D.C.)
Jardín en Sochi, 1941 (Museum of Modern
  Art, Nueva York)
Cascada, 1943 (Tate Collection, Londres)
Un año en Milkweed, 1944 (National Gallery
  of Art, Washington, D.C.)
El hígado es la cresta del gallo, 1944
  (Albright-Knox Art Gallery, Buffalo, EE.UU.)
Diario de un seductor, 1945 (Museum
  of Modern Art, Nueva York)

ARRIBA: Arshile Gorky, de origen
armenio, fue una figura significativa
del expresionismo abstracto.

IZQUIERDA: La gama de grises de *Diario de
un seductor* sugiere un período más sombrío
en la vida del artista.

¿Realidad o ficción?

Gorky era famoso por embellecer la verdad. Fue quijotesco en cuanto a su año de nacimiento, que modificaba frecuentemente. Cuando emigró a Estados Unidos cambió su nombre armenio para que pareciera más ruso e, incluso, afirmó ser primo del escritor Máximo Gorki. Quizá en ningún otro sitio se manifiestan más sus expectativas, y su probable estado de desesperación, que en un formulario que se conserva en el Archivo Gorky de la Frances Mulhall Achilles Library del Whitney Museum of American Art de Nueva York. Lo rellenó en el otoño de 1937, en respuesta a una invitación del museo a su exposición anual de pintura contemporánea estadounidense. La invitación era una oportunidad importante para que mostrara su obra y alcanzase el reconocimiento que anhelaba.

Al responder a la pregunta sobre su lugar de nacimiento, escribió: «Tiflis, Georgia, Rusia», quizá porque le pareció que Tiflis (actual Tbilisi) era más aceptable que mencionar haber nacido en una oscura aldea turca. A la pregunta: «¿Dónde estudió?», además de relacionar la lista de sitios donde había estado añadió otro: «Providence, Long Island». Para rellenar el espacio abierto de «Datos adicionales», se hizo su propia promoción así: «Ha presentado obras en todas las exposiciones importantes de arte contemporáneo estadounidense y europeo en la ciudad de Nueva York [...]. Enseñó durante siete años en la Grand Central Art School.» Su floritura más conmovedora fue su respuesta a la solicitud de presentar una lista de premios y reconocimientos recibidos: «Ninguno, todavía».

los sufrimientos que padeció son temas que aparecen en su obra. Por ejemplo, el cuadro *El artista y su madre* (h. 1926-h. 1942) muestra al joven Gorky de pie junto a su madre sentada en lo que pudiera ser un pasado real o idílicamente imaginario.

Vivió primero en Nueva Inglaterra y estudió en la New School of Design, en Boston. En 1925 se trasladó a Nueva York, cambió su nombre por el de Ashile Gorky, y continuó sus estudios en la Grand Central School of Art. Al trasladarse a la ciudad de los rascacielos entró en contacto con el trabajo de artistas europeos modernos, como Paul Cézanne, Pablo Picasso, Georges Braque y Joan Miró. Sus primeras obras oscilan entre el estilo cubista y el surrealista, lo que dio lugar a críticas por ausencia de originalidad. Aunque conocido por su gusto por la soledad, comenzó a relacionarse con la vanguardia neoyorquina; en particular con pintores como Stuart Davis, John Graham y De Kooning, con quien compartió estudio a finales de la década de 1930.

Lento, pero seguro

Gorky luchó a menudo para ganar dinero suficiente para vivir y con frecuencia contó con la ayuda de amigos y patrocinadores. Cuando transcurría la década de 1930 comenzó lentamente a exponer su obra, y en 1934 realizó su primera exposición individual en las Mellon Galleries de Philadelphia. También se mantuvo gracias a su trabajo como muralista para el WPA Federal Art Project entre 1935 y 1939.

Durante la década de 1940, Gorky recibió el reconocimiento creciente de galerías importantes de Nueva York, como el Whitney Museum of American Art y el Museo de Arte Moderno. En esa década realizó sus obras más famosas, entre ellas: *Jardín en Sochi* (1941), *Cascada* (1943), *Un año en Milkweed* (1944) y *El hígado es la cresta del gallo* (1944). Quizá estimulado por los períodos que pasó en el campo —en Virginia y Connecticut—, sus obras parecen casi pinturas pastoriles abstractas, con una gama de colores semejante a un campo de flores fundidas y flotantes en formas biomórficas que se combinan líricamente y se funden entre sí. En 1945 el pintor André Breton lo reconoció como miembro destacado del movimiento surrealista internacional y

1900–09

recibió una crítica favorable por parte del influyente crítico de arte Clement Greenberg.

En enero de 1946, un incendio destruyó su estudio en Connecticut y una treintena de sus cuadros. Un mes más tarde le diagnosticaron un cáncer intestinal y tuvo que someterse a cirugía. Su depresión posterior se refleja en la sombría gama de colores rojos y marrones de su cuadro *Agonía* (1947). En junio de 1948 sufrió un accidente automovilístico que le produjo una fractura en el cuello y la parálisis temporal del brazo que utilizaba para pintar. Su esposa lo abandonó y se llevó a sus dos hijos. En julio de ese mismo año, Gorky se ahorcó en un granero. **CK**

ARRIBA: Se dice que *El hígado es la cresta del gallo* es el cuadro más importante de Gorky.

«Comunico mis percepciones más íntimas a través del arte [...]. Mi visión del mundo.»

JEAN HÉLION

Jean Hélion, 21 de abril de 1904 (Couterne, Normandía, Francia); 27 de octubre de 1987 (París, Francia).

Estilo: Pintor francés de composiciones abstractas que al principio de su carrera insinúan la realidad; en sus últimos años, cuadros representativos, aunque surrealistas.

Jean Hélion, nacido en Normandía, Francia, fue a estudiar química en Lille, pero pronto decidió dedicarse al dibujo arquitectónico, que luego cedió el paso a la pintura, aunque Hélion conservara la visión del proyectista. Durante la década de 1930 se dedicó a trasladar los conceptos arquitectónicos de volumen y masa a las formas pictóricas.

Obras destacadas

Composición en colores, 1934
(San Diego Museum of Art, EE.UU.)

Île de France, 1935 (Tate Collection, Londres)

A contracorriente (El camino equivocado),
1947 (Musée Nationale d'Art Moderne,
Centre Pompidou, París)

Hélion pintó un universo paralelo de formas abstractas, sombreadas cuidadosamente, y que se complementan unas a otras en color, forma y ubicación en el espacio para producir imágenes que evocan sentimientos de familiaridad, pero que desafían el reconocimiento total. Sugiriendo la pantalla de una lámpara aquí y el brazo de un sofá allá, *Composición en colores* (1934) e *Île de France* (1935) nos recuerdan una sala de estar *art déco*.

Él mismo comprendió que la abstracción completa lo eludía. No obstante, viajó mucho como miembro fundador del grupo *Abstraction-Création*, formado en París en 1931, y trabó amistad y animó a artistas abstractos en Gran Bretaña, Europa y Estados Unidos, donde se estableció después de su matrimonio. La realidad se introdujo de nuevo a su manera con el estallido de la Segunda Guerra Mundial, que motivó su alistamiento como soldado en su Francia natal. Fue capturado por los nazis y enviado a un campamento de prisioneros. El irrefrenable Hélion se las ingenió para escapar en 1942 y regresó a Estados Unidos, aunque ya entonces había perdido su interés por el abstraccionismo. Incluso en medio de este cambio radical de opinión, siguió siendo fiel a sus ideales artísticos originales. La forma humana aparece equitativamente equilibrada en *A contracorriente* (1947), mientras detalles surrealistas inesperados se abren paso a través de una pintura aparente de la realidad. Gracioso y elusivo, Hélion desafía cualquier clasificación. **SC**

«El artista [es] consciente de lo inútil de su resultado y de la validez de la búsqueda.»

ARRIBA: Los ojos del artista destacan en este detalle del *Autorretrato* de Hélion.

ISAMU NOGUCHI

Isamu Gilmour, 17 de noviembre de 1904 (Los Ángeles, California, EE.UU.); 30 de diciembre de 1988 (Nueva York, Nueva York, EE.UU.).

Estilo: Escultor, diseñador y arquitecto; exploró las formas orgánicas en madera, piedra y metal; dio forma a espacios públicos y privados, incluidos jardines.

Durante su vida, Noguchi personificó una fusión de diversas identidades étnicas, culturales y creativas.

Era hijo de una escritora irlandesa-estadounidense y de un poeta japonés, y pasó su infancia entre Japón y Estados Unidos. Su creciente interés por la escultura tuvo su recompensa en 1927 con una beca John Simon Guggenheim para estudiar en París, donde quedó cautivado por el arte surrealista y fue ayudante del gran escultor rumano Constantin Brancusi. Tras su regreso a Nueva York, Nogushi encontró la ciudad poco receptiva al estilo del abstraccionismo europeo, por lo que se concentró en los encargos de bustos para retratos escultóricos. Después de una prolongada estancia en China y Japón, se reavivó su admiración infantil por las formas sencillas de los jardines zen, y comenzó a diseñar monumentos y jardines públicos. Su primera pieza muy elogiada, un bajorrelieve macizo de acero inoxidable de estilo *art déco*, se exhibió en el Rockefeller Center, en 1940.

Durante la década de 1940 trabajó duro para disipar los sentimientos antijaponeses, mientras se forjaba una reputación de innovador en el diseño industrial e interior. Con un estilo escultural orgánico, fue autor de muchas piezas de mobiliario de una popularidad perdurable. Después de la Segunda Guerra Mundial, regresó a Japón, donde contribuyó a renovar la economía con sus famosos diseños para *Akari* (1951-1988), lámparas plegables confeccionadas con papel de morera y bambú. Noguchi siguió consolidando su posición como uno de los grandes transformadores del medio físico. Diseños escenográficos, monumentos, fuentes y jardines aparecieron por todo el mundo como maridajes elocuentes de la *wabi-sabi* (la belleza desolada) —estética del budismo zen— con las exigencias de una era moderna y secular. **RB**

Obras destacadas

Contoured Playground, 1941 (Noguchi Museum, Long Island City, Nueva York)

Jardín de la paz, 1956-1958 (sede central de la Unesco, París)

Regalo, 1964 (Noguchi Museum, Long Island City, Nueva York)

«Yo considero escultura cualquier material, cualquier idea nacida libre en el espacio.»

ARRIBA: Isamu Noguchi, fotografiado en Nueva York, en 1978.

SALVADOR DALÍ

Salvador Domingo Felipe Jacinto Dalí y Domènech, 11 de mayo de 1904 (Figueras, Cataluña, España); 23 de enero de 1989 (Figueras, Cataluña, España).

Estilo: Imágenes surrealistas que exploran el subconsciente; uso extenso del simbolismo; paisajes áridos y brillantes; erotismo; temas religiosos y científicos.

Obras destacadas

La persistencia de la memoria, 1931 (Museum of Modern Art, Nueva York)

Retrato de Gala, 1935 (Museum of Modern Art, Nueva York)

Cisnes reflejando elefantes, 1937 (colección particular)

Leda atómica, 1949 (Teatro-Museo Dalí, Figueras, Girona)

La pesca del atún, 1966-1967 (Fondation Paul Ricard, Île de Bendor, Francia)

Salvador Dalí fue pionero en un sendero lleno de color a través del mundo del arte, donde su obra es instantáneamente reconocible y sus excentricidades son legendarias. Estudió en la Real Academia de Bellas Artes de San Fernando, en Madrid, donde experimentó al principio con el cubismo y se integró en el círculo vanguardista madrileño. Fue amigo del poeta Federico García Lorca y del cineasta Luis Buñuel, con quien realizó la controvertida película *Un perro andaluz* (1929).

Dalí viajó a París y se unió al movimiento surrealista, encabezado por André Breton, que rechazaba las ideas o imágenes que eran susceptibles de un pensamiento racional y miraba hacia el subconsciente de las personas en busca de inspiración. El método de Dalí era inducirse un estado de alucinación en un proceso que denominó «actividad crítica paranoica» para poder acceder al subconsciente mental en busca de imágenes. Sus cuadros dibujan un mundo onírico, donde los objetos cotidianos se metamorfosean de manera ilógica, situados en un paisaje árido y soleado. El choque entre lo reconocible situado dentro de un

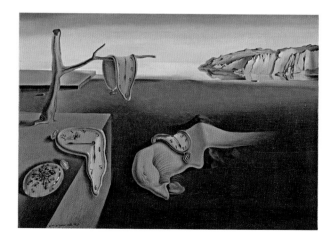

ARRIBA: El bigote inimitable de Dalí se ha convertido en un icono tanto como su arte.

DERECHA: La imagen de los relojes derretidos en *La persistencia de la memoria*, es Dalí por antonomasia.

contexto indescifrable llamó la atención del mundo del arte sobre la obra de Dalí; especialmente por cuadros como *La persistencia de la memoria* (1931), en el que unos relojes de bolsillo derretidos aparecen plegados en un paisaje desértico.

Dalí fue expulsado del movimiento surrealista después de negarse a aceptar su ideología marxista. En 1940 se trasladó a Estados Unidos, donde al año siguiente realizó su primera exposición retrospectiva en el MoMa de Nueva York. Allí trabajó en el cine, el teatro, la moda y la publicidad. Sobre el empleo de la bomba atómica durante la Segunda Guerra Mundial dijo: «[...] ha producido una onda sísmica dentro de mí». Su obra posterior gravitó en torno a un estilo más académico, preocupado por la ciencia, el misticismo y la religión. La iconografía cristiana tuvo notable presencia en sus cuadros, aunque siguió explorando temas eróticos. Sus últimas obras provocaron una mezcla de reacciones entre el público, y aún incluyeron obras maestras como *La pesca del atún* (1966-1967). **SG**

ARRIBA: *Cisnes reflejando elefantes* (1937) incluye un retrato de su primer propietario.

Dalí en Hollywood

Cuando el director de cine británico Alfred Hitchcock necesitó un diseñador para una secuencia onírica en su película de suspense psicológico *Recuerda* (1945), un nombre le vino a la mente. Unirse a la mayor fábrica de sueños era una oportunidad que Salvador Dalí no podía dejar escapar. Así, trabajó con Hitchcock para crear cuatro escenografías con tejados, pirámides, un salón de baile y una sala de juegos de azar en la que unas tijeras descomunales cortaban un ojo pintado sobre una cortina. Sin embargo, buena parte del diseño de Dalí se descartó para reducir costes.

WILLEM DE KOONING

Willem de Kooning, 24 de abril de 1904 (Rotterdam, Países Bajos); 19 de marzo de 1997 (East Hampton, Long Island, Nueva York, EE.UU.).

Estilo: Pintor expresionista abstracto; elementos manifiestamente figurativos; pinceladas brutales; colores contrastados.

Obras destacadas

Mujer, I, 1950-1952 (Museum of Modern Art, Nueva York)

Dos figuras en un paisaje, 1968 (National Gallery of Australia, Canberra)

Sin título XII, 1983 (Walker Art Center, Minneapolis, EE.UU.)

A partir de 1916, y durante ocho años, Willem de Kooning estudió bellas artes y artes aplicadas en la Academie voor Beeldende Kunsten en Technische Wetenschappen de Rotterdam, mientras durante el día trabajaba de aprendiz en una empresa de decoración. Después pasó dos años estudiando en Bruselas, y luego se estableció brevemente en Nueva Jersey, donde trabajó pintando casas.

Al final de la década de 1920 y durante la década siguiente trabó amistad con los artistas Stuart Davis, John Graham y Arshile Gorky, y pintó diversos murales para el Federal Art Project, antes de volcarse plenamente, a partir de 1936, en su carrera como pintor. Desde entonces, su obra, relativamente conservadora, se hizo más vigorosa y vanguardista. A finales de la década de 1930, su arte abstracto, además de su obra figurativa, recibió influencias sobre todo del cubismo de Pablo Picasso, el surrealismo y la obra de Gorky, con quien compartió estudio en Manhattan. En 1938, quizá bajo la influencia de este último, pintó una serie de figuras

ARRIBA: Willem de Kooning fotografiado después de que se trasladara a Long Island.

DERECHA: *Torsos de dos mujeres* es una obra al pastel que fue pintada entre 1952 y 1953.

masculinas mientras iniciaba simultáneamente una serie más purista de abstracciones coloreadas líricamente.

Durante la posguerra pintó con un estilo extremadamente enérgico y abstracto, similar al de su contemporáneo Jackson Pollock. De Kooning afirmó acerca de su propia labor: «Puedo trabajar en un cuadro durante un mes, pero tiene que parecer que lo he pintado en un minuto». Su primera exposición en solitario, con pinturas abstractas en blanco y negro, se celebró en Nueva York, en 1948, y dejó asentada su reputación como uno de los líderes del movimiento del expresionismo abstracto.

Mujeres sensacionales

Sin embargo, a diferencia de Pollock, la mayor parte de la obra de De Kooning conservó cierto carácter figurativo, y en 1953 causó sensación cuando su serie «Mujeres» se exhibió en su tercera exposición individual. El público se sintió ofendido por la pintura grotesca de las mujeres, y los críticos se sintieron decepcionados por la inclusión de elementos figurativos en el arte abstracto. No obstante, la mujer siguió siendo un destacado tema recurrente en su obra. Sus formas toscas y angulares se reflejan con pinceladas bruscas que chorrean pintura, y son notables por su contraste descarnado con la representación tradicional de la mujer en el arte como un ser semejante a una diosa sensual.

En 1963 De Kooning se trasladó a Long Island. Las mujeres y las figuras en sus paisajes de la década de 1960 —con sus colores más claros y pinceladas menos frenéticas— se inspiraron en la luz y el agua que lo rodeaban. Hacia finales de esa década muchos consideraron que su creatividad se estaba resintiendo. Sin embargo, continuó pintando y también comenzó a experimentar con la escultura. En Roma, en 1969, realizó sus primeras piezas modeladas en arcilla y más tarde fundidas en bronce. A continuación, concibió una serie de figuras al tamaño natural.

En 1975, después de explorar el arte escultórico, comenzó una serie nueva de cuadros abstractos densos y muy coloridos. Sus últimas obras son lienzos caligráficos predominantemente blancos que demuestran su síntesis del estilo figurativo, la abstracción, la pintura, el dibujo, el color y la línea. **SH**

ARRIBA: Entre 1950 y 1952 De Kooning trabajó varias versiones de *Mujer, I.*

De Kooning y las mujeres

Los cuadros de mujeres de Willem de Kooning han sido debatidos desde que los exhibiera por primera vez en 1953. Sus figuras voluminosas e intimidantes se inspiran en una combinación de arquetipos femeninos, desde las diosas antiguas de la fertilidad a las modelos glamourosas contemporáneas y desafían las tradiciones establecidas. Los rasgos físicos se acentúan con pinceladas agresivas y manchas frenéticas de pintura. Al combinar la voluptuosidad y la amenaza, se ven como representaciones tanto de la reverencia como del temor al poder de las mujeres.

BARNETT NEWMAN

Barnett Newman, 29 de enero de 1905 (Nueva York, Nueva York, EE.UU.); 4 de julio de 1970 (Nueva York, Nueva York, EE.UU.).

Estilo: Pintor de obras monocromáticas de grandes dimensiones; cuadros con series de líneas verticales que atraviesan la totalidad de la longitud del lienzo.

Obras destacadas

Onement, I, 1948 (Museum of Modern Art, Nueva York)

Eva, 1950 (Tate Collection, Londres)

Vir Heroicus Sublimis, 1950-1951 (Museum of Modern Art, Nueva York)

Adán, 1951-1952 (Tate Collection, Londres)

ARRIBA: Barnett Newman, fotografiado en la década de 1960.

ABAJO: *Vir Heroicus Sublimis* se puede traducir por «Hombre, heroico y sublime».

En una entrevista con la historiadora Dorothy Gees Seckler en 1969, Barnett Newman afirmó que si su pintura fuese realmente comprendida, entonces sería una señal del «fin del capitalismo y del totalitarismo de Estado». Aunque hoy esto pudiera parecer una especie de declaración grandilocuente que pudo haber sido realizada por diversos pintores expresionistas abstractos, la escala y el nivel de la ambición que se refleja en estas palabras está en conformidad con lo que este artista estaba tratando de lograr con su pintura en las décadas de 1950 y 1960.

Newman nació en Nueva York, de padres rusos que habían emigrado recientemente de Polonia, y sus estudios formales se iniciaron en la Art Students League neoyorquina. Los lienzos que pintó antes de 1950 se pueden entender como ensayos de lo que se convertiría en un lenguaje formal establecido a lo largo de la primera mitad de esa década. Por ejemplo, *Abraham* (1949), con su título bíblico y su presencia austera, sombría y perturbadora, está ordenado en torno a la ubicación asimétrica de una columna de color marrón oscuro sobre un fondo ma-

rrón ligeramente más claro. Newman desarrollaría su estética, refinando gradualmente la relación entre fondo y figura. En algunos cuadros posteriores, como *Profile of Light* (1967), los dos son intercambiables, lo que a menudo supuso extender una serie de lo que denominó *zips* (cremalleras) sobre grandes extensiones de color monótono.

Por ejemplo, *Vir Heroicus Sublimis* (1950-1951), pintado el año en que le propusieron su primera exposición en solitario en la Betty Parsons Gallery de Nueva York, es un lienzo de 5,5 m de longitud que contiene cinco franjas verticales o *zips*. El efecto es estar inmerso dentro de una extensión cromática, aunque —lo que es más importante— los *zips* permiten que el espectador se oriente en relación con la totalidad de la obra, que Newman creía que podría funcionar en términos trascendentales. Aunque su pintura parece ser un oxímoron cuando se le coloca la etiqueta de expresionismo abstracto —¿qué es exactamente «expresionista» en estos objetos un tanto fríos, distantes y ralos?—, la intención detrás de un cuadro como *Vir Heroicus Sublimis* es comparable con la obra de otros pintores que trabajaban en Nueva York por esa época. Quizá la única diferencia sea cómo llegaron hasta ese mismo punto de compresión crítica.

También un notable escultor

Aunque Newman se conoce mejor por sus cuadros enormes, no se puede abarcar la naturaleza singular de su contribución sin considerar también sus esculturas. Como sus lienzos se centraron en el trance de una figura en el espacio, su investigación de la primacía de esta relación adquirió una forma tridimensional. Su obra más voluminosa, *Obelisco roto* (1963-1967), está formada por un obelisco invertido que parece haber sido arrancado y descansa sobre la cúspide de una pirámide. Su efecto equilibrado crea un aumento de la tensión visual que resulta intrínsecamente dinámica y, sin embargo, otorga a la obra demasiado equilibrio. Con un sentido más amplio, *Obelisco roto* parece indicar que la totalidad de la obra de Newman está centrada en el sentido visual agudo del sitio que ocupamos en el mundo, en su fragilidad y en su potencialidad para que sea mayor que la suma de sus partes. **CS**

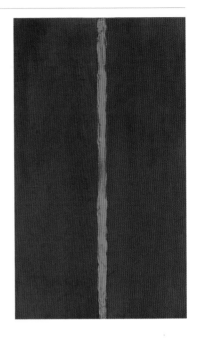

1900-09

ARRIBA: En *Onement, I,* el *zip*, sello característico de Newman, se extiende sobre una tira de cinta adhesiva protectora.

La voz de Newman

Entre todos los expresionistas abstractos, Barnett Newman fue uno de los que más se hizo oír y uno de los más expresivos.

- En una declaración conjunta con Adolph Gottlieb y Mark Rothko, Newman afirmó en 1943: «Para nosotros, el arte es una aventura en el interior de un mundo desconocido, que se puede explorar solo por aquellos dispuestos a correr el riesgo».

- En una entrevista en 1962, su preocupación era «la plenitud que acompaña a la emoción, no su explosión inicial ni su secuela emotiva, ni su destello al consumirse».

DAVID SMITH

David Rolland Smith, 9 de marzo de 1906 (Decatur, Indiana, EE.UU.); 23 de mayo de 1965 (Bennington, Vermont, EE.UU.).

Estilo: Escultura de hierro, acero y piedra; esculturas impresionantes expuestas en plena naturaleza, composiciones con objetos confeccionados.

David Smith revolucionó la escultura moderna. Este artista es famoso por su empleo de materiales industriales —en particular, el hierro soldado, el acero y la piedra— para crear esculturas de grandes dimensiones.

Estudió en la Universidad de Ohio y después en Notre Dame. En 1927 se trasladó a Nueva York, donde se integró en la Arts Students League. Allí se apropió de forma insaciable del cubismo pictórico y escultórico que semejaban las innovaciones artísticas de París. Estuvo particularmente influido por las esculturas metálicas de Pablo Picasso y Julio González, que lo llevaron a experimentar con el collage y el relieve en un estilo surrealista abstracto. En la década de 1930 conoció al pintor ruso John Graham, quien lo presentó a Willem de Kooning, Edgar Levy y Arshile Gorky.

En 1933 Smith comenzó su primera escultura de metal con su estilo personal. Su obra precedente incluyó el uso de mate-

Obras destacadas

Serie «Medallas al deshonor», 1940 (Willard Gallery, Nueva York)

Agrícola I, 1951-1952 (Smithsonian Institution, Washington, D.C.)

Tanktotem VI, 1957 (colección particular)

Tanktotem VIII, 1960 (colección particular)

1900-09

ARRIBA: A David Smith, como a sus esculturas, siempre se le relaciona con el aire libre.

DERECHA: *Vagón* (1964) forma parte de la serie homónima de tres esculturas de grandes dimensiones.

riales naturales como el coral, la madera y la piedra. Su empleo artístico de materiales industriales caracteriza de manera conmovedora el cambio político y social y la transformación de la vida rural propios de un estado industrializado a lo largo del siglo XX. Esta ideología es particularmente patente en la serie «Medallas al deshonor» (1940).

En 1950 recibió una beca de la Fundación Solomon R. Guggenheim, lo que le dio libertad económica y le permitió realizar obras destacadas como *Agrícola* (1951-1957) y *Tanktotem* (1952-1960). En 1962 fue invitado por el gobierno italiano para crear dos obras para el IV Festival de Dos Mundos. Smith superó las expectativas al realizar 27 esculturas en apenas un mes con el uso de herramientas y objetos confeccionados. Sus mayores progresos se dieron cuando experimentó con acero inoxidable pulido y creó formas rectangulares y cilíndricas de hasta 3 m de altura para su serie «Cubi» (1961-1965). **KO**

ARRIBA: *Voltri XIX* (1962), compuesta por objetos confeccionados.

«Medallas al deshonor»

David Smith estuvo activo políticamente como sindicalista. Trabajó también para el gobierno estadounidense en el WPA Federal Art Project. Sus ideas políticas liberales se aprecian en la serie «Medallas al deshonor». Es una obra integrada por 15 estructuras pequeñas de metal fundido que subvierten el símbolo de la medalla militar por méritos de guerra como recompensa, y enfatiza, por el contrario, la destrucción y la carnicería causados. Se trata de una reflexión de sus observaciones sobre el desarrollo del mundo moderno que condujeron al ascenso del fascismo en Europa.

FRIDA KAHLO

Magdalena Carmen Frida Kahlo y Calderón, 6 de julio de 1907 (Coyoacán, México); 13 de julio de 1954 (Coyoacán, México).

Estilo: Autorretratos; estilo naíf sacado de pinturas de exvotos, simbolismo personal expresado a través de motivos como máscaras, sangre, colores, vegetación.

Obras destacadas

El autobús, 1929 (Museo Dolores Olmedo Patiño, Ciudad de México)

Frida Kahlo y Diego Rivera, 1931 (San Francisco Museum of Modern Art, San Francisco)

Las dos Fridas, 1939 (Museo de Arte Moderno, Ciudad de México)

Diego y yo, 1949 (colección particular)

Frida Kahlo nació tres años antes de que cayera la larga dictadura de Porfirio Díaz tras el estallido de la Revolución mexicana (1910-1921). Educada en la exclusiva Escuela Nacional Preparatoria, Kahlo formó parte de una élite intelectual que se apoyó en el pasado mexicano precolombino para alejarse del imperialismo cultural europeo.

A los dieciocho años de edad se lesionó gravemente en un accidente de autobús. Durante su larga convalecencia se vio obligada a permanecer inmóvil con todo el cuerpo escayolado. Para pasar el tiempo comenzó a pintar. A lo largo de su vida, sin embargo, fue más conocida por ser la esposa del muralista Diego Rivera. Durante su relación turbulenta, ambos artistas mexicanos tuvieron aventuras amorosas. Entre los amores de Kahlo

ARRIBA: Frida Kahlo se pintaba a menudo, o era fotografiada, con vestidos típicos mexicanos.

DERECHA: *Las dos Fridas* es una de las obras más valoradas de esta gran artista mexicana.

estuvo el líder marxista Lev Trotski; y entre los de Rivera, Cristina, hermana de Frida. La artista autodidacta obtuvo finalmente reconocimiento por méritos propios. Su elección de temas poco ortodoxos cautivó a los surrealistas en particular.

En una producción total de menos de 150 cuadros, Kahlo exteriorizó su visión de la vida en una serie de luchas dialécticas entre lo personal y lo político. Su repertorio visual de símbolos eclécticos, realizados a la manera de la pintura naïf popular mexicana, incluyó fuentes que combinaban las tradiciones de las bellas artes y los movimientos de vanguardia europeos, el arte popular y folclórico mexicano, además de sistemas de creencias tan diversos como el catolicismo, la cultura azteca, la filosofía europea y el comunismo, del cual tanto ella como Rivera eran seguidores.

Entre 1926 y 1954 Kahlo se inspiró en sus experiencias personales íntimas —a veces dolorosas—, desde la fascinación con la identidad y el disfraz, hasta la realización de naturalezas muertas como manifestaciones visuales del orgullo nacional. Un año antes de su muerte presentó su primera exposición individual en México. Sin embargo, su investigación y su reinvención del yo ha demostrado desde entonces su influencia en muchos creadores, como Madonna, Tracey Emin y Cindy Sherman. **HPE**

ARRIBA: Frida Kahlo pintó *El autobús* a comienzos de su carrera, el mismo año que se casó con Diego Rivera.

Las dos Fridas (1939)

Frida Kahlo realizó este autorretrato doble durante su proceso de separación y divorcio de Diego Rivera. A la derecha, está sentada con un vestido tradicional mexicano como la mujer que el famoso muralista amaba. Su corazón está sano. A la izquierda, está la artista despreciada, con un vestido de novia colonial. Su corazón aparece roto. Kahlo dijo que *Las dos Fridas* muestra la «dualidad de su personalidad». El cuadro representa también el conflicto implícito en los mestizos, que no son ni completamente europeos ni completamente indios mexicanos.

LEE KRASNER

Lee Krasner, 27 de octubre de 1908 (Brooklyn, Nueva York, EE.UU.); 19 de junio de 1984 (Nueva York, Nueva York, EE.UU.)

Estilo: Cuadros abstractos líricos con elementos en forma de collage; lienzos expresionistas abstractos con la técnica *all-over* (cobertura de la superficie).

Obras destacadas

Paisaje gótico, 1961 (Tate Collection, Londres)

Criaturas de la noche, 1965 (Metropolitan Museum of Art, Nueva York)

Gaea, 1966 (Museum of Modern Art, Nueva York)

Aunque cualquier valoración acerca de la obra de Lee Krasner ha de tener en cuenta su relación con su esposo, el célebre pintor Jackson Pollock, su contribución como artista debe ser interpretada dentro de su propio contexto, y no a través del prisma de los logros de aquel.

Krasner siempre tuvo intención de ser artista, y fue mientras estudiaba en la Hans Hofmann's School of Fine Arts cuando desarrolló su propio lenguaje pictórico. Su trabajo durante este período incluye formas cúbicas delineadas con contornos negros muy marcados que han sido trabajados y después ulteriormente reelaborados, como *Composition* (1939-1943).

En 1945 se casó con Pollock. Su decisión de trasladarse a The Springs, cerca de East Hampton, en Long Island, dio a ambos artistas la oportunidad de experimentar más ampliamente. Mientras Pollock pudo cultivar su famosa técnica de la «cobertura de la superficie», Krasner desarrolló la serie «Pequeñas imágenes» (1946-1949), que incluye un conjunto indeterminado de detalles diferenciados que conforman una unidad sobre el plano del cuadro como un campo o entidad únicos.

Una vez que hubo consolidado su posición dentro del contexto amplio del expresionismo abstracto, Krasner experimentó con técnicas diversas —incluida el collage— como medios de expresión dentro de una obra con un contenido autobiográfico importante. Varias de sus piezas están a menudo realizadas con trozos de recortes de los dibujos de Pollock. La contribución especial de Krasner al expresionismo abstracto, sumado al hecho de que pudo continuar desarrollando su oficio mucho después de la desaparición del movimiento, es un testimonio del carácter inconfundible de los cuadros que pintó. **CS**

> «Creo que mi pintura es muy autobiográfica, si alguien se toma el trabajo de leerla.»

ARRIBA: Lee Krasner fotografiada junto a sus obras en la década de 1980.

VICTOR VASARELY

Vásárhelyi Győző, 9 de abril de 1908 (Pécs, Hungría); 15 de marzo de 1997 (París, Francia).

Estilo: Padre del op art; pintor y diseñador de arte abstracto; uso innovador del color, del diseño y de la ilusión óptica; serigrafías y tapices.

Victor Vasarely es conocido como el padre del op art. Antes de convertirse en artista, había estudiado medicina. Se formó artísticamente en la Academia Muhely, que enseñaba el estilo de la Bauhaus. Esta sólida formación en arquitectura y diseño gráfico se puede apreciar en la gran calidad de sus diseños; le fascinaron también el color y la óptica.

En 1930 Vasarely realizó en Budapest su primera exposición en solitario. Posteriormente se trasladó a París, y comenzó a trabajar en publicidad como artista gráfico y asesor creativo. Fascinado por el diseño lineal, concibió, como por arte de magia, obras multidimensionales realizadas con capa tras capa de diseños para crear una ilusión de profundidad.

En los años siguientes experimentó con la geometría, el mínimo de colores y el arte abstracto. En 1943 comenzó a emplear principalmente óleo, y creó lienzos abstractos y figurativos. Al año siguiente mostró estas obras en su primera exposición en París. Usó formas geométricas y líneas de color para crear la ilusión óptica del movimiento. Esto le llevó a experimentar con el arte cinético y a explorar la idea de que la forma y el color son inseparables. Durante la década de 1950 escribió una serie de manifiestos acerca del uso de los fenómenos ópticos con fines artísticos, que influyeron significativamente en los jóvenes artistas. Vasarely sostenía que la reacción del espectador ante su arte tenía la máxima importancia, más que su propia intención en relación con la pieza. En 1970 inauguró el primer museo dedicado a su obra, con más de quinientas creaciones suyas. En 1976 diseñó la Fundación Vasarely en Aix-en-Provence, Francia, para conservar su producción. Ese mismo año, se inauguró el Museo Vasarely en su Hungría natal. **SH**

Obras destacadas

Banya, 1964 (Tate Collection, Londres)

Quasar, 1966 (Fine Arts Museum of San Francisco, San Francisco)

Vega-Nor, 1969 (San Jose Museum of Art, San José, EE.UU.)

«El arte del mañana será un tesoro colectivo o dejará de ser arte.»

ARRIBA: Victor Vasarely, fotografiado durante una exposición de sus obras (década de 1970).

CAREL WEIGHT

Carel Weight, 10 de septiembre de 1907 (Londres, Inglaterra); 13 de agosto de 1997 (Londres, Inglaterra).

Estilo: Pintor; pintor corresponsal de guerra oficial; retratos y paisajes; obras descriptivas con ambientes suburbanos y urbanos; humor sardónico; temas religiosos y literarios.

Obras destacadas

La inspección médica, de la serie «Vida del recluta», 1942 (Imperial War Museum, Londres)

El ángel que se marcha, 1961 (Royal Academy of Art, Londres)

Clapham Junction, 1978 (Tate Collection, Londres)

Carel Weight es recordado sobre todo por sus dramáticos lienzos descriptivos de los ambientes suburbanos y urbanos, por su trabajo como artista corresponsal durante la Segunda Guerra Mundial y como maestro influyente, entre cuyos alumnos se contaron David Hockney, Peter Blake y Ron Kitaj.

Weight estudió en la Hammersmith School of Art de Londres y en el Goldsmith's College, y realizó su primera exposición individual en la Cooling Gallery londinense en 1933. Durante la Segunda Guerra Mundial le encargaron la serie de cuatro cuadros «Vida del recluta» (1942). Su capacidad para pintar la vulnerabilidad humana con sentido del humor se puede apreciar en *La inspección médica* (1942), cuadro de un joven recluta que pasa un examen médico. Fue su talento lo que impresionó a la comisión asesora de los artistas corresponsales de guerra e hizo que lo nombraran pintor corresponsal de guerra oficial en 1945. Viajó por Grecia, Austria e Italia para recoger testimonios sobre las clases de educación del ejército y los daños provocados por la guerra en las edificaciones.

A su regreso a Londres en 1947, comenzó a dar clases en el Royal College of Art. Fue nombrado profesor de pintura en 1957. Weight reinventó a menudo el ambiente mundano de los suburbios que le rodeaba, que usó como telón de fondo en obras como *El ángel que se marcha* (1961). Ambientada en su jardín en Wandsworth, al sur de Londres, este lienzo muestra la Anunciación, pero dentro de un contexto contemporáneo y humorístico: el ángel Gabriel lleva zapatillas de andar por casa y la Virgen María está sentada en una silla del patio. Ha sido comparado con Stanley Spencer, aunque su forma de explotar una vena de humor inglés quizá esté más cerca de Edward Burra y Beryl Cook. **CK**

> «[De niño] *Los esposos Arnolfini* tuvo un gran efecto sobre mí porque era tan real.»

ARRIBA: En este autorretrato (h. 1930) Weight se pinta a sí mismo nervioso e inquieto.

BALTHUS

Balthazar Klossowski de Rola, 29 de febrero de 1908 (París, Francia); 18 de febrero de 2001 (La Rossinière, Suiza).

Estilo: Pintor de paisajes y retratos; cuadros controvertidos de niñas púberes en poses eróticas; obra fantasiosa, emocionalmente intensa y figurativa.

Cuando Balthazar Klossowski, conde de Rola, más conocido por su nombre artístico Balthus, tenía solo trece años, publicó cuarenta de sus dibujos en un libro titulado *Mitsou* (1921). El tema del libro, un chico joven enamorado de su gato, es muy identificativo del artista; los gatos aparecen en muchas de sus obras, incluido un autorretrato que tituló *El rey de los gatos* (1935).

A los 18 años, Balthus visitó a Italia. En Florencia estudió y copió obras de Piero della Francesca, maestro del primer Renacimiento. La otra influencia clave en el joven artista fue el pintor impresionista Pierre Bonnard, quien había sido amigo de la familia. Sin embargo, a diferencia de este, la forma en que Balthus empleó sus cuadros para alardear de sus capacidades técnicas y de observación le ganó admiradores. Así, el escritor Albert Camus fue uno de sus principales seguidores; en 1949, en la introducción a uno de los catálogos de Balthus, Camus escribió: «No sabíamos cómo ver la realidad y todos los objetos inquietantes que nuestros pisos, nuestros seres queridos y nuestras calles ocultan».

Muchas de sus obras más famosas muestran niñas púberes. En la *Lección de guitarra* (1934) pinta una imagen poco habitual de una niña medio desnuda con su tutora, aunque Balthus siempre insistió que su obra no era pornográfica ni erótica. Desde su punto de vista, sus cuadros simplemente reconocían el hecho molesto de la sexualidad infantil.

Al final de su vida comenzó a dictar más de un centenar de breves recuerdos y anécdotas que se editaron juntos en unas memorias poco frecuentes. Obtuvo críticas dispares, pero su extensa biografía escrita por Nicholas Fox Weber en 1999 fue mucho mejor recibida. Balthus fue famoso por ser el único artista vivo que tenía obra en la colección del Louvre. **HP**

Obras destacadas

La calle, 1933 (Museum of Modern Art, Nueva York)

Lección de guitarra, 1934 (colección particular)

El salón, 1942 (Minneapolis Institute of Art, Minneapolis, EE.UU.)

«La pintura es el tránsito del caos de las emociones al orden de lo posible.»

ARRIBA: Detalle de *El rey de los gatos* (1935), autorretrato con un gato atigrado.

HENRI CARTIER-BRESSON

Henri Cartier-Bresson, 22 de agosto de 1908 (Chanteloup-en-Brie, Francia); 3 de agosto de 2004 (Céreste, Alpes-de-Haute-Provence, Francia).

Estilo: Padre del fotoperiodismo; fotógrafo callejero; imágenes iconográficas; vista excepcional para el detalle y lo emotivo; innovador del formato en 35 mm.

Obras destacadas

Hyères, Francia, 1932 (Art Institute of Chicago, Chicago)

Niños jugando entre ruinas (Guerra civil española), 1937 (New Paltz, Nueva York)

Shanghai, 1948 (Metropolitan Museum of Art, Nueva York)

Henri Cartier-Bresson introdujo el fotoperiodismo en el mundo con sus imágenes de la guerra civil española; niños hambrientos; tomas secretas en la Francia ocupada por los nazis; la liberación de París; los funerales de Gandhi; la guerra civil en China; la construcción del muro de Berlín. Fue el primer fotógrafo occidental que pudo trabajar libremente en la Unión Soviética después de la Segunda Guerra Mundial.

A los 19 años estudió arte en el estudio de André Lhote, donde entró en contacto con el cubismo y el surrealismo. Después estudió arte y literatura ingleses en la Universidad de Cambridge, Inglaterra, pero la fotografía se convirtió en su verdadera pasión. Hacia 1935 sus fotos se habían exhibido en Nueva York, Madrid y México, y se habían publicado en la revista *Harper's Bazaar*. Había trabajado también junto con el director de cine Jean Renoir. En 1937 fotografió la ceremonia de coronación del rey inglés Jorge VI, pero centró su objetivo no en el propio rey, sino en la gente que se alineaba en las calles.

Cuando estalló la Segunda Guerra Mundial, Cartier-Bresson se alistó en el ejército francés, fue capturado y pasó 35 meses en campamentos para prisioneros de guerra antes de escapar en su tercer intento de fuga. En 1947 publicó *Las fotografías de Henri Cartier-Bresson* y realizó una exposición retrospectiva de su obra en Nueva York. En 1948 conoció a Mahatma Gandhi solo minutos antes de que este fuera asesinado. En 1952 publicó un segundo libro, *Images à la Sauvette*, y tres años después presentó su primera exposición en Francia. Fue el fotógrafo más famoso del mundo, pero aun así se sintió aburrido. Regresó a las bellas artes —expuso sus dibujos en Nueva York, en 1975— y en raras ocasiones volvió a realizar una fotografía. Murió a los 95 años. **SH/LH**

«Comprendí de repente que una fotografía podía fijar la eternidad en un instante.»

ARRIBA: Henri Cartier-Bresson fotografiado en Brooklyn, en 1946.

JORGE OTEIZA

Jorge Oteiza Enbil, 21 de octubre de 1908 (Orio, Guipúzcoa, España); 9 de abril de 2003 (San Sebastián, Guipúzcoa, España).

Estilo: Escultor, pintor, diseñador, poeta y teórico; temas sobre la identidad cultural vasca; exploración del vacío en la escultura abstracta.

Obras destacadas

Friso de los Apóstoles, 1950-1955 (basílica de Arantzazu, santuario de Arantzazu, Oñati, Guipúzcoa)

Homenaje a Mallarmé, 1958 (Museo Nacional Centro de Arte Reina Sofía, Madrid)

Durante su juventud, Jorge Oteiza viajó a América del Sur, donde se interesó por el arte precolombino. Esto influyó en la forma de su obra. Llamó la atención, a finales de la década de 1940, por sus esfuerzos en crear esculturas abstractas con una identidad vasca definida. Su Friso de los Apóstoles, realizado en 1950 para la basílica de Arantzazu, fue polémico por sus figuras desnudas. Ello le llevó al exilio en París, donde fue cofundador del Equipo 57, junto con otros compatriotas exiliados, en un esfuerzo por promover el arte abstracto. Más tarde regresó a España, pero en 1959 anunció su retirada de la escultura y se dedicó a la promoción de la identidad cultural vasca mediante ensayos teóricos y programas de educación artística. **CK**

REMEDIOS VARO

María de los Remedios Alicia Rodriga Varo y Uranga, 16 de diciembre de 1908 (Anglès, Girona, España); 8 de octubre de 1963 (Ciudad de México, México).

Estilo: Pintora, diseñadora y decoradora; obra de inspiración surrealista y científica; temas enigmáticos, con imágenes oníricas, recuerdos de infancia y de la guerra.

Obras destacadas

El deseo, h. 1935 (colección particular, París)

Títeres vegetales, 1938 (colección particular, Ciudad de México)

Creación del mundo o microcosmos, 1958 (Colección Abel Holtz, Capital Bank, Miami, EE.UU.)

Remedios Varo, una de las primeras mujeres estudiantes de arte, se estableció en París tras la guerra civil española, y allí entró en contacto con el círculo surrealista. En la década de 1950, tras su llegada a México, desarrolló un estilo propio basado en un figurativismo enigmático que bebe en las fuentes del primer Renacimiento italiano, del surrealismo y de diversas teorías científicas. Varo combinaba la continua metamorfosis de hombres y animales con la personificación mística de los elementos de la naturaleza. Utilizó el fumage o el frottage, técnicas favoritas del surrealismo, para anclar sus lienzos en una realidad paralela cuya interpretación va más allá de lo racional, y que se sumerge en ocasiones en el mundo de la abstracción. **FA**

FRANCIS BACON

Francis Bacon, 28 de octubre de 1909 (Dublín, Irlanda); 28 de abril de 1992 (Madrid, España).

Estilo: Pintor de retratos, visiones de pesadilla y imágenes distorsionadas; uso del óleo; trípticos; imágenes de crucifixiones y bocas que gritan.

Obras destacadas

Tres estudios para figuras en la base de una Crucifixión, h. 1944 (Tate Collection, Londres)

Pintura, 1946 (Museum of Modern Art, Nueva York)

Retrato de George Dyer en un espejo, 1968 (Museo Thyssen-Bornemisza, Madrid)

Francis Bacon pasó sus primeros años entre Irlanda e Inglaterra, lo que inculcó en él un sentido de movilidad que se expresaría más tarde en su obra.

Su relación tensa con su padre —debido a su evidente homosexualidad— condujo a su destierro del hogar familiar. Anduvo sin rumbo fijo durante años, y vivió en Londres, Berlín y París, donde se cree que una exposición de Pablo Picasso le inspiró para ser artista. Regresó a Londres para trabajar como decorador de interiores y alquiló un estudio en Queensbury Mews West, donde comenzó a pintar.

Disfrutó de un éxito inicial al mostrar su obra como parte de una exposición en la Mayor Gallery de Londres en 1933, pero su momento de eclosión no llegó hasta que expuso en 1945 *Tres estudios para figuras en la base de una Crucifixión* (1944). Este tríptico trataba muchos de los temas que dominaron el trabajo de Bacon durante el resto de su carrera: la crucifixión, las figuras aisladas, la boca abierta, las Furias y la distorsión física. Emprendió un período de gran inspiración durante el cual creó imágenes de pesadillas horrendas, violencia, ira y degradación. Una exposición retrospectiva de su obra en la Tate Gallery de Londres, en 1962, estableció su preeminencia entre los pintores británicos coetáneos. Una de sus peculiaridades fue el empleo del lado inverso de un lienzo de primera calidad, cuando la pobreza le impidió comprar telas nuevas. Gradualmente, se alejó de las formas fantasmagóricas para favorecer colores más claros, aplicó la pintura de una manera más gruesa y empleó la fotografía para alcanzar un nuevo nivel de virtuosismo. Su influencia se aprecia mucho en la obra de artistas británicos posteriores como Damien Hirst y Dinos Chapman. **SG**

«Al hombre se le dio la imaginación para compensarlo por lo que no es.»

ARRIBA: Francis Bacon fotografiado en 1976 en la Galería Georges Bernard, en París.

DERECHA: *Retrato de George Dyer en un espejo* (1968) refleja la relación entre Bacon y Dyer.

1900-09

FRANZ KLINE

Franz Rowe Kline, 23 de mayo de 1910 (Wilkes-Barre, Pensilvania, EE.UU.); 13 de mayo de 1962 (Nueva York, Nueva York, EE.UU.).

Estilo: Expresionista abstracto; action painting («pintura de acción») en blanco y negro; reintroducción posterior de los contornos y de los fondos de color.

Obras destacadas

Sin título, h. 1955 (National Gallery of Art, Washington, D.C.)

Orange Outline, 1955 (North Carolina Museum of Art, Raleigh, EE.UU.)

Black Reflections, 1959 (Metropolitan Museum of Art, Nueva York)

Meryon, 1960-1961 (Tate Collection, Londres)

Por detrás de Jackson Pollock y Willem de Kooning, Franz Kline es el pintor de la action painting más famoso del expresionismo abstracto, movimiento artístico que convirtió Nueva York en nueva capital del mundo del arte. Kline no parecía una figura capaz de provocar tal cambio. Nacido en Pensilvania de madre inglesa y padre alemán, quería ser dibujante humorista.

Después de terminar sus estudios en la Universidad de Boston en 1935, viajó a Londres, donde estudió ilustración en la conservadora Heatherley's School of Fine Arts. En 1938, al no obtener un permiso de trabajo, regresó a Estados Unidos con su esposa inglesa, y se establecieron en Nueva York. Durante la década de 1940, Kline se concentró en las escenas urbanas que sirvieron de referencia al cubismo y al expresionismo, pero, a

ARRIBA: Franz Kline fotografiado en diciembre de 1954 por Fritz Goro.

DERECHA: *Orange Outline* muestra la suma de color a la gama habitual de dos tonos de Kline.

pesar de haber ganado un premio importante en la exposición de la National Academy of Design en 1943, ganaba poco dinero y tenía dificultades para encontrar una expresión original. Frustrado, comenzó a experimentar con métodos menos figurativos; esto lo llevó a un momento fundamental en su carrera, que tuvo lugar en 1949 en el estudio de De Kooning. El pintor neerlandés había comprado un proyector Bell-Opticon y cuando Kline vio uno de sus propios dibujos enormemente aumentado, las líneas de bordes irregulares —invisibles en el original— le señalaron el camino hacia una nueva y poderosa forma de expresión totalmente abstracta.

Kline trabajó sobre lienzos grandes con pintura comercial, y se concentró en sus cuadros en blanco y negro. Hacía estudios preliminares en trozos de papel arrancados de guías telefónicas. A la suposición de que se hubiera inspirado en la caligrafía japonesa, respondió: «Pinto el blanco tan bien como el negro, y el blanco es igualmente importante».

A finales de la década de 1950, Kline reintrodujo gradualmente el color en sus composiciones. Sus últimas piezas parecen aproximarse a una reconciliación de la action painting con los experimentos con campos de color de Barnett Newman y Mark Rothko. **RB**

ARRIBA: Poderoso ejemplo del estilo abstracto de Kline en *Orange and Black Wall* (1957).

Inspirado por Kline

En 2006 la Tate Modern Gallery de Londres invitó al músico y ex guitarrista del grupo Blur, Graham Coxon, antiguo estudiante del Goldsmiths College, a que compusiera una pieza musical inspirada en una obra de su colección. Coxon escogió *Meryon* (1960-1961), uno de los últimos cuadros de Franz Kline, y explicó: «Hay algo muy espiritual en Kline. Es como experimentar el vacío. Cuando era más joven, me desmayaba mucho. Cuando volvía en mí, era lo más cerca que he estado de Dios. Hay una quietud, una fuerza y una crudeza de los sonidos que he producido que me recuerdan esa experiencia».

DOROTHEA TANNING

Dorothea Tanning, 25 de agosto de 1910 (Galesburg, Illinois, EE.UU.).

Estilo: Pintora, grabadora y escultora; erotismo latente en sus primeros cuadros figurativos y sus posteriores composiciones abstractas; temas surrealistas de pesadillas y fantasía.

Obras destacadas

Cumpleaños, 1942 (Philadelphia Museum of Art, Filadelfia)

Habitación de amigos, 1950-1952 (colección particular)

Insomnias, 1957 (Moderna Museet, Estocolmo)

La artista estadounidense Dorothea Tanning es grabadora, pintora, escultora, poeta y novelista.

Sus estudios en el Art Institute de Chicago duraron apenas dos semanas, y se trasladó a Nueva York en 1935. Trabajó en diversos oficios, incluido el arte comercial, antes de asistir a una exposición que cambió su vida: *Arte fantástico: dadá y surrealismo* (1936), en el MoMA neoyorquino. Fue determinante en la orientación de su trabajo y propició un desacertado viaje a París en 1939 para conocer a los artistas surrealistas. Después de una escapada a Suecia a bordo de un tren con miembros de las Juventudes Hitlerianas, regresó a Nueva York. Allí conoció en 1942 a su futuro esposo, el pintor surrealista Max Ernst. Él había visto y admirado *Cumpleaños* (1942), autorretrato un tanto amenazador, aunque bello, de Tanning, y fue en busca de su creadora. La pareja se casó en 1946 y se radicó en Arizona.

La obra de Tanning durante este período se centró en el subconsciente, pero fue muy diferente a la de los pintores surrealistas. Como artista, fue considerablemente eclipsada por sus contemporáneos varones, aunque su obra hoy en día goza de un merecido reconocimiento. Sus cuadros pintan impulsos femeninos perturbadores, fuertes y fieros, y muestran a menudo chicas jóvenes. Por ejemplo, *Habitación de amigos* (1950-1952) es una representación compleja y siniestra de la sexualidad adolescente. Durante la década de 1950 varió la orientación de su obra. La luz fragmentada se convirtió en un elemento importante en el cual las formas se hacen menos nítidas, como se puede apreciar en obras como *Insomnias* (1957). Sus esculturas blandas de la década de 1970 son formas flexibles y biomórficas que sugieren partes del cuerpo, aunque nunca son rígidas o verdaderas. **WO**

«El arte siempre ha sido una balsa donde nos subimos para salvar nuestra cordura.»

ARRIBA: Detalle de una fotografía de Dorothea Tanning tomada en 1961.

DERECHA: Las imágenes y la composición de *Habitación de amigos* es típicamente surrealista.

WILL BARNET

Will Barnet, 25 de mayo de 1911 (Beverly, Massachusetts, EE.UU.).

Estilo: Diseños gráficos atrevidos; abstracción de la forma; tensión espacial; colores planos; uso mínimo de la línea; escenas de mujeres y de la naturaleza; humanismo; formas sencillas y monumentales.

Obras destacadas

Pájaro extraño, 1947 (Museum of Fine Art, San Francisco)

Mujer leyendo, 1965 (colección particular)

Serie «Estaciones silenciosas» (*Primavera, Verano, Otoño, Invierno*), 1967 (The Whitney Museum of Art, Nueva York)

La mujer y el mar, 1972 (colección particular)

Lobo solitario de la pintura modernista estadounidense, Will Barnet ha trabajado lejos de las figuras consagradas del mundo artístico durante más de siete décadas. Su educación solitaria en Nueva Inglaterra —saturada de la tradición puritana de austeridad, disciplina y espiritualidad— podría decirse que tuvo una influencia formadora en el desarrollo de su estilo humanista-minimalista característico.

Barnet supo pronto que quería ser artista y pasó su infancia dibujando, pintando y estudiando la obra de artistas como Giotto, Honoré Daumier y José Clemente Orozco. A los 17 años ingresó en la School of the Museum of Fine Arts en Boston, donde tuvo de profesor a Philip Hale, antiguo discípulo de Claude Monet. Tres años después, en 1931, se trasladó a Manhattan para estudiar pintura con Stuart Davis y grabado con Charles Locke en la progresista Arts Students League. En ese medio liberal, comenzó a explorar los principios de la composición abstracta que se convertirían en las fuerzas propulsoras de su estilo vanguardista.

En la década de 1950 se acercó más al abstraccionismo y se asoció con los pintores del Indian Space, que buscaban inspiración en el arte de los nativos americanos. A Barnet le interesaron particularmente los diseños que encontró en la cerámica hopi. En la década de 1960 comenzó a pintar retratos —que ha continuado realizando— con miembros de su familia y amigos como modelos. *La mujer y el mar* (1972) transmite una sensación conmovedora de soledad. Esta obra ejemplifica su técnica de construir composiciones complejas, aunque minimalistas, con formas monumentales de color fuerte y plano que se yuxtaponen vertical y horizontalmente para abstraer una imagen hasta su esencia, y crear una sensación de intensidad emocional. **SA**

«La edad te da libertad [...] Una gran obra puede venir en cualquier etapa de la vida.»

ARRIBA: Retrato revelador de un artista cuya obra está cargada de sentimiento.

ROMARE BEARDEN

Romare Bearden, 2 de septiembre de 1911 (Mecklenburg County, Carolina del Norte, EE.UU.); 12 de marzo de 1988 (Nueva York, Nueva York, EE.UU.).

Estilo: Realizador de collage fotográfico, pintor, grabador, dibujante, diseñador escenográfico, músico de jazz y escritor; temas afro-estadounidenses.

El talento múltiple de Romare Bearden abarcó las artes visuales, la música y la literatura. Escritor, intérprete de jazz y músico destacado, se le recuerda más por su obra artística, en la que mostró, como en un escaparate, la experiencia afroestadounidense contemporánea; en particular, el tránsito del sur rural al norte urbano.

Él mismo realizó ese tránsito cuando era joven y su familia de trasladó de Carolina del Norte —donde nació— al distrito de Harlem, en Nueva York. Creció en un hogar animado y culto. Entre los amigos de sus padres los músicos Duke Ellington y Fats Waller, el poeta Langston Hughes, el escritor W. E. B. Dubois, y el artista Aaron Douglas. Bearden se graduó en la Universidad de Nueva York y después estudió en la Art Students League, donde tuvo como profesor al artista alemán George Grosz, quien lo ayudó a desarrollar su visión satírica y a interesarse por la sociopolítica antes de completar sus estudios en la Sorbona de París.

Su obra abarca muchos estilos diferentes: el dibujo humorístico político en la década de 1930, el realismo socialista de sus cuadros en las décadas de 1930 y 1940, y el expresionismo abstracto de sus cuadros en la década de 1950. No obstante, es más conocido por el collage fotográfico que realizó a partir de 1964, estilo que desarrolló en la década de 1960 cuando se dedicó al grabado. Hombre sumamente cultivado e inquisitivo, Beardsen aborda en su producción la historia, la literatura y la historia del arte con un despliegue vertiginoso de referencias, todas entretejidas en obras que pintan la vida en las calles y los ritos de los afro-estadounidenses de su época, y lo dibujan todo, desde la vida familiar y el club de jazz hasta el burdel. Primero a pequeña escala, sus collages aumentaron de tamaño con el tiempo, y al final Beardsen desarrolló su estilo para crear murales para espacios públicos. **CK**

Obras destacadas

Mañana puede que esté lejos, 1966-1967
(National Gallery of Art, Washington, D.C.)

Colcha de retales (Patchwork Quilt), 1970
(Museum of Modern Art, Nueva York)

1910-19

> «Yo pinto [...] tan apasionada y desapasionadamente como Brueghel pintó [...] su época.»

ARRIBA: Romare Beardsen, influyente cronista de la vida afro-estadounidense.

LOUISE BOURGEOIS

Louise Bourgeois, 25 de diciembre de 1911 (París, Francia).

Estilo: Escultora; obras realizadas con una amplia gama de materiales, desde tejidos hasta el bronce; temas autobiográficos; exploración de la sexualidad; feminidad y aislamiento.

Obras destacadas

Cúmulo I, 1968 (Musée National d'Art Moderne, Centre Pompidou, París)

Destrucción del padre, 1974 (colección particular)

Mamá, 1999 (Museo Guggenheim, Bilbao, y en otros emplazamientos)

Louise Bourgeois, una de las artistas más importantes del siglo XX, se hizo famosa por sus esculturas y cuadros innovadores. Creció en el seno de una familia de artistas parisinos, pero su vida hogareña fue difícil y más tarde describiría a su padre como alguien «tiránico». Al principio estudió matemáticas en La Sorbona. Después asistió a la École des Beaux Arts y trabajó como ayudante de Fernand Léger. En 1938 se casó con el historiador del arte estadounidense Robert Goldwater, se trasladó a Estados Unidos y estudió en la Art Students League. Trabajó con artistas europeos exiliados, incluidos los surrealistas.

Sobre el telón de fondo del expresionismo abstracto, comenzó a emplear una variedad de materiales: yeso, látex, madera y piedra. Desde la década de 1940 hasta mediados de la de 1950, talló sus «Personnages», ochenta esculturas de madera que representan personas en su vida. Fue su primera referencia artística importante a las miserias de su infancia. Diecisiete de estas piezas se expusieron en Nueva York, en 1949. En la década de 1960 trató la sexualidad explícitamente en obras como *Cúmulo I* (1968) —huevos y falos cubiertos por un velo dentro de una caja de madera— y *Destrucción del padre* (1974), donde manifiesta sus sentimientos hacia su padre adúltero.

Mamá (1999) es una referencia a su madre. Fundida un total de seis veces, esta araña de bronce de 9,25 m de altura hace sentir pequeño al espectador, pero su presencia un tanto intimidadora queda atenuada por la vulnerabilidad que sugieren sus ocho patas largas y delgadas, y los 26 huevos de mármol que anida en su vientre. La obra que ha atraído la mayor atención del público es *I Do, I Undo, I Redo* (2000), instalación de tres torres de 9,25 m de altura realizada para la inauguración de la Tate Modern de Londres. **WO**

> «El arte es una garantía de la cordura. Eso es lo más importante que he dicho.»

ARRIBA: Louise Bourgeois, cuya obra trata de su propia identidad y de la de su arte.

ROBERTO MATTA

Roberto Sebastián Antonio Matta Echaurren, 11 de noviembre de 1911 (Santiago, Chile); 23 de noviembre de 2002 (Civitavecchia, Italia).

Estilo: Técnica automatista; «morfologías psicológicas» de los estados emocionales interiores; paisajes fluidos; formas biomórficas y semejantes a máquinas retorcidas.

La primera profesión de Roberto Matta fue la arquitectura. Se formó en Chile antes de trabajar como delineante en el despacho de Le Corbusier en París y viajar mucho por Europa. En 1934 conoció en España a Salvador Dalí y Federico García Lorca. Dalí lo animó a que mostrase algunos de sus dibujos a André Breton, cuyo interés por Sigmund Freud y el mundo del subconsciente tendría gran influencia al principio de su evolución pictórica. Su amistad con Gordon Onslow Ford y la visión del *Guernica* (1937) de Pablo Picasso en 1937, lo impulsaron a unirse al grupo de los surrealistas —del que, sin embargo, fue expulsado en 1947— y comenzar a pintar.

Matta trabajó obras intensamente coloridas al pastel y al óleo, y creó la serie «Morfologías psicológicas» (finales de la década de 1930-principios de la de 1940), que refleja los estados psicológicos interiores con imágenes de un automatismo abstracto que evidencian la influencia de su mentor, Yves Tanguy. Al comparar el paisaje de la mente con un terreno geológico, Matta llamó «paisajes interiores» a sus obras investigadoras.

Matta fue uno de los primeros artistas surrealistas exiliados que llegó en 1939 a Nueva York, donde ejerció una honda influencia sobre la generación de jóvenes pintores de la Escuela de Nueva York. Estuvo muy próximo a Robert Motherwell, con quien viajó a México, país de donde extrajo inspiración de su arte indígena y sus paisajes volcánicos, que le recordaban a su Santiago natal. La obra de Matta a partir de la década de 1940 refleja un mayor compromiso político; especialmente, después de su regreso a Europa en 1948. Sus cuadros posteriores fueron más grandes y explosivos visualmente, al fundir el mundo interior de la psique con una visión social amenazante. **LB**

Obras destacadas

Morfologías psicológicas, 1938
  (The Art Institute of Chicago, Chicago)

Los solteros veinte años después, 1942
  (Philadelphia Museum of Art, Filadelfia)

El vértigo de Eros, 1944 (The Museum of Modern Art, Nueva York)

«La pintura tiene un pie en la arquitectura y el otro en los sueños.»

ARRIBA: Roberto Matta en su visita a Madrid a los noventa años.

JACKSON POLLOCK

Paul Jackson Pollock, 28 de enero de 1912 (Cody, Wyoming, EE.UU.); 11 de agosto de 1956 (East Hampton, Nueva York, EE.UU.).

Estilo: Action painting («pintura de acción»); drip painting («pintura de goteo»); automatismo abstracto y surrealista; aplicación gestual y espontánea de la pintura.

Obras destacadas

Male and Female, h. 1942 (Philadelphia Museum of Art, Filadelfia)

Full Fathom Five, 1947 (Museum of Modern Art, Nueva York)

Número 1, 1948 (Museum of Modern Art, Nueva York)

Número 5, 1948, 1948 (colección particular)

Uno: Número 31, 1950, 1950 (Museum of Modern Art, Nueva York)

Convergencia, 1952 (Albright-Knox Art Gallery, Buffalo, EE.UU.)

Destacado exponente del expresionismo abstracto, Jackson Pollock fue uno de los primeros pintores estadounidenses que fueron reconocidos en vida en un plano de igualdad con los maestros europeos del arte moderno. Nacido en Cody, Wyoming, y criado en Arizona y California, comenzó su periplo como artista en 1928, en la Manual Arts High School de Los Ángeles, donde el pintor e ilustrador Frederick John de Saint Vrain Schwankovski lo introdujo en la Sociedad Teosófica. Este grupo promocionaba el espiritismo metafísico y ocultista, y Pollock adoptó ideas teosóficas que tendrían un efecto en su obra en los años posteriores.

Instalado en Nueva York para matricularse en la Art Students League, estudió dibujo al natural, pintura y composición con Thomas Hart Benton, pintor de estilo paisajista regional. Durante la Gran Depresión fue empleado por el Federal Art Project como «pintor de caballete»; es decir, de cuadros con el formato de un caballete estándar. En esa época pintó paisajes y escenas figurativas basadas en temas del Lejano Oeste, inspiradas en viajes por esa región y fotografías tomadas en Cody.

ARRIBA: Jackson Pollock fotografiado en su estudio de Long Island, en 1949.

DERECHA: Pollock durante el proceso de creación de uno de sus enormes lienzos.

1910–19

ARRIBA: *Convergencia* (1952) es un vasto cuadro lleno de color, de estilo action painting.

Un momento clave para su desarrollo artístico se produjo en el taller del muralista mexicano David Alfaro Siqueiros. Allí entró en contacto por primera vez con el empleo de la pintura de esmalte, la laca y la arena sobre la superficie de un cuadro, y con el vertido y el goteo de la pintura como técnicas artísticas.

Pollock soportó una batalla constante contra el alcoholismo y la depresión. En 1937 ingresó cuatro meses en un hospital psiquiátrico, sometido a análisis junguianos. Después su obra se inclinaría hacia la abstracción. Empezó a incorporar en sus cuadros motivos de los vanguardistas españoles Pablo Picasso y Joan Miró, con técnicas que había aprendido de Siqueiros. Su primera obra grande como toda una pared, *Mural* (h. 1943-1944), fue el primer paso de Pollock hacia su propio estilo, con el abandono del estilo figurativo en favor de una invención lineal fusionada con los métodos surrealistas del automatismo y la imagen procedente del subconsciente.

> «El cuadro tiene una vida propia. Yo trato de que se haga patente.»

Pollock filmado

En el verano de 1950, un aspirante a fotógrafo llamado Hans Namuth se acercó al internacionalmente reconocido Jackson Pollock para pedirle si podía fotografiarlo mientras trabajaba. Con mucha insistencia de su esposa, este aceptó. Cuando Namuth entró por primera vez al estudio le dijeron que el trabajo estaba terminado, pero que podía tomar fotos del autor junto a su obra. El fotógrafo describió cómo Pollock se quedó mirando el lienzo y, sin previo aviso, cogió una lata de pintura y comenzó a volver a aplicar color sobre el cuadro, mientras danzaba sobre el mismo, para cambiar por completo su aspecto original. El método de trabajo de Pollock quedó registrado por Namuth, y el público vio por primera vez la técnica del goteo que había fascinado a la comunidad artística.

Namuth sugirió a continuación la realización de un documental. La filmación se llevó a cabo fuera con una cámara situada debajo de una hoja de cristal, y le pidieron a Pollock que trabajase como si estuviese dentro de su estudio. Para un hombre que creía en la imagen del subconsciente y se deleitaba con la interacción íntima con el cuadro, trabajar por encargo como si estuviese actuando fue demasiado. Una noche, después de una ronda de muchas copas, volcó una mesa con violencia ante la consternación de su invitado y le dijo a Namuth: «No soy un farsante.»

En 1945 Pollock se casó con la artista Lee Krasner. Compraron una casa y un terreno en East Hampton, Long Island, y transformaron el establo de la propiedad en su estudio, donde creó algunas de sus obras más importantes.

La técnica del goteo

Con espacio suficiente para trabajar grandes formatos, Pollock extendía el lienzo en el suelo, de modo que pudiese trabajarlo desde sus cuatro lados. Entonces comenzaba a verter o a gotear pintura sobre él con un listón de madera o una espátula de pintor. Caminaba sobre el cuadro —para convertirse en parte de la obra— con una lata de pintura en la mano y realizaba trazos rápidos, tal como había observado que hacían los nativos americanos que pintaban con arena. El proceso podía durar semanas, mientras pensaba qué haría después, y creaba capas de esmalte, además de —ocasionalmente— arena y cristal. Creía que el cuadro tenía vida propia, pero insistía en que el producto final estaba siempre sujeto a la voluntad del artista.

Entre 1947 y 1951 Pollock realizó una serie de cuadros manchados que sacudieron el mundo del arte. Para algunos, simplemente estaba creando piezas caóticas sin sentido. Otros, como Clement Greenberg, alabaron su talento. La obra de Pollock ha dejado una impresión duradera en los movimientos artísticos posteriores de Estados Unidos, como el pop art. Sigue siendo un icono cultural del siglo XX. **SG**

DERECHA: *Número 1* (1948) es uno de los mejores ejemplos de la técnica del goteo de Pollock.

MORRIS LOUIS

Morris Louis Bernstein, 28 de noviembre de 1912 (Baltimore, Maryland, EE.UU.); 7 de septiembre de 1962 (Washington, D.C., EE.UU.).

Estilo: Pintor abstracto; series; grandes dimensiones; pintura acrílica de colores aplicada discretamente en capas o vertida en líneas directamente sobre el lienzo.

Entre todos los debates que estaban teniendo lugar dentro del contexto de la vanguardia estadounidense de posguerra, lo que resultó ser el más apremiante para muchos artistas fue cómo dar respuesta al legado del expresionismo abstracto y, en particular, a la contribución radical que realizó Jackson Pollock al desarrollo del abstraccionismo. Dentro de este contexto postexpresionista abstracto, quedaba un puñado de pintores comprometidos con la continuidad de la línea de investigación que Pollock había seguido desde 1947 hasta 1950 con sus lienzos *all-over* (cobertura de la superficie). La forma en que este había resaltado la naturaleza líquida de la pintura al dejarla derramar, escurrir y chorrear, le aportó a Morris Louis, pintor abstracto, los medios técnicos con los que pudo desarrollar su propio método de trabajo.

En 1953 Louis y Kenneth Roland visitaron el estudio de Helen Frankenthaler y contemplaron *Montañas y mar* (1952), cuadro que se había realizado con la técnica del *staining* (mancha de empapado) que ella había desarrollado. Esta experiencia le confirmó a Louis la forma de pintar sus cuadros.

Entre 1954 y 1962 desarrolló el lenguaje de su pintura por medio de esta técnica básica en una serie discreta de cuadros. En *Beth Kuff* (1958), de su serie «Velos» (1954-1960), el lienzo basto absorbió gradualmente capas casi transparentes de la pintura acrílica que se vertió sobre él. Su posterior *Alpha-Phi* (1961), de la serie «Despliegues» (1960-1961), incluye una sucesión de líneas discretas de color puro vertidas diagonalmente a través de las esquinas inferiores de la obra.

A pesar de su prematura muerte, con tan solo cuarenta y nueve años, la extraordinaria contribución de Louis a lo que el crítico de arte Clement Greenberg llamó «abstracción postpictórica» sigue siendo hoy completamente indiscutible. **CS**

Obras destacadas

Beth Kuff, 1958 (Tate Collection, Londres)
Alpha-Phi, 1961 (Tate Collection, Londres)
Beta Kappa, 1961 (National Gallery of Art, Washington)

1910–19

> «Cuando se agrupan [las obras de Louis], hablan entre sí.»
> Valerie Fletcher, Smithsonian Institution

ARRIBA: Esta fotografía de Morris Louis se tomó hacia 1950.

Obras destacadas

Sonatas e interludios para un piano preparado, 1946-1948

Music of Changes, 1951

4'33", 1952

Williams Mix, 1952

Indeterminacy, 1959

HPSCHD, 1969

1910-19

Obras destacadas

Pájaro, 1949 (Menil Collection, Houston)

Composición, 1946 (Musée National d'Art Moderne, París)

JOHN CAGE

John Milton Cage Jr., 5 de septiembre de 1912 (Los Ángeles, California, EE.UU.); 12 de agosto de 1992 (Nueva York, Nueva York, EE.UU.).

Estilo: El sonido cotidiano es música; piano percusionista «preparado»; composiciones basadas en el azar; partituras indefinidas; inspiración zen; anecdótico.

Compositor, artista, profesor y escritor, la obra de John Cage abarcó varias disciplinas y derrumbó barreras. Colaboró con el coreógrafo Merce Cunningham, estudió con Arnold Schönberg y fue influido profundamente por el budismo zen y por Marcel Duchamp. Cage creía que todos los sonidos, incluso los incidentales y no intencionados, son música. Sus primeros trabajos fueron para pianos «preparados» para producir sonidos poco habituales. Su declaración más famosa fue 4 minutos y 36 segundos de silencio. Los métodos casuales de composición, las partituras indefinidas, y el empleo de radios y de equipos de grabación mostraron la gran influencia de la obra de Cage en el arte de la performance. **LB**

WOLS

Alfred Otto Wolfgang Schulze, 27 de mayo de 1913 (Berlín, Alemania); 1 de septiembre de 1951 (París, Francia).

Estilo: Cuadros gestuales de expresión abstracta; dibujos a plumilla pequeños, fotografías de lo cotidiano vistas a través de cambios de escala dramáticos.

Wols personifica el arquetipo del pintor existencialista atormentado. En 1932 se trasladó de Alemania a París, donde trabó amistad con los surrealistas y cultivó la fotografía y el dibujo. En 1945 expuso sus ingentes dibujos de pequeñas dimensiones. Comenzó a experimentar con óleos que fueron pioneros del arte informalista y del tachismo. Sus obras sugieren microcosmos concurridos y brutales que expresan lo que Jean-Paul Sartre describió como «el horror universal de estar en el mundo». Su estilo de vida errabundo, su creciente y grave dependencia del alcohol, y su prematura muerte han contribuido a una biografía mitificada. Sin embargo, detrás del mito hay un legado vital para el desarrollo del arte posterior. **EK**

AD REINHARDT

Adolph Dietrich Friedrich Reinhardt, 24 de diciembre de 1913 (Buffalo, Nueva York, EE.UU.); 30 de agosto de 1967 (Nueva York, Nueva York, EE.UU.).

Estilo: Modernismo malicioso; abstraccionismo intelectual; sutileza visual de gran calibre; cuadros monocromáticos; pionero del minimalismo y del arte conceptual.

Reinhardt se asoció inicialmente con el expresionismo abstracto, e hizo una contribución intelectual y refinada al desarrollo del abstraccionismo. Después de haber estudiado literatura e historia del arte en la Universidad de Columbia, comenzó sus estudios de arte en la American Artists School de Nueva York y después en la National Academy of Design. Sus obras de finales de la década de 1930 y principios de la siguiente son principalmente estudios geométricos basados en el collage. Incorporó cada vez más una forma intuitiva del *mark-making* (dibujo a lápiz), de acuerdo con los adelantos en la pintura que estaba logrando el expresionismo abstracto. Durante este período trabajó para el polémico periódico *PM*, para el que creó una serie de dibujos humorísticos que resultaron tan mordaces como divertidos.

Su ruptura con el expresionismo abstracto se produjo a comienzos de la década de 1950, cuando adoptó deliberadamente un estilo geométrico de abstracción más distante. Pintó una serie de cuadros que serían sinónimo de su nombre. A partir de 1955 trabajó exclusivamente en blanco y negro. A primera vista, estos cuadros monocromáticos parecen haber sido realizados en un tono. En una inspección más detallada, después que la vista se adapta, se puede apreciar la superficie sumamente matizada que Reinhardt fue capaz de crear. Lo que se puede observar es que cuadros como *Pintura abstracta* (1963) están compuestos por una red de nueve cuadrados. Con obras como estas, trató de hacer «arte como arte», de modo que todas las demás cosas pudieran ser «todo lo demás». Estos cuadros, austeros en su intelectualismo sin adornos, no solo hacen declaraciones significativas por sí mismos, sino que anticipan también la lógica y las razones que tanto el minimalismo y el arte conceptual aportarían posteriormente al objeto de arte. **CS**

Obras destacadas

Pintura abstracta, 1963 (Museum of Modern Art, Nueva York)

Pintura abstracta, 1960-1966 (Guggenheim, Nueva York)

«El único objetivo de cincuenta años de arte abstracto es presentar el arte como arte.»

ARRIBA: Fotografía de Ad Reinhardt realizada por John Loengard en 1966.

PHILIP GUSTON

Philip Goldstein, 27 de junio de 1913 (Montreal, Canadá); 7 de junio de 1980 (Woodstock, Nueva York, EE.UU.).

Estilo: Al principio expresionista abstracto; imágenes caricaturescas; motivos recurrentes sobre el Ku Klux Klan, las bombillas, los cigarrillos, las manos y la nariz.

Obras destacadas

Pintura, 1954 (Museum of Modern Art, Nueva York)

El regreso, 1956-1958 (Tate Collection, Londres)

Cabeza, 1965 (Tate Collection, Londres)

Pintando, fumando, comiendo, 1973 (Stedelijk Museum, Amsterdam)

Guston es un artista clave para generaciones posteriores de pintores. Su activismo social, su interés por la historia del arte y sus años pintando confluyen todos en su obra posterior cuando hizo un cambio radical de la abstracción al arte figurativo, y combinó superficies que revelan su trabajo con el pincel en expresiones brutales y enigmáticas. A buena parte de las imágenes de sus cuadros posteriores se les puede seguir el rastro hasta su infancia, durante la cual su padre se ahorcó y el Ku Klux Klan estaba activo.

Guston fue a la escuela en Los Ángeles junto al pintor Jackson Pollock. Ambos fueron expulsados por redactar un documento en el que criticaban a la institución por valorar más el deporte que el arte. Durante la década de 1930 trabajó para el Federal Art Project en la producción de murales bajo la influencia de muralistas mexicanos como Diego Rivera y el pintor metafísico greco-italiano Giorgio de Chirico. La mano del fumador y la inquieta cabeza de un solo ojo que figuran en sus cuadros representan al artista en su intensa lucha con su pintura, tal como fuera documentado en el libro de su hija *The Night Studio: A Memoir of Philip Guston* (1988).

En la década de 1950, Guston se dio a conocer como uno de principales exponentes del expresionismo abstracto. Sus cuadros líricos de este período recuerdan a la serie posterior de nenúfares de Claude Monet. El artista evidenció su vuelta al estilo figurativo en su exposición de 1970 en la Marlborough Gallery de Nueva York, con la que horrorizó a muchos de sus seguidores, que consideraron caricaturesca y fea su nueva obra.

Sin embargo, Guston es más conocido por estos cuadros, que continuó pintando hasta su muerte y han influido intensamente en generaciones posteriores de pintores, al borrar los límites entre lo abstracto y lo figurativo que antes habían sido considerados tan vitales. **JJ**

«La pintura es "impura". Es el ajuste de las impurezas lo que impone su continuidad.»

ARRIBA: En la foto completa, Philip Guston se apoya en una barra.

MERET OPPENHEIM

Meret Oppenheim, 6 de octubre de 1913 (Berlín, Alemania); 15 de noviembre de 1985 (Berna, Suiza).

Estilo: Surrealismo; uso ingenioso de objetos cotidianos en extrañas yuxtaposiciones que parecen ser eróticas; exploración de la feminidad y del subconsciente.

La escultora Meret Oppenheim estudió en Basilea entre 1929 y 1930, y en París al año siguiente. Paul Klee influyó en sus primeras obras, pero fue Alberto Giacometti quien le sugirió que hiciera su primera escultura surrealista, la pequeña pieza de bronce *La oreja de Giacometti* (1933). Gracias a Giacometti conoció a los surrealistas y posó desnuda para Man Ray en obras famosas como su posado —embadurnada con tinta y apoyada en una máquina impresora— *Retrato de Meret Oppenheim (Erotique Voilée)* (1933).

La obra por la que más se la conoce, *Objeto* (1936) —una taza, un plato y una cucharilla de té, todos forrados con piel—, tiene un erotismo latente y es, quizá, una crítica irónica al mundo artístico dominado por los hombres que ella frecuentaba. Según la propia Oppenheim, el hecho de agregar sexualidad a los objetos fue casi accidental. Al parecer, *Objeto* se inspiró en una conversación entre ella, Pablo Picasso y Dora Maar en un café de París. Picasso hizo un cumplido a Oppenheim por los brazaletes forrados con piel que llevaba y dijo que se podía forrar casi todo con piel, a lo que ella respondió: «Incluso esta taza y este plato».

A su regreso a Basilea en 1937 inició un período durante el cual produjo poco y destruyó mucho, pero aún podía generar polémica. En 1959, en la noche inaugural de la Exposición Surrealista Internacional de París, presentó *Le Festin* (1959), una especie de espectáculo artístico improvisado, en el que expuso a una mujer desnuda acostada sobre una mesa y cubierta con comida. La pieza fue una representación —instigada por André Breton— de un banquete que ella había organizado para sus amigos como rito de la primavera. Una vez más, Oppenheim recibió muchas críticas porque se consideró que trataba a la mujer como un objeto y por sus alusiones al canibalismo. **WO**

Obras destacadas

La oreja de Giacometti, 1933 (colección particular)

Objeto, 1936 (Museum of Modern Art, Nueva York)

«Cada idea nace con su forma. Yo hago realidad las ideas según me vienen a la cabeza.»

ARRIBA: *Meret Oppenheim, retrato con tattoos* se realizó en 1980.

ROBERT MOTHERWELL

Robert Motherwell, 24 de enero de 1915 (Aberdeen, Washington, EE.UU.);
16 de julio de 1991 (Provincetown, Massachusetts, EE.UU.).

Estilo: Pintor y grabador expresionista abstracto; empleo de líneas gruesas negras
y de bloques de color para transmitir estados de ánimo y emociones.

Obras destacadas

Wall Painting III, 1953 (Museu d'Art
Contemporani de Barcelona, Barcelona)

Serie «Elegías a la República Española 54»,
1957-1961 (Museum of Modern Art,
Nueva York)

1910–19

Al comienzo de su carrera y después de estudiar filosofía en la Universidad de Stanford, Robert Motherwell se sintió atraído por las ideas nuevas sobre las que se basaba el abstraccionismo en el arte. En particular, asimiló la idea del automatismo —expresión espontánea de las emociones mediante pinceladas igualmente espontáneas— de los surrealistas europeos exiliados en Nueva York al inicio de la Segunda Guerra Mundial.

Motherwell llevó esta idea a su conclusión lógica en varias series de cuadros y grabados, incluida su serie más famosa, «Elegías a la República Española» (1948-1990). De escala monumental y con más de un centenar de piezas realizadas durante más de cuatro décadas, esta secuencia se inspiró en un poema de Federico García Lorca sobre la tragedia de la guerra civil española. A diferencia de Pablo Picasso, que dio una respuesta instantánea a la represión y al horror del conflicto en su *Guernica* (1937), Motherwell trató el mismo tema acumulativamente y en retrospectiva. Todos los cuadros están relacionados entre sí por formas negras similares. Cada uno de ellos sugiere algo diferente: una pintura rupestre encerrada durante milenios; ojos dilatados por el miedo; manos aferradas a los barrotes de una prisión; elementos tradicionales de la cultura española como las pezuñas de un toro o el movimiento de una falda flamenca encarceladas por el fascismo. Los trazos enérgicos y los planos embadurnados de color, aunque aparentemente aplicados al azar, se articulan directamente con sus respuestas íntimas a lugares, épocas y culturas ajenas a la suya. Al rebasar los límites para expresar su subconsciente, Motherwell se convirtió en uno de los fundadores del expresionismo abstracto, primer movimiento artístico concebido y realizado en Estados Unidos. **SC**

> «El arte es mucho menos importante que la vida, pero qué pobre sería la vida sin él.»

ARRIBA: Robert Motherwell, fotografiado
por Sahm Doherty en 1977.

ANDREW WYETH

Andrew Newell Wyeth, 12 de julio de 1917 (Chadds Ford, Pensilvania, EE.UU.).

Estilo: Pintor; realismo mágico; empleo de acuarela, témpera y pincel seco; pinceladas meticulosas; naturalezas muertas; paisajes y escenas de género de su región natal y sus habitantes.

Cuando Andrew Wyeth expuso *El mundo de Cristina* (1848) en una galería de arte de Nueva York, agitó el mundo del arte. En pocas semanas, el cuadro había sido adquirido por el Museo de Arte Moderno de la ciudad, y atrajo muy pronto a millares de espectadores. En la década de 1950 ya se hablaba tanto de él como de Jackson Pollock. Lo que sorprendió al mundo del arte no fue su talento, sino el contenido del cuadro. Su estilo casi hiperrealista iba contra la tendencia dominante del arte abstracto y expresionista, y había sido pintado con un estilo pasado de moda y la anticuada técnica al temple en lugar de al óleo o al *gouache*.

    El mundo de Cristina es típico de la obra de Wyeth porque pinta un paisaje y una persona conocida. Sus cuadros tratan sobre la costa de Maine y Chadds Ford, en Pensilvania, donde creció. En ellos figuran colinas agrestes y sombrías, árboles azotados por el viento, graneros de madera, y las construcciones anexas de las granjas. Sus modelos son sus amistades y sus vecinos. En *El mundo de Cristina*, su vecina discapacitada, Christina Olson, sentada con su malformación en la ladera de una colina, mira fijamente unos edificios abandonados en la cima. Parece realista, pero Wyeth es famoso por alterar los paisajes que pinta y se inclina por el realismo mágico. En sus obras consigue transmitir una emoción o un mensaje que a menudo resulta inquietante o conmovedor. Su arte siempre ha sido sumamente personal y, a menudo, un asunto familiar. Su esposa Betsy es marchante, y su hijo James también es pintor. Wyeth afirma que después de la muerte de su padre, maestro y mentor —el pintor e ilustrador Newell Convers Wyeth— en un accidente automovilístico en 1945, su obra adquirió la intensidad emocional que sigue dando forma a los temas que pinta. **CK**

Obras destacadas

El mundo de Cristina, 1948 (Museum of Modern Art, Nueva York)

Repisa de heno, 1957 (The Greenville Collection, Greenville, EE.UU.)

La habitación de ella, 1963 (Farnsworth Art Museum and Wyeth Center, Rockland, EE.UU.)

> «Lo que cuenta es lo que uno extrae de un cuadro. Hay un residuo. Una sombra invisible.»

ARRIBA: Detalle de *Andrew Wyeth con abrigo de piel* por Richard Shulman, en 1983.

LEONORA CARRINGTON

Leonora Carrington, 6 de abril de 1917 (Clayton Green, Lancashire, Inglaterra).

Estilo: Pintora surrealista, escultora y diseñadora de tapices; sus obras abarcan temas como la magia, la alquimia y el ocultismo; imágenes de animales fantásticos; interés por lo femenino.

Obras destacadas

¿Conoce usted a mi tía Eliza?, 1941
  (Tate Collection, Londres)
Soy una aficionada a los velocípedos, 1941
  (Tate Collection, Londres)
Samhain Skin, 1975 (National Museum
  of Women in the Arts, Washington, D.C.)

Carrington es una de las últimas artistas surrealistas sobrevivientes, y su obra está dominada por imágenes de viejas brujas encapuchadas, animales fantásticos y seres extraños que pueblan un mundo imaginario inspirado en el folclore celta, la mitología mexicana, el ocultismo, los cuentos de hadas y las canciones infantiles. Sus cuadros irradian la fuerza creadora de lo femenino unida a una sensación de malos presagios.

Hija de un acaudalado magnate textil, creció en Crookhey Hall, Lancashire, mansión que figura en muchos de sus cuadros como una presencia siniestra. Carrington se rebeló contra su educación burguesa y fue expulsada de varias escuelas religiosas antes de que su familia la enviase a estudiar arte al College of Miss Penrose de Florencia, donde llegó a conocer la obra de los grandes maestros de la pintura. Tras su regreso a Londres, continuó su formación artística en la Chelsea School of Art y en la Academy of Amédée Ozenfant.

En 1937 conoció en una fiesta al artista surrealista Max Ernst. Este encuentro le cambió la vida porque se escapó con él a París, donde se relacionó con artistas de vanguardia como Pablo Picasso, Salvador Dalí y Joan Miró. Cuando estalló la Segunda Guerra Mundial, Ernst, que era alemán, fue retenido brevemente como extranjero procedente de un país enemigo, antes de huir a Estados Unidos. Esta experiencia resultó traumática para Carrington, quien se marchó a Madrid, donde sufrió una crisis nerviosa. Su familia la ingresó en un hospital psiquiátrico, pero se escapó a Ciudad de México a través de Estados Unidos. A su llegada a México, se inspiró en otros artistas, incluidos Frida Kahlo, Diego Rivera y Remedios Varo. Carrington comenzó a incorporar mitología azteca, misticismo y alquimia a su obra. En los últimos años ha esculpido además de pintar. **CK**

> «Uno no decide pintar. Es como tener hambre [...] Es una necesidad. No es una opción.»

ARRIBA: Leonora Carrington, fotografiada en noviembre de 2000 en su casa de México.

DERECHA: *La gigante* (1947). Esta enorme figura infantil sostiene un huevo.

JOHN MINTON

Francis John Minton, 25 de diciembre de 1917 (Great Shelford, Cambridgeshire, Inglaterra); 20 de enero de 1957 (Londres, Inglaterra).

Estilo: Pintor, ilustrador y diseñador de escenografías neorromántico; figuras, paisajes urbanos, paisajes rurales; óleos y acuarelas.

Obras destacadas

Niños al lado del mar, 1945 (Tate Collection, Londres)

Rotherhithe from Wapping, 1946 (Southampton Art Gallery, Southampton, Inglaterra)

Composición: La muerte de James Dean, 1957 (Tate Collection, Londres)

Minton estudió en Londres, en la Saint John's Wood School of Art, antes de trasladarse a París, donde compartió estudio con Michael Ayrton. Cuando estalló la Segunda Guerra Mundial, se declaró objetor de conciencia, pero posteriormente se alistó con los ingenieros del Pioneer Corps, aunque fue dado de baja en 1943 por su débil salud. Compartió estudio con Robert Colquhoun y Robert MacBryde, y dio clases en Londres, en la Camberwell School of Art and Crafts, la Central School of Art and Crafts, y el Royal College of Art. Presentó su primera exposición individual en 1945. Después de la guerra, viajó por Córcega, el Caribe, Marruecos y España en busca de inspiración. Estos viajes influyeron en su gama de colores.

Minton fue una figura destacada del movimiento neorromántico británico junto con Keith Vaughan y John Craxton, pero fue también un prolífico ilustrador editorial, y diseñador gráfico y de escenografías y vestuarios para el teatro. Sus obras, que representan la Gran Bretaña de la década de 1940 —como su lienzo lírico sobre la costa de Cornualles, *Niños al lado del mar* (1945)—, combinadas con escenas conmovedoras del deterioro urbano —*Rotherhithe from Wapping* (1946)—, le otorgaron un amplio reconocimiento y dieron lugar a comparaciones con Samuel Palmer y John Piper. Su popularidad fue tal que en 1951 le encargaron pintar un mural para el Festival of Britain. Minton también fue un defensor de la pintura figurativa. Lamentablemente, el cambio al expresionismo abstracto en la década de 1950 avivó sus inseguridades, y para la época cuando pintó su conmovedora *Composición: La muerte de James Dean* (1957) su obra ya no estaba de moda y su carrera se hallaba en declive. Frecuentó los círculos bohemios del Soho londinense, y fue un alcohólico propenso a estados depresivos. Se suicidió en 1957. **CK**

> «Lo importante es estar ahí cuando se pinta el cuadro.»

ARRIBA: Detalle de *Autorretrato* (1946), dibujo a lápiz colección particular.

SIDNEY NOLAN

Sidney Robert Nolan, 22 de abril de 1917 (Melbourne, Australia); 28 de noviembre de 1992 (Londres, Inglaterra).

Estilo: Pintura, litografía y diseño escenográfico; paisajes del interior despoblado de Australia; temas históricos y mitológicos; empleo de la pintura de esmalte comercial.

Sidney Nolan es el pintor más conocido de Australia. Su obra muestra el paisaje de su país a través de su historia y sus mitos, y en ella figuran personajes como los exploradores Robert O'Hara Burke o William John Wills. Su serie acerca del proscrito Ned Kelly, héroe y bandido, atravesando la maleza con su armadura casera de placas metálicas, se ha convertido en parte de la iconografía australiana. Nolan rehuyó deliberadamente la tradición. Su estilo aparentemente ingenuo de pintura figurativa fue su manera de crear un lenguaje original, y empleó la pintura de esmalte para distanciar su obra de la tradición del paisajismo australiano. Siguió usando técnicas pictóricas innovadoras durante toda su carrera. Nolan fue grabador además de pintor, y en sus litografías combina imágenes realistas con paisajes del monte, como sucede en *The Slip* (1971), que es a la vez surrealista y sorprendente. Estuvo también influido por su amor a la música y a la poesía, y, a partir de 1940, diseñó escenografías para el ballet y el teatro.

Su vida personal fue turbulenta. Comenzó una relación amorosa con Sunday Reed, su patrocinadora casada, mientras vivía con ella y el esposo en «Heide», una casa en los suburbios de Melbourne, que era conocida entonces como centro de reunión de los artistas y hoy es un museo. La relación provocó disensiones dentro del círculo vanguardista de Nolan y, cuando este le puso fin, la señora Reed se negó a devolverle sus obras sobre Ned Kelly. La vida personal tempestuosa de Nolan parece haber influido en su fluctuante reputación entre los críticos. Algunos le acusaron de haber tratado de abarcar demasiado, mientras que otros le prodigaron elogios, como el historiador del arte inglés Kenneth Clark, quien le consideró el único verdadero pintor australiano. **JJ**

Obras destacadas

Kelly y caballo, 1945 (Nolan Gallery, Tharwa, Australia)

Ned Kelly, 1946 (National Gallery of Australia, Canberra)

The Slip, 1947 (National Gallery of Australia, Canberra)

«Si el momento es propicio [...] el propio cuadro [...] comienza a desplegar sus formas.»

ARRIBA: Sidney Nolan pintó *Autorretrato* (1943) después de que el ejército lo llamase para cumplir el servicio militar.

COLIN McCAHON

Colin John McCahon, 1 de agosto de 1919 (Timaru, Canterbury, Nueva Zelanda); 27 de mayo de 1987 (Auckland, Nueva Zelanda).

Estilo: Colores sombríos; paños de lienzo grandes y sin extender; paisajes y temas religiosos, pintura directa y expresionista; empleo de textos y cifras.

Obras destacadas

La victoria sobre la muerte, 1969 (Auckland Art Gallery Toi O Tamaki, Auckland, Nueva Zelanda)

Ayudas a la enseñanza 3, 1975 (Auckland Art Gallery Toi O Tamaki, Auckland, Nueva Zelanda)

Colin McCahon fue considerado póstumamente el artista contemporáneo más importante de Nueva Zelanda. Tuvo una educación religiosa, y las cuestiones sobre la fe, el esfuerzo y el compromiso caracterizaron su vida y su obra. En 1942 se casó con la pintora Anne Hamblett. La pareja vivió con sus hijos en varios lugares del país, lo que permitió a McCahon acceder a diferentes geografías neozelandesas, las que le inspiraron sus temas clave. En 1958 recibió la beca Carnegie Grant para pintar y estudiar en Estados Unidos. Tras su regreso creó grandes abstracciones paisajistas. Su contacto con las técnicas y las ideas del expresionismo abstracto estadounidense contribuyó a su estilo aparentemente rudimentario aunque impactante. **NG**

GORDON WALTERS

Gordon Frederick Walters, 24 de septiembre de 1919 (Wellington, Nueva Zelanda); 5 de noviembre de 1995 (Christchurch, Nueva Zelanda).

Estilo: Cuadros geométricos, abstractos *hard-edged* (pintura de contornos nítidos); motivos maoríes y de Oceanía estilizados; diseños repetidos.

Obras destacadas

Paisaje de Nueva Zelanda, 1947 (Museum of New Zeland, Te Papa Tongarewa, Wellington, Nueva Zelanda)

Maho, 1972 (Auckland Art Gallery Toi O Tamaki, Auckland, Nueva Zelanda)

Sin título, 1982 (Auckland Art Gallery Toi O Tamaki, Auckland, Nueva Zelanda)

Después de trabajar como dibujante comercial, Gordon Walters viajó a Australia y a Europa, donde asimiló las influencias de artistas como Jean Arp, Piet Mondrain, Paul Klee y su compatriota Theo Schoon. Sus obras de madurez —como la serie «Koru» (1964-1989)— son una combinación convincente de figuras geométricas de contornos nítidos, franjas de color y motivos maoríes estilizados reducidos casi hasta la abstracción. El contraste intenso de sus colores y diseños produce efectos semejantes a los del op art. Generaciones sucesivas de artistas neozelandeses admiraron a Walters, aunque, al final de su vida, su apropiación de motivos indígenas se consideró políticamente controvertida. **NG**

WAYNE THIEBAUD

Wayne Morton Thiebaud, 15 de noviembre de 1920 (Mesa, Arizona, EE.UU.).

Estilo: Pintor; asociado con el pop art; pinturas de objetos familiares en la sociedad de consumo; composiciones ordenadas; formas simples, tonos tenues y texturas pintadas de memoria.

Después de graduarse en el Sacramento State College, Wayne Thiebaud, trabajó como dibujante humorístico y diseñador en California y Nueva Yok, y como artista en la Armada estadounidense. Tras concluir sus estudios en arte, comenzó a dar clases en el Sacramento City College. Durante las décadas de 1960 y 1970 fue profesor adjunto en la Universidad de California, donde estimuló las disciplinas tradicionales y el realismo.

Su trabajo estuvo influido por los pintores abstractos Willem de Kooning y Franz Kline, por los artistas pop Robert Rauschenberg y Jasper Johns, y por Giorgio Morandi y sus efectos tenues de luz. Thiebaud aplica la pintura profusa y homogéneamente sobre sus lienzos para explotar la naturaleza del óleo y para representar las texturas que pinta.

A finales de la década de 1950 comenzó una serie de cuadros pequeños basados en imágenes de alimentos y de productos de consumo, que recuerdan los anuncios contemporáneos y que pusieron en evidencia su experiencia en el diseño publicitario. En 1960 realizó sus primeras exposiciones en solitario en San Francisco y Nueva York, sin mucho éxito, pero dos años más tarde, otra en Nueva York, que lanzó oficialmente el pop art, le proporcionó el reconocimiento merecido. A Thiebaud, que admite que todos sus temas se relacionan con sus recuerdos, no es partidario de que los espectadores busquen simbolismos en sus cuadros. Se asocia con el pop art por su interés en los objetos de la cultura de masas, aunque sus cuadros de las décadas de 1950 y de 1960 anticipan la obra de este movimiento. Mientras los artistas pop satirizan la sociedad de consumo, la producción masiva y la publicidad, la obra de Thiebaud presenta aspectos de la experiencia estadounidense que ya han desaparecido. **SH**

Obras destacadas

Pasteles, 1963 (National Gallery of Art, Washington, D.C.)

Tres máquinas, 1963 (De Young Museum, San Francisco)

Ocho pintalabios, 1988 (National Gallery of Art, Washington, D.C.)

1920–29

«Todos necesitamos una confrontación crítica del tipo más detallado y extremo.»

ARRIBA: Wayne Thiebaud, cuya obra rezuma nostalgia por tiempos pasados.

PATRICK HERON

Patrick Heron, 30 de enero de 1920 (Headingley, Leeds, Yorkshire, Inglaterra); 20 de marzo de 1999 (Cornualles, Inglaterra).

Estilo: Fue pionero en adoptar el abstraccionismo en Inglaterra e introdujo a la generación de posguerra en el color puro y las sensaciones visuales.

Obras destacadas

Barcos en la noche, 1947
 (Tate Collection, Londres)

Jardín de azaleas, mayo 1956, 1956
 (Tate Collection, Londres)

Pintura de listas horizontales: enero-febrero 1958, 1958 (Tate Collection, Londres)

Pintura roja: 25 de julio de 1963, 1963
 (National Galleries of Scotland, Edimburgo)

1920–29

Aunque Patrick Heron nació en Yorkshire, se crió en Welwyn Garden City y en Londres antes de trasladarse, en 1956, a Cornualles, condado al que quedó asociado desde entonces. Dijo a sus padres que había decidido ser artista a la edad de tres años y, a los ocho, ya estaba haciendo, con aplomo increíble, dibujos de la costa de Cornualles. Quizá con la ayuda de su padre, cuya empresa textil era Cresta Silks, diseñó un tejido superventas a los 14 años.

Después de haber asimilado las influencias de Paul Cézanne, Henri Matisse, Georges Braque, Pierre Bonnard, André Derain y Pablo Picasso, la obra de Heron se colmó de vivos colores. De regreso a Saint Ives, en Cornualles, trabó amistad con Ben Nicholson, Barbara Hepworth, Naum Gabo e Ivon Hitchens. Adoptó el abstraccionismo, bajo la influencia del arte estadounidense, e introdujo a la generación de posguerra en las obras de arte que presentaban una sensación visual maravillosamente pura. En 1958 heredó el estudio de Ben Nicholson y allí pintó durante el resto de su vida.

En 1960 protagonizó su primera exposición individual en The Bertha Schaefer Gallery de Nueva York, y en 1972 expuso en la Whitechapel Gallery de Londres. Otra exposición destacada tuvo lugar en 1985. Phaidon Press publicó *Patrick Heron* (1998), por Mel Gooding, que coincidió con su exposición retrospectiva en la Tate Gallery londinense. Los propios escritos de Heron sobre arte y crítica fueron también muy influyentes. En la nota necrológica publicada por el periódico *The Times,* un admirador resumió los sentimientos de los británicos amantes del arte: «En el museo ideal del arte del siglo XX, sus mejores cuadros en color estarán en una pared entre los de Matisse y los de los estadounidenses Mark Rothko, Ellsworth Kelly, Kenneth Noland y Barnett Newman... Y seguirán cantando». **HP**

> «[La obra de Heron es] un arte del pensamiento además de ser un arte expresivo.» A. S. Byatt

ARRIBA: Patrick Heron, cuya obra se inspiró principalmente en el paisaje de Cornualles.

DERECHA: *Pintura de listas horizontales: enero-febrero 1958* se pintó con óleo sobre lienzo.

KAREL APPEL

Karel Appel, 25 de abril de 1921 (Amsterdam, Países Bajos); 4 de mayo de 2006 (Zurich, Suiza).

Estilo: Pintor, muralista, grabador, ceramista y escultor; paisajes, desnudos y piezas figurativas; motivos infantiles y animales; empleo de contornos negros.

Obras destacadas

Interrogatorio de niños, 1949
  (Tate Collection, Londres)

El cocodrilo que llora intenta atrapar el sol, 1956 (Peggy Guggenheim Collection, Venecia)

Matanza de reses, 1982
  (Stedelijk Museum, Amsterdam)

«Si pinto como un bárbaro es porque vivimos en una época de barbarie.»

ARRIBA: Karel Appel, retratado frente a una de sus esculturas en 1993.

Este artista neerlandés vivió en Amsterdam, París y Nueva York. Se vinculó con los vanguardistas de cada una de estas ciudades, y colaboró con artistas y escritores como el poeta de la generación Beat, Allen Ginsberg. Appel es famoso por los colores desenfrenados, las pinceladas enérgicas y las pinturas grotescas de niños, monstruos y animales fantásticos presentes en sus obras. Sus cuadros aniñados se hallan emparentados con el art brut de Jean Dubuffet.

Appel estudió arte en la Rijks-Academie de Amsterdam entre 1940 y 1945. En 1948 fundó el grupo Cobra en París, que estuvo activo hasta 1951. El nombre es el acrónimo de las ciudades natales de sus miembros: Copenhague, de Asger Jorn; Bruselas, de Christian Dotremont y Joseph Noiret; y Amsterdam, de Constant, Corneille y Appel. Su logotipo fue una serpiente enroscada, y se esforzaron por romper con el estilo surrealista prevaleciente y por emplear colores vibrantes e incorporar imágenes fantásticas inspiradas en los dibujos infantiles. Su objetivo era experimentar con medios diferentes y realizar obras en colaboración. La primera exposición del grupo se llevó a cabo en el Museo Stedelijk de Amsterdam en 1949. Tuvo una acogida poco entusiasta, los cuadros se describieron como «pintarrajeados, paparruchas y manchones». No obstante, el museo adquirió piezas de la exposición y más tarde encargó dos murales a Appel. Otro mural, *Interrogatorio de niños* (1949), que pintó para el edificio del ayuntamiento de la ciudad, fue considerado tan incomprensible que se cubrió. El mural formó parte de una serie de cuadros que el artista realizó con el mismo título para hacer referencia a la pobreza de los niños neerlandeses durante la Segunda Guerra Mundial y la inmediata posguerra. **CK**

JOSEPH BEUYS

Joseph Beuys, 12 de mayo de 1921 (Krefeld, Alemania); 23 de enero de 1986 (Düsseldorf, Alemania).

Estilo: Materiales poco frecuentes, a los que se confiere un significado simbólico complejo; arte de la performance pública; dibujo continuo, aunque provisional.

La obra de Joseph Beuys, carismático y controvertido, se proyecta a lo largo de los últimos cuarenta años de producción artística. Beuys alcanzó fama con una serie de performances y fue un defensor incansable de los poderes sanadores del arte y del valor redentor de la creatividad humana. A través del arte de acción y de sus dibujos, esculturas, ambientaciones, escaparates y grabados —además de un programa intenso de clases y conferencias— propuso el arte como única «fuerza evolutiva y revolucionaria» verdadera, capaz de «desmantelar los efectos represivos de un sistema senil que se sigue tambaleando al borde del límite». Los logros de Beuys —quizá la última figura comprometida genuinamente con una visión utópica del arte— siguen siendo muy debatidos.

Como todos los alemanes de su edad, en la década de 1930 Beuys fue miembro de las Juventudes Hitlerianas y durante la Segunda Guerra Mundial perteneció a la Luftwaffe. En marzo de 1944 su bombardero Stuka Ju 87 se estrelló en Crimea. La historia de este suceso ha generado mucha controversia. Después de la guerra, Beuys se matriculó en la Staatliche Kunstakademie

Obras destacadas

Plight, 1958-1985 (Musée National d'Art Moderne, París)

Cómo explicar los cuadros a una liebre muerta, 1965 (perfomance en la Galerie Schlema, Düsseldorf, documentada en fotografías)

El paquete, 1969 (Staatliche Museum Kassel, Neue Galerie, Kassel, Alemania)

1920–29

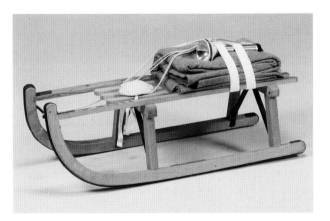

ARRIBA: Joseph Beuys, fotografiado en Alemania en 1982.

IZQUIERDA: *Sled # 6* es una de las cincuenta esculturas similares, cada cual con su propio equipo de supervivencia.

El accidente aéreo de Beuys

En 1944 el bombardero Stuka Ju 87 que tripulaba Joseph Beuys se estrelló en Crimea. El piloto murió y él quedó gravemente herido. Lo que ocurrió a continuación ha sido tema de mucha especulación y controversia. Según Beuys, fue rescatado por una tribu de nómadas tártaros que lo trasladaron a su campamento, envolvieron su cuerpo congelado en grasa animal y fieltro para conservar el calor y lo asistieron hasta devolverle la salud. «No eres alemán —le dijeron—. Eres tártaro», y le pidieron que se sumase a su clan.

Según narró Beuys, unos doce días después llegó a un hospital de campaña alemán. Esta historia ha servido como mito de una identidad artística nacida de las ruinas de un accidente casi mortal y de un encuentro con una comunidad tribal. Dado que Beuys llegó realmente al hospital militar un día después de estrellarse, su relato embellece —y probablemente inventa por completo— este encuentro.

Para algunos, la historia representa su peligrosa negativa a reconocer sus vínculos con el pasado nazi de Alemania. En cualquier caso, esta historia ha hecho que sea posible separar la obra del artista de la mitificación de su biografía.

1920-29

de Düsseldorf. Durante esta época de estudiante y, mucho después, leyó ávidamente, por lo que asimiló una enorme variedad de ideas artísticas y filosóficas: leyó desde los logros multidisciplinarios de Leonardo da Vinci, hasta los del alquimista suizo Paracelso, pasando por los escritores románticos alemanes Novalis y Friedrich Schiller, Carl Jung, Rudolf Steiner y James Joyce. Sin embargo, en la década de 1950 atravesó, con una pobreza extrema, dudas acerca de su obra, sufrió una crisis mental y física.

Arte de la performance

Fue en la década de 1960 cuando Beuys saltó al escenario de la cultura nacional e internacional. Después de una breve aventura con el movimiento Fluxus, desarrolló una serie extraordinaria de las performances. En *Cómo explicar los cuadros a una liebre muerta* (1965), por ejemplo, desempeñó el papel característico de un chamán. Con la cabeza cubierta con oro y miel, y una plancha de hierro atada al pie con una correa, pasó tres horas acunando una liebre muerta, musitándole al oído una combinación de sonidos guturales y explicaciones más formales sobre los dibujos colgados de las paredes de la galería. Materiales poco frecuentes, como grasa, fieltro, miel, hierro y cobre, formaron parte frecuentemente de su lenguaje artístico, y cada uno tuvo un significado específico para él. La miel, por ejemplo, era la ambrosía producida por la comunidad de las abejas, descrita por Steiner como el Estado socialista ideal, lleno de calor humano y de hermandad.

Beuys se fue interesando cada vez más por la relación entre el arte y la política. Muy conocido por la frase «Cada cual es un artista», defendió el poder de la creatividad para construir toda una sociedad como una enorme obra de arte. Este concepto ampliado del arte significó un rechazo feroz a los límites convencionales y a las jerarquías que ordenan las formas de actividad humana. En su lugar, todo se integra, en tiempo y espacio, en un gran proyecto, la «escultura social».

Beuys hizo campaña incansablemente por sus ideas. Fue un educador comprometido que impartió conferencias por todo el mundo y fundó organizaciones políticas. Abolió los requisi-

tos de ingreso a sus clases en Düsseldorf y fue destituido de su puesto en 1972. Algunos han considerado conflictiva su visión utópica del arte, y el fervor casi evangelizador con el que explicó sus obras. Después de todo, los artistas no controlan las redes institucionales, económicas y lógicas en las que se sitúan sus obras, y, quienes ejercen ese control, en raras ocasiones aspiran a ideales utópicos semejantes. No obstante, Beuys alcanzó un notable reconocimiento internacional; especialmente, después que su obra fuera presentada en Nueva York, en una gran exposición retrospectiva, en 1979. Fuese chamán o charlatán, profeta heroico o idealista empedernido, Beuys se ha convertido en una figura alrededor de la cual se han planteado, una y otra vez, las grandes preguntas sobre el potencial del arte. **EK**

ARRIBA: *Fat Battery* (1963) **es una escultura de metal, cartón, margarina y fieltro.**

«Los procesos de moldear el arte se toman como metáfora de moldear una sociedad.»

LUCIAN FREUD

Lucian Michael Freud, 8 de diciembre de 1922 (Berlín, Alemania).

Estilo: Uno de los artistas vivos más aclamados; al principio, un estilo caracterizado por la observación intensa del detalle y la claridad lineal; retratos íntimos de modelos bien conocidos; desnudos característicos y rollizos; pintor figurativo innovador.

Obras destacadas

Muchacha con perro blanco, 1950-1951
(Tate Collection, Londres)

Francis Bacon, 1952 (Tate Collection, Londres)

Muchacha desnuda con huevo, 1980-1981
(British Council Collection, Londres)

Apoyada en los trapos, 1988-1989
(Tate Collection, Londres)

Desnudo con la pierna encima, 1992
(Hirshhorn Museum and Sculpture Garden, Smithsonian Institution, Washington, D.C.)

Mañana soleada - Ocho piernas, 1997
(Art Institute of Chicago, Chicago)

Después de Cézanne, 1999-2000
(National Gallery of Australia, Canberra)

Retrato de la Reina, 2000-2001
(Royal Collection, castillo de Windsor, Inglaterra)

Lucian Freud no deja de ser una paradoja pública y privada. Es hijo del arquitecto Ernst Freud; nieto del psicoanalista Sigmund Freud, y hermano de Clement Freud, político, escritor y figura conocida de la radio y la televisión. No obstante, su aversión por la publicidad es bien conocida, y asiste en raras ocasiones a actos oficiales. Es uno de los pintores figurativos más destacados de todos los tiempos, pero, como pinta sus cuadros lentamente, su reputación se basa en una cantidad relativamente pequeña de obras, y está poco representado en las colecciones públicas de arte.

Freud nació en Berlín, pero se marchó a Inglaterra en 1933 debido al ascenso del nazismo al poder. Sus primeras obras combinaron una distribución surrealista de objetos inesperados con una cualidad neorromántica irreal. Sin embargo, su interés principal se centra en el estudio del rostro y del cuerpo humano. En las

ARRIBA: Un enigmático Lucian Freud fotografiado en 1958.

DERECHA: La luz del día penetra en *Gran interior W11 (según Watteau)* (1981-1983).

décadas de 1940 y 1950 desarrolló un estilo incomparable en retratos observados meticulosamente y pintados con soltura, que
poseen una claridad exquisita en cuanto a línea y textura, y cierta
ingenuidad en cuanto a forma. A menudo yuxtapone sus sujetos
con un objeto o un animal —por ejemplo, el perro bull terrier en
Muchacha con perro blanco (1950-1951)—, y sus modelos miran
fijamente al espectador de una forma directa y desconcertante.

Su obra figurativa sufrió un cambio estilístico significativo a
finales de la década de 1950. Entonces abandonó los pinceles
de pelo de marta en favor de los de pelo de cerdo, y comenzó a
emplear una pintura más espesa, y pinceladas más atrevidas y
más plenas para pintar el cuerpo humano vestido o desnudo,
con una incomparable objetividad indiferente. Freud siempre
pinta directo de la realidad, e incluso dibuja directamente sus
grabados sobre la plancha en un esfuerzo constante por crear
retratos «de personas y no parecidos a ellas». **NM**

ARRIBA: La pintora Sophie de Stempel
posa para Freud en *Apoyada en los trapos*.

Los modelos de Freud

Lucian Freud ha descrito su obra como
autobiográfica, y sus modelos provienen
habitualmente de su círculo más próximo.
Entre sus retratos más famosos se hallan
aquellos en los que pintó a su madre, a
sus hijas —Bella y Esther— y a su amigo
y colega artístico, Francis Bacon. En la
década de 1990 trabajó con dos modelos
cuyas formas corporales le interesaron:
la artista de performance Leigh Bowery
y la supervisora de bienestar social
Big Sue Tilley. También ha retratado
a la supermodelo Kate Moss y la reina
Isabel II (estudio oficial, pero muy
controvertido).

RICHARD DIEBENKORN

Richard Clifford Diebenkorn Jr., 22 de abril de 1922 (Portland, Oregón, EE.UU.); 30 de marzo de 1993 (Berkeley, California, EE.UU.).

Estilo: Alterna el arte expresionista abstracto y el figurativo, combina a menudo los dos; colores vivos que aluden a la esencia del paisaje estadounidense.

Obras destacadas

Círculo de Palo Alto, 1943
(colección particular)

Mujer en una ventana, 1957 (Phoenix
Art Museum, Phoenix, EE.UU.)

Horizonte del océano, 1959
(colección particular)

Cityscape I, 1963 (San Francisco Museum
of Modern Art, San Francisco)

Ocean Park nº 16, 1968 (Milwaukee
Art Museum, Milwaukee, EE.UU.)

Richard Diebenkorn, pintor y grabador estadounidense, es considerado uno de los pintores más influyentes de la posguerra. Nacido en Portland, Oregón, y criado en California, quizá se le conoce más por «Ocean Park» (1967-1992), serie de más de 140 cuadros abstractos de grandes dimensiones, que toma el nombre de una comunidad de Santa Mónica donde tenía su estudio. Como artista, estuvo sumamente influido por el ambiente físico de su entorno y lo utilizó con frecuencia para ahondar en el mundo contradictorio de la pintura abstracta y figurativa.

Diebenkorn estudió a principios de la década de 1940 en la Universidad de Stanford, donde recibió clases de arte formal,

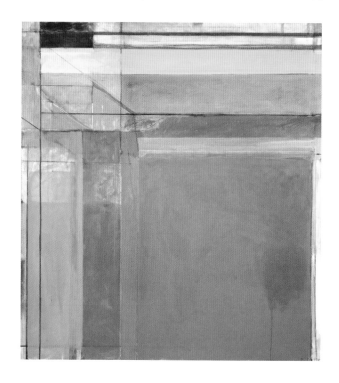

ARRIBA: Richard Diebenkorn, figura importante del arte estadounidense de posguerra.

DERECHA: La esquina del lienzo en *Ocean Park No. 79* (1975) atrae la mirada del espectador.

con Daniel Mendelowitz como profesor. En esta época conoció la pintura de Edward Hooper, que influyó evidentemente en el estilo figurativo que se hace evidente en buena parte de sus primeras obras; por ejemplo, *Círculo de Palo Alto* (1943). Sus estudios fueron interrumpidos por un período en la infantería de marina de Washington durante la Segunda Guerra Mundial. Sin embargo, allí tuvo la oportunidad de visitar la Phillips Collection, donde se sintió atraído por el punto de vista subjetivo de Henri Matisse; en particular, sus pinceladas enérgicas en la obra *El estudio, Quai Saint Michel* (1916). En 1946 Diebenkorn continuó su formación en la California School of Fine Arts. Allí conoció a su maestro más influyente y amigo, David Park. Un año después comenzó a dar clases en esa escuela y a trabajar junto a Park, Elmer Bischoff y Mark Rothko, quien lo estimuló a abandonar las naturalezas muertas y los interiores por el expresionismo abstracto.

ARRIBA: *Mujer en una ventana,* de colores vivos, combina la pintura abstracta y la figurativa.

Contra la corriente

Diebenkorn no era de los que siguen las tendencias artísticas. Su forma de vestir y sus modales eran la antítesis del artista elegante de la generación Beat. En la década de 1950, mientras el ambiente artístico neoyorquino aclamaba el abstraccionismo en la pintura, Diebenkorn volvía sin reservas al estilo figurativo. Con artistas como Park y Bischoff, creó la Bay Area Figurative School, que combinaba las técnicas desarrolladas a través de sus cuadros expresionistas abstractos con una reincorporación de la imagen. Por esta época realizó muchas de sus pinturas de mujeres mirando paisajes desde interiores, como *Mujer en una ventana* (1957). A finales de la década de 1960, cuando aumentaba la fama del pop art, Diebenkorn rechazó por completo la forma figurativa para adoptar la abstracción en su famosa serie «Ocean Park».

Desde su muerte, su obra ha sido protagonista de varias exposiciones antológicas por todo el mundo, como por ejemplo *Traveling Retrospective* (1997-1998), que fue organizada por el Whitney Museum of American Art y el San Francisco Museum of Modern Art. **KO**

1920-29

Ocean Park

Richard Diebenkorn volvió a la pintura abstracta cuando se trasladó a una comunidad costera de California. Allí creó su serie «Ocean Park», de más de 140 cuadros con formas geométricas llenas de vitalidad, pintadas en tonos luminosos sobre grandes lienzos. En su obra hace una vaga alusión a sus observaciones del paisaje californiano de una manera que ha sido comparada con la de Peter Paul Rubens. *Ocean Park n.º 83* (1975) es estilísticamente típica de toda la serie por sus formas estructurales desequilibradas, su composición geométricamente flexible y sus pinceladas intensas.

RICHARD HAMILTON

Richard Hamilton, 24 de febrero de 1922 (Londres, Inglaterra).

Estilo: Innovador británico del pop art; pintor, grabador y fotógrafo; radical, ingenioso, sensual, efectista y glamouroso; maestro y organizador de exposiciones; empleo de la informática.

Obras destacadas

«¿Qué es lo que hace a los hogares de hoy en día tan diferentes, tan atractivos?, 1956 (Tate Collection, Londres)

Richard Hamilton, 1970 (National Portrait Gallery, Londres)

Cuenta atrás, 1989 (Hirshhorn Museum and Sculpture Garden, Smithsonian Institute, Washington, D.C.)

1920–29

Hombre del Renacimiento en torno a la Tate Gallery, y posiblemente inventor del pop art, Richard Hamilton creció cerca del prestigioso museo londinense y estudió en prácticamente todas las escuelas de arte importantes de la ciudad.

Realizó su primera exposición individual en la Gimpel Fils Gallery cuando tenía 28 años. Poco después conoció a Roland Penrose, fuerza motora del Institute of Contemporary Art, que le facilitó dos encuentros que significaron mucho en su futuro. El primero fue con el artista y arquitecto Victor Passmore, que le dio empleo como profesor en Newcastle; el segundo fue con la obra del dadaísta Marcel Duchamp, quien lo puso a todas luces en el camino del éxito.

A mediados de la década de 1950, Hamilton comenzó a realizar lo que se conocería como pop art y que describiría más tarde como «popular, efímero, prescindible, de bajo costo, de producción masiva, joven, ingenioso, sensual, efectista, glamuroso y un Gran Negocio». Posiblemente, la primera imagen del pop art sea su collage *¿Qué es lo que hace a los hogares de hoy en día tan diferentes, tan atractivos?* (1956).

Más allá del ejercicio convencional del arte, organizó la conservación de *Merzbau* (1947-1948) de Kurt Schwitters en Cumbria, y la primera exposición retrospectiva británica de la obra de Duchamp en la Tate. A continuación, Hamilton diseñó *The White Album* (1968) de los Beatles y realizó una serie de grabados de Mick Jagger. Por esta época, la obra de Hamilton tenía principalmente sus raíces en la fotografía. El artista abandonó esa vida tan intensa y hoy vive en la región rural de Oxfordshire, desde donde sigue yendo más allá de los límites, sin dejar nunca de corroer los bordes y ahondar profundo hasta llegar al núcleo. **SF**

> «Elvis estaba en un extremo de una larga cuerda, mientras que Picasso estaba colgado del otro.»

ARRIBA: Richard Hamilton, el padre del movimiento pop art británico.

ROY LICHTENSTEIN

Roy Fox Lichtenstein, 27 de octubre de 1923 (Nueva York, Nueva York, EE.UU.); 29 de septiembre de 1997 (Nueva York, Nueva York, EE.UU.).

Estilo: Pintor, litógrafo y escultor pop art; temas populares tomados de la publicidad y de las revistas de historietas; uso de colores primarios vivos; diseños sencillos.

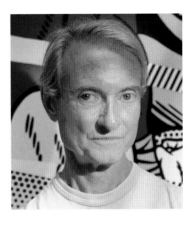

Roy Lichtenstein estudió arte durante poco tiempo en la Art Students League de Nueva York y después en la Universidad del Estado de Ohio. Después de cumplir el servicio militar entre 1943 y 1946, volvió a esa universidad, donde concluyó sus estudios. Para complementar sus ingresos, trabajó como artista comercial, diseñó escaparates y dio clases. A finales de la década de 1950, recibió influencias del expresionismo abstracto, pero hacia 1961 había cambiado de dirección y estaba pintando personajes de dibujos animados e imágenes comerciales de una forma característica. Al año siguiente, su primera exposición individual, en Nueva York, tuvo un éxito sensacional.

Sus cuadros, a menudo enormes, se basan en la ampliación de los detalles de la publicidad de objetos cotidianos y de las tiras cómicas mediante el empleo de contornos muy negros y de composiciones dinámicas. Lichtenstein realizó sus composiciones a partir de puntos de colores primarios, pero, como sus cuadros eran mucho más grandes que las tiras cómicas de los diarios, pintaba los puntos por medio de plantillas llamadas «tramas de puntos Benday», desarrolladas por el ilustrador Benjamin Day. En los cuadros de Lichtenstein, las figuras humanas aparecen idealizadas. Sus composiciones y el empleo de colores primarios vivos, o el blanco y el negro, se transforman fácilmente en diseños sencillos, pero impactantes.

Lichtenstein produjo imágenes estereotipadas y banales de la cultura de masas, abandonó la idea de que el artista es un genio creador y se propuso desafiar la importancia del arte culto tradicional. Experimentó también con esculturas de plástico coloreado, latón y metal esmaltado. Sus cuadros, aparentemente sencillos, son composiciones complejas, dibujadas con cuidado y precisión, y coloreadas. Son observaciones satíricas de la vida. **SH**

Obras destacadas

Takka Takka, 1962 (Museum Ludwig, Colonia)
Whaam!, 1963 (Tate Collection, Londres)
Mujer ahogándose, 1963 (Museum of Modern Art, Nueva York)

1920–29

«Probablemente, el mismo Picasso hubiese vomitado al ver mis cuadros.»

ARRIBA: Fotografía de Roy Lichtenstein tomada cuatro años antes de su muerte.

LARRY RIVERS

Yitzroch Loiza Grossberg, 17 de agosto de 1923 (Bronx, Nueva York, EE.UU.); 14 de agosto de 2002 (Southampton, Nueva York, EE.UU.).

Estilo: Retratos reveladores de sus amigos, familiares y amantes; temas históricos y literarios; cuadros grandes que combinan zonas esbozadas con otras detalladas.

Obras destacadas

Washington cruzando el Delaware, 1953 (Museum of Modern Art, Nueva York)

Retrato doble de Berdie, 1955 (Museum of Modern Art, Nueva York)

The studio, 1956 (Minneapolis Institute of Arts, Minneapolis, EE.UU.)

Historia de la Revolución rusa, de Marx a Maiakovski, 1965 (Hirshhorn Museum and Sculpture Garden, Smithsonian Institute, Washington, D.C.)

1920–29

Larry Rivers era hijo de padres judíos ucranianos y nació en el Bronx. Su padre era violinista aficionado. El propio Larry fue saxofonista profesional de jazz y adoptó el nombre artístico de Irving Grossberg antes de ser Larry Rivers. La pintora paisajista realista Jane Freilicher lo introdujo en la pintura, y en 1947 estudió con Hans Hoffmann, pero rechazó el abstraccionismo porque se sintió más inspirado por los cuadros del postimpresionismo que vio en el Museo de Arte Moderno de Nueva York (MoMA) y durante sus viajes a París. Lector voraz, se inclinó por los temas figurativos.

Figura central de la escuela neoyorquina de pintura en la década de 1950, Rivers disfrutó de un éxito notable, con una exposición anual de 1951 a 1962. El MoMA adquirió en 1955 su obra *Washington cruzando el Delaware* (1953), adaptación del cuadro de Emanuel Leutze (1851). Entonces, afirmó que su cuadro estaba «dedicado a un tópico nacional» con lo que subvertía el tema heroico de la obra original en un lienzo con zonas esbozadas intercaladas o la tela sin trabajar. Más tarde trató

ARRIBA: El hedonista Larry Rivers, icono de la escuela neoyorquina de pintura.

DERECHA: *Vacation Economy* (1965) combina el retrato con la pintura de género cotidiana.

temas similares de la literatura histórica con la misma colección densa de imágenes, como en la composición compleja de *Historia de la Revolución rusa* (1965).

Rivers se separó de su primera esposa y cuidó de sus dos hijos con la ayuda de Berdie, su suegra y una de sus musas favoritas. De un segundo matrimonio nacieron dos hijas y un hijo más, luego se divorció y tuvo muchas amantes. En cuadros posteriores continuó la crónica de la familia, los amigos y las amantes. Fue sexualmente promiscuo y ambiguo, y los temas sexuales en muchas de sus obras son muy explícitos. Figura destacada del escenario de las fiestas bohemias de Nueva York y amigo de los *beatniks*, Rivers era conocido como artista desenfrenado del mundo del espectáculo, rebelde artístico y consumado promotor de sí mismo. **LB**

ARRIBA: *El último veterano de la guerra civil* es una de las obras más conocidas de Rivers.

Inspiración poética

Washington cruzando el Delaware inspiró tanto a artistas como a escritores. El más notable fue el poeta Frank O'Hara, amigo cercano y colaborador de Rivers. O'Hara escribió el poema *On Seeing Larry Rivers's Washington Crossing the Delaware at the Museum of Modern Art* (1955). Desarrolla imágenes e ideas que se sugieren en el cuadro, y entra en detalles sobre la idea viciada del héroe épico nacional y lo sitúa uno al lado del otro con la realidad física de un río helado y su nariz temblorosa.

ANTONI TÀPIES

Obras destacadas

Collage del papel moneda, 1951
(Fundació Antoni Tàpies, Barcelona)

Asesinos, 1974 (Fundació Antoni Tàpies, Barcelona)

Dos montones de tierra, 2001
(Fundació Antoni Tàpies, Barcelona)

Antoni Tàpies, 13 de diciembre de 1923 (Barcelona, España).

Estilo: Pintor, grabador y escultor; uso innovador de la combinación de recursos; texturas vivas; exploración temporal y material; temas de la filosofía oriental y del misticismo medieval.

Artista autodidacta, Antoni Tàpies comenzó siendo surrealista en la década de 1940 y, en 1948, colaboró en la fundación de Blaus, un grupo de artistas y escritores catalanes. En la década de 1960 se relacionó con los artistas del informalismo español y produjo obras que reflejaban su compromiso social y político. Pero lo que identifica su obra es su uso de la combinación de recursos, que comenzó en 1953, cuando se involucró con el arte povera. Ha empleado materiales orgánicos como tierra, piedra y arena para crear obras de texturas vivas que a menudo incorporan manchas semejantes al graffiti. Tiende también a centrarse en las imágenes de lo ordinario —como una axila— en un intento de elevar lo humilde en una forma meditativa. **CK**

EDUARDO CHILLIDA

Obras destacadas

Modulación del espacio I, 1963
(Tate Collection, Londres)

Peine del viento XV, 1976 (paseo Eduardo Chillida, San Sebastián)

Eduardo Chillida Juantegui, 10 de enero de 1924 (San Sebastián, España); 19 de agosto de 2002 (San Sebastián, España).

Estilo: Primeras esculturas figurativas; más tarde, piezas abstractas; temas sobre la identidad vasca y acerca de la relación de los seres humanos con la naturaleza.

Al inicio de su carrera, Eduardo Chillida formó parte de un grupo de artistas entusiasmados con la creación de esculturas abstractas modernas, con una identidad vasca definida. Formaron una red de colectivos de artistas cuando el ánimo prevaleciente en el régimen de Francisco Franco era reprimir la lengua y las costumbres vascas. Más tarde, la opinión más extendida fue proclamarlo como el mejor escultor español vivo. Su obra se centró en la relación de los seres humanos con la naturaleza y creó una gran cantidad de obras monumentales para espacios públicos como la serie que incluye el *Peine del viento XV* (1976). Estas obras llamaron la atención también sobre su lugar natal, porque se inspiró a menudo en el mar, sus cielos neblinosos y los valles ondulantes de sus paisajes. **CK**

ANTHONY CARO

Anthony Caro, 8 de marzo de 1924 (New Malden, Surrey, Inglaterra).

Estilo: Escultor abstracto; estructuras metálicas con empleo de objetos industriales confeccionados; acabados en colores fuertes y planos; esculturas sustentadas por su propia base que invitan al espectador a interactuar de manera radical.

Anthony Caro ha desempeñado un papel fundamental en el desarrollo de la escultura del siglo xx; ha sido tanto un profesional como un maestro prolífico. Una vez que obtuvo el título de ingeniero en el Christ's College de la Universidad de Cambridge, se matriculó en Regent Street Polytechnic —hoy Universidad de Westminster—, donde estudió escultura. Se trasladó a la Royal Academy Schools de 1947 a 1952, y allí tuvo la suerte de trabajar como ayudante de Henry Moore durante la década de 1950. A principios del decenio siguiente, le presentaron al escultor expresionista abstracto estadounidense David Smith, famoso por sus obras geométricas de acero. Inspirado en ellas, Caro abandonó el arte figurativo para trabajar en la creación de esculturas mediante soldaduras o la fijación con pernos de piezas prefabricadas de metal, que a menudo acababa con pintura de colores brillantes.

En 1963 obtuvo reconocimiento internacional cuando expuso grandes esculturas abstractas sustentadas por su propia base y pintadas con colores fuertes en la Whitechapel Gallery de Londres. La eliminación del pedestal en sus obras lo alejó de la escultura tradicional y allanó el camino para el desarrollo futuro del arte tridimensional. Desde 1953 hasta 1979 Caro dio clases en la Saint Martin's Scholl of Art de Londres y su enfoque novedoso inspiró a muchos jóvenes escultores británicos como Richard Long y Barry Flanagan. En la década de 1980 comenzó a introducir más figuras dibujadas a partir de la Grecia clásica. Produjo también instalaciones escultóricas de grandes dimensiones y trabajó con diversos materiales, incluidos acero, bronce, plata, plomo, cerámica, madera y papel. Para celebrar su 80 cumpleaños en 2005, se organizó una exposición retrospectiva en la Tate Britain. **SH**

Obras destacadas

Una mañana temprano, 1962
(Tate Collection, Londres)

Mediodía, 1964 (Museum of Modern Art, Nueva York)

Acto de guerra (después de Goya), h. 1994-1995
(Museo de Bellas Artes de Bilbao, Bilbao)

1920–29

«No creo que la escultura forme parte de la vida cotidiana como una mesa o una silla.»

ARRIBA: Anthony Caro, escultor británico enormemente inspirador.

MARCEL BROODTHAERS

Marcel Broodthaers, 28 de enero de 1924 (Bruselas, Bélgica); 28 de enero de 1976 (Colonia, Alemania).

Estilo: Exploró los sistemas institucionales más amplios que atrapan al arte; objetos y películas semejantes a jeroglíficos.

Obras destacadas

Pense-Bête, 1963 (colección particular)
Fémur belga, 1964-1965 (Bild-Kunst, Bonn)
El águila, del oligoceno al presente, 1972

Con ironía lacónica y mirada crítica, Marcel Broodthaers exploró las posibilidades de hacer arte en una sociedad donde todo se transforma en mercancía.

Broodthaers comenzó su carrera como poeta, pero en 1963 decidió abandonar la poesía por el arte, y su carta de presentación fue encajar los cincuenta ejemplares que quedaban de su último libro de poesía en un bloque de yeso que tituló *Pense-Bête* (1963). La obra demostró la tensión entre la legibilidad y la estética. Como objeto visual, los libros quedaron ilegibles, pero su extracción hubiese significado la destrucción del «aspecto escultural» de la obra.

Muy versado en teoría del arte contemporáneo y fascinado por el legado de figuras como René Magritte y Marcel Duchamp, Broodthaers se burló sutilmente de los presupuestos del sentido común acerca del lenguaje y la expresión. En 1968 fundó su peripatético Museum of Modern Art. Sin ninguna colección permanente ni sede, sus actividades fueron irregulares, pero subvirtió sistemáticamente la manera en que se consumía la cultura. En 1972 pidió prestados centenares de objetos, algunos procedentes de un contexto artístico y otros no. Cada uno representaba un águila. Estos objetos se expusieron en un museo oficial, pero cada uno tenía un rótulo que decía: «Esto no es una obra de arte». Mientras que la elección del águila representa claramente la relación del arte con la autoridad y la soberanía, la reunión de objetos de otro modo completamente sin correspondencia alguna, puso de manifiesto cómo funciona el arte para unir objetos que carecen de vínculos históricos, funcionales o geográficos. Con sus ficciones meticulosas, Broodthaers expuso las condiciones reales de la verdad. **EK**

> «[El arte] cuelga de nuestras paredes burguesas como símbolo de poder.»

ARRIBA: Marcel Broodthaers, fotografiado en Düsseldorf, Alemania, 1968.

ROBERT RAUSCHENBERG

Robert Milton Ernest Rauschenberg, 22 de octubre de 1925 (Port Arthur, Texas, EE.UU); 12 de mayo de 2008 (Captiva Island, Florida, EE.UU.).

Estilo: Adopción entusiasta de objetos cotidianos, de ambientes urbanos y de la cultura popular; experimentación cruzada de métodos y participación en colaboraciones.

Robert Rauschenberg ha sido durante décadas un personaje central en la historia del arte de posguerra, por haber facilitado el tránsito de la pesada angustia del expresionismo abstracto al pop art. Después de estudiar en el legendario Black Mountain College a finales de la década de 1940, alcanzó notoriedad rápidamente entre los artistas de Nueva York.

Cuando exhibió sus *White Paintings* (1951), fueron interpretados inmediatamente como un gesto gratuito de rebelión juvenil, y cuando pintó *Dibujo borrado de Kooning* (1953), forjó su reputación temprana de *enfant terrible*. Desde 1954, Rauschenberg comenzó a realizar sus *combine paintings*, en los que dio cabida a una variedad extraordinaria de materiales y niveló todas las jerarquías estéticas. Animales disecados comparten el espacio de la obra con calcetines viejos, dibujos humorísticos de la década de 1950, chatarra, reproducciones de los grandes maestros, dibujos de sus amigos, chorros de pintura y fotografías familiares. De manera crucial, los *combine paintings* se alejan del cuadro como versión análoga de la experiencia perceptible —tener una parte superior y una inferior que se correspondan con el campo visual humano—, se aproximan al cuadro como una especie de diagrama de la mente, y actúan como una subestación telefónica donde se procesan todo tipo de datos y de impulsos eléctricos.

A finales de la década de 1950 trabajó en una serie de dibujos para ilustrar el *Infierno* de Dante Alighieri (1308-1321). En 1962, después de visitar la Factoría de Andy Warhol, comenzó a producir serigrafías. En 1964 Rauschenberg fue el primer estadounidense que ganó el gran premio de pintura en la Bienal de Venecia. Desde entonces, ha estado cada vez más comprometido con las colaboraciones. **EK**

Obras destacadas

Dibujo borrado de Kooning, 1953 (San Francisco Museum of Modern Art, San Francisco)

Serie «34 dibujos para el "Infierno" de Dante», 1958-1960 (Museum of Modern Art, Nueva York)

Retroactive I, 1964 (Wadsworth Atheneum, Hartford, EE.UU.)

«Siempre tengo un buen motivo para quitar algo, nunca para poner.»

ARRIBA: Robert Rauschenberg, famoso por sus *combine paintings*.

JOAN MITCHELL

Joan Mitchell, 12 de febrero de 1925 (Chicago, Illinois, EE.UU.); 30 de octubre de 1992 (Vétheuil, París, Francia).

Estilo: Composiciones expresionistas abstractas de grandes dimensiones; pinceladas seguras y recias con pinceles de formas diferentes.

Obras destacadas

Ladybug (Mariquita), 1957 (Museum of Modern Art, Nueva York)

Wet Orange (Naranja húmeda), 1971-1972 (Carnegie Museum, Pittsburgh, EE.UU.)

Sale Niege (Nieve sucia), 1980 (National Museum of Women in the Arts, Washington, D.C.)

Joan Mitchell creció en Chicago, Illinois, durante un período de particular prosperidad para esa región. El Art Institute de la ciudad estaba formando agresivamente su formidable colección, y la arquitectura progresista de Frank Lloyd Wright era bien visible, especialmente, en los alrededores elegantes e intelectuales de la Universidad de Chicago.

Después de haber viajado por Europa y México cuando tenía apenas veinte años, Mitchell comprendió que había un movimiento en Nueva York que podría impulsar su carrera como pintora. A principios de la década de 1950 conoció a Franz Kline y a Willem de Kooning. Durante esta etapa comenzó a tener confirmaciones importantes sobre el rumbo que había tomado. Mitchell participó en la exposición colectiva de pintura *Ninth Street Show* (1951), seleccionada por Leo Castelli en el Artist's Club. En 1953 realizó sus primeras siete exposiciones individuales en The Stable Gallery. Estos éxitos la ayudaron a establecerse rápidamente como miembro experto e innovador del pequeño conjunto de artistas expresionistas abstractos que estaban dominando entonces el mundo artístico en Estados Unidos y Europa.

ARRIBA: Joan Mitchell, fotografiada en 1991.

DERECHA: *Maíz* se pintó en 1955. Está expuesta en una colección particular.

A mediados de la década de 1950, Mitchell había realizado una contribución perdurable al movimiento expresionista abstracto con, por ejemplo, *Hemlock* (1956), *George Went Swimming at Barnes Hole, But It Got Too Cold* (1957) y *Ladybug* (1957). Sus composiciones abstractas de grandes dimensiones se caracterizan por sus pinceladas seguras y recias, que dejan sus goteos decorativos como sello característico.

A finales de esa misma década se instaló en Francia. Además de sus grandes composiciones abstractas, creó variaciones que, aunque se diferenciaron en el empleo del color, los conjuntos de elementos y las colocaciones, siguieron siendo puramente abstractas: *Blue Tree* (1964), *Calvi* (1964), *Wet Orange* (1971-1972), *Clearing* (1973) y *Then Last Time No. 4* (1985). Mitchell basó estas obras en su vida interior, en la riqueza de su experiencia, en su dominio de lo mágico y en su aún riguroso estilo expresionista abstracto. **RL**

ARRIBA: Capas gruesas de pintura en una masa giratoria en *Grandes Carrières* (1961-1962).

Poesía y lenguaje

Los años formativos de Joan Mitchell se conformaron para —y contribuyeron a— aportarle los ingredientes para que se sintiera cómoda y fluida con el lenguaje abstracto; especialmente, debido a las metodologías francamente experimentales con las que se trabajaba la poesía en esa época. Mitchell estuvo en contacto con un círculo de poetas que incluía a Dylan Thomas. Le aportó una relación de primera mano con el estilo de vida de unos poetas en su entorno literario. Es más, fue consciente del potencial único y preciado del lenguaje abstracto para comunicar ideas, y captar y expresar emociones, instantes y recuerdos.

FRED WILLIAMS

Frederick Ronald Williams, 23 de enero de 1927 (Melbourne, Australia); 22 de abril de 1982 (Hawthorn, Victoria, Australia).

Estilo: Paisajes abstractos que emplean una variedad de técnicas y procedimientos del *mark-making* (dibujo a lápiz); pinturas evocadoras.

Obras destacadas

La hornilla de carbón, 1959 (National Gallery of Victoria, Melbourne)

Paisaje de Upwey, 1965 (National Gallery of Victoria, Melbourne)

El río, cañón de Werribee, 1977 (Art Gallery of New South Wales, Sidney)

Aunque la singularidad de los lienzos de Fred Williams es el resultado parcial de sus contactos con las corrientes del vanguardismo europeo, en muchos aspectos nació de su deseo de establecer un lenguaje pictórico adecuado para el paisaje australiano.

Después de estudiar en la National Gallery Art School de Melbourne, viajó a Inglaterra, adonde llegó en 1952. En Londres realizó una serie de estudios de los teatros Chelsea Palace; Angel, en Islington; y Metropolitan. Su deseo de captar la naturaleza fugaz del espectáculo teatral se hace evidente en sus bosquejos y grabados sobre el teatro de variedades. En esta serie transmite la energía exuberante que irradiaban las revistas de variedades del Londres de la década de 1950.

Cuando regresó a Australia en 1957, Williams decidió concentrarse en los paisajes. Aunque las primeras obras deben mucho a sus precedentes artísticos europeos, los cuadros que realizó en la década de 1960 dieron forma gradualmente a su propio destino. Lo logró a partir del desarrollo de una variedad de técnicas pictóricas que conformaron su lenguaje y confieren a su obra su fidelidad al paisaje. Por ejemplo, *Forest of Gum Trees III* (1968-1970) incluye una serie de discretos dibujos gestuales a lápiz sobre fondo ocre. La ausencia de cualquier línea tradicional del horizonte significa que el cuadro se puede interpretar como un segmento del paisaje o como una vista aérea. Sus paisajes de la década de 1970 incorporan a menudo una serie de franjas horizontales como en *Bega No. 3* (1975), pero el artista sigue comprometido con evocar la experiencia del paisaje en lugar de representarlo directamente.

Aunque su obra en lienzo y papel está estrechamente ligada al concepto del lugar, su obra ha ocupado un sitio merecidamente prominente dentro del género paisajista. **CS**

«Quería algo donde me pudiese mover con mucha libertad y sintiese que éramos uno solo.»

ARRIBA: Fred Williams fotografiado por Rennie Ellis un año antes de su muerte.

ALEX KATZ

Alex Katz, 24 de julio de 1927 (Brooklyn, Nueva York, EE.UU.)

Estilo: Retratista, escultor y grabador; pionero neorrealista; elegante y deliberadamente impersonal; empleo temático de amigos y familiares; diseño gráfico plano.

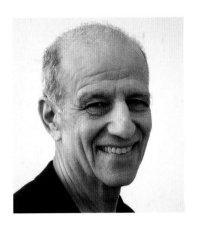

Alex Katz pinta de una manera diferente a la mayoría de artistas modernos. Emplea los mismos métodos que un artista del Renacimiento, trabaja sin fotografías y elabora sus bosquejos a partir de la realidad. Convierte sus mejores dibujos en cartones y los transporta perforándolos sobre el lienzo. Después le da cuerpo a las imágenes exactas con colores mezclados a mano.

Es un pintor neoyorquino. Trabajó primero en Brooklyn, después en Queens y finalmente en el Soho, donde ha tenido un estudio desde 1968. Estudió en The Cooper Union de Nueva York y después pasó un año en la Skowhegan School of Painting, en Maine. Realizó su primera exposición individual en la Roko Gallery, en 1954, y su primera retrospectiva en el Whitney Museum of American Art, en 1986.

Sus cuadros son intencionadamente elegantes e impersonales. Su autorretrato, *Passing* (1962-1963), combina la praxis vanguardista con los enfoques tradicionales. Surgido del pop art e interesado en el diseño gráfico plano de las vallas publicitarias, los cuadros de Katz contienen temas tradicionales pintados de forma sencilla y fría. A menudo pinta amigos y familiares; por ejemplo, *Hiroshi y Marsha* (1981) muestra a dos de sus amigos, ahora divorciados, y presenta a la pareja con el Lower Manhattan como telón de fondo y visto a través de una de las ventanas del crítico de arte Irving Sandler. Katz ha hecho numerosas exposiciones por todo el mundo. Expuso *Alex Katz: Veinticinco años de pintura* (1998) en la Saatchi Collection de Londres; *Alex Katz: Dibujos y pinturas* (2004-2005), en el Museo Albertina de Viena, y en el Museum of Modern Art de Dublín, en 2007. A partir de puntos de partida totalmente diferentes, él y su compatriota el pintor Chuck Close han hecho más que cualquier otro artista vivo para poner otra vez de moda el retrato. **SF**

Obras destacadas

Passing, 1962-1963 (Museum of Modern Art, Nueva York)

Vincent y Tony, 1969 (Art Institute of Chicago, Chicago)

Hiroshi y Marsha, 1981 (Tate Collection, Londres)

1920–29

«Saltas por una ventana pendiente de la moda [...] y lo juntas todo antes de tocar el suelo.»

ARRIBA: Alex Katz, fotografiado en Nueva York en el punto culminante de su carrera.

ALLAN KAPROW

Allan Kaprow, 23 de agosto de 1927 (Atlantic City, Nueva Jersey, EE.UU.); 5 de abril de 2006 (Encinitas, California, EE.UU.).

Estilo: Artista basado en el arte de la performance; promotor de la manifestación artística del happening; énfasis en el espacio y el tiempo reales o vitales.

Obras destacadas

18 Happenings in 6 Parts, 1959 (exhibido en Reuben Galley, Nueva York)

Sin título, 1964 (National Gallery of Art, Washington, D.C.)

Rates of Exchange, 1975 (D'Arc Press)

Aunque Allan Kaprow se formó con el pintor Hans Hoffmann y, al igual que muchos artistas de su generación, puso la mirada en los éxitos de Jackson Pollock como manera de definir su propio trabajo, su obra es la antítesis de los temas y asuntos que impulsaron al expresionismo abstracto. Fue uno de los artistas que consideró odiosa la tendencia expresionista abstracta para favorecer la grandilocuencia. Aunque varios de los demás artistas que abandonaron el movimiento adoptaron estrategias centradas en la condición del objeto, sus energías se orientaron hacia la aproximación al arte a través de la performance.

Desde 1956, Kaprow realizó una serie de action collages antes de estudiar música bajo la tutela del compositor vanguardista John Cage. En parte por esta razón, dejó de realizar piezas basadas en objetos para hacer obras supeditadas de manera más inmediata a la dinámica inherente al espacio y al tiempo reales. Desarrolló una serie de «environments» (arte medioambiental) y happenings (arte de acción). El primero adquirió la forma de una habitación llena de diversas colecciones de objetos cotidianos. Una de las intenciones detrás de los environments y los happenings era estimular la relación dinámica entre el espectador y el medio en el que estaban siendo inmersos o con el que estaban siendo confrontados. La obra *18 Happenings in 6 Parts* (1959) se exhibió en una galería de Nueva York durante seis días y buscaba estimular al público. Los espectadores recibieron un conjunto de tarjetas con instrucciones que les informaban acerca de qué sitios de la galería debían ocupar y en qué momentos durante el evento. Kaprow tuvo más éxito que cualquier otro artista en realizar obras de arte que desafiaran y estimularan el pensamiento para que ocupasen el vacío entre el arte y la vida. **CS**

«[El artista] ya no tiene que decir: "Soy pintor" o "Soy poeta" [...]. Es simplemente "artista".»

ARRIBA: Allan Kaprow, artista extraordinario del arte de la performance.

1920–29

HELEN FRANKENTHALER

Helen Frankenthaler, 12 de diciembre de 1928 (Nueva York, Nueva York, EE.UU.)

Estilo: Artista del color field (pintura de campos de color); extensiones cromáticas de pintura acrílica vertida sobre el lienzo que semejan acuarelas; figura sumamente influyente en el mundo del expresionismo abstracto.

Helen Frankenthaler ha destacado por haber cambiado el rumbo del abstraccionismo abstracto en la década de 1950. Su cuadro *Montañas y mar* (1952) simboliza el significado de su contribución al desarrollo del abstraccionismo en Estados Unidos durante la posguerra.

Ese año, el crítico de arte Clement Greenberg la vio por primera vez. Quedó tan impresionado con su trabajo que dos años más tarde organizó la visita de un grupo de artistas —entre ellos Morris Louis y Kenneth Noland— para que fueran a contemplar *Montañas y mar* en el estudio de Frankenthaler. Para Greenberg, los espacios pintados con pintura acrílica disuelta, que se había absorbido en la propia trama y urdimbre del lienzo basto, representaban la manera potencial de ir más allá del expresionismo abstracto que se llamaría color field. Esta obra se convirtió en el punto crítico de partida para un grupo de pintores que adoptaron la técnica del *soak-stain* [mancha por empapado] de Frankenthaler, y experimentaron con el empleo de la pintura de una forma sumamente diluida y cromática. Los Washington Color Painters fueron representativos de esa tendencia.

A Frankenthaler no le entusiasma que asocien sus cuadros con cualquier significado manifiesto o literal, y los titula de manera tan evocadora como *Buddhas Court* (1964), *The Human Edge* (1967) y *Ocean Drive West # 1* (1974). Cuando hablaba de *Tangerine* (1964) y buscaba el modo de desmentir que se trataba de una naturaleza muerta, dijo: «Se llama *Tangerine* por el color, que es naranja como el de una mandarina». Por el contrario, un cuadro como *Sacrifice Design* (1981), con su combinación de cristal monocromático molido, y con una serie de formas orgánicas pictóricas marcadas, alude a una serie de procesos naturales de manera armoniosa y evocadora. **CS**

Obras destacadas

La escalera de Jacob, 1957 (Museum of Modern Art, Nueva York)

Paisaje interior, 1964 (San Francisco Museum of Modern Art, San Francisco)

La naturaleza aborrece el vacío, 1973 (National Gallery of Art, Washington, D.C.)

1920–29

«Para cualquier cuadro, sobre el papel o el lienzo, la idea principal es: ¿Funciona? ¿Es bello?»

ARRIBA: Helen Frankenthaler, artista cuya obra inspiró a toda una generación.

CY TWOMBLY

Cy Twombly, 25 de abril de 1928 (Lexington, Virginia, EE.UU.).

Estilo: Dibujos a lápiz con estilo graffiti; temas míticos e históricos; incorporación de números, letras y símbolos; esculturas pequeñas hechas con materiales desechados o bronce.

Obras destacadas

Panorama, 1955 (Daros Collection, Zurich)

La era de Alejandro, 1959-1960 (Menil Collection, Houston)

Leda y el cisne, 1962 (Museum of Modern Art, Nueva York)

Serie «Cincuenta días en Iliam», 1978 (Philadelphia Museum of Art, Filadelfia)

El interés de Cy Twombly por el arte comenzó desde pequeño y con solo 12 años ya estudiaba con el artista español Pierre Daura. Robert Rauschenberg le sugirió que estudiara en el Black Mountain College, donde estuvo entre 1951 y 1952. El pintor expresionista abstracto Robert Motherwell, al comentar que no tenía nada que enseñar a Twombly, le recomendó a su marchante, Sam Kootz, quien en 1951 le facilitó una exposición individual en Nueva York.

Tras su viaje a Europa, en 1953 se estableció en esa ciudad, y compartió estudio con Rauschenberg. En respuesta al expresionismo abstracto que dominaba las galerías neoyorquinas, Twombly se forjó un estilo caligráfico característico y llenó sus lienzos con garabatos semejantes al graffiti, que sugieren una espontaneidad enérgica que no deja traslucir la precisión de su técnica. Produjo también frágiles esculturas pintadas de made-

ARRIBA: Cy Twombly, fotografiado en 1958 por David Lees.

DERECHA: El artista interpreta alegremente un mito griego en *Leda y el cisne* (1962).

1920–29

ARRIBA: *Sombras de Aquiles, Patroclo y Héctor* (1978), en la serie «Cincuenta días en Iliam».

ra y de materiales desechados que recuerdan los fardos fetiches de las culturas nativas americanas y norteafricanas, además de formas clásicas.

En 1959 Twombly se estableció definitivamente en Roma, se casó y tuvo un hijo, cuyo nacimiento celebró con la obra *La era de Alejandro* (1959-1960). En Italia, su estilo se alejó de los códigos más expresionistas anteriores. Creó un repertorio complejo de símbolos que se liberaron de la iconografía tradicional e incorporó figuras, números y palabras. Aunque se resistió a la pintura convencional del relato, se inspiró en la mitología clásica, la poesía y la historia, e hizo referencia a menudo a temas épicos en los títulos de sus obras.

En 1966 se apartó del colorido esplendor barroco de sus obras míticas y creó una serie de cuadros más desnudos, más geométricos, sobre fondo gris. En las décadas posteriores invirtió un tiempo considerable en la creación de obras que, aunque fueron más contemplativas, poseen la misma energía vital que sus cuadros precedentes. **LB**

Una exposición desastrosa

Cuando la próspera marchante neoyorquina Eleanor Ward le propuso a Cy Twombly una exposición conjunta con Robert Rauschenberg, su íntimo amigo, en la Stable Gallery, en 1953, ambos artistas tuvieron que limpiar la antigua caballeriza en la calle West 58ª antes de colocar sus cuadros. Ward recordaría más tarde esa experiencia: «Todos se mostraban hostiles, con la excepción de unos cuantos artistas. Un crítico muy conocido se sintió tan horrorizado que salió fuera apretándose literalmente la frente y después huyó calle abajo».

ANDY WARHOL

Andrew Varchola, 6 de agosto de 1928 (Forrest City, Pensilvania, EE.UU.);
22 de febrero de 1987 (Nueva York, Nueva York, EE.UU.).

Estilo: Principal representante del pop art; colores brillantes recubiertos
con imágenes en serigrafía; iconos célebres; creador cinematográfico.

Obras destacadas

Gold Marilyn Monroe, 1962 (Museum
of Modern Art, Nueva York)

Díptico de Marilyn, 1962 (Tate Collection,
Londres)

Serie «Latas de sopa Campbell», 1962
(Museum of Modern Art, Nueva York)

Elvis doble, 1963 (Museum of Modern Art,
Nueva York)

Se considera que Andy Warhol es uno de los artistas más influyentes del siglo xx por su impacto universal en el proceso y el concepto de la práctica del arte posmoderno. Comenzó su carrera como dibujante comercial después de estudiar diseño gráfico en la Universidad Carnegie Mellon. Durante la década de 1950 creó anuncios de zapatos para empresas como I. Miller, e ilustró libros y diseñó escenografías. En 1956 su obra fue mostrada en una exposición colectiva en el Museo de Arte Moderno de Nueva York.

Warhol comenzó a experimentar con la pintura a principios de la década de 1960 y empleó tiras cómicas como las de *Popeye* y *Superman* como fuentes documentales. Su primera exposición detacada en la Ferus Gallery mostró cuadros de las 37 variedades de latas de sopas Campbell. Las obras que realizó durante esa década comentan la naturaleza de la producción en masa y seriada de todos los aspectos de la cultura estadounidense; específicamente, la abundancia de productos comerciales y la iconografía de los famosos. Por ejemplo, sus imágenes de las latas Campbell hacen referencia a la insensibilización creciente del

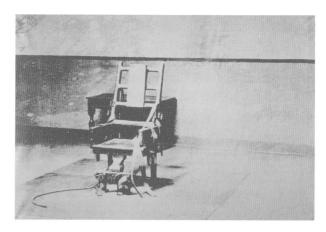

ARRIBA: El rostro de Andy Warhol ha sido
tan famoso como las imágenes que él creó.

DERECHA: *Silla eléctrica* (1967),
deliberadamente provocadora, fue la chispa
que encendió un debate acalorado.

consumismo, mientras que su icónica imagen de Marilyn Monroe está cargada de imágenes de oropel. La obsesión de Warhol con el cine se manifiesta a través de sus fotogramas de Elvis Presley, Marlon Brando y Elizabeth Taylor, que demuestran cómo la repetición compulsiva las inserta en nuestra memoria para siempre. Sus cuadros sobre desastres —representaciones tomadas de recortes de periódicos— y sobre los disturbios raciales —con perros de la policía atacando ferozmente a manifestantes pro derechos civiles— son yuxtaposiciones importantes a sus imágenes sobre el culto a los famosos y a los bienes de consumo. De manera similar, sus cuadros sobre las sillas eléctricas son comentarios comprometidos políticamente acerca de la cuestión de la pena de muerte. Las imágenes de Jackie Kennedy que realizó poco después del atentado mortal contra su esposo son recordatorios de una época sumamente intensa. La iconografía de Warhol en la década de 1960 señala los aspectos temporales de la fama.

ARRIBA: Las latas de sopas más famosas del mundo, inmortalizadas en 1962.

«Nacer es como ser secuestrado. Y vendido después como esclavo.»

Yo disparé a Andy Warhol

En 1968 Andy Warhol resultó herido de bala por Valerie Solanas, una escritora feminista radical que vivía como prostituta callejera, conocida como autora del manifiesto de SCUM (Society for Cutting Up Men [Organización para el Exterminio del Hombre]). El documento analiza el potencial de una sociedad habitada solo por mujeres. Cuando se la presentaron a Warhol en Nueva York, Solanas le pidió que produjese su obra teatral *Up Your Ass* (1966). Este no solo se negó sino que no le devolvió el original. Después de que Solanas lo asediara y exigiese la devolución del texto, Warhol la apaciguó dándole un papel en su película *I, A Man* (1968).

Insatisfecha con el arreglo, Solanas lo esperó en The Factory y disparó contra el artista, su administrador Fred Hughes y el crítico de arte Mario Anaya. Warhol nunca se recuperó totalmente de sus heridas, pero sobrevivió al atentado. Solanas se entregó a la policía y declaró que había disparado contra Warhol: «Él tenía demasiado control sobre su vida [la de ella]». Fue condenada a tres años de prisión, aunque el artista no testificó en su contra.

Hubo dos disparos más en The Factory. El primero fue cuando un extraño lanzó un disparo al aire. El segundo, cuando la estrella de cine Dorothy Ponder realizó un disparo contra una pila con cuatro cuadros de Marilyn Monroe; formaba parte de un singular happening artístico. A consecuencia de esto, los cuadros aumentaron considerablemente de valor.

DERECHA: El vacío dorado de *Gold Marilyn Monroe* es tan persuasivo como la propia imagen.

Lo más destacado de su producción en la década de 1970 son sus retratos del líder comunista Mao Zedong y los cuadros encargados por famosos que quisieron ser inmortalizados por el estilo Warhol clásico. En los años ochenta colaboró con artistas más jóvenes como Jean-Michel Basquiat y pintó también imágenes de signos de dólar que se burlaban del mercado de arte contemporáneo alcista.

Símbolo de culto

La obra de Warhol confirma la premisa del pop art, arte popular carente de originalidad, que integró a la perfección las nociones convencionales del arte y la vida cotidiana. El pop art hizo una declaración acerca de una sociedad saturada y absorta en el comercialismo y el consumismo. Warhol llegó a decir: «Tengo el temor de que, si uno mira una cosa el tiempo suficiente, pierda todo su significado».

No obstante, aceptó esta cultura de producción masiva y realizó su obra a partir de un proceso de serigrafía igual que una máquina. Incluso sus ayudantes eran contratados en su estudio para hacer trabajos en una separación intencionada de la mano del artista del producto acabado. Además de la eliminación de la autoría individual, otro componente estilístico del pop art es su gama de colores vivos y vibrantes. Muchas veces, Warhol manipuló la referencia original para incorporar tonos electrizantes y subrayar el relieve superficial de los iconos estadounidenses.

Más allá de proyectar el mundo del arte en una nueva dirección, Warhol es conocido también por su presencia teatral y por su estilo de vida derrochador basado en The Factory, que duplicaba su función en estudio y ámbito social. Se relacionó con grupos sociales diversos, desde la élite invariable de Hollywood hasta bohemios excéntricos. Warhol se convirtió en un símbolo de culto famoso. Además de su pintura prolífica, también produjo cine de vanguardia como *The Chelsea Girls* (1966) y *My Hustler* (1965), que sondeaban la cultura homosexual y la exploración de la sexualidad. También produjo el más exitoso disco del grupo The Velvet Underground and NICO, y en 1969 fue cofundador de *Interview*, revista sobre la cultura de los medios de comunicación y del espectáculo. **MG**

YVES KLEIN

Yves Klein, 28 de abril de 1928 (Niza, Francia); 6 de junio de 1962 (París, Francia).

Estilo: Artista conceptual; pinturas monocromáticas; creador del «Azul Klein Internacional»; performances poco ortodoxas relacionadas con sus cuadros *Cosmogonies, Peintures de Feu* y *Anthropométries.*

Obras destacadas

IKB 79, 1959 (Tate Collection, Londres)

Antropometría: princesa Helena, 1960 (Museum of Modern Art, Nueva York)

Relieve de esponja azul (Kleine Nachtmusik), 1960 (Städel Museum, Frankfurt)

Monocromo azul, 1961 (Museum of Modern Art, Nueva York)

A pesar de ser hijo de dos pintores, Yves Klein mostró de pequeño poco interés por el arte, por lo que no recibió ninguna educación artística formal. Antes de la treintena viajó mucho, y se ganaba la vida como profesor de judo. En 1955 decidió establecer su residencia permanente en París, donde pronto empezó a exponer pinturas monocromáticas, que consistían en grandes lienzos cubiertos por un solo color uniforme. El artista experimentaba con diferentes materiales y productos químicos para producir tonos insólitamente vivos. A pesar de que pintó en rojo, naranja, verde, dorado *(Monogolds)* y rosa *(Monopinks),* el más famoso de sus colores monocromáticos fue patentado por él mismo como «Azul Klein Internacional», un tono ultramarino singular y llamativo. Invitado a dar una conferencia en la Universidad de la Sorbona, en 1959, Klein presentó su teoría de la pintura monocromática como un intento de despersonalizar el color, desnudándolo de toda emoción subjetiva y convirtiéndolo en objeto metafísico. Su experimentación con

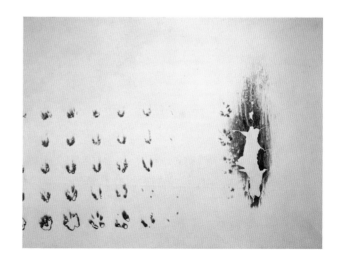

ARRIBA: Klein con bombín, junto a una de sus esculturas de esponja azul en 1959.

DERECHA: Klein colaboró con Gaz de France para crear muchas de sus «Pinturas de fuego».

la pintura se extendió a su serie «Cosmogonies» (1960), en la que los lienzos registraban los efectos impredecibles del viento y la lluvia, la serie «Anthropométries» (1960-1961), que estaba formada por grandes lienzos grabados con el cuerpo humano, y las pinturas «Peintures de Feu» (1961-1962), creadas con un lanzallamas. Desplazándose poco a poco hacia el controvertido reino del arte conceptual, organizó una «exposición de vacío» en la Galerie Iris Clert de París, que tituló *El vacío* (1958), y que consistía en un espacio de galería vacío pintado totalmente de blanco.

Klein continuó sorprendiendo e impactando al mundo del arte al organizar la primera performance pública de una de sus «Anthropométries». Acompañado de su propia partitura musical, *Sinfonía monótona* (1949), Klein aplicaba pintura azul con un rodillo a los cuerpos de mujeres desnudas. Un público vestido de etiqueta observaba mientras las mujeres rodaban y se contorsionaban por un gran lienzo colocado en el suelo.

En 1960 Klein inició su colaboración con el crítico de arte francés Pierre Restany. Juntos fundaron el movimiento del nuevo realismo, cuyos artistas incorporaban objetos reales en su obra para producir comentarios irónicos sobre la vida moderna. Klein murió prematuramente a causa de un ataque al corazón; a pesar de su breve carrera, ejerció una gran influencia en incontables artistas del siglo XX. **NSF**

ARRIBA: *Accord Bleu* (1958), una de las primeras obras monocromáticas, a base de esponjas.

1920-29

«Azul Klein Internacional»

El «Azul Klein Internacional» es un ultramarino intenso patentado por Yves Klein como IKB en 1960. Klein desarrolló el IKB con un grupo de químicos, suspendiendo pigmento seco en una resina sintética clara para producir un color que tuviera el mismo brillo e intensidad estuviera seco o húmedo. Para el artista, el IKB estaba relacionado con la luz y el espacio puros. Cuando el color hizo su primera aparición en 1957, Klein lo describió como «un azul en sí mismo, desprendido de toda justificación funcional». Klein produjo cerca de doscientos cuadros sin título de IKB antes de morir. Rotraut Klein-Moquay, viuda del artista, asignó a cada lienzo un número póstumamente.

DONALD JUDD

Donald Clarence Judd, 3 de junio de 1928 (Excelsior Springs, Missouri, EE.UU.); 12 de febrero de 1994 (Nueva York, Nueva York, EE.UU.).

Estilo: Escultor pionero del minimalismo; empleo de materiales industriales como el plexiglás, hojas de metal y contrachapado; objetos angulares.

Obras destacadas

Sin título, 1966 (Museum of Contemporary Art, Los Ángeles)

Sin título, December 23, 1969 (Guggenheim Museum, Nueva York)

Sin título, 1972 (Tate Collection, Londres)

Las aportaciones de Donald Judd como crítico y artista fueron esenciales durante la década de 1960 para el debate acerca de la forma que debería adoptar el arte ante la disolución del expresionismo abstracto en Estados Unidos. Su texto *Specific Objects* (1964) constituyó un manifiesto no oficial del minimalismo. En él, exponía las virtudes del nuevo «trabajo tridimensional», que recurre a las cualidades específicas de la pintura y la escultura, y aun así permanece separado de los dos medios históricamente vinculados.

Resulta significativo que Judd estudiara historia del arte y filosofía con pintura y escultura. Su primera aportación a la floreciente escena artística estadounidense fue en forma de una serie de pinturas semiabstractas. Sin embargo, con sus textos, Judd logró formular sus teorías con respecto a la forma que debía adoptar el arte. Desde 1959 escribió para numerosas revistas de arte y abogó por la obra de una generación de artistas que seguían la estela de la abstracción.

Durante la primera mitad de la década de 1960, Judd siguió ejerciendo de artista y creó una serie de estructuras tridimensionales que a menudo estaban pintadas. A medida que avanzaba el decenio, refinó el lenguaje de sus esculturas, y en 1965 estaba creando objetos materialmente —aunque no teóricamente— austeros. El artista siguió explorando las posibilidades de crear obras tridimensionales a través del uso de técnicas y materiales poco habituales —a menudo industriales—, y mediante su ubicación en el espacio. En los años setenta concibió obras a gran escala, y en 1986 creó un museo al aire libre en Marfa, Texas. Este espacio es hoy un testimonio de sus logros como artista, cuya obra fue más allá de las normas categóricas de la escultura, al tiempo que permanecía arraigada en el reino tridimensional. **CS**

> «El objeto como un todo, su cualidad en global, es lo que resulta interesante.»

ARRIBA: Donald Judd, destacado escritor y filósofo, además de artista.

ARMAN

Armand Pierre Fernández, 17 de noviembre de 1928 (Niza, Francia); 22 de octubre de 2005 (Nueva York, EE.UU.).

Estilo: «Acumulaciones» de objetos cotidianos; esculturas altísimas de partes de automóviles cubiertas de hormigón; vitrinas llenas de basura.

A principios de su carrera, Arman estuvo relacionado con un grupo de artistas, *les nouveaux réalistes*, defensores del uso de materiales fabricados y encontrados. En 1959 empezó a presentar basura como arte en una serie de «Poubelles» (cubos de basura), vitrinas llenas de los desechos de la vida cotidiana y retratos robóticos de sus amigos construidos a partir de sus residuos. Extendió este gesto al llenar la Gallerie Iris Clert parisina de basura en la exposición *Le Plein* (1960). Influido por la mercantilización cultural y la destrucción de la Segunda Guerra Mundial, el contenido de las llamadas «acumulaciones» de Arman abarca desde el lujo desvaído de los productos de consumo hasta colecciones de máscaras de gas y dentaduras falsas que recuerdan a fotografías de reliquias del holocausto.

A partir de la década de 1960 hizo más explícita la relación entre destrucción y creación en obras como *Colères* (berrinches), *Coups* (cortes) y *Combustions* (combustiones), en las que destrozaba y quemaba instrumentos musicales y aparatos de reproducción. Presentaba los restos astillados y carbonizados en plexiglás y llamaba al inquietante resultado la «conservación de la catástrofe». Una de estas piezas se realizó en la exposición El arte del ensamblaje (1961) en Nueva York, donde aparecía Arman. Bautizó esa pieza *Rabia NBC* (1961), por el equipo de documentalistas que la encargó.

En 1963 se trasladó a Nueva York, atraído por la parafernalia de su cultura de consumo. El gesto más definitivo de Arman hacia «el sueño americano» fue la demolición coreografiada de un juego de muebles domésticos en la John Gibson Gallery. El artista se quedó en Estados Unidos, aunque siguió creando en Europa: como una colaboración con Renault o una colección de partes de automóviles cubiertas de hormigón, su acumulación de mayor envergadura. **LB**

Obras destacadas

Condición de mujer I, 1960
  (Tate Collection, Londres)
Home Sweet Home, 1960
  (Centre Pompidou, París)
Chopin's Waterloo, 1962
  (Centre Pompidou, París)

«[...] rompes un violonchelo, y acabas con algo romántico.»

ARRIBA: Arman, *nouveau realiste* famoso por sus «acumulaciones».

SOL LEWITT

Sol LeWitt, 9 de septiembre de 1928 (Hartford, Connecticut, EE.UU.); 8 de abril de 2007 (Nueva York, Nueva York, EE.UU.).

Estilo: Escultor minimalista y conceptual, pintor, grabador y dibujante; dibujos murales; formas geométricas; temas de autoría y permanencia.

Obras destacadas

Proyecto en serie, I (ABCD), 1966 (Museum of Modern Art, Nueva York)

Muro de estructura modular cúbica, negro 1966 (Museum of Modern Art, Nueva York)

Cinco estructuras geométricas abiertas, 1979 (Tate Collection, Londres)

Seis figuras geométricas (+dos) (Wall Drawings), 1980-1981 (Tate Modern, Londres)

Sol LeWitt fue el artista minimalista por excelencia. En toda su producción se preocupó por investigar las formas geométricas, como los cubos, conos y estrellas en dos o tres dimensiones, de un modo al parecer asombrosamente constante y metódico, pero también dio como resultado obras intrincadas de belleza sencilla, que destacan por el uso del color, la repetición y las subdivisiones infinitas.

A partir de la década de 1960, LeWitt se fue centrando en variaciones y permutaciones de líneas y cubos, con frecuencia siguiendo secuencias matemáticas. A menudo eran dibujos, pinturas y grabados realizados en sus «libros de artista», pero también creó obras tridimensionales, como *Proyecto en serie, I (ABCD)* (1966), una serie de cubos de aluminio esmaltados abiertos y cerrados sobre una gran hoja de aluminio subdividi-

ARRIBA: Sol LeWitt, en la nueva galería de arte contemporáneo de Roma, mayo de 2000.

DERECHA: *Estructura de pared modular-cúbica, negra* (1966), obra esculpida en madera y pintada.

1920–29

da en cuadrados blancos pintados. Desde los años ochenta, su paleta cambió de los colores primarios a tonos más vivos.

LeWitt fue pionero del arte conceptual y escribió un ensayo fundamental, *Párrafos sobre arte conceptual* (1967), en el que intentó generar ideas más que trabajar con materiales físicos. Impresionado por los frescos del Renacimiento y la obra de Giotto, a partir de 1968 LeWitt experimentó con los «dibujos murales», que eran dibujos a lápiz de formas lineales, realizados en la pared de una galería para ser expuestos mientras durara la exposición. A veces eran dibujados por un equipo de ayudantes siguiendo los esbozos creados por LeWitt, una práctica acorde con su creencia en que es más importante el concepto artístico que el proceso. La obra se consideró radical porque había que pintar encima de los dibujos una vez terminada la muestra, ya que LeWitt pretendía incorporarlos al espacio arquitectónico y explorar los conceptos de destreza, autoría, valor y fugacidad, y la conservación de una obra de arte. **CK**

ARRIBA: *Gomaespuma blanca sobre paredes rojas, amarillas y azules* (1994) y *Forma compleja #8* (1998).

Demasiado bueno para pintar encima

LeWitt creó 1.200 dibujos murales. El primero lo realizó en la Paula Cooper Gallery de Nueva York, en octubre de 1968, en beneficio del Comité estudiantil contra la guerra de Vietnam. El dibujo de LeWitt consistía en dos cuadrados presentados uno junto a otro. Cada cuadrado estaba subdividido en cuatro, cuyas subdivisiones volvían a subdividirse en cuatro. La propietaria de la galería quedó tan impresionada por la obra, que no se sintió capaz de pintar encima de ella como LeWitt pretendía y le pidió al artista que lo hiciera él mismo. Él aceptó encantado el encargo.

YAYOI KUSAMA

Yayoi Kusama, 29 de marzo de 1929 (Matsumoto, prefectura de Nagano, Japón).

Estilo: Artista de instalaciones y performances; uso de la repetición obsesiva y de topos; construcciones suaves y fálicas que proponen un reto ingenioso al mundo del arte dominado por el hombre.

Obras destacadas

Redes infinitas, 1951 (Museum of Modern Art, Nueva York)

Mar de plata (Acumulación), 1981-1982 (Collection Neuberger Museum of Art, State University of New York, Nueva York)

Obsesión de puntos, 1996 (Mattress Factory, Pittsburgh, EE.UU.)

1920-29

En 1957 la artista japonesa Yayoi Kusama se trasladó a Nueva York. A pesar de que se acercaba más al lenguaje del pop art que otras artistas de la época, por el hecho de ser mujer y no occidental también se mantuvo alejada de ese movimiento, lo cual le permitió realizar observaciones agudas de un territorio artístico dominado por los hombres.

Su primera obra, *Redes infinitas* (1951), era una serie de lienzos sencillos cubiertos de redes entrelazadas, una repetición de patrones típica de la artista. Kusama atribuye la naturaleza obsesiva de su obra a los abusos físicos y las alucinaciones que vivió de pequeña. Posteriormente realizó *Acumulación 1* (1962), un falo blando esculpido que se multiplicaba hasta cubrir sillones, mesas y otras piezas de mobiliario. En *Vida viajante* (1964) desarrolló la forma fálica, esta vez cubriendo una escalera de tijera inserta en zapatos de tacón de aguja para burlarse del desplazamiento fálico en el contexto de la imaginería que realizaban defensores del pop art como Tom Wesselmann y Andy Warhol.

Sus falos blandos bordados a menudo estaban hechos de tela de topos, que simbolizaba el deseo sexual, pero parecían más bien tentáculos ondulantes de erizos de mar psicodélicos. Resulta especialmente obvio en sus grandes instalaciones de mediados de la década de 1960, como *Salas de espejos infinitos* (1965). En sus últimos años en Nueva York se dedicó a los happenings, que, por lo general, incluían desnudos, como *Gran orgía para despertar a los muertos* (1969). En 1973 regresó a Tokio, donde reside, y volvió una vez más a concebir imágenes de falos, que con frecuencia se extienden hasta formar los estambres serpenteantes de flores gigantes. En 1993 representó a Japón en la Bienal de Venecia. **WO**

«Quiero imponer mi voluntad a todo lo que me rodea [...] Elevo mi arte al nivel de la religión.»

ARRIBA: Kusama desafió la situación del mundo del pop art, dominado por los hombres.

CLAES OLDENBURG

Claes Oldenburg, 28 de enero de 1929 (Estocolmo, Suecia).

Estilo: Defensor del pop art; representaciones descomunales y blandas de objetos domésticos cotidianos y productos alimenticios icónicos hechos de vinilo y gomaespuma; esculturas públicas colosales.

Claes Oldenburg entabló amistad con un grupo de jóvenes artistas de Nueva York que rechazaban el expresionismo abstracto y manipulaban en su obra la imaginería comercial popular. Reclutado para crear atrezzo para los happenings de Allan Kaprow, Oldenburg empezó a experimentar con el yeso pintado y la malla metálica moldeada para crear objetos domésticos muy similares al papel maché. En 1961 abrió una tienda en Nueva York para vender reproducciones de productos como hamburguesas o pasteles. Este insólito proyecto prefiguró la exposición *The American Supermarket* (1964), en la que Oldenburg y otros artistas pop, como Roy Lichtenstein y Andy Warhol, aportaron obras de arte de objetos alimenticios.

En 1962 Oldenburg realizó sus primeras esculturas blandas. Montadas con lienzo o vinilo y rellenas de gomaespuma, piezas descomunales como *Hamburguesa de suelo, pastel de suelo y cono de suelo* (1962) elevaban lo banal al reino de la alta cultura e investigaban cuestiones como el consumismo, la producción en masa, la cultura de la comida rápida y la deificación de los objetos mundanos. Durante la década de 1960 concibió esculturas blandas sin cesar: *Máquina de escribir blanda* (1963), *Cutrez de patatas saliendo de una bolsa* (1966) y el conjunto de lavabo de *Retrete blando* (1966), *Bañera blanda* (1966), *Báscula blanda* (1966) y *Lavabo blando* (1966).

A continuación, Oldenburg se interesó por el potencial de los monumentos públicos colosales. Creó bocetos divertidos y collages de antimonumentos que introducían objetos comunes en paisajes familiares, como *Pintalabios en Piccadilly Circus* (1966). Su primera escultura, *Pintalabios (alzado) sobre un tractor oruga* (1969), fue instalada en Yale en medio de gran polémica. Desde entonces, ha instalado unos cuarenta monumentos: *Pinza* (1976), *Cuchillo cortando la pared* (1986), *Sierra, serrando* (1996) y *Cucurucho caído* (2001). **NSF**

Obras destacadas

Cutrez de patatas saliendo de una bolsa, 1966 (Walker Art Center, Minneapolis, EE.UU.)

Pintalabios (alzado) sobre un tractor oruga (1969-1974 (Samuel F. B. Morse College, Yale University, New Haven, EE.UU.)

«Estoy a favor de un arte [...] pesado, basto, [...] dulce y estúpido como la vida misma.»

ARRIBA: Claes Oldenburg, fotografiado para su exposición en Bonn (Alemania), en 1996.

JASPER JOHNS

Jasper Johns Jr., 15 de mayo de 1930 (Augusta, Georgia, EE.UU.).

Estilo: Pintor; uso de objetos y materiales encontrados; temas de la cultura contemporánea; apropiación de la iconografía y la imaginería reconocible; referencias autobiográficas.

Obras destacadas

Bandera, 1954-1955 (Museum of Modern Art, Nueva York)

Tres banderas, 1958 (Whitney Museum of American Art, Nueva York)

Carrera de pensamientos, 1983 (Whitney Museum of American Art, Nueva York)

Serie «Las estaciones», 1985-1986 (colección particular)

Según el propio Jaspers Johns, a la temprana edad de cinco años supo que quería ser artista. Se crió en una pequeña localidad de Carolina del Sur y asistió brevemente a la Universidad de South California antes de que su deseo de ir a Nueva York a forjarse una carrera artística se hiciera realidad. Llegó a esta ciudad en 1948. Durante los años siguientes asistió a clases de arte, sirvió como soldado en la guerra de Corea y realizó trabajos ocasionales. Para uno de esos encargos, diseñar expositores de escaparates, trabajó con su nuevo amigo Robert Rauschenberg, otro artista en ciernes. Otros miembros del círculo de Johns en esa primera época eran el artista Marcel Duchamp, el compositor John Cage y el coreógrafo Merce Cunningham —para quien diseñaba trajes—, que le colocaron en el núcleo de la escena del arte progresivo.

En 1954 Johns tuvo un sueño que lo llevó a pintar su cuadro de la bandera de Estados Unidos (*Bandera*, 1954-1955), que rompió moldes. El sueño resultó ser felizmente profético. En 1958 la prometedora Leo Castelli Gallery de Nueva York organizó la primera exposición en solitario de Johns, que causó sensación.

ARRIBA: Retrato de Jasper Johns, realizado por Malcolm Lubliner en 1971.

DERECHA: *Bandera*, una de las imágenes emblemáticas de Johns y su primera incursión en un nuevo medio.

El MoMA compró varias piezas y la fortuna de Johns quedó sellada. Desde la década de 1970, su obra ha superado sucesivas barreras de precios para artistas estadounidenses vivos.

Pasados todos estos años, Johns tal vez siga siendo conocido por sus obras de la época de exposiciones en la Castelli e inmediatamente después, creaciones de los años cincuenta y sesenta que incorporan banderas americanas, mapas, etiquetas, dianas, números y letras. Eran un reflejo de su amor por jugar con «cosas que la mente ya conoce», como dijo una vez. Parte de ese juego era pintar en objetos corrientes en dos dimensiones de un modo expresivo, ayudado en gran medida por un uso muy textural de la encáustica gruesa (pigmento mezclado con cera). Los conceptos espaciales tradicionales también eran subvertidos, como en *Tres banderas*, donde tres banderas norteamericanas superpuestas una encima de la otra

ARRIBA: *Carrera de pensamientos,* expresión del contenido de la mente del artista.

1930-39

«Me gusta que lo que veo sea real [...], la pintura como objeto, como algo real en sí mismo.»

Johns en el grabado

Las extraordinarias habilidades de Jasper Johns como grabador en ocasiones se subestiman, pero su talento en este ámbito se ha equiparado al de Alberto Durero y Pablo Picasso.

El grabado ha sido uno de los hilos conductores a lo largo de la obra de Johns, que lo ha ido presentando de forma cada vez más destacada. En cierto modo no es de extrañar que el medio del grabado atraiga a un hombre que trabaja con la naturaleza de la imagen repetida.

La historia empezó en 1960, cuando un colega le entregó algunas piedras para hacer litografías. Lo que le fascinaba de las impresiones eran los elementos básicos de la técnica y la posibilidad de forzar un conjunto de límites completamente distinto. En su *Dos mapas* (1966, MoMA) utiliza la litografía para realizar dos versiones del mapa de Estados Unidos, uno más nítido que el otro, para fomentar la mirada sobre una vieja imagen con ojos nuevos. También le gusta explorar la relación entre el grabado y otros procesos y cómo pueden oponerse entre sí de maneras interesantes. En 2001 Johns produjo una serie de trece obras que mezclaban de forma variada el collage, la pintura acrílica, la aguatinta y el grabado.

Johns también es un dibujante de gran talento, y lleva el dibujo en el corazón desde que era un niño. Es interesante subrayar que, en su búsqueda de la interacción de los medios, suele hacer dibujos de sus obras acabadas, a diferencia de la práctica más tradicional de utilizar los dibujos como estudios previos para una pieza principal.

DERECHA: *Otoño,* del ciclo poético de cuatro partes, «Las estaciones».

invierten la perspectiva visual. Produjo piezas extraordinarias de arte moderno que hicieron que la gente mirara con un nuevo enfoque los objetos comunes. Hacia 1960 empezó a investigar los grises monótonos que caracterizaron gran parte de su obra y que constituyeron el tema central de una exposición en el Metropolitan en 2008.

Forzando los límites

La década de 1970 supuso una fértil experimentación con materiales y técnicas, además de una dirección nueva: el uso del sombreado en obras como su panel *Sin título* (1972). Durante el decenio siguiente, su lenguaje de imaginería predigerida se había expandido hasta abarcarlo todo, desde caligrafía a fragmentos del famoso *Retablo de Isenheim* (h. 1515) de Mathias Grünewald.

Durante los años ochenta, el constante interés de Johns por la psicología y la filosofía —sobre todo por los textos de Wittgenstein— le ayudó a avanzar del frío desapego por el cual era conocido hacia una exploración más profunda de su propia vida que ha perdurado desde entonces. *Estaciones* (1985-1986), por ejemplo, pertenece a la creciente fusión de recuerdos infantiles con reflexiones profundas sobre su carrera. Más recientemente, la cuestión de cómo «el saber a menudo sustituye al ver» —otra frase clásica de Johns— le ha llevado a remover ideas preconcebidas sobre su obra una y otra vez. Pese a ser considerado una leyenda del arte moderno, Johns, lacónico y reflexivo, ha escrito textos sobre artistas tan diversos como Leonardo da Vinci y Pablo Picasso.

Algunos analistas han considerado el uso temprano de Johns de imaginería común, «plana», como las banderas, un avance revolucionario respecto de los expresionistas abstractos de la época, como Jackson Pollock. Otros dicen que el tratamiento pictórico de Johns en parte contradice esta idea. Su primera elección de objetos prefabricados y familiares como banderas y latas de cerveza —véase la escultura *Bronce pintado*, 1960— hace que otros lo etiqueten como el padre del pop art. También se lo vincula con frecuencia con el arte conceptual y el minimalismo. Entre todas estas afirmaciones, lo que parece cierto es que su obra crea debates sin cesar sobre qué está intentando hacer el arte. **AK**

JOHN DRAWBRIDGE

John Drawbridge, 27 de diciembre de 1930 (Wellington, Nueva Zelanda); 24 de julio de 2005 (Wellington, Nueva Zelanda).

Estilo: Pinturas figurativas y abstractas, murales y grabados; luz, color y textura; alegría, estilo festivo; paisajes del Pacífico y temas marinos.

Obras destacadas

Windflow, 1966 (Auckland Art Gallery Toi O Tāmaki, Auckland, Nueva Zelanda)

Calvados n.º III, 1971 (Auckland Art Gallery Toi O Tāmai, Auckland, Nueva Zelanda)

Mural colmena, 1976 (edificio del Parlamento, Wellington, Nueva Zelanda)

John Drawbridge es conocido como consumado muralista, pintor y grabador. En 1957 recibió una beca para asistir a la Central School of Arts and Crafts de Londres, donde estudió con Mervyn Peake y Merlyn Evans. Después de graduarse, se trasladó a París a trabajar en los talleres de grabado de Stanley William Hayter y Johnny Friedlaender, que reproducían obras de artistas como Pablo Picasso y Georges Braque, y así empezó su carrera artística en Europa. Sin embargo, prefirió volver a su Nueva Zelanda natal, donde construyó su casa y estudio en Island Bay, Wellington. Su nueva casa gozaba de unas vistas imponentes sobre el estrecho de Cook. La tierra y los paisajes marinos que lo rodeaban, estructuralmente enmarcados por el interior de la casa, sirvieron de inspiración para muchas de sus mejores composiciones. Los huecograbados, acuarelas y murales resultantes, ya fueran figurativos o abstractos, están dominados por la preocupación por el espacio, el color, la textura y los efectos de la luz.

A principios de la década de 1970, Drawbridge recibió el encargo de un mural a gran escala para el edificio del Parlamento neozelandés. El *Mural colmena* (1976) mide casi 42,7 m de largo, y está formado por estrechos paneles de aluminio pintados por ambas caras con esmalte y pintura brillante, lo que crea juegos de color que cambian ópticamente. Fue instalado en la pared cilíndrica central de la sala de banquetes del edificio, donde el espectador podía rodearlo. El impacto de la luz y el color pueden observarse en otras piezas de encargo, una serie de ventanas de cristales de colores para la capilla Our Lady en la Home of Compassion de Island Bay. La obra representa las catorce estaciones de la cruz. Consiste en siluetas de cristal, de colores y texturas sencillos, colocadas detrás de plantillas de acero. **NG**

«Su arte [de Drawbridge] condensaba elementos de Nueva Zelanda.» *The Independent*, 2005

ARRIBA: Drawbridge en un retrato para *Craft New Zealand* de Brian Brake.

ANTONIO SAURA

Antonio Saura, 22 de septiembre de 1930 (Huesca, España); 22 de julio de 1998 (Cuenca, España).

Estilo: Pintor, escultor y grabador; paisajes, retratos imaginarios, crucifixiones y desnudos distorsionados; uso del blanco y negro; pintura gruesa; pinceladas violentas.

De niño, Antonio Saura visitó el Museo del Prado de Madrid, donde se familiarizó con las pinturas de los grandes maestros Diego Velázquez y Francisco de Goya, cuyas obras ejercerían una gran influencia en él. En 1947 empezó a pintar y en 1950 realizó su primera exposición individual. En 1953 se trasladó a París, donde vivió dos años y se relacionó con los surrealistas. Empezó a pintar cuadros centrados en el cuerpo, y en las mujeres en concreto, temas a los que volvería a lo largo de toda su carrera, subvirtiendo los conceptos de belleza femenina con su imaginería distorsionada y salvaje.

A su regreso a Madrid, Saura reaccionó frente al régimen represor del general Francisco Franco y adoptó un estilo expresionista, con pinceladas en espiral, casi violentas, sobre todo en blanco y negro. En 1957 fue cofundador del grupo El Paso, que pretendía forjar un nuevo tipo de arte acorde con el desarrollo internacional y que desembocó en el informalismo español. Ese año inició sus pinturas de crucifixiones y en 1958 sus retratos «imaginarios», que a veces hacían referencias a obras de sus predecesores e incluían series dedicadas a Brigitte Bardot, o a Goya y sus perros.

Las pinturas de Goya formaban parte de su acción política contra el franquismo. Por ejemplo, su *Retrato imaginario de Goya* (1966) constituye un homenaje al pintor aragonés, pero también lleva implícito que, al igual que Goya fue testigo de los horrores de la invasión napoleónica, Saura era consciente de los males del régimen dictatorial. Tras la muerte de Franco (1975), Saura fue al fin reconocido en su propio país. Siguió pintando y desarrollando sus grabados, incluso se atrevió en ocasiones con el diseño de escenografía para teatro, ballet y ópera en colaboración con su hermano, el cineasta Carlos Saura. **CK**

Obras destacadas

Maja, 1957 (Minneapolis Institute of Arts, Minneapolis)

Sagrario, 1960 (Patio Herreriano, Museo de Arte Contemporáneo Español, Valladolid)

Retrato imaginario de Goya, 1966 (Tate Collection, Londres)

1930–39

«Esa imagen [Cristo en la cruz] podría considerarse un símbolo trágico de nuestra época.»

ARRIBA: Detalle de un retrato de Antonio Saura realizado por Christopher Felver.

FRANK AUERBACH

Frank Helmut Auerbach, 29 de abril de 1931 (Berlín, Alemania).

Estilo: Pinturas con impasto muy gruesas y dibujos muy trabajados; retratos femeninos; paisajes de Camden Town en Londres; observación intensa y realización de marcas furiosas.

Obras destacadas

Primrose Hill: Pleno verano, 1959 (Scottish National Gallery of Modern Art, Edimburgo)

Mornington Crescent: Mañana de verano II, 2004 (Ben Uri Collection, Londres)

El arte de Frank Auerbach es una visión íntima de un mundo lleno de realidad atmosférica y aporta algunas de las pinturas más celebradas de la posguerra inglesa. Nacido en Berlín de padres judíos, Auerbach fue enviado a Inglaterra en 1939, huyendo del nazismo, y jamás volvió a ver a sus progenitores.

En Londres, Auerbach estudió en la Saint Martins School of Art y el Royal College of Art, pero lo que más le inspiró fueron sus clases con el pintor vorticista David Bomberg en Borough Polytechnic, y su amistad con el futuro pintor expresionista Leon Kossoff. En su primera exposición individual en 1956, Auerbach fue criticado y elogiado al mismo tiempo por su técnica del impasto grueso. A algunos críticos les desagradaba su parecido con la escultura.

El espacio de trabajo de Auerbach y sus prácticas habituales han sido durante años objeto de gran mitificación. Desde 1954, un estudio victoriano en Camden Town, Londres, le ha permitido un retiro duradero en el que dedicarse a su pintura. Se dice que trabaja 364 días al año, y que se concentra en un número limitado de modelos y en los paisajes urbanos que rodean su estudio. Pero esta intensa dedicación tiene como resultado una pequeña producción anual de entre doce y quince cuadros. Sus características capas de pintura, que a menudo aplica con los dedos, disimulan el hecho de que con frecuencia deshace completamente un cuadro y vuelve a empezar. En un continuo proceso de realizar marcas estudiadas y borrarlas, la pintura es para Auerbach un frenesí lleno de adrenalina. Dedicado de forma obsesiva a su tema, manifestó en 1990 que si no fuera por el tema, la pintura carecería de sentido, «sería simplemente una especie de gesto [...] lo que uno espera hacer es algo que se convierta en el tema, y a partir de esa identificación crear un monumento vívido». **TC**

«Estoy bajo la influencia de mi actual vida privada, [...] y mi nivel de energía.»

ARRIBA: Frank Auerbach, fotografiado hacia 1995 por Gemma Levine (detalle).

RALPH HOTERE

Hone Papita Raukura Hotere, 1931 (Mitimiti, Isla Norte, Nueva Zelanda).

Estilo: Uso del color negro; materiales como la chapa de zinc; abstracciones geométricas minimalistas; inquietudes políticas y medioambientales; referencias literarias; grandes instalaciones premonitorias.

Ralph Hotere nació en la pequeña comunidad maorí de Mitimiti en la Isla Norte, Nueva Zelanda, en una familia de devotos de la fe católica romana y con una relación muy estrecha con la tribu aupouri. Se formó como profesor y sirvió como piloto de las fuerzas aéreas neozelandesas antes de mudarse a Dunedin e iniciar su carrera como artista. En 1961 recibió una beca de la New Zealand Arts Society para asistir a la Central School of Art de Londres, y sus pocos años en el extranjero resultaron ser muy educativos. A su regreso a casa en 1965, se decía que llevaba sus obras en forma de una «maleta» atornillada y sujeta bajo el brazo. Con el tiempo se convirtió en algo típico de su visión de las técnicas y los materiales, según la cual el arte imitaba a la vida y viceversa. En 1969 Hotere obtuvo la beca Frances Hodgkins.

Influido por el movimiento del op art británico de la década de 1960, sus primeras obras tendían al minimalismo. No obstante, conservaba algo de la tradición pictórica romántica, y nunca se dedicó a la abstracción en el sentido más estricto. En sus pinturas, esculturas e instalaciones a gran escala, buscaba un efecto visionario y creador de mitos, incluyendo el uso de texto e inscripciones. A menudo se lo compara con su compatriota Colin McCahon, que también utilizaba texto para invocar las inquietudes espirituales y religiosas. De hecho, Hotere colaboró con aquel y otros artistas, además de escritores como Cilla McQueen, su esposa durante doce años, y Bill Manhire. Los temas de la vida y la muerte, la pérdida y la regeneración son recurrentes a lo largo de su larga carrera, y los críticos los han relacionado con su herencia maorí. Sin embargo, el artista le ha restado importancia, ya que prefiere ver su arte en términos más universales. Hotere es conocido por su rechazo hermético a comentar el significado de su obra. **NG**

Obras destacadas

Aurora, 1980 (Museum of New Zealand Te Papa Tongarewa, Nueva Zelanda)

Black Phoenix, 1984-1988 (Museum of New Zealand Te Papa Tongarewa, Nueva Zelanda)

1930–39

«Es el espectador quien provoca el cambio y el significado de las obras.»

ARRIBA: Detalle de una fotografía de Hotere tomada por Marti Friedlander en 1978.

BRIDGET RILEY

Bridget Louise Riley, 24 de abril de 1931 (Londres, Inglaterra).

Estilo: Pintora de op art; investigaciones de fenómenos ópticos, percepción y visión humana; uso dinámico del blanco y negro; ilusión de movimiento; percepción innovadora del papel del color.

Obras destacadas

Duda, 1964 (Tate Collection, Londres)

Achaian, 1981 (Tate Collection, Londres)

Nataraja, 1993 (Tate Collection, Londres)

Bridget Riley no forma parte de una escuela. Es una persona que se ha labrado continuamente su camino intelectual y emocionalmente equilibrado a través de la pintura. Estudió en el Goldsmiths College de Londres y luego en el Royal College of Art. A los 31 años realizó su primera exposición individual en la Gallery One de Londres, y luego mostró su obra en *The Responsive Eye* (1965), una exposición en el MoMA de Nueva York. El op art, como se dio a conocer, fue inventado probablemente por Victor Vasarely, pero fue Bridget Riley la que permitió, con su capacidad de invención y creatividad, aportar solemnidad a lo que a primera vista podía parecer una obra más propia de ordenadores.

El éxito de las pinturas de Riley de la década de 1960 reside en su capacidad de desorientar físicamente y desestabilizar al espectador. *Duda* (1964) saca al público del pasado y lo transporta al futuro, y cuestiona intencionadamente cómo ve y entiende la gente que las cosas son ciertas. Sus cuadros de este período también influyeron en una generación de diseñadores de moda y de productos.

Tras una visita a Egipto, en los años ochenta empezó a trabajar con un tipo de color y óleo distintos, en vez de pintura acrílica. *Achaian* (1981) surgió de esta serie y fue pintado con lo que ella llamaba su «paleta egipcia». Durante esa década se esforzó por hacer que el color funcionara estructuralmente en sus cuadros, utilizando rayas como portadoras de color en contraposición a un motivo. En la década de 1990, Riley dio un paso más para complicar la ecuación, al cruzar franjas verticales con diagonales para crear campos entretejidos de color como en *Nataraja* (1993). Hoy en día, reparte su tiempo entre West London y el sur de Francia, y realiza cuadros que siguen confrontando físicamente al público con su sentido del orden. No son imágenes de un mundo: son mundos. **SF**

«Dibujo a partir de la naturaleza. Trabajo con la naturaleza, en términos del todo.»

ARRIBA: Bridget Riley en un pasillo que pintó para el Saint Mary's Hospital, Londres.

DERECHA: *Fisión* se expone en el MoMA de Nueva York.

1930–39

PETER BLAKE

Peter Thomas Blake, 25 de junio de 1932 (Dartford, Kent, Inglaterra).

Estilo: Fundador del pop art británico; pintor, grabador y constructor de montajes; hacer el arte accesible al público general; apartarse del elitismo; pasión por el carácter efímero de la cultura popular.

Obras destacadas

Autorretrato con insignias, 1961
(Tate Collection, Londres)

Retrato de David Hockney en un interior hollywoodense de estilo español, 1965
(Tate Collection, Londres)

El búho y el gatito, 1981-1983
(Bristol Art Museum, Bristol)

1930-39

En 1961 Peter Blake llamó por primera vez la atención del mundo artístico, cuando expuso en la exposición de jóvenes contemporáneos junto con David Hockney y Ronald Brooks Kitaj. Luego ganó un premio en la «John Moores Liverpool Exhibition» (1961) con *Autorretrato con insignias* (1961), que ahora pertenece a la colección londinense de la Tate Modern.

En tanto que uno de los principales exponentes del pop art, Blake contribuyó a apartar las artes visuales de los valores conservadores y elitistas, y llevarlas hacia un arte hecho para el pueblo. Hoy en día es más conocido fuera del mundo artístico por su relación con la música pop, su diseño del álbum de los Beatles *Sgt. Pepper's Lonely Hearts Club Band* (1967), el poster de Live Aid o sus diseños de álbumes para Paul Weller y Oasis.

Su educación artística formal empezó a los catorce años en la Gravesend Technical College Junior Art School, Kent. En 1956 siguió estudiando en el Royal College of Art de Londres. En las décadas de 1960 y 1970 inició su carrera como profesor, y trabajó en la Saint Martin's School of Art, Harrow School of Art, Walthamstow School of Art y el Royal College of Art.

En 1969 Blake estableció su residencia en una estación de ferrocarril fuera de servicio cerca de Bath, Inglaterra, donde poco a poco fundó la Hermandad de los Ruralistas, grupo —de corta vida— de pintores que se sentían más inclinados hacia el arte folk que hacia el pop art. Sin embargo, Blake será recordado como un artista pop verdaderamente rompedor. Se le han dedicado dos exposiciones retrospectivas, ambas organizadas por la Tate Gallery: la primera en Londres en 1983, la segunda en Liverpool en 2007. En 1981 fue elegido académico de la Royal Academy y en 1983 le fue concedida la orden del Imperio británico. Hoy vive y trabaja en Londres. **SF**

> «Quería hacer un arte que fuera el equivalente visual a la música pop.»

ARRIBA: Peter Blake, considerado el padrino del pop art británico.

FERNANDO BOTERO

Fernando Botero Angulo, 19 de abril de 1932 (Medellín, Colombia).

Estilo: Pintor y escultor; figuras rollizas; uso de un color intenso y variado; temas de identidad, religión, historia del arte, violencia, opresión política y los círculos oficiales.

Las voluptuosas figuras de los cuadros y esculturas de Fernando Botero han sido menospreciadas por algunos críticos como puro kitsch. Tal vez sus formas rollizas, sensuales, casi angelicales no estén de moda en un momento en que la cultura occidental valora la talla cero, o tal vez la adaptación irónica de Botero de iconos culturales como *Mona Lisa a los doce años* (1959) hayan hecho que las intenciones del artista parezcan frívolas. No obstante, esa es una lectura limitada de su obra; detrás de sus alegres celebraciones del cuerpo humano, hay una crítica a la sociedad. A veces, las proporciones exageradas le ayudan en su deseo de satirizar una institución; otras, el uso de personas obesas en su trabajo más sombrío hace que su mensaje destaque aún más.

Colombiano de origen, Botero ha representado a menudo los resultados de la injusticia social y el sufrimiento de su pueblo en la guerra de guerrillas. *Madre e hijo* (2000) hace referencia a las representaciones tradicionales de la Madona y el Niño, pero muestra una contundente pareja de esqueletos. Y piezas como *La muerte en la catedral* (2002) recuerdan a sus predecesores Francisco de Goya, George Grosz y Pablo Picasso en su atención al caos y la destrucción de la guerra. Además, el sentido de la obligación de Botero de destacar la opresión parece haberse agudizado con el tiempo. En 2005 realizó una serie inspirada en fotografías de los abusos en la cárcel de Abu Ghraib en Irak (2003). En 45 pinturas y dibujos, las figuras rellenas, desnudas, casi estatuas, tienen los ojos vendados y llevan capucha, con los rostros contorsionados por el dolor, y en algunos casos en cuclillas, listos para recibir una paliza, como si fueran figuras parecidas a Cristo a la espera de ser azotados antes de la crucifixión. La preponderancia de la carne hace que el tormento y la humillación de los presos sea más real, y más impresionante. **CK**

Obras destacadas

Madre e hijo, 2000 (Museo Nacional de Colombia, Bogotá)

La muerte en la catedral, 2002 (Museo Nacional de Colombia, Bogotá)

Abu Ghraib 72, 2005 (Malborough Gallery, Nueva York)

1930–39

«El arte es un respiro espiritual e inmaterial de las dificultades de la vida.»

ARRIBA: Fernando Botero representa con frecuencia en su obra la injusticia social.

HOWARD HODGKIN

Howard Gordon Howard Eliot Hodgkin, 6 de agosto de 1932 (Londres, Inglaterra).

Estilo: Pintor de caballete abstracto que primero incluía los marcos en el cuadro, y luego las paredes de las que colgaban; obras abstractas a pequeña escala, de colores vivos, vibrantes, y pinceladas sueltas.

Obras destacadas

Vista de Venecia, 1984-1985
(colección particular)

Lluvia, 1984-1989 (Tate Collection, Londres)

Noche y día, 1997-1999 (National Gallery of Victoria, Melbourne)

Las pinturas de Howard Hodgkin surgen de la idea europea de abstracción lírica. Durante la década de 1970 se vio influido por Henri Matisse, Pierre Bonnard y Édouard Vuillard. Sin embargo, en los años noventa sus cuadros de colores vivos que invaden los marcos, como en *Noche y día*, eran originales.

Hodgkin empezó despacio como artista, pero desarrolló un final potente. En solo veinte años pasó de ser un artista oscuro, pero bien considerado por el resto de la profesión, a convertirse en miembro del consejo de administración de la National Gallery y la Tate Gallery londinenses. En 1992 le fue otorgado el título de sir por su servicio al arte.

Su primera escuela de arte fue la Camberwell Art School de Londres. En 1949 inició cuatro años de estudios en la Bath Academy of Art. Luego dio clases en un internado masculino durante dos años, antes de volver a enseñar en Bath nueve años más. Hasta que Hodgkin no cumplió 40 años y regresó a Londres para dar clases en la Chelsea School of Art, no empezó a emerger como figura destacada del arte británico. El hecho de que el reconocimiento le llegara entonces no fue porque su obra hubiera cambiado, sino porque se había producido un cambio radical en la percepción de su obra por parte del público. En 1976 Hodgkin realizó exposiciones individuales en la Serpentine Gallery de Londres y en el Museum of Modern Art de Oxford. Dejó de dar clases en el Royal College of Art y se convirtió en artista residente del Brasenose College, en Oxford. Fue un momento crucial de su carrera. Más adelante representó a Gran Bretaña en la Bienal de Venecia (1984) y ganó el premio Turner (1985), siempre mostrando sus obras abstractas a pequeña escala, de colores vivos, vibrantes, y pinceladas bastante sueltas, que a menudo tardaba años en terminar. **SF**

«No puedes pintar un cuadro a la ligera. Es una actividad que me tomo muy en serio.»

ARRIBA: Howard Hodgkin, uno de los artistas más importantes activo en Gran Bretaña.

EUAN UGLOW

Euan Uglow, 10 de marzo de 1932 (Londres, Inglaterra); 31 de agosto de 2000 (Londres, Inglaterra).

Estilo: Escuela de Euston Road; figuras femeninas desnudas; bodegones enigmáticos; composiciones austeras, esculpidas, recortadas; cuadros exigentes.

Euan Uglow fue un pintor muy europeo de la Escuela de Euston Road de pintores realistas. Su enfoque comedido es fruto del amor por la obra de Nicolas Poussin, Jean-Auguste-Dominique Ingres, Paul Cézanne y finalmente por la influencia de su mentor, el pintor realista William Coldstream. Entre 1948 y 1950 estudió en el Camberwell College of Arts, y luego en la Slade School of Art. En ambas instituciones tuvo como profesor a Coldstream. Al terminar sus estudios universitarios, ganó un Prix de Rome, en aquel momento un premio en metálico, que le sirvió para viajar por el norte de Europa durante seis meses. En 1954 volvió a la Slade School como estudiante de posgrado, pero, transcurridos seis meses, lo llamaron para cumplir el servicio militar. Sin embargo, se declaró objetor de conciencia y lo enviaron a trabajar la tierra.

Su primera exposición individual tuvo lugar en la Beaux Arts Gallery de Londres, en 1961. Ese mismo año empezó a dar clases en la Slade School, el Camberwell College y el Chelsea College of Art and Design. Allí se convirtió en un maestro de las habitaciones con vida y en una persona influyente.

Uglow es conocido como pintor de la figura femenina desnuda y de bodegones inquietantes. Sus composiciones recortadas son austeras, esculpidas, y siempre con un enfoque crudo, como se aprecia en *Georgia* (1973). A menudo tardaba años en terminar sus pinturas cuidadosamente medidas. Se cuenta que en una ocasión sustituyó a una modelo por un doble de su cuerpo cuando empezó a cambiar la silueta durante su embarazo. Al enfrentarse a su tema, pintaba lo que veía más que lo que dictaba en teoría la perspectiva, y hacía una estimación de las medidas con un instrumento construido a partir de un atril modificado. Según Will Darby: «Euan solo quería pintar, y sentía que no podía perder el tiempo con exposiciones de su obra». **SF**

Obras destacadas

Georgia, 1973 (British Council Collection, Londres)

Desnudo caminando, Vestido azul, 1978-1980 (colección particular)

1930–39

«No podía trabajar en una pintura sin el modelo [...]; el modelo es como un encendedor.»

ARRIBA: Detalle de una fotografía de Euan Uglow realizada por Sue Adler.

GERHARD RICHTER

Gerhard Richter, 9 de febrero de 1932 (Dresde, Alemania).

Estilo: Pintor y grabador; imaginería borrosa basada en fotografías; paisajes abstractos, paisajes marinos, urbanos, invernales, retratos y bodegones; temas de la nostalgia y la representación.

Obras destacadas

Isabel I, 1966 (Tate Collection, Londres)

Gris, 1974 (Tate Modern, Londres)

Pintura abstracta nº 439, 1978 (Tate Collection, Londres)

Marina, 1998 (Museo Guggenheim de Bilbao, Bilbao)

Gerhard Richter empezó a acumular fotografías en la década de 1960, tanto suyas como otras tomadas de revistas, libros y periódicos. Para sus «fotopinturas» proyecta una fotografía en un lienzo, dibuja la silueta y utiliza el original para orientar la paleta de colores. Los pigmentos se aplican con finura y las imágenes son ligeramente borrosas. Tal y como se aprecia en *Isabel I* (1966), el resultado es una obra que parece captar la nostalgia de un momento fugaz, entre el elevado arte de la pintura romántica y el arte mundano de las fotografías familiares. Richter ha expuesto sus fuentes fotográficas varias veces en *El Atlas* (desde 1976).

ARRIBA: Gerhard Richter, fotografiado frente a su obra *Estroncio* en 2005.

DERECHA: *Isabel I* es un ejemplo de las fotopinturas efímeras de Richter.

Su rechazo de las ideologías tiene su origen en una primera parte de su vida vivida bajo el régimen nacionalsocialista y, tras la Segunda Guerra Mundial, bajo el gobierno comunista de Alemania Oriental. En 1961 huyó a Alemania Occidental. En 1963 fundó el movimiento realista capitalista como protesta contra la cultura de consumo, con los artistas Sigmar Polke y Konrad Fischer. Ese mismo año realizó su primera exposición individual en la Möbelhaus Berges, en Düsseldorf. El gusto de Richter por el azar también impregna su obra, y a partir de mediados de la década de 1960 ha llevado a cabo obras abstractas. Sus primeras obras se basaban en cuadros de colores «encontrados»; luego creó una serie de pinturas monocromáticas grises, como *Pintura abstracta n.º 439* (1978), de nuevo con un acabado suave parecido al de una fotografía.

Durante los últimos años Richter ha oscilado entre lo abstracto y los paisajes, como *Marina* (1998). Desafía constantemente al espectador a que reflexione sobre la pintura frente a la fotografía, y el registro frente a la representación. **CK**

ARRIBA: *Pintura abstracta n.º 439*, una reflexión sobre la naturaleza de la pintura.

1930-39

Una cuestión de fe

El diseño de Gerhard Richter para una vidriera de la catedral de Colonia en 2007 sustituyó a un ventanal de vidrio transparente. El nuevo diseño abstracto, de 11.200 paneles de cristal de colores, fue creado por generación informática aleatoria. Richter quiso demostrar que, lo que parece coincidencia, forma parte de un diseño divino. No todo el mundo lo apreció: el cardenal de la Iglesia católica Joachim Meisner, que habría preferido que incluyera a los santos Maximiliano Kolbe y Edith Stein (ambos asesinados por los nazis), dijo: «Pertenece a una mezquita o a otra casa de oración, pero no a esta [...] debería reflejar nuestra fe, no cualquier fe».

NAM JUNE PAIK

Nam June Paik, 20 de julio de 1932 (Seúl, Corea del Sur); 29 de enero de 2006 (Miami, EE.UU.).

Estilo: Compositor surcoreano; primer artista en ser etiquetado como «videoartista»; implicado en el grupo Fluxus; instalaciones con pantalla de televisión manipuladas.

Obras destacadas

La luna es la televisión más antigua, 1965 (Centre Pompidou, París)

Jardín de televisores, 1974 (Museo Nam June Paik, Suwon, Corea del Sur)

TV Cello, 2000 versión (Queensland Art Gallery, Brisbane, Australia)

1930–39

Considerado por muchos como un pionero de la música electrónica, Nam June Paik disfrutó de una prolífica carrera que abarcó proyectos de televisión, performances, instalaciones y colaboraciones. En un principio estudió historia de la música y el arte en Japón, y escribió su tesis sobre el compositor Arnold Schönberg. Más adelante, en Alemania conoció al legendario compositor vanguardista John Cage y, bajo su influencia, se involucró en el grupo artístico radical Fluxus, fundado por George Maciunas en la década de 1960. Para su primera exposición en solitario, *Exposición de televisión músico-electrónica* (1963) , celebrada en la Galerie Parnass, en Wuppertal, Alemania, colocó doce aparatos de televisión en el espacio de la galería y cambió el curso de la historia del videoarte.

Al trasladarse a Nueva York en 1964, Paik empezó a colaborar con la violonchelista Charlotte Moorman para combinar música, performance y vídeo. Juntos interpretaron piezas como *Ópera sextrónica* (1967), en la que aparecía Moorman con el torso descubierto y vestida por Paik con objetos de vídeo que luego ella utilizaba para tocar música.

Uno de los legados artísticos más importantes de Paik es haber expandido la definición y el lenguaje de la creación de arte.

ARRIBA: Nam June Paik fotografiado en actitud relajada en 1984.

DERECHA: *Superautopista electrónica: EE.UU. continental, Alaska, Hawai,* de 1995.

Al introducir el concepto de videoinstalación mediante el uso de múltiples monitores como en *Jardín de televisiones* (1974), añadió una nueva dimensión a la posibilidad del arte de la escultura y la instalación, y la idea de arte interactivo ya estaba presente en sus obras *Televisión imán* (1965) y *Televisión participativa* (1963).

El uso de tecnología innovadora fue fundamental para la carrera de Paik. Junto con el ingeniero eléctrico japonés Shuya Abe, desarrolló *Vídeo sintetizador* (1969), uno de los primeros procesadores de imágenes de vídeo realizados por un artista. Su proyecto de arte global *Buenos días, Mr. Orwell* (1984) se emitió en Nueva York, París, Berlín y Seúl vía satélite. En sus últimas obras de posvídeo usó láseres, como se vio en la exposición retrospectiva en el museo Guggenheim de Nueva York *Los mundos de Nam June Paik* (2000).

Paik también colaboró mucho con amigos y otros artistas de diversas disciplinas: *Surco global* (1973) incluye secuencias de John Cage y Allen Ginsberg. **JW**

ARRIBA: Videoinstalación del surcoreano Nam June Paik titulada *Tortuga*.

1930–39

Palabras proféticas

Las palabras inaugurales de *Surco global*, fueron proféticas: «Esto es una mirada a un paisaje de vídeo del mañana, cuando podréis cambiar a cualquier canal televisivo del planeta y la guía de televisión será tan gruesa como la guía telefónica de Manhattan». John Hanhardt, comisario de cine y artes audiovisuales del museo Guggenheim de Nueva York, coincide: «La obra de Paik podría tener un impacto profundo y duradero en la cultura de los medios audiovisuales del pasado siglo XX. Su destacada carrera [...] influyó en la redefinición de la televisión y transformó el vídeo en un medio artístico».

ILIA KABAKOV

Ilia Jositovich Kabakov, 30 de septiembre de 1933 (Dnipropetrovsk, Ucrania).

Estilo: Las instalaciones inmersivas exigen al espectador que se convierta en participante predispuesto en su intriga y asociaciones; espacios artificiales sobre la vida bajo el régimen comunista.

Obras destacadas

Serie de cuadros blancos «Horario de sacar el cubo de basura», 1980 (colección particular)

Laberinto (El álbum de mi madre), 1990 (Tate Collection, Londres)

A pesar de que el origen de la instalación como género artístico se remonta como mínimo a la década de 1920, Ilia Kabakov ha contribuido en gran medida a consolidar el arte de la instalación como una categoría del arte contemporáneo por derecho propio. Aunque sus raíces artísticas se encuentran en las artes gráficas —empezó su carrera en los años cincuenta, ilustrando libros infantiles para varias editoriales moscovitas—, se fue involucrando cada vez más en la vanguardia rusa.

En la década de 1980 se trasladó a Nueva York, donde evolucionó como artista de instalaciones. A menudo sus obras se refieren a su pasado, como *El hombre que voló al espacio desde su apartamento* (1986). Esta puesta en escena parece un pasillo a lo largo de una entrada parcialmente cerrada con tablas que da a un pequeño dormitorio. La intención es que la obra actúe como escenario, sobre el cual el espectador se convierte en participante o actor. La obra pretende recordar las actividades y hábitos de las personas que vivían en el régimen comunista.

Las instalaciones posteriores han desarrollado la idea de la presencia instrumental del espectador dentro de una obra. En *Laberinto (El álbum de mi madre)* (1990) creó de nuevo un entorno en el que sumergirse en forma de pasillo largo. Es un espacio común parecido al que le era familiar en Rusia, con dos narraciones en forma de una serie de textos en las paredes. La intención de Kabakov no solo es evocar la sensación del viaje del narrador, sino reflejar ese viaje en la dramaturgia del espectador mientras camina despacio por el pasillo prefabricado. Las originales e inmersivas instalaciones de Kabakov, repletas de significado, intriga y asociaciones, han permitido que el arte de la instalación se haya convertido en un medio creíble para la expresión artística. **CS**

«El principal actor en la instalación global, [...] es el espectador.»

ARRIBA: El artista de instalaciones Ilia Kabakov, fotografiado en 2002.

ON KAWARA

On Kawara, 24 de diciembre de 1932 (Kariya, Aichi, Japón).

Estilo: Artista conceptual; pinturas minimalistas con fecha que contienen una información basada en hechos reales; investigación de cómo representar el tiempo en la pintura; juego con los métodos de comunicación.

La paradoja de cómo puede la pintura representar el tiempo ha sido una preocupación constante de artistas y pensadores. Los artistas del Renacimiento intentaron superar la naturaleza bidimensional de la pintura yuxtaponiendo distintos momentos del mismo episodio de la historia bíblica. Gotthold Ephraim Lessing, destacado filósofo y crítico de arte del siglo XVIII, intentó diferenciar la pintura de la poesía afirmando que la pintura era un arte espacial y la poesía un arte temporal. En la actualidad, la obra del artista conceptual Kawara intenta una y otra vez lidiar con este interrogante filosófico y estético.

El 4 de enero de 1966, Kawara empezó la serie de cuadros «Hoy». Consiste en un campo de color monocromático con la fecha en la que se realizó el cuadro en concreto inscrita en él, y cada cuadro se almacena en una caja de cartón realizada a mano junto con un recorte de periódico del mismo día. Los cuadros se han realizado en más de cien países. Si no llega a terminar un cuadro a medianoche, el artista lo destruye.

El tiempo, el espacio y la confirmación individual interna también están presentes en una serie de telegramas que Kawara empezó en la década de 1970, en un principio con el mensaje «sigo vivo». El artista trabajó para invertir la función del telegrama sustituyendo la información que tiene cierta relevancia, como un nacimiento o una muerte, con información en apariencia banal. Así, al leer la declaración de Kawara en este contexto sus palabras y sentimientos se impregnan de una sensación de patetismo. A pesar de que trabaja dentro de una serie de parámetros estéticos y conceptuales claramente definidos, la naturaleza de su práctica nunca está herméticamente sellada. La economía de su obra anima al espectador a plantearse las mismas cuestiones que el artista sigue explorando. **CS**

Obras destacadas

Título, 1965 (National Gallery of Art, Washington, D.C.)

April 24,1990, 1990 (Museum of Modern Art, Nueva York)

August, 1, 1998, 1998 (Museum of Contemporary Art, Los Ángeles)

1930–39

«Kawara se dirige directamente a la creación del tiempo cronológico.» Lynne Cooke

ARRIBA: On Kawara, un artista con fama de reservado y que jamás comenta sus obras.

JAMES ROSENQUIST

James Rosenquist, 29 de noviembre de 1933 (Grand Forks, Dakota del Norte, EE.UU.).

Estilo: Grandes lienzos llamativos y descarados que recurren a una imaginería derivada de la cultura popular estadounidense; relatos fragmentados y yuxtaposiciones de motivos extraídos de la cultura material estadounidense de la década de 1960.

Obras destacadas

Presidente electo, 1960-1964 (Centre Pompidou, París)

F-111, 1964-1995 (Museum of Modern Art, Nueva York)

Equilibrio en evolución, 1977 (Museum of Fine Arts, Houston)

1930-39

«Su arte es fruto de Nueva York, sus estilos, sus actitudes [...] e intimidad agitada.» Carter Ratcliff

ARRIBA: James Rosenquist, fotografiado en 1991 por Christopher Felver (detalle).

DERECHA: *Campaña* (1965) fue una de las primeras obras publicadas de Rosenquist.

James Rosenquist fue un destacado impulsor del movimiento del pop art en Estados Unidos, aunque sus obras, de gran ambición y complejidad visual, no están vinculadas solo a dicha tendencia. Rosenquist se formó en la Universidad de Minnesota entre 1952 y 1954, antes de entrar al año siguiente en la Art Students League de Nueva York. Entre 1957 y 1960 trabajó como pintor de vallas publicitarias, lo que le permitió desarrollar una serie de habilidades que luego aplicaría a su pintura. *Presidente electo* (1960-1964), una de sus primeras obras destacadas, consta de tres paneles que uno lee automáticamente de izquierda a derecha: un retrato de John F. Kennedy, un pedazo de pastel y al final una rueda de un Chevrolet de 1949. La grandilocuencia individual del expresionismo abstracto se transforma aquí en la arrogancia colectiva del consumo de masas.

En cierto modo, todos los artistas pop norteamericanos modificaban las imágenes ya existentes con las que trabajaban. Andy Warhol creó imágenes que comportaban cierto grado de deterioro o de distorsión, y Roy Lichtenstein ampliaba las imágenes para revelar el diseño original de «puntos Benday». Sin embargo, Rosenquist fue tal vez el más competente técnicamente. Ello resulta obvio, por ejemplo, en *F-111* (1964-1995), que consolidó su reputación internacional. La obra está formada por 51 paneles y dibuja la imagen de un bombardero F-111 entre representaciones gráficas de objetos banales como una rueda, un pastel y una bombilla. También sirvió para diferenciar a Rosenquist de sus colegas por su dimensión política aparente, al incluir un bombardero. Lo que el artista sigue logrando con su selección de imágenes extraídas de la cultura popular o de masas es una serie de afirmaciones que, a pesar de ser visualmente atractivas, no restringen la posibilidad de su significado. **CS**

1/26   "Campaign"   James Rosenquist 1965

CLIFFORD POSSUM TJAPALTJARRI

Obras destacadas

Warlungulong, 1977 (National Gallery of Australia, Canberra)

Yuelamu, Ensueño de la hormiga de la miel, 1995 (Art Gallery of South Australia, Adelaida)

Clifford Possum Tjapaltjarri, h. 1933 (Napperby Station, Territorio del Norte, Australia); 21 de junio de 2002 (Alice Springs, Territorio del Norte, Australia).

Estilo: Pinturas grandes de puntos y círculos, al estilo de los aborígenes del Desierto Central; temas religiosos; complicadas obras de colores fuertes.

Indígena australiano, Tjapaltjarri nació poco después de que su pueblo fuera expulsado de sus tierras de acampada tradicionales en el Desierto Central. Acabó convirtiéndose en uno de los artistas aborígenes más conocidos de su época.

Sus grandes cuadros complejos guardan cierto parecido superficial con el expresionismo abstracto, pero son detallados «mapas de sus sueños» de varias capas, parte de cómo él expresaba su religión. En estas impresionantes obras dibuja los lugares de su herencia cultural, sitios ancestrales con una importancia constante y viva para el artista. Cuadros supremos, estéticamente logrados, que también son declaraciones de su derecho y su responsabilidad respecto de la tierra. **JR**

JERRY UELSMANN

Obras destacadas

La piedra de toque de Magritte, 1965 (Addison Gallery of Contemporary Art, Phillips Academy, Andover, EE.UU.)

Sin título, 1970 (National Galleries of Scotland, Edimburgo)

Jerry Norman Uelsmann, 11 de junio de 1934 (Detroit, Michigan, EE.UU.).

Estilo: Fotógrafo; imágenes en blanco y negro; maestro de las técnicas de fotomontaje y posvisualización; yuxtaposición surrealista de representaciones naturales, edificios y figuras solitarias; cuestionamiento de la verdad fotográfica.

Uelsmann es uno de los fotógrafos artísticos norteamericanos más populares del siglo xx. Mientras daba clases en la Universidad de Florida, dominó la técnica del fotomontaje y empezó a desafiar la ortodoxia de la fotografía purista.

Sus impresiones de fotomontajes, creadas en el cuarto de revelado utilizando múltiples negativos y ampliadoras, recuerdan los trabajos de René Magritte y Man Ray, pero también anuncian una sensibilidad posmoderna de juego subjetivo, así como una espiritualidad new age. A pesar de que dichos efectos se pueden lograr hoy por medios digitales, Uelsmann sigue experimentando con métodos tradicionales en su laboratorio de investigación visual de construcción propia en Gainesville, Florida. **RB**

GIOVANNI ANSELMO

Giovanni Anselmo, 5 de agosto de 1934 (Borgofranco d'Ivrea, Italia).

Estilo: Artista conceptual; uso de materiales orgánicos combinados con sustancias no orgánicas; tema del tiempo; exploración de fuerzas de la naturaleza, como la gravedad y la energía.

Giovanni Anselmo inició su carrera artística como pintor, antes de su giro hacia el arte conceptual en 1965. En 1968 se convirtió en uno de los miembros originales del movimiento arte povera, creado como reacción al comercialismo del pop art, y que pretendía realizar obras a partir de materiales insólitos, como fuentes de energía viva e incluso animales vivos, y romper las barreras entre la reclusión del espacio de una galería y el mundo exterior.

El tiempo es un tema constante en la obra de Anselmo. En 1965, mientras paseaba al atardecer por el volcán Stromboli, en las islas Eolias, cobró repentina conciencia de su propia temporalidad en el espacio infinito del universo. Aquella revelación le llevó a explorar el infinito en obras como *Penetrando en la obra* (1971), que registra sus intentos de vencer la velocidad del obturador de la cámara mientras aceleraba en un punto concreto de un paisaje.

Aquel descubrimiento también hizo que Anselmo estudiara la naturaleza de los materiales orgánicos e inorgánicos, incluida el agua y la electricidad. En su escultura *Sin título (Estructura que come)* (1968), una lechuga está sujeta entre dos bloques de granito unidos por un cable de cobre. A medida que la lechuga se va marchitando, el cable pierde tensión y el más pequeño de los dos bloques empieza a caer. La lechuga debe ser restituida continuamente para que la escultura exista, y así la obra demuestra el poder y los límites de fuerzas naturales como la descomposición y la gravedad. La fascinación de Anselmo por los materiales y las fuerzas de la naturaleza está presente en su forma más poética, *Respiro* (1969), donde la temperatura cambiante de dos barras de hierro hace que una esponja de mar se infle y desinfle, de manera que parece que estuviera respirando. Obras como esta implican al espectador en un sentido físico, y van más allá de una mera experiencia visual. **WO**

Obras destacadas

Sin título (Estructura que come), 1968 (Musée National d'Art Moderne, Centre Pompidou, París)

Respiro, 1969 (Museo di Arte Contemporanea, Turín)

Entrar en la obra, 1971 (colección particular)

«Yo, el mundo, las cosas, la vida [...] todos somos situaciones de energía.»

ARRIBA: Giovanni Anselmo lanza una mirada severa para este retrato de Christopher Felver (detalle).

Obras destacadas

Trabum (Elementos en series), concebido en 1960, realizado en 1977 (Solomon R. Guggenheim Museum, Nueva York)

Equivalente VIII, 1966 (Tate Collection, Londres)

CARL ANDRE

Carl Andre, 16 de septiembre de 1935 (Quincy, Massachusetts, EE.UU.).

Estilo: Escultor minimalista; utiliza combinaciones aritméticas sencillas; repetición; geometría; empleo de varios medios; a diferencia de la escultura tradicional, las obras son desmanteladas cuando no se están exponiendo.

El escultor Carl Andre utiliza combinaciones aritméticas sencillas para crear sus obras, acumulando y repitiendo unidades idénticas. Tras estudiar arte en la Phillips Academy of Massachusetts y en el Kenyon College, en Gambier, Ohio, trabajó en Boston Gear Works, donde ganó dinero suficiente para viajar a Inglaterra y Francia. Durante esa época, escribió poesía, produjo dibujos y realizó algunas esculturas de formas geométricas de plexiglás y madera. En 1957 se instaló en Nueva York, donde trabajó en una editorial.

En Nueva York, Andre conoció al artista Frank Stella, trabajó en su estudio y desarrolló una serie de esculturas de madera «cortadas» que revelaban la influencia de Constantin Brancusi y de las «pinturas negras» de Stella. Entre 1960 y 1964 trabajó como conductor de trenes y vigilante en los ferrocarriles de Pensilvania, y más tarde reconoció que la repetición de formas en los vagones de tren y las líneas de ferrocarril tuvo una notoria influencia en su obra. Entretanto seguía montando esculturas con simples bloques de material, explorando la idea de que el uso de muchos elementos repetidos enfatiza el cambio de la forma y la estructura al espacio ocupado por la construcción.

ARRIBA: Carl Andre, fotografiado en 1988, el año en el que fue absuelto de asesinato.

DERECHA: *Plano de aluminio de plomo,* tablero de ajedrez de 1,8 x 1,8 m, formado por cuadrados negros y plateados.

Las esculturas de Andre se exhibieron por primera vez en una exposición colectiva en 1964, que fue seguida al año siguiente por otra individual en la Tibor de Nagy Gallery de Nueva York. Además de crear esculturas, empezó a escribir poemas siguiendo la tradición de la poesía concreta, que muestra las palabras en la página como si fueran dibujos. Sus obras no son figurativas; por lo general consisten en unidades comerciales prefabricadas e idénticas, como ladrillos, bloques de cemento o placas metálicas, unidas en formas geométricas sencillas, en horizontal en el suelo y poniendo énfasis en el material, la forma y la estructura, de modo que invita al espectador a cuestionarse el espacio que lo rodea. Elimina todo lo decorativo o superfluo y reduce todos los componentes a necesidades precisas y puras.

En 1988 el artista fue absuelto del asesinato de su esposa, la artista estadounidense de origen cubano Ana Mendieta. Hoy vive y trabaja en Nueva York. **SH**

ARRIBA: *Los bloques sin tallar*, creados en 1975 con bloques de madera de cedro.

1930–39

¡Escándalo!

En 1972 la Tate Gallery compró *Equivalente VIII* (1966), de Carl Andre: 120 ladrillos refractarios colocados en un rectángulo de dos ladrillos de alto. Hubo protestas por el supuesto malgasto de dinero público. Los títulos procedían de la serie de fotografías de nubes de Alfred Stieglitz, llamada «Equivalentes». Las obras de Andre no tienen nada que ver con nubes, pero en la teoría matemática la relación de equivalencia consiste en la uniformidad entre los elementos, mientras que en física el principio de equivalencia demuestra la distinción entre las fuerzas de la inactividad y la gravedad.

CHRISTO Y JEANNE-CLAUDE

Hristo Yavashev, 1935 (Gabrovo, Bulgaria).
Jeanne-Claude Denat de Guillebon, 1935 (Casablanca, Marruecos).

Estilo: Proyectos de embalaje colosales; grandes intervenciones efímeras en paisajes; detallados dibujos arquitectónicos y collages de proyectos.

Obras destacadas

Costa envuelta, Little Bay, Australia, 1969

Islas rodeadas: proyecto en bahía Vizcaína de Miami, Florida, 1983

Pont-Neuf envuelto, París, 1985

Reichstag envuelto: proyecto en Berlín, 1995

The Gates (Las entradas), en Central Park, Nueva York, 1979-2005

«El concepto es fácil. Cualquier idiota puede tener una idea. Lo difícil es llevarlo a cabo.»

ARRIBA: Christo y Jeanne-Claude, fotografiados en Nueva York en 2003.

Christo estudió en la Academia de Bellas Artes de Sofía entre 1952 y 1956, vivió en Praga en 1957 y huyó del comunismo escondiéndose en un camión que se dirigía a Austria. Estudió con el escultor Fritz Wotruba en Viena, pasó un tiempo en Ginebra (Suiza), y luego se trasladó a París en 1958. Cuando le encargaron pintar el retrato de Précilda de Guillebon, Christo conoció y se casó con la hija de este, Jeanne-Claude.

Christo empezó a experimentar con el *empaquetage*, o «embalaje», a principios de 1958, cuando envolvía recipientes de pintura con lienzo y los adornaba con pegamento, arena y pintura de coche. Man Ray había realizado creaciones parecidas, pero fue Christo quien concibió el envoltorio como forma artística y lo llevó hasta extremos insólitos. Después de trasladarse a Nueva York en 1964, Christo y Jeanne-Claude empezaron a pensar en enormes proyectos de embalaje.

Con frecuencia tardaban varios años en organizar sus planes, que requerían una cantidad ingente de gestiones y captación de fondos. Entre sus proyectos urbanos se cuentan el *Kunsthalle envuelto* (1968) en Berna, el *Pont-Neuf envuelto* (1985) en París, y el *Reichstag envuelto* (1995) en Berlín. Su ambiciosa obra *Costa envuelta* (1969) logró envolver medio kilómetro de litoral cerca de Sidney (Australia), y para *Islas rodeadas* (1983) circundaron once islas de la bahía Vizcaína, en Miami, con tela de polipropileno. Durante los últimos años se han centrado en instalaciones efímeras en paisajes rurales y urbanos. Tras negociar con las autoridades neoyorquinas durante más de 25 años, por fin instalaron *Las entradas* (1979-2005) en Central Park. *Encima del río* será descubierta en Colorado en 2012, y tienen un proyecto en fase de planificación, *La mastaba*, para los Emiratos Árabes Unidos. **NSF**

PAULA REGO

Paula Figueiroa Rego, 1935 (Lisboa, Portugal).

Estilo: Pintora figurativa, ilustradora y grabadora; temas oscuros, siniestros, a menudo infantiles; uso de imaginería animal; realismo mágico, canción infantil y libros de cuentos.

Aunque la artista Paula Rego vive en Londres desde 1975, su infancia en Portugal bajo la dictadura salazarista está muy presente en su obra. Probablemente es más conocida por su trabajo de grabadora y sus ilustraciones de cuentos oscuros con una sensación de realismo mágico.

Rego fue educada primero en un colegio inglés en su tierra natal, y más tarde ingresó en un colegio privado femenino del sur de Inglaterra. En 1952 fue admitida en la Slade School of Art, donde, entre sus compañeros, se contaba el que sería posteriormente su marido, Victor Willing. Una vez completados los estudios, ambos se trasladaron a Ericeira, en Portugal, donde vivieron y pintaron hasta 1975.

A mediados de la década de 1980, de regreso en Londres, Rego se forjó enseguida una reputación como artista. Sus cuadros eran, en general, a gran escala y pictoricistas, casi dibujos realizados con pincel. A menudo representaban imágenes arriesgadas que, en la posguerra, unían a la perfección la pintura de Estados Unidos y Europa. Sin embargo, a finales de aquella década su obra fue cambiando, y poco antes de la muerte de su marido empezó a abandonar su estilo internacional y libre por otro tipo de imagen más impregnada de seriedad, puesta en escena e ilustrativa. *Las criadas* es una obra destacada de esta etapa. Con este nuevo estilo se trasladó a la Malborough Gallery, en Londres, donde exhibió por primera vez los cuadros que iban a hacerla famosa y fue preseleccionada para el premio Turner en 1989.

A medida que su carrera avanzaba y las situaciones que representaba en grabados y cuadros eran más desafiantes y siniestras, los medios que utilizaba para interpretar esos acontecimientos se volvieron más conservadores. También empezó a preferir los pasteles a los óleos. **SF**

Obras destacadas

Tríptico, 1998 (Abbot Hall Art Gallery, Kendal, Inglaterra)

Las criadas, 1987 (Saatchi Gallery, Londres)

La prueba, 1989 (Saatchi Gallery, Londres)

«Si introduces elementos aterradores en un cuadro, ya no puede hacerte daño.»

ARRIBA: Paula Rego en los South Bank Show Awards, Londres, 27 de enero de 2005.

ALFREDO ALCAÍN

Obras destacadas

Cézanne petit-point II, 1981 (Museo Nacional Centro de Arte Reina Sofía, Madrid)

Alfredo Alcaín Partearroyo, 1936 (Madrid, España).

Estilo: Pintor de pop art español, ilustrador y escultor; uso de un contorno fuerte negro y bloques de colores vivos uniformes con formas que se repiten; recurre a los patrones de los azulejos y cerámica tradicionales de Andalucía.

El pintor, ilustrador y escultor español Alfredo Alcaín estudió pintura en la Escuela de Bellas Artes de San Fernando de Madrid, y luego grabado y litografía en la Escuela Nacional de Artes Gráficas. Se convirtió en un miembro destacado del movimiento del pop art en España, con contemporáneos como Luis Gordillo y Eduardo Arroyo. Desde la década de 1980, sus obras destacan por el uso de un fuerte contorno negro y de bloques de colores vivos uniformes, con formas repetidas que parecen formar una imagen. Al parecer recurre a los patrones de los azulejos y la cerámica tradicionales de Andalucía. Con frecuencia incorpora materiales como la madera para potenciar el efecto tridimensional de sus lienzos. **CK**

ANTONIO LÓPEZ

Obras destacadas

La niña muerta, 1957 (Museum of Fine Arts, Boston)

Dos espaldas (Hombre y mujer), 1964 (Museum of Fine Arts, Boston)

Madrid visto desde Torres Blancas, 1976-1982 (colección particular)

Antonio López García, 6 de enero de 1936 (Tomelloso, Ciudad Real, España).

Estilo: Pintor y escultor hiperrealista de bodegones de interiores domésticos, paisajes urbanos y retratos; atención increíble al detalle; dominio del retrato de lo mundano.

En su representación de bodegones, Antonio López sigue la tradición de artistas como Juan Sánchez Cotán y Francisco de Zurbarán. Sin embargo, los temas son extraídos en gran parte de la vida doméstica contemporánea, desde neveras hasta los desechos de la vida cotidiana. Muestra cada imperfección y grieta, y puede tardar años en terminar una obra. Tras licenciarse en la Escuela de Bellas Artes de Madrid, al principio adoptó un estilo surrealista y realista mágico de pintura antes de interesarse, a finales de la década de 1950, por los detalles del mundo físico. En el decenio siguiente pintó paisajes urbanos de Madrid, incluidas torres y autopistas, con lo que confirmó su capacidad para crear belleza a partir de vistas cotidianas. **CK**

JANNIS KOUNELLIS

Jannis Kounellis, 23 de marzo de 1936 (El Pireo, Grecia).

Estilo: Miembro del movimiento del arte povera; instalaciones compuestas por materiales poco ortodoxos; obras que incorporan animales vivos, incluidos caballos y loros, y elementos como llamas de gas encendidas.

«Deseo el regreso de la poesía con todos los medios», dijo Jannis Kounellis en 1987, una afirmación ilustrativa no solo de su obra, sino del movimiento del cual su nombre y sus logros se han vuelto sinónimos. El arte povera (que significa «arte pobre») fue un movimiento que se consolidó en Italia durante la década de 1960, mientras él estudiaba allí.

A pesar de que Kounellis nació en Grecia, se trasladó a Roma a los 20 años para estudiar en la Accademia di Belli Arti. Su primera exposición individual tuvo lugar en la Galleria Arco d'Alibert de Roma en 1964. Desde el principio su obra mostró una voluntad de aglutinar materiales diversos con un componente vivo. Por ejemplo, para su exposición de 1967 en la Galleria Attico, su instalación incorporaba una serie de jaulas que contenían pájaros vivos. Esta dimensión viva también ha tomado la forma de bastidor de hierro de una cama con una llama encendida adjunta a él en su *Sin título* (1969) y una violonchelista tocando un fragmento de *La pasión según san Juan* de Johann Sebastian Bach en *Sin título* (1971). Tal vez una de las piezas más significativas de este período es *Sin título (Doce caballos)* (1969; doce caballos instalados en un garaje subterráneo de Roma). Además de los vínculos obvios con la historia del arte renacentista, en concreto el lenguaje escultórico de la estatua ecuestre, esta pieza era un intento de burlar la obra de arte estática y comercializable a favor de un acontecimiento más contingente basado en el arte. En la actualidad, Kounellis sigue utilizando diversos materiales, aunque varios motivos, entre ellos el uso de una llama encendida, se repiten. Del mismo modo que el alquimista desea convertir un material básico en oro, el artista ha intentado en repetidas ocasiones imbuir una serie de materiales y objetos con unas asociaciones y resonancias que trascienden el ámbito de lo cotidiano. **CS**

Obras destacadas

Sin título (Doce caballos), 1969 (Musée National d'Art Moderne, Centre Pompidou, París)

Sin título, 1984-1987 (Art Gallery of New South Wales, Sidney)

1930–39

«Uno debe tener en cuenta que la galería es una cavidad dramática, teatral [...]»

ARRIBA: El griego Jannis Kounellis, miembro del movimiento del arte povera.

LUCAS SAMARAS

Lucas Samaras, 14 de septiembre de 1936 (Kastoria, Grecia).

Estilo: Cajas y objetos puntiagudos ensamblados; transformaciones de muebles y habitaciones; espacios con espejos; autorretratos fotográficos manipulados; acrílicos y pasteles vivos.

Obras destacadas

Libro #4 (El infierno de Dante), 1962 (Museum of Modern Art, Nueva York)

Sin título Caja nº 3, 1963 (Whitney Museum of American Art, Nueva York)

«Auto Polaroid», 1969-1971 (Museum of Modern Art, Nueva York)

La infancia de Lucas Samaras en Grecia durante la Segunda Guerra Mundial y la posterior guerra civil tuvo gran impacto en su elección de los materiales y las técnicas artísticas. Su tía era modista, y Samaras jugaba a menudo en su taller, donde construía juguetes con lo que encontraba. En 1948 su familia se trasladó a Estados Unidos y se instaló en Nueva Jersey. En 1955 Samaras se convirtió en ciudadano estadounidense; se especializó en arte en el Rutgers University College of Arts and Sciences, donde conoció a George Segal, Robert Whitman y Allan Kaprow. Expuso sus primeras pinturas y pasteles en la Reuben Gallery y fue un asiduo participante de happenings y películas de vanguardia en la década de 1960.

En la primavera de 1960 el artista empezó a usar materiales encontrados, así como a ensamblar cajas y pequeños objetos fetichistas, como agujas, uñas, vasos rotos y cuchillas de afeitar adornados con plumas, papel de aluminio, bombillas y espejos, además de fotografías de sí mismo.

El autorretrato aparece en la mayor parte de su obra. Cuando se trasladó a Manhattan en 1964, Samaras instaló una recreación de su dormitorio de Nueva Jersey en la Green Gallery, repleta de sus objetos personales y obras de arte, convirtiendo un espacio privado en una obra de arte pública. En 1966 realizó una segunda instalación de una habitación, con las paredes cubiertas de azulejos de espejo, que creaban una repetición infinita de quienquiera que entrase. El artista empleó varios medios para seguir investigando la idea del yo a partir de la década de 1970, incluido el pastel, el acrílico, la tela, el cine y la fotografía, creando imágenes coloridas en las que su cuerpo se transforma y fragmenta, así como retratos contundentes de amigos. Últimamente ha integrado las posibilidades de la era digital. **LB**

«Voy a tiendas [...] de trastos viejos [...] y busco objetos que pueda utilizar.»

ARRIBA: Lucas Samaras explora la idea del yo en sus imágenes coloridas y diversas.

1930–39

FRANK STELLA

Frank Stella, 12 de mayo de 1936 (Malden, Massachusetts, EE.UU.).

Estilo: Pintor abstracto; abarca desde lo sistemático hasta lo lírico; uso innovador de los materiales; atrevidas afirmaciones inteligentes sobre la pintura en forma pictórica; siempre experimental.

La singular carrera de Frank Stella empezó con las «Pinturas negras» (1958-1960). Purgando de forma deliberada de sus lienzos los gestos discernibles, la ilusión y todo significante de expresión identificable, al parecer logró cumplir su máxima de 1964: «Lo que ves es lo que ves». El espectador ya no podía recurrir a ninguno de los medios tradicionales gracias a los cuales se entendía la pintura. Llegados a este extremo, incluso el espacio superficial del cubismo y el expresionismo abstracto había sido exprimido.

Tras haber adoptado una postura tan extrema, Stella desarrolló el lenguaje visual por el cual se concibieron sus cuadros. Con la introducción de color y una serie de patrones cada vez más elaborados que a menudo resaltaban gracias a la forma real del bastidor del lienzo que corresponde directamente al diseño geométrico de un cuadro en concreto, el desarrollo de un lenguaje más rico brindaba al artista posibilidades distintas. Durante la primera mitad de la década de 1960, Stella exploró una serie de permutaciones que se presentaron por primera vez en el conjunto de cuadros que siguió a la serie «La raya negra» (1967). Hacia la segunda mitad de la década, su *Polígono irregular* (1965-1967) fue significativo porque era la primera vez que Stella incluía grandes extensiones de color sin modular en su diseño global. En esa época se embarcó en lo que resultó ser una relación de toda una vida con el grabado. La naturaleza de su empresa quedó más patente en la década de 1970, cuando introdujo el relieve en lo que seguían siendo, de hecho, cuadros estáticos.

Al aumentar la escala y la gama cromática de su paleta, su obra se ha vuelto cada vez más exuberante, experimental y juguetona. El único rasgo constante de la ecléctica carrera de Stella es la carga que ha puesto en la experimentación. **CS**

Obras destacadas

El matrimonio de la razón y la miseria II (Serie «Pinturas negras»), 1959 (Museum of Modern Art, Nueva York)

Unión III (Series «Polígonos irregulares»), 1966 (Museum of Contemporary Art, Los Ángeles)

1930–39

«Los cuadros se han vuelto esculturales puesto que las formas se fueron complicando.»

ARRIBA: Pintor abstracto estadounidense, Frank Stella experimenta constantemente en su obra.

PATRICK CAULFIELD

Patrick Caulfield, 29 de enero de 1936 (Londres, Inglaterra); 29 de septiembre de 2005 (Londres, Inglaterra).

Estilo: Pintor de pop art británico y grabador; bodegones e interiores austeros; zonas planas de colores cálidos y brillantes rodeadas de contornos negros.

Obras destacadas.

Servilletas y cebollas, 1972
  (Alan Cristea Gallery, Londres)
Después del almuerzo, 1975
  (Tate Collection, Londres)
Interior con un cuadro, 1985-1986
  (Tate Collection, Londres)

1930–39

«Uno de los creadores [...] más originales de su generación.» Nicholas Serota

ARRIBA: Patrick Caulfield, fotografiado con parte de su obra en 1995.

DERECHA: Una de las serigrafías características de Caulfield, *Servilletas y cebollas* (1972).

Quizá el pintor británico más subestimado internacionalmente del siglo xx, Patrick Caulfield estudió en la Chelsea School of Art de Londres a finales de la década de 1950, y entre 1960 y 1963 en el Royal College of Art con David Hockney, Alan Jones y R. B. Kitaj.

Al igual que los cuadros que pintaba, Caulfield era de espíritu cálido, estaba bien informado y, por encima de todo, era listo. En el núcleo de su obra siempre había un sencillo contorno negro que servía a la vez para definir una forma y separar zonas de colores cálidos mezclados con cuidado. Como pintor estaba claramente influido por Fernand Léger y Juan Gris, y como profesor es evidente que tanto Michael Craig-Martin como Julian Opie aprendieron de su trabajo.

A mediados de la década de 1970 estaba reconociendo el posmodernismo e incluyendo —a modo de diversión— elementos pintados fotográficamente «reales» como parte de su mundo por otra parte diagramático, como se demuestra en *Después del almuerzo* (1975) e *Interior con un cuadro* (1985-1986).

En 1987 fue nominado para el premio Turner. En mayo de 1993 fue elegido miembro de la Royal Academy, y en 1996 se le otorgó el título de comandante del Imperio británico. Una de sus últimas obras fue esencial para sus intereses, aunque atípica dentro de su producción. Se trata de un esquema decorativo realizado en la sala de los académicos de la Burlington House de Londres, la sede de la Royal Academy. Las paredes estaban pintadas de esmalte negro y rojo para que se asemejara a un burdel del norte de África, y el mobiliario es modernista de piel negra y cromo. No hay cuadros, solo un espejo y una bonita alfombra tejida según un diseño suyo, con una imagen monocromática de un pato de perfil sentado sobre su propio reflejo distorsionado por el agua. **SF**

EVA HESSE

Eva Hesse, 11 de enero de 1936 (Hamburgo, Alemania); 29 de mayo de 1970 (Nueva York, EE.UU.).

Estilo: Escultora posminimalista y artista de instalaciones; imaginería sexual; exploración de lo industrial frente a lo artesanal, y del caos frente al orden.

Obras destacadas

Ringaround Arosie, 1965 (Museum of Modern Art, Nueva York)

Manzanas de mañana (5 en blanco), 1965 (Tate Collection, Londres)

Repetición diecinueve I, 1967-1968 (Museum of Modern Art, Nueva York)

«La vida no dura, el arte no perdura, no importa [...] creo que es un conflicto tanto artístico como vital», dijo Eva Hesse en 1970 acerca de sus esculturas de látex. Sabía que su obra frágil se degradaría con el tiempo, así que, en esencia, el coleccionista se quedaría sin nada. Así, planteaba la idea del valor de una obra de arte realizada con materiales no convencionales. También sabía que la vida era corta, ya que le habían diagnosticado un tumor cerebral en 1969, y murió al cabo de un año.

La brevedad de la vida era algo de lo que Hesse tenía una clara conciencia, ya que su familia judía huyó de la Alemania nazi en 1939. Su madre, traumatizada por su vida en el exilio, se suicidó cuando Hesse tenía solo diez años. Aun así, la preocupación de la artista por utilizar materiales industriales para crear su arte no era solo una investigación de la existencia fugaz de lo material, en un principio surgió porque su primer estudio en la década de 1960 fue una fábrica abandonada, donde empezó a crear su obra a partir de material que encontraba en los almacenes abandonados de los alrededores.

Su obra no trataba únicamente la transitoriedad ni la fina línea entre algo y nada. Esa era solo una de las contradicciones que investigaba, a menudo con un sentido del humor absurdo, utilizando materiales como cuerda, globos, tornillos y ruedas dentadas para crear esculturas con un toque erótico. Se centraba en la naturaleza de la belleza estética intentando evitar crear lo bello; en el proceso industrial frente al artesanal, ya que creaba arte a partir de materiales industriales; y en el caos frente al orden, ya que unía lo que en apariencia era dispar para crear obras de una precisión cuadrada. Tal vez su último legado sea su capacidad de revelar que lo que constituye el arte está en su creación. **CK**

> «El absurdo es la palabra clave. Tiene que ver con contradicciones y oposiciones.»

ARRIBA: Eva Hesse, fotografiada en el punto álgido de su carrera.

EDUARDO ARROYO

Eduardo Arroyo, 26 de febrero de 1937 (Madrid, España).

Estilo: Pintor, escritor, caricaturista y escenógrafo; adscrito al figurativismo y a las técnicas propias del pop art; temáticas críticas y provocativas; actitud desafiante ante las modas pictóricas.

Obras destacadas

Serie «El fin trágico de Marcel Duchamp», 1965 (Instituto Valenciano de Arte Moderno, IVAM, Valencia)

Caballero español, 1970 (Centre Georges Pompidou, París)

Faust, 1976 (colección particular)

Anónimo en España al revés, 2006 (Instituto Valenciano de Arte Moderno, IVAM, Valencia)

Representante de la «figuración crítica», Arroyo se ha alineado siempre con las posturas más intransigentes hacia las dictaduras. Ha utilizado la pintura como un medio para desmitificar a los artistas consagrados, mediante un enfoque realista e irónico, como en la serie «El fin trágico de Marcel Duchamp» (1965). Su obra es un instrumento de denuncia y ridiculización de los valores tradicionales del hispanismo (*Caballero español*, 1970), una postura que le llevó a exiliarse en París durante el franquismo. En las últimas décadas, su estilo se ha centrado en la combinación de grandes superficies de cromatismo plano, con un aparente decorativismo cercano al mundo de la ilustración, en litografías (*Faust,* 1976), o en lienzos como *Anónimo en España al revés* (2006). **FA**

PETER CAMPUS

Peter Campus, 1937 (Manhattan, Nueva York, EE.UU.).

Estilo: Pionero videoartista estadounidense que crea instalaciones de circuito cerrado, fotografía e imágenes basadas en ordenadores para explorar el vídeo en relación con la percepción humana.

Obras destacadas

Tres transiciones, 1973 (Museum of Modern Art, Nueva York)

El viejo, 2004 (vídeo digital)

Videoartista original e influyente, Peter Campus fomentó el uso del videoarte hasta su máximo potencial. Su obra incluye instalaciones de circuito cerrado, fotografías e imágenes de base informática a través de las cuales estudia la anatomía de la señal de vídeo en relación con la percepción humana. A mediados de la década de 1970 formaba parte de un grupo de artistas que producían obras en televisión experimental en WGBH-TV en Boston y WNET/Thirteen en Nueva York. En una serie de vídeos (1971-1976), identificaba los límites técnicos y simbólicos del medio como una metáfora del yo. *Tres transiciones* (1973) es quizá su obra más importante, en la que emplea procesadores Chroma Key y mezcladores de vídeo para crear una composición innovadora. **KO**

DAVID HOCKNEY

David Hockney, 9 de julio de 1937 (Bradford, Yorkshire, Inglaterra).

Estilo: Artista pop; pintor, fotógrafo, grabador, ilustrador y diseñador de escenografía; retratos, paisajes panorámicos y escenas de piscinas; fotomontaje; temas de relaciones y homosexualidad.

Obras destacadas

La gran zambullida, 1967 (Tate Collection, Londres)

Mr. and Mrs. Clark and Percy, 1970-1971 (Tate Collection, Londres)

40 instantáneas de mi casa, agosto de 1990, 1990 (Tate Collection, Londres)

La fama de David Hockney empezó en los «acelerados años sesenta», cuando se encontraba en el centro del movimiento del pop art británico junto con artistas como Peter Blake. El hecho de que parte de su obra tratara abiertamente temas homosexuales contribuyó a su temprana fama.

Hockney no ha dejado de reinventarse: fotógrafo, grabador, ilustrador y escenógrafo. Sin embargo, sus cuadros de piscinas y apartamentos de Los Ángeles, junto con sus numerosos retratos, a menudo de la familia y amigos, son los más conocidos. *La gran zambullida* (1967), uno de sus primeros cuadros de piscina de Los Ángeles, sugiere riqueza y glamour donde la presencia humana se limita a una salpicadura en la piscina. Después de que se trasladara a California, sus lienzos se llenaron de colores vivos, palmeras, chicos jóvenes en forma y una insinuación de sensualidad y decadencia relajada.

El más famoso de sus retratos es *Mr. and Mrs. Clark and Percy* (1970-1971). Hockney ha pintado muchos retratos dobles, que le brindan la oportunidad de utilizar el lienzo para retratar con

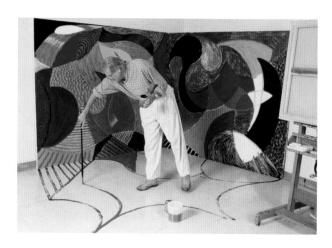

ARRIBA: David Hockney, fotografiado en París en 1991.

DERECHA: David Hockney trabajando en una obra característica, colorida y llamativa.

sutileza no solo el parecido entre los modelos, sino también sus relaciones. Los epónimos Mr. y Mrs. Clark son el diseñador de moda Ossie Clark y su esposa, la diseñadora textil Celia Birtwell, con su gato, Percy, rodeado de la sofisticación minimalista de un apartamento de la década de 1970. La quietud de la pintura hace que los espectadores se pregunten por su vida, ya que el artista les exige que aporten su propio relato. El artista experimenta con la forma y los medios: eso incluye grabados para obras literarias como *Progreso de un rastrillo* (1961), escenografías para ballets y óperas, entre ellas *La flauta mágica* (1971) para la Metropolitan Opera de Nueva York en 1978, y hace incursiones en el fotomontaje cubista. Su capacidad para la observación directa —o «mirar de arriba abajo», como lo llama él— es, sin embargo, su mayor talento, y le ha llevado a su continua investigación del retrato y el paisaje, obras que aguantarán el paso del tiempo. **CK**

ARRIBA: *Mr. and Mrs. Clark and Percy* muestra una preocupación por la calidad de la luz.

1930–39

Atención a la fotografía

La fotografía digital ha llevado a David Hockney a declarar que el arte de la fotografía estaba muerto, pero a finales de la década 1970 y principios de la siguiente el artista se concentró en la fotografía por encima de la pintura. Realizó varias series de fotomontajes de Polaroids, captando paisajes desde distintos ángulos y en diferentes momentos. Luego unía las fotografías para crear imágenes compuestas que revelaban su movimiento a través del tiempo y el espacio. Los resultados reflejaban una influencia evidente de la etapa cubista de su héroe Pablo Picasso.

ED RUSCHA

Edward Joseph Ruscha IV, 16 de diciembre de 1937 (Omaha, Nebraska, EE.UU.).

Estilo: Palabras y texto pintados sobre fondos; exploración de la luz y el paisaje; iconografía de Los Ángeles; interés por el diseño gráfico; cualidades cinemáticas y comerciales.

Obras destacadas

Trademark #5, 1962 (Tate Collection, Londres)

Oof, 1962-1963 (Museum of Modern Art, Nueva York)

The End #1, 1993 (Tate Collection, Londres)

Tras estudiar en el California Institute of the Arts, Ed Ruscha inició su carrera como diseñador para la agencia de publicidad Carson-Roberts de Los Ángeles. Su estética puramente californiana está impregnada de la cultura del automóvil y la publicidad en papel. En la década de 1960 pintó gasolineras de Standard Gas, donde los comentarios sobre la infinita repetición de los hitos más comunes se infiltraban en el paisaje. También realizó una serie de fotografías que documentaban edificios anónimos de Los Ángeles en el Sunset Strip, una afirmación parecida que rechazaba los principios convencionales de las bellas artes.

Mediante la documentación de estructuras genéricas fabricadas, Ruscha renunciaba a la composición tradicional a cambio de la lógica de la producción en masa. Se asoció con el grupo progresivo de la Ferus Gallery y fue incluido en la exposición fundamental de pop art *Nueva pintura de objetos comunes* (1962) en el Pasadena Art Museum.

Su bagaje de diseño gráfico está presente en sus obras, que dependen del uso literal del lenguaje. Ruscha es conocido por los cuadros con una palabra o frase breve en primer plano. Su banco de textos, escogidos de fuentes diversas, incluye palabras singulares como «SPAM», tal como se utiliza en *Actual Size* (1962), o citas de William Shakespeare como «Las palabras sin pensamiento nunca al cielo llegan». La gran estima que tiene por la paleta y la tipografía es evidente en todo su trabajo. A lo largo de su carrera ha seguido experimentando con el lenguaje, la luz y el paisaje. El repertorio de Ruscha incluye imágenes de paisajes urbanos de Los Ángeles, majestuosas cordilleras y siluetas siniestras de barcos en el mar. Su obra encarna la irreverencia asociada al pop art y defiende una estética mecánica y procesada. **MG**

> «El verdadero paisaje de nuestra época es una cinta mezclada de señales, símbolos y manchas.»

ARRIBA: Ed Ruscha, relajándose en su estudio de Los Ángeles en 2005.

HÉLIO OITICICA

Hélio Oiticica, 26 de julio de 1937 (Río de Janeiro, Brasil); 22 de marzo de 1980 (Río de Janeiro, Brasil).

Estilo: Pintor, escultor y artista de performances muy interesado en experimentar con el color; obras interactivas inspiradas en la contracultura de su época.

Padre del tropicalismo, Hélio Oiticica es hoy en día cada vez más reconocido como uno de los mayores innovadores artísticos del siglo xx. Sus cuadros, esculturas y performances interactivas y participativas cubren el hueco entre la tradición modernista europea, el crecimiento de una vanguardia brasileña y la escena del arte contemporáneo internacional. Oiticica nació en Río de Janeiro y se hizo artista en una época próspera y optimista en Brasil, cuando muchas actividades culturales nacionales, como la primera Bienal de São Paulo y una serie de proyectos arquitectónicos, lograron gran proyección internacional. Participó en el Grupo Frente, una asociación de artistas radicales influidos por las obras abstractas y modernistas, en el uso del color y las formas geométricas de artistas como Piet Mondrian y Paul Klee.

En 1959, junto con Amílcar de Castro, Lygia Clark y Franz Weissmann, fundó el Grupo Neoconcreto, activo hasta 1961. En aquella época, Oiticica realizaba construcciones de madera pintadas de rojo y amarillo, que permitían que el color se liberara del plano pictórico bidimensional. Sus siguientes proyectos fueron la serie «Núcleos» (1960), construcciones laberínticas colgantes, sencillas y arquitectónicas, decoradas con colores relacionados y en ocasiones con espejos, y «Penetrávels» (1960-1979), ambientes cerrados que buscan la estimulación sensorial.

El interés de Oiticica por el color tridimensional culminó en su serie «Bólidos» (1963-1964), de pequeñas cajas de madera, y «Parangolés» (1964-1965), capas de colores llamativos inspiradas en la samba y diseñadas para llevarlas mientras se interpreta y baila la samba tradicional. Su obra más famosa es el «Penetrável» *Tropicália* (1967), cuyo título inspiró el nombre del movimiento interdisciplinar de contracultura contra la dictadura militar en Brasil. **LNF**

Obras destacadas

Núcleo grande, 1960-1966 (colección César & Claudio Oiticica, Río de Janeiro)

PO 7/ Parangolé Cape 04 Clark, 1964-1965 (colección César & Claudio Oiticica, Río de Janeiro)

Tropicália, Penetrávels PN 2 «La Pureza es un mito» y PN3 «Imagético», 1966-1967 (Tate Collection, Londres)

> «Cualquier conformidad, intelectual, social o existencial, es contraria a [tropicália].»

ARRIBA: Oiticica, retratado en Río de Janeiro en 1970 por un fotógrafo desconocido.

GEORG BASELITZ

Hans-Georg Kern, 23 de enero de 1938 (Deutschbaselitz, Sajonia, Alemania).

Estilo: Pintor, dibujante, grabador y escultor; cuadros de figuras al revés; cuadros figurativos neoexpresionistas de campesinos rebeldes heroicos; esculturas de madera.

Obras destacadas

Sin título (Sexo con pelotas de carne), 1963 (Art Institute of Chicago, Chicago)

Desnudo («Pintura con los dedos»), 1972 (Stedelijk Museum, Amsterdam)

La lamentación, 1983 (Museum of Fine Arts, Houston)

Nacido Hans-Georg Kern, el artista adoptó el seudónimo Georg Baselitz como homenaje a su ciudad natal. En 1956 se trasladó a Alemania Oriental, y en 1963 realizó su primera exposición individual en la Gallerie Werner & Katz de Berlín Este, que provocó un escándalo público cuando dos de los cuadros fueron requisados por las autoridades supuestamente «por motivos de decencia pública»; en *La gran noche en la alcantarilla* (1962-1963), aparece un chico masturbándose.

En 1965 Baselitz residió durante seis meses en Florencia, Italia —desde entonces volvió a Italia varias veces—. Durante aquella época empezó a pintar personas y objetos del revés. Insistió en este tema del desorden, como se puede observar en *La lamentación* (1983), pintado casi dos décadas después de su primer viaje a tierras italianas. Baselitz explicó su decisión: «La realidad es el cuadro, con toda seguridad no está en el cuadro».

Tras un inicio difícil y controvertido, la reputación de Baselitz y el reconocimiento internacional de su obra ha ido aumentando de forma constante. En 1975 participó en la Bienal de São Paulo, y en 1980 representó a Alemania en la Bienal de Venecia. En 1995 protagonizó su primera gran retrospectiva en Estados Unidos, y sus obras se expusieron en galerías de Nueva York, Washington y Los Ángeles. En 1997 se publicó en Italia un estudio exhaustivo sobre su obra. En 2004 ganó el Premio Imperial en Tokio. En 2007 la Royal Academy of Arts de Londres organizó la exposición *Georg Baselitz: una retrospectiva*. Al intentar resumir qué tiene de especial este artista, Jill Lloyd, del *Royal Academy Magazine,* escribió: «Baselitz posee una extraña capacidad de retratar imágenes sorprendentes, impactantes, incluso feas, en cuadros de una gran ternura y belleza». **HP**

«El artista no es responsable de nadie. Su función social es asocial.»

ARRIBA: Georg Baselitz, fotografiado en 1999, durante su época de apogeo.

1930-39

DANIEL BUREN

Daniel Buren, 25 de marzo de 1938 (Boulogne-Billancourt, Francia).

Estilo: Artista conceptual controvertido que utiliza rayas para redefinir el espacio desde 1965; obras *in situ* que crean instalaciones y ambientes específicos para ese lugar; ganó el León de Oro en la Bienal de Venecia en 1986.

Daniel Buren cree que los detalles biográficos desmerecen la naturaleza de su obra. Sin embargo, sabemos que nació en Boulogne-Billancourt, un suburbio de París, en 1938, y que se licenció en la parisina École Nationale Supérieure d'Arts et Métiers en 1960. Su descubrimiento, transcurridos cinco años, de un trozo de toldo a rayas en un mercado textil de París fue un incidente casual pero fortuito que le permitió prescindir de las ideas tradicionales sobre la pintura. Desde 1965 la pintura se ha convertido en el único motivo de su obra. Eliminó la necesidad de representación y se convirtió, para el artista, en un mecanismo a través del cual reconocer, ordenar y experimentar la realidad y el espacio. Sus rayas mínimas, que rara vez se desvían de la anchura de 8,7 cm, siempre son blancas alternadas con un color.

En sus primeros proyectos, Buren empleaba tácticas de guerrilla para apartar la obra de arte del escenario convencional de la galería de arte. En 1968, por ejemplo, pegó más de doscientas hojas de rayas verdes y blancas en vallas publicitarias por todo París. Así, el arte se integraba en el tejido de la ciudad y era intercambiable con la imaginería cotidiana. Al eliminar el marco de la galería, también pretendía cuestionar la validez de la institución.

El artista siempre ha trabajado *in situ,* se ha negado a tener un estudio, y sus instalaciones a menudo responden directamente al entorno en el que se hallan ubicadas. Ha colocado rayas en una gran variedad de soportes, desde columnas y letreros a peldaños y escaleras mecánicas. En *Toile/Voile Voile/Toile* (*Lienzo/Vela Vela/Lienzo*) (1975) reunió una regata de navegación en Wannsee, Berlín, donde cada barco mostraba una vela a rayas, una obra que desde entonces ha repetido en varios lugares. **LA**

Obras destacadas

Toile/Voile Voile/Toile (Lienzo/Vela Vela/Lienzo), 1975 (Collection M. y Mme. Selman Selvi, Ginebra)

Les deux plateaux (Los dos escenarios o Columnas de Buren), 1985-1986 (Palais Royal, París)

1930-39

«Rechazo el arte en general. Porque [...] te hace pensar a través de otra persona.»

ARRIBA: Buren en el plató del programa de televisión «Ce soir ou jamais» en 2007.

BRICE MARDEN

Brice Marden, 15 de octubre de 1938 (Bronxville, Nueva York, EE.UU.)

Estilo: Pinturas monocromáticas; uso destilado del color apagado; textiles; énfasis en las cualidades táctiles del cuadro y en la mano del artista; uso intuitivo de las líneas; serie relacionada de obras.

Obras destacadas

D'après la Marquise de la Solana, 1969 (Solomon R. Guggenheim Museum, Nueva York)

Grove IV, 1976 (Solomon R. Guggenheim Museum, Nueva York)

«Tienes que ser capaz de unir todo tipo de cosas en la mente, la imaginación.»

ARRIBA: Retrato de Brice Marden realizado en 2007 frente a una de sus obras de arte.

A lo largo de su carrera, que empezó en 1964, cuando creó su primera pintura monocromática, Brice Marden ha investigado el potencial expresivo de la pintura. Pese a que estilísticamente sus cuadros se relacionaron en un principio con la estética recortada y el rigor intelectual del minimalismo, las preocupaciones globales del artista siguen siendo peculiares. A diferencia de la defensa del minimalismo de objetos específicos, la propia indagación de Marden se ha orientado hacia la inclusión, más que la exclusión, del significado. En vez de describir de forma explícita un estado de ánimo o sentimiento a través de imágenes o motivos reconocibles, la resonancia emocional de sus obras se logra mediante la destilación de los elementos básicos de la pintura: superficie, escala, gesto y color. Dichos objetivos se hacen patentes en *Le Mien* (1972): sus cuatro paneles de lienzo de óleo y cera de abeja funcionan como una meditación sobre lo que podría considerarse la esencia de la pintura.

A mediados de la década de 1980, la carrera de Marden dio un vuelco definitivo, cuando introdujo una serie de líneas intuitivas y orgánicas en lo que antes eran extensiones monocromáticas de color apagado. Esta dimensión caligráfica, en parte surgida de una visita del artista a Tailandia, hizo que la serie «Montaña fría» (1988-1991) pareciera más próxima en espíritu al expresionismo abstracto y la intrincada tracería de líneas que se convirtió en un rasgo reconocible de las pinturas de Jackson Pollock durante varios años. En obras que en un principio podrían interpretarse como meros ejercicios formales sobre la gramática y la sintaxis de la pintura, al inspeccionarlas con más detalle trascienden sus materiales básicos con una alusión sutil y una invocación de un estado del ser. **CS**

DAIDŌ MORIYAMA

Daidō Moriyama, 10 de octubre de 1938 (Osaka, Japón).

Estilo: Fotógrafo; enfoque espontáneo e instintivo; libros y grabados arenosos y borrosos en blanco y negro de temas urbanos; temas de la industrialización de la posguerra.

Daidō Moriyama estudió fotografía en Osaka, centro financiero de la región Osaka-Kobe-Kioto y próspera metrópolis portuaria en crecimiento en la desembocadura del Yodo. Con veinte y tantos años realizó fotografías de Tokio al inicio de un período de crecimiento intenso y acelerado como centro económico e industrial más destacado de Japón. Antes de hacerse autónomo en 1963, Moriyama trabajó para el eminente fotógrafo y cineasta experimental Eikoh Hosoe. Aparte de este último, las principales influencias del joven Moriyama fueron la obra de artistas como Andy Warhol y William Klein, y la escritura del novelista Yukio Mishima.

A través de sus fotografías, la ciudad queda fija en un momento de tránsito, y se aleja de los valores tradicionales anteriores a la guerra a favor de ideas más dinámicas en sintonía con su hipercapitalismo industrial. Sus instantáneas en blanco y negro, con una cámara manual de 35 mm, captan la nostalgia sintomática y las emociones de un Japón más antiguo y su estilo de vida tradicional. Al mismo tiempo, Moriyama reubica con rotundidad esos sentimientos clásicos como parte de un presente más sombrío y descarnado.

La producción posterior de este artista incluye fotografías de Polaroid y en color. Aun así, toda su obra sugiere un método objetivo e instintivo de relacionarse con el mundo, un método de fijar de forma mecánica una serie de encuentros dentro de un entorno que al parecer se opone a él. Los libros e impresiones de Moriyama son indicativos de un enfoque rápido, granulado y borroso de la belleza. Su producción técnica reproduce con aspereza la superficie urbana, al tiempo que le permite convertirse en telón de fondo conmovedor para el lirismo desnudo y la baja intensidad de la vida cotidiana que lo rodea. **EL**

Obras destacadas

Perro callejero, Misawa, 1971 (San Francisco Museum of Modern Art, San Francisco)
Karuido (Cazador) Yokosuka, 1972

1930–39

«Igual que las personas, las ciudades tienen sueños y recuerdos.»

ARRIBA: Daidō Moriyama ofrece una nueva perspectiva de objetos y paisajes familiares.

ROBERT SMITHSON

Robert Smithson, 2 de enero de 1938 (Passaic, Nueva Jersey, EE.UU.); 20 de julio de 1973 (Amarillo, Texas, EE.UU.)

Estilo: Formas esculturales a menudo ejecutadas a escala monumental; uso de materiales y procesos naturales; obra pensada para ser experimentada físicamente.

Obras destacadas

Ithaca Mirror Trail, Ithaca, New York, 1969
(Tate Collection, Londres)
Yucatan Mirror Displacements (1-9), 1969
(Guggenheim Museum, Nueva York)
Spiral Jetty (Muelle en espiral), abril 1970
(Rozel Point, Gran Lago Salado, EE.UU.)

«Una obra de arte [...] es una galería [...] acaba [...] desconectada del mundo exterior.»

ARRIBA: Robert Smithson, en 1969.

DERECHA: Tras pasar un tiempo sumergida, una sequía ha devuelto a la superficie el *Muelle en espiral.*

Robert Smithson fue tal vez el portavoz que más se hizo oír del movimiento land art. A pesar de su prematura muerte trágica, en un accidente de avión cuando tenía treinta y cinco años, la influencia de este artista fue tal que es conocido como uno de los responsables de sacar la obra de arte del espacio de una galería para trasladarla al mundo en toda su extensión.

Como muchos de sus colegas, Smithson empezó su carrera trabajando como pintor. Sin embargo, a mediados de la década de 1960 ya había cambiado de rumbo y empleaba sus energías en crear una forma más relacionada con la escultura de la práctica artística. Sus obras de esa época empleaban el lenguaje minimalista. Al igual que otros artistas relacionados con el land art, creaba objetos tridimensionales que a menudo eran consecutivos a la naturaleza.

Durante la segunda mitad de la década de 1960, Smithson empezó a crear y ubicar obras de arte al aire libre. Dichas creaciones a una escala relativamente pequeña incluían a menudo espejos, cuyos reflejos creaban un desplazamiento aparente del espacio. A partir de entonces, su obra se volvió más ambiciosa, y hacia la segunda mitad de los años sesenta Smithson fue responsable de una serie de «obras terrestres». La más famosa es *Muelle en espiral* (1970), espiral de 457 m de longitud y 4,6 m de anchura, de roca de basalto negro, cristales de sal y lodo, que sale de Rozel Point para extenderse por el Gran Lago Salado, en Utah. Dicha obra está concebida —además de para simplemente ser observada— para caminar sobre ella y ser experimentada físicamente durante un tiempo. Esta «obra terrestre», que sigue existiendo, constituye una prueba de las ambiciones del artista y su aportación única a lo que, a juicio de un crítico, fue «escultura en un terreno extendido». **CS**

JUDY CHICAGO

Judy Cohen, 20 de julio de 1939 (Chicago, Illinois, EE.UU.).

Estilo: Exploración de cuestiones feministas; obras en medios como el punto tradicionalmente considerado femenino pero ejecutadas con un estilo inesperado; genitales femeninos como motivo artístico.

Obras destacadas

Menstruation Bathroom (El baño de la menstruación), 1972

The Dinner Party (El convite), 1974-1979 (Elisabeth A. Sackler Center for Feminist Art, Brooklyn Museum, Nueva York)

«Proyecto Nacimiento», 1980-1985 (varias ubicaciones)

«Proyecto Holocausto», 1985-1993

Judy Chicago es una de las figuras más destacadas en el desarrollo del arte feminista. Estudió pintura y escultura en la Universidad de California, Los Ángeles, y luego diversificó su formación al realizar un curso en una escuela de reparación de automóviles para aprender a pintar con spray, estudiar el arte de la construcción de barcos y llevar a cabo prácticas con un pirotécnico. Sus primeras obras, gran parte de las cuales impregnadas de sus recién adquiridas técnicas de trabajo, eran de estilo formal y minimalista, y estaban en la línea de la de sus coetáneos masculinos.

A finales de la década de 1960, Chicago fue mostrando un creciente interés por el movimiento feminista y quiso explorar su concepción de la feminidad y la condición de mujer. El resultado fueron sus imágenes más famosas. Gran parte de su arte feminista se preocupa por elevar y legitimar actividades tradicionalmente femeninas, como tejer, e introducir mujeres artistas y un punto de vista femenino en lo que ella consideraba una historia del arte orientada al hombre.

A principios de los años setenta, aparte de enseñar su programa de arte feminista en dos universidades californianas, empezó a crear obras con imágenes de flores. La artista considera que las flores son un símbolo de la feminidad y la esencia femenina, y que las mujeres se definen y están unidas por sus órganos sexuales. Su controvertida *El convite* (1979) es un homenaje a la historia feminista que celebra las actividades tradicionales de la mujer. Incluye vajillas de platos de cerámica simbólicos para 39 invitadas de honor, entre ellas Georgia O'Keefe. Esta colosal obra llamó la atención del público hacia Chicago. Desde entonces ha seguido creando arte y promoviendo sus preocupaciones feministas y políticas, pero es conocida por las obras singulares que creó en la década de 1970. **WD**

«Quería aspirar a [...] un arte que pudiera revelar [...] mis valores y mi punto de vista como mujer.»

ARRIBA: Judy Chicago posa para este retrato realizado hacia 1975.

1930–39

CAROLEE SCHNEEMANN

Carolee Schneemann, 12 de octubre de 1939 (Fox Chase, Pensilvania, EE.UU.).

Estilo: Artista de performance; lucha con los tabúes culturales y la política sexual por medio del cine, la instalación, la pintura, la performance y el vídeo; el cuerpo y la sexualidad como tema.

La importancia de Carolee Schneemann en el mundo del arte corporal feminista es indiscutible. Pintora, artista de performance, escritora y cineasta, a menudo combina diferentes aspectos de su práctica en su obra, que trata el cuerpo, la sexualidad y el género. También es profesora y ha influido en una nueva generación de artistas.

Con frecuencia se comparan las pinturas de Schneemann durante la década de 1950 con las de Robert Rauschenberg, quien también se involucró en la performance con el Judson Dance Theater. Schneemann aparecía como la Olympia de Édouard Manet en *Site* (1964), del escultor Robert Morris, un contraste con su propia obra de performance que empezó con *Alegría de la carne* (1964), un rito dionisíaco donde aparecían cuerpos semidesnudos, despojos, carne de pollo, pescado y pintura acompañados del ruido de las calles parisinas. Schneemann vio la necesidad de documentar su performance en la película *Más que carne* (1979), que le llevó a un interés por utilizar el cine en sí mismo. Ha seguido dejando su huella como cineasta de vanguardia con películas como las eróticas *Fusibles* (1964-1967), *Línea de plomo* (1971) y *Estampida de vísperas a mi santa boca* (1992).

Probablemente su mejor obra es *Rollo interior* (1975), que se llevó a cabo por primera vez en Long Island. Su importancia reside en reunir cuerpo y texto. Su respuesta a la crítica de un estructuralista fue extraer texto de su vagina mientras posaba siguiendo la tradición académica del dibujo; la obra ha dado lugar a multitud de interpretaciones. Schneemann ha publicado varios libros, entre ellos *Cézanne, ella fue una gran pintora* (1974), y ha expuesto en grandes centros, incluido el Museo de Arte Contemporáneo de Los Ángeles, el MoMA de Nueva York y el Centro Pompidou de París. **WO**

Obras destacadas

Meat Joy (Alegría de la carne, perfomance),1964
Interior Scroll (Rollo interior, perfomance), 1975
Mortal Coils (instalación multimedia), 1994
Vulva's Morphia (mural de fotografías), 1995

«[Utilizo] el cuerpo desnudo [...] para erotizar mi cultura atormentada [...]»

ARRIBA: Detalle de una fotografía que realizó Christopher Felver a Carolee Schneemann.

RICHARD SERRA

Richard Serra, 2 de noviembre de 1939 (San Francisco, California, EE.UU.)

Estilo: Escultor; práctica basada en el material y el proceso; esculturas de plomo equilibradas y precarias; hojas de acero enrolladas, equilibradas físicamente y sobrecogedoras, que dominan a los espectadores participantes.

Obras destacadas

Hand Catching Lead (Mano cogiendo plomo), 1968 (Centre Pompidou, París)

Tilted Arc (Arco inclinado), 1981 (destruido)

Fulcrum (Fulcro), 1987 (Liverpool Street Station, Londres)

La materia del tiempo, 2003-2005 (Museo Guggenheim de Bilbao, Bilbao)

«Podemos convertirnos en algo distinto a lo que somos construyendo espacios.»

ARRIBA: Serra hablando en su exposición *La escultura de Richard Serra: cuarenta años* en 2007.

Richard Serra, hijo de un operario de cañerías en un astillero, llegó a Nueva York en 1966 tras haber estudiado con el pintor abstracto Josef Albers y haber pasado dos años de viaje por Europa. Se puso en contacto con los escultores Donald Judd y Robert Smithson y el coreógrafo vanguardista Yvonne Rainer, quien ejercería en él gran influencia. Junto con sus colegas Bruce Nauman y Eva Hesse, Serra fraguó un tipo de minimalismo que surgía de la experiencia física tangible y se centraba en el esfuerzo más que en la intención. Su obra se centraba en la naturaleza específica de sus materiales y su ubicación. A finales de la década de 1960, recopiló una lista de verbos hoy en día célebre que denotaban acciones que se podían llevar a cabo en relación con la escultura. Constituyó la base de un experimento continuo con procesos escultóricos sin precedentes, que dio como resultado obras como *Salpicando* (1968), realizada en plomo fundido contra la pared, y la película *Mano cogiendo plomo* (1968), basada en el verbo «agarrar».

Serra exploraba sus materiales en cuanto a la masa, la posición en el espacio y la relación con el espectador. En sus piezas de plomo apuntalado, equilibraba de forma precaria hojas de plomo pesadas y cubos y las aseguraba solo con la gravedad. En los años setenta empezó a usar acero enrollado para construir inmensas obras públicas que dominaran a aquellos que entraran en su interior y las atravesaran. La posibilidad real de derrumbe incrementa la implicación activa del espectador con las obras gracias a su propia vulnerabilidad potencial. La naturaleza participativa de gran carga de dichas obras provocaba controversia, como la batalla legal que rodeó la retirada forzosa del impresionante encargo a Serra de Federal Plaza de Nueva York, *Arco inclinado* (1981), en 1989. **LB**

BRETT WHITELEY

Brett Whiteley, 7 de abril de 1939 (Sidney, Nueva Gales del Sur, Australia); 15 de junio de 1992 (Thirroul, Nueva Gales del Sur, Australia).

Estilo: Pintor, escultor, dibujante y grabador; vistas de Sidney; paisajes semisurrealistas abstractos; líneas curvas; temas de protesta y consumo de drogas.

Obras destacadas

Pintura roja sin título, 1960 (Tate Collection, Londres)

Alquimia, 1972-1973 (Art Gallery of New South Wales, Sidney)

Brett Whiteley recibió considerables elogios por su temprano debut en la Whitechapel Gallery. Su reputación se consolidó cuando la londinense Tate Gallery compró su *Pintura roja sin título* (1960). La sensualidad del color, los tintes eróticos y los contornos fluidos de siluetas humanas oblicuas en las primeras obras de Whiteley revelan el singular estilo que definiría la obra del artista. Al regresar a Australia en 1969, realizó una de sus obras más conocidas, *Alquimia* (1972-1973), un autorretrato a escala gigantesca que resumía el estado mental del artista, con su múltiple acumulación de influencias en su propia historia de artista. Whiteley murió de sobredosis de heroína, y así terminó una de las carreras más prodigiosas de la historia del arte australiano. **TC**

NANCY GRAVES

Nancy Stevenson Graves, 23 de diciembre de 1939 (Pittsfield, Massachusetts, EE.UU.); 21 de octubre de 1995 (Nueva York, EE.UU.).

Estilo: Escultora, pintora, grabadora, artista de instalaciones y cineasta; temas de la anatomía, paleontología y antropología; mapas, camellos y fósiles.

Obras destacadas

Camello VI, 1968-1969 (National Gallery of Canada, Ottawa)

Izy Boukir, 1971 (película)

Las visitas de Nancy Graves durante su infancia a la sección de historia natural del Berkshire Museum de Pittsfield, Massachusetts, despertaron su interés por la anatomía, la paleontología y la antropología e impregnaron su última obra, como los camellos realistas a tamaño real, incluido *Camello VI* (1968-1969). Estudió en la Yale University School of Art, tras lo cual combinó su interés por la historia natural con un sentido abstracto de la línea y la forma con obras como su película *Izy Boukir* (1971), rodada en Marruecos siguiendo a un grupo de camellos. Continuó con esta interacción entre lo abstracto y lo natural con cuadros, grabados y dibujos de mapas del tiempo, el suelo oceánico, la Antártida, así como mapas geológicos de la superficie lunar. **CK**

1930—39

VITO ACCONCI

Vito Hannibal Acconci, 24 de enero de 1940 (Bronx, Nueva York, EE.UU.).

Estilo: Poesía abstracta; obras de performance y de vídeo que exploran cuestiones como el control, el consentimiento y la resistencia; instalaciones de vídeo y arquitectónicas; obras arquitectónicas públicas.

Obras destacadas

Trademarks (Marcas comerciales) 1970 (San Francisco Museum of Modern Art, San Francisco)

Bug House (Casa de bichos), 1986 (Long Island, Nueva York)

Mur Island (Café y terraza), 2003-2004 (río Mur, Graz, Austria)

Vito Acconci comenzó su carrera como escritor de ficción en Nueva York y en el Writers Workshop, en Iowa. Él mismo ha declarado que fue fundamental el descubrimiento de un cuadro de Jasper Johns, que le sirvió de inspiración para escribir «piezas lingüísticas» abstractas. Tras la transición al arte visual a finales de la década de 1960, el lenguaje seguiría siendo esencial en su obra. Los ecos de los juegos de palabras de su padre durante su infancia en el Bronx, del vocabulario sofocante de su breve incursión en los Marine Platoon Leaders Corps, así como de su rigurosa educación católica, resuenan en su obra de los años sesenta y setenta. Las cuestiones del consentimiento y el espacio personal también impregnan gran parte de su obra. En una de sus primeras performances, *Pieza siguiente* (1969), documentó el acto de seguir a desconocidos por las calles hasta que entraban en un edificio privado.

Figura clave en el desarrollo del movimiento del arte corporal, Acconci a menudo sometía su propio cuerpo a coacciones para explorar y desafiar sus propias capacidades físicas llevando a cabo tareas físicas cronometradas según un juego de instrucciones parecidas a las del grupo Fluxus, como en la obra *Pieza de paso* (1970). Su identidad italoamericana ha sido la

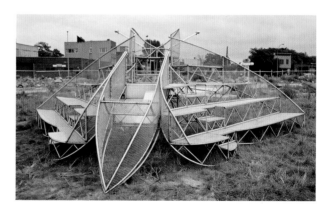

ARRIBA: Acconci fotografiado en la entrada de una residencia canina en 1984.

DERECHA: *Casa de bichos,* en Long Island, Nueva York, es una de las obras en espacios públicos de Acconci.

ARRIBA: La emblemática *Mur Island* de Vito Acconci, en el centro de Graz, Austria.

base de la investigación de su propia identidad sexual y masculina en obras como *Conversiones* (1971), *Marcas comerciales* (1970) y *Semillero* (1971). En sus obras de vídeo de principios de la década de 1970, Acconci exploró la compleja dinámica de la dominación física y psicológica y la sumisión, ideas que se reforzaron con la lectura del sociólogo Erving Goffman.

Acconci empezó a utilizar su voz extremadamente peculiar para representar escenarios que afectaran y manipularan al espectador, y al mismo tiempo reflejaran su propio sentimiento de culpa, agresión, acusación y seducción. Las últimas instalaciones, que combinaban grabaciones de su voz con estructuras arquitectónicas y objetos escultóricos, ponían en cuestión la forma de relacionarse de la gente con su entorno. En 1988 creó el Acconci Studio con un grupo de arquitectos para diseñar edificios públicos y paisajes muy innovadores, junto con diseños más experimentales como *Ciudad lineal móvil* (1991) e *Isla personal* (1992). **LB**

Voz entrecortada

Vito Acconci se escondió bajo un falso suelo mientras duró la exposición *Semillero* en Nueva York. Los visitantes entraban en lo que parecía una galería vacía, pero oían la voz entrecortada del artista que elaboraba fantasías sexuales con ellos. Entre las diez de la mañana y las seis de la tarde, tres días por semana durante tres semanas, hablaba con los visitantes que no veía, se masturbaba en respuesta a sus pasos. Acconci rememora: «Recuerdo llevarme algunas revistas pornográficas abajo, y luego darme cuenta de que no se veía nada, ¿a quién pretendía engañar?».

1940–49

NOBUYOSHI ARAKI

Obras destacadas

Viaje sentimental, 1971 (libro)

Mujer erótica en color, 1988 (Museo de Arte Contemporáneo, Tokio)

Flores vaginales, 1999 (Museo de Arte Contemporáneo, Tokio)

Nobuyoshi Araki, 25 de mayo de 1940 (Tokio, Japón).

Estilo: Fotógrafo; temas tabú como el sexo, el desnudo, el sadomasoquismo y la muerte; imágenes de mujeres y flores; escenas poéticas de Tokio; parte del gusto japonés contemporáneo por fijarlo todo en una película.

El fotógrafo japonés Nobuyoshi Araki es célebre sobre todo por sus imágenes eróticas de mujeres, en ocasiones semidesnudas, atadas con cuerdas y colgadas del techo, con los genitales al descubierto y masturbándose, o envueltas de forma seductora en kimonos de seda. Con frecuencia se ha etiquetado su obra de pornográfica y misógina en su intento de documentar tabúes sociales relacionados con el sexo, el desnudo, el sadomasoquismo y la muerte. Dicho contenido le ha acarreado conflictos con las autoridades: en 1988 la policía ordenó retirar de los puntos de venta la revista *Shashin Jidai* porque contenía fotografías de Araki, en 1992 fue acusado de obscenidad durante una exposición; y en 1993 el conservador de una galería fue arrestado por mostrar fotografías de desnudos de Araki.

Sin embargo, la representación de Araki del desnudo gráfico sigue la tradición japonesa del arte erótico del *shunga* del período Edo (1603-1867). Ha actualizado el género para que encajara en la cultura actual de la impresión brillante, influido por su propia experiencia temprana trabajando en una importante agencia de publicidad japonesa al terminar de estudiar fotografía y grabado en la Universidad de Chiba. Además, el erotismo es solo una parte de su obra. Fiel a su declaración «Yo soy una cámara», Araki lo fotografía casi todo, desde gatos a flores, a su esposa, la ensayista Yōko Araki, muriendo de cáncer. Ha publicado sus imágenes en más de 350 libros, entre ellos *Viaje sentimental* (1971), con fotografías de su esposa en su luna de miel. La capacidad de Araki para fotografiar lo que le rodea ha hecho que genere un rico cuerpo de trabajo que revela retratos tiernos de Tokio y sus habitantes bajo el lento proceso de occidentalización tras la Segunda Guerra Mundial. **CK**

«Ato el cuerpo de una mujer solo porque sé que no puedo atar su corazón.»

ARRIBA: Nobuyoshi Araki durante una rueda de prensa en Japón en 2003.

DON BINNEY

Donald Binney, 24 de marzo de 1940 (Auckland, Nueva Zelanda).

Estilo: Pintor de playas costeras de Nueva Zelanda y naturaleza, sobre todo aves; luz fuerte; realismo de contornos duros; imaginería topográfica representada gráficamente; inquietudes ecológicas y poscoloniales.

La obra de Don Binney está muy influida por su pasión por el paisaje de su país natal, su flora y su fauna, sobre todo las playas escarpadas de la costa oeste de Auckland y la multitud de aves autóctonas de la costa. Ornitólogo entusiasta desde muy temprana edad, Binney ha promovido la conservación de los hábitats y entornos naturales durante toda su carrera, y ha dedicado parte de lo recaudado con la venta de sus obras a dichas causas. Su arte trata cuestiones de poscolonialismo y soberanía maorí, pero es más conocido por su representación de aves autóctonas de colores contrastados y plumas exquisitas (como el tui, el pipiwharauroa y el kereru) que se suspenden en lo alto o atraviesan el paisaje.

Obras destacadas

Ave de un jardín colonial, 1965 (Museum of New Zealand Te Papa Tongarewa, Wellington, Nueva Zelanda)

Fregata del Pacífico, 1968 (Museum of New Zealand Te Papa Tongarewa, Wellington, Nueva Zelanda)

Nacido en el suburbio de Parnell, en Auckland, Binney creció rodeado de impresionantes casas coloniales, vegetación exuberante y playas cercanas, y todo ello generó en él un profundo sentimiento de arraigo. Sus pinturas llevan el sello de la fuerte luz del Pacífico Sur. Sus azules y verdes frescos y luminosos transmiten una sensación de apertura, tranquilidad y una ilusión sutil de movimiento con las estilizadas formas naturales de fondo representadas en un contorno modernista de bordes duros. Durante los últimos años ha explorado la imagen de la tierra en otros lugares, como el Reino Unido, Hawai y México. Durante esas visitas, y de acuerdo con la temática espiritual inherente a su obra, ha investigado sitios locales de rituales y curación, como pozos y árboles sagrados y otros donde había figuras de caliza integradas en el paisaje.

«Lo más importante es tu diálogo con el lugar.»

Binney fue profesor en la Elam School of Fine Arts de Auckland durante 24 años antes de retirarse (1998) y recibir la Orden del Imperio británico (1995) por sus servicios a las artes. También es conocido por sus dibujos, fotografías y escritos. **NG**

1940–49

ARRIBA: Esta fotografía de Don Binney fue tomada por Kirsten Rødsgaard-Mathiesen.

CHUCK CLOSE

Charles Thomas Close, 5 de julio de 1940 (Monroe, Washington, EE.UU.).

Estilo: Retratos enormes e hiperrealistas, principalmente de amigos; utiliza un complejo sistema de cuadrículas para reproducir una fotografía en el lienzo, y cada cuadrícula en sí misma es un cuadro diminuto.

Obras destacadas

Autorretrato blanco sobre negro, 1978
  (Fine Arts Museum of San Francisco,
  San Francisco)

Cindy, 1988 (Museum of Contemporary Art,
  Chicago)

Chuck Close es uno de los artistas más influyentes de su generación. En 1961 se licenció en bellas artes en la Universidad de Washington, en Seattle, y luego hizo un máster en bellas artes en Yale, donde trabajó con el grabador Gabor Peterdi. Al terminar sus estudios, obtuvo una beca Fullbright que le llevó a la Akademie der Bildenen Kunste de Viena. En 1967 se trasladó a Nueva York, donde en 1970 realizó su primera exposición individual.

En la década de 1970 fue pionero en la investigación del fotorrealismo. En las dos décadas siguientes, y como artista innovador, cultivó el tema del retrato, que parecía totalmente pasado de moda, trabajó con fotografías en lienzos enormes, y realizó retratos, principalmente de amigos, en los que el sujeto miraba directamente al frente, de un modo cautivador. Hoy en día, como inventor de un sofisticado sistema artesanal de traducir imágenes fotográficas en pintura, es el mejor artista en su ámbito; sus «compañeros de viaje» son Brice Marden, Richard Serra, Martin Puryear y Philip Glass.

En la actualidad, Close utiliza dos estudios, uno en Manhattan y otro en el East End de Long Island: una franja plana de arena, antes cubierta de campos de patatas, donde han acudido en los últimos 150 años muchos de los artistas urbanos de mayor éxito en busca de espacio, luz y aire fresco. Tiende a trabajar sobre todo en blanco y negro en su estudio de Manhattan, y en color en la playa. Gracias a su generosidad como pintor y promotor de artistas emergentes, Close se ha convertido en un artista muy querido y respetado por los demás creadores.

En 1998 fue elegido miembro de la American Academy of Arts and Sciences, y en 2000 le fueron concedidos el premio Independent Curators International Leo Award y la medalla nacional de las artes. **SF**

«Todos nos alimentamos del mismo entorno [...] el mismo lodo primigenio.»

ARRIBA: La cara de Chuck Close es fácil de reconocer a través de sus obras.

DERECHA: Close, sentado frente a una de sus pinturas; un retrato del artista Eric Fischl.

DALE CHIHULY

Dale Patrick Chihuly, 20 de septiembre de 1941 (Tacoma, Washington, EE.UU.).

Estilo: Esculturas de vidrio orgánicas y sensuales; esculturas arquitectónicas de múltiples partes; colores llamativos de celebración; piezas de cristal que recuerdan a formas vivas de plantas o del mar; instalaciones de vidrio en la naturaleza.

Obras destacadas

Royal Blue Mint Chandelier (Lámpara de araña sin usar azul marino), 1998 (Mint Museum, Charlotte, EE.UU.)

Rotunda Chandelier (Lámpara de araña de vestíbulo), 1999 (Victoria & Albert Museum, Londres)

Elegante marfil de aspecto marino en envoltorio de concha al carboncillo, 2000 (National Gallery of Australia, Canberra)

«Me denomino artista a falta de una palabra mejor [...] No hay un término que encaje conmigo.»

ARRIBA: Esta fotografía de Dale Chihuly fue realizada en Jerusalén en 1999.

Cuando estudiaba diseño de interiores y arquitectura, Dale Chihuly quedó cautivado por el vidrio soplado a mediados de la década de 1960. Obtuvo una beca Fullbright en 1968 y se convirtió en el primer artista estadounidense en trabajar en la fábrica Venini de la isla de Murano, en Venecia. Desarrolló la cooperación en la creación de obras de cristal abstractas y cuestionó el proceso creativo solitario. También fue profesor durante muchos años, y creó un departamento de vidrio en la Rhode Island School of Design (RISD).

Chihuly ha realizado numerosas piezas únicas con una impresionante variedad de formas y tamaños a lo largo de su carrera, pero probablemente es más conocido por sus esculturas de vidrio de diversas partes, como *Torres* o *Candelabros*. Estas enormes creaciones arquitectónicas están compuestas por docenas de piezas individuales multicolores, ensambladas en formas impactantes de ensueño.

A pesar de su aparente naturaleza abstracta, su obra es muy autobiográfica. Su fascinación por la forma de las flores surgió de joven en el jardín de su madre. Series como «Formas marinas», «Flotadores Niijima» y «Barcos» se remontan a su infancia en Tacoma, y se caracterizan por su amor por el mar.

Chihuly sigue experimentando con materiales y métodos distintos. Ya utilizaba neón, argón y formas de vidrio soplado para crear imágenes orgánicas parecidas a plantas en la década de 1960. También ha mostrado un interés recurrente por las instalaciones efímeras en el exterior, y ha creado instalaciones que son jardines en sí mismos. Figura clave del primer movimiento del estudio del vidrio estadounidense, su obra en la actualidad figura en más de doscientos museos de todo el planeta. **NSF**

MICHAEL CRAIG-MARTIN

Michael Craig-Martin, 28 de agosto de 1941 (Dublín, Irlanda).

Estilo: Artista de instalaciones y pintor; conceptualismo distante, construcción minimalista del artista y uso de una técnica prefabricada inspirada en Marcel Duchamp.

El artista de instalaciones y pintor Michael Craig-Martin destaca por su influencia en los jóvenes artistas británicos de las décadas de 1980 y 1990. Nacido en Irlanda, creció y fue educado en Estados Unidos. Tras licenciarse en bellas artes en la Universidad de Yale, en 1966 se trasladó a Gran Bretaña, donde se convirtió en una de las figuras clave de la primera generación de artistas conceptuales. Fue muy decisivo en la muestra londinense de arte de estudiantes Freeze (1988).

Su primera obra a menudo hace referencia a artistas estadounidenses como Jasper Johns y Donald Judd. Su influencia minimalista se detecta sobre todo en el uso de objetos encontrados —con frecuencia aparatos domésticos comunes— en sus esculturas. En sus últimas pinturas suscita las cuestiones de la representación y la realidad en el arte. Al tratar con objetos cotidianos dibujados con un color vivo de fondo, establece una relación intensa entre la imagen, la línea, la palabra y el color.

La obra de Craig-Martin se ha expuesto en muchas exposiciones, quizá la más importante dentro de *The New Art* (1972) en la Hayward Gallery de Londres. Como profesor del Goldsmiths College de Londres, dio clases a Damien Hirst, Sarah Lucas, Gary Hume, Mat Collishaw y Tracey Emin.

En su obra más célebre, *Un roble* (1973), utiliza la semiótica para explorar por qué un vaso de agua clásico colocado en una estantería alta es en realidad un roble. Demuestra la supremacía de la intención del artista sobre el objeto en sí, y resultó ser un momento crucial del arte conceptual. Ironías de la vida, al transportar la exposición a Australia, y debido a las estrictas leyes para permitir la entrada de plantas en el país, tuvo que desmontar el concepto y describir la obra de arte en su forma original. **KO**

Obras destacadas

Un roble, 1973 (colección particular)

Deconstrucción de Seurat (Edition of 40), 2004

Tijeras, 2004 (colección Gagosian Gallery)

«Puedo hacer que la imagen tenga cinco plantas de altura [...], verde, violeta, del revés.»

ARRIBA: Michael Craig-Martin, fotografiado en un restaurante en 2007.

BRUCE NAUMAN

Bruce Nauman, 6 de diciembre de 1941 (Fort Wayne, Indiana, EE.UU.).

Estilo: Escultor, artista de performance y fotógrafo; uso de neones, audio, fibra de vidrio y vídeo; incorporación de texto; temas del lenguaje, el aislamiento y la comunicación.

Obras destacadas

El verdadero artista ayuda al mundo revelando las verdades místicas, 1967 (National Gallery of Australia, Canberra)

Anthro/Socio (Rinde Spinning), 1992 (Hamburger Kunsthalle, Hamburgo)

Materias primas, 2004 (instalación de audio)

Desde principios de la década de 1970, Bruce Nauman ha sido reconocido como uno de los artistas contemporáneos estadounidenses más innovadores. Al principio trabajó como asistente de Wayne Thiebaud, y en 1964 empezó a experimentar con la escultura, la performance y el cine. Su obra también incluye hologramas, relieves de pared de neón, ambientes interactivos, fotografías, grabados y vídeos.

La obra conceptual de Nauman destaca el significado por encima de la estética y provoca la participación del espectador. A menudo utiliza la ironía y los juegos de palabras para plantear cuestiones sobre la existencia y el aislamiento. Desde mediados de la década de 1980, principalmente utilizando la escultura y el vídeo, el artista ha desarrollado temas psicológicos y físicos perturbadores, utilizando una imaginería basada en partes del cuerpo animal y humano. También ha recibido muchos reconocimientos, entre ellos un doctorado honorífico en bellas artes del San Francisco Art Institute en 1989 y el Max Beckmann Prize en 1990. Nauman ha citado a John Cage, Samuel Beckett, Ludwig Wittgenstein, Philip Glass, La Monte Young y Meredith Monk como las principales influencias en su obra.

ARRIBA: Nauman fotografiado frente a *La batalla de Worringen* en Düsseldorf, en 2006.

DERECHA: *Anthro/Socio (Rinde Spinning)* (1992) explora nuestra relación con el lenguaje.

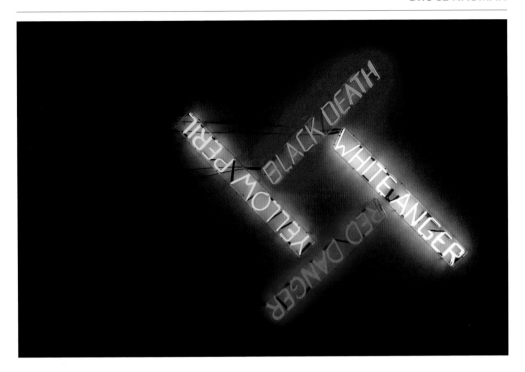

Fascinado por el lenguaje y la comunicación, en general, Nauman expresa a menudo la interacción y transmisión de ideas con desenfado. Sin embargo, existen inquietudes serias en el núcleo de su obra, en la que examina el papel del artista como comunicador y manipulador del lenguaje visual. Se concentra menos en el estilo y más en la manera en que un proceso o una actividad pueden convertirse en una obra de arte.

El texto de uno de sus primeros anuncios en neón dice: «El verdadero artista ayuda al mundo revelando las verdades místicas»; en un principio colgado en un escaparate, proclamaba un pensamiento íntimo al público utilizando un medio de comunicación familiar. Nauman dijo: «Para mí lo más difícil de la pieza fue la frase. Era una especie de examen, como cuando dices algo en voz alta para ver si te lo crees [...] Depende de cómo lo interpretas y hasta qué punto te tomas en serio a ti mismo». Desde la década de 1980 vive en Nuevo México. **SH**

ARRIBA: *Rabia blanca, peligro rojo, riesgo amarillo, muerte negra* de Nauman.

El sonido de las voces

Nauman creó *Materias primas* (2004) en la Tate Modern de Londres. Escogió 22 textos de obras existentes para crear un collage auditivo en el enorme espacio de la sala de turbinas. Alejadas de su contexto original, las voces individuales se volvían confusas y sin sentido. La exposición también se centraba en la fascinación de Nauman por el espacio y cómo este altera la conducta y la conciencia de uno mismo. La galería se llenaba de voces, algunas audibles, otras poco claras, que se fundían con los sonidos de los visitantes. El artista transformó un amplio espacio en una metáfora del mundo, en el que resuena el infinito sonido de voces.

SIGMAR POLKE

Sigmar Polke, 13 de febrero de 1941 (Oleśnica, Polonia).

Estilo: Pintor y fotógrafo experimental; utiliza imágenes de publicidad para parodiar la cultura de consumo; pinturas en telas estampadas de producción en masa; pinturas con materiales insólitos, en ocasiones tóxicos.

Obras destacadas

Conejitas, 1966 (Hirshhorn Museum and Sculpture Garden, Washington, D.C.)

o.T., 1981 (Kuntsmuseum, Bonn)

Watchtower (Torre de vigilancia), 1984 (Museum of Modern Art, Nueva York)

La caza del talibán y Al Qaeda, 2002 (colección particular)

Huyendo del régimen comunista de Alemania Oriental, la familia de Sigmar Polke se trasladó a Düsseldorf en 1953. El joven Polke trabajó de aprendiz en la fábrica de vidrio de colores Kaiserswerth antes de matricularse en los estudios de arte de la Staatliche Kunstakademie en 1961. Al estudiar con Karl Otto Goetz y Gerhard Hoehme, Polke se interesó por trabajar la fotografía y las técnicas de collage en sus cuadros.

En colaboración con sus compañeros de estudios Gerhard Richter y Konrad Fischer, Polke organizó la exposición *Realismo capitalista* (1963). Jugando con el realismo socialista, la exposición dio lugar a un movimiento pictórico que utilizaba el modo gráfico de la publicidad para parodiar el arte orientado al consumidor del capitalismo occidental. Polke pintaba objetos cotidianos como palillos, chocolatinas, salchichas y galletas, y los dividía en capas con imágenes de los medios coetáneos en papel. Esta primera producción tenía fuertes vínculos con el

ARRIBA: Sigmar Polke se relaja ante la cámara en este retrato realizado en 1989.

DERECHA: *Torre de vigilancia en el Eifel* (1972) forma parte de la serie de cuadros «Hochsitze» de Polke.

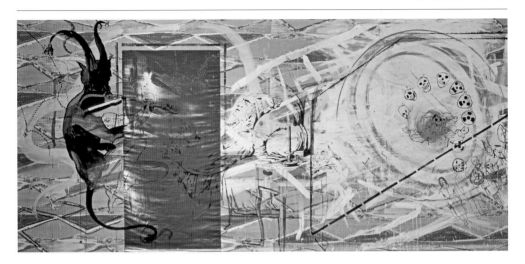

pop art estadounidense, sobre todo en la elección de Polke del tema y su adaptación de las técnicas de impresión comerciales al medio de la pintura. El artista también experimentó con los puntos raster, una unidad clave del proceso de impresión, para crear patrones abstractos y añadir capas. Investigó terrenos alternativos para la pintura, utilizando telas comerciales en lugar de lienzos. Incorporando algunas telas, creaba formas figurativas y abstractas a través de diseños kitsch y colores chillones.

Polke empezó con la fotografía en la década de 1960 y experimentó con productos químicos y técnicas de impresión. Captaba bodegones colocados en escenarios misteriosos. Creó composiciones con imágenes positivas y negativas, sometidas a una exposición insuficiente o excesiva y construidas a partir de múltiples exposiciones.

Polke volvió a la pintura en la década de 1980, y utilizó materiales experimentales como arsénico, polvo de meteorito, cera de abeja, aceite de lavanda y oro batido. Los mezclaba con disolventes, barnices y resinas para producir reacciones fascinantes en el lienzo. Últimamente, el artista ha desarrollado sus «pinturas máquina» y ha investigado cómo la luz altera la textura y los colores de sus lienzos pintados. **NSF**

ARRIBA: *Paganini* (1982) está plagada de imágenes semiocultas de esvásticas.

Las «pinturas máquina»

Normalmente Polke prefiere recrear procesos mecánicos a mano en sus lienzos. Sus frecuentes representaciones de puntos raster, por ejemplo, las logra manualmente con la goma de borrar de un lápiz. Sin embargo, en 2002 recurrió al ordenador para producir sus «pinturas máquina». Tras utilizar un programa informático para colorear y manipular imágenes seleccionadas de los medios de comunicación populares, el artista transfiere fotográficamente las imágenes modificadas a grandes piezas de tela y las cuelga como si fueran velas. Este nuevo enfoque destaca el continuo interés de Polke por el medio y su papel revolucionario en la historia del arte moderno.

RICHARD TUTTLE

Richard Dean Tuttle, 12 de julio de 1941 (Rahway, Nueva Jersey, EE.UU.).

Estilo: Objetos líricos a pequeña escala; construcciones montadas en la pared, a menudo colocadas en alturas distintas; objetos hechos con materiales diversos configurados de modo que contrastan.

Obras destacadas

Drift III (Desviación), 1965 (Whitney Museum of American Art, Nueva York)

Árbol de arena, 1988 (Museum of Contemporary Art, Los Ángeles)

Amanecer, Mediodía, Anochecer: Papel (1), Papel (2), Papel (3), 2001-2003 (Museum of Modern Art, Nueva York)

1940-49

«Aprecia la sencillez. Se ve en su obra. La sencillez nunca es sencilla.» Agnes Martin

ARRIBA: Richard Tuttle fotografiado en el San Francisco Museum of Modern Art en 2005.

Como las pinturas de la artista minimalista Agnes Martin, las obras del posminimalista Richard Tuttle se caracterizan tanto por su materialidad delicada como por un uso muy matizado de la forma, la luz y la textura. Tras estudiar en el Trinity College, en Hartford, Connecticut, y luego en la Cooper Union de Nueva York, Tuttle llamó por teléfono a Martin —después de contemplar su obra en una galería— para preguntarle si podían conocerse. Martin se convertiría en una buena amiga y una inspiración para Tuttle, y gracias a ella llegó a ser asistente en la Betty Parsons Gallery en 1963. Pasado un año, la galería organizó su primera exposición.

Las primeras obras de Tuttle eran relieves pintados. En un principio adoptó la economía formal del minimalismo, aunque no a costa de la expresión, ya que las obras que creó durante este período eran elocuentes del modo indirecto y lírico con el que intentaban afirman su presencia material. Ha intentado sistemáticamente explorar las cualidades inherentes de un material concreto o configuración de materiales en su interacción con el espacio que habitan y el espectador, que desarrolla una relación provisional con ellos. Pero Tuttle también ha investigado las posibilidades del grabado, y publicó un libro de sus grabados en madera a mediados de la década de 1960. La fuerza de la práctica de Tuttle reside en su continua capacidad para confundir las expectativas y desafiar una categorización fácil. Una pieza como *Desviación III* (1965) contiene ciertos atributos pictóricos y escultóricos, pero también intenta establecer una forma de autonomía fuera de esas dos disciplinas. A lo largo de su carrera, que dura más de cuatro décadas, la obra de Tuttle sigue investigando y plantea cuestiones fundamentales al objeto en sí. **CS**

JAMES TURRELL

James Turrell, 6 de mayo de 1943 (Los Ángeles, California, EE.UU.).

Estilo: Escultor; artista de instalaciones; investigaciones de la luz y el espacio; instalaciones basadas en la luz que centran sus efectos en la fenomenología y la psicología de la percepción.

Como muchos artistas, James Turrell ha estudiado cómo anular los efectos de la luz y cómo lo puede lograr a través de su obra. Sin embargo, existe una diferencia fundamental entre las instalaciones de Turrel y, por ejemplo, *El bautismo de Cristo* (1450), de Piero della Francesca, o la *Farola* (h. 1910-1911), de Giacomo Balla. Mientras estos artistas buscan representar la luz a través de la pintura, el medio de Turrell es la luz. Sus instalaciones pretenden evocar un sentimiento de contemplación en el espectador, si no de revelación.

La primera obra de luz de Turrell se tituló *Afrum-Proto* (1966). Tras su primera exposición individual en el Pasadena Art Museum en 1967, Turrell decidió participar en el programa de arte y tecnología del Los Angeles County Museum, donde trabajó junto al artista Robert Irwin y el psicólogo Edward Wortz. Como resultado de sus investigaciones sobre la fisiología de la luz, Turrel creó una serie titulada «Las interrupciones de Mendota» (1969-1974), que permitía que entraran pasajes de luz de forma intermitente en su estudio.

En muchos sentidos, los experimentos de Turrell con la percepción física y fenomenológica durante este período establecieron el marco estético dentro del cual realiza sus instalaciones en la actualidad. Tal vez la obra más ambiciosa de Turrell haya sido su proyecto de Roden Crater, sobre el cual inició su investigación en 1974. Supone cavar una serie de túneles hacia el interior y a través de un volcán extinguido en el desierto de Arizona. Su intención es que el espectador experimente la luz como una presencia palpable y material. El deseo de llevar a cabo un proyecto tan ambicioso es tal vez prueba de la convicción del artista de su capacidad de brindar al espectador efectos de luz mágicos de otro mundo. **CS**

Obras destacadas

Afrum I, 1967 (Solomon R. Guggenheim Museum, Nueva York)

Acton, 1976 (Indianapolis Museum of Art, Indianapolis, EE.UU.)

A Frontal Passage, 1994 (Museum of Modern Art, Nueva York)

1940–49

«Ver es un acto muy sensual, tiene algo dulce y delicioso.»

ARRIBA: El escultor James Turrell fotografiado en 1999 por Christopher Felzer.

KRZYSZTOF WODICZKO

Krzysztof Wodiczko, 1943 (Varsovia, Polonia).

Estilo: Creador de proyecciones a gran escala en el exterior en fachadas arquitectónicas y monumentos; serie de instrumentos nómadas para personas sin techo e inmigrantes; conciencia social; temas políticos.

Obras destacadas

Hirshhorn Museum, Washington, D.C., 1988 (Hirshhorn Museum and Sculpture Garden, Washington, D.C.)

La cúpula de la bomba atómica (Proyección en Hiroshima),1999 (Hiroshima)

Dis-Armor, 1999-2001

Krzysztof Wodiczko se licenció en 1968 en la Academia de Bellas Artes de Varsovia, donde se ponía el énfasis en la arquitectura, el diseño industrial y las artes visuales. En 1977 se trasladó a Canadá, y en 1983 a Estados Unidos. Su obra desafía la silenciosa monumentalidad de los edificios y busca activarla de diferentes maneras, por ejemplo, sacando a la luz cuestiones sobre la democracia y los derechos humanos, al tiempo que describe la violencia e inhumanidad de la existencia urbana y la interacción social.

Las primeras intervenciones públicas de Wodiczko eran diapositivas proyectadas en edificios. Fueron desarrollándose en proyecciones más potentes, como su instalación de 1985 en la que proyectó la imagen de una esvástica en la embajada sudafricana en protesta contra el *apartheid*.

En 1996 Wodiczko empezó a utilizar el sonido y el movimiento y a colaborar con las comunidades que vivían cerca de los lugares públicos que utilizaba. Al proyectar imágenes de miembros de la comunidad (manos, rostros o cuerpos enteros) en fachadas arquitectónicas y combinarlas con testimonios hablados, el artista logró subvertir las definiciones tradicionales de espacio público y ofrecer cierto derecho a la palabra a aquellos que quedaban descartados por ellas. Entre sus últimas obras se halla la fabricación de «instrumentos» para comunicar la supervivencia urbana, diseñados para vagabundos e inmigrantes. Dichos aparatos son considerados un blindaje ortopédico que permite al que lo lleva adquirir una fuerza simbólica y ampliar determinadas habilidades físicas gracias a la tecnología, y así expresar los problemas de las penurias económicas, los traumas emocionales y la angustia psicológica que esconde la sombra de una ciudad. **EL**

«La democracia es una de las oportunidades más retadoras, aunque problemática.»

ARRIBA: Wodiczko es conocido por sus proyecciones exteriores a gran escala.

GILBERT & GEORGE

Gilbert Proesch, 17 de septiembre de 1943 (San Martino, Italia); **George Passmore,** 8 de enero de 1942 (Plymouth, Devon, Inglaterra).

Estilo: Autorretratos de vida cotidiana; imaginería sexual; composiciones fotográficas de colores vivos; paisajes urbanos; imágenes de decadencia urbana.

La colaboración entre Gilbert Proesch y George Passmore empezó en 1967, mientras estudiaban en la Saint Martin's School of Art de Londres. Pertenecientes a una generación de jóvenes artistas conceptuales, criticaban gran parte del arte contemporáneo por ser aburrido e inaccesible, y pretendían realizar un arte abierto a un público no especializado, basado en objetos y lugares conocidos. Desilusionados con la producción de esculturas encerradas en un estudio, se declaraban a sí mismos «escultura viva», capaz de salir a la calle. Se presentaron como *La escultura cantarina* (1970). Posaron en una mesa, con el rostro pintado de color oro, e interpretaron un baile al ritmo de *Underneath the Arches* (1931).

Dado que se consideraban a sí mismos tanto el tema como el medio, a principios de los setenta documentaron varias noches emborrachándose. Entre esas obras fotográficas se cuentan *Destrozado* (1972-1973) y *Lluvia de ginebra* (1973). Desde mediados de los años setenta, Gilbert y George han creado grandes obras gráficas, en las que, por lo general, aparecen autorretratos, junto con imágenes gráficas sexuales, escatológicas y nacionalistas, con contornos gruesos y colores vivos que recuerdan a las vidrieras. En la década de 1990, esta pareja empezó a introducir con gran polémica imágenes ampliadas de sus propios fluidos corporales. La serie «Palabras sucias» (1977) contiene graffiti groseros, culminación de su provocativa afirmación de que los únicos dibujos contemporáneos interesantes se encuentran en las paredes de los lavabos. Elegantes y pulcros, vestidos de forma anacrónica, Gilbert y George siempre han adoptado un aire de distancia contenida acompañado de comentarios indirectos y a menudo contradictorios sobre su obra. **LB**

Obras destacadas

Vida infame, nº 1, 1975 (Statens Museum fur Kunst, Copenhague)

Maricón, 1977 (Museum Bijmans Van Beuningen, Rotterdam)

Aquí, 1987 (Metropolitan Museum of Art, Nueva York)

Desnudo vulgar de un humano, 1994 (Stedelijk Museum, Amsterdam)

«No hay razón para que una obra de arte desconcierte a todo el mundo.»

ARRIBA: Gilbert y George fotografiados frente a *Sangre, lágrimas, leche, pis* en 2007.

ANSELM KIEFER

Anselm Kiefer, 8 de marzo de 1945 (Donaueschingen, Alemania).

Estilo: Pintor, fotógrafo, escultor y artista de instalaciones; temas de la historia alemana, el mito, la literatura y la historia del arte; temas bíblicos; exploraciones del tabú.

Obras destacadas

Serie «Ocupaciones», 1969 (Metropolitan Museum of Art, Nueva York)

Héroes espirituales de Alemania, 1973 (Broad Art Foundation, Santa Mónica, EE.UU.)

El Rin (libro de grabados), 1981 (Tate Collection, Londres)

Athanor, 2007 (Louvre, París)

Antiguo alumno de Joseph Beuys, Anselm Kiefer, al igual que su mentor, investiga temas de la historia alemana, el mito, la literatura y la historia del arte, sobre todo el período del régimen nazi y el holocausto. Esta preocupación ha culminado en obras polémicas que abordan el tabú, como su serie fotográfica «Ocupaciones» (1969), que representa al artista con traje paramilitar realizando el saludo nazi en varios campos de batalla durante la Segunda Guerra Mundial o en paisajes románticos. En respuesta a las críticas a estas obras perturbadoras, Kiefer comentó: «No me identifico con Nerón o Hitler, pero debo recrear un poco lo que hicieron para comprender la locura. Por eso hago esos intentos de convertirme en un fascista».

Esas indagaciones también le han llevado a realizar lienzos, fotografías y estructuras a gran escala que reflejan las dimensiones monumentales de las concentraciones nazis y la obra del arquitecto preferido por los nazis, Albert Speer, así como una serie de pinturas entre las que se encuentran *Mi padre me prometió una espada* (1975), basada en el ciclo de óperas *El anillo del nibelungo* (1848-1874) del compositor alemán Richard Wagner, que los nazis se apropiaron para su propaganda nacionalista. La obra de Kiefer se halla plagada de nombres de lugares y personajes de la historia, y está compuesta de materiales como arena, paja, madera, ceniza, tierra, arcilla y plomo, que reflejan las cenizas del holocausto en el estado ruinoso de la Alemania de la posguerra, su decadencia moral y el renacimiento espiritual final. A partir de la década de 1980, Kiefer ha desviado su atención hacia obras que tratan temas bíblicos, el mito y temas metafísicos. Sin embargo, será recordado tal vez como un artista que no tuvo miedo de intentar comprender y retratar el pasado reciente de su país. **CK**

> «[Kiefer es] un pintor de la historia y la mitología.»
>
> Marie-Laure Bernadac, Museo del Louvre

ARRIBA: Kiefer en el pabellón de Hoxton Square, construido para albergar una de sus obras.

BARBARA KRUGER

Barbara Kruger, 1945 (Newark, Nueva Jersey, EE.UU.).

Estilo: Uso de imágenes con texto para explorar temas del feminismo, el consumismo y la naturaleza de la publicidad; mensajes atrevidos; el negro, blanco y rojo como colores característicos.

La artista conceptual estadounidense Barbara Kruger es conocida por sus audaces obras de arte con mensajes igual de atrevidos. Diseñadora gráfica de formación, trabajó para revistas de moda y llegó a ser directora creativa de la revista *Mademoiselle*. A finales de la década de 1960 se hizo artista. Kruger es más conocida por sus obras emblemáticas a partir de 1977: fotografías monocromáticas y granuladas, cortadas y ampliadas cubiertas con gráficos o bloques de texto que mostraban eslóganes breves y potentes. Con frecuencia son producidas en masa y han aparecido en todo el planeta en diferentes formatos en lugares públicos, entre ellos vallas publicitarias y camisetas, además de paredes de galerías.

A pesar de que la obra de Kruger ha sido criticada por no ser distinta de los anuncios reales, tal afirmación demuestra la ignorancia de la ironía e intención latentes en su obra. En un momento dominado por las fuerzas conservadoras y consumistas en alza, sobre todo durante la década de 1980, cuando Margaret Thatcher y Ronald Reagan estaban en el poder, la obra de Kruger analiza y cuestiona la manera en que los medios de comunicación y el capitalismo renuncian, distorsionan y cosifican la comprensión de la realidad de las personas, y se centra en las cuestiones del poder, el lenguaje y la representación de la mujer. Los mensajes esparcidos por todas sus obras comunican el objetivo político de la artista, y su uso de frases directas y agresivas llama la atención sobre el absurdo de la imagen fotográfica que las acompaña. Kruger ha seguido realizando imágenes gráficas parecidas a lo largo de toda su carrera, y se ha desviado hacia medios como el cine y el audio. Su obra ha aparecido en campañas en defensa del aborto y ha sido utilizada con fines comerciales. **WD**

Obras destacadas

Sin título (Cómprame, cambiaré tu vida), 1984
Sin título (Compro, luego soy), 1987
Sin título (Tu cuerpo es un campo de batalla), 1989

1940–49

«Quiero perturbar las severas certezas de las imágenes, la propiedad y el poder.»

ARRIBA: La premiada artista Barbara Kruger fotografiada en 2005.

RICHARD LONG

Richard Long, 2 de junio de 1945 (Bristol, Inglaterra).

Estilo: Paseos por la naturaleza registrados en fotografías y textos; instalaciones que remiten a las pinturas rupestres prehistóricas o monumentos arqueológicos; temas del tiempo y la soledad.

Obras destacadas

Una línea hecha para caminar, 1967 (Tate Collection, Londres)

Círculo de pizarra, 1979 (Tate Collection, Londres)

Riverlines (mural creado con barro de los ríos Avon y Hudson), 2006 (torre Hearst, Nueva York)

Implicado en el movimiento del arte povera durante la década de 1960, el escultor, fotógrafo y pintor Richard Long inició su camino como artista con *Una línea hecha para caminar* (1967). Sus paseos, registrados en fotografías, mapas, dibujos y textos, lo han llevado desde las tierras altas de Escocia hasta el Sáhara, Laponia, los Alpes y los Andes. Licenciado en la Saint Martin's School of Art and Design de Londres, Long ha sido galardonado con el premio Turner.

Su obra reflexiona sobre el tiempo, el espacio, el movimiento del cuerpo dentro de la naturaleza y la soledad. Long afirma que el tiempo se vuelve subjetivo durante un paseo, el movimiento del cuerpo está separado. Insiste en que su obra no tiene nada que ver con el arte de la performance, porque no hay público. La soledad implica la posibilidad de relacionarse con la tierra que atraviesa.

En ocasiones, Long interviene en el paisaje moviendo o recolocando rocas. Su obra no responde a un rechazo estético de la galería, así que dichas composiciones han emigrado al interior de la galería en forma de esculturas que guardan una estrecha afinidad con los restos arqueológicos, como los círculos de piedras o los mojones. Dichas referencias ancestrales ponen en cuestión y desafían la práctica de la escultura en el arte occidental. Las pruebas de sus viajes se exponen en forma de fotografías o texto. A pesar de que el propósito de sus textos es dar cuenta de sus paseos, a menudo son muy evocadores y muchos poseen una calidad poética que deja al lector con un recuerdo de algo visto, tocado u oído por Long. Su obra está incluida en varias colecciones, entre ellas la de la Tate Modern, de Londres, el MoMA de Nueva York y el Musée d'Art Moderne de París. **WO**

«Para mí, la obra es el encuentro del intelecto y el cuerpo.»

ARRIBA: El artista Richard Long, fotografiado en 1986.

SEAN SCULLY

Sean Scully, 30 de junio de 1945 (Dublín, Irlanda).

Estilo: Lienzos robustos, a escala humana y abstractos que comprenden una serie de franjas de color horizontales y verticales; lienzos parecidos a objetos que a menudo incorporan paneles insertados.

Si alguna cualidad predominante caracteriza el mundo de Sean Scully es su convicción con respecto a la abstracción, como idea y como medio por el cual el arte, y en particular la pintura, puede ser producido. Durante los últimos treinta años, el artista ha mostrado una fe inquebrantable en la persistente importancia de una visión de la pintura que, según algunos analistas, ha caído en desgracia dentro del mundo del arte contemporáneo. El hecho de que Scully siga labrándose una postura crítica para la obra y permanezca impasible ante los detractores de la abstracción es una prueba de la fuerza de la obra y de las firmes convicciones del artista.

Scully nació en Irlanda, se trasladó con su familia en 1949 a Inglaterra y asistió al Croydon College of Art de Londres. En 1968 se matriculó en el programa de máster de bellas artes de la Universidad de Newcastle, donde empezó a explorar el potencial de la cuadrícula como instrumento de composición. En 1975 se trasladó a Nueva York, y poco a poco fue alejándose de lo que había sido un enfoque minimalista para crear cuadros, algo evidente en obras como *Fuerte #2* (1980).

Durante la década de 1980 relajó la aplicación de pinceladas, y los objetos de sus pinturas quedaban impregnados de una cierta cualidad lírica, poética. Scully también desarrolló la técnica de insertar un panel más pequeño, a menudo con un diseño de contraste de rayas verticales y horizontales, en el panel más grande. La yuxtaposición de lo que eran dos planos transmitía una sensación rica y viva de la presencia del objeto. Durante este período, empezó a experimentar con unir lienzos separados, como en *Paul* (1984). Continúa con su investigación obsesiva del lenguaje y el vocabulario de la abstracción. **CS**

Obras destacadas

Fuerte # 2, 1980 (Tate Collection, Londres)
Paul, 1984 (Tate Collection, Londres)
Tonio, 1984 (Tate Collection, Londres)

1940–49

«Me resultan muy atractivos los sistemas de orden sencillos [...], una lógica extraña y misteriosa.»

ARRIBA: Sean Scully en una retrospectiva de su obra en la Fundación Miró, en Barcelona.

MARINA ABRAMOVICH

Marina Abramovich, 30 de noviembre de 1946 (Belgrado, Yugoslavia [act. Serbia]).

Estilo: Artista de performance provocativa; obras que asumen un riesgo físico; uso del simbolismo y el ritual; atención a la centralidad del cuerpo; temas de la autobiografía y la sexualidad.

Obras destacadas

Ritmo 10, 1973
Reposo/Energía, 1980
Biografía, 1992-1993
Barroco balcánico, 1997
Épica erótica balcánica, 2005

«Existe un límite físico: cuando pierdes la conciencia no puedes [...] actuar.»

ARRIBA: Marina Abramovich fotografiada en la gala internacional Guggenheim de 2007.

La historia de la artista de performance Marina Abramovich casi exigía que ella fuera extraordinaria. Su abuelo, el patriarca ortodoxo de Serbia, fue santificado tras su asesinato por el rey, y sus padres fueron miembros de la Resistencia durante la Segunda Guerra Mundial.

En las décadas de 1960 y 1970 la artista estudió en Belgrado y Zagreb. Gran parte de su obra trata el miedo al dolor y la muerte, tal como se ve en su temprana obra *Ritmo 10* (1973), en la que grababa el sonido producido al clavar cuchillos entre los dedos, que cambiaba cada vez que se cortaba.

En 1976 abandonó Yugoslavia y se instaló en Amsterdam, donde conoció, vivió y trabajó con el artista de performance de Alemania Oriental Uwe Laysiepen, conocido como Ulay. Su performance más destacada fue *Reposo/Energía* (1980), donde ambos artistas se inclinaban hacia atrás mientras Abramovich agarraba un arco y Ulay sujetaba la flecha tensa en la cuerda del arco apuntando directamente al corazón de ella. Incluso su separación definitiva se convirtió en una performance, en la que caminaban el uno hacia el otro desde los dos extremos de la Gran Muralla china. Luego Abramovich se centró en su propia vida y realizó la performance teatral *Biografía* (1992-1993), que periódicamente actualiza. Es una viajera compulsiva que necesita experimentar otras culturas. La incorporación del simbolismo y el ritual aprendido de sus viajes es un componente vital de su obra y le ha conducido a piezas como *Barroco balcánico* (1997), que consistía en fregar 1.500 huesos y con el que ganó el León de Oro en la Bienal de Venecia. En un cambio temático, su videoinstalación *Épica erótica balcánica* (2005) exploraba la sexualidad en la historia y la cultura balcánica a través de un estudio del folclore serbio. **WO**

GUILLAUME BIJL

Guillaume Bijl, 19 de marzo de 1946 (Amberes, Bélgica).

Estilo: Escultor belga; especializado en instalaciones a gran escala de «realidad irreal» para desafiar las percepciones de la vida cotidiana; tono absurdo; sentido del humor juguetón.

Guillaume Bijl es un artista de varios medios que utiliza la ilusión y la normalidad para ofrecer una nueva perspectiva. Como Marcel Duchamp antes que él, la obra de Bijl se centra en lo prefabricado, pero su arte no hace referencia tanto a objetos hallados como a ambientes encontrados: en vez de un urinario se trata de un edificio entero. En uno de sus ejemplos más célebres, *Tu supermercado* (2003), llenaba una galería con una réplica de parte de un supermercado y las estanterías se reponían con regularidad con productos reales, pero nada estaba a la venta. Otras instalaciones de esta serie han recreado un plató de un concurso de preguntas, un aeropuerto y una lavandería.

Bijl añade un tono absurdo a este concepto en una colección de obras que llama «Instalaciones de perdón» (1987-2006). La disculpa se debe a que, a pesar de que las piezas parecen objetos encontrados, están creadas a partir de la imaginación del artista, en vez de ser recreaciones de la vida. Por ejemplo, con su obra *Emplazamiento arqueológico* (2003), ubicada en un parque de Münster, el espectador descubre un agujero de 7 m que contiene lo que parece la aguja de una iglesia neogótica a gran escala con una excavadora al lado. También ha creado una *Calle romana* (1994) falsa excavada en el museo al aire libre de Middelheim, en Amberes.

Sus instalaciones surrealistas resaltan su sentido del humor travieso, pero al principio le acarrearon problemas. Cuando mostró una lámpara en el mercado de arte de Basilea, otros artistas pidieron que fuera expulsado. Sin embargo, Bijl cumple una función necesaria: el mundo del arte necesita a alguien dispuesto a cuestionar dónde termina la realidad y empieza el arte. Como no se cansa de resaltar, no se burla del arte contemporáneo, sino que le está rindiendo tributo. **JM**

Obras destacadas

Museo de muñecas de cera (Documenta IX), 1992 (Ontario Museum, Toronto)

Calle romana, 1994 (Museo al aire libre de Middelheim, Amberes)

Tu supermercado, 2003 (Tate Liverpool, Liverpool)

> «Mi obra es crítica. Me burlo de las instituciones, de nuestra civilización, de nuestros hábitos.»

ARRIBA: Guillaume Bijl en la IX Documenta en Kassel, Alemania, en 1992.

ROBERT MAPPLETHORPE

Robert Mapplethorpe, 4 de noviembre de 1946 (Nueva York, Nueva York, EE.UU.); 9 de marzo de 1989 (Boston, Massachusetts, EE.UU.)

Estilo: Fotografías estilizadas en blanco y negro; bodegones florales, celebridades y representaciones homoeróticas de desnudos; investigación de efectos tonales.

Obras destacadas

Patti Smith, 1975 (Robert Mapplethorpe Foundation, Nueva York)

Louise Bourgeois, 1982 (Robert Mapplethorpe Foundation, Nueva York)

Calla Lilly, 1986 (Solomon R. Guggenheim Museum, Nueva York)

Andy Warhol, 1986 (Robert Miller Gallery, Nueva York)

«[...] fotografiar una flor no es muy distinto de fotografiar una verga.»

ARRIBA: Mapplethorpe en su exposición en la Robert Miller Gallery en 1985.

DERECHA: *Ajitto* (1981) es uno de los desnudos más famosos de Mapplethorpe.

Robert Mapplethorpe es un fotógrafo estadounidense famoso por sus obras de una sexualidad explícita y los escándalos que las rodean. Sin embargo, cabe destacar que dicha visión no es un reflejo auténtico de sus logros artísticos.

Mapplethorpe estudió pintura y escultura en el Pratt Institute: dos disciplinas que influyeron en su última obra fotográfica. Empezó utilizando una cámara Polaroid en 1971, regalo de John McKendry, conservador de fotografía del Metropolitan Museum of Art de Nueva York. En 1974 el obsequio de una cámara Hasselblad por parte de su amigo y amante ocasional Sam Wagstaff lo animó a investigar el medio en gran formato. Mapplethorpe realizó retratos de amigos y conocidos, entre ellos la cantante Patti Smith, con quien vivió. El artista siguió trabajando con este formato durante toda su ilustre carrera, fotografiando a personajes famosos, como el rey del pop art Andy Warhol y la cantante del grupo Blondie, Debbie Harry.

Pronto Mapplethorpe empezó también a realizar fotografías de bodegones florales y figuras desnudas, y estas abarcaban desde imágenes que recordaban esculturas clásicas a representaciones explícitas de actos sexuales extremos. Es lícito plantearse si un artista debe, o no, realizar dichas obras, pero ese debate no desmerece la calidad estética de la obra de Mapplethorpe. Tal y como afirmó el artista, trataba a todos sus modelos de manera parecida, los transformaba en formas bellas y abstractas que exploran los efectos tonales de la luz en la piel, la musculatura y los pétalos. Así, las fotografías de Mapplethorpe son construcciones artificiales y cosméticas más preocupadas por el efecto de la superficie que por el contenido, a pesar de que sus críticos y el público no siempre aprecien esas intenciones y prioridades. **WD**

1940–49

CHRIS BURDEN

Chris Burden, 1946 (Boston, Massachusetts, EE.UU.).

Estilo: Artista de performance e instalación; uno de los primeros defensores del arte corporal; estudia las estructuras de poder y formas de resistencia; influido por la tecnología, las máquinas, las leyes de la física y la arquitectura.

Obras destacadas

Historia de dos ciudades, 1981 (Orange County Museum of Art, Newport Beach, EE.UU.)

La apisonadora voladora, 1996 (Novartis, Basilea, Suiza)

El barco fantasma, 2005

El papel de Chris Burden como defensor del primer arte de performance de la costa oeste de Estados Unidos le ha garantizado un lugar en la historia de las prácticas conceptuales, y la diversidad de su producción y sus ganas de eliminar las fronteras han generado una obra única. A lo largo de su carrera, Burden se ha sometido al riesgo y el dolor, ha estudiado los sistemas de comunicación y transporte y las leyes de la física y la tecnología, y ha tratado las armas de destrucción masiva e imágenes de autoridad. Ha construido maquetas de puentes, creado ciudades en miniatura y fabricado máquinas autónomas como su extraordinario *El barco fantasma* (2005), diseñado para navegar solo.

Al principio Burden era un estudiante de arquitectura con un interés por la física; más tarde, en 1971, estudió un máster en bellas artes en la Universidad de California. Durante los años setenta, el objeto de su arte era su propio cuerpo. En sus performances fue disparado, crucificado, pasó a gatas por cristales rotos y se expuso a una posible electrocución.

Durante la década de 1980 dejó esas actividades y empezó a crear esculturas e instalaciones que exploraban los sistemas de autoridad y diversas tecnologías. En *Exponiendo los fundamentos del museo* (1986), excavó secciones de hormigón y tierra para dejar al descubierto los fundamentos del Museo de Arte Contemporáneo de Los Ángeles. Gracias a la combinación de una visión extraordinaria y sus audaces proezas de ingeniería, sus proyectos a menudo resultan máquinas impresionantes que son tan elegantes como tecnológicamente innovadoras. Tal es el caso de su increíble *La apisonadora voladora* (1996), que comprende un pivote de acero y un sistema hidráulico encajado con cuidado que permite que una apisonadora de 12 toneladas vuele en el aire. **LA**

> «Ser artista debería hacerse sin un motivo ni propósito real.»

ARRIBA: Chris Burden fotografiado en su casa de California en 1990.

GIUSEPPE PENONE

Giuseppe Penone, 3 de abril de 1947 (Garessio, Cuneo, Italia).

Estilo: Exploración del diálogo entre el arte y los procesos naturales; materiales orgánicos nada espectaculares; compromiso con las superficies de contacto entre los seres vivos y su entorno.

Muy vinculado al movimiento del arte povera, Giuseppe Penone ha investigado durante las últimas cuatro décadas el contacto de las personas con el mundo natural y sus procesos.

Penone nació en una granja cerca de Garessio, en una comunidad rural situada al sur de Turín. Su práctica encarna la profunda relación simbiótica y participativa con la naturaleza que se ha establecido en esa zona de Italia durante milenios. Para *Crecerá en este punto* (1968-1978), Penone realizó un molde de acero de su mano agarrando el tronco de un árbol joven. A continuación adjuntaron el molde al tronco y, a medida que iban pasando los años, el árbol creció por encima y alrededor del molde, de modo que se hacía visible de modo elegante el paso del tiempo. Para su serie «Árboles» (1969-2004), Penone compró bloques de madera industrial cortados a máquina y, siguiendo el contorno de los anillos del tronco, talló la madera hasta devolverla a un estado anterior de desarrollo. En diálogo con el minimalismo estadounidense, Penone buscaba el recuerdo orgánico de esos materiales tallados con forma geométrica. En 1974 empezó a realizar enormes dibujos al carboncillo de huellas minúsculas sacadas de la superficie de su cuerpo. Daba forma de diapositivas rudimentarias a las impresiones resultantes y las proyectaba a varios metros de distancia en el estudio o en una pared. Dibujaba encima de la imagen proyectada y creaba territorios amplios de párpados y frentes.

A diferencia del brillo y espectáculo de la cultura de consumo, Penone ha desarrollado prácticas basadas en la ética del tacto y en la sencillez de medios. Su compromiso cooperativo con los materiales naturales encarna una manera de crear que encaja con nuestra época cargada de ecologismo. **EK**

Obras destacadas

Crecerá en este punto, 1968-1978 (Garessio, Italia)

Invertir los propios ojos, 1970 (colección particular)

Párpado, 1989-1991 (colección de la fundación De Pont, Tilburg, Países Bajos)

«[...] todos los elementos son líquidos. Incluso la piedra es líquida [...]»

ARRIBA: Giuseppe Penone fotografiado en junio de 2007.

BOYD WEBB

Boyd Webb, 1947 (Christchurch, Nueva Zelanda).

Estilo: Fotógrafo conceptual y artista de instalaciones; fotografías ficticias a gran escala; retablos alegóricos, ingeniosos y absurdos; temas de política sexual y medioambientales; inquietudes científicas y tecnológicas.

Obras destacadas

La carpa de Scott, 1984 (Tate Collection, Londres)

Bendecido, 1985 (Auckland Art Gallery Toi O Tamaki, Auckland, Nueva Zelanda)

Ruina escurrida, 1997 (Auckland Art Gallery Toi O Tamaki, Auckland, Nueva Zelanda)

Las fotografías de Boyd Webb son, en apariencia, de composición sencilla, y engañan tanto que es un tema constante en la valoración de su obra. Lo que parecen ser formas naturales o espacios amplios y abiertos resultan grandes piezas de planchas de plástico, pedazos flotantes de madera o rollos rizados de tela. En esas imágenes fotográficas a gran escala, los materiales cotidianos se utilizan para resaltar objetos o escenarios familiares, como un campo de trigo o una galaxia lejana. Aun así, el espectador ve con claridad, por ejemplo, que lo que en principio parece la superficie de un planeta es un pedazo enorme de alfombra arrugada, que forma parte de un juego surrealista de materiales manipulados y puestos en escena, animados por conceptos de lo real, lo aparente y lo artificial.

Webb inició su formación artística en 1972, cuando abandonó su Nueva Zelanda natal para estudiar en el departamento de escultura del Royal College of Art de Londres. Los procesos escultóricos le parecían caros y pesados, y optó por el lenguaje más contemporáneo de la fotografía. En poco tiempo fue muy aplaudido internacionalmente. Sin embargo, sus raíces escultóricas seguían cumpliendo una notable función de apoyo en su proceso artístico. Webb realizó elaborados retablos, más parecidos a escenografías teatrales, y las fotografió en su estudio: *Nutrir* (1984) es una de esas obras. Presenta a un hombre mamando bajo una enorme forma verdosa que es el vientre de una ballena, la cual ocupa dos tercios de la composición. La carne de la ballena parece hecha de espuma del dorso de una alfombra, y el objeto que chupa el hombre es un tubérculo con un pezón pintado. Este tipo de yuxtaposición cómica, desconcertante o perturbadora caracteriza la obra fotográfica de Webb. **NG**

«Llevar lo doméstico a reinos más allá de lo imaginable [...] [es] una auténtica aspiración humana.»

ARRIBA: Boyd Webb apareció en la lista inédita de candidatos al premio Turner en 1988.

ERIC FISCHL

Eric Fischl, 1948 (Nueva York, EE.UU.).

Estilo: Pintor estadounidense figurativo, fotógrafo y escultor de desnudos; escenarios suburbanos; temas de voyerismo, sexualidad, relaciones, tabúes y límites, a menudo con un trasfondo inquietante.

Según Eric Fischl, «América no es Disneyland. Las cosas huelen, tienen aristas, las personas pueden hacerse daño». Pintor figurativo contemporáneo, Fischl recurre a la tradición de predecesores como Edward Hopper y Edgar Degas. Al igual que ellos, pinta la vida suburbana y de salón, pero ahí terminan las similitudes. El poder perturbador e inquietante de sus cuadros lo acerca más a Edvard Munch, así como su capacidad de crear una sensación de incomodidad y angustia en el espectador.

Fischl nació en Nueva York, pero su familia se trasladó a Phoenix, Arizona, en 1967, y estudió arte en el California Institute of Arts entre 1969 y 1972. En 1974 empezó a dar clases de pintura en el Nova Scotia College of Art and Design, donde conoció a su esposa, la pintora April Gornik. La pareja se trasladó a Nueva York en 1978, donde siguen viviendo.

Fischl optó por un estilo de pintura realista y figurativa por hacer frente al gusto contemporáneo por la abstracción y el minimalismo. Sus primeros cuadros, como *Chico malo* (1981), marcaron la pauta de su obra. Colocaba figuras desnudas en escenarios suburbanos, pero de un modo que hacía que los espectadores se sintieran como voyeurs que observan cómo la vida en los suburbios se desarrolla tras unas puertas cerradas.

Su obra de los últimos tiempos incluye acuarelas figurativas más convencionales, pero sigue perturbando: el caso más reciente, su escultura de bronce a tamaño natural *Mujer cayendo* (2002), donde retrata a una mujer cayendo de una de las Torres Gemelas el 11 de septiembre de 2001. Expuesta por primera vez en el Rockefeller Plaza de Nueva York, fue retirada al considerarse impactante y ofensiva. El legado de Fischl como artista que continúa utilizando el cuerpo para lidiar con temas tabú parece garantizado. **CK**

Obras destacadas

Chico malo, 1981 (Mary Boone Gallery, Nueva York)

Casa nueva, 1982 (colección particular)

Mujer cayendo, 2002 (colección particular)

1940-49

«Pienso en el arte como pegamento, un pegamento cultural y social [...]»

ARRIBA: Eric Fischl en la revista del *New York Times*, en octubre de 2002.

HIROSHI SUGIMOTO

Obras destacadas

Winnetika Drive-in, Paramount, 1993
  (Tate Collection, Londres)

World Trade Center, 1997 (Hirshhorn Museum,
  Washington, D.C.)

Enrique VIII, 1999 (Solomon R. Guggenheim
  Museum, Nueva York)

Hiroshi Sugimoto, 23 de febrero de 1948 (Tokio, Japón).

Estilo: Fotografías a gran escala en blanco y negro; dioramas, retratos, paisajes marinos, películas y arquitectura; temas de la luz, el recuerdo, los sueños, la historia de la representación y el tiempo.

Hiroshi Sugimoto ha desarrollado un particular estilo de fotografía a gran escala en blanco y negro en la que investiga los efectos de la luz y el tiempo. Su primera serie, «Dioramas» (1976), presenta muestras del museo de historia natural, mientras que en su posterior serie de retratos capta las figuras de cera del museo Madame Tussaud´s del rey Enrique VIII y sus esposas. Mediante una compleja recreación de la sensación de luz natural, hace que esas representaciones artificiales se parezcan a la realidad y la pintura, respectivamente. En su serie por antonomasia de salas de cine y autocines de Estados Unidos, fotografía espacios absolutamente mínimos y otros recargados de decoración. **MG**

RICHARD PRINCE

Obras destacadas

Sin título («Estuve casado»), 1986 (Museum
  of Modern Art, Nueva York)

Sin título (Cowboy), 1990 (Victoria & Albert
  Museum, Londres)

Richard Prince, 1949 (antigua zona del canal de Panamá controlada por EE.UU, Panamá).

Estilo: Fotógrafo y pintor expresionista abstracto; apropiación de objetos coleccionables de la cultura pop; varias capas de superficies analógicas y digitales.

Richard Prince se trasladó a Nueva York en 1973 y participó en la próspera escena artística del centro de la ciudad. Adquirió mayor notoriedad en la década de 1980 al hacer una serie de anuncios del hombre de Marlboro refotografiado que había recortado de las revistas. Pese a que los artistas llevan décadas cuestionando los conceptos de autenticidad y valor cultural, la generación de Prince estaba inmersa en la cultura popular, y su ironía conceptual estaba filtrada por un compromiso emocional más profundo. Su recontextualización de productos descartados de la cultura basura ha abarcado novelas de *pulp fiction* y revistas de motos. Desde mediados de la década de 1990 aplica un estilo expresionista abstracto de pintura a imágenes encontradas. **RB**

PHILIP CLAIRMONT

Philip Antony Haines, 1949 (Nelson, Nueva Zelanda); 1984 (Auckland, Nueva Zelanda).

Estilo: Figuración distorsionada; psicopatología; colores vivos; gestos fragmentados, interiores domésticos antropomorfizados; autorretratos; temas de protesta.

La imagen popular de Philip Clairmont es la de uno de los *bad boys* del arte neozelandés. Junto con sus compañeros Allen Maddox y Tony Fomison, encarna el mito del artista problemático, atormentado y peleón. En el caso de Clairmont, incluía la experimentación con drogas alucinógenas, y terminó con su muerte prematura por suicidio a los treinta y cuatro años.

La breve carrera de Clairmont empezó como estudiante en la Escuela de Bellas Artes de la Universidad de Canterbury entre 1967 y 1970, donde estuvo bajo la influencia de Rudi Gopas, pintor expresionista lituano. Se dice que Clairmont admiraba sobre todo el art brut y las obras de Francis Bacon, Vincent van Gogh, Ernst Ludwig Kirchner y Max Beckmann. Partiendo de esa base, concibió un estilo de pintura que parecía salvaje, rítmico y que amenazaba con desbordarse, aunque siempre lograba mantenerse rigurosamente definido y controlado.

Clairmont gozó de un éxito temprano y organizó su primera exposición individual en 1970. En cuanto al tema, rechazaba la tradición paisajística de su país y se centraba en los interiores domésticos y psíquicos, como en su obra maestra *Sofá con cicatrices, la experiencia de Auckland* (1978). Es una obra enorme, de casi 3 m de largo por 1,5 m de alto, considerada un autorretrato simbólico. Presenta un sofá con la tela descolorida y gastada, una sensación de decadencia domina la superficie. Sin embargo, el efecto global de la pieza es una enorme explosión de color vivo y palpitante.

Clairmont era un artista serio y comprometido al que le preocupaban cuestiones políticas como la desigualdad y la hipocresía. Protestó contra el régimen del *apartheid* durante la competición de rugby Springbok de 1981, y realizó algunos de los cuadros más potentes del movimiento expresionista de Nueva Zelanda. **NG**

Obras destacadas

Retrato de un lavabo, Sangre en un lavabo, 1971 (Christchurch Art Gallery, Christchurch, Nueva Zelanda)

Sofá con cicatrices, la experiencia de Auckland, 1978 (Museum of New Zealand Te Papa Tongarewa, Wellington, Nueva Zelanda)

1940–49

«Sus obras desafían las percepciones de arte elevado formal.» Ferner Galleries, Nueva Zelanda

ARRIBA: Detalle de una fotografía de Philip Clairmont realizada por Marti Friedlander.

TONY CRAGG

Anthony Cragg, 9 de abril de 1949 (Liverpool, Inglaterra).

Estilo: Exploración de la naturaleza de la materia física y nuestra relación con ella; uso temprano de residuos urbanos desechados; conceptos e imaginería científica; la obra abarca una amplia gama de materiales; últimas obras monolíticas.

Obras destacadas

Gran Bretaña vista desde el norte, 1981 (Tate Collection, Londres)

Postcard Union Jack (Postal con bandera), 1981 (Leeds City Art Gallery, Leeds)

Terris Novalis, 1989 (instalada en los años noventa en la National Cycle Network, Consett, Inglaterra)

Points of View (Puntos de vista), instalada en 2005 (en la confluencia de las calles Larios y Strachan, Málaga)

La escultura de Tony Cragg, síntesis estimulante de pensamiento científico y artístico, trata una cuestión tan moderna como la relación de los seres humanos con su mundo. Para Cragg, este abarca la marea de objetos fabricados que nos rodean, así como los materiales naturales y el paisaje. Su principal punto de partida es el modo en que el mundo natural se ve afectado por la tecnología. Ha trabajado con multitud de materiales (plástico, arcilla, piedra, bronce), así como diferentes técnicas. Cragg potencia una relación dinámica con materiales específicos permitiendo que sus cualidades únicas desempeñen un papel destacado al dictar la forma de cada obra.

En las décadas de 1970 y 1980, Cragg era conocido por ensamblar piezas que utilizaban objetos «encontrados». Entre sus obras a partir de fragmentos de plástico desechado se encuentra *Gran Bretaña vista desde el norte* (1981), una reflexión sobre los problemas sociales de su país. Hacia 2007 gran parte de su obra se centraba en piezas monumentales hechas de metal y madera. Estas incluyen encargos en exteriores, como *Puntos de*

ARRIBA: **El premiado escultor Tony Cragg fotografiado en una galería en 1997.**

DERECHA: *Postal con bandera* (1981) es una obra en acrílico y mezcla de técnicas.

vista (2005). Sus montajes exploraban el tema tan científico de cómo se relacionan las partes con el todo.

La obra de Cragg se explica por una temprana mezcla de ciencia y arte. Tras dos años como técnico en un laboratorio de investigación a finales de los años sesenta inició los estudios en una serie de escuelas de arte, entre ellas el Royal College of Art de Londres. Cuando se acercaba a la treintena, ya era profesor de la École des Beaux-Arts de Metz, en Francia. Desde 1977 vive en Wuppertal, Alemania, donde logró a la vez una prolongada carrera de profesor en la Kunstakademie de Düsseldorf y un ritmo de exposición regular en todo el mundo. Se ha convertido en una destacada figura internacional: Francia lo ha nombrado Caballero de las Artes y las Letras (1992); Gran Bretaña, miembro de la Royal Academy (1994); Berlín lo ha elegido miembro de la Akademie der Künste (2001). Representó a Gran Bretaña en la Bienal de Venecia de 1988, y ha ganado el prestigioso premio Turner (1988) y Shakespeare (2001), así como un Premio Imperial en Japón (2007). **AK**

ARRIBA: *Especies* (2003) se expuso en la azotea del Kunstmuseum, en Bonn.

1940-49

Arte, ciencia y naturaleza

Terris Novalis (1989) es una obra imponente situada en la ruta ciclista nacional cerca de Consett, al nordeste de Inglaterra. Fue un encargo especial y comprende dos réplicas enormes de instrumentos de medición científicos. Están colocados sobre patas de animales cuyas asociaciones heráldicas los vinculan a los temas de la tierra y la propiedad. Con 6 m de altura por encima de un paisaje devastado por la industria, se ven a kilómetros de distancia. La obra es un recordatorio de la industria del acero de la zona, ya desaparecida, una marca del encuentro del paisaje y la industria y un hito práctico en una ruta de viaje sostenible.

ENZO CUCCHI

Obras destacadas

Perros moviendo la lengua, 1980
(Museo d'Arte Contemporanea, Rivoli)

Elefante de Giotto, 1986 (Art Gallery
of New South Wales, Sidney)

Enzo Cucchi, 14 de noviembre de 1949 (Morro d'Alba, Ancona, Italia).

Estilo: Pintor neoexpresionista y dibujante del movimiento de la transvanguardia;
incorporación de objetos tridimensionales como la cerámica; temas de la historia
del arte y el mito.

Enzo Cucchi se crió en la costa adriática, y los ricos colores del
campo son evidentes en lienzos como *Perros moviendo la lengua* (1980). Realizó su primera exposición en solitario en 1977.
A principios de los años ochenta, junto con sus compatriotas
Francesco Clemente y Sandro Chia, Cucchi era un miembro
destacado del movimiento de la transvanguardia en Italia, que
formaba parte de una tendencia más amplia en Europa hacia el
neoexpresionismo. Cucchi recurre a su cultura natal, al mito y a
los precedentes en la historia del arte con obras como el *Elefante de Giotto* (1986). A menudo se centraba en una imagen solitaria en medio de un paisaje vacío, que exigía una meditación
casi religiosa por parte del espectador. **CK**

RICHARD DEACON

Obras destacadas

Si el zapato cabe, 1981 (Tate Collection,
Londres)

Para los que tienen oídos #2, 1983
(Tate Collection, Londres)

Individual, 2004 (Marian Goodman Gallery,
Nueva York)

Richard Deacon, 15 de agosto de 1949 (Bangor, Gales).

Estilo: Escultor; trabaja con una gran variedad de materiales, entre ellos la madera,
el metal, el plástico y la arcilla; obras públicas a gran escala; formas orgánicas; títulos
que hacen alusión a los sentidos y el lenguaje.

Richard Deacon, ganador del premio Turner, esculpe en una
gran variedad de materiales cotidianos, desde contrachapado
laminado y acero inoxidable hasta vinilo y piel. Lo que une su
obra es que se niega a ocultar el proceso de construcción, de
modo que los remaches y los tornillos forman parte del objeto
final. Sus esculturas fluidas de formas orgánicas se arrastran, se
retuercen y giran como si se movieran, y parecen eludir una definición. La clave está en los títulos de sus obras, que con frecuencia aluden a los sentidos o el lenguaje, y hacen referencia a
literatura desde la Biblia hasta la poesía de Rainer Maria Rilke. Es
como si sus sinuosas esculturas pretendieran sugerir toda la variedad de experiencias y sentimientos humanos. **CK**

DERECHA: *Besa y cuenta* (1989), esculpido
en resina, madera industrial, contrachapado
y acero.

ANTONY GORMLEY

Antony Mark David Gormley, 30 de agosto de 1950 (Londres, Inglaterra).

Estilo: Escultor británico famoso por hacer moldes de plomo de su propio cuerpo; exploración del cuerpo y su relación con el entorno; temas de la mortalidad y la conciencia espiritual.

Obras destacadas

Cama, 1980-1981 (Tate Collection, Londres)

Campo, 1991, y siguientes recreaciones (varias ubicaciones)

Otro lugar, 1987 (Crosby Beach, Liverpool)

«El arte no es necesariamente bueno para ti ni pretende comunicar "cosas buenas".»

ARRIBA: Antony Gormley retratado en su estudio del norte de Londres en 2005.

Antony Gormley estudió arqueología, antropología e historia del arte en el Trinity College, Cambridge, entre 1968 y 1971. Al licenciarse, estudió budismo en India y Sri Lanka. De nuevo en Inglaterra, ingresó en el Goldsmiths College, en Londres, y cursó un posgrado en la Slade School of Art en 1979.

Gormley empezó a utilizar su propio cuerpo como molde para hacer esculturas de plomo a principios de la década de 1980, y sus obras han reinventado la escultura figurativa, tanto respecto al escenario como a la intención. Sus figuras están sentadas, de rodillas, de pie y en cuclillas en posturas cotidianas (en ocasiones vulnerables). La falta de rasgos definidos y las líneas de soldadura al descubierto centran la atención del espectador en la escultura y su entorno más que en el detalle y el acabado de la superficie. La formación y el interés de Gormley por lo místico y espiritual impregna su obra.

Ha recibido encargos frecuentes para crear obras destinadas a espacios públicos, de modo que el artista ha llevado su arte más allá de los límites de la galería hasta playas, azoteas de edificios en entornos urbanos, incluso junto a una importante autopista, en forma de su imponente *Ángel del norte* (1998), de 20 m de alto por 54 m de ancho, en Gateshead, Inglaterra. También ha colaborado en sus obras públicas. Una de esas piezas, *Campo para las islas Británicas* (1994) le valió el premio Turner en 1994. «Campo» es una serie de instalaciones que Gormley ha recreado a lo largo de los años en varios lugares, ayudado por comunidades locales. Así, *Campo asiático* (2003) hizo que el artista trabajara junto con trescientos lugareños del distrito chino de Hudau en Guangzhou para crear 120.000 figuritas de arcilla. La serie cambia cada vez, el único elemento en común es el medio y el diseño tosco de cada figurilla. **CK**

JENNY HOLZER

Jenny Holzer, 29 de julio de 1950 (Gallipolis, Ohio, EE.UU.).

Estilo: El texto como forma de arte visual; frases expresivas y poéticas; prolífica dentro del movimiento del arte feminista; arte populista; neoconceptualismo; a menudo específica del lugar; señales de LED.

Como miembro destacada de la revolución del arte feminista, Jenny Holzer investiga los valores contemporáneos de la sociedad a través de la retórica del lenguaje. Ha recibido muchos galardones, entre ellos el premio Blair, concedido por el Art Institute de Chicago, y el León de Oro por su obra en la Bienal de Venecia, donde fue la primera mujer en representar al pabellón estadounidense.

Mientras estudiaba en Nueva York, Holzer creó su primera serie de «Obviedades» (1979-1983): listas de breves máximas que escribe o toma prestadas y que trasmiten un mensaje de conciencia política y social. Incorpora sus cándidos pensamientos sobre las tribulaciones de la vida y su concepción de las verdades universales. Algunos de los ejemplos de estas frases son: «El abuso de poder no causa sorpresa», «A veces la ciencia avanza más deprisa de lo que debería» y «La gente estúpida no debería respirar».

A pesar de que al principio incluía estas expresiones en carteles blancos por todo el paisaje urbano de forma anónima, más adelante utilizó foros menos alternativos para mostrar su obra, haciendo uso de una variedad de medios como vallas publicitarias de la ciudad, ropa de moda y salas de instalaciones en museos a gran escala. Reinventó su singular semántica al integrar sistemas de información moderna en forma de coloridas señales de LED para presentar su texto. Las llamativas interfaces combinadas con las frases punzantes evocan la pureza de los minimalistas y la urgencia de la publicidad. Las obras posteriores de Holzer a menudo adoptan un tono religioso o violento y han sido expuestas en placas de bronce y bancos de mármol, además de señales electrónicas, y siempre provocan un discurso profundo y un debate intelectual. **MG**

Obras destacadas

Obviedades, 1983 (Museum of Contemporary Art, Chicago)

Obviedades, 1984 (Tate Collection, Londres)

Soy un hombre, 1987 (San Francisco Museum of Modern Art, San Francisco)

«El "autor" proyectado por los textos de Holzer está en todas partes y en ninguna.» David Joselit

1950–59

ARRIBA: La premiada artista Jenny Holzer, en una fotografía de mayo de 2006.

JULIAN SCHNABEL

Julian Schnabel, 26 de octubre de 1951 (Brooklyn, Nueva York, EE.UU.).

Estilo: Pintor neoexpresionista y director de biopics; uso del texto, platos rotos, terciopelo, lona y viejos telones de teatro; pinceladas enérgicas y físicas.

Obras destacadas

Homo painting, 1981 (Tate Collection, Londres)

Basquiat, 1996 (película)

Antes que anochezca, 2000 (película)

La escafandra y la mariposa, 2007 (película)

Julian Schnabel ha tenido una carrera extraordinaria. En la década de 1980 se hizo famoso por sus cuadros que incorporaban platos rotos, inspirados en parte en su experiencia trabajando de cocinero. Sin embargo, su carrera como cineasta es la que ha cosechado un éxito tras otro. Empezó con la biopic de su amigo Jean-Michel Basquiat y culminó con el premio al mejor director en el festival de cine de Cannes por *La escafandra y la mariposa* (2007), una adaptación de las exitosas memorias de un periodista paralítico que se comunicaba parpadeando un ojo.

Schnabel fue uno de los pintores más destacados del *boom* artístico de los años ochenta, y se convirtió en una destacada figura del movimiento del neoexpresionismo. Su obra combinaba palabras, imágenes y en ocasiones loza en pinturas de una escala extremadamente grande, creadas con una energía brutal y emociones puras en una gran variedad de superficies, entre ellas viejos telones de teatro. Sin embargo, su ascenso meteórico, la fama y los altos precios alcanzados en las subastas provocaron una reacción crítica. Robert Hughes escribió: «Schnabel es en la pintura como Stallone en la interpretación —una muestra agitada de pectorales aceitosos—, pero Schnabel se reivindica más en público». Las películas de Schnabel se caracterizan por el uso de metáforas visuales y un relato lírico. Para su primer filme, *Basquiat* (1996), contó con David Bowie para interpretar a Andy Warhol e incorporó imágenes del surf como metáfora del ascenso y la caída de Basquiat; la acogida fue dispar. Con *Antes que anochezca* (2000), otra biopic, esta vez del poeta cubano Reinaldo Arenas, interpretado por Javier Bardem, ganó el premio especial del jurado del festival de cine de Venecia. Schnabel ha seguido pintando con un compromiso apasionado con el medio y su historia. **JJ**

> «Algunas personas se sienten inspiradas, otras se ofenden. Eso es bueno.»

ARRIBA: Schnabel fotografiado en 2004, frente a *Muchacha grande sin ojos*.

DONALD SULTAN

Donald Keith Sultan, 1951 (Asheville, Carolina del Norte, EE.UU.).

Estilo: Pintor, escultor y grabador; pinturas de bodegones a gran escala de temas tradicionales como la fruta y las flores y objetos cotidianos como botones; uso de colores vivos y llamativos, alquitrán y baldosas de vinilo.

El artista estadounidense Donald Sultan ha llevado la antigua tradición de la pintura de bodegón a la era moderna con sus obras a gran escala de objetos clásicos, como flores, fruta y mariposas, así como objetos más mundanos, por ejemplo, dominós, dados y botones. En vez de pintar en un lienzo convencional, Sultan trabaja en paneles de conglomerado, cubiertos por baldosas de vinilo de 30 cm que se suman hasta llegar a 0,7 m² en total; impresionante. Corta las formas que quiere en el vinilo y llena el espacio con yeso y/o alquitrán antes de pintar encima para crear una superficie con una textura rica.

Las representaciones de Sultan de tulipanes, amapolas, lirios, limones y naranjas poseen el poder contemplativo de los bodegones tradicionales y todo lo que ello evoca, pero sus pinturas son casi abstractas en su uso minimalista de colores claros y llamativos, el sentido compacto de la composición y las secciones transversales de los temas que hacen que parezca pura forma geométrica y color. El artista ha sacado el bodegón de su escenario doméstico para encontrar un lugar en el arte contemporáneo donde poder apreciarlo por su belleza estética. Su incorporación de objetos cotidianos como botones, en obras como *Botón negro* (1997), permite al espectador contemplar el poder de lo común. La gran escala de la obra abruma y casi perturba al espectador, como un lienzo de Mark Rothko, y exige atención.

Sultan se crió en Carolina del Norte y estudió su licenciatura en bellas artes en la Universidad de Carolina del Norte, Chapel Hill. Realizó un máster en bellas artes en la escuela del Art Institute de Chicago, Illinois. Luego se trasladó a Nueva York en 1975, y organizó su primera exposición individual en 1977 en el Artists Space de Nueva York. **CK**

Obras destacadas

Black Rose (Rosa negra), Oct. 1989,
de la suite *Black Roses, Dec. 1989,*
1989 (publicada en 1990) (Smithsonian
American Art Museum, Washington, D.C.)

Black Button (Botón negro), 1997 (Ackland
Art Museum, University of North Carolina,
Chapel Hill, EE.UU.)

«[Mi obra tiene la capacidad de] encenderte y apagarte al mismo tiempo.»

1950-59

ARRIBA: La obra de Donald Sultan ha revolucionado la tradición de la pintura de bodegón.

BILL VIOLA

Bill Viola, 25 de enero de 1951 (Nueva York, EE.UU.).

Estilo: Videoartista pionero de ambiente total; empleo de cintas de audio, instalaciones y emisiones de radio; cámara lenta extrema; claridad hiperreal; actores conmovedores; referencias al arte religioso; espiritualismo.

Obras destacadas

Information (Información), 1973

The Quintet of Remembrance, 2000

Five Angels for the Millennium (Cinco ángeles para el milenio), 2001

Bill Viola estudió fotografía, música electrónica y vídeo en Experimental Studios, en el College of the Visual and Performing Arts de la Universidad de Syracuse. Nam June Paik, Andy Warhol y otros artistas habían empezado a explorar las posibilidades del videoarte en la década de 1960, pero aún estaba muy verde cuando Viola terminó sus estudios en 1973. Sin embargo, trabajando en Nueva York y Florencia junto a Woody Vasulka, Bruce Nauman y Vito Acconci se convenció de que el vídeo podría ser su elemento central. En 1977 expuso en La Trobe University en Melbourne, Australia, donde conoció a la que luego sería su esposa, la directora de arte cultural Kira Perov. Ambos formaban una pareja laboral y pasaron una temporada en Japón, donde se iniciaron en el budismo zen. Tras su regreso, a Viola le ofrecieron un puesto de profesor en el California Institute of Arts, y desde entonces la pareja ha convertido California en su hogar.

La obra de Viola es humanista y abiertamente emotiva, investiga los fenómenos de la conciencia, los estados emocionales más intensos y el deseo de trascendencia espiritual. Por lo tanto, le interesan menos los experimentos formales que a muchos de sus compañeros, pero adopta las nuevas tecnologías cuando le

ARRIBA: Bill Viola fotografiado rodeado de rayos láser en 1998.

DERECHA: De *El quinteto de los silenciosos* (2000), una muestra de plasma montada en una pared.

ayudan a disolver las barreras entre el público y el medio. Su uso característico de la cámara lenta extrema apareció por primera vez en *El saludo* (1995), mientras que en la ambiciosa *Ser el cuarto del día* (2002) rodeaba al espectador de un fresco digital de alta definición. La colección «Las pasiones» (2003) mezclaba pequeños paneles de pantallas con grandes pantallas de retroproyección, y fue la primera exposición de un artista contemporáneo en la National Gallery de Londres. Las referencias a las imágenes y retablos devotos del Renacimiento reflejaban el antiguo interés del artista por el misticismo religioso.

ayudan a disolver las barreras entre el público y el medio. Su uso característico de la cámara lenta extrema apareció por primera vez en *El saludo* (1995), mientras que en la ambiciosa *Ser el cuarto del día* (2002) rodeaba al espectador de un fresco digital de alta definición. La colección «Las pasiones» (2003) mezclaba pequeños paneles de pantallas con grandes pantallas de retroproyección, y fue la primera exposición de un artista contemporáneo en la National Gallery de Londres. Las referencias a las imágenes y retablos devotos del Renacimiento reflejaban el antiguo interés del artista por el misticismo religioso.

Las instalaciones de Viola están diseñadas como «ambientes totales» meditativos que exigen al espectador invertir tiempo en «percibir más que en ver» antes de que se revele el significado. Eso ha suscitado acusaciones de pretensiones new age en ciertos ámbitos, pero durante los últimos treinta años su obra ha resultado ser accesible para todo el mundo. **RB**

ARRIBA: «Ángel partiendo», de la instalación *Cinco ángeles para el milenio* (2001).

La epifanía de un artista

A finales de la década de 1990, cuando su padre sufría una grave enfermedad, Viola visitó el Art Institute de Chicago y se vio en una sala rodeada de arte de la última época medieval y principios del Renacimiento. De pronto, frente a una pintura del siglo XV de la virgen de luto —*Mater Dolorosa*, de Dieric Bouts (1480-1500)— se puso a llorar sin control. Viola más tarde recordaba: «Por primera vez en mi vida me di cuenta de que estaba utilizando una obra de arte en vez de apreciarla sin más. Tal vez debería haber ocurrido en una iglesia [...], pero sucedió en una galería de arte».

1950–59

GUSTAVO AGUERRE

Obras destacadas

SoloSol, 1972-1974 (Museum of Modern Art, Nueva York)

Smitta.doc, 2007 (Museo de Arte de Malmoe, Malmoe, Suecia)

Gustavo Aguerre, 1953 (Buenos Aires, Argentina).

Estilo: Artista de instalaciones y performance; fotógrafo, conservador, escritor, diseñador teatral; observaciones sobre las convenciones sociales y culturales; instalaciones a gran escala en espacios públicos.

En 1972 el argentino Gustavo Aguerre creó *SoloSol*, la primera revista de arte alternativa de América del Sur. Tenía un tono claramente anarquista que resultaba revolucionario en aquella época. Pasados dos años, se trasladó a Alemania para estudiar en la Academia de Arte de Munich. Es conocido sobre todo por el colectivo artístico FA+, que creó en 1992 junto a su esposa, la artista sueca Ingrid Falk, en Estocolmo. El colectivo ha trabajado en instalaciones a gran escala de escultura, vídeo, obras de internet y proyecciones fotográficas en espacios públicos de toda Europa. La obra de FA+ a menudo examina con humor las convenciones sociales y culturales y reflexiona sobre la inmigración, el de asilo político y el tráfico de personas. **CK**

JUAN MUÑOZ

Obras destacadas

Lo vi en Bolonia, 1991 (Museo Nacional Centro de Arte Reina Sofía, Madrid)

Towards the corner, 1998 (Goodman Gallery, Nueva York)

Trece riéndose los unos de los otros, 2001 (Jardim da Cordoaria, Oporto)

Double Bind, 2001 (Turbine Hall, Tate Modern, Londres)

Juan Muñoz, 16 de junio de 1953 (Madrid, España), 28 de agosto de 2001 (Ibiza, España).

Estilo: Escultor, dibujante y experimentador en el ámbito del sonido; instalaciones y programas radiofónicos; esculturas de carácter realista, de gran expresividad.

Muñoz estudió en el Croydon College y en la Central School of Art and Design, ambas en Londres, y realizó su primera exposición individual en 1984. El escultor fue evolucionando desde la obra aislada en pequeño formato hasta las grandes instalaciones integradas por personajes a escala casi real, que ocupan el espacio expositivo en constante interacción con el espectador. Muñoz creía en la participación activa de este en el proceso comunicativo, y en sus instalaciones apostaba por la descontextualización, en escenas corales cuyos personajes, en frecuente actitud jocosa, se ven desprovistos de cualquier decorado urbano y enfrentados a una «soledad colectiva» en la que el espectador es un componente más. **FA**

1950-59

MARTIN KIPPENBERGER

Martin Kippenberger, 25 de febrero de 1953 (Dortmund, Alemania); 7 de marzo de 1997 (Viena, Austria).

Estilo: Pintor, grabador, escultor y artista de instalaciones; proyectos absurdos; obras que enfatizaban su personalidad teatral y visión sociopolítica satírica.

Martin Kippenberger decidió hacer carrera como artista tras haber probado con otras salidas creativas, como la interpretación, la escritura y la promoción de un club nocturno de punk rock. No solo defendía la concepción romántica del artista como figura heroica, sino que también avivaba sus esfuerzos artísticos mediante una descarada publicidad de sí mismo que a menudo era considerada abiertamente egoísta. Kippenberger provocaba una respuesta mediante sus actos irreverentes, como abrir un museo de arte en un matadero abandonado o construir entradas reales a un sistema de metro global falso.

La ecléctica obra de Kippenberger incluye pinturas, grabados, esculturas e instalaciones que se apropian de —y recurren a— la historia del arte, la política y su experiencia vital. Su obra rechazaba todo estilo o medio comercial, y en cambio aceptaba cualquier plataforma que transmitiera sus ideas. Formó parte de Junge Wild, un grupo de jóvenes artistas rebeldes alemanes que lidiaban con las consecuencias de la caída del muro de Berlín. También creó el grupo Lord Jim Lodge con los artistas Jörg Schlick, Albert Oehlen y Wolfgang Bauer. Sus miembros estaban obligados a incluir en sus obras el lema del grupo «Nadie ayuda a nadie», y el logotipo formado por un martillo, un sol y unos pechos.

La actitud cínica del artista se reflejaba en su sentimiento de que el arte es aquello en lo que puedes huir, y su obra critica tanto el mercado del arte como los mecanismos tradicionales de producción artística. Su muerte prematura truncó su prolífica carrera, marcada por su estilo versátil e ideología controvertida. Considerado como un bufón de la corte del mundo artístico, Kippenberger es recordado en última instancia por su fuerte afirmación iconoclasta. **MG**

Obras destacadas

Un cuarto de siglo. Kippenberger es uno de vosotros, entre vosotros, con vosotros, 1978 (Tate Collection, Londres)

La guerra no es bonita, 1985 (Museum of Modern Art, Nueva York)

Balla Balla, 1994 (Museum of Modern Art, Nueva York)

1950–59

«En realidad no se puede aportar nada nuevo con el arte. Eso lo sé desde niño.»

ARRIBA: Martin Kippenberger se creó su propio hueco con una obra diversa.

ANISH KAPOOR

Anish Kapoor, 12 de marzo de 1954 (Mumbai, India).

Estilo: Escultor; gran escala; instalaciones específicas para un lugar; primeras obras de pedazos de suelo de pigmentos de colores, y en los últimos tiempos objetos que reflejan el cielo; temas de la dualidad y la metafísica.

Obras destacadas

Como para celebrar que descubrí una montaña florida con flores rojas, 1981 (Tate Collection, Londres)

Espejo del cielo, 2006 (Rockefeller Center, Nueva York)

En 1972 Anish Kapoor se trasladó a Inglaterra para estudiar arte, primero en el Hornsey College of Art, luego en la Chelsea School of Art and Design. Tras terminar sus estudios, dio clases en Wolverhampton Polytechnic antes de convertirse en artista residente de la Walker Gallery de Liverpool, tras lo cual se instaló en Londres.

A principios de la década de 1980, Kapoor emergió como uno de los jóvenes escultores británicos —junto con Richard Wentworth, Richard Deacon y Bill Woodrow—, que a menudo exponían en la Lisson Gallery, recibían gran apoyo por parte del British Council y trabajaban con un estilo nuevo que enseguida se ganó el reconocimiento internacional. A principios de los años ochenta realizó obras inspiradas por los montones de pigmento de colores vivos que veía en los templos indios, como *Como para celebrar que descubrí una montaña florida con flores rojas* (1981). Para hacer esas esculturas, Kapoor espolvoreaba pigmento en polvo de colores intensos sobre pequeñas formas colocadas en el suelo de la galería de arte.

Cuando se produjo el cambio de siglo, Kapoor estaba trabajando con tecnología más industrial. *Marsyas* (2002), por ejemplo, es una obra de grandes dimensiones hecha de acero y PVC que ocupó por completo el espacio de la sala de turbinas de la Tate Modern de Londres. Más adelante expuso una gran escultura de espejo, *Espejo del cielo* (2006), en el Rockefeller Center de Nueva York. Con sus raíces en la metafísica, el éxito de sus últimas obras reside en su capacidad para manipular la oscuridad, la luz, la sombra y el reflejo. Entre sus proyectos recientes a gran escala se halla un monumento a las víctimas británicas del 11-S en Nueva York y el diseño y la construcción de una estación de metro en Nápoles, Italia. **SF**

«Las obras son fruto del trabajo, y escasean los buenos resultados.»

ARRIBA: Retrato de Anish Kapoor, fotografiado en octubre de 2006.

DERECHA: *Puerta de nube,* en el Millennium Park, apodado «la judía eléctrica».

MIKE KELLEY

Mike Kelley, 27 de octubre de 1954 (Wayne, Detroit, Michigan, EE.UU.).

Estilo: Instalaciones multimedia poco sistemáticas, amplias y dispersas, con un interés por los recuerdos reprimidos y la nostalgia impuesto desde debajo de la corriente dominante en EE.UU.; esculturas blandas.

Obras destacadas

Monkey Island: Symmetrical Sets (Isla del mono: Juegos simétricos), 1982-1983

Half-a-Man: From My Institute to yours (Medio hombre: de mi instituto al suyo), 1988

Blackout (Apagón), 2001

Day is Done (Extracurricular Activity Projective Reconstruction, 2-32) (Hasta que el día esté hecho, de la serie «Reconstrucción Proyectiva de Actividad Extracurricular»); 2004-2005

Mike Kelley se crió en Detroit, donde formó parte de una corriente musical suburbana que dio lugar a bandas como MC5. En 1973 formó el grupo experimental «antirock» Destroy All Monsters antes de asistir, a partir de 1976, al California Institute of Arts. Ha realizado varios proyectos en colaboración con otros artistas, como Raymond Pettibon y Paul McCarthy, que comparten una sensibilidad llena de ironía nostálgica, represión psicológica y pedazos de cultura pop.

Kelley utiliza la pintura, la escultura, la performance y la escritura, y realiza instalaciones como *Medio hombre: de mi instituto al suyo* (1988). En ellas, Kelley invocaba con crudeza una estética folk subvertida en la que animales de peluche copulaban y había rudimentarias pancartas de fieltro junto a sensibilidades artesanales fetichistas. Al incluir su inclinación por lo multimedia, las instalaciones de Kelley han adoptado un aire carnavalesco con música, voces estridentes, luces de discoteca y mobiliario automatizado.

Su obra se caracteriza por una obsesión impulsiva por la regresión y la infancia. Utilizando archivos de material original como anuarios de instituto, Kelley examina los restos alucinógenos de momentos perdidos y heroicos y los reanuda con una economía de ritual siniestro. Así, acepta las contradicciones de la nostalgia en contraposición a cualquier verdad inherente a ella, destacando el enfoque compulsivo de la fantasía. Sigue investigando el tema en piezas de vídeo donde los adultos a menudo adoptan el papel de niños, para resaltar las habituales proyecciones de la sociedad hacia la sexualidad adolescente. Kelley desafía la legitimidad de los valores, como los de la familia, la iglesia y la escuela, confrontándolos con la rareza de sus propias suposiciones. **EL**

«[...] gran parte del material de los años sesenta se repite en mi obra [...]»

ARRIBA: Mike Kelley fotografiado en el centro Georges Pompidou en 1999.

1950–59

CINDY SHERMAN

Cynthia Morris Sherman, 19 de enero de 1954 (Glen Ridge, Nueva Jersey, EE.UU.).

Estilo: Fotógrafa y cineasta; autorretratos conceptuales; conocida por sus autorretratos con disfraces sofisticados que reflexionan sobre personajes famosos, los roles sociales y los estereotipos sexuales.

Desde la década de 1970 muchos artistas han trabajado con la fotografía como una manera de investigar la sinceridad de la era contemporánea dominada por la imagen. Cindy Sherman ha explorado métodos de manipulación, tanto de modelos fotográficos como de las fotografías en sí, para reflexionar sobre la manera en que las mujeres son retratadas y percibidas en la sociedad contemporánea.

En la universidad, al principio, Sherman se centró en la pintura hasta que su profesor de fotografía la animó a «simplemente hacer fotografías», y pronto la inmediatez de este medio le resultó más atractiva que la pintura.

Las fotografías de Sherman a menudo son en blanco y negro, y por lo general son autorretratos en situaciones que reflexionan sobre los estereotipos de identidad femenina en los medios. Extrae los personajes y escenarios de fuentes de la cultura popular, entre ellas películas antiguas, televisión y revistas. Entre las ciento treinta falsas escenas de película realizadas entre 1978 y 1980 se encuentran retratos de Sherman en el papel de ídolos de la pantalla como Sophia Loren y Marilyn Monroe. Dijo que esta serie trataba «la falsedad de los roles, así como el desprecio del público "masculino" dominante que leerían sin duda estas imágenes como sexys».

Durante la década de 1980, Sherman hizo enormes grabados en color, concentrándose en la iluminación y la expresión del rostro. A principios de los años noventa recreó los personajes de la pintura clásica, que parecían criaturas grotescas con vestidos de época. Más entrada dicha década, utilizando prótesis y grandes cantidades de maquillaje, presentó cuerpos mutilados para reflejar inquietudes como los desórdenes de la alimentación, la locura y la muerte. **SH**

Obras destacadas

Filme sin título todavía n° 6, 1977
(Museum of Modern Art, Nueva York)

Filme sin título todavía n° 13, 1978
(Museum of Modern Art, Nueva York)

Sin título n° 224, 1990 (Pulitzer Foundation for the Arts, St. Louis, EE.UU).

«No quería hacer "arte elevado" [...] no quería que la obra pareciese una mercancía.»

ARRIBA: Cindy Sherman asiste a una pasarela de moda en Nueva York, 2007.

1950–59

KIKI SMITH

Chiara Smith, 18 de enero de 1954 (Nuremberg, Alemania).

Estilo: Grabadora feminista, escultora y editora; expresa un enfoque personal del cuerpo humano a través de la creación artística; utiliza una gran variedad de materiales; desde piezas de tamaño monumental hasta miniaturas.

Obras destacadas

Cuento, 1992 (colección particular)

Lilith, 1994 (colección particular)

Mujer lobo, 1999 (colección particular)

Éxtasis, 2001 (colección particular)

Kiki Smith, hija del artista minimalista Tony Smith, cobró importancia como creadora a finales de la década de 1970. Era miembro activa de una cooperativa de artistas de Nueva York llamada Collaborative Projects Inc., centrada en las preocupaciones de la comunidad. Su ecléctica obra abarca escultura, grabado y libros, y presenta una estética que es sintomática de técnicas artísticas tanto artesanales como conceptuales.

La producción de Smith desafía el sistema imperante; por ejemplo, los clásicos valores eróticos atribuidos al cuerpo femenino por las versiones dominantes de la historia del arte. Su obra escultórica requiere que el espectador se distancie de su reacción a la forma humana poniendo énfasis en la fragilidad y franqueza del cuerpo tal y como Smith lo ve, y exige contemplarlos en términos emocionales al representarlo en un estado de fragmentación o de «interiorexteriorización».

Smith utiliza una gran variedad de materiales, como bronce, papel, vidrio y cera, y en su empleo cuestiona los valores relativos que les atribuye la historia del arte tradicional. También utiliza una gama de escalas, desde miniaturas a dimensiones monumentales y, pese a que su obra no ofrece polémicas ni objetivos manifiestos, muchas piezas permiten conferir un valor metafórico a —o junto con— cualquier lectura personal o formal, por ejemplo mediante el uso de materiales domésticos y tropos narrativos como relatos clásicos o populares. Siguiendo con el arte como método para situar el yo en el mundo, durante la década de 1990 su obra prosiguió como investigación singular de las relaciones humanas con el entorno y el cosmos, que culmina en grabados chamanísticos de animales y esculturas que representan órganos, formas celulares y el sistema nervioso humano. **EL**

«Nuestra cultura parece creer que es divertido enseñar a las mujeres a estar asustadas.»

ARRIBA: Kiki Smith, fotografiada en 2006, es conocida sobre todo por sus esculturas.

FRED WILSON

Fred Wilson, 1954 (Bronx, Nueva York, EE.UU.).

Estilo: Reinstalación de colecciones de museo; explora la raza, el sesgo, la estética y la historia; yuxtaposiciones provocativas; uso de materiales de archivo, mobiliarios, vidrio, iluminación, escultura, sonido y vídeo.

Beneficiario de la «beca para genios» MacArthur, el artista conceptual Fred Wilson impresionó al mundo artístico y se catapultó al estrellato con un nuevo medio de investigación de la raza en Estados Unidos: el museo de arte.

Wilson cosechó los primeros elogios de la crítica con su rompedora exposición *Extrayendo el museo* (1992), en la que reinstaló la colección de la Baltimore Historical Society para construir una potente interpretación aleccionadora de la historia de la esclavitud en Estados Unidos. En *Creación de gabinete 1820-1960* (1992) colocó cuatro elegantes sillas de salón sobre unos pedestales rojos, frente a un rudimentario poste de madera de los utilizados para dar azotes, situado delante de una pared roja. Su genialidad reside en la capacidad de presentar objetos de museo en yuxtaposiciones provocativas que crean nuevos contextos sorprendentes para la reflexión.

Para la Bienal de Venecia, Wilson tituló su exposición *Hablad de mí tal como soy* (2003), inspirado en el shakespeariano *Otelo* (1603), que daba voz a los africanos representados en las pinturas y esculturas venecianas. La pieza más convincente era *Chandelier Mori* (2003), una enorme araña al estilo del siglo XVII veneciana elaborada a base de cristal negro —en vez del habitual cristal de Murano de color pastel— que sirve de metáfora de la opresión de los africanos a lo largo de la historia. Como dice el artista: «Sacudo, subvierto las cosas, como al exponer los grilletes de esclavos junto a fastuosas piezas de museo de plata, pero intento facilitar el camino al público [...] Utilizo la belleza como una manera de ayudar a la gente a recibir ideas difíciles o inquietantes. Los temas de actualidad son solo un vehículo para que uno tome conciencia de su propio cambio perceptivo. **SA**

Obras destacadas

Mining the Museum (Extrayendo el museo), 1992 (Contemporary & Maryland Historical Society, Baltimore, EE.UU.)

Re:Claiming Egypt (Re:clamando a Egipto), 1992 (Bienal Internacional de El Cairo, Egipto)

Chandelier Mori, 2003 (pabellón de EE.UU. en la 50a edición de la Bienal de Venecia)

«Intento descifrar los significados de los objetos yuxtaponiéndolos [...]»

1950-59

ARRIBA: **Detalle de una fotografía de Fred Wilson realizada por Kerry Ryan McFate.**

JEFF KOONS

Jeff Koons, 21 de enero de 1955 (York, Pensilvania, EE.UU.).

Estilo: Obras neopop centradas en la alta y baja cultura, la fama y el kitsch; celebración de los objetos de producción en masa como las pelotas de baloncesto, las aspiradoras y los juguetes inflables.

Obras destacadas

Tres pelotas en total equilibrio en un tanque, 1985 (Tate Collection, Londres)

Michael Jackson y Bubbles, 1988 (San Francisco Museum of Modern Art, San Francisco)

Puppy (Cachorro), 1992 (Museo Guggenheim de Bilbao, Bilbao)

Perro globo (Magenta), 1994-2000 (colección particular)

Jeff Koons es el gran enigma del arte contemporáneo y una notable influencia para la generación posterior (Hirst, Turk). Su personalidad impenetrable y su obsesión por los objetos kitsch han provocado confusión sobre si es un crítico irónico o un auténtico fan de la cultura pop y el consumismo.

Koons fue precoz en su apropiación: a los ocho años firmaba sus copias de pinturas de maestros clásicos como «Jeffrey Koons» y las vendía en la tienda de su padre. Terminó sus estudios en el Maryland Institute College of Art en 1976 y se trasladó a Nueva York, donde se ganó la reputación como vendedor extravagante entre los miembros del Museum of Modern Art. En aquel momento, el arte de Koons era atrevido en su uso de objetos prefabricados, como juguetes inflables.

Koons llegó a personificar la década de 1980 con su indisimulada autopromoción y la elevación de los objetos producidos en masa a la categoría de arte en varios medios. Es famosa su serie de aspiradoras encerradas en vitrinas que formaron parte de «La nueva serie» (1980-1983). En su serie «Equilibrio» (1985), que incluía pelotas de baloncesto flotando en tanques

ARRIBA: Jeff Koons presenta *Arco rosa* en 2003 en la Galerie der Gegenwart, Alemania.

DERECHA: Koons encarnó los ochenta con un efecto magnífico en *Michael Jackson y Bubbles.*

ARRIBA: El acabado muy pulido de *Perro de globos (magenta)* incrementa su atractivo.

de agua que creaban una ilusión de tiempo y movimiento pausado, seguía trabajando con objetos emblemáticos de la cultura estadounidense. En la década de 1980 tomó juguetes y otros objetos kitsch y los convirtió en inmaculadas esculturas a gran escala, de materiales que abarcaban desde acero inoxidable hasta porcelana. En su serie «Banalidad» (1988) realizó una escultura en tamaño real de Michael Jackson y su mascota, el chimpancé Bubbles, para plantear cuestiones como el gusto y la fama.

En 1991 se incrementó su mala reputación al casarse con la estrella del porno italiana y miembro del Parlamento Ilona Staller, *Cicciolina*. Primero expuso una controvertida serie, «Hecho en el cielo» (1990-1991), donde mostraba su relación con detalles sexuales explícitos, en la Bienal de Venecia. Sin embargo, logró su mayor éxito con *Cachorro* (1992), un west highland terrier de 12 m de altura, que está expuesto desde 1997 en el exterior del museo Guggenheim de Bilbao. **JJ**

Mono pero no adorable

Una de las obras de arte emblemáticas de la década de 1980 es un conejo de 104 cm de acero inoxidable. Apodado «el conejo de Brancusi», reutiliza los conejos inflables de la primera obra de Jeff Koons. El artista funde la escultura minimalista con el kitsch y una artesanía perfecta para crear algo que desafía la clasificación. Se añade tensión al realizar un molde de acero del juguete inflable, que parece un brillante globo metálico cuando está muy pulido. La superficie parecida al espejo también refleja los alrededores del objeto y el espectador. El *Conejo* de Koons ha influido en artistas como Damien Hirst o en Gavin Turk.

1950–59

PEPÓN OSORIO

Benjamín Osorio Encarnación, 1955 (Santurce, Puerto Rico).

Estilo: Fastuosas instalaciones multimedia a gran escala; reflexión sobre cuestiones culturales, entre ellas la comunidad, el desplazamiento de la raza, la concesión de poder y la pérdida.

Obras destacadas

100% Boricua, 1991 (Walker Art Center, Minneapolis, EE.UU.)

La casa de Tina, 2000 (de la serie «Visitas a casas»)

Mi corazón palpitante, 2002 (Ronald Feldman Fine Arts, Nueva York)

El artista puertorriqueño Pepón Osorio se trasladó a Nueva York en 1975. Tanto su temprana inmersión en la orgullosa cultura isleña como su trabajo en las comunidades del Bronx ejercen una profunda influencia en su obra.

Pese a que su premiada obra se ha expuesto en prestigiosas galerías desde Nueva York hasta Sudáfrica, por lo general se exhibe primero en comunidades locales. Las instalaciones se muestran en tiendas locales, y su exposición *Visitas a casas* (1999-2000) ha dado un paso más allá al presentarse en el hogar de varias personas. Las instalaciones de Osorio toman la forma de espléndidas colecciones de objetos a gran escala, unidos por un tema o emoción central. A menudo son presentados en forma de un colorido collage tridimensional de adornos en apariencia intrascendentes o baratijas intercaladas con pantallas de vídeo que muestran fragmentos de películas al azar.

Estas piezas de compleja construcción abordan la propiedad, la pérdida y el desplazamiento. Entre los ejemplos notables se hallan *100% Boricua* (1991), una contradictoria colección de alegres *souvenirs* de turista con estadísticas escritas encima que detallan los verdaderos problemas a los que se enfrentan los inmigrantes, y *La casa de Tina* (2000), una representación en una mesa de una colección de objetos que perdió una familia en el incendio de una casa. Osorio utiliza su arte para realizar declaraciones políticas. Un tema que repite es la desposesión generada cuando las personas son desarraigadas de una cultura o situación a otra. Estas «esculturas» mezcladas, sobre todo las realizadas con pertenencias o recuerdos reales de personas, tienen el poder de evocar emociones fuertes. Como dice Osorio: «Lo que quiero es provocar el cambio, no solo social, sino físico y espiritual». **JM**

«Mi principal compromiso como artista es devolver el arte a la comunidad.»

ARRIBA: La obra de Pepón Osorio tiene una gran influencia de su herencia puertorriqueña.

1950-59

CRISTINA IGLESIAS FERNÁNDEZ

Cristina Iglesias Fernández Berridi, noviembre de 1956 (San Sebastián, España).

Estilo: Escultora y grabadora; instalaciones a base de diferentes materiales y técnicas; serigrafías de gran formato; diálogo entre espacios y volúmenes mediante estructuras de gran tamaño.

Obras destacadas

Sin título (Habitación de alabastro), 1993
  (Donald Young Gallery, Seattle, EE.UU.)
Sin título (Celosía II), 1997
  (Guggenheim Museum, Nueva York)
Sin título (Pasaje II), 2002
  Centre Pompidou, París
Pabellón suspendido en una habitación, 2005
  (Tate Modern, Londres)
Tres corredores suspendidos, 2006
  (Ludwig Museum, Colonia)
Puertas de bronce, 2007
  (Museo del Prado, Madrid)

Desde sus inicios en la década de 1980, Cristina Iglesias ha experimentado con las posibilidades de los grandes espacios escultóricos, donde ha establecido un juego entre la realidad de los materiales y la percepción subjetiva del espectador. Concede especial importancia al tránsito y la vivencia directa de la obra. De ahí su interés por experimentar con grandes formatos y todo tipo de materiales y texturas. Surge así en sus instalaciones un juego entre la opacidad y la transparencia, entre las luces y las sombras, que consigue diluir los límites tradicionales de la arquitectura y la escultura. La combinación de sustancias y texturas vegetales con materiales tradicionalmente escultóricos denota su interés por la geología y la plasticidad de los elementos naturales. **FA**

CORNELIA PARKER

Cornelia Parker, 1956 (Cheshire, Inglaterra).

Estilo: Artista de instalaciones y escultora; temas como el potencial del material en desuso y objetos encontrados, la transitoriedad, la memoria y las asociaciones; atención a las nimiedades y a cómo se relacionan con el todo.

Obras destacadas

Treinta piezas de plata, 1988-1989
  (Tate Collection, Londres)
Materia fría y oscura: una vista hecha estallar,
  1991 (Tate Collection, Londres)

La escultora y artista de instalaciones Cornelia Parker es conocida por instalaciones que transmiten la idea de transitoriedad, como *Materia fría y oscura: una vista hecha estallar* (1991), que consiste en los restos carbonizados de un cobertizo de jardín que ella había hecho explotar por el ejército británico. Parker suspendió los fragmentos de un techo iluminado por una sola bombilla, como si fueran capturados en el momento de la detonación. A menudo utiliza objetos hallados y en desuso, o transforma un objeto preexistente para poner en cuestión y cambiar su significado: un ejemplo es su colaboración con la actriz británica Tilda Swinton, que durmió dentro de una vitrina de cristal en la Serpentine Gallery para la obra *El quizás* (1995). **CK**

CAI GUO-QIANG

Obras destacadas

Morada humana: Proyecto para extraterrestres nº 1, 1989 (río Tama y ermita Kumagawa, Tokio)

Ciclo de luz: Proyecto de explosión para Central Park, 2003 (Central Park, Nueva York)

Cai Guo-Qiang: Quiero creer, 2008 (Guggenheim Museum, Nueva York)

Cai Guo-Qiang, 8 de diciembre de 1957 (Quanzhou, Fujian, China).

Estilo: Artista de instalaciones; explosiones coreografiadas utilizando pólvora; uso de recursos variados, entre ellos plumas, montañas rusas, esculturas de animales a tamaño natural, vidrio, símbolos chinos y máquinas expendedoras.

Cai Guo-Qiang irrumpió en el escenario artístico internacional con *Morada humana: Proyecto para extraterrestres n.º 1* (1989), una serie de espectaculares «eventos explosivos» realizados para públicos fuera de China con el objeto de protestar contra la opresión artística y social. Atraído por las propiedades espontáneas, violentas, transformadoras y, en última instancia, efímeras de la pólvora, Cai introdujo el medio en su obra como una metáfora contemporánea dramática del artista como activista.

Prolífico fenómeno global en la actualidad, Cai ha expandido su narrativa conceptual y visual para realizar proyectos sociales experimentales y crear instalaciones específicas para un lugar y celebraciones cooperativas a gran escala. **SA**

MIQUEL BARCELÓ

Obras destacadas

Pintor damunt del quadre (Pintor encima del cuadro), 1982 (Museo Patio Herreriano de Valladolid, Valladolid)

Carbassas (Calabazas), 1998 (Museo de Bellas Artes de Bilbao, Bilbao)

Miquel Barceló i Artigues, 8 de enero de 1957 (Felanitx, Mallorca, España).

Estilo: Pintor, escultor, ceramista, artista de collage e ilustrador de libros; incorporación de tierra, arena y materiales orgánicos; pintura de goteo; temas de la cultura africana.

El primer contacto de Miquel Barceló con el arte fue gracias a su madre, quien pintaba según la tradición paisajística de Mallorca. Después estudió arte en Palma de Mallorca y Barcelona. Barceló trabaja en diversas disciplinas, entre ellas la escultura, la cerámica, el collage y la ilustración de libros, pero es conocido sobre todo por sus pinturas que incorporan tierra, arena y materiales orgánicos. Ha conocido a algunos de los mayores artistas del siglo XX, pero la influencia de Jackson Pollock ha sido la más profunda. Tras contemplar la obra de Pollock en 1979, adoptó su técnica de goteo de pintura. Desde 1988, Barceló divide su tiempo entre París, Mallorca y Mali, y sus pinturas a menudo se centran en la cultura africana y los paisajes. **CK**

FÉLIX GONZÁLEZ-TORRES

Félix González-Torres, 26 de noviembre de 957 (Guaimaro, Cuba); 10 de enero de 1996 (Nueva York, EE.UU.).

Estilo: Artista conceptual; uso poético de imágenes cotidianas y objetos como velas y relojes; instalaciones que exigen la participación del espectador.

Félix González-Torres estudió en el International Center of Photography, de la Universidad de Nueva York, y luego se unió a un grupo de artistas socialmente activos conocido como Group Material. Durante el resto de su carrera siguió realizando obras que exploraban la interrelación entre lo público y lo privado. Sin embargo, la fuerza de su obra reside en el hecho de que nunca se puede reducir del todo a su política, sexualidad o historia personal. Su valla *Sin título (Amantes perfectos)* (1992) es una fotografía monocromática de dos almohadas con la marca reciente de la cabeza de una persona, que cuando se mostró en 24 vallas publicitarias de Nueva York adquirió un tono elegíaco universal. **CS**

Obras destacadas

Sin título (Una esquina de Baci), 1990 (Museum of Contemporary Art, Los Ángeles)

Sin título (Amantes perfectos), 1992 (Museum of Modern Art, Nueva York)

JUAN UGALDE

Juan Ugalde, 30 de noviembre de 1958 (Bilbao, España).

Estilo: Expresionismo figurativo; obra inspirada en el cómic y en el pop art; combinación de jeroglíficos, chistes y fotografía como soporte manipulable; uso de diversas técnicas pictóricas próximas al collage.

Juan Ugalde es un artista comprometido con la sociedad. Utiliza las más diversas técnicas plásticas para denunciar, con un enfoque siempre pictórico, las lacras del mundo contemporáneo, a menudo con un toque de humor ácido. Ugalde no ha dudado en recurrir a las nuevas tecnologías, como el dibujo a ordenador, y al uso de la fotografía, recubierta de enérgicos brochazos, para hacer de la pintura una «práctica social» que, en sus propias palabras, representa «un viaje hacia lo desconocido». Por lo que respecta al color, el artista ha ido abandonando la fuerza expresiva de sus primeras obras para adentrarse en un universo cromático más sereno y menos abigarrado. La fotopintura y la utilización de diversos medios audiovisuales configuran hoy en día el soporte esencial de su obra. **FA**

Obras destacadas

La estrella roja, 1995 (Museo de Arte Contemporáneo Español, Valladolid)

Dolce Vita, 2000 (Museo de Arte Contemporáneo Español, Valladolid)

Viaje a lo desconocido, 2008 (Galería Soledad Lorenzo, Madrid)

1950–59

KEITH HARING

Keith Haring, 4 de mayo de 1958 (Reading, Pensilvania, EE.UU.); 16 de febrero de 1990 (Nueva York, Nueva York, EE.UU).

Estilo: Colores vibrantes; figuras como dibujos animados; estilo lineal; esculturas abstractas descomunales; dibujos de tiza en el metro.

Como muchos otros famosos artistas del siglo XXI, Keith Haring empezó su carrera artística en Nueva York y estudió en la School of Visual Arts. Fue durante este período cuando el joven artista descubrió el arte del graffiti en la calle, el metro y los clubes alternativos de la ciudad. Trabó amistad con Kenny Scharf y Jean-Michel Basquiat, con los que intercambió ideas y participó en exposiciones y performances.

En 1980 Haring empezó a dibujar en las estaciones de metro de la ciudad con una sencilla tiza blanca en paneles de publicidad negros vacíos. Enseguida desarrolló un estilo único y singular, utilizando escenarios muy sencillos poblados de figuras y formas que parecían dibujos animados. Uno de los personajes más famosos de Haring, «el bebé radiante», apareció en esta época. Inspirado por este nuevo medio, Haring a veces creaba casi cuarenta nuevos dibujos al día en el metro. Los espacios del metro se convirtieron en laboratorio de sus ideas y experimentos.

Los graffiti efímeros de Haring en el metro de Nueva York catapultaron a la fama al joven artista. Empezó a trabajar con acrílico, tinta de rotulador y pintura Day-Glo; creaba lienzos de colores llamativos, poblados de figuras perfiladas y diseños

Obras destacadas

Andy Mouse, 1985 (Keith Haring Foundation, Nueva York)

Crack is Wack, 1986 (Crack is Wack Playground, Harlem, Nueva York)

Mural de Berlín, 1986 (destruido) (Muro de Berlín)

Boxers (Boxeadores), 1988 (Daimler Chrysler Collection, Berlín)

ARRIBA: Detalle de una fotografía realizada por Alen MacWeeney en 1986.

DERECHA: Keith Haring fue uno de los pioneros del género artístico del graffiti urbano en la pared.

1950–59

exuberantes. También exploró la escultura, la pintura sobre objetos existentes y la producción de emblemáticos personajes en tres dimensiones. Realizó dos exitosas exposiciones a principios de la década de 1980, y a continuación participó en Documenta 7 y las bienales de São Paulo y Whitney. El artista también se dedicó al trabajo de animación para la valla publicitaria Spectacolor en Times Square y proyectos con jóvenes de la ciudad. Participó en campañas publicitarias para Swatch y Absolut y trabajó en encargos de docenas de murales públicos.

Durante su breve pero explosiva carrera, Haring se esforzó por eliminar las barreras entre el arte culto y el popular. Esperaba que su obra fuera lo más accesible posible al público. En 1986 el artista abrió su Pop Shop en el Soho, e invitó a compartir la alegría de su obra fuera del contexto de la galería. Se le diagnosticó sida en 1988, y creó la Fundación Keith Haring para concienciar sobre la enfermedad. **NSF**

ARRIBA: *Crack is Wack* es una pieza alentadora de arte público para los jóvenes de Harlem.

Mural *Crack is Wack*

Preocupado por la adicción a las drogas de un amigo, Keith Haring decidió pintar el mural *Crack is Wack* (1986). Escogió la pared de una pista de frontón en un patio adyacente al Harlem River Drive, y Haring pintó la pared de color naranja brillante con sus características figuras en negro. Escribió «Crack is Wack» (El crack es una mierda) en letras enormes para manifestarse contra la epidemia de crack extendida por los barrios de las zonas deprimidas de la ciudad. Tras una multa inicial de 25 dólares por «pintar graffiti», Haring fue invitado más adelante a volver y terminar el mural.

MARK WALLINGER

Mark Wallinger, 1959 (Chigwell, Essex, Inglaterra).

Estilo: Pintor, escultor y artista de instalaciones; miembro inteligente y reflexivo de los Jóvenes artistas británicos cuya fuerza reside probablemente en su proyección; el único artista público serio de Gran Bretaña.

Obras destacadas

Ecce Homo, 1999

Time and Relative Dimensions in Space (Tiempo y dimensiones relativas en el espacio), 2001 (Whitechapel Gallery, Londres)

State Britain (Estado de Gran Bretaña), 2007 (Tate Collection, Londres)

Mark Wallinger, difícil de definir, algo que se agradece, surgió por primera vez en la escena artística como pintor, pero enseguida logró forjarse una reputación como artista conceptual y creador de instalaciones, vídeos y escultura. Lo etiquetaron como «Joven artista británico» y fue dado a conocer al público gracias al coleccionista Charles Saatchi en 1993, al ser incluido en una serie de muestras realizadas en la Saatchi Gallery de Londres.

Wallinger estudió pintura en la Chelsea School of Art de Londres y luego cursó un máster de bellas artes en el Goldsmiths College. Le interesa el arte, el deporte, las carreras de caballos y la política. Desde mediados de la década de 1980 su obra se ha centrado en la «política de la representación y la representación de la política».

Al principio de su carrera, Wallinger empezó a realizar cuadros sobre las líneas de sangre de las carreras de caballos y los vagabundos urbanos. Últimamente ha tratado temas relacionados con el nacionalismo y la religión. Por ejemplo, *Ecce Homo* (1999) es una figura de Cristo a tamaño real con una corona de espinas realizada con alambre de púas. La obra se expuso temporalmente en el quinto pedestal de Trafalgar Square, en Londres. Wallinger también recreó la protesta de Parliament Square del defensor de la paz Brian Haw. *Estado de Gran Bretaña* (2007) es una reconstrucción a tamaño real del lugar de acampada de Haw. Consiste en seiscientas meticulosas copias de las pancartas, fotografías de atrocidades, banderas de la paz y mensajes de ánimos, colocados igual que lo había hecho Haw en el césped de delante del Parlamento. Wallinger representó a Gran Bretaña en la Bienal de Venecia de 2001 y fue candidato al premio Turner en 1995, pero hasta el 2007 no se lo concedieron por su instalación *Estado de Gran Bretaña*. **SF**

«Quería dar visibilidad a algo que se había vuelto invisible.»

Sobre *Estado de Gran Bretaña*

ARRIBA: Detalle de una fotografía realizada por Nils Jorgensen en enero de 2007.

DERECHA: *Tiempo y dimensiones relativas en el espacio* (2001), de acero inoxidable.

PETER DOIG

Peter Doig, 1959 (Edimburgo, Escocia).

Estilo: Pintor de vastos paisajes ambientales; paleta de colores intensa y alucinógena; escenas atemporales y etéreas que parecen a la vez familiares y extrañas; quietud cautivadora.

Obras destacadas

Echo Lake, 1998 (Tate Collection, Londres)

Gasthof zur Muldentalsperre, 2000-2002 (Art Institute of Chicago, Chicago)

Lapeyrouse Wall, 2004 (Museum of Modern Art, Nueva York)

Peter Doig llegó tarde a la pintura, pero en la década de 1990 surgió como una figura destacada de la escena artística de Gran Bretaña, generando un entusiasmo por la pintura de paisajes cuando el vistoso arte conceptual de los jóvenes artistas británicos estaba en boga. Su peculiar estética sencilla de superficies de varias capas y colores vivos, así como los temas figurativos, incluso románticos, de laderas nevadas y viviendas vacías en enclaves boscosos, le valieron la fama internacional.

Doig encuentra su inspiración en un ecléctico archivo de imágenes. Prueba y combina instantáneas, fotografías de periódicos, postales y cubiertas de álbumes que le suscitan recuerdos o sensaciones que le llevan a otra realidad donde, mediante el proceso de la pintura, se impone la invención. El amplio e inquietante *Echo Lake* (1998) está extraído de una fotografía tomada de la película de terror de culto *Viernes 13* (1980). Una sensación palpable de ausencia intensifica la cualidad etérea de su obra y obliga al espectador a examinar las escenas en busca de claves de un relato que puede acechar dentro de sus profundidades. Su obra oscila entre la fantasía y la realidad. Temas engañosamente sencillos como edificios, costas y actividades de ocio adquieren un tono ambiguo gracias a su recontextualización, el colorido tóxico o la escala épica. El disfraz también transporta la imaginación. En *Gasthof zur Muldentalsperre* (2000-2002), una curiosa pareja está suspendida en medio de la nada como si fueran de otra época. Esta sensación de transición es un hilo visible a lo largo de toda su obra, igual que la idea de viajar, tanto geográfica como mentalmente. Sea cual sea el tema, la rigurosa atención de Doig a la superficie de la pintura, con sus manchas, gotas y capas de pintura desplazan continuamente la mirada del espectador. **RT**

> «A menudo intento crear un "estado de aturdimiento" [...], algo difícil de expresar [...]»

ARRIBA: Detalle de una fotografía realizada en enero de 2008 por Richard Saker.

COCO FUSCO

Coco Fusco, 18 de junio de 1960 (Nueva York, Nueva York, EE.UU.).

Estilo: Escritor, artista de performance y de vídeo; uso de proyecciones a gran escala, internet y televisión de circuito cerrado; investigación de la globalización, la raza, el género y la sexualidad.

Nacida en Estados Unidos en el seno de una familia cubana, las raíces de Coco Fusco la llevaron a examinar cuestiones relacionadas con la raza, el género y la privación del derecho al voto. Para *Pareja en la jaula* (1993), performance de vídeo en colaboración con el artista Guillermo Gómez-Peña, la pareja vivió en una jaula de oro durante tres días, actuando como amerindios de una supuesta isla virgen del golfo de México. Aborda a la vez el concepto del buen salvaje, las representaciones de la raza en los medios y cómo afecta la globalización a las culturas étnicas. Con vídeos como *a/k/a Mrs. George Gilbert* (2004) y *Operation Atropos* (2006) ilustró cómo los medios retratan los temas sociales y cuestionó su punto de vista. **CK**

Obras destacadas

The couple in the cage (Pareja en la jaula), 1993 (vídeo)

a/k/a Mrs. George Gilbert, 2004 (video)

Operation Atropos, 2006 (vídeo)

NEO RAUCH

Neo Rauch, 18 de abril de 1960 (Leipzig, Alemania).

Estilo: Pintor de la nueva Escuela de Leipzig; cuadros a gran escala influidos por el surrealismo y el realismo social; temas narrativos de la historia personal y la vida bajo el régimen comunista.

El pintor Neo Rauch creció en Alemania Oriental, bajo el régimen comunista. Sus pinturas casi fantásticas a gran escala, de superficie tosca y colores ácidos pobladas de obreros, malabaristas y animales híbridos han suscitado comparaciones con Giorgio de Chirico y René Magritte. Sin embargo, la obra de Rauch también recuerda su propio pasado, porque parece plagiar el estilo de los carteles y murales soviéticos, lo que le da a su obra un aire de realismo social, ya que los sujetos parecen deambular alienados y desilusionados entre el paisaje arquitectónico ilógico de la utopía fracasada que representa. Rauch retrata el desplazamiento de su país natal y su pueblo al pasar de ser obreros de un Estado totalitario a consumidores de la sociedad occidental. **CK**

Obras destacadas

Der Pate (El padrino), 2005 (David Zwimer Gallery, Nueva York)

Die Fugue (La fuga), 2007 (David Zwimer Gallery, Nueva York)

Para 2007 (David Zwimer Gallery, Nueva York)

1960–69

MAURIZIO CATTELAN

Maurizio Cattelan, 6 de enero de 1960 (Padua, Italia).

Estilo: Escultor y artista de performance italiano; humor ingenioso e irónico; burlas satíricas hacia la clase dirigente, ya sea en la religión, la política, las actividades sociales o el mundo artístico.

Cuando en una entrevista en 2004 le pidieron que describiera su estilo artístico, la respuesta del escultor y artista de performance Maurizio Cattelan fue: «Perezoso». Esa contestación irónica era coherente con la naturaleza subversiva y el humor negro de su obra, que casi desafía toda definición.

Su obra pertenece a un arte que a menudo raya en la comedia absurda. En 1998 encargó a un actor que se pusiera una máscara como de dibujos animados de Pablo Picasso para dar la bienvenida a los visitantes del MoMA de Nueva York, como si llegaran a un parque temático en vez de a un museo de arte contemporáneo. Este sentido de la broma satírica es lo que más define su estilo: un talento con el que satiriza lo establecido, ya sea la religión, una liga de fútbol, la política, el mundo artístico o conceptos de la historia.

Cattelan no tiene reparos con nadie ni nada en su deseo de provocar al espectador para poner en cuestión su opinión y percepción. Su apocalíptica *La novena hora* (1999) representa una figura realista del papa Juan Pablo II tumbado en el suelo, golpeado por un meteorito, y se enfrenta a un componente importante de la cultura italiana, la Iglesia católica. La obra prefabricada por excelencia sobre el capitalismo, *-76.000.000* (1992), es una caja fuerte que fue forzada y de la que robaron 76 millones de liras. *Él* (2001) es una figura en miniatura de Adolf Hitler arrodillado para rezar y hace referencia al catolicismo del Führer. *Stadium* (1991) es una crítica a la obsesión nacional de Italia con el fútbol y su corrupción.

Con frecuencia impresionante, siempre divertido y a menudo perceptivo, tal vez Cattelan sea más un bufón en la tradición de la *commedia dell'arte* que un artista perteneciente a un determinado movimiento. **CK**

Obras destacadas

Stadium, 1991 (Galleria Massimo de Carlo, Milán)

-76.000.000, 1992 (Saatchi Gallery, Londres)

La novena hora, 1999 (Kunsthalle, Basilea, Suiza)

Él, 2001 (Centro para el arte contemporáneo y la arquitectura Faergfabriken, Estocolmo)

«Quería ser diseñador; pero no era lo bastante listo.»

ARRIBA: Esta fotografía de Maurizio Cattelan fue realizada en 1999.

TRACEY MOFFATT

Tracey Moffatt, 12 de noviembre de 1960 (Brisbane, Australia).

Estilo: Obra en cine y fotografía con una estructura narrativa potente, aunque poco convencional; manipulación sofisticada de imágenes de los medios para deconstruir culturalmente el significado recibido.

De madre aborigen y educada en una familia blanca, Tracey Moffatt se resiste a la etiqueta de «artista aborigen». Sus películas y series de fotografías exploran la experiencia aborigen en Australia, pero también la experiencia no específica de ninguna raza de la cultura occidental contemporánea. Por ejemplo, ha investigado las cuestiones del prejuicio, la opresión colonial y la marginación del pueblo aborigen. En la serie «Cicatrices de por vida» (1994) y «Cicatrices de por vida II» (1999) investiga «relatos trágicos y divertidos de la infancia (basados en) historias reales [...] que me contaron amigos». La obra muy estilizada de Moffatt, casi siempre narrativa en su estructura, recurre al arte elevado, la cultura popular y el habla local. **JR**

Obras destacadas

Nice Coloured Girls (Bonitas Chicas de color), 1987 (película)

Bedevil (Endemoniados), 1993 (película)

Scarred for Life (Cicatrices de por vida), 1994

Scarred for Life II (Cicatrices de por vida II), 1999

Portraits (Retratos), 2007

GRAYSON PERRY

Grayson Perry, 1960 (Chelmsford, Essex, Inglaterra).

Estilo: Escultor y fotógrafo; cerámica de forma clásica pintada con imágenes explícitas; relatos de la guerra, el sexo, la violencia y la autobiografía; temas de crítica social.

El travestismo de Grayson Perry casi ha eclipsado la suprema calidad de su obra como ceramista, aunque será recordado por su visión del jarrón clásico, que le valió el premio Turner en 2003. Los resplandecientes jarrones de Perry están pintados con gran opulencia y adornados con meticulosidad con transferencias de fotografías y glaseados. De lejos parecen jarrones de colores vivos. Solo al estudiarlos más de cerca se revela su imaginería poco convencional, tal vez un relato de los horrores de la guerra, el abuso de niños o el sadomasoquismo. La capacidad de Perry de tomar objetos aburridos y elevarlos más allá de objetos de artesanía a la categoría de obras de arte, es ingeniosa, desafiante y a menudo impactante por su patetismo. **CK**

Obras destacadas

Mis dioses, 1994 (Tate Collection, Londres)

Hemos encontrado el cuerpo de su hijo, 2000 (Saatchi Gallery, Londres)

Sobre el arco iris, 2001 (Saatchi Gallery, Londres)

1960-69

VIK MUNIZ

Vik Muniz, 1961 (São Paulo, Brasil).

Estilo: Materiales poco ortodoxos, como salsa de chocolate y polvo; imágenes apropiadas de referencias a la historia del arte y la cultura popular; representaciones fotográficas.

Obras destacadas

Manos orando de Durero (Serie «Equivalentes»), 1993 (Museum of Fine Arts, Boston)

Milán, la Última Cena (de «Pinturas de chocolate»), 1997 (Museum of Contemporary Art, San Diego)

«Si nadie ve nunca lo que todo el mundo recuerda, ¿de qué están hechos esos recuerdos?»

ARRIBA: Detalle de *Autorretrato (otoño 2)*, realizado como parte de una serie en 2005.

Vik Muniz es una amalgama de pintor, fotógrafo y humorista. Originario de Brasil, en 1983 se trasladó a Nueva York, donde se interesó por cómo se representa y reproduce la imaginería cultural. Muniz es más conocido por reconstruir imágenes y obras de arte preexistentes. Extrae los temas de una cultura gobernada por los medios y la tecnología, para despertar la conciencia sobre el recuerdo, el reconocimiento y la percepción innatos.

Para lograr esta ilusión pinta, dibuja y esboza con materiales no convencionales, entre ellos el chocolate, el ketchup, el algodón, las lentejuelas, el polvo, la tierra y la basura industrial. Su uso de medios rudimentarios y orgánicos hace que sus obras sean enigmáticas y caprichosas. También manipula la escala en su reinvención de la referencia original. El producto acabado es una fotografía que capta el parecido reciente en una nueva forma. Muniz se ha apropiado de la famosa fotografía de Jackson Pollock pintando en su estudio con salsa de chocolate y ha recreado la doble imagen de Andy Warhol de la Mona Lisa con mantequilla de cacahuete y gelatina. También ha encargado a especialistas en piruetas en avionetas que reprodujeran falsas formas de nubes y ha recreado obras de la colección del Whitney Museum en polvo que recogía en el lugar. A lo largo de su carrera ha explorado la relación entre las expectativas viscerales y la realidad visual, examinando la práctica del arte figurativo tradicional. Además confunde la línea entre lo que la gente percibe y lo que existe, abordando la verdadera sensibilidad de la imagen fotográfica. El resultado final de este efecto de varios niveles induce al público a cuestionar y reflexionar sobre la formación de recuerdos ópticos. Haga referencia a una imagen de la historia del arte o a un famoso emblema cultural, su ingeniosa obra nunca es lo que parece al principio. **MG**

PIERRE HUYGHE

Pierre Huyghe, 1962 (París, Francia).

Estilo: Uso del cine, el vídeo, el sonido, la animación y la arquitectura en un variado catálogo de obras que examinan los medios y la realidad poniendo énfasis en la libertad de pensamiento.

Pierre Huyghe estudió en la École Nationale Supérieure des Arts et Metiers de París. Su arte original y dinámico explora las ideas de realidad y ficción en la era digital. Utiliza una amplia gama de medios para expresar sus ideas, desde el cine e instalaciones de vídeo hasta eventos públicos, incluidas obras para teatro de marionetas y una expedición grabada a la Antártida. En *La tercera memoria* (1999) examina la naturaleza de la ficción, y en concreto la capacidad del cine de distorsionar el recuerdo y confundir los límites de la realidad, sugiriendo que la forma narrativa puede ser tan tangible como cualquier otra experiencia vital. Huyghe ganó el cuarto premio Bienal Hugo Boss del museo Guggenheim en 2002. **KO**

Obras destacadas

La tercera memoria, 1999 (Musée Nationale d'Art Moderne, Centre Pompidou, París)

No es tiempo para soñar, 2006 (Marian Goodman Gallery, Nueva York)

SARAH LUCAS

Sarah Lucas, 1962 (Londres, Inglaterra).

Estilo: Juegos visuales y lingüísticos; sentido del humor descarado y ordinario; a menudo utiliza objetos cotidianos en su obra para crear efectos traviesos y poco sutiles; las obras más serias tratan temas feministas.

Tras estudiar en el Goldsmiths College en Londres en 1987, Sarah Lucas expuso en la exposición *Freeze* (1988), pero su debut no fue bien recibido y dejó temporalmente de crear arte. En 1992 realizó su primera exposición importante. Desde entonces, Lucas ha disfrutado del éxito global con obras que a menudo son una fusión de objetos cotidianos y materiales como mobiliario, cigarrillos y comida utilizados para representar formas humanas reducidas a órganos sexuales con un efecto humorístico. Este elemento juguetón de la obra de Lucas va unido a preocupaciones feministas más serias, como la cosificación sexual de las mujeres en los periódicos sensacionalistas británicos. **WD**

Obras destacadas

Dos huevos fritos y un kebab, 1992 (Saatchi Collection, Londres)

Comiendo una banana, 1999 (Tate Collection, Londres)

Autorretrato con huevos fritos, 1999 (Tate Collection, Londres)

1960–69

JOHN CURRIN

John Currin, 1962 (Boulder, Colorado, EE.UU).

Estilo: Pintor; mujeres de grandes pechos; referencias a la historia del arte; caricatura y distorsión; chicas kitsch de época; afectación; incorrección política; retratos de parejas; detalle retro.

Obras destacadas

Bea Arthur Naked (Bea Arthur desnuda), 1991 (colección particular)

Heartless (Sin corazón), 1997 (colección particular)

Stamford After-Brunch (Stamford después del brunch), 2000 (Gagosian Gallery, ubicaciones internacionales)

Lovers (Amantes), 2000 (colección particular)

John Currin es uno de los artistas más importantes y controvertidos de su generación, y se ha dado a conocer como el chico guapo de un mundo artístico pospolíticamente correcto. Sus pinturas meticulosas, de un detalle exquisito, que hacen referencia a artistas realistas desde Lucas Cranach hasta Édouard Manet, se revelan en los desafíos técnicos de ofrecer distintas superficies. Al combinar el tema polémico con una devoción desafiantemente anticuada por su medio, Currin ha dado un doble golpe a los tabúes del arte contemporáneo.

Currin estudió arte y se licenció en la Universidad de Yale en 1986. En aquella época, la pintura se consideraba una especie de práctica reaccionaria en comparación con los medios más «modernos» como el vídeo, la fotografía y la instalación. Currin se mantuvo fiel a la pintura, y su primera exposición, de unas mujeres avejentadas y caricaturizadas, en la Andrea Rosen Gallery en 1992, fue deliberadamente provocativa, tanto en el estilo como en el contenido.

Tras ser acusado de sexismo, el artista contestó de forma provocadora pintando imágenes con unos absurdos pechos enormes en situaciones de típicas fantasías masculinas. Estas obras mezclan las referencias a la historia del arte con imágenes de revistas pornográficas o retratos satíricos de la sociedad burguesa. Currin posee la rara capacidad de producir imágenes que parecen familiares, pero que en realidad son mezclas de diferentes fuentes. A pesar de que sus cuadros no son autorretratos, Currin dice que se identifica con los deseos, esperanzas y miedos de sus modelos. Ha afirmado: «Mi obra nunca es un deseo de rebatir la idea predominante. Puede que el resultado sea ese (es decir, políticamente), pero siempre se trata de cómo me sentía en ese momento».

> «El tema de una pintura siempre es el autor, el artista.»

ARRIBA: Las obras «irresistibles» de John Currin atraen la atención de los medios.

1960–69

ARRIBA: *Stamford después del brunch* (2000) representa una escena familiar.

La obra de Currin es amplia. Ha pintado en ocasiones versiones perturbadoras de retratos, escenas de género, bodegones y desnudos. En 2001 utilizó un modelo en vivo por primera vez, y al año siguiente creó su primer retrato inspirado en su vida, un cuadro de su esposa, la escultora Rachel Feinstein. A pesar de que es la única pieza que lleva el nombre de Feinstein, gran parte de su obra se considera inspirada en ella.

En 2003 el museo de arte contemporáneo de Chicago realizó un estudio sobre la obra de Currin que viajó a la Serpentine Gallery de Londres y al Whitney Museum of American Art de Nueva York. Y sus pinturas volvieron a ser polémicas en 2006 con cuadros eróticos derivados de retratos clásicos, anuncios de la revista *Playboy* de la década de 1970 y películas de mediados del siglo XX. Una vez más, el uso intranquilo de imágenes retro combinado con técnicas y composiciones del arte culto hizo que los críticos elogiaran su obra. **JJ**

¿Políticamente correcto?

John Currin a veces realiza declaraciones políticamente incorrectas, y otras niega que su obra sea sexista. Describió su primera exposición en la Andrea Rosen Gallery como «pinturas de mujeres viejas al final de su ciclo de potencial sexual [...] entre el objeto de deseo y el objeto de la aversión». Kim Levin, crítico para *Village Voice*, contestó escribiendo: «Boicot a esta exposición». En 2002 Currin dijo: «Mis cuadros de aspecto más sexista son de hecho los más antimasculinos [...] si pudiera pintar hombres, serían gordos, feos y lamentables». Se defiende ridiculizando su propia virilidad.

1960–69

TAKASHI MURAKAMI

Takashi Murakami, 1 de febrero de 1962 (Tokio, Japón).

Estilo: Personajes claros, lineales, coloridos e imágenes deformadas inspiradas en el arte de la animación japonesa; esculturas descomunales basadas en figuras anime; pinturas con el monograma de Louis Vuitton.

Obras destacadas

Y entonces y entonces y entonces y entonces y entonces, 1994 (Queensland Art Gallery, Brisbane, Australia)

My lonesome cowboy (Mi triste y solitario cowboy), 1998

Army of Mushrooms (Ejército de setas), h. 2003 (Frank Cohen Collection, Manchester)

«Quería [ser animador], pero renuncié a la idea porque no tengo ese talento.»

ARRIBA: Murakami en la exposición *Little Boy*, de la cual fue el comisario, en 2005.

Takashi Murakami estaba realizando un doctorado en la Universidad Nacional de Bellas Artes y Música de Tokio cuando se interesó por la cultura otaku de Japón. Partiendo del nihonga, hibridación del siglo XIX de la pintura occidental con materiales, técnicas y convenciones japonesas tradicionales, Murakami se sumergió en los guiones fantásticos, con frecuencia apocalípticos, del manga y el anime. Su inquietud por la cultura otaku y sus problemáticas conexiones con la sociedad de la posguerra nipona llevaron a la creación y desarrollo del estilo «superplano» característico del artista; elaborada en 2000, esta teoría establece vínculos entre los planos llanos de la pintura tradicional japonesa y la disolución de límites entre el arte alto y bajo en Japón. Lo superplano evoca el manga y el anime, y reflexiona sobre temas desbordados en la sociedad nipona: el consumismo feroz y superficial, la salvaje occidentalización de la cultura y el desenfrenado fetichismo sexual.

Murakami fundó la fábrica Hiropon (héroe cansado) en 1996, y la registró como Kaikai Kiki Company Ltd. en 2001. Moderna descendiente de la factoría de Andy Warhol, Kaikai Kiki emplea a más de cien artistas en Japón y Estados Unidos. Murakami conceptualiza su obra, y sus asistentes crean un producto acabado. La factoría produce esculturas, pinturas, grabados, vídeos, camisetas, llaveros y muñecos de felpa. Motivos y personajes recurrentes, como los ojos incorpóreos, las setas psicodélicas, las flores risueñas o el sonriente Mr. DOB (juego de palabras sobre *dobojite/doshite*, la palabra japonesa que significa «¿qué?»), conjuran una visión enloquecida y alucinógena de la sociedad. En 2003 Murakami diseñó la gama Monogram Multicolore de bolsos y otros accesorios con Marc Jacobs para la marca francesa Louis Vuitton. **NSF**

NAO BUSTAMANTE

Nao Bustamante, 3 de septiembre de 1963 (Valle de San Joaquín, California, EE.UU.).

Estilo: Artista de performance, escultura, instalación y vídeo; performances provocativas y llenas de humor que se enfrentan a las convenciones y rituales sociales.

Obras destacadas

Indigurrito, 1992 (Theatre Artaud; Paradise Lounge; autopista Santa Mónica, California, EE.UU.)

America, the Beautiful (América, la hermosa), 2002 (Instituto Hemisférico de Perfomance y Política, Lima, Perú)

Licenciada en el San Francisco Art Institute, la obra de Nao Bustamante, por lo general, es provocativa, en ocasiones controvertida, y siempre humorística. Abarca la performance, la escultura, la instalación y el vídeo, y a veces una mezcla de estos medios. La voluptuosa artista interpreta papeles imaginarios, en ocasiones desnuda, desde el arquetipo de rubia explosiva con tacones y de reina de concurso de belleza en *América, la hermosa* (2002) hasta de exhibicionista en sus descarados esfuerzos por desafiar las normas patriarcales. Su obra más conocida es la performance *Indigurrito* (1992), donde se ataba un burrito a la cadera e invitaba a hombres blancos a subir al escenario, darle un mordisco al burrito y eximir quinientos años de culpa del hombre blanco. **CK**

CLAUDE CLOSKY

Claude Closky, 1963 (París, Francia).

Estilo: Creador de producciones autocríticas de estilo de vida; utiliza la lógica, técnicas de publicidad y tropos de la historia del arte; repetición de variantes; juega con los códigos y las jerarquías.

Obras destacadas

Los primeros mil números clasificados alfabéticamente, 1989

Solteros, 1995

Closky.blogspot.com

Edición limitada de entrenador de Adidas, 2005

Claude Closky utiliza la lógica y las técnicas de publicidad y las estira al máximo. Ofrece al espectador o al modelo una tentadora sensación de falsa liberación de lo cotidiano, haciendo patentes los códigos y jerarquías generales que median en la existencia de uno como presunto consumidor, tal y como se aprecia en sus entradas de museo, papel de pared e imanes de nevera para el Centro Pompidou de París. Utiliza normas perfectas y de autoperpetuación o sistemas y placeres en la repetición implacable de variantes, así como tropos de historia del arte del minimalismo y el arte conceptual a través de libros, piezas de texto, vídeos y páginas web, como celebración y crítica de un estilo de vida. **EL**

TRACEY EMIN

Tracey Emin, 3 de julio de 1963 (Croydon, Inglaterra).

Estilo: Joven artista británica; pinturas, dibujos, fotografía, instalaciones y vídeo; uso del texto y telas aplicadas; temas confesionales e íntimos de su autobiografía; ingeniosa e irreverente.

Obras destacadas

Todos con los que he dormido alguna vez entre 1963-1995, 1995 (destruido)

Mi cama, 1998 (Saatchi Collection, Londres)

El odio y el poder pueden ser algo terrible, 2004 (Tate Collection, Londres)

«Para mí ser artista no trata solo de hacer cosas bonitas [...] [es] un mensaje.»

ARRIBA: La vida y obra de Tracey Emin con frecuencia atrae la atención de los medios.

Tracey Emin vive y trabaja en Londres. Su obra está compuesta por pinturas, dibujos, fotografía, instalaciones y vídeo. Utilizando una amplia gama de medios, entre ellos los apliques de tela, objetos encontrados, monoimpresiones y luces de neón, sus obras comunican sus emociones y detalles de su vida, siguiendo la tradición de artistas como la mexicana Frida Kahlo. Durante su juventud, Emin, criada en Margate, Kent, sufrió muchas desgracias y pérdidas traumáticas, y su obra a menudo es considerada una manera de la artista de enfrentarse a ese dolor. De hecho, ha estudiado y producido arte desde que era joven; asistió al Maidstone Art College antes de trasladarse a Londres para cursar un máster en bellas artes en la Royal Academy of Arts en 1987.

En 1993 Emin envió cartas pidiéndole a la gente que invirtiera 20 dólares en su potencial creativo. Uno de los que contestó fue Jay Jopling, que más adelante se convirtió en su representante. Le ofreció una exposición en su innovadora galería de Londres, White Cube. Emin llamó con ironía a la exposición *Mi mayor retrospectiva* (1994), y aprovechó la oportunidad para exponer su vida personal al dominio público, exhibiendo una serie de obras y recuerdos que hacían referencia a su pasado. Enseguida se asoció a la artista con muchos de sus coetáneos, a los que los medios llamaban los Jóvenes artistas británicos. A continuación abrió The Tracey Emin Museum en Waterloo, Londres, donde invitaba al público a contemplar obras íntimas, hasta que cerró en 1998. Al año siguiente fue nominada para el premio Turner por una pieza titulada *Mi cama* (1998). Consiste en una cama sin hacer, cubierta de objetos como ropa interior sucia, botellas de alcohol vacías y preservativos usados. Desde entonces, Emin ha ocupado un lugar en el mundo artístico y los medios de comunicación como artista y personaje famoso. **WD**

SHAHRAM ENTEKHABI

Shahram Entekhabi, 1963 (Beroujerd, Irán).

Estilo: Motivaciones políticas; uso del videoarte, la fotografía, la pintura, los dibujos, la instalación y el arte de la performance para destacar la diáspora de Oriente Medio en el mundo occidental.

Shahram Entekhabi se ha ganado el reconocimiento internacional por los temas de la invisibilidad y la visibilidad y la alienación de las minorías étnicas en la cultura contemporánea. Su obra representa a grupos marginados como las comunidades inmigrantes, y examina las alternativas a la ideología occidental.

Inspirado por la obra de Charles Baudelaire y, más en concreto, el concepto decimonónico de *flâneur* (una persona que deambula por la ciudad para experimentarla), la obra de Entekhabi emplea prácticas performativas, medios digitales y dibujos como plataforma para rebatir la idea de que el espacio urbano está específicamente reservado para la práctica y representación del hombre blanco heterosexual de clase media.

Entre 1976 y 1979 estudió diseño gráfico en la Universidad de Teherán; luego se trasladó a Italia para estudiar arquitectura, urbanismo y el idioma. Entre 1983 y 2000 trabajó como arquitecto autónomo en Berlín, pero en 2001 empezó a centrarse en su trabajo como artista. Empezó a realizar videoarte e instalaciones con obras como *I?* (2004), que desafían la idea estereotipada de Occidente acerca de la típica conducta del inmigrante.

A Entekhabi le preocupa especialmente tratar las cuestiones entre los gobiernos laicos y las comunidades islámicas. Se centra en las ideas dominantes que rodean la conducta de Oriente Medio, donde los hombres son presentados como agresores fundamentalistas y las mujeres son consideradas oprimidas. *Vogue islámico* (2001-2005) es un ejemplo de su uso de la fotografía provocativa e impactante para cuestionar los ideales occidentales de la feminidad. Mediante el uso del discurso artístico enfrentado a estos conceptos dominantes, también aborda las inquietudes contemporáneas hacia el terrorismo y la amenaza percibida de Oriente Medio hacia Occidente. **KO**

Obras destacadas

Islamic Vogue (Vogue islámico), 2001-2005
me? (¿yo?), 2003-2004
Migrant (Emigrante), 2004
I?, 2004
mladen, 2005

«Parte de mi obra [interactúa] con el espectador [...] sobre cómo interpreta Occidente.»

ARRIBA: Shahram Entekhabi, expone en cientos de galerías de todo el mundo.

GILLIAN WEARING

Gillian Wearing, 1963 (Birmingham, Inglaterra).

Estilo: Fotografía de estilo documental y obras de vídeo; atención a lo individual; detalles de la vida cotidiana contemporánea; uso de miembros del público y actores.

Obras destacadas

Signos que dicen lo que quieres decir y no signos que dicen lo que otro quiere que digas, 1992-1993 (Tate Collection, Londres)

Sesenta minutos, silencio, 1996 (London Arts Council Collection, Londres)

La fama de Gillian Wearing se consolidó al recibir el prestigioso premio Turner en 1997. Formada en la Chelsea School of Art antes de realizar un máster en bellas artes en el Goldsmith College, Londres, Wearing salió a la luz pública tras una serie de exposiciones colectivas muy promocionadas durante la década de 1990, entre ellas *Sensation* (1997) en la Royal Academy de Londres.

La primera obra de Wearing a menudo presenta a miembros del público que la artista ha encontrado al azar parándolos en la calle, o colocando anuncios en periódicos locales. La artista da instrucciones a sus modelos antes de hacerles fotografías realizando un acto personal y confesional como escribir lo que están pensando en ese momento. El resultado son obras íntimas que pueden leerse como reflexiones sobre la vida cotidiana, así como documentales de televisión coetáneos con una visión directa. Las inquietudes sociales encajan con preguntas sobre cómo se construyen las identidades de los modelos de Wearing y quién controla su representación. Dichas cuestiones de poder se hacen más evidentes en las obras de vídeo de la artista, como *Sesenta minutos, silencio* (1996), película donde aparece un grupo de agentes de policía a los que pidió grabar durante una hora sin moverse. El vídeo parece al principio un retrato fotográfico, pero poco a poco va revelando el medio a medida que los modelos se impacientan y obligan al espectador a reconocer la naturaleza arbitraria del poder que Wearing usurpa sin esfuerzos. Desde entonces, Wearing ha abandonado su enfoque espontáneo para utilizar actores con guión, aunque mantiene la impresión de que está reflejando la vida cotidiana, de modo que confunde aún más las líneas entre la realidad y la ficción en su arte. **WD**

«Me gustaría descubrir la mayor cantidad posible de facetas en las personas.»

1960–69

ARRIBA: La premiada artista Gillian Wearing, fotografiada en 2006.

RACHEL WHITEREAD

Rachel Whiteread, 20 de abril de 1963 (Londres, Inglaterra).

Estilo: Formas esculturales realizadas proyectando los espacios negativos de objetos domésticos; utilización de lenguaje minimalista; los objetos a menudo tienen una cara psicológica y aportan una reminiscencia poética.

En muchos sentidos, la escultura *Armario* (1988), de Rachel Whiteread, estableció su lenguaje como artista. La obra, un molde de yeso de un guardarropa cubierto de fieltro negro, pretendía evocar un espacio concreto que habitan los niños y toma prestada la estética tan austera del minimalismo.

A partir de ese momento, Whiteread empezó a hacer moldes de espacios negativos derivados de una serie de objetos domésticos rescatados de varios lugares del East End londinense. *Fantasma* (1990) es un molde de yeso del espacio ocupado por una habitación de una casa victoriana.

El mismo año en que recibió el premio Turner, Whiteread creó *Casa* (1993). Consistía en el molde de una vivienda, y esa proeza técnica la logró rociando con un espray hormigón líquido en la estructura interior de la casa y luego retirando las paredes exteriores para revelar una forma parecida a un búnker. A pesar de que solo duró dos meses y medio, fue suficiente para consolidar la reputación internacional de Whiteread. Al cabo de cuatro años representó a Gran Bretaña en la Bienal de Venecia.

La escala de la ambición de la artista y su voluntad de llevar a cabo proyectos repletos de cuestiones técnicas y sociales quedó patente en su decisión de construir un molde interior de una biblioteca del tamaño de una sala en *Monumento al Holocausto (Biblioteca sin nombre)* (2000) para la Judenplatz de Viena, pese a la gran cantidad de dificultades legales y diplomáticas. Su instalación temporal en la sala de turbinas de la Tate Modern de Londres, *Muro de contención* (2005-2006) consistía en 14.000 moldes realizados con distintas cajas de cartón, y es una prueba de su continua capacidad de extraer una forma evocadora de poesía visual de objetos en apariencia banales a los que no se presta atención. **CS**

Obras destacadas

Fantasma, 1990 (National Gallery of Art, Washington, D.C.)

Monumento al Holocausto, 2000 (Judenplatz, Viena)

Sin título (Sótano), 2001 (Guggenheim Collection, Nueva York)

> «Mi obra [...] intenta encontrar un sentido a lo que le ha hecho la gente a la tierra.»

ARRIBA: Whiteread con su mayor obra, *Muro de contención*, 14.000 moldes de cajas vacías.

1960–69

DAMIEN HIRST

Damien Hirst, 7 de junio de 1965 (Bristol, Inglaterra).

Estilo: Animales en formaldehído en vidrieras de cristal; pinturas de puntos; botiquines; mariposas; temas como los fármacos, los narcóticos, el amor, la naturaleza de la existencia, la mortalidad y la religión.

Obras destacadas

La imposibilidad física de la muerte en la mente de algo vivo, 1991 (colección particular)

Farmacia, 1992 (Tate Collection, Londres)

Madre e hijo divididos, 1993 (Museo de arte moderno Astrup Fearnley, Oslo)

Home Sweet Home, 1996 (Museum of Modern Art, Nueva York)

Por el amor de dios, 2007 (colección particular)

Damien Hirst pasó de estar en la lista de malos estudiantes a convertirse en la principal figura de la escena artística británica y el artista vivo de mayor éxito del mundo. Obtuvo una plaza en el Goldsmith College para estudiar bellas artes, y ejerció de comisario de la exposición de estudiantes *Freeze* (1988), que sacudió el mundillo artístico de Londres. Nadie quedó tan abrumado como el magnate de la publicidad Charles Saatchi, quien compraría numerosas obras de Hirst durante los años siguientes.

Mediante sus instalaciones, pinturas y esculturas, Hirst desafiaba los tradicionales límites entre el arte, la ciencia y la cultura popular. Inspirado por la obra de Francis Bacon y el op art, realizó obras de arte conceptual que presentaban animales en grandes vitrinas suspendidos en formaldehído. *La imposibilidad física de la muerte en la mente de algo vivo* (1991), expuesta en la Saatchi Gallery, presenta un tiburón tigre de 4,3 m y pretende replantear las percepciones tradicionales del significado de la vida. Esta obra le reportó notoriedad, porque los medios

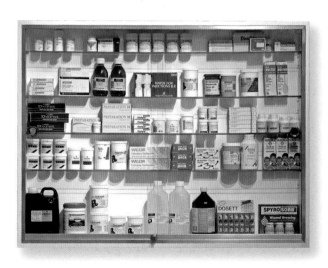

ARRIBA: Damien Hirst en el preestreno de su exposición *Más allá de la creencia*, en 2007.

DERECHA: *El sueño de la razón* formaba parte del restaurante Pharmacy de Hirst.

británicos mostraron un interés desconcertante, y pronto estaba polarizando visiones como pocos artistas lo habían hecho antes, si es que alguno lo había logrado.

Le siguieron más obras en formaldehído en la exposición *Algunos se volvieron locos, otros huyeron* (1994) en la Serpentine Gallery de Londres. Una oveja en un tanque, una obra llamada *Madre e hijo divididos* (1993), ayudó a Hirst a ganar el premio Turner en 1995. Sin duda es provocativo, y algunos críticos consideran que las obras utilizan temas deliberadamente controvertidos para ganar publicidad.

Más allá del bombo publicitario, es un arte que presenta la terrible belleza que rodea a la muerte y la inevitable decadencia que va unida a la belleza. Este aspecto visceral y visualmente retador ha convertido a Hirst en el artista contemporáneo más célebre.

Hirst también ha realizado pinturas y esculturas en vitrinas. Sus cuadros más famosos son casi minimalistas, con un guiño a las pinturas gestuales del expresionismo abstracto en su producción mecanizada, y se dividen en dos categorías. Su serie de cuadros «Giro» está realizada vertiendo pintura en un lienzo redondo y luego haciéndolo girar mecánicamente a gran velocidad.

«Es increíble lo que se puede hacer con [...] una imaginación retorcida y una motosierra.»

1960–69

Por el amor de Dios

Un año antes de que saliera a la luz *Por el amor de Dios* en su exposición en solitario *Más allá de la creencia* (2007), Damien Hirst anunció a los medios británicos que pretendía crear la obra de arte más cara del mundo. Explicó el concepto oculto tras esta extravagancia: «Solo quiero celebrar la vida enviando al cuerno a la muerte. ¿Qué mejor manera de hacerlo que tomando el símbolo de la muerte por excelencia y cubriéndolo con el mayor símbolo del lujo, el deseo y la decadencia?».

- El molde en tamaño real de un cráneo humano fue cubierto con 8.601 diamantes extraídos de forma ética, que pesan 1.106 quilates, de los que la pieza central es un diamante de 50 quilates de color rosa y en forma de pera, en la frente del cráneo.

- Hirst se inspiró al ver un cráneo de turquesas azteca expuesto en el British Museum para hacer *Por el amor de Dios*.

- La estimación de los costes de producción se encuentra entre los 20 y los 30 millones de dólares, lo que la convierte en la obra de arte más cara del mundo y supone un aumento del precio significativo respecto del cráneo del siglo XVIII, comprado en una tienda en el norte de Londres, a partir del cual se realizó el molde para la asombrosa obra.

- Tras su venta incluso hubo rumores de que la obra no se había vendido, sino que seguía en posesión de Hirst.

Las pinturas «Punto» contienen puntos de igual tamaño de colores vivos unidos en rígidas formaciones cuadriculadas que trasmiten un estado de calma al espectador. Los títulos hacen referencia a fármacos, que constituyen un tema habitual en la obra de Hirst y que implica un vínculo entre el arte y la medicina en su capacidad de curar.

Más impacto y sobrecogimiento

En el nuevo milenio, Hirst ha ahondado más en la religión con una serie de obras basadas en la vida de Jesús y sus discípulos. La Gagosian Gallery de Londres expuso *Mil años y trípticos* (2006), donde se exhibían obras influidas por Bacon. La exposición incluyó la interpretación de Hirst de la tradición de la *vanitas* en el arte, *Mil años* (1989), una vitrina de cristal con un ciclo vivo de gusanos que se convertían en moscas y se alimentaban de una cabeza de vaca cortada con un dispositivo para atrapar insectos que acechaban peligrosamente. Hirst sigue impactando: su cráneo *momento mori* de diamantes incrustados, *Por el amor de Dios* (2007), fue comprado por 105 millones de dólares por un grupo de inversión y batió el récord de una obra de arte vendida por un artista vivo. **SG**

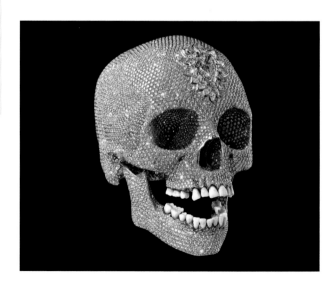

DERECHA: Damien Hirst reunió 8.601 diamantes para realizar *Por el amor de Dios*.

JEREMY DELLER

Jeremy Deller, 1966 (Londres, Inglaterra).

Estilo: Colecciones de arte folk y autóctono; tema de la cultura de la música popular; arte de postal; recreación de acontecimientos políticos modernos; películas de estilo documental.

Nacido en Londres, Jeremy Deller estudió historia del arte en el Courtauld Institute of Art. Su momento de transición entre crear y ejercer de conservador de arte llegó en 1993: mientras vivía con sus padres, organizó una exposición en su dormitorio aprovechando que ellos estaban de vacaciones, y creó una serie de pinturas sobre la vida y la obra de la estrella del rock Keith Moon.

Siguió creando obras que mezclan el arte culto y la cultura popular, y con frecuencia se ha inspirado en la música popular y la cultura visual. Letras de canciones, portadas de álbumes, graffiti, postales, tablones de anuncios y anuncios personales proporcionan no solo el tema de sus obras sino a menudo el medio. En 1997 puso anuncios en la prensa musical en los que pedía a los fans de The Manic Street Preachers que le enviaran obras de arte, textos y recuerdos inspirados en la banda. La colección resultante, «Los usos de la alfabetización: Predicadores maníacos de la calle» (1999), es típica de su fascinación por el eclecticismo de la expresión vernácula. La recuperación de obras de arte que hicieron personas de los márgenes de la corriente artística dominante fue la base para el «Archivo folk» (2005).

En su empeño por explorar situaciones culturales, sociales e históricas específicas, el artista ha realizado numerosos proyectos en colaboración que aprovechan la participación del público con Deller en el papel de comisario artístico, director o editor. Sus temas a menudo son específicos de una geografía y con carga política, como en *La batalla de Orgreave* (2001), recreación histórica del conflicto violento entre los mineros en huelga y la policía en Yorkshire en la década de 1980, y la película de estilo documental *Cubo de recuerdos* (2003), centrada en el asedio de Waco, en Texas, que le valió a Deller el premio Turner en 2004. **LB**

Obras destacadas

The uses of literacy: «Manic Street Preachers» (Los usos de la alfabetización: Predicadores maníacos de la calle), 1999 (publicado por Book Works Projects)

The Battle of Orgreave Archive: An injury to one is an injury to all (La batalla de Orgreave: injuriar a uno es injuriar a todos), 2001 (Tate Collection, Londres)

Archive folk: Contemporary popular art from the UK (Archivo folk: Arte popular contemporáneo del Reino Unido), 2005 (publicado en Opus Projects)

«Si el pop art trata de que las cosas gusten [...] el arte folk trata de amar las cosas.»

ARRIBA: Deller fotografiado frente a la obra que le valió el premio Turner en 2005.

ROMAN ONDÁK

Obras destacadas

Buenas sensaciones en los buenos tiempos,
2003 (Tate Collection, Londres)

Al final todo girará a la derecha, 2005-2006
(Tate Collection, Londres)

Roman Ondák, 1966 (Zilina, Eslovaquia).

Estilo: Artista de instalación cuyas obras incorporan la escultura, el dibujo, la performance, las intervenciones y el sonido; exploraciones de la desigualdad, las normas sociales y la burocracia.

Roman Ondák nació dos décadas antes de la caída del muro de Berlín. Sus obras, que investigan la desigualdad, las normas sociales y la burocracia, a menudo recuerdan los tiempos de la Europa del Este comunista. *Buenas sensaciones en los buenos tiempos* (2003) muestra una cola de personas que nunca se mueve y recuerda las colas por la comida de las décadas de 1970 y 1980 y es una crítica a la burocracia institucionalizada. Dado que los actores de la cola fingen estar aburridos y frustrados, el poder de la obra no solo reside en la observación de los gestos y rituales. Expresa la naturaleza jerárquica de la burocracia y su injusticia, y que la conducta social y su significado mutan según el contexto y la imaginación de cada espectador. **CK**

JAKE Y DINOS CHAPMAN

Obras destacadas

HMS Cockshitter, 1997 (Bernardo Collection, Lisboa)

Exquisito cadáver, 2000 (Tate Collection, Londres)

Sexo, 2003 (Tate Collection, 2003)

Jake Chapman, 1966 (Cheltenham, Gloucestershire, Inglaterra).

Dinos Chapman, 1962 (Londres, Inglaterra).

Estilo: Miembros del movimiento de los Jóvenes artistas británicos; arte conceptual; imágenes sensacionalistas, truculentas; temas de la violencia, el comercialismo, la explotación y la pedofilia; uso de varios medios.

Los Jóvenes artistas británicos y hermanos Jake y Dinos Chapman empezaron a trabajar juntos en 1992. Como muchos de sus coetáneos, asistieron al Royal College of Art de Londres, donde trabajaron de asistentes de Gilbert y George. Los hermanos fueron nominados para el premio Turner en 2003.

Su obra provocativa revela un interés por la mutilación, la tortura y las relaciones sexuales. La naturaleza conceptual de su obra queda potenciada por una artesanía experta, que se hace patente en sus modelos y grabados. Al cultivar una estética tosca, entroncan con el discurso de la historia del arte, el comercialismo y la filosofía e inciden en las fascinaciones humanas lascivas. **MG**

DERECHA: *Sexo* (2003) representa cuerpos consumidos por gusanos, serpientes y ratas.

DOUGLAS GORDON

Obras destacadas

Significado y ubicación, 1990
(University College London, Londres)

24 horas de Psicosis, 1993 (Centre Pompidou, París)

10ms-1, 1994 (Tate Collection, Londres)

Douglas Gordon, 20 de septiembre de 1966 (Glasgow, Escocia).

Estilo: Artista de vídeo e instalación; temas frecuentes del cine de Hollywood; investiga los conceptos de identidad, mortalidad, percepción y cómo el espectador atribuye significado mediante el contexto.

El artista de instalaciones Douglas Gordon estudió en la escuela de arte de Glasgow y luego en la Slade School of Fine Art de Londres. Utiliza el vídeo, el cine, la fotografía y los textos en su intento de cuestionar las percepciones del mundo. Gran parte de su obra hace referencia y utiliza iconos de la cultura popular para lograrlo. Por ejemplo, ha filmado el juego de la estrella del fútbol francesa Zinedine Zidane y fue célebre su proyección del famoso *thriller* de Alfred Hitchcock *Psicosis* (1966) a cámara lenta para que la acción durara 24 horas. Su fascinación por jugar con la imagen en movimiento y el contexto hace que el espectador revise sus expectativas y opiniones de un relato clásico o recibido para llegar a un punto de vista distinto de su lugar en el mundo y el de los demás. **CK**

DAMIÁN ORTEGA

Obras destacadas

Módulo de construcción con tortillas, 1998
(Galería Kurimanzutto, México)

Cosa cósmica, 2002 (Galería Kurimanzutto, México)

Damián Ortega, 1967 (Ciudad de México, México).

Estilo: Escultor y dibujante político; exploración de las connotaciones políticas y culturales de los objetos cotidianos y cómo estos se relacionan con México; tratamiento satírico de los temas.

Damián Ortega empezó como dibujante político, y ese humor satírico sigue siendo evidente en sus obras dadaístas y juguetonas. Sus esculturas, instalaciones, performances y vídeos están inspirados en objetos cotidianos, desde coches hasta tortillas, e investigan las connotaciones políticas, económicas y culturales del objeto. *Cosa cósmica* (2002) muestra un escarabajo Volkswagen desguazado y suspendido del techo con un cable para reflexionar sobre cómo un coche emblemático inventado en la Alemania nazi se produjo por última vez en una fábrica de Puebla, en México. Para demostrar cómo la forma cambia sin cesar con el tiempo, la percepción y el contexto, y que la escultura no tiene por qué ser estática, a menudo reelabora sus obras. **CK**

TOMMA ABTS

Tomma Abts, 1967 (Kiel, Alemania).

Estilo: Lienzos pequeños y de tamaños uniformes que presentan formas geométricas que se despliegan y son autorreferenciales; diseño final elaborado mediante capas de colores; primera pintora que gana el premio Turner.

El siglo XXI ha sido testigo de cómo Tomma Abts expandía las posibilidades de los lenguajes visuales abstractos con sus peculiares lienzos de 48 por 38 cm de acrílico y óleo que formulan un léxico muy personal de señales basado en un proceso artístico metódico, intuitivo y coherente.

Antigua alumna de la Hochschule der Künste, estudió arte de diversos medios y no recibió formación en pintura. En un momento en que las referencias multidisciplinares y la apropiación son catalizadores populares de la creación artística, empieza sin más que la superficie en blanco de una plataforma de pintura uniforme y precisa. La ausencia de material de origen afirma sus increíblemente intuitivas abstracciones de forma y de color, aunque controladas, con curvas que parecen fusionarse y emerger, por casualidad y por impulsos asociativos a la vez, entre múltiples capas de pintura.

Cada título está extraído de un libro de nombres alemanes y vincula al espectador con la enormidad potencial de una serie, e insinúa un sentido de la identidad que está en continuo proceso de creación. Se sugiere una ambigüedad espacial autocontenida, una perfección individual que descubre el relato de su propia historia, pero también hay un elemento de lo contraintuitivo dentro de la lógica de cada lienzo. Lo que parece desplazarse a un primer plano es a menudo un elemento de una profunda capa estructural, y lo que parece tambalearse en la cúspide de la representación figurativa solo lo hace ligeramente. El uso compositivo de patrones artificiales repetitivos por encima de fondos absolutamente vacíos articula de forma sutil una meditación única sobre el frágil azar del significado. Abts recibió en 2006 el premio Turner por sus aportaciones al lenguaje de la pintura abstracta. **LNF**

Obras destacadas

Epko, 2002 (Greengrassi, Londres)
Ebe, 2005 (Greengrassi, Londres)
Lubbe, 2005 (Greengrassi, Londres)

«[...] la tensión del movimiento potencial es más fuerte en un cuadro que en una película.»

1960–69

ARRIBA: En 2006 Abts se convirtió en la primera pintora en ganar el premio Turner.

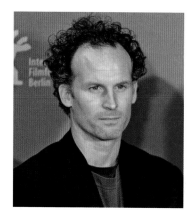

MATTHEW BARNEY

Matthew Barney, 25 de marzo de 1967 (San Francisco, California, EE.UU.).

Estilo: Artista de performance, cine e instalación; referencias a los géneros cinematográficos; uso de instrumentos médicos y sustancias viscosas; temas como los atletas, los intérpretes, el destino y la sexualidad.

Obras destacadas

Cremaster 4, 1995

El gabinete de Baby Fay La Foe, 2000
  (Museum of Modern Art, Nueva York)

Cremaster 3, 2002

Matthew Barney es un artista de los que la gente ama o detesta: algunos consideran que sus salvajes películas extravagantes son pretenciosas, en ocasiones casi pornográficas, y una suma de todo lo que da mala fama al arte contemporáneo. Otros consideran que explora nuevos caminos con imaginación, gracia y creatividad ilimitada.

Las películas de 35 mm de Barney son de gran presupuesto, pero, a diferencia de las de Hollywood, se proyectan en galerías de arte y festivales. Se completan con grandes repartos —que a menudo incluyen nombres célebres como Norman Mailer o Ursula Andress—, prótesis, escenarios extravagantes y un relato complejo y circular. Barney escribe, diseña, interpreta y dirige. El resultado son películas repletas de colores opulentos, imágenes salvajes, historias bizarras, bandas sonoras complejas, localizaciones bonitas y vestuario y escenarios fantásticos, tanto que parece que el artista haya entrado en el terreno del surrealismo.

En ningún otro caso es más evidente que en la obra maestra de Barney, el ciclo épico «Cremaster 1-5» (1995-2002), de cinco largometrajes que no fueron realizados en orden cronológico. El título *Cremaster* hace referencia al músculo masculino que

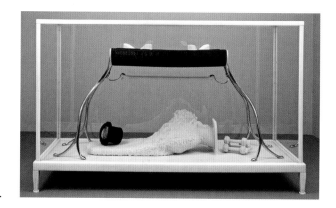

ARRIBA: Matthew Barney formó parte del jurado del 56º festival internacional de cine de Berlín.

DERECHA: Los elementos de *El gabinete de Baby Fay La Foe* están basados en *Cremaster 2.*

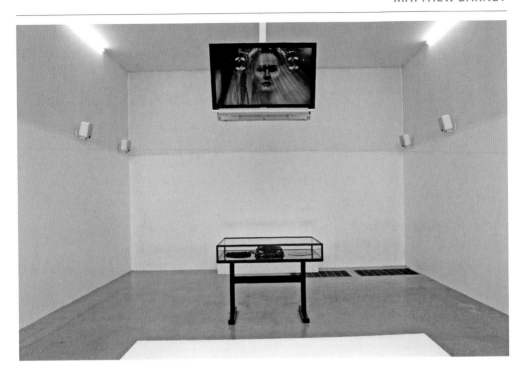

controla las contracciones de los testículos en respuesta a los estímulos externos. La saga de Barney está llena de alusiones a los órganos reproductores. El mito que ha creado recorre las vidas de personas reales como el asesino Gary Gilmore y el escapista Harry Houdini, está ambientada en localizaciones impresionantes como el edificio Chrysler de Nueva York, y se halla habitada por seres imaginarios como los espíritus del agua.

Cada película de «Cremaster» ofrece una visión particular que sugiere un género cinematográfico y teatral distinto: los musicales de Busby Berkeley de la década de 1930; las películas de propaganda nazi de Leni Riefenstahl; las películas de gánsters y desastres; las *road movie* y la tragedia romántica o la ópera lírica. Cada película va acompañada de esculturas, fotografías y dibujos relacionados como *El gabinete de Baby Fay La Foe* (2000), que al mismo tiempo documenta y potencia la experiencia, además de ser obras de arte en sí mismas. **CK**

ARRIBA: *Cremaster, 5*, ópera ambientada en Hungría, con Ursula Andress.

Curioso gabinete

La intrigante escultura *El gabinete de Baby Fay La Foe* parece a primera vista una perversa curiosidad victoriana: una vitrina de cristal que contiene un sombrero de copa lleno de cera de abeja en panal, una mesa de espiritismo con patas de acero curvas, pesas y una forma orgánica de resina que casi podría utilizarse como un preservativo para pervertidos. La única pista real de su significado es el título. Baby Fay La Foe fue una clarividente y abuela de Gary Gilmore, además de un personaje de *Cremaster 2* de Barney. Tal vez es una reflexión sobre el destino, sobre la casualidad, o tal vez ambas cosas.

1960-69

SAM TAYLOR-WOOD

Sam Taylor, 4 de marzo de 1967 (Londres, Inglaterra).

Estilo: Cineasta, videoartista y fotógrafa del movimiento de los Jóvenes artistas británicos; uso de velocidades lentas o aceleradas en el cine; colaboraciones de personajes famosos; reflexión irónica sobre el estilo de vida urbano.

Obras destacadas

Killing Time (Matando el tiempo), 1994 (Tate Collection, Londres)

David, 2004 (National Portrait Gallery, Londres)

Crying men (Hombres llorando), 2004 (White Cube, Londres)

Self-portraits Suspended (Autorretratos suspendidos), 2004 (White Club, Londres)

Bram Stoker's chair (La silla de Bram Stoker), 2005 (White Cube, Londres)

Sam Taylor-Wood es una integrante destacada del movimiento de los Jóvenes artistas británicos que se forjó en el Goldsmith College de Londres y atrajo el mecenazgo del gurú de la publicidad Charles Saatchi. Tras realizar un curso sobre fundaciones artísticas en Hastings, regresó a Londres para cursar en el Goldsmiths College un máster en bellas artes en 1990.

Taylor-Wood trabaja con el cine, el vídeo y la fotografía, y su obra presenta una gran inquietud por la diferencia entre la apariencia percibida y el ser real. El paso decisivo fue su videoinstalación *Matando el tiempo* (1994), donde aparecían cuatro personas haciendo mímica con una partitura de ópera. Llamó la atención de su futuro marido, Jay Jopling, marchante y propietario de la Galería White Cube de Londres. Desde entonces ha colaborado con el grupo musical Pet Shop Boys, ha dirigido un vídeo de Elton John donde aparece el actor Robert Downey Jr., ha filmado al jugador de fútbol David Beckham durmiendo en *David* (2004) para la National Portrait Gallery, y ha fotografiado a actores de Hollywood masculinos para su serie «Hombres llorando» (2004). En esta obra, todos los actores parecen estar afligidos, lo que suscita muchas preguntas sobre la realidad que se percibe en los medios. Taylor-Wood comparte algunos de los temas y técnicas con el pionero videoartista estadounidense Bill Viola. Su arte refleja el hastío de una élite urbana demasiado pendiente de sí misma, y examina la dislocación entre las identidades públicas y privadas propias de una cultura obsesionada con la fama. Durante la última década ha superado dos veces un cáncer, una experiencia que impregna su serie más juguetona «Autorretratos suspendidos» (2005), donde aparece la artista flotando sin apoyo en su estudio de Londres. **RB**

> «Me interesa coger las emociones humanas puras y aislarlas.»

ARRIBA: Detalle de una fotografía realizada por Johnnie Shand Kydd.

DERECHA: *La silla de Bram Stoker* forma parte de las series suspendidas de Taylor-Wood.

CHRIS OFILI

Chris Ofili, 10 de octubre de 1968 (Manchester, Inglaterra).

Estilo: Pintor; temas como Nigeria, la religión, la blaxploitation, la raza y la pornografía; uso de estiércol de elefante, purpurina y collage; glaseados traslúcidos brillantes; mucho color.

Obras destacadas

The upper room (La habitación de arriba), 1992-2002 (Tate Collection, Londres)

Holy Virgin Mary (La Virgen María), 1996 (Saatchi Collection, Londres)

No woman, no cry (No mujer, no llores), 1998 (Tate Collection, Londres)

«Mi manera de trabajar [...] surge del amor hacia la pintura, una relación amorosa con la pintura.»

ARRIBA: Ofili con su *Adoración del capitán Mierda y la leyenda de las estrellas negras.*

En 1998, cuando Chris Ofili ganó el premio Turner, lo hizo gracias a su «inventiva, exuberancia, humor y riqueza técnica en la pintura»; pero más importante que el premio es lo bien que encaja esta cita con el papel que desempeñó durante la década de 1990 en la revitalización de la pintura, en las casas de subasta y las galerías y en la mente de los jóvenes estudiantes de arte.

Ofili es diez años más joven que Peter Doig, pero recorrieron un camino paralelo hacia el éxito durante aquella década. Ofili es uno de los pocos Jóvenes artistas británicos que no estudió en el Goldsmiths College de Londres. En cambio realizó una licenciatura en la Chelsea School of Art y luego un posgrado en el Royal College of Art, que terminó en 1993.

La reputación de Ofili se forjó en un principio gracias al coleccionista Charles Saatchi y después de una exposición itinerante organizada por la Royal Academy of Arts, *Sensation* (1997), que recaló en el Brooklyn Museum of Art en 1999 y precipitó una demanda contra el museo presentada por el alcalde neoyorquino Rudolph Giuliani.

La Virgen María (1996), la pintura de Ofili que causó tantos problemas, presenta una virgen africana negra rodeada de imágenes cortadas de revistas pornográficas y embellecida con pedazos esféricos de estiércol de elefante.

Sus ganas de vivir y su confianza como artista le han permitido mantener su posición en el mundo artístico. En 2001 fue elegido para representar a Gran Bretaña en la Bienal de Venecia, y en 2005 fue invitado a exponer en la Tate Britain su obra más ambiciosa hasta la fecha, *La habitación de arriba* (1992-2002), una instalación parecida a una capilla formada por trece pinturas presentadas en un espacio arquitectónico diseñado para las obras por el arquitecto David Adjaye. **SF**

GEORGINA STARR

Georgina Starr, 1968 (Leeds, West Yorkshire, Inglaterra).

Estilo: Artista de vídeo, cine, performance e instalación; exploración de la identidad, la memoria, la historia, la interpretación y el cine mudo; temas autobiográficos; uso de objetos encontrados.

La artista de vídeo, cine, performance e instalación Georgina Starr, a la que en ocasiones se incluye dentro del movimiento de los Jóvenes artistas británicos, estudió en la Middlesex Polytechnic y la Slade School of Art de Londres, así como en la Rijksakademie Van Beelende Kunst de Amsterdam. Su arte ha sido descrito como «confesional», en la línea de la artista Tracey Emin y, como esta última, Starr recurre a su vida en la obra que crea. Su instalación *Las nueve colecciones del séptimo museo* (1994) incorpora objetos encontrados y coleccionados, como juguetes y *souvenirs*, que detallan su vida como artista.

En sus vídeos y películas aparece ella como intérprete de relatos que pueden estar basados en su experiencia personal, pero a menudo también trabaja con un reparto y un equipo de rodaje, como en *Gran V* (2005), donde investiga la relación entre el catolicismo y la idea de culpa respecto de la sexualidad emergente, y utiliza a un grupo de adolescentes que recrean algunos de los recuerdos de la adolescencia de Starr en Leeds.

La película e instalación *Theda* (2007) introduce al espectador en el mundo del cine mudo y el de la primera mujer sexualizada en la gran pantalla, la vampiresa Theda Bara. Muchas de las cuarenta producciones de Bara se han perdido, y Starr recreó con esmero las escenas utilizando guiones e interpretando ella misma los papeles de Bara. La obra de Starr investiga los límites entre la ficción y la realidad, confunde la representación y los hechos, ya que recrea a partir del recuerdo y una dolorosa búsqueda en el pasado, tanto el suyo como el de otras mujeres. Tal vez transmita cierta nostalgia, pero también la sensación de cómo los aleatorios acontecimientos mundanos y triviales de la existencia cotidiana pueden dar un significado a la vida y conformar la identidad de uno. **CK**

Obras destacadas

*The nine collections of the seventh museum
(Las nueve colecciones del séptimo museo),*
1994 (Museum of Modern Art, Nueva York)

*The nine collections of the seventh museum # 7
(Las nueve colecciones del séptimo museo
nº 7),* 1994 (Museum of Modern Art,
Nueva York)

Theda, 2007 (Sala Minor Consiglio,
palazzo Ducale, Génova)

«Mi obra parte de un punto personal, pero la obra no es "personal". Es universal.»

1960–69

ARRIBA: Starr en una subasta benéfica en 2004, en la que artistas británicos personalizaban motocicletas.

HALUK AKAKÇE

Obras destacadas

Birth of Art (Nacimiento del arte), 2003
(Cosmic Galerie, París)

Forms of life 01 (Fluid Continuity) (Formas de vida 01 - Continuidad fluida), 2003
(Cosmic Galerie, París)

Haluk Akakçe, 1970 (Ankara, Turquía).

Estilo: Artista de instalaciones y videoartista; vídeos que mezclan pintura, escultura y sonido y fusionan aparatos mecánicos, figuras y flora; referencias a la historia del arte y futuristas.

Haluk Akakçe estudió arquitectura en la Universidad de Bilkent de Ankara, y vídeo y arte de performance en el School of the Art Institute de Chicago. Su obra mezcla proyecciones de vídeo, pinturas murales e instalaciones sonoras para crear imágenes fantásticas que representan aparatos mecánicos, figuras y flores hiperrealistas en un mundo virtual futurista de líneas líquidas y formas que mutan. Recurre al *art déco*, la arquitectura islámica, la historia del arte, la ciencia ficción y cómics para estudiar la relación de las personas con la tecnología. Utiliza medios digitales y convencionales para ampliar lo que constituye un cuadro del siglo XXI. Pero sus obras trasmiten una sensación de paz en la era digital. **CK**

JENNY SAVILLE

Obras destacadas

Plan, 1993 (Saatchi Gallery, Londres)

Rubens's flap, 1999 (Gagosian Gallery, ubicaciones internacionales)

Passage, 2004-2005 (colección particular)

Jenny Saville, 1970 (Cambridge, Inglaterra).

Estilo: Joven artista británica; pintora de cuadros enormes y desnudos monumentales en tonos manchados; representaciones sensuales de la textura de la piel; temas de la obesidad, la deformidad y el transgénero.

Jenny Saville pinta imágenes de mujeres, a menudo utilizándose a sí misma de modelo. Se centra en la carne y aborda la obesidad, la deformidad y el transgénero. Estudió en la Glasgow School of Art, la Slade School of Art de Londres y la Universidad de Cincinnati, donde dice que vio «muchas mujeres gordas. Carne blanca gorda con pantalones cortos y camiseta. Estuvo bien verlo porque era el físico que me interesaba». En 1993 el coleccionista Charles Saatchi compró toda su obra y le encargó obras para los siguientes dos años. Para llevarlas a cabo pasaba horas observando operaciones de cirugía plástica en Nueva York. En 2002 colaboró con el fotógrafo Glen Luchford para producir grandes fotografías de Polaroid de Saville. **SH**

DERECHA: Jenny Saville pretende abrumar al espectador con carne, como en *Ruben's flap* (1999).

AHMED AL SAFI

Ahmed Al Safi, 1971 (Diwaniya, Irak).

Estilo: Escultor y pintor figurativo impresionista abstracto; pinturas al óleo, acuarelas y acrílicos de colores vivos; esculturas de bronce; uso de imágenes de mitos de Mesopotamia.

Obras destacadas

Hombres, 1999 (colección particular)

Dragón, 2002 (colección particular)

Amantes, 2002 (colección particular)

Ahmed Al Safi estudió escultura en la escuela de bellas artes de la Universidad de Bagdad. Ganó el premio Ismail Fatah Al Turk para jóvenes escultores en 2000. Sus esculturas de bronce representan figuras alargadas que recuerdan las obras del suizo Alberto Giacometti y que parecen volar o caminar como habilidosos acróbatas dentro de formas geométricas. Sus pinturas míticas de colores vivos se fusionan en una miríada de influencias culturales, desde antiguas a modernas.

Por increíble que parezca, Al Safi siguió trabajando en Bagdad durante la invasión comandada por Estados Unidos en 2003. Su ética de trabajo refleja la generación de artistas iraquíes de la década de 1990 que han vivido un período de embargo internacional y dictadura, y que, sin embargo, han realizado composiciones diversas y fascinantes.

El uso de Al Safi de la imaginería de Mesopotamia rinde tributo a su herencia cultural. La mitología mesopotámica es un término global que abarca las leyendas sumerias, acadias, y babilónicas de los ríos Tigris y Éufrates en Irak. Al Safi evoca ese arte antiguo representando imágenes de dioses y diosas de un modo parecido a las antigüedades griegas. Su reconocimiento de la importancia del arte contemporáneo también es visible en la fusión de dichas imágenes con un estilo impresionista abstracto que utiliza acrílico, óleos y acuarelas. Sus pinturas emplean líneas sencillas y pinceladas rápidas que hacen referencia a los neoexpresionistas alemanes de la década de 1980. Ha realizado varias exposiciones individuales en Abbaye de La Prée, en Francia, en 2006 y 2007. Entre sus exposiciones colectivas se cuentan la del centro cultural francés de Bagdad en 1994 y la del festival de Babilonia en 1995. Sigue activo en Bagdad, y en Abbaye de La Prée en Ségry. **KO**

«Creo que documentar la guerra [con el arte] es muy importante.»

ARRIBA: Ahmed Al Safi en su estudio de Bagdad, el corazón de un nuevo escenario artístico.

BANKS VIOLETTE

Banks Violette, 1973 (Ithaca, Nueva York, EE.UU.).

Estilo: Escultor y pintor gótico abstracto, creador de austeras instalaciones a gran escala que con frecuencia hacen referencia al género del black metal; incorpora música atronadora en instalaciones minimalistas.

Famoso por sus referencias al death metal, el asesinato ritual y el suicidio adolescente, las instalaciones góticas de Banks Violette exploran los excesos de la cultura joven a través de unas impresionantes imágenes oscuras. Su pasado de artista del tatuaje y adicto a la metanfetamina en cristal ha sido envuelto de un halo muy romántico por parte de los medios. Violette estudió en la School of the Visual Arts de Nueva York y en la Universidad de Columbia. En su primera exposición individual en el Whitney Museum of American Art de Nueva York montó una réplica a tamaño real de una iglesia quemada sobre un escenario negro, una referencia clara a una serie de incendios provocados por entusiastas del black metal en Noruega. **KO**

Obras destacadas

Hate Them (Odio), 2004 (Saatchi Gallery, Londres)

Black Hole (Single Channel) (Agujero negro - Monocanal), 2004 (Saatchi Gallery, Londres)

SunnO))) / (Repeater) Decay / Coma Mirror, 2006 (Saatchi Gallery, Londres)

TRENTON DOYLE HANCOCK

Trenton Doyle Hancock, 1974 (Oklahoma City, Oklahoma, EE.UU.).

Estilo: Obras alegóricas que utilizan el grabado, el dibujo y pinturas de collage de fieltro; serie de un relato de criaturas míticas llamada Montículos; gran énfasis en cuestiones narrativas y sociales.

A los 25 años de edad, Trenton Doyle Hancock se convirtió en uno de los artistas más jóvenes representados en la exposición bienal de Whitney. Su obra forma parte de numerosas colecciones de museo. El conjunto de su obra está dominado por la historia de los Montículos, criaturas míticas, mitad animales mitad plantas, que sirven de alimento de unos seres malignos llamados Veganos. Las composiciones unen la alegoría, la sátira y la broma mediante el grabado, el dibujo y las pinturas de collage de fieltro, que ofrecen una crítica inteligente y divertida de cuestiones raciales, sexuales, corporales y sociales. Gran parte de la obra de Hancock está inspirada en la cultura popular y el cómic. **KO**

Obras destacadas

Bye and bye (Finale), 2002 (Contemporary Gallery, Dallas, James Cohan Gallery, Nueva York)

Vegan Arm (El brazo vegano), 2006 (James Cohan Gallery, Nueva York)

DESPUÉS DE 1970

SHIRANA SHAHBAZI

Shirana Shahbazi, 1974 (Teherán, Irán).

Estilo: Fotografía que refleja los detalles cotidianos de la vida en Irán; desmonta los estereotipos de las diferencias sociales, culturales y religiosas asumidas; obras en colaboración con otros artistas iraníes.

Obras destacadas

Goftare Nik / Good words Series (Goftare Nik, serie «Buenas palabras»), 1998-2003 (Photographers's Gallery, Londres)

The Annunciation (La Anunciación) , 2003 (Bienal de Venecia, Venecia)

Las fotografías de Shirana Shahbazi acerca de la vida cotidiana ofrecen una imagen alternativa, humanizada y potente de Irán, alejada del punto de vista sensacionalista que a menudo se ve en los medios populares. Nacida en Teherán, la artista se trasladó a Stuttgart en 1985, y se formó como fotógrafa en Alemania y Suiza, donde trabaja. Su estilo personal ha recibido la influencia de la estética fotográfica tradicional objetiva y distanciada de sus países de adopción. Sus retratos de la vida no atribuyen un romanticismo al tema, sino que se centran en documentar lo que es normal y banal para universalizar la identidad iraní contemporánea. La belleza y el patetismo se hallan en sus imágenes corrientes de cosas comunes: una mujer trabajando, un hombre vestido con el uniforme de soldado, una joven novia vestida al estilo occidental de pie entre las flores.

La serie «Gotfare Nik/Buenas palabras» (1998-2003) recibió el prestigioso premio de fotografía Citigroup en 2002 en Londres, lo que le valió el reconocimiento internacional. El título hace referencia a un dicho zoroastro contra los juicios rápidos y refleja la influencia que pueden tener las imágenes en la ruptura de la construcción de estereotipos culturales. Tras esta serie hay otro modo de ver la complejidad cultural de Irán y su situación, entre la norma teocrática del islam y una realidad social de influencia global. La artista también es famosa por sus instalaciones gráficas y tejidas en galerías a gran escala, proyectos impresionantes en los que utiliza imágenes de sí misma, a menudo retratos, como base de pinturas murales y alfombras realizadas en colaboración con pintores y artesanos iraníes. Al explotar el efecto de las imágenes en vallas dentro de espacios cerrados, Shahbazi invita al espectador a enfrentarse a una imagen humanizada del otro a menudo no representado. **LNF**

> «La lectura de una imagen es muy compleja y ese es el reto de la fotografía.»

ARRIBA: Shirana Shahbazi es conocida por su retrato de una mujer con velo fumando.

DERECHA: El mural de Shahbazi en la 50ª Bienal de Venecia, en 2003.

GLOSARIO

arte conceptual
Arte en el que el factor más importante
es la idea o concepto, en contraposición a la
forma, el medio o el aspecto final de la obra.

arte figurativo
También llamado «arte representativo». Arte en
el que las figuras y formas se recrean fielmente.
Antítesis del arte abstracto o el expresionismo.

arte moderno
Iniciado en la segunda mitad del siglo XIX,
la premisa del arte moderno es que el arte
debería reflejar los tiempos modernos,
y no rememorar el pasado. Se utiliza como
término global para abarcar una serie de
movimientos artísticos modernos que han
surgido desde la década de 1850.

barroco
Movimiento artístico y cultural que se manifestó
entre principios del siglo XVII y mediados del XVIII.
Con frecuencia el arte barroco es religioso
y está relacionado con la Iglesia católica,
a pesar de que también engloba otras formas
de arte como el retrato. Se caracteriza por la
extravagancia, los temas solemnes, la emoción
y los colores intensos pero sombríos.

bijinga
Manifestación artística japonesa que se
define como cuadros de mujeres hermosas.

bodegón
Cuadro bidimensional que representa
objetos como flores, comida u objetos
cotidianos. Todo lo que sea inanimado.

claroscuro
Técnica que utiliza la luz y las sombras.
También se emplea el término para describir
los efectos producidos por esta técnica.

clasicismo
Término que describe el uso de las normas
o estilos de la Antigüedad clásica. El arte del
Renacimiento incorporó muchos elementos
clásicos, igual que en otras épocas, como en
el siglo XVIII. También se puede emplear este
término para referirse a algo formal y contenido.

color field painting
Término acuñado en la década de 1950
para describir las obras de los expresionistas
abstractos, en cuyos cuadros a menudo
utilizaban grandes campos de colores vivos.

cubismo
Arte en el que las formas parecen siluetas
geométricas, como triángulos o cubos, y
cuya estructura a menudo es generada por
una serie de formas en apariencia inconexas
vagamente encajadas para formar un todo.

divisionismo
Método de pintura: se aplican pequeños
puntos de colores sin mezclar en el lienzo
en vez de mezclarlos primero en la paleta.

escultura directa
Desarrollada por el rumano Constantin
Brancusi en 1906. El escultor no piensa una
escultura con antelación ni trabaja a partir de
un modelo, sino que simplemente empieza
a trabajar y deja que la escultura se desarrolle
y así vaya creando la pieza terminada.

expresionismo
Tipo de arte que se originó en Alemania,
sobre todo relacionado con los grupos *Die
Brücke* («El puente») y *Der Blaue Reiter* («El
jinete azul»). El arte expresionista es intenso,
se caracteriza por pinceladas sueltas y fluidas
y porque a menudo muestran una distorsión
de la forma del sujeto. «Expresa» literalmente
el estado mental del artista cuando lo crea.

fauvismo
Movimiento temprano de la vanguardia
que se originó en Europa antes de la Primera
Guerra Mundial. El creador fauvista más
famoso es Henri Matisse. El nombre «Les
Fauves» («Las bestias salvajes») fue atribuido
por primera vez a Matisse y el grupo de artistas
que lo acompañaba cuando expusieron
obras caracterizadas por los colores vivos
y un manejo del pincel desbocado.

fotomontaje
Literalmente montaje de fotografías que
combina una serie de imágenes fotográficas
en una sola obra de arte. También se puede
utilizar esta expresión para describir el arte
que une fotografía y texto, pintura y dibujo.

fresco
Tipo de pintura mural. La pintura se aplica
directamente en el yeso aún húmedo.

futurismo
Movimiento artístico italiano. Fue fundado
en 1909 por el poeta Filippo Marinetti,
y en un principio solo hacía referencia a la
literatura, aunque pronto se relacionó con el
arte. Como su nombre indica, el arte futurista
mira hacia el futuro, sobre todo se preocupa
por los avances tecnológicos, en un intento
de pasar por alto la influencia del pasado.

gótico
Influyente estilo artístico y arquitectónico
que prosperó en Europa entre los siglos XII
y XVI, caracterizado por elevadas agujas
puntiagudas y esculturas intrincadas.
Es más habitual en el exterior e interior de
iglesias, así como en edificios municipales
importantes. El término hace también

referencia a un estilo más tardío inspirado
por el arte, la arquitectura y la literatura de
este período. Muchos artistas románticos
(en el siglo XIX) pintaron con estilo gótico.

gótico internacional
Estilo artístico que nació en Europa en los
siglos XIV y XV. Se caracteriza por la elegancia
y una gran atención a los detalles naturales.

«Gran estilo»
Estilo pretencioso de pintura que prosperó
en el siglo XVIII. El término hace referencia
a cuadros cuyo tema y estilo se encontraban
bajo la influencia de la Academia, la
historia antigua, la mitología y el heroísmo,
todo pintado con un estilo idealizado
y profundamente formulista. Engloba
la «pintura de la historia», que idealizaba
a personas heroicas realizando actos nobles.

iluminador
Pintor. Originariamente la palabra se utilizaba
para describir a alguien que iluminaba
manuscritos; más tarde se aplicó a los retratistas.

impresionismo
Estilo artístico originado en Francia en la
década de 1860. El nombre procede de un
cuadro de Claude Monet llamado *Impresión,
amanecer* (1874), y los impresionistas se
hicieron famosos por pintar exteriores *(en
plein air)* utilizando pinceladas sueltas que
creaban una impresión general, en vez
de una interpretación clara del tema
representado.

luminismo
Tipo de pintura centrada sobre todo en los
efectos de la luz.

manierismo
Movimiento artístico cuyo origen es la
expresión italiana *alla maniera*, pintar «a
la manera de ». En su significado peyorativo
se caracteriza por la distorsión del cuerpo
humano, la exageración y la sensualidad.
El manierismo floreció en Italia en el siglo XVI.

minimalismo
Estilo artístico abstracto que se popularizó en
la segunda mitad del siglo XX. Es un canto a las
formas más simplistas del arte y la escultura,
con cuadros que utilizan principalmente
colores monocromáticos y primarios.

naturalismo
Estilo artístico en que los artistas pintan los
temas como realmente los ven, no como
escenas idealizadas. Es más un concepto que
un movimiento concreto, de modo que no se
puede ubicar con exactitud en una sola época.

neoclasicismo
Movimiento que celebra el arte y la arquitectura de la antigua Grecia y Roma. Cobró importancia en Gran Bretaña y Francia en la década de 1740, y fue una corriente muy dominante durante toda la segunda mitad del siglo XVIII.

neorromanticismo
Movimiento del siglo XX que rememora el movimiento romántico del siglo XVIII, centrado en las respuestas emocionales al mundo tal y como quedan reflejadas en el lienzo y la escultura. Dado que empezó en la década de 1930, gran parte de la obra neorromántica se centra en la Segunda Guerra Mundial y los cambios en el mundo justo antes, durante y después de ella.

op art
Abreviación de «arte óptico», este movimiento de la década de 1960 se centraba en el arte que engañaba o confundía el ojo del espectador, sobre todo patrones geométricos e ilusiones ópticas que, tras ser observadas durante un rato, empezaban a cambiar de forma en la visión del espectador.

papier collé
Literalmente significa «papel encolado». Técnica de collage en la que se incorporan materiales planos —no solo papel, entre los materiales utilizados se encuentran la tela y el cordel— a pinturas.

pop art
Estilo artístico que aplaude la cultura popular, incluida la música pop, la industria cinematográfica y el arte gráfico cotidiano, como las imágenes publicitarias. Se inició a mediados de la década de 1950, y fue el movimiento decisivo, tanto en EE.UU. como en Reino Unido, de los años sesenta.

postimpresionismo
Movimiento que surgió inmediatamente después del auge del impresionismo y que hace referencia a un arte que tiene su raíz en el impresionismo pero que incorpora un cambio estilístico. Muchos impresionistas empezaron a pintar con un estilo postimpresionista a partir de finales de la década de 1880 en adelante, cambiando la manera de utilizar el color o de escoger el tema.

Prerrafaelitas, Hermandad de los
Grupo de siete estudiantes de arte rebeldes de la Royal Academy de Londres que decidieron cambiar la fórmula artística aceptada y devolver su obra a un estilo parecido al que se usaba en el arte de la época anterior a Rafael. La hermandad solo duró de 1848 a 1853, pero generó un movimiento prerrafaelita mucho más duradero.

realismo
Literalmente, arte que representa su tema de forma realista. El término «*réalisme*» fue acuñado por primera vez en Francia a mediados del siglo XVIII y hacía referencia no solo a cuadros estéticamente realistas, sino también a aquellos que mostraban el estado real del mundo, con una conciencia de responsabilidad social.

realismo social
Cualquier obra de arte pintada de forma realista y que incluya una referencia clara social o política.

realismo socialista
Movimiento artístico ruso de la época de Stalin (1929-1953). Pintura de propaganda que promovía imágenes positivas de la vida bajo el régimen comunista en la URSS pintadas en un estilo realista.

Renacimiento
Literalmente, «volver a nacer». Movimiento que englobó el arte, la literatura y la filosofía. Empezó en Italia en el siglo XIV y se extendió por el norte de Europa. El primer artista del Renacimiento fue Giotto; otros son Sandro Botticelli, Leonardo da Vinci y Miguel Ángel.

retablo
Pared o pantalla detrás de un altar o mesa de comunión que ha sido tallado y/o decorado.

Restauración
Período de cambios políticos en Europa entre 1814 y 1848, marcado por la lucha de las monarquías para legitimarse aún.

rococó
Estilo artístico y arquitectónico caracterizado por su carácter desenfadado, los colores claros y su elegancia graciosa. Fue una reacción contra el estilo pesado y sombrío del barroco. El rococó fue popular sobre todo en Francia, pero se extendió a Gran Bretaña y otros lugares de Europa a finales del siglo XVII.

románico
Estilo de arte y arquitectura europeos que dominó los siglos X y XI. Se inspira en el antiguo Imperio romano.

romanticismo
Antítesis del clasicismo, el romanticismo fue un movimiento artístico, literario y filosófico que se manifestó desde finales del siglo XVIII hasta el primer tercio del XIX, muy centrado en la respuesta emocional a la naturaleza. A menudo considerado contrapuesto al clasicismo formulista, fue sin embargo un movimiento profundamente espiritual que contaba entre sus adeptos con muchos cristianos visionarios y convencidos. El tema a menudo hace

referencia a la naturaleza imponente, como aludes, mares furiosos y paisajes extraordinariamente bellos.

sfumato
De la palabra italiana para «ahumado». Técnica pictórica en la que los colores se combinan con tal destreza que parecen convertirse en otro sin esfuerzo, sin dejar líneas o bordes obvios.

sincronismo
Movimiento de arte abstracto fundado en París en 1912 por dos artistas estadounidenses, Morgan Russell y Stanton Macdonald-Wright. Preocupado por el uso de colores puros, sincronizados al ser mezclados juntos.

suprematismo
Expresión acuñada por Kasimir Malevich en 1913. Arte abstracto ruso que engloba elementos del cubismo, utilizando formas geométricas así como espacios vacíos en un lienzo como medio artístico en sí mismo. Se asocia a la Revolución rusa.

surrealismo
Movimiento artístico surgido en París en 1924. André Breton —seguidor de Sigmund Freud— lanzó el movimiento al publicar su *Manifiesto del surrealismo*. Otros surrealistas famosos fueron Salvador Dalí y René Magritte. El surrealismo pretendía recrear en el lienzo el funcionamiento del subconsciente y la mente inconsciente. Se extendió desde el mundo del arte hacia el cine, la música y la literatura.

ukiyo-e
Movimiento artístico japonés que toma como tema la vida cotidiana y las personas corrientes.

vanguardia
Término que designa el arte que va por delante de su tiempo y que por lo general es considerado inaceptable por parte de la clase dirigente del momento. El movimiento de vanguardia empezó hacia 1860 y podría decirse que terminó en 1970.

viñeta
Normalmente un pequeño cuadro sencillo, como el esbozo de un retrato, sin borde.

vorticismo
Grupo vanguardista de Gran Bretaña formado en 1914 por Percy Wyndham Lewis (1882-1957). Muy influenciado por el cubismo, la era industrial y el realismo. Movimiento de muy corta duración que terminó realmente con la Primera Guerra Mundial.

ÍNDICE

ÍNDICE

COLABORADORES

(AB) Aliki Braine es una artista formada en la Ruskin School de Oxford, en la Slade School y en el Courtauld Institute. Es profesora independiente en la National Gallery de Londres, y realiza frecuentes exposiciones de sus obras.

(AK) Ann Kay, escritora y editora, es licenciada en Historia del Arte y Literatura por la Universidad de Kent. Realizó estudios de posgrado en diseño gráfico por la Universidad de Londres, y actualmente cursa el doctorado en Historia del Arte por la Universidad de Bristol.

(CK) Carol King es una escritora independiente que vive entre Londres e Italia. Estudió Bellas Artes en el Central St. Martin's y Literatura Inglesa en la Universidad de Sussex. Escribe sobre arte, viajes, cine y arquitectura.

(CS) Craig Staff es artista, escritor y profesor en Northampton.

(EK) Dr. Ed Krčma es historiador del arte. Vive y trabaja en Londres. Se licenció en Filosofía y Letras en el University College de Londres en 2007, y ha impartido clases en numerosos departamentos de Historia del Arte y Bellas Artes, incluyendo el UCL, el Camberwell College of Art y la Universidad de York. Es también crítico de arte.

(EL) Ed Lehan es autor de una obra rápida y colorista en el London's New Dome (www.thenewdome.com) y nos anima a formar una banda.

(FA) Ferran Alaminos es licenciado en geografía e historia, especialidad historia del arte, por la Universidad de Barcelona. Ha trabajado como traductor y redactor de libros de arte y obras enciclopédicas.

(HP) Harry Pye es un artista representado por el Contemporary Sartorial Art. Ha colaborado en revistas como *Log, The Face, Untitled, Frank* y *The Rebel*. Escribe su propia columna en el diario estonio *Epifiano*, y ha intervenido en diversos libros, incluyendo *Frozen Tears 2*. Vive en Londres.

(HPE) Helena Pérez se graduó en Historia del Arte por el Birckbeck College, y obtuvo el doctorado sobre Culturas Visuales en el Goldsmiths College de Londres. Ha colaborado como investigadora en el Tate Modern, y trabaja como profesora independiente y directora de viajes educativos.

(IZ) Iain Zaczek es escritor, y vive en Londres. Estudió en el Wadham College de Oxford y en el Courtauld Institute of Art. Sus publicaciones previas incluyen *The Collins Big Book of Art, Masterworks* y *Ancient and Classical Art.*

(JJ) Jasper Joffe es pintor y escritor. Llegó a completar 24 pinturas en 24 horas en la Chisenhale Gallery, y realiza exposiciones internacionales. Su primera novela, *Water,* fue publicada por Telegram Books en 2006. Es fundador de worldwidereview.com, y de la Free Art Fair. (www.jasperjoffe.com)

(JM) Jamie Middleton es escritor independiente y redactor de numerosas revistas y libros de estilo. Vive en Bath, donde adquirió un profundo conocimiento del arte clásico, y ha trabajado en los más diversos proyectos, desde el Milau Bridge y los automóviles Jaguar hasta ordenadores portátiles y vinos de calidad.

(JR) Julie Roberts imparte clases en la Universidad Monash de Melbourne; sus investigaciones se centran en el arte australiano y neozelandés.

(JW) Jane Won es una conservadora de origen coreano que vive en Gran Bretaña. Sus últimas exposiciones incluyen la dedicada a Shin Azumi y Norman McLaren en el Chelsea Space de Londres.

(KKA) Karly Allen estudió dibujo antes de obtener el doctorado en Historia del Arte Japonés. Es profesora de arte y escritora en Londres, y ha trabajado para la National Gallery, la Courtauld Institute of Art Gallery, el Victoria and Albert Museum, la National Portrait Gallery y la Wallace Collection.

(KO) Katy Orkisz se ha graduado recientemente en Literatura Inglesa y Estudios Culturales, y realiza reseñas sobre teatro, arte, cine y música. Volcada en la promoción del arte, vive en un estudio con seis compañeros en Stoke Newington, Londres.

(LA) Lucy Askew realizó sus estudios de posgrado en el Courtauld Institute of Art, y vive en Londres. Es conservadora auxiliar de la International Art Collection de la Tate, y su actividad se centra especialmente en la investigación, la exposición y las nuevas adquisiciones. Fue coorganizadora de la exposición *Illuminations*, celebrada en la Tate Modern entre diciembre de 2007 y febrero de 2008.

(LB) Lucy Bradnock obtuvo la licenciatura y el doctorado en el Courtauld Institute, especializándose en Teoría del Arte Francés de Posguerra. Ha trabajado en la Tate y en Hauser & Wirth London, y está finalizando sus estudios de posgrado en la Universidad de Essex sobre el tema de la influencia de Artaud en el arte americano de posguerra.

(LH) Lucinda Hawksley es historiadora del arte, profesora y escritora. Sus libros incluyen *Katey: The Life and Loves of Dicken's Artist Daughter*, *Lizzie Siddal: The Tragedy of a Pre-Raphaelite Supermodel*, y *Essential Pre-Raphaelites*. Pronuncia charlas en la National Portrait Gallery de Londres y es representada por una agencia profesional de conferenciantes.

(LNF) Lupe Núñez-Fernández es escritora y editora, y vive entre Londres y Madrid. Antigua directora en jefe de *ArtReview*, escribe regularmente en diversos blogs y publicaciones sobre arte, colaborando ocasionalmente el estreno de cintas de cine experimental y en libros de otros artistas. Forma parte del dúo de música pop Pipas.

(MC) Mary Cooch, licenciada en Historia (con honores) y periodista independiente. Le encanta pasar temporadas en Italia investigando sobre arte y arquitectura.

(MG) Megan Green estudió Historia del Arte en la Universidad de Stanford y completó sus estudios en la Universidad de Oxford, centrándose en los Jóvenes artistas británicos. Profesora interina en el Museum of Contemporary Art de Chicago, fue colaboradora en *1001 pinturas que hay que ver antes de morir*, y es coleccionista de arte contemporáneo.

(NG) Nuala Gregory es una artista y académica irlandesa. Vive y trabaja en Auckland, Nueva Zelanda, desde 1997. Investiga en el ámbito de la pintura, del dibujo, de las teorías contemporáneas y de la educación artística.

(NM) Nicola Moorby es conservador en la Tate Britain. Es coautor del catálogo Tate en el Candem Town Group y ha publicado con anterioridad obras sobre Turner, Sickert y otros artistas británicos. Actualmente trabaja en una revisión online del catálogo de la Turner Bequest.

(NSF) Nathalie Sroka-Fillion completó sus estudios de posgrado sobre arte y arquitectura medieval en el Courtauld Institute of Art de Londres. Actualmente está investigando las miniaturas arquitectónicas en el manuscrito del siglo XIII *Cantigas de Santa María*, y divide su tiempo entre Londres y Montreal.

(PS) Philippa Simpson es licenciada (con honores) en Historia del Arte por el Courtauld Institute of Art, y ha realizado estudios de posgrado en la Universidad de Edimburgo. Actualmente está finalizando su doctorado como miembro de la Tate-Courtauld. Como tal, ha colaborado en una serie de exposiciones e instalaciones para la Tate Britain.

(RB) Richard Bell estudió Culturas Visuales en la Universidad de Derby, y obtuvo a continuación su diploma posgrado en Edición en el London College of Printing. Trabaja actualmente para un editor de temas educativos en Londres.

(RL) Randy Lerner nació en Ohio en 1962. Se graduó en el Columbia College en 1984 y actualmente vive en Nueva York.

(RM) Rebecca Man se graduó en Historia del Arte por la Universidad de Sussex. Trabajó en la National Art Collections Fund y en el Arts Council of England antes de recalar en el Chelsea College of Art and Design, donde ha trabajado como investigadora para Stephen Farthing hasta su reciente traslado a California.

(RS) Rowland James Smith realizó un viaje para conocer de primera mano el arte oriental en 1993. Trabajó inicialmente como ilustrador arqueológico en Israel y Sri Lanka. Pasó otros cuatro años trabajando en el norte de Tailandia, donde colaboró en la restauración de murales en los templos, y estudió el arte lanna y la arquitectura indígena de la zona.

(RT) Rachel Tant es conservadora auxiliar de la Tate Britain de Londres, donde colabora en el programa Art Now para exposiciones sobre nuevos valores. Organizó también la exposición de la obra del período intermedio de Peter Doig en la Tate Britain, en 2008.

(SA) Sandra April es consultora de arte en Manhattan, y ha trabajado en el Museum of Modern Art, en el Solomon R. Guggenheim Museum, y en la New York Academy of Art. Es la editora de *Will Barnet: In His Own Words*,

y colaboradora en la obra *1001 pinturas que hay que ver antes de morir*.

(SC) Serena Cant estudió arte anglosajón en la Universidad de Exeter. Es profesora de historia del arte especializada en ofrecer charlas para sordomudos sobre temas de arte y arquitectura occidental.

(SF) Stephen Farthing es pintor y profesor de dibujo en el Rootsein Hopkins Research de la University of Arts, en Londres. En 1990 fue nombrado Master en la Ruskin School of Drawing de la Universidad de Oxford, y miembro del St. Edmund Hall, Oxford. En 1998 fue elegido Académico Real.

(SG) Simon Gray realizó estudios sobre medios de comunicación en Sheffield Hallam, y trabajó como editor para Itchy City Guides durante cuatro años, antes de ingresar en una compañía de telecomunicaciones. Divide el tiempo entre su trabajo, sus viajes y su actividad como escritor.

(SH) Susie Hodge es ilustradora y profesora, y también autora de más de cincuenta libros y artículos. Escribe asimismo sobre recursos en la web, y realiza catálogos para galerías y museos. Es doctora en Historia del Arte y miembro de la RSA.

(TA) Thomas Ardill se doctoró en el Courtauld Institute of Art, y ha trabajado como catalogador, conservador, investigador y en proyectos de interpretación para la Tate Britain y la National Portrait Gallery. Se ha especializado en arte británico del siglo XX y en la obra de J. M. W. Turner.

(TC) Tracy Le Cornu-Francis estudió Historia del Arte y del Diseño en la Winchester School of Art de Inglaterra. Se trasladó a Londres en 2000, donde ha dirigido una galería de arte moderno británico durante tres años, dedicándose a partir de entonces a la investigación en una galería de arte postimpresionista. Actualmente vive y trabaja en Sidney, Australia.

(TP) Tamsin Pickeral estudió Historia del Arte antes de completar su educación en Italia. Dedica su tiempo a escribir sobre arte y caballos. Sus publicaciones más recientes son *Van Gogh*, *The Impressionists*, *The Dog in Art* y *The Horse in Art*.

(WD) William Davies es un escritor e investigador que reside en Londres. Estudia actualmente en el Courtauld Institute of Art, ha sido coordinador de prensa en la inauguración del espacio White Cube's Mason's Yard.

(WO) Wendy Osgerby es catedrático de Historia del Arte en la Universidad de Northampton, Inglaterra. Aparte de sus escritos sobre arte, se dedica a la ficción, y es aficionado a las labores de conservación.

CRÉDITOS FOTOGRÁFICOS

La editorial ha hecho todo lo posible para localizar los derechohabientes de las imágenes reproducidas en este libro. Nuestras disculpas por cualquier omisión o error no intencionado. Con mucho gusto añadiremos los créditos correspondientes en ediciones posteriores.

8 National Palace Museum, Taiwan, Republic of China **9** National Palace Museum, Taiwan, Republic of China **10** Asian Art & Archaeology, Inc/Corbis **11** Burstein Collection/Corbis **12 a** Mary Evans Picture Library/Alamy **12 ab** The Art Archive/San Francesco Assisi/Alfredo Dagli Orti **13** I Alinari Archives/Corbis **13 d** Galleria degli Uffizi, Florence, Italy, Giraudon/The Bridgeman Art Library **14** akg-images/Electa **15** Museo dell'Opera del Duomo, Siena, Italy, Alinari/The Bridgeman Art Library **16 a** Louvre, Paris, France/The Bridgeman Art Library **16 ab** Scrovegni (Arena) Chapel, Padua, Italy/The Bridgeman Art Library **17** Pinacoteca Nazionale, Bologna, Italy, Alinari/The Bridgeman Art Library **18** Universidad de Sevilla **19** Elio Ciol/Corbis **20** De Agostini/ Photolibrary Group **21** Universidad de Sevilla **22** akg-images/Joseph Martin **23** Tretyakov Gallery, Moscow, Russia/The Bridgeman Art Library **24 a** Universidad de Sevilla **24 ab** Museo dell' Opera del Duomo, Florence, Italy/The Bridgeman Art Library **25** The Art Archive/Duomo Florence/Gianni Dagli Orti **26** akg-images/Erich Lessing **27 a** Louvre, Paris, France/The Bridgeman Art Library **27 ab** akg-images **28** akg-images/Rabatti – Domingie **29** akg-images/Orsi Battaglini **30** National Gallery Collection; By kind permission of the Trustees of the National Gallery, London/ Corbis **31** akg-images/Erich Lessing **32** Museo di San Marco dell'Angelico, Florence, Italy/The Bridgeman Art Library **33** akg-images/Orsi Battaglini **34 a** Louvre, Paris, France/The Bridgeman Art Library **34 ab** © Ashmolean Museum, University of Oxford, UK/The Bridgeman Art Library **35** National Gallery Collection; By kind permission of the Trustees of the National Gallery, London/ Corbis **36** The Gallery Collection/Corbis **37** akg-images/Joseph Martin **38** Sandro Vannini/Corbis **39** akg-images/Cameraphoto **40 a** Universidad de Sevilla **40 ab** Galleria degli Uffizi, Florence, Italy, Alinari/The Bridgeman Art Library **41** Galleria Nazionale delle Marche, Urbino, Italy/The Bridgeman Art Library **42** Museu de Arte de Catalunya, Barcelona, Spain/The Bridgeman Art Library **44 a** akg-images / Erich Lessing **44 ab** © Muzeum Narodowe, Gdansk, Poland/The Bridgeman Art Library **45** Galleria Sabauda, Turin, Italy, Alinari/The Bridgeman Art Library **46** Musee Conde, Chantilly, France, Lauros/Giraudon/The Bridgeman Art Library **47 a** De Agostini/ Photolibrary Group **47 ab** Louvre, Paris, France, Lauros/Giraudon/The Bridgeman Art Library **48** Palazzo Ducale, Mantua, Italy, Alinari/The Bridgeman Art Library **49** Kunsthistorisches Museum, Vienna, Austria, Ali Meyer/The Bridgeman Art Library **50** Universidad de Sevilla **51** Sandro Vannini/Corbis **52 a** Universidad de Sevilla **52 ab** Galleria degli Uffizi, Florence, Italy/The Bridgeman Art Library **53** Galleria degli Uffizi, Florence, Italy, Giraudon/The Bridgeman Art Library **54** The Art Archive/Gianni Dagli Orti **55** Santa Trinita, Florence, Italy/The Bridgeman Art Library **56 a** Galleria degli Uffizi, Florence, Italy/The Bridgeman Art Library **56 ab** Louvre, Paris, France/The Bridgeman Art Library **57** Vatican Museums and Galleries, Vatican City, Italy, Giraudon/The Bridgeman Art Library **58 a** Biblioteca Reale, Turin, Italy/The Bridgeman Art Library **58 ab** The Art Archive/Galleria degli Uffizi Florence/Gianni Dagli Orti **59** The Gallery Collection/Corbis **61** Louvre, Paris, France, Giraudon/The Bridgeman Art Library **62** © 1990 Photo Scala, Florence **63** Mary Evans Picture Library **64 a** Prado, Madrid, Spain, Giraudon/The Bridgeman Art Library **64 ab** Graphische Sammlung Albertina, Vienna, Austria/The Bridgeman Art Library **65** I Galleria degli Uffizi, Florence, Italy/The Bridgeman Art Library **65 d** Private Collection/The Bridgeman Art Library **66** Galleria degli Uffizi, Florence, Italy/The Bridgeman Art Library **67** Metropolitan Museum of Art, New York, USA/The Bridgeman Art Library **68 a** akg-images/Erich Lessing **68 ab** akg-images/Electa **69** akg-images/Erich Lessing **70** akg-images/Erich Lessing **71** Corbis **72** Graphische Sammlung, Kassel, Germany © Museumslandschaft Hessen Kassel/The Bridgeman Art Library **73** akg-images **74 a** Galleria degli Uffizi, Florence, Italy/The Bridgeman Art Library **74 ab** Vatican Museums and Galleries, Vatican City, Italy, Giraudon/The Bridgeman Art Library **75 iz** akg-images/Erich Lessing **75 d** akg-images/Rabatti – Domingie **77** Dunham Massey, Cheshire, UK, National Trust Photographic Library/Angelo Hornak/The Bridgeman Art Library **78** Galleria degli Uffizi, Florence, Italy/The Bridgeman Art Library **79 a** Prado, Madrid, Spain/The Bridgeman Art Library **79 ab** National Gallery Collection; By kind permission of the Trustees of the National Gallery, London/Corbis **80** Gianni Dagli Orti/Corbis **81** Santa Maria Gloriosa dei Frari, Venice, Italy, Giraudon/The Bridgeman Art Library **82** Gemaldegalerie, Brunswick, Germany, Giraudon/The Bridgeman Art Library **83** National Gallery, London, UK/The Bridgeman Art Library **84** © Samuel Courtauld Trust, Courtauld Institute of Art Gallery/The Bridgeman Art Library **85** Gabinetto dei Disegni e Stampe, Uffizi, Florence, Italy/The Bridgeman Art Library **86 a** Arte & Immagini srl/Corbis **86 ab** National Gallery, London, UK/The Bridgeman Art Library **87 iz** © National Gallery of Scotland, Edinburgh, Scotland/The Bridgeman Art Library **87 d** Private Collection/The Bridgeman Art Library **88** Mary Evans Picture Library **89** Kunsthistorisches Museum, Vienna, Austria, Ali Meyer/The Bridgeman Art Library **91** Galleria degli Uffizi, Florence, Italy/The Bridgeman Art Library **92 a** Louvre, Paris, France, Lauros/Giraudon/The Bridgeman Art Library **92 ab** National Gallery, London, UK/The Bridgeman Art Library **93** Galleria dell' Accademia, Venice, Italy, Cameraphoto Arte Venezia/The Bridgeman Art Library **94** t akg-images **94 ab** The Gallery Collection/Corbis **95** The Gallery Collection/Corbis **96** Bibliotheque de l'Histoire du Protestantisme, Paris, France/ The Bridgeman Art Library **97** akg-images/Erich Lessing **98 a** Alinari Archives/Corbis **98 ab** Louvre, Paris, France, Peter Willi/The Bridgeman Art Library **99** National Gallery Collection; By kind permission of the Trustees of the National Gallery, London/Corbis **100** Mary Evans Picture Library **101** Muzeum Zamek, Lancut, Poland/The Bridgeman Art Library **102 a** Francis G. Mayer/ Corbis **102 ab** Purchase, Joseph Pulitzer Bequest, 1924. Acc.n.: 24.197.1. © 2007. Image copyright The Metropolitan Museum of Art/Art Resource/Scala, Florence **103** Archivo Iconografico, S.A./ Corbis **104** Victoria & Albert Museum, London, UK, The Stapleton Collection/The Bridgeman Art Library **105** Zenodot Verlagsgesellchaft **106 a** Galleria degli Uffizi, Florence, Italy/The Bridgeman Art Library **106 ab** Massimo Listri/Corbis **107** Palazzo Farnese, Rome, Italy/The Bridgeman Art Library **108** AISA Media **109** Classic Image/Alamy **110 a** Galleria Borghese, Rome, Italy, Lauros/Giraudon/The Bridgeman Art Library **110 ab** National Gallery Collection; By kind permission of the Trustees of the National Gallery, London/Corbis **111** Co-Cathedral of St. John, Valletta, Malta/The Bridgeman Art Library **112 a** Galleria degli Uffizi, Florence, Italy/The Bridgeman Art Library **112 ab** The Gallery Collection/Corbis **113** National Gallery Collection; By kind permission of the Trustees of the National Gallery, London/Corbis **114** Sotheby's/akg-images **116** akg-images/Erich Lessing **117** Sotheby's/akg-images **118 a** Louvre, Paris, France, Giraudon/ The Bridgeman Art Library **118 ab** National Gallery of Victoria, Melbourne, Australia/The Bridgeman Art Library **119** © Wallace Collection, London, UK/The Bridgeman Art Library **120** National Gallery, London, UK/ The Bridgeman Art Library **121** Prado, Madrid, Spain, Índice/The Bridgeman Art Library **122 a** Galleria Borghese, Rome, Italy/The Bridgeman Art Library **122 ab** Galleria degli Uffizi, Florence, Italy/The Bridgeman Art Library **123** I Massimo Listri/Corbis **123 d** Galleria Borghese, Rome, Italy, Lauros/Giraudon/The Bridgeman Art Library **124** Mary Evans Picture Library **125** Private Collection/The Bridgeman Art Library **126** Reproduced by permission of The State Hermitage Museum, St. Petersburg, Russia/Corbis **127 a** Museo de Bellas Artes, Seville, Spain, Giraudon/The Bridgeman Art Library **127 ab** Prado, Madrid, Spain, Giraudon/The Bridgeman Art Library **128** National Gallery Collection; By kind permission of the Trustees of the National Gallery, London/Corbis **129** Metropolitan Museum of Art, New York, USA/The Bridgeman Art Library **130** Musee des Beaux-Arts, Tours, France/The Bridgeman Art Library **131 a** National Gallery, London, UK/The Bridgeman Art Library **131 ab** © Staatliche Kunstsammlungen Dresden/The Bridgeman Art Library **132** Burstein Collection/Corbis **133 a** National Gallery Collection; By kind permission of the Trustees of the National Gallery, London/Corbis **133 ab** Mauritshuis, The Hague, The Netherlands/The Bridgeman Art Library **135** Rijksmuseum, Amsterdam, The Netherlands/The Bridgeman Art Library **139** Burstein Collection/Corbis **140** Private Collection, © Lawrence Steigrad Fine Arts, New York/The Bridgeman Art Library **141** Private Collection, Photo © Christie's Images/The Bridgeman Art Library **142** akg-images **143** t akg-images/Erich Lessing **143 ab** akg-images/Erich Lessing **144** akg-images/Erich Lessing **145** akg-images **146** Museo Civico, Treviso, Italy, Lauros/Giraudon/The Bridgeman Art Library **147** akg-images **148** Yale Center for British Art, Paul Mellon Collection, USA/The Bridgeman Art Library **149** Private Collection/The Bridgeman Art Library **150 a** Bibliotheque Nationale, Paris, France, Giraudon/The Bridgeman Art Library **150 ab** National Gallery Collection; By kind permission of the Trustees of the National Gallery, London/Corbis **151** Hermitage, St. Petersburg, Russia/The Bridgeman Art Library **153** Araldo de Luca/Corbis **154 a** Galleria degli Uffizi, Florence, Italy/Giraudon/The Bridgeman Art Library **154 ab** Tate, London 2008 **155** Private Collection/ Photo © Rafael Valls Gallery, London, UK/The Bridgeman Art Library **156 a** © Walker Art Gallery, National Museums Liverpool/The Bridgeman Art Library **156 ab** Royal Academy of Arts Library, London, UK/The Bridgeman Art Library **157** National Gallery of Victoria, Melbourne, Australia/The Bridgeman Art Library **158** Royal Academy of Arts, London, UK/The Bridgeman Art Library **159** akg-images **160** Smithsonian Institution/Corbis **161** Yale Center for British Art, Paul Mellon Collection, USA/ The Bridgeman Art Library **162** Galleria degli Uffizi, Florence, Italy/The Bridgeman Art Library **163** Musee Bonnat, Bayonne, France/Giraudon/The Bridgeman Art Library **164 a** Real Academia de Bellas Artes de San Fernando, Madrid, Spain/The Bridgeman Art Library **164 ab** Prado, Madrid, Spain/Giraudon/The Bridgeman Art Library **165** The Gallery Collection/Corbis **167** Archivo Iconografico, S.A./Corbis **168 a** Louvre, Paris, France/The Bridgeman Art Library **168 ab** Musee Nat. du Chateau de Malmaison, Rueil-Malmaison, France/Lauros/Giraudon/The Bridgeman Art Library **169 iz** Louvre, Paris, France/Giraudon/The Bridgeman Art Library **169 d** Musees Royaux des Beaux-Arts de Belgique, Brussels, Belgium/The Bridgeman Art Library **170** British Library, London, UK/© British Library Board. All Rights Reserved/The Bridgeman Art Library **172** Galleria degli Uffizi, Florence, Italy/The Bridgeman Art Library **174** © National Gallery of Scotland, Edinburgh, Scotland/The Bridgeman Art Library **175** Lordprice Collection/Alamy **176** Galleria degli Uffizi, Florence, Italy/Giraudon/The Bridgeman Art Library **177** The Print Collector/ Alamy **178 a** The Art Archive/Bibliothèque des Arts Décoratifs Paris/Gianni Dagli Orti **178 ab** UCL Art Collections, University College London, UK/The Bridgeman Art Library **179** Musee Claude Monet, Giverny, France/Giraudon/The Bridgeman Art Library **181** © Nationalmuseum, Stockholm, Sweden/The Bridgeman Art Library **182** Hamburger Kunsthalle, Hamburg, Germany/The Bridgeman Art Library **183 a** © Sheffield Galleries and Museums Trust, UK/The Bridgeman Art Library **183 ab** National Gallery Collection; By kind permission of the Trustees of the National Gallery, London/Corbis **185** National Gallery Collection; By kind permission of the Trustees of the National Gallery, London/Corbis **186** Victoria & Albert Museum, London, UK/The Bridgeman Art Library **187 a** National Gallery, London, UK/The Bridgeman Art Library **187 ab** Private Collection/The Bridgeman Art Library **188 a** Koninklijk Museum voor Schone Kunsten, Antwerp, Belgium/Giraudon/The Bridgeman Art Library **188 ab** Louvre, Paris, France/Lauros/Giraudon/The Bridgeman Art Library **189** Louvre, Paris, France/Giraudon/The Bridgeman Art Library **190** King's College, University of London, UK/The Bridgeman Art Library **192** Courtesy www.portrait.kaar.at **193** Vanni Archive/Corbis **194 a** Musee des Beaux-Arts, Rouen, France/Lauros/Giraudon/ The Bridgeman Art Library **194 ab** Louvre, Paris, France/Giraudon/The Bridgeman Art Library **195** Musee des Beaux-Arts, Rouen, France/Lauros/Giraudon/The Bridgeman Art Library **196** Hulton-Deutsch Collection/Corbis **197** Louvre, Paris, France/Giraudon/The Bridgeman Art Library **198** © Leeds Museums and Galleries (City Art Gallery) U.K/The Bridgeman Art Library **199** Louvre, Paris, France/Lauros/Giraudon/The Bridgeman Art Library **200** © Collection of the New-York Historical Society, USA/The Bridgeman Art Library **201** Private Collection/The Stapleton Collection/The Bridgeman Art Library **203** Private Collection/The Stapleton Collection/The Bridgeman Art Library **205** Burstein Collection/Corbis **206** Private Collection/The Stapleton Collection/The Bridgeman Art Library **207** akg-images **208 a** Musee Fabre, Montpellier, France/Giraudon/The Bridgeman Art Library **208 ab** Musee Fabre, Montpellier, France/Giraudon/The Bridgeman Art Library **209** Musee d'Orsay, Paris, France/The Bridgeman Art Library **210** Fogg Art Museum, Harvard University Art Museums, USA/Bequest of Grenville L. Winthrop/The Bridgeman Art Library **211** Hulton-Deutsch Collection/Corbis **212** Musee Gustave Moreau, Paris, France/Roger-Viollet, Paris/The Bridgeman Art Library **213** Bettmann/Corbis **214** Visual Arts Library (London)/Alamy **215** Chris Hellier/Corbis **216 a** © Birmingham Museums and Art Gallery/The Bridgeman Art Library **216 ab** ©The Barber Institute of Fine Arts, University of Birmingham/The Bridgeman Art Library **217** © Birmingham Museums and Art Gallery/The Bridgeman Art Library **218** © Walker Art Gallery, National Museums Liverpool/The Bridgeman Art Library **219** Musee d'Orsay, Paris, France/The Bridgeman Art Library **220** akg-images **221** Musee d'Orsay, Paris, France/Giraudon/The Bridgeman Art Library **222** t Private Collection/ Peter Willi/The Bridgeman Art Library **222 ab** The Gallery Collection/Corbis **223** The Gallery Collection/Corbis **224** © Samuel Courtauld Trust, Courtauld Institute of Art Gallery/The Bridgeman Art Library **225** Musee Conde, Chantilly, France, Giraudon/The Bridgeman Art Library **226 a** The Detroit Institute of Arts, USA/Gift of Henry Glover Stevens/The Bridgeman Art Library **226 ab** Musee d'Orsay, Paris, France/Giraudon/The Bridgeman Art Library **227 iz** © Yale Center for British Art, Paul Mellon Fund, USA/The Bridgeman Art Library **227 d** The Detroit Institute of Arts, USA/ Gift of Dexter M. Ferry Jr./The Bridgeman Art Library **228 a** Museu Calouste Gulbenkian, Lisbon, Portugal/Giraudon/The Bridgeman Art Library **228 ab** Art Gallery and Museum, Kelvingrove, Glasgow, Scotland/© Glasgow City Council (Museums)/The Bridgeman Art Library **229** Musee d'Orsay, Paris, France/The Bridgeman Art Library **230** Summerfield Press/Corbis **231** Bettmann/

Corbis **232** Galleria degli Uffizi, Florence, Italy/The Bridgeman Art Library **235** Musee d'Orsay, Paris, France/Giraudon/The Bridgeman Art Library **236 a** Neue Pinakothek, Munich, Germany/The Bridgeman Art Library **236 ab** Museu de Arte, Sao Paulo, Brazil/Giraudon/The Bridgeman Art Library **237** National Gallery Collection; By kind permission of the Trustees of the National Gallery, London/Corbis **238** The Gallery Collection/Corbis **239** Archives Larousse, Paris, France/Giraudon/The Bridgeman Art Library **240 a** Underwood & Underwood/Corbis **240 ab** Musee Rodin, Paris, France/Philippe Galard/The Bridgeman Art Library **241** Burrell Collection, Glasgow, Scotland/ © Glasgow City Council (Museums)/The Bridgeman Art Library **242 a** Private Collection/ Photo © Lefevre Fine Art Ltd., London/The Bridgeman Art Library **242 ab** Musee d'Orsay, Paris, France/Giraudon/The Bridgeman Art Library **243** The Gallery Collection/Corbis **244** Musee d'Orsay, Paris, France/Giraudon/The Bridgeman Art Library **246 a** Fogg Art Museum, Harvard University Art Museums, USA/ Bequest from the Collection of Maurice Wertheim, Class 1906/The Bridgeman Art Library **246 ab** Kunstmuseum, Winterthur, Switzerland/The Bridgeman Art Library **247** Phillips Collection, Washington DC, USA/The Bridgeman Art Library **248** Archives Larousse, Paris, France/The Bridgeman Art Library **249** akg-images **250** © 2004. Photo Nat. Portrait Gall. Smithsonian/Art Resource/Scala, Florence **251** National Academy Museum, New York, USA/The Bridgeman Art Library **253** Corbis **254 a** The Detroit Institute of Arts, USA/Gift of Robert H. Tannahill/The Bridgeman Art Library **254 ab** National Gallery of Scotland, Edinburgh, Scotland/The Bridgeman Art Library **255** © Samuel Courtauld Trust, Courtauld Institute of Art Gallery/The Bridgeman Art Library **256** Bettmann/Corbis **257 a** Van Gogh Museum, Amsterdam, The Netherlands/The Bridgeman Art Library **257 ab** Van Gogh Museum, Amsterdam, The Netherlands/The Bridgeman Art Library **259** Museum of Modern Art, New York, USA/The Bridgeman Art Library **260** Private Collection/Photo © Held Collection/The Bridgeman Art Library **263** National Gallery of Victoria, Melbourne, Australia/Purchased with Assistance of the Government of Victoria/The Bridgeman Art Library **264 a** Summerfield Press/Corbis **264 ab** Museum of Fine Arts, Boston, Massachusetts, USA/Gift of Mary Louisa Boit, Julia Overing Boit, Jane Hubbard/Boit and Florence D. Boit in memory of Edward Darley Boit/The Bridgeman Art Library **265** Geoffrey Clements/Corbis **266** State Library of New South Wales, Sydney, Australia/The Bridgeman Art Library **268** Hamburger Kunsthalle, Hamburg, Germany/The Bridgeman Art Library **269** © Museo Medardo Rosso, Barzio **270** akg-images **271 a** Art Institute of Chicago, IL, USA/The Bridgeman Art Library **271 ab** National Gallery, London, UK/The Bridgeman Art Library **272** akg-images **273** Hulton-Deutsch Collection/Corbis **274** Topfoto **275** akg-images **276 a** akg-images/ullstein bild **276 ab** akg-images/Erich Lessing **277** akg-images **279** akg-images/Erich Lessing. © Munch Museum/Munch - Ellingsen Group, BONO, Oslo/DACS, London 2008 **280** Hulton-Deutsch Collection/Corbis **281** Private Collection/ © Agnew's, London, UK/The Bridgeman Art Library **282** Statens Museum for Kunst, Copenhagen **284** Bettmann/Corbis **285** State Russian Museum, St. Petersburg, Russia/The Bridgeman Art Library. © ADAGP, Paris and DACS, London 2008 **287** akg-images **288** Private Collection/Photo © Bonhams, London, UK/The Bridgeman Art Library. © ADAGP, Paris and DACS, London 2008 **289** akg-images. © Care of The Bridgeman Art Library **290** Archivo Iconografico, S.A./Corbis. © ADAGP, Paris and DACS, London 2008 **291** © Vigeland Museum/BONO 2008 **292 a** Bettmann/Corbis **292 ab** © 2008. Digital Image, The Museum of Modern Art, New York/Scala, Florence. © Succession H Matisse/DACS 2008 **293** akg-images/Erich Lessing. © Succession H Matisse/DACS 2008 **295** akg-images. © Succession H Matisse/DACS 2008 **296** Alexander Turnbull Library, National Library of New Zealand **297** akg-images **298** Private Collection/The Bridgeman Art Library **299 a** Albright Knox Art Gallery, Buffalo, New York, USA/The Bridgeman Art Library. © DACS 2008 **299 ab** Moderna Museet, Stockholm, Sweden/Peter Willi/The Bridgeman Art Library. © DACS 2008 **300** Getty Images/Time & Life Pictures **301** Private Collection/Peter Willi/The Bridgeman Art Library **302** Joaquín Torres García. Manolita y Torres García en Bruselas, 1909 © Museo Torres García. www.torresgarcia.org.uy **303** Haags Gemeentemuseum, The Hague, Netherlands/The Bridgeman Art Library **304** Private Collection/The Bridgeman Art Library. © Estate of Gwen John. All Rights Reserved, DACS 2008 **305** Fitzwilliam Museum, University of Cambridge, UK/The Bridgeman Art Library. © Estate of Gwen John. All Rights Reserved, DACS 2008 **306** Courtesy of the Institut Valencia d'Art Modern, Valencia. Photograph by Rogi André **307** Corbis **308** Bradley Smith/ Corbis **310 a** akg-images **310 ab** © 2008. Digital Image, The Museum of Modern Art, New York/Scala, Florence **311** akg-images **312 a** Michael Nicholson/Corbis **312 ab** Rote u. weisse Kuppeln, 1914,45. Watercolour and gouache on paper on cardboard, 14.6 x 13.7 cm. Kunstsammlung Nordrhein-Westfalen, Düsseldorf. Blauel/Gnamm - Artothek. © DACS 2008 **313** Ad Parnassum, 1932,274. Oil and casein paint on canvas, original frame, 100 x 126 cm. Kunstmuseum Bern, Dauerleihgabe des Vereins der Freunde des Kunstmuseums Bern. Alinari Archives/Corbis. © DACS 2008 **315** Private Collection/Lauros/Giraudon/The Bridgeman Art Library. © ADAGP, Paris and DACS, London 2008 **316** akg-images **317** Private Collection/The Bridgeman Art Library. © by Ingeborg & Dr Wolfgang Henze-Ketterer, Wichtrach/Bern **318** Private Collection/ Giraudon/The Bridgeman Art Library. © ADAGP, Paris and DACS, London 2008 **319** Getty Images/Arnold Newman Collection **320 a** Bettmann/Corbis. © ADAGP, Paris and DACS, London 2008 **320 ab** Geoffrey Clements/Corbis. © ADAGP, Paris and DACS, London 2008 **321** Francis G. Mayer/Corbis. © ADAGP, Paris and DACS, London 2008 **322 a** Bettmann/Corbis **322 ab** © 2008. Digital Image, The Museum of Modern Art, New York/Scala, Florence. © Succession Picasso/DACS 2008 **323** Archivo Iconografico, S.A./Corbis. © Succession Picasso/DACS 2008 **325** Francis G. Mayer/Corbis. © Succession Picasso/DACS 2008 **326** Alinari Archives/Corbis **327** Oscar White/Corbis **328 a** Bettmann/Corbis **328 ab** © Photo SCALA, Florence. © ADAGP, Paris and DACS, London 2008 **329** © 2008. Digital Image, The Museum of Modern Art, New York/Scala, Florence. © ADAGP, Paris and DACS, London 2008 **330 a** Bettmann/Corbis **330 ab** © 2008. Digital Image, The Museum of Modern Art, New York/Scala, Florence **331** Francis G. Mayer/Corbis **333** Bettmann/Corbis **334** Graphische Sammlung, Kassel, Germany/ © Museumslandschaft Hessen Kassel/ Arno Hensmanns/The Bridgeman Art Library. © DACS 2008 **335** Museu de Arte, Sao Paulo, Brazil/ Giraudon/The Bridgeman Art Library **336 a** On Loan to the Hamburg Kunsthalle, Hamburg, Germany/The Bridgeman Art Library. © DACS 2008 **336 ab** © 2005. Photo Scala, Florence/Bildarchiv Preussischer Kulturbesitz, Berlin. © DACS 2008 **337** Geoffrey Clements/Corbis. © DACS 2008 **338** Courtesy of Roger Boulet **339** © 2008. Photo Scala, Florence/Bildarchiv Preussischer Kulturbesitz, Berlin. © DACS 2008 **340** © L & M SERVICES B. V. The Hague 20080211 **341** © 1990. Photo Scala, Florence © L & M SERVICES B. V. The Hague 20080211 **342 a** Bettmann/Corbis **342 ab** © 2008. Photo Art Resource/Scala, Florence. © 2008, Banco de Mexico Diego Rivera & Frida Kahlo Museums Trust, Mexico D.F./DACS **343** © 2005. Photo Art Resource/Scala, Florence. © 2008, Banco de Mexico Diego Rivera & Frida Kahlo Museums Trust, Mexico D.F./DACS **344** Burstein Collection/Corbis **345** Metropolitan Museum of Art, New York, USA/The Bridgeman Art Library **346** Hulton-Deutsch Collection/Corbis **347** © 2008. Digital Image, The Museum of Modern Art, New York/Scala, Florence. © ARS, NY and DACS, London 2008 **348** Hollaend/Keystone/Corbis **349 a** akg-images/ Denise Bellon **349 ab** Louise & Walter Annenberg Coll., Philadelphia, PA, USA/The Bridgeman Art Library. © Succession Marcel Duchamp/ADAGP, Paris and DACS, London 2008 **350** Burstein Collection/Corbis. © Succession Marcel Duchamp/ADAGP, Paris and DACS, London 2008 **351** © 2008. Digital Image, The Museum of Modern Art, New York/Scala, Florence. © Succession Marcel Duchamp/ADAGP, Paris and DACS, London 2008 **352 a** Pierre Vauthey/Corbis Sygma **352 ab** © 2008. Digital Image, The Museum of Modern Art, New York/Scala, Florence. © ADAGP, Paris and DACS, London 2008 **353** Araldo de Luca/Corbis. © ADAGP, Paris and DACS, London 2008 **354** Bettmann/Corbis **355** Topfoto **356 a** Hulton-Deutsch Collection/Corbis **356 ab** © 2008. Digital Image, The Museum of Modern Art, New York/Scala, Florence. © DACS 2008 **357** © 1990. Photo Scala. © DACS 2008 **359** Hulton-Deutsch Collection/Corbis **360 a** Getty Images **360 ab** Osterreichische Galerie Belvedere, Vienna, Austria/The Bridgeman Art Library **361** The Gallery Collection/Corbis **362** © 2008. Digital Image, The Museum of Modern Art, New York/Scala, Florence. © DACS 2008 **363** © 1999. Photo Scala, Florence. © DACS 2008 **364 a** Hulton-Deutsch Collection/Corbis **364 ab** © 2008. Digital Image, The Museum of Modern Art, New York/Scala, Florence. © Man Ray Trust/ADAGP, Paris and DACS, London 2008 **365** I © 2007. BI, ADAGP, Paris/Scala, Florence. © Man Ray Trust/ADAGP, Paris and DACS, London 2008 **365 d** Private Collection/ The Bridgeman Art Library. © Man Ray Trust/ADAGP, Paris and DACS, London 2008 **366** Getty Images **367** State Art Gallery, Tchelyabinsk, Russia/ The Bridgeman Art Library **368** Hulton-Deutsch Collection/Corbis **369** © Imperial War Museum, London, UK/ The Bridgeman Art. **370** The Detroit Institute of Arts, USA/ Gift of Robert H. Tannahill/ The Bridgeman Art Library. © DACS 2008 **371** John Swope Collection/Corbis **372 a** Bettmann/Corbis **372 ab** Tate, London 2008. © ADAGP, Paris and DACS, London 2008 **373** Wadsworth Atheneum Museum of Art, Hartford, CT. The Ella Gallup Sumner and Mary Catlin Sumner Collection Fund. © ADAGP, Paris and DACS, London 2008 **374** Collection of the Figge Art Museum. © Estate of Grant Wood/DACS, London/VAGA, New York 2008 **375** Burstein Collection/Corbis. © ADAGP, Paris and DACS, London 2008 **376** Galerie Nierendorf, Berlin, Germany/Alinari/The Bridgeman Art Library. © DACS 2008 **377** Tate, London 2008. © DACS 2008 **378** Jim Sugar/Corbis **379** Jonathan Blair/Corbis **380** Magyar Nemzeti Galeria, Budapest, Hungary/The Bridgeman Art Library. © Hattula Moholy-Nagy/DACS 2008 **381** Christie's Images **382** Farrell Grehan/Corbis **383** Marianne Haas/Corbis **384** Courtesy Christopher Buckland-Wright **385 a** akg-images **385 ab** © 2008. Digital Image, The Museum of Modern Art, New York/Scala, Florence. © ADAGP, Paris and DACS, London 2008 **387** akg-images. © ADAGP, Paris and DACS, London 2008 **388** akg-images **389** akg-images **390** David Lees/Corbis **391** © 1990. Photo Scala, Florence. Reproduced by permission of the Henry Moore Foundation **393** Photograph by Archivo Arici/Grazia Neri, Camera Press London **394** akg-images **395** Bettmann/Corbis **396** akg-images/Denise Bellon **397** Paul Almasy/Corbis. © ADAGP, Paris and DACS, London 2008 **399** Getty Images **400** Bettmann/Corbis **401** Christie's Images/Corbis. © 1998 Kate Rothko Prizel & Christopher Rothko ARS, NY and DACS, London 2008 **403 a** Getty Images **403 ab** Francis G. Mayer/Corbis. © ADAGP, Paris and DACS, London 2008 **405** Albright-Knox Art Gallery/Corbis. © ADAGP, Paris and DACS, London 2008 **406** © 2008. BI, ADAGP, Paris/Scala, Florence. © ADAGP, Paris and DACS, London 2008 **407** akg-images/Marion Kalter **408 a** © 2008. Photo Scala, Florence/Bildarchiv Preussischer Kulturbesitz, Berlin **408 ab** © 2008. Digital Image, The Museum of Modern Art, New York/Scala, Florence. © Salvador Dali, Gala-Salvador Dali Foundation, DACS, London 2008 **409** akg-images. © Salvador Dali, Gala-Salvador Dali Foundation, DACS, London 2008 **410 a** Christopher Felver/Corbis **410 ab** Francis G. Mayer/Corbis. © The Willem de Kooning Foundation, New York/ARS, NY and DACS, London 2008 **411** Museum of Modern Art, New York, USA/Giraudon/The Bridgeman Art Library. © The Willem de Kooning Foundation, New York/ARS, NY and DACS, London 2008 **412 a** Getty Images **412 ab** © 2008. Digital Image, The Museum of Modern Art, New York/Scala, Florence. © ARS, NY and DACS, London 2008 **413** © 2008. Digital Image, The Museum of Modern Art, New York/Scala, Florence. © ARS, NY and DACS, London 2008 **414 a** Courtesy of the Miscellaneous photograph collection, Archives of American Art, Smithsonian Institution **414 ab** Private Collection/The Bridgeman Art Library. © Estate of David Smith/DACS, London/VAGA, New York 2008 **415** Burstein Collection/Corbis. © Estate of David Smith/DACS, London/VAGA, New York 2008 **416 a** Courtesy of the Florence Arquin papers, 1923-1985, Archives of American Art, Smithsonian Institution **416 ab** © 2004. Photo Art Resource/Scala, Florence. © 2008, Banco de Mexico Diego Rivera & Frida Kahlo Museums Trust, Mexico D.F./DACS **417** © 2003. Photo Art Resource/Scala, Florence. © 2008, Banco de Mexico Diego Rivera & Frida Kahlo Museums Trust, Mexico D.F./DACS **418** Getty Images **419** Nogues Alain/Corbis Sygma **420** Private Collection/ © Piano Nobile Fine Paintings, London/The Bridgeman Art Library. © The estate of the artist **421** Private Collection/The Bridgeman Art Library. © ADAGP, Paris and DACS, London 2008 **422** Genevieve Naylor/Corbis **424** Hulton-Deutsch Collection/Corbis **425** © 1990. Photo Scala, Florence. © Estate of Francis Bacon. All rights reserved, DACS 2008 **426 a** Getty Images. © ARS, NY and DACS, London 2008 **426 ab** North Carolina Museum of Art/Corbis. © ARS, NY and DACS, London 2008 **427** INTERFOTO Pressebildagentur /Alamy. © ARS, NY and DACS, London 2008 **428** Getty Images **429** Private Collection/The Bridgeman Art Library. © ADAGP, Paris and DACS, London 2008 **430** DiMaggio/Kalish/Corbis **431** Courtesy of the Romare Bearden papers, 1937-1982, Archives of American Art, Smithsonian Institution **432** Christopher Felver/Corbis **433** Getty Images **434 a** Getty Images **434 ab** Kipa/Corbis. © ARS, NY and DACS, London 2008 **435** Albright-Knox Art Gallery/Corbis. © ARS, NY and DACS, London 2008 **436** © 2008. Digital Image, The Museum of Modern Art, New York/Scala, Florence. © ARS, NY and DACS, London 2008 **437** Courtesy of the Miscellaneous Photograph collection, Archives of American Art, Smithsonian Institution. **439** Getty Images **440** Getty Images **441** akg-images **442** Getty Images **443** Richard Schulman/Corbis **444** Reuters/Corbis **445** Ex-Edward James Foundation, Sussex, UK/The Bridgeman Art Library. © ARS, NY and DACS, London 2008 **446** Private Collection/The Bridgeman Art Library. © Royal College of Art **447** Art Gallery of New South Wales, Sydney, Australia/Funds provided by the Art Gallery Society of New South Wales/The Bridgeman Art Library **449** Ed Kashi/Corbis **450** Courtesy The Estate of Patrick Heron **451** Tate, London 2008. © The Estate of Patrick Heron. All rights reserved, DACS 2008 **452** Getty Images **453 a** akg-images/Niklaus Stauss **453 ab** Christie's Images/Corbis. © DACS 2008 **455** © 2008. Digital Image, The Museum of Modern Art, New York/Scala, Florence. © DACS 2008 **456 a** Hulton-Deutsch Collection/Corbis **456 ab** Private Collection/The Bridgeman Art Library **457** Private Collection/The Bridgeman Art Library **458 a** Christopher Felver/Corbis **458 ab** © Photo Philadelphia Museum of Art/Art Resource/Scala, Florence. The Estate of Richard Diebenkorn **459** Albright-Knox Art Gallery/Corbis. The Estate of Richard Diebenkorn **460** Frank

AGRADECIMIENTOS

Quintessence quisiera agradecer a las siguientes personas su ayuda en la preparación de este libro:

Rob Dimery

Phil Hall

David Hutter

Agradecimientos del editor

Stephen Farthing quisiera dar las gracias a Randy Lerner por su apoyo y asesoramiento.